GRONWY DDIAFAEL, GRONWY DDU

Cofiant Goronwy Owen
1723–1769

GRONWY DDIAFAEL, GRONWY DDU

Cofiant Goronwy Owen
1723–1769

Alan Llwyd

Cyhoeddiadau Barddas

'Codwch, da chwitheu, yn foreuach o un chwarter awr, a dodwch i mi dipyn o hanes Llewelyn a Goronwy, dau arwr hynod o'r ddinas yna. Nid wyf yn ammeu pe sgrifennai rywun stori oi holl helyntion au bucheddau, na byddai ddigon digrif.'

The Letters of Lewis, Richard, William and John Morris, of Anglesey (Morrisiaid Môn) 1728–1765, Gol. J. H. Davies, cyf. I, 1907, llythyr CCXXXV, William Morris at Richard Morris, o Gaergybi, Mehefin 2, 1755, t. 349.

> Gronwy ddiafael, Gronwy Ddu,
> Tragywydd giwrat Cymru Fu!
> Cest yn dy glustiau fwy o glod
> Nag o geiniogau yn dy god.

'Cymry Gŵyl Ddewi', R. Williams Parry, *Cerddi'r Gaeaf*, 1952, t. 58.

Argraffiad cyntaf: 1997
(h) Alan Llwyd

ISBN 1 900437 08 2

Y mae Cyhoeddiadau Barddas yn gweithio gyda chefnogaeth ariannol Cyngor Celfyddydau Cymru, a chyhoeddwyd y gyfrol hon gyda chymorth y Cyngor.

Dymuna'r cyhoeddwyr gydnabod hefyd y rhodd o £1000 a gafwyd gan Bwyllgor Cyhoeddi Coleg y Drindod, Caerfyrddin, tuag at gostau argraffu'r gyfrol hon.

Cydnabyddir yn ogystal gefnogaeth ariannol Cyngor Sir Ynys Môn a Chronfa'r Degwm.

Cyhoeddwyd gan Gyhoeddiadau Barddas
Argraffwyd gan Wasg Dinefwr, Llandybïe

CYNNWYS

RHAGAIR

Bum mlynedd yn ôl, wedi i mi gwblhau'r sgript ar gyfer y ffilm *Hedd Wyn*, ond cyn i'r ffilm ei hun gael ei chwblhau a'i dangos, cyflwynais i S4C y syniad o lunio ffilm am Goronwy Owen. Dangoswyd diddordeb yn y syniad, a chefais gytundeb datblygu gan S4C, a swm o arian ar gyfer yr ymchwil. Dyna oedd man cychwyn y llyfr hwn. Ar ôl cwblhau'r ymchwil ar Hedd Wyn a llunio'r sgript y penderfynais lunio *Gwae Fi fy Myw: Cofiant Hedd Wyn*, a gyhoeddwyd ym 1991, ond 'roedd llunio cofiant i Goronwy Owen, yn ogystal â sgript ffilm, yn fwriad gen i o'r cychwyn cyntaf. Bellach, dyma'r cofiant hwnnw wedi'i gwblhau, ffrwyth pum mlynedd o ymchwilio manwl a llafurus. Mae stori Goronwy Owen yn stori gymhleth iawn, ac 'roedd y defnyddiau arno ar wasgar mewn tair gwlad. 'Roedd yn rhaid i mi gael trefn ar y tryblith, a bod yn hollol gyfarwydd â hanes Goronwy, cyn y gallwn ddechrau ar y gwaith o sgriptio. 'Roedd yn rhaid i mi ddod yn gyfarwydd iawn â Goronwy a'i gyfnod, ei lên a'i linach, ei gyfoedion a'i gyfeillion.

Yn anffodus, er i mi hysbysu S4C fod yr ymchwil ar ben a'r cofiant ar fin ymddangos, ni chefais fy annog na'm gwahodd i gymryd y cam nesaf yn y broses o greu ffilm, sef troi'r ymchwil yn sgript, ddim hyd yma, beth bynnag, a rhaid i mi gyfaddef i hynny fod yn siom ac yn syfrdandod, yn enwedig ar ôl y llwyddiant mawr a gafodd y ffilm *Hedd Wyn*. Mae stori Goronwy yn ei hanfod yn gryfach stori na stori Hedd Wyn, hynny yw, y mae'r stori wreiddiol yn llawer mwy cyffrous a dramatig na stori wreiddiol Hedd Wyn, cyn i rywun hyd yn oed ddechrau rhoi'r dychymyg ar waith, a chryfhau'r elfen ddramatig yn y stori wrth ei sgriptio ar gyfer y sgrîn. Ar ben hynny, mae rhan olaf y stori yn uniongyrchol gysylltiedig ag America. Ar un ystyr, mae blynyddoedd mwyaf ffurfiannol a thynged-fennol America yn rhan o'r stori, a stori Goronwy yw hanes America. Mae Goronwy yn gynrychioliadol o'r arloeswyr cynnar hynny a adawodd wledydd Prydain i ymsefydlu yn y wlad newydd. Gobeithio y bydd S4C yn sylweddoli rywbryd, fel yr ydw i wedi sylweddoli ers blynyddoedd, ac yn union fel y sylweddolais hynny gyda Hedd Wyn, fod deunydd ffilm arbennig iawn yn hanes Goronwy, ffilm a allai ddwyn sylw rhyngwladol i S4C unwaith yn rhagor, ond mae'n amheus gen i a wneir y ffilm bellach, yn y drefn sydd ohoni. Fodd bynnag, mae'n rhaid i mi gydnabod fy nyled i S4C am roi man cychwyn i'r cofiant hwn. Heb yr hwb cychwynnol hwnnw, ni fyddai cofiant ohoni.

Mae fy nyled yn fawr i nifer o bobl. Gwnaeth Elwyn Edwards sawl cymwynas â mi, ac anfonodd lawer o ddeunydd ataf ar fy nghais. Derbyniais lawer o wybodaeth am Fôn gan Dewi Jones, Benllech, yn ogystal â nifer o luniau a gynhwysir yn y gyfrol hon. Anfonodd Huw Walters, Llyfrgell Genedlaethol Cymru, lungopïau o nifer o ysgrifau pwysig a phenodau allan o lyfrau ataf, a gwnaeth sawl cymwynas arall hefyd, a dymunaf ddiolch yn ogystal i'w gydweithreg, Mary Davies, Archifydd Cynorthwyol Adran Llawysgrifau a Chofysgrifau'r Llyfrgell Genedlaethol, am gymorth. Diolch hefyd i Derwyn Jones,

Mochdre, Bae Colwyn, am anfon defnyddiau gwerthfawr iawn ataf. Anfonodd James Nicholas luniau diddorol ataf, a llawer o ddiolch iddo yntau hefyd; cynhwysir rhai o'r lluniau hynny yn y gyfrol. Diolch i Dr Hywel M. Davies, Aberystwyth, am dynnu fy sylw at ddogfen ddychanol *Tim Pastime*, a oedd newydd ei darganfod pan gysylltodd â mi yn ei chylch, ac am ddod i'm cartref i drafod cynnwys y ddogfen gyda mi. Derbyniais ddefnyddiau a gwybodaeth gan nifer o bobl eraill hefyd, ac 'rydw i'n ddyledus i'r canlynol: y Canon T. J. Prichard, Llangwnnadl, Llŷn, am wybodaeth ynghylch Ysgol Ramadeg Pwllheli; Peter Wilson Coldham, awdur *Emigrants in Chains*, am wybodaeth am y llong a gludodd Goronwy i Virginia, ac i'r Fns J. M. Wraight, o'r Ganolfan Wybodaeth Forwriaethol yn yr Amgueddfa Forwriaethol Genedlaethol yn Llundain, hefyd am wybodaeth am y *Tryal*; Dr Dafydd Evan Morris, am beth gwybodaeth feddygol arbenigol; Mrs Barbara B. Safford, Flat Rock, Gogledd Carolina, un o ddisgynyddion llinach Goronwy Owen yn America, am lawer o wybodaeth deuluol; Mr William Griffiths, aelod o Sefydliad Cenedlaethol Cymru-America, am ambell gyfeiriad; Elizabeth M. Gushee, Llyfrgellwraig Gynorthwyol Cymdeithas Hanes Virginia, am fy rhoi ar sawl trywydd; a Sharon Garrison, Archifydd Cynorthwyol Llyfrgell Earl Gregg Swem, Coleg William a Mary, Williamsburg, am ambell gyfeiriad. Yn olaf, hoffwn ddiolch i'r Parchedig Dafydd Wyn Wiliam, arbenigwr ar y Morrisiaid, am ddarllen y cofiant cyn ei gyhoeddi, ac am roi sêl ei fendith ar y gwaith.

Defnyddiais destun safonol A. Cynfael Lake, golygydd *Blodeugerdd Barddas o Ganu Caeth y Ddeunawfed Ganrif*, wrth ddyfynnu barddoniaeth Goronwy, ond golygais y cerddi nas ceir yn netholiad Cynfael Lake fy hun. Dyfynnais o lythyrau Goronwy a'r Morrisiaid yn union fel y ceir y dyfyniadau hynny yn y cyhoeddiadau safonol, air am air, gan gynnwys y camsillafiadau a'r gwallau gwreiddiol. Sicrheais gywirdeb y dyfyniadau hyn sawl tro, a gwallau yn y gwreiddiol, nid gwallau y gellir eu priodoli i ddiffyg gofal ar fy rhan i, yw'r gwallau a welir.

Penderfynais beidio â chynnwys Llyfryddiaeth ar ddiwedd y llyfr, gan y byddai llyfryddiaeth o'r fath yn llyncu llawer o dudalennau, hyd at hanner cant yn rhwydd, ac mae costau cynhyrchu'r cofiant hwn yn ddigon uchel eisoes. Er i mi ddarllen llawer mwy o lyfrau ac o gylchgronau nag a restrir fel ffynonellau yn y troednodiadau, mae'r prif ffynonellau a'r prif gyfeiriadau wedi eu rhestru i gyd yn y troednodiadau hynny.

Hoffwn ddiolch, cyn terfynu, i Marian Delyth am lunio'r clawr, ac i staff Gwasg Dinefwr am eu gwaith glân a graenus arferol. 'Rydw i'n ddyledus hefyd i Dr Medwin Hughes, Coleg y Drindod, Caerfyrddin, am ddangos diddordeb mawr yn y cofiant hwn, ac am drefnu cyfraniad o £1000, o gronfa Pwyllgor Cyhoeddi Coleg y Drindod, tuag at gostau cyhoeddi'r gyfrol.

Alan Llwyd
Ebrill 1997

BYRFODDAU

ALMA: *Additional Letters of the Morrises of Anglesey (1735–1786)*, Golygydd: Huw Owen, cyf. 1 (1947), cyf. 2 (1949)

BBCS: *Bulletin of the Board of Celtic Studies*

C.P.G.C.:   Llawysgrifau Coleg Prifysgol Gogledd Cymru, Bangor

LGO: *The Letters of Goronwy Owen*, Golygydd: J. H. Davies, 1924

ML: *The Letters of Lewis, Richard, William and John Morris, of Anglesey (Morrisiaid Môn) 1728–1765*, Golygydd: J. H. Davies, cyf. I (1907), cyf. II (1909)

TCHNM: Trafodion Cymdeithas Hynafiaethwyr a Naturiaethwyr Môn

TCHSDd: Trafodion Cymdeithas Hanes Sir Ddinbych

THSC: *Transactions of the Honourable Society of Cymmrodorion* (Trafodion Anrhydeddus Gymdeithas y Cymmrodorion)

W & M: *William & Mary College Quarterly*

PENNOD 1

'Y Lle Bûm yn Gware Gynt'

Môn, Pwllheli, Bangor a Rhydychen

1723–1742

'Doedd dim modd iddo gael ei eni ar unrhyw ddiwrnod arall ond ar ddydd Calan. Dydd cyntaf y flwyddyn yn unig a weddai i groesawu'r un a oedd wedi'i dynghedu i fod yn fardd caeth mwyaf blaenllaw ei ganrif; ac er nad yn Y Dafarn Goch y'i ganed, yno y magwyd ef, a hynny ym mhlwyf Llanfair Mathafarn Eithaf ym Môn. 'Roedd tafarnau o'i amgylch o'r dechrau, ac nid oedd fferm Pentre-eiriannell ar gyrion traeth Dulas, cartref y Morrisiaid – Lewis, Richard a William – ond ychydig filltiroedd i ffwrdd; ac ym mhlwyf Llanfihangel Tre'r-beirdd yr oedd gwreiddiau'r brodyr. 'Roedd stori a thrasiedi Goronwy Owen yn ei eni ac ym mro'i fagwraeth. Er mai ar ddechrau blwyddyn y ganed Goronwy, achubodd Lewis y blaen arno, gan mai ar ddechrau canrif, i bob pwrpas, y'i ganed ef. Blwyddyn o ddyn oedd Goronwy, ond canrif o ŵr oedd Lewis; neu o leiaf fel yna y byddai Lewis yn gweld pethau o safbwynt statws a phwysigrwydd cymdeithasol a chefndirol. Tra oedd traed Lewis yn gadarn ar un o ffyn canol yr ysgol gymdeithasol, prin gyffwrdd â ffon isaf yr ysgol honno a wnâi traed Goronwy, a bu'i draed yn llithro ar y ffon honno drwy gydol ei oes.

Ganed Goronwy Owen ar ddydd Mawrth, Ionawr 1, 1723, ar Y Rhos-fawr, ardal Bryn-teg erbyn hyn, yn ymyl y ffordd fawr rhwng Pentraeth a Llannerch-y-medd, ym mhlwyf Llanfair Mathafarn Eithaf yng ngogledd-ddwyrain Môn. Fe'i bedyddiwyd ar ddydd ei enedigaeth, yn ôl un o ddefodau mwyaf cyffredin yr oes,[1] yn enwedig os oedd y newydd-anedig yn faban musgrell, a'r rhieni yn ofni y gallai farw heb fedydd Cristion.

---

[1] 'Gronovius filius Audoeni Gronw & Jane uxoris baptizatus est Prima Januarii, 1722-3', yn llaw Robt. Edwards, y clerc. Gweler 'Goronwy Owen', I, Thomas Shankland, *Y Beirniad*, cyf. IV, rhif 1, Gwanwyn 1914, t. 10. Cf. y drwydded hon ymhlith papurau ordeinio Goronwy yn offeiriad yng nghofnodion Esgobaeth Llanelwy: 'This is to certify whom it may concern that Gronow son of Owen Gronow and Jane his wife was baptized the first day of Jan[ry] 1722-3 as taken out of the Register of Llanvair y Mathavarn Eitha, by us. HENRY PARRY *Min.* JOHN THOMAS/ JOHN PARRY *Wardens*'. Gweler 'Goronwy Owen', I, t. 10, a *St. Asaph Dioc. Rec.*, Chwefror 8, 1746 – 1747, C.P.G.C. Shankland 67, t. 34.

Mae'n sicr mai dyna pam y bedyddiwyd Goronwy ar ddydd ei eni, yn enwedig o gofio iddo'i ddisgrifio'i hun fel 'baban gwan, gwecry'. Arferid credu mai mewn tyddyn o'r enw Y Dafarn Goch y ganed Goronwy, ond mae tystiolaeth y bardd ei hun yn gwrthbrofi hynny. Mae'n bendant mai ym mhlwyf Llanfair Mathafarn Eithaf y ganed Goronwy, oherwydd iddo ddweud ei hun: 'born in the parish of Llanfair Mathafarn Eithaf';[2] y 'plwyf lle'm ganesid ac y'm magesid,' meddai mewn llythyr arall.[3] Cartref taid Goronwy, Gronw Owen, neu 'yr Hen Ronw', oedd Y Dafarn Goch pan aned y bardd, a bu'r tyddyn yn gartref i linach ei dad ers pedair cenhedlaeth o leiaf. Soniodd Goronwy yn ei lythyr at Richard Morris ym mis Mai 1756 am yr anghydfod a oedd wedi codi ynghylch Y Dafarn Goch, wedi i Goronwy ei hun dderbyn llythyr oddi wrth[4]

> ... Robert Owen, Gŵr fy modryb Agnes Gronw, ac yn rhoi hanes o ryw heldrin rhwng Procatorion Llanfair a f'Ewythr Rhobert Gronw, ynghylch yr hên Dŷ, lle ganed fy Nhâd, a'm Taid, a'm Hêndaid, a'm Gorhendaid, &c. &c., a phed fawn yno, myfi a rown ben ar yr ymryson, oblegid fi y piau'r Tŷ, a'r Gerddi, ac oll sy'n perthyn iddo, er na waeth genyf mo'r llawer pe caai'r cigfrain ef ...

Gan nad yw'n crybwyll iddo ef ei hun gael ei eni yn Y Dafarn Goch, mae'n amlwg nad yno y ganed y bardd.

Mae union leoliad y tŷ lle ganed Goronwy wedi achosi cryn benbleth erioed. 'Roedd un traddodiad lleol yn mynnu mai mewn tyddyn a berthynai i ystâd Bodewryd, o'r enw Tan-dinas, y gwelodd olau dydd am y tro cyntaf; ond hwn oedd y 'Tyddyn in Rhosfawr' a oedd yn gartref i ŵr o'r enw Rowland Hughes ym 1734, ac ym 1678 a 1722, gelwid y tyddyn yn Dyddyn Lewis Prees Lewis, ac mae'n debyg mai gŵr o'r enw Evan Thomas Roger a'i wraig a breswyliai yno ym 1723, sef blwyddyn geni Goronwy; felly, 'doedd dim cysylltiad rhwng y tyddyn a theulu Goronwy ar drothwy'r ddeunawfed ganrif nac ar ddechrau'r ganrif honno. Rowland Hughes oedd tenant Tan-dinas ym 1734, y flwyddyn y bu farw yr Hen Ronw, taid Goronwy Owen, ac nid Owen Gronw, ei dad.[5]

'Roedd Y Dafarn Goch ei hun wedi'i lleoli ar fin chwarel maen melinau. Mae'n bosib mai tafarn ar gyfer y chwarelwyr oedd Y Dafarn Goch ar un adeg. Mae'n debyg mai'r clai coch a geid yn y ceudod rhwng muriau cerrig yr adeilad gwreiddiol a ychwanegodd yr ansoddair. Efallai mai cynnyrch y gymdeithas fechan honno o chwarelwyr oedd Y Dafarn Goch wreiddiol, yn union fel 'roedd y clwstwr o fythynnod bychain a elwid Gibraltar, ac a godwyd yn ymyl Y Dafarn Goch, oddeutu 1700 efallai, yn gartrefi i weith-wyr y chwarel unwaith. Yn ôl F. A. Barnes:[6]

---

[2] *LGO*, llythyr I, at Owen Meyrick, Medi 1741, t. 2.

[3] Ibid., llythyr VI, at Richard, o Donnington, Mehefin 22, 1752, t. 10.

[4] Ibid., llythyr LXVI, at Richard, o Northolt, Mai 20, 1756, tt. 173-174.

[5] Gw. 'Goronwy Owen, Y Dafarn Goch and Gibraltar', F. A. Barnes, *TCHNM*, 1987, tt. 45-50.

[6] Ibid., t. 58.

The Rhosfawr quarry, together with another in Llanbedr-goch, near to Castell, produced the best Anglesey stones and had a flourishing export trade at times, especially to the Chester area and Ireland as well as mainland Wales. Rhosfawr was included in all quarry lists in the sixteenth and seventeenth centuries. Millstone production was therefore a regular industry, likely to support a small but stable labour force at the leading quarries, and associated with permanent settlement of quarry workers near to the quarries.

Awgrymwyd gan F. A. Barnes mai yn un o dri bwthyn Gibraltar y ganed Goronwy, ond 'does yr un o'r tri ar ei sefyll erbyn hyn. Dymchwelwyd y tri ym 1830. Dymchwelwyd Y Dafarn Goch wreiddiol yn ogystal, ond fe'i hailadeiladwyd ar ddechrau'r bedwaredd ganrif ar bymtheg, ac yn absenoldeb unrhyw fan geni pendant i Goronwy, bu'r ail Dafarn Goch yn gyrchfan cenedlaethau o bererinion llenyddol.

O'r dechrau'n deg, 'roedd cysylltiad agos rhwng teulu Goronwy a theulu'r Morrisiaid. Ym 1707, gadawodd Morris Prichard a Marged ei briod aelwyd Y Fferam ym mhlwyf Llanfihangel Tre'r-beirdd i fynd i'w cartref newydd ym mhlwyf cyfagos Penrhosllugwy, ffermdy o'r enw Pentre-eiriannell ar gyrion traeth Dulas. 'Roedd pedwar o blant gan Morris Prichard a Marged Morris ar y pryd. Lewis, a aned ym 1701, a Richard, a aned ddwy flynedd yn ddiweddarach, oedd y ddau hynaf. 'Roedd William, y trydydd brawd, yn ddwyflwydd a hanner oed adeg a mudo, a John yn faban deufis. Cyn symud i'r Fferam, bu Morris Prichard a'i wraig yn byw gyda mam Morris, Marged arall, mewn tyddyn o'r enw Tyddyn Melys, gerllaw eglwys blwyf Llanfihangel Tre'r-beirdd. Yno, mae'n debyg, y ganed Lewis. Ganed Richard a'r ddau frawd arall yn Y Fferam. Ar ôl symud i Bentre-eiriannell, ganed un plentyn arall i Morris Prichard a'i briod, merch y tro hwn, sef Elin, a aned ym 1709. Un o feibion yr Elin hon oedd John (neu Siôn) Owen, cymeriad pwysig arall yn stori Goronwy Owen.[7] Ac eithrio John Morris, a aeth i'r môr yn ifanc, a marw'n 34 oed ar fwrdd llong ryfel yn y cyrch yn erbyn Cartagena yn Sbaen, 'roedd y teulu wedi'i dynghedu i chwarae rhan allweddol yn hanes bywyd Goronwy Owen.

A dyna'r prif gymeriadau wedi eu sefydlu. Teulu gweddol gefnog, yn ôl safonau'r oes, oedd teulu Pentre-eiriannell. Enillai Morris Prichard ei damaid fel saer a chowper, i ddechrau, ac wedyn fel amaethwr a masnachwr coed. Cyflogai nifer o weision i drin y tir, a lletyai rhai o'r rhain yn y tai a'r bythynnod a berthynai i Bentre-eiriannell. Bu Jane Parry, mam Goronwy, a hithau'n frodor o blwyf Llandyfrydog, y plwyf agosaf i Benrhosllugwy, yn forwyn i Morris Prichard a Marged ei wraig ac yn famaeth i'r tri bachgen hynaf, a chadwyd yr hen gyfeillgarwch gynt rhwng Marged a Jane Parry ar ôl i Jane ei hun briodi a dechrau magu teulu. Arferai Goronwy fynd gyda'i fam yn blentyn i Bentre-eiriannell i ymweld â Marged Morris. 'Roedd y pedwar brawd wedi gadael y nyth erbyn i Goronwy godi'n chwech oed: Lewis wedi ymgartrefu yng Nghaergybi ers

---

[7] Am gefndir y Morrisiaid, gw. *Cofiant William Morris (1705-63)*, Dafydd Wyn Wiliam, 1995, yn enwedig y bennod gyntaf, 'Bore Oes'.

1729, ar ôl iddo gael ei benodi'n swyddog yn y dollfa yng Nghaergybi, ac wedi iddo briodi ei wraig gyntaf, Elizabeth Griffith, yn yr un flwyddyn; Richard yn Llundain ers tua 1722, lle bu'n gweithio fel cyfrifydd am blwc cyn ei benodi'n glerc yn Swyddfa'r Llynges ym 1729; William yn Lerpwl ers 1726, lle bu am ddeng mlynedd yn gweithio fel gwas i fasnachwr llwyddiannus yn y dref, a pherthynas iddo, gŵr o'r enw Owen Prichard; a John wedi mynd i'r môr ers 1729 o leiaf. O'r pedwar, Lewis, a oedd yn byw ym Môn ar y pryd, a William, a fyddai'n ymweld, fe ellid tybied, â chartref ei rieni yn fynych gan mor hawdd oedd hwylio yn ôl ac ymlaen rhwng Môn a Lerpwl, a oedd yn adnabod y bardd yn ei blentyndod, ac o'r ddau, gan William yr oedd yr adnabyddiaeth orau ohono yn blentyn ac yn llanc.

Er eu bod yn gyfeillgar â'i gilydd, perthynas meistres a morwyn oedd rhwng Marged Morris a Jane Parry, a'r berthynas honno yn adlewyrchu'r gwahaniaeth cymdeithasol rhwng y ddau deulu, gwahaniaeth a oedd i amharu ar y berthynas fregus rhwng meibion y ddwy, Lewis a Goronwy, yn y dyfodol. Yn y bôn, perthynas meistr a gwas oedd y berthynas rhwng Lewis a Goronwy, y berthynas rhwng athro a disgybl, perthynas rhwng gŵr ac iddo safle uwchraddol o fewn cymdeithas a gŵr ac iddo safle israddol. Byddai'r gwahaniaeth mawr hwn rhwng y ddau o safbwynt cefndir, llinach a magwraeth, yn y man, yn creu tyndra a gelyniaeth. Os rhoddodd ei fagwraeth freintiedig ei natur fawreddog, snobyddlyd i Lewis, rhoddodd magwraeth israddol Goronwy iddo ymdeimlad o annigonolrwydd ac israddoldeb drwy'i oes.

Ac yma mewn cornel fechan ym Môn, o fewn cylch o ychydig filltiroedd yn unig, y dechreuodd y cwmni bychan ymgynnull ynghyd er mwyn ymarfer ar gyfer y ddrama fawr a oedd i'w pherfformio yn y dyfodol. Drama gan gwmni lleol oedd honno i ddechrau, ond byddai'r cwmni gyda threigl y blynyddoedd yn mynd â hi ar daith, i Loegr, i theatrau Llundain, a byddai'r prif gymeriad yn croesi'r môr i berfformio'r act olaf ym mhen draw eithaf y byd. Ond yma, mewn ardal ddiarffordd ym Môn, y codwyd cwr y llen.

Pumed plentyn Owen neu Owain Gronw a Siân neu Jane Parry oedd Goronwy. Priodwyd ei rieni ar Chwefror 12, 1709. Plentyn cyntaf-anedig y briodas oedd Elin, a aned ym 1711; yr ail oedd Margaret, a aned ar Ragfyr 3, 1713; ar Ebrill 12, 1717, ganed mab, y cyntaf i'w enwi yn Grono neu Gronw, ond bu farw yn ei blentyndod; ganed Jane, y pedwerydd plentyn, ar Fehefin 8, 1718; Goronwy a ddaw nesaf, ac wedyn ei frawd Owen, a aned ar Ragfyr 5, 1725, y nesaf at Goronwy o ran oedran, a'r unig un y teimlai Goronwy yn agos ato, gan fod cryn fwlch rhyngddo ef a'i chwiorydd o ran oed. Mae'n debyg mai yng nghwmni Owen y treuliai lawer o oriau ei blentyndod. Plentyn bywiog, aflonydd a direidus oedd Goronwy, os derbyniwn ei dystiolaeth ef ei hun; er enghraifft, yn ei Gywydd i'r Calan ym 1753, mae'n disgrifio'i blentyndod fel hyn:

> Diddan a fûm Galan gynt
> A heinif, dalm ohonynt;
> Llawn afiaith a llon ifanc,
> Ddryw bach, ni chaid llonnach llanc;

> Didrwst ni bu mo'm deudroed
> Ymhen un Calan o'm hoed.

Nid at blentyn heb dyfu i'w lawn faint yn unig y cyfeiria'r 'dryw bach', ond at ei faintiolaeth yn gyffredinol. Un byr o gorffolaeth oedd Goronwy, un byr, bywiog a gwyllt.[8] Ceir disgrifiad tebyg yng Nghywydd y Calan 1755:

> A gwelwyd, ben pob Gwyliau,
> Mai tycio wnaeth y maeth mau
> Er yn faban gwan gwecry
> Hyd yn ifanc hoglanc hy;
> O ddiofal hydd ifanc
> Yn ŵr ffraw, goruwch llaw llanc.

Yn ôl William Morris, Goronwy oedd 'Cymysg Owain Grono a Siân Parri', ond priodas anghydryw rhwng dau hollol wahanol oedd eu huniad:[9]

> Nid oedd dan haul ddyn mwy diddaioni nag Owain, ac nid allai fod ddynes gwrteisiach, ie, a diniweittiach na Sian.

Mae disgrifiad cyferbyniol William Morris o'r ddau, ynghyd â thystiolaeth Goronwy ei hun ynghylch ei awydd i dderbyn addysg:[10]

> Y tro cyntaf erioed yr aethum i'r Ysgol, diangc a wneuthum gyda Bechgyn eraill, heb wybod i'm Tâd a'm Mam: fy Nhad a fynnai fy nghuro, a'm Mam nis gadawai iddo ...

wedi peri i bron bawb a fu'n olrhain hanes Goronwy ochri â'r fam yn erbyn y tad. Tyfodd myth o amgylch stori Goronwy yn dianc o'i gartref i'r ysgol yn Llanallgo, ysgol a gynhelid ryw filltir o gyrraedd ei gartref, mwy na thebyg gan ryw ysgolfeistr crwydrol, gan un o'r plwyfolion neu gan offeiriad.[11] Diben y myth oedd portreadu Goronwy fel mab

---

[8] Yn ôl tystiolaeth mewn llythyr gan rywun dienw a ddyfynnir yn *Gronoviana. Gwaith y Parch. Goronwy Owen, M.A.*, Goln Edward Jones ac Owen Williams, 1860, t. xxi: 'My Grandmother knew the Bard personally, he was a small, quick, ready off-handed person'. Mae Goronwy yn nodi iddo gael 'Calon iach a chorff bach byw' yng Nghywydd y Nennawr, ac yn cyfeirio ato'i hun fel 'y Bardd Bach' yn aml.

[9] *ML* II, llythyr CCCLXVII, William at Richard, o Gaergybi, Tachwedd 1757, t. 42.

[10] *LGO*, llythyr VI, at Richard Morris, o Donnington, Mehefin 22, 1752, t. 14.

[11] Cedwid ysgolion gan guradiaid y plwyfi yn aml, fel y byddai Goronwy ei hun yn ei wneud yn y dyfodol, neu gan un o'r plwyfolion a fedrai ddarllen a 'sgwennu, weithiau er mwyn ennill ambell geiniog ychwanegol. Cynhelid yr ysgolion hyn un ai mewn tai neu yn yr eglwys blwyf. Dysgwyd tad y Morrisiaid i ddarllen gan yr unig un 'Ymhlwy Llanfihangel tre'r Bardd a fedrai ddarllain yr hen iaith gyffredin ... un gwr gwreng y sef Sion Edwart y Cowper, at yr hwn y byddai'n myned lanciau'r plwyf i ddyscu darllain gwaith Domas Jones y sywedydd, argraphydd, etc'. 'Nid wyf,' meddai William drachefn, 'yn tybied fod nemawr o blentyn mewn oed yn y plwyf hwnw yn awr heb fedru darllain, os oes, bai eu rhieni ydyw, oblegyd bu yno yscol yn gynnar' (*ML* I, llythyr CXXVIII, William at Richard, o Gaergybi, Mai 7, 1752, t. 198). Addysgwyd William ei hun gan 'Owain Parry'r crupl ... yr enwog athraw hwnnw' a fu'n dysgu William a'i gyfoedion mewn ysgol ym Mhenrhosllugwy i drin Lladin a Saesneg (ibid., llythyr CCCXXXIV, William at Richard, o Gaergybi, Mehefin 2, 1757, t. 483).

athrylithgar i dad di-hid a garw-anwybodus, a dangos, drwy hynny, pa mor galed oedd bywyd i'r bardd o'r dechrau, ac fel y bu iddo orfod brwydro yn erbyn anfanteision o bob math i borthi ei ddysg a'i ddawn. Hyd yn oed yn *Y Gwyddoniadur Cymreig*, gorchestwaith Thomas Gee, dywedir fod ei dad 'fel llawer ereill yn yr oes hono, yn dra gelyniaethus i ddysgeidiaeth'.[12] Ceir digonedd o enghreifftiau o'r chwedloniaeth hon ar waith, a thynnodd Thomas Shankland sylw at rai ohonyn nhw,[13] er enghraifft, dyma ddull Robert Jones, Rotherhithe, o gyferbynnu rhwng y tad a'r fam:[14]

> Much of the boy's early training was due to the fostering care of his mother … While the father, Owen Goronwy, a reckless "ne'er do well," neglected his home for the brawls of the public house, throwing obstacles in the way of the boy's intellectual improvement, Sian Parri – she was still known by her maiden name – taught him the pure use of his native tongue …

'Does dim sail i'r haeriad fod Owen Gronw yn codi'i ddyrnau ar ôl codi'i fys bach yn nhafarnau'i fro, na'i fod, ychwaith, yn esgeuluso'i gartref ac yn ceisio rhwystro'i fab rhag gwella'i stad. Wrth i'r chwedl hon gynyddu fel caseg eira, mae'n casglu elfennau lliwgar iawn ati ei hun, ac mae dychymyg yn drech na thystiolaeth. Yn ôl Charles Ashton, 'Eurych tlawd, meddw, a diog oedd Owen Goronwy,' ond 'gwraig rinweddol, lanwaith, a chrefyddol oedd Sian Parri'.[15] 'Roedd W. J. Gruffydd, hyd yn oed, wedi cael ei gamarwain gan y chwedl:[16]

> There lived in this humble cottage [Y Dafarn Goch] about the beginning of the eighteenth century, a very ill-assorted couple. The husband, Owen Gronow, was a mender of broken articles, but he spent most of his working hours drinking at a neighbouring inn. His wife, Siân Parri, was one of those heroic women who made sweet and strong the life of rural Wales during that century.

Cyfeiria Gruffydd at dad Goronwy fel 'his drunken father',[17] ond 'does dim sail o gwbwl i'w haeriadau ynghylch y tad. Mae'n rhyfedd fel y goroesodd y chwedl ddi-sail hon ynghylch meddwdod Owen Gronw i mewn i'r ugeinfed ganrif, hyd yn oed ar ôl i Shankland ei gwrthbrofi. Er enghraifft, yn rhifyn Gŵyl Ddewi 1920 o'r *Geninen*, mynnodd D. D. Williams mai 'Dyn diog, meddw, diddim' oedd tad Goronwy.[18]

---

[12] *Y Gwyddoniadur Cymreig* (1854 – 1879), cyf. VIII, t. 160.

[13] 'Goronwy Owen', I, tt. 10-18.

[14] *The Poetical Works of the Rev. Goronwy Owen (Goronwy Ddu o Fon): with his Life and Correspondence*, Gol. Robert Jones, 1876, cyf. II, t. 3.

[15] *Hanes Llenyddiaeth Gymreig o 1651 O. C. hyd 1850*, Charles Ashton, 1893, t. 372.

[16] *Cywyddau Goronwy Owen*, Gol. W. J. Gruffydd, 1907, t. i.

[17] Ibid., t. ii.

[18] 'Goronwy Owen: (1722-1769)', D. D. Williams, *Ceninen Gŵyl Ddewi*, Mawrth 1920, t. 17.

Os bu i dad Goronwy fygwth rhoi curfa iddo am ddianc i Lanallgo, nid oherwydd ei fod yn wrthwynebus i'w addysg y bu hynny, o angenrheidrwydd, ond o achos i'r plentyn anufuddhau i'w rieni, a pheri pryder a gofid, yn enwedig i'r fam, drwy fod ar goll drwy'r dydd. 'Doedd bygythiad Owen Gronw i roi crasfa i'r mab ddim o angenrheidrwydd yn ei wneud yn fwystfil o ddyn, nac yn ei wneud yn wahanol i dadau eraill. 'Life was raw,' meddai un awdurdod ar y ddeunawfed ganrif: 'Practically all youngsters were thrashed at home, at school, at work – and child labour was universal'.[19] Yn wir, mae tystiolaeth Goronwy ei hun, a derbyn ei fod yn eirwir ac nad ceisio creu argraff ac ymddangos yn ddiolchgar-gwrtais oedd ei fwriad er mwyn cael y maen i'r wal, yn gwrthbrofi'r myth sy'n portreadu Owen Gronw fel gelyn digymrodedd i addysg ei fab. 'By the unwearied industry of my parents, who are exceedingly poor, I was enabled to attend the public school at Bangor, from the year 1737 to 1741'.[20] Lluniodd Goronwy y geiriau hyn ar adeg pan oedd ganddo bob rheswm i gasáu ei dad, oherwydd newydd briodi am yr eildro, ar ôl marwolaeth Siân Parry, yr oedd Owen Gronw, a 'doedd dim croeso mwyach i'r mab yn ei hen gartref, er na wyddom pa bryd y dechreuodd agwedd ei dad a'i lysfam oeri tuag ato.

Sut un oedd Owen Gronw, felly, a Siân Parry hithau? Owen Gronw oedd mab hynaf Gronw Owen, 'yr Hen Ronw', a Margaret Humphrey, ac fe'i ganed yn Y Dafarn Goch, cartref teulu'i dad ers sawl cenhedlaeth, ym 1690. Plant eraill Gronw a Margaret Owen, ewythrod a modrabedd Goronwy'r bardd, oedd Elizabeth Gronw, a aned ar Hydref 4, 1686, Robert, a aned ar Orffennaf 5, 1696, Agnes Gronw, a briododd Robert Owen o Fodafon, Jane Gronw, a briododd Owen Morris, ac Elin Gronw, a briododd Edward Stukeley. 'Roedd yr enw Goronwy, neu amrywiadau arno, wedi'i gadw o fewn teulu'r Dafarn Goch ers cenedlaethau, a pharhawyd y traddodiad trwy i Owen Gronw enwi'i fab cyntaf, a fu farw, a'i ail fab yn Goronwy. Tad yr Hen Ronw oedd Owen Grono neu Gronw, mab Grono neu Gronw William, mab William Powel neu William ap Howell, mab Howel ap Grono/Gronw. Ceir cyfeiriad at un o hynafiaid Goronwy, o bosib, ym 1617 mewn cysylltiad â thŷ ar Y Rhos-fawr o'r enw y Tŷ yn y Garreg Wen, a'r tiroedd a berthynai iddo. Trigai 'ould Gronow, ale house keeper'[21] yn y tŷ hwnnw, ac mae'r disgrifiad ohono yn awgrymu y gallai cadw tafarn fod yn un o'r swyddi teuluol, ac efallai fod Y Dafarn Goch ar un adeg yn dafarn a ddarparai ar gyfer gweithwyr y chwarel gyfagos.

Erbyn diwedd yr ail ganrif ar bymtheg, fodd bynnag, teulu o eurychiaid oedd teulu'r Dafarn Goch. Eurych oedd taid Goronwy, ac eurych oedd y tad hefyd yn rhannol; priododd yr Hen Ronw yntau ferch i eurych, Humphry neu Humphrey Hughes neu Huw,

---

[19] *English Society in the Eighteenth Century*, Roy Porter, 1982, arg. 1990, t. 17.

[20] *LGO*, llythyr I, at Owen Meyrick, Medi 1741, t. 2.

[21] Gw. 'Goronwy Owen, Y Dafarn Goch and Gibraltar', t. 55. Ceir y cyfeiriad gwreiddiol yn C. P. G. C. Baron Hill 4696: 'Rental of Sir Richard Bulkeley the elder of all his lands within the commott of Dyndaethwy, 14th February 15 James' (1617).

a briododd Jane Rhydderch. 'Roedd gwaith eurych yn llawer llai israddol nag a awgrymir gan yr enw. Tincer o ryw fath, trwsiwr celfi a llestri metel a phiwtar, oedd eurych, a byddai'r crefftwyr gwlad hyn yn crwydro o le i le yn fynych yn cyweirio mân-bethau.[22] Cyfeirir at yr Hen Ronw fel eurych gan y Morrisiaid yn gyson, ac ef yn unig a ddisgrifir fel 'eurych' ganddyn nhw. Wrth i William ddisgrifio'i daith i'r Plas Gwyn ym Mhentraeth, cartref Paul Panton, mewn llythyr at Richard, nododd fel yr aeth 'drwy yr Rhos Fawr heibiaw'r Frigen a thy Oronwy Eyrych a'r Bwlch Gwyn lle codir meini melinau ar Dafarn Berth,'[23] a chyfeirir at Goronwy gan William fel 'wyr Rono Eurych o'r Rhos Fawr ym Môn' mewn llythyr arall.[24] Er gwaethaf y dadleuon ynghylch gwir ystyr 'eurych', 'does dim amheuaeth o gwbwl beth oedd gwaith yr Hen Ronw. 'His father Owen Gronwy was a labourer,' meddai Henry Hughes, ficer Llangefni, mewn llythyr ar Fedi 12, 1789, at John Williams, Llanrwst, ar ôl gwneud ymholiadau ynghylch y bardd ar ei ran, gan ychwanegu 'His grandfather Gronwy Owen was a tinker'.[25] Yn un o'i ddarnau rhyddiaith cellweirus, dan y ffugenw 'Seren Cwlwm Dog', mae Lewis Morris yn dyfalu beth yw swyddi nifer o enwogion a chydnabod iddo ar ôl iddyn nhw farw, a chael eu troi'n sêr, pobl fel Oliver Cromwell, Inigo Jones, a'r Hen Ronw, ac meddai am daid Goronwy:[26]

---

[22] Bu llawer o drafodaeth ar union ystyr y gair 'eurych', a'r modd y'i defnyddid ym Môn, ac, o'r herwydd, bu llawer o ddyfalu beth yn union oedd gwaith Gronw Owen. Rhoddodd John Morris-Jones nodyn gwaelod tudalen ar y gair 'eurych' yn yr ysgrif gyntaf o eiddo Thomas Shankland ar Goronwy yn *Y Beirniad*. Meddai John Morris-Jones: 'Dylid cofio mai ystyr gyffredin *eurych* (*eurach* ar lafar y bobl) ym Môn ydyw 'cyweiriwr,' neu 'dorrwr ceffylau,' neu 'ysbaddwr' fel y dywedir yn y Deheudir. Crefft yw honno y cymerai llawer o fân dyddynwyr yn naturiol ati, fel at feddyginiaeth anifeiliaid. Amryfusedd yw sôn am yr hen Ronw fel *tinker*; a snobyddiaeth Lewis Morris a'i frodyr oedd eu rhinc am darddiad isel Goronwy' (*Y Beirniad*, cyf. IV, rhif 1, Gwanwyn 1914, t. 14). Cysylltodd John Williams, Brynsiencyn, â Thomas Shankland ar ôl i ysgrif gyntaf Shankland, ynghyd â throednodyn John Morris-Jones, ymddangos yn *Y Beirniad*, ac meddai: '... yr oeddwn i yn deall bob amser fod Owen Gronw, tad y bardd, yn *eurych*, ac wrth hynny y deallwn *aurôf*, ond fod y gair hwnnw wedi colli ei ystyr lythrennol, ac yn golygu, fel y dywed y Geiriaduron, 'brasier,' 'tinker,' etc. Nid 'cyweiriwr anifeiliaid' yn sicr a olygir wrth *eurych* ym Môn' ('Goronwy Owen: Atodiad i'r Ysgrif I', *Y Beirniad*, cyf. IV, rhif 2, Haf 1914, t. 148). Ychwanegwyd nodyn arall gan John Morris-Jones wrth gwt sylwadau John Williams, a glynai wrth ei ddiffiniad gwreiddiol o ystyr 'eurych', ar ôl holi rhai o bobl Môn, sef mai 'cyweiriwr' neu *gelder* oedd 'eurych', ysbaddwr anifeiliaid (ibid., tt. 149 – 150). Trafodwyd y mater ymhellach gan Bedwyr Lewis Jones yn 'Beth Oedd Gwaith Gronw'r Eurych?' yn *BBCS*, cyf. XXIV, rhan 1, Tachwedd 1970, 56-8. Profodd yn y nodiadau hynny mai tincer oedd 'eurych'. Meddai: 'Fe ddadleuwn i mai tincer ... 'un yn tincian pedyll hyd y strŷd' ac yn 'gloywi ... Croxan pres', h. y. un yn trin a thrwsio taclau'r gegin a'r tŷ llaeth – oedd Gronw'r Eurych' (t. 57).

[23] *ML* II, llythyr CCCXC, William at Richard, o Gaergybi, Awst 9, 1758, t. 82.

[24] Ibid., llythyr DCXXXVI, William at Richard, o Gaergybi, Medi 8, 1762, t. 507. Ceir cyfeiriad at 'Grono Eurych' hefyd gan William (ibid., llythyr CCCCLXXVII, William at Richard, o Gaergybi, Dydd Calan Medi, 1760, t. 248).

[25] *LGO*, t. 205, lle cyfeirir at Henry Hughes fel 'Hugh Hughes, Vicar of Llangefni'. Camgymeriad oedd ei alw yn Hugh yn lle Henry. Derbyniodd Henry Hughes fywoliaeth Llangefni ar Ebrill 16, 1783.

[26] *ALMA* 1, llythyr 43, 'Seren Cwlwm Dog' (Lewis Morris) at Mr Jones, c. 1740, tt. 89–90.

Beth debygax i ydyw swydd yr Hên Ronw Euryx ymysg y meirw, nid Esgob yn annwn fal y dwedodd y llythyr diflas hwnnw oddiwrth Sr Coesgrax ... ei swydd yw rhwbio y rhŵd oddiar wynebau yr Hen Sêrod ai gloywi fal y gwelex i din Croxan pres, yn discleirio yn 'r Haul, a rhoi golchiad aur arnynt. Ni bu gan 'r Hen wr dalent erioed i fod yn Esgob fe wyr pawb; Seren Loyw Iawn yw Seren Ronw, mae hi'n seren foreuol o ddechreu Ebrill dan y cynhaiaf.

Er mai swydd 'addurnwr' oedd rhoi haen o aur ar lestri, disgrifio rhan o waith tincer y mae Lewis yma, sef rhwbio rhwd oddi ar lestri, i'w cadw rhag dirywio ymhellach. Nid dyma'r unig dro i Lewis Morris gael hwyl ar gorn yr Hen Ronw. Oherwydd iddo fod yn warden Festri Llanfair Mathafarn Eithaf ar un cyfnod, o 1710 ymlaen, fe'i galwyd, yn gellweirus ac yn ddilornus, yn 'Gronw Esgob Bangor' gan Lewis, a difyrrai ei gyfaill Richard Evans, y meddyg o Lannerch-y-medd, gyda'i gellwair ynghylch yr Esgob yn bwyta ceffyl:[27]

> Fe Iachawyd Gronw Esgob Bangor wrth y cyffelyb beth a hyn. Rhiwallon Feddyg oedd wr cyfarwydd ddigon, fe wyddai oddiwrth ba Achosion y dae bob clefyd; daeth i Edrych am yr Esgob Ronw ar yr hwn yr oedd rhyw glefyd cuddiedig Iawn; fe chwilia Riwallon am Esgyrn hyd lawr y stafell a'i fryd ar ddywedyd (fal y dysgasid ef) mae'r cig â'r cig a wnaethai'r Gwr yn glaf; ond beth debygach i a welai ef dan y gwely ond hen Gyfrwy'r Esgob, myn d---l (eb ef), Mr Esgob, Bwytta Ceffyl a wnaethoch a hynny yw achos eich clefyd; ar hynny fe chwarddodd yr Esgob gymaint hyd na thorrodd y Postwm cuddiedig oedd yn ei Fol.

Er bod rhai wedi dadlau mai gwaith parchus oedd gwaith tincer,[28] gwaith digon israddol a thlodaidd oedd o mewn gwirionedd, a gwaith digon ansefydlog ac anwadal hefyd, gan mai galwedigaeth hunan-gyflogedig ydoedd, heb gyflog cyson. 'Doedd tincera ddim yn talu'n dda. 'Tiny sums are paid to itinerant workers,' meddai Nesta Evans yn ei hastudiaethau o ddyddiaduron William Bulkeley, Brynddu, Ynys Môn, yng nghanol y ddeunawfed ganrif, wrth sôn am daliad a gafodd tincer o'r enw Lawrence Lee.[29] Cofiai Lewis Morris snobyddol mai i deulu o dinceriaid iselwaed y perthynai Goronwy pan geisiai ddeall ac esbonio ymddygiad anfonheddig y bardd:[30]

---

[27] Ibid., llythyr 19, Lewis at Richard Evans, *c*. 1733, t. 29.

[28] Er enghraifft, Bedwyr Lewis Jones, sy'n dyfynnu'r frawddeg hon am waith John Bunyan a'i dad, o *John Bunyan, Grace Abounding*, Gol. Roger Sharrock, 1962, t. xii, yn 'Beth oedd Gwaith Gronw'r Eurych', t. 57: 'Their tinkering was not that of disreputable vagabonds, but a settled occupation which involved a regular tour of the neighbouring hamlets, making and mending household utensils whether metal or pewter.' 'The tinker's was a respectable skilled trade in the eighteenth century, usually in part itinerant,' meddai F. A. Barnes yn 'Goronwy Owen, Y Dafarn Goch and Gibraltar' (t. 55).

[29] *Social Life in Mid-Eighteenth Century Anglesey*, G. Nesta Evans, 1936, t. 157. Ceir enghreifftiau o daliadau i dinceriaid ac o rai gorchwylion a gyflawnid ganddyn nhw yn nyddiaduron William Bulkeley: 'Paid Laurence Lee a Tinker 4s. for tinning 2 large Saucepans, a tossing pan, and soldering the Spout of a Coffee-Pot'; 'Paid 4s. to Edward Dowdal for smoothing the Edges of Spoons that had been made ragged by Servants abuse of them in scrapeing of Pots etc.' (ibid., t. 60).

[30] *ML* I, llythyr CCCXXVI, Lewis at William, o Lundain, Ebrill 8, 1757, t. 469.

I never yet met with a piece of contradiction as that fellow is. The low blood is prevalent, and they may say what they will against innate principles, this man is an example beyond everything. Would any thing but a tinker (un yn tincian pedyll hyd y strŷd) have behaved as he has done to his best friends? Eurych is too good a name for him.

Tincer, yn sicr, oedd yr Hen Ronw wrth ei alwedigaeth, a gwaith digon diurddas oedd tincera. Yn wir, bob tro y digiai Lewis Morris wrth Goronwy, byddai'n edliw iddo'r ffaith mai tarddu o deulu o dinceriaid yr oedd y bardd. 'What beggar, tinker, or sowgelder ever groped more in the dirt?' poerodd arno yn un o'i ymosodiadau sbengllyd ar y bardd.[31] Efallai fod Lewis yn cyfeirio yma at y ffaith fod tad a thaid Goronwy yn ysbaddwyr anifeiliaid hefyd. Galwedigaethau digon iselradd oedd begera, tincera a 'sbaddu anifeiliaid yn y ddeunawfed ganrif, a theulu digon israddol oedd teulu'r Dafarn Gôch yn ôl Lewis. 'Onid gwaed yr eurychod (nage'r tinceriaid) crachlyd a'r cardowtwyr cadachog,' meddai Lewis ar achlysur arall, 'sydd yn berwi ynddo yn drechaf ag ni wiw disgwyl daioni o hono'.[32] A 'does dim amheuaeth ynghylch yr hyn a olygai Lewis wrth y gair 'eurych'. Tincer, heb unrhyw ddadl, oedd taid Goronwy, ond rhaid ei fod hefyd yn ymhél â nifer o fân-orchwylion eraill i gael dau ben y llinyn ynghyd. Pan fyddai Lewis yn sôn am wehilion cymdeithas, yn un o'i byliau ymfflamychol o snobyddiaeth, byddai'r tinceriaid yn weddol uchel ar y rhestr. Ar ôl i Edward Richard ganmol ei lythyrau, ymloywodd Lewis yn y ganmoliaeth, gan lwyr gytuno â geirda ei gyfaill. 'If I do not pay my self and catch at my offerings of praise, it may be but a chance that Cobblers, Weavers, and Tinkers, and the rest of the rable will afford me any, now or when I am gone,' meddai.[33]

Llafurwr oedd tad Goronwy yn ôl Henry Hughes. Yn ôl llythyr cyflwyniad hwyliog a ddarparwyd ar ei gyfer, cyn i Owen Gronw ymgymryd â thaith ddychmygol o'r Rhosfawr i Aberhonddu ym 1738, fe'i disgrifir gan Lewis a William Morris fel 'Bardd, Meddyg, Achwr, Saer, Aur of, a Phererin'.[34] Er mai cellwair 'roedd y ddau, mae'n debyg eu bod yn rhestru prif ddiddordebau a phrif briodoleddau Owen Gronw. 'Roedd yn englynwr o ryw fath, yn brydydd gwlad, ac mae'n sicr mai 'eurych' a olygid wrth 'Aur of', a bod Owen Gronw wedi etifeddu rhywfaint o grefft ei dad. Mewn llythyr cellweirus arall gan Lewis, mwy na thebyg, yn gofyn, yn enw Owen Gronw, am englynion gan englynwyr Cymru i dalu i Richard Evans, y meddyg, am wella dafadennau ar ei draed ym 1734, mae Owen Gronw yn gweddïo am 'i minne gael digon o waith Gollwng gwaed a thynnu dannedd'.[35] Awgryma hyn fod Owen yn feddyg gwlad o ryw fath, ac yn feddyg

---

[31] Ibid., llythyr CCCXXXVI, Lewis at William, o Lundain, Mehefin 18, 1757, t. 489.

[32] *ML* II, llythyr CCCLXX, Lewis at William, o Lundain, Tachwedd 17, 1757, tt. 46–47.

[33] *ALMA* 2, llythyr 320, Lewis at Edward Richard, o Benbryn, Mai 9, 1764, t. 617.

[34] *LGO*, t. 200.

[35] Dyfynnir yn 'Goronwy Owen, 1723–69', Bedwyr Lewis Jones, adargraffiad o *THSC*, Tymor 1971, rhan I, t. 38; yn wreiddiol ceir y llythyr yn llaw Dafydd Jones o Drefriw yn Llsgr. Caerdydd 84, tt. 209-11.

anifeiliaid hefyd efallai. Mewn gwirionedd, 'roedd Owen Gronw yn nodweddiadol o dyddynwyr rhydd y cyfnod, yn Siôn-bob-swydd a wnâi dipyn o bopeth er mwyn cadw'r ddau ben llinyn ynghyd, a hynny drwy glymu gwahanol ddarnau o'r llinyn wrth ei gilydd. Ym 1709 rhannodd Daniel Defoe gymdeithas ei ddydd yn saith adran, a'r bumed adran, ar ôl 'The working trades, who labour hard, but feel no want', a chyn y ddwy adran isaf, y tlodion a'r truenus, oedd 'The country people, farmers, etc. who fare indifferently'.[36] Wrth 'farmers' golygai Defoe dyddynwyr, ac mae'n amlwg mai digon tlawd oedd eu byd yn aml, dim ond ychydig uwchlaw'r tlodion a'r trueiniaid. Meddai Defoe eto am lafurwyr y cyfnod:[37]

> Those concerned in the meaner and first employments are called in common, working men or labourers, and the *labouring poor* such as the mere husbandman, miners, diggers, fishers and in short, all the drudges and labourers in the several productions of nature or of art. Next to them, are those who, though labouring perhaps equally with the other, have yet some art mingled with their industry ...

Mae'n debyg fod Owen Gronw yn un o'r llafurwyr hyn a gyfunai lafur a chrefft, a'i fod, efallai, yn feddyg gwlad, yn ffarier ac yn dincer yn ogystal â bod yn llafurwr. Byddai Roy Porter hefyd yn gosod tad a thaid Goronwy ar ffyn isaf yr ysgol gymdeithasol:[38]

> Beneath moneyed men came craftsmen and artisans, labourers and the poor. There was nothing homogeneous about the lower orders, who ranged from weavers to watermen, from ostlers to shepherds, from ploughmen to piemen, from crossing-sweepers to coal-miners. Women traditionally did similar jobs to men; they also washed clothes, sold milk and greens, stitched gowns and were wet-nurses and prostitutes. Above all, women span, kept house and raised children. Working families very commonly eked out a living by piecing together a variety of seasonal, part-time and casual employments, combining the land and the loom, hop-picking, spinning, fishing, barking timber, weeding, etc. And below them came vagrants, paupers, the old, the sick, the unemployed and society's flotsam and jetsam – and their multitudinous young. Labouring people's strength was sapped for little reward and no thanks.

'Roedd Owen Gronw hefyd yn un a gyfunai sawl gorchwyl. Yn ei lythyr at Owen Meyrick ym 1741, i ofyn am un o'r ddwy ysgoloriaeth i Rydychen a oedd ar gael i lanciau o Fôn, mae Goronwy yn cyfeirio at lafurio ddwywaith: 'Unaccustomed to labour, I see before me no means of getting a livelihood ...' a 'The benefits my parents have conferred on me are injuries, and my education quite unfitted for me; and I must look on myself as even more unhappy than any country labourer, who is skilled in rustic affairs'.[39] Tybed nad

---

[36] Dyfynnir yn *The World of Daniel Defoe*, P. Earle, 1976, t. 164.

[37] *A Plan of the English Commerce*, 1728, arg. 1928, t. 3.

[38] *English Society in the Eighteenth Century*, t. 84.

[39] *LGO*, llythyr I, at Owen Meyrick, Medi 1741, t. 2.

cyfeirio at waith ei dad yr oedd Goronwy, gan arswydo wrth feddwl mai llafurwr fyddai yntau hefyd, fel ei dad, a bod oes flinderus o'i flaen? Mae'n sicr mai caled a main oedd hi ar y ddau, ac nid rhyfedd i Goronwy ddweud eu bod yn gorfod gweithio'n ddiflino ('unwearied industry') a'u bod yn 'hynod o dlawd'.[40]

Dangosodd Nesta Evans 'how inextricably intermingled were the lives of small artisan and small tenant-farmer'[41] ym Môn blynyddoedd canol y ddeunawfed ganrif, ac fel y byddai gorchwylion a dyletswyddau yn croesi: 'An artisan worked on a piece of land in his spare time; a small tenant-farmer was expected to help in artisan work'.[42] Mae'n bur debygol fod yr Hen Ronw yn trin y tir ac yn llafurio pryd na fyddai'n tincera, ac mae'n debygol hefyd y byddai Owen Gronw yn ymhél â nifer o fân-swyddi yn ogystal â llafurio. Ar brydiau, 'roedd rhai swyddogaethau yn croesi, ac 'roedd y ffin rhwng crefftwr, llafurwr a thyddynnwr yn gallu bod yn un denau iawn:[43]

> It is not easy even in England, and especially before the agricultural and industrial revolutions of the middle of the century, to draw a dividing line of income and material resources which would accurately divide the agricultural labourer from the small tenant farmer, or the unskilled "labourer to an artisan" from the artisan or skilled workman.

Beth bynnag oedd natur gwaith y ddau, tad a thaid Goronwy, mae'n sicr mai teulu tlawd ddigon oedd teulu'r Dafarn Goch: 'it may safely be concluded that skilled workmen and small tenant farmers in Anglesey were as poor in money and resources as it was possible to be; there was no room, short of indigence, for a still poorer labouring class'.[44]

Hyd yn oed os oedd taid a thad Goronwy yn bobl hollol ddinod a chyffredin, ac, yn wir, yn wehilion yn ôl Lewis Morris ar brydiau, 'doedden nhw ddim yn gyfan gwbwl arw a chwrs. 'Roedd y ddau yn ymhél â phrydyddiaeth, englyna yn arbennig, ac yn ymddiddori yn y Gymraeg a'i diwylliant, ac yn nhraddodiad barddol y cylch y perthynent iddo. Er bod penllanw'r traddodiad mawl i berchentyaeth wedi hen droi'n drai, 'roedd broc y traddodiad hwnnw yn cael ei olchi i'r lan ym Môn o hyd. Broc o'r fath oedd yr Hen Ronw a'i fab.

'Roedd y traddodiad mawl i uchelwyr wedi darfod ym Môn yn chwarter cyntaf y ddeunawfed ganrif. Y clerwr olaf yno oedd Siôn Prichard Prys o Langadwaladr, a luniodd gywyddau i rai o deuluoedd pwysicaf Môn, yn enwedig teulu Treiorwerth ym mhlwyf Bodedern. Bu'n clera hefyd yn Arfon a Meirionnydd. Yn ôl Dafydd Wyn Wiliam: 'Bu'r canu mawl yn tynnu ei draed ato ers tro byd, a gellir ystyried y flwyddyn 1724, sef blwyddyn marw Siôn Prichard Prys, fel anadl olaf yr hen ganu mawl ym Môn'.[45]

[40] Ibid.
[41] *Social Life in Mid-Eighteenth Century Anglesey*, t. 164.
[42] Ibid.
[43] Ibid., t. 165.
[44] Ibid., t. 169.
[45] 'Y Traddodiad Barddol ym Mhlwyf Bodedern, Môn', Dafydd Wyn Wiliam, *TCHNM*, 1974, t. 42.

Os felly, ganed Goronwy Owen flwyddyn cyn i'r traddodiad mawl ddirwyn i ben yn swyddogol ym Môn, ac etifedd y traddodiad gwerinol newydd ydoedd o'r dechrau. 'Roedd beirdd gwerinol fel Siôn Tomos Owen (1678 – 1729), clochydd Bodedern, yn dal i ymhél â'r hen grefft, ac yn llunio carolau cynganeddol, englynion a chywyddau, pan oedd Goronwy yn blentyn. Meddai Dafydd Wyn Wiliam, eto, am Siôn Tomos Owen:[46]

> Ni chanodd clochydd Bodedern na chywydd mawl na marwnad i neb o fonedd Môn. Erbyn rhan olaf ei fywyd ef yr oedd y rhwyg diwylliannol rhwng y werin a'r uchelwyr yn llydan ac yn bendant. Er na wyddys fawr ddim byd am flynyddoedd cynnar Siôn Tomos, y mae'n amlwg ei fod yn etifedd beirdd Môn yn yr XVII ganrif, ac yn drosglwyddydd traddodiad cerdd dafod i feirdd y ganrif ddilynol. Cynrychiola y bywiogrwydd barddol anghyffredin a nodweddai Ynys Fôn yn nechrau'r ganrif honno.

Y 'bywiogrwydd barddol anghyffredin' hwnnw a fu'n gyfrifol am y ffrae farddol a gafwyd ym 1728, pan gychwynnodd Lewis Morris ffrwgwd rhwng beirdd Môn a beirdd Arfon ar ôl iddo adrodd englyn yn clodfori Môn yng ngŵydd beirdd ym Miwmares. Parhaodd yr ymryson am flwyddyn gron gyfan, o Orffennaf 1728 hyd Orffennaf 1729, pan fu farw Siôn Tomos Owen. Siôn Tomos ei hun oedd arweinydd beirdd Môn yn yr anghydfod hwyliog hwn, a Michael Prichard (1709 – 1733), o Lanllyfni, oedd arweinydd beirdd Arfon.

Un agwedd bwysig ar y ffrwgwd hon oedd y cywyddau a luniodd Siôn Tomos i amddiffyn Môn yn erbyn y gwrthwynebwyr o Arfon. Trodd y cywyddau amddiffyniad hynny yn gywyddau mawl i'r ynys mewn mannau, a chlodforwyd Môn am ei haml rinweddau, ei helaethrwydd a'i hanifeiliaid, ei ffrwythlondeb a'i phrydferthwch. Enghraifft o'r canu mawl hwn i Fôn yw rhai o gywyddau Siôn Tomos Owen, fel y llinellau hyn:[47]

> A'i hydau, dw' llwythau llawn,
> Ffraethlawn ronynnau ffrwythlawn,
> Ar ei ganfed a fedir
> O'i llesol, odiaethol dir;
> A'i gweiriau rhywiog, irwych
> Yn llawn meillion gwynion, gwych,
> A'i blith, mal y gwlith a'r gwlaw,
> Helaeth y sydd i'w huliaw.
> 'Menyn a chaws o mynner,
> Cig da breision, purion pêr,
> Ychain a gwartheg uchel
> Yn hon yn llawn gawn heb gêl.

---

[46] Ibid., t. 45.
[47] Ibid., t. 58.

Llinellau yn yr un cywair yn union yw'r rhain, o waith yr un bardd:[48]

> Ynys Fôn wiw, dirionwawr,
> Dw rhywiog, yn feichiog fawr,
> 'N werdd wychlen, ddaearen ddwys,
> Puredig, ail paradwys,
> A'i glasyd gaeau glwysaidd
> O hyd yn wenith a haidd,
> Ac yn llifeiriog ddiogel
> Lwythau mawr o laeth a mêl,
> A rhad a llwydd rhwydd i'w rhan,
> Ceinwych megis gwlad Canaan.

Yn ôl Dafydd Wyn William eto, wrth iddo anghytuno â honiad Gwenallt yn *Blodeugerdd o'r Ddeunawfed Ganrif* mai Hugh Hughes oedd y cyntaf o feirdd Môn yn y ddeunawfed ganrif i lunio cywydd molawd i'r fam-ynys, Siôn Tomos Owen oedd arloeswr y math hwn o ganu:[49]

> Fel Goronwy Owen ar ei ôl, rhan o'i gywydd yn unig a neilltua Siôn Tomos i ganu clodydd yr ynys, eithr ffurfia'r moliant uned ar ei ben ei hun, a rhaid ystyried felly y gwaith hwn yn natblygiad y math yma o ganu. Fe ddichon mai clochydd Bodedern oedd y cyntaf i droi ei law at ganu moliant Môn yn y XVIII ganrif …

Mae'n rhaid fod Goronwy yn gwybod am yr ymryson enwog rhwng beirdd Môn ac Arfon, ac mae'n debyg y bu iddo dyfu yn sŵn y sôn a'r sisial am yr ymryson, a dichon hefyd ei fod yn gyfarwydd â'r cynnyrch. Magwyd Goronwy, yn sicr, yn sŵn y pethau hyn, ac 'roedd bri arbennig ar farddoni ym Môn yn ystod cyfnod ei blentyndod. 'I was brought up in *Anglesey*,' meddai Lewis Morris wrth Samuel Pegge wrth sôn am y Gymraeg, 'where it is spoken in great perfection & admired by the Natives, and where Welsh Poetry and antiquities are in great Vogue'.[50]

Arferai beirdd gwerinol Môn ymgynnull yn y tafarnau i ymrysona ac i ddifyrru ei gilydd ar gynghanedd, yn enwedig yn ystod ffeiriau ac achlysuron cymdeithasol pwysig. Yn ôl Michael Prichard, pennaeth beirdd Arfon:[51]

> Dyma eu dull, serfyll sarn:
> Dyfod a wnânt i dafarn;
> Deuan', bawb, â rhyw dôn bach,
> Dyrys fintai draws fantach,
> Heb fesur a heb foesau,
> Heb gynghanedd glirwedd glau …

---

[48] Ibid., t. 62.
[49] Ibid., t. 58.
[50] *ALMA* 2, llythyr 266, Lewis at Samuel Pegge, o Benbryn, Chwefror 11, 1761, t. 513.
[51] 'Y Traddodiad Barddol ym Mhlwyf Bodedern, Môn', tt. 47–48.

Mae'n bur debyg fod tad a thaid Goronwy yn aelodau achlysurol o'r gyfeillach farddol a arferai gyfarfod yn nhafarnau Môn, er nad yw hynny'n golygu fod Owen Gronw yn feddwyn afreolus. Yn wir, bu Owen Gronw ei hun yn gyff gwawd ymhlith beirdd Môn ym 1734. Mae'n fwy na thebyg mai Lewis Morris a wthiodd y cwch i'r dŵr y tro hwn hefyd, gan mai arddull Lewis a'i ddawn ddychanu sy'n amlwg yn y llythyr, a chan ei fod yn cysylltu Owen Gronw â Robin Clidro. Yn ôl yr hanes, ffug neu ddychmygol, lluniodd Owen Gronw lythyr at feirdd Cymru yn gofyn am englynion ganddyn nhw i ddiolch i Richard Evans, y meddyg o Lannerch-y-medd, am gael gwared â dafadennau a dyfai ar ei draed. Fel y dywedodd Bedwyr Lewis Jones: 'Beirdd a droai yng nghylch llenyddol Lewis Morris a Richard Evans ym Môn yn nechrau'r tridegau yw beirdd yr englynion … a thybed na ellir awgrymu mai hwyl lengar ymysg prydyddion, yn un o dafarnau Llannerch-y-medd, ar ddiwrnod ffair efallai, yw cychwyn a chanol yr holl gellwair?'[52]

Cyfeirir y llythyr 'At yr holl hynawsaidd Fruttaniaid a Garent Degwch ag jaith ein Gwlad' oddi wrth 'Owen ab gronw ddu, Corphilyn Bardd o wlad Fôn'.[53] Dyma'r hanes yng ngeiriau honedig Owen Gronw:[54]

> Digwyddodd ar ryw Noswaith Lasinoer Rewoglyd yn nyfnder y gaiaf diweddaf, 1733, pan oedd y Lleuad ar sêr yn ymryson pwy o honynt a roe fwy o oleuni ar Haul gwedi mynd i wlad y Gwyddelod i gymeryd Cyntyn, Digwyddodd, meddaf, i mi fod ar waelod fu ngwely Claiar ynghymdeithas fy nghymar Cyfreithlon, ag yn dyfal weddio ar a wnelai ir farch nad syrthio, ag i Galonnau Cybyddion feddalhau, ag ir gwyr o Gyfraith roi heibio chwant arian …
>
> Fe weddai ynghanol y myfyrdodau hyn ir Gwr ar gôb ddu sy'n tario yn y seler isod gynneu yn f'erbyn o Lidiawgrwydd a chenfigen, achos y meddyliau da hynny, ag a blaen ei gorn (fal y tybia rai) fe'm rhythrodd yn gwadnau fy nhraed mewn amryw fannau, hyd nad oedd yn ddigon cyfaddas i wneuthur Gwogr Rhwyll, ag mewn llai o amser nag y dywedach i 'Bendith Huw yn y tŷ' fe gododd o annian y Gwennwyn hwnnw amryw frynniau bychain tebyg i Eirin Perthi neu fwyar duon neu Gagl Geifr ag hiliasant fy nhraed ôl.
>
> … Wele hai, ebr fi'n ddistaw deg, mi adwaen wr ach ymlidia ped fae ddemigorgon ymhob migwrn o honoch. Felly mi gippiais fy nghippin a nghappan ag am pastwn dwybig yn fy llaw (a chan fy mrys yn rhedeg yn gwastad-hau'r ffordd am traed o gerrig a phonciau) ag i Lanerch y medd mi euthym at y Meddyg Rhinweddol cyfrwysgall hwnnw, y Meistir Rhisiart ab Evan, gweinidog natur: wrth y gwr hwnnw mi wneis y nghwyn am deusyfiad, a chan ddwey'd y gwir bod y gair, na feddwn na cheiniog na choel, mi wnaethym addewid iddo yn fy ngofid os efe a ymlidia'r defaid oddi'ar fy heglau minneu a ganwn iddo Lonad Croen Ci Cynddeiriog o Gywyddau ac Englynion.
>
> Ar fyr eiriau, 'r Gwr am Iachaes, ond meddai ef pan gyfarfu a mi ryw dro 'Ple mae'r Englynion?'

---

[52] 'Goronwy Owen, 1723-69', t. 37.

[53] Ibid., t. 37.

[54] Ibid., t. 38.

'Huw am helpio', meddwn inne, 'mi fum dair wythnos yn Ceisio Bwrw Englyn ond nis medrwn blygu mono mwy nag onnen Beuno.' Ni choeliaf i na bu ir fall gorniog neu i ddewines y Felin wynt neu ryw dd———l arall ddwyn f'awen oddiarnaf o Lîd fy nghlywed mor fucheddol.

Ac eithrio'r cyfeiriad ato fel gŵr 'diddaioni', yr unig awgrym arall sydd gennym fod Owen Gronw yn un di-lun a garw yn ei fuchedd yw'r ymadrodd 'o Lîd fy nghlywed mor fucheddol', sy'n sicr o fod yn gellwair eironig gan Lewis Morris, ac mae'n sicr hefyd y byddai'r beirdd ym Môn yn deall ac yn gwerthfawrogi'r eironi. Mae Lewis wedyn yn cael hwyl am ben awen ddiffygiol Owen Gronw drwy lunio cwpled yn ei enw nad yw hyd yn oed yn odli, 'Y Meistr diegr digri/Gwr yw fe a gâr y fall', ond wedi i dad Goronwy sylweddoli 'nid oedd mo'r Englyn yn prif odli', mae'n ei drwsio, 'Gwr yw fe a gur y fall/ Y Meistr diegr digrifgaill', gyda'r ebychiad 'Nefoedd i Enaid Clydro', sy'n awgrymu fod Owen Gronw yn llinach Robin Clidro, y clerwr iselradd o'r unfed ganrif ar bymtheg a ganai brydyddiaeth rigymaidd ar destunau ysgafn a gwamal.[55] Mae Owen Gronw wedyn yn sylweddoli 'gwedi i mi ei drwsio oreu y medrwn mi welwn fy mod gwedi dechreu'r Englyn yn ei ben-tin'.[56] Oherwydd iddo fynd 'mor dlawd o awenydd ag y bu Gludro o Lanelwi dlottaf erioed, ag mae Blingo hwch a chyllell bren oedd i mi roi pin ar Bappir', mae'n penderfynu mynd i gerdded 'ymhlith y Beirdd i gymmortha Englyn gan bob un o honynt o Glod a diolch ir meddyg, Rhag fe allai iddo ef yn ei ddigllonedd yrru'r defaid yn eu hol ar fy nhraed'.[57]

Lluniwyd yr englynion gan nifer o feirdd o Fôn, fel Hugh Hughes, y Bardd Coch o Lwydiarth Esgob, Llandyfrydog, Rhisiart Parry (m.1746) o Niwbwrch, a chan feirdd o'r tu allan i'r Ynys, fel Siôn Rhydderch (1673–1735) a Dafydd Jones o Drefriw (1708?– 1785). Lluniwyd eraill gan feirdd a guddiai y tu ôl i ffugenwau, fel 'Bleddyn Drwyn Pladur' a 'Brochwel Ysgithrog o Lan y Gwyddyl', ac mae'n debyg mai Lewis Morris oedd awdur rhai o'r englynion hyn, os nad y cyfan ohonyn nhw. 'Roedd Lewis yn byw yng Nghaergybi ym 1734, ac at Gaergybi y cyfeiria 'Llan y Gwyddyl'. Dyma enghreifftiau o'r englynion diolch hyn; englynion 'Bleddyn Drwyn Pladur' i ddechrau:[58]

I'th gymorth, Gronw iaith gymen, – dewr wyd,
    Dirydais fy awen.
    Diolch a rof â'm dwyen,
    A mawl, i'r meddyg. Amen.

Lladdodd ddefaid, haid hudol, – naw penyd,
    Naw poen Owen benffol;
    Lladdodd y gyllell haeddol
    Draw dwlc 'ddi-ar ei draed ôl.

---

[55] Ibid., t. 39.
[56] Ibid.
[57] Ibid.
[58] Ibid., tt. 40–41.

Nid defaid geiniad dofion, – ond bryniau
    I beri annwyd calon,
    Gelltydd o ddefaid gwylltion
    Drygsawr o Ros-fawr Fôn.

Bryniau cig ffyrnig uffernol, – tyfant
    Ar etifedd lledffol;
    Bryniau o farwgig braenol
    Rôi diawl ar ei ddau droed ôl.

A dyma gyfraniad 'Brochwel Ysgithrog' i'r cellwair:[59]

O annwn daeth, gwn, wyth gant – o ddefaid
    I ddifa bardd methiant;
    At ei fysedd tyfasant.
    Digon siŵr y digien' sant!

Ond Tudr, ŵr uthr a'i areithiau, – 'sgythrog
    Was cethrin ei arfau,
    A'u maeddodd, gwych o'r moddau,
    Fal côd o lygod neu lau.

Cymwys ar air mwys roi mawl – i'r meddyg
    A ŵyr maeddu diafawl;
    'Mhob rhyw fodd mab rhyfeddawl;
    Garw o ddyn a gurai ddiawl.

Mae pedwar o'r englynion hyn yn enw 'Owen Gronw Ddu' ei hun, ond 'does dim sicrwydd mai ef a'u lluniodd:[60]

Purwch annerch, parch union, – i feddyg
    Am faddau 'nyledion;
    Garw friw ni sai ger i fron
    Nac alltud ddefaid gwylltion.

Pob swynion ffolion ffaeliodd – eu difa,
    Y defaid a'm rhwystrodd;
    Rhof fy mendith byth o'm bodd
    I'r tyner ŵr a'u tynnodd.

Defa'd o brifiad brafion, – gofidus
    Yn gafodydd, daethon';
    Ar fy mael yr wyf ym Môn
    Yn begio, wŷr bon'ddigion.

---

[59] Ibid., t. 43.
[60] Ibid., t. 42.

> Bendithion dwysion dewisol, – gyrraf
> O gariad difrifol
> I ŵr syber wrsibiol
> Am dyner drin fy nhraed ôl.

Ac mae englyn arall yn ei enw mewn llawysgrif arall, a'r englyn hwnnw yn amlwg yn perthyn i'r un achlysur prydyddol:[61]

> Doctor ail Ifor ar ôl yfed – peth,
> Pwythwr pell ymddiried,
> Gŵr a grym gorau o grêd,
> Lwydd dyfais, i ladd defed.

Er i Owen Gronw ei hun, o bosib, ymuno yn y cellwair prydyddol hwn, ac er mai hwyl ysgafn oedd y cyfan ar yr wyneb, mae'n amlwg mai fel tipyn o ffwlcyn y meddyliai Lewis Morris amdano, rhywun i gael hwyl am ei ben. Mae tystiolaethau eraill. Mae'n ddilornus iawn o Owen Gronw yn ei ohebiaethau â William Wynne Llangynhafal, er enghraifft; yn wir, câi'r ddau gryn ddifyrrwch wrth sôn am Owen ymhlith ei gilydd. 'Cofiwch fi at y Prif-fardd YWAIN GRONWY ag Annerch a Pharch dyledus,' meddai William Wynne wrth Lewis, gyda'i dafod yn ei foch, a chan lunio cwpled dychanol iddo: 'Beirdd Môn a rhai meirwon mwy/ A grynant rhag ofn GRONWY'.[62] Anfonai Lewis enghreifftiau o waith Owen Gronw at William Wynne, ac, yn gyfnewid, gyrrai Wynne enghreifftiau o waith cymydog iddo, a gŵr graddedig o Rydychen, John Thomas, bardd iselradd arall. Meddai Lewis:[63]

> I have lent Jo. Thomas's performance to some friends here, and I'm really afraid his *Cwndidau* has done abundance of mischief; for all men women and children that have seen them and can read their names were Infected by them, and are positive they can outdo the great Mr. Tho. of Oxf[d]. a pitchfork's length in Rhyming.

Mae Lewis yn gwrs o ddirmygus o'r ddau yn yr un llythyr:[64]

> Owen Gronwy (twll t-n y glêr) would fain make it out, that He and old Cludro, and Mr. Jo. Tho. of Oxf[d] were the three brightest Luminaries that appeard in our sphere for some centuries past. His arguments were so strong that I was enforc'd to allow him that they had their Lights like Glow worms, but like them also in the wrong end.

Wrth anfon englyn o waith Owen Gronw at William Wynne, meddai Lewis eto:[65]

---

[61] Ibid., t. 44; Llsgr. Llyfrgell Genedlaethol Cymru 67A, t. 255 yn wreiddiol.

[62] *ALMA* 1, llythyr 30, William Wynne at Lewis, o Goleg Iesu, Rhydychen, Tachwedd 18, 1737, t. 57.

[63] Ibid., llythyr 31, Lewis at William Wynne, o Gaergybi, Ebrill 25, 1738, t. 59.

[64] Ibid.

[65] Ibid., llythyr 33, Lewis at William Wynne, *c.* 1738, t. 63.

You sent me formerly some of ye works of John Thomas Cludro in his own hand-writing, and here I send you in return an Englyn of Owen Gronw the famous Cludro man in the author's own hand like-wise, which is a piece of great curiosity, it was composed to beg a wig of a brother of mine. But as it is wrote in old fashiond characters, difficult to read em, which he pretends he received in a right line from the Anglesey druids, I venture to read it as followeth to save you the trouble of turning antient authors …

'Does dim prawf pendant mai prydyddiaeth gan John Thomas ac Owen Gronw a anfonai'r ddau yn ôl ac ymlaen at ei gilydd. Efallai mai nhw ill dau oedd awduron y cerddi israddol hyn, ac iddyn nhw'u llunio er mwyn difyrru'r naill y llall. Mae rhywun yn amau hefyd mai Lewis Morris yw awdur yr englynion a luniwyd 'i anerch yr anghyfryw Fardd Dafydd Sion o Drefri[w] yn Nyffryn Conwy'. Mae'r englynion hyn yn bur wallus eu cynghanedd, ond nid oherwydd anwybodaeth ond, yn hytrach, er mwyn efelychu dawn wantan a chrefft wachul Owen Gronw yn fwriadol. Mae'r cyfeiriad, unwaith yn rhagor, at Robin Clidro yn yr englyn olaf yn awgrymu mai Lewis a'u lluniodd, a go brin y byddai Owen Gronw yn cyfeirio at 'Davydd Sion ag Owen Grono', ynghyd â Robin Clidro, fel 'Tri Bardd i harddu'r Byd tra bo'.[66] Mae'r englynion hyn yn bur garbwl, ac yn llawer salach nag eraill o'i waith, ac mae hynny'n awgrymu'n gryf mai Lewis Morris a fu wrthi'n dychanu Owen Gronw a'i debyg; er enghraifft:[67]

> Owen o Fôn fwyn wyfi, ab Grono
> gwr a fedr ganu
> mae son y dyn am dy swn di
> heno mae'n rhyfedd hynny …
>
> Gwneist ryw araith dinbleth danbaid gyrrith
> ag ai gyrraist at y pen Ceirddiaid,
> Cuddia dy ben mae yn angenrhaid
> rhag ofn pobl Fôn Fenaid.

Er mai cyff gwawd oedd Owen Gronw i Lewis Morris, 'roedd ganddo lawer mwy o grap ar Gerdd Dafod nag y byddai Lewis yn fodlon cyfaddef. 'Roedd Owen Gronw, yn sicr, yn ymryson â'i gyd-feirdd ac yn aelod o gylch barddol Môn yn nhraean cyntaf y ddeunawfed ganrif. Bu'n ymryson yn eiriol ag Elis y Cowper, Elis Roberts (m. 1789). 'Fe wyr y brawd Llew hanes Elisa'r modd y bu'n rhyfela ac Owain Goronwy gynt,'[68] meddai William Morris wrth ei frawd Richard, er na chadwyd cynnyrch yr ymrafael hwnnw. 'Roedd ganddo hefyd gopi o *Grammadeg Cymraeg* Siôn Rhydderch (John

---

[66] Brit. Mus. Addit. MS. 15027, f. 65, a *The Poetical Works of the Rev. Goronwy Owen*, cyf. II, t. 37.

[67] Ibid., t. 19. Yn llawysgrifen Lewis Morris y mae'r englynion hyn yn wreiddiol. Gw. *LGO*, tt. 201-202.

[68] *ML* I, llythyr CCXXI, William at Richard, o Gaergybi, Chwefror 3, 1755, tt. 330-331.

Roderick), a gyhoeddwyd ym 1728. Wrth ofyn i William Morris am 'engraphau, neu siamplau o'r pedwar mesur ar hugain,' ym mis Chwefror, 1753, meddai Goronwy:[69]

> I suppose you either have or may borrow Gramadeg Sion Rhydderch. I remember my father had one of 'em formerly, and that is the only one I ever saw, and as far as I can remember, it gave a very plain, good account of every one of 'em ...

Mae rhai enghreifftiau o waith Owen Gronw wedi goroesi, er enghraifft, yr englyn a anfonodd 'At Risiart (Morris) o glod i'r Gymdeithas Gymreig Ynghaerludd':[70]

> Pan glywais cerais gywrain – eiriau
> A yrraisdi o Lundain
> Gan hanes y genhinen
> Daeth syndod amharod i 'mhen.

Mae'r englyn bron â bod yn gywir fel ag y mae, ond mae'n amlwg i rai pethau gael eu colli a'u newid wrth ei roi ar bapur. Collwyd ynganiad llafar yr englyn, i ddechrau, ac mae angen 'cywren' a 'Lunden' fel prifodlau. Mae'n amlwg fod un peth bach ar goll yn y llinell gyntaf, gan fod y llinell yn fyr o sillaf ac oherwydd bod y gyfatebiaeth gytseiniol ynddi yn anfoddhaol, ond byddai '*mi* gerais gywren – eiriau' yn dileu'r ddau nam, ac yn yr un modd byddai 'A yrraist o Lunden' yn diddymu dau ddiffyg yn yr ail linell. Byddai'r gwelliannau hyn yn rhoi englyn hollol gywir inni, ond am un nam bychan, sef fod y llinell olaf yn rhy hir o sillaf. Lluniodd hefyd englynion i ofyn i Richard Morris am sbectol i'w wraig, ac mae'r rhain hefyd yn anafus:[71]

> Ysbectol wiw reiol o rodd – i Sian
> Ei synnwyr a ddylodd
> Och i'r golwg ach gwelodd
> Na bae er ei mwyn yn'r un modd.

> Gweddiodd gwiw gwunodd ganwaith – gair
> Oedd am gariad perffaith
> I'ch teulu ymhob talaith
> Och i'r tw sy yn eich taith.

Ni ellir honni fod yr englynion gwreiddiol yn hollol ddi-fefl, ond rhaid hefyd ystyried y posibilrwydd fod peth cywirdeb wedi'i golli wrth eu gosod ar bapur.

'Doedd Owen Gronw ddim mor ddiddiwylliant nac mor gwrs a gwladaidd ag y mynnai Lewis Morris ei fod. 'Roedd elfen gref o warineb yn perthyn i'r dyn, er mor

---

[69] *LGO*, llythyr XVII, at William, o Donnington, Chwefror 24, 1753, t. 46.
[70] Ibid., t. 202.
[71] Ibid., t. 203.

dlodaidd a chyffredin oedd ei fyd. Edrych i lawr ei drwyn arno a wnâi Lewis, er hynny, a'i ddychanu a'i ddifrïo fel enghraifft amlwg iawn o fardd bol clawdd. 'Roedd y gwrthdrawiad cefndir hwn i chwarae rhan bwysig yn stori Lewis a Goronwy yn y dyfodol. Ni lwyddodd Lewis Morris am eiliad i anghofio am fagwraeth isel a chefndir cyffredin Goronwy, ac 'roedd y gwahaniaeth hwn rhwng y ddau o safbwynt cefndir a thras, magwraeth a safle cymdeithasol, i amharu ar gyfeillgarwch y ddau yn y blynydd-oedd i ddod. Creodd y fagwraeth isel a gawsai gymhlethdod israddoldeb enfawr ym mhersonoliaeth Goronwy, cymhlethdod na lwyddodd i gael gwared ag ef drwy'i holl fywyd. 'Nid gwiw gennyf ddechreu sôn am y rhan gyntaf o'm Heinioes,' meddai wrth Richard.[72] Pam? Ai oherwydd bod y cyfnod hwnnw yn rhy boenus iddo orfod ei ddwyn i gof?

Mae enghraifft o waith y taid ar gof a chadw hefyd. Lluniodd yntau englynion i ofyn i Richard Morris am sbectol iddo'i hun, ym 1726:[73]

> Mae Gronw ai henw ei hun – i'ch annerch
> A chynnig ag englyn
> Bendithion doethion Duw gwyn
> Gore coel fo ith calyn.

> Fe aeth Henaint am braint am bri – yn llwgwr
> Am llygaid yn tywyllu
> Glanwaith oedd cael goleini
> (Mae gennif chwant) gennych chwi.

> Mae'r llygaid fal gwichiaid ei gwedd – o oedran
> Yn edrych yn dywylledd
> Os rhowch i'm golwg ymgeledd
> Mi ai cadwa (ni fetha) hyd fedd.

Englynion anafus yw'r rhain hefyd, ond mae mwy o gywirdeb nag o anghywirdeb ynddyn nhw, a phrin iawn yw'r llinellau gwirioneddol wallus. Atebwyd yr englynion hyn gan Richard Morris, ac 'roedd Goronwy yn gyfarwydd â'r englynion hynny. 'Mi welais hefyd er ys gwell na deunaw Mlynedd ym Meddiant f'Ewythr Rhobert Gronw lythyr ac ynddo ryw nifer o Englynion cywrein-ddoeth a yrrasech gynt oddi yna at fy Nhaid (yr hên Ronw),' meddai Goronwy.[74] Os hynny, 'roedd Goronwy oddeutu deg neu un ar ddeg oed ar y pryd, tua'r un adeg ag y dechreuodd ymddiddori yn ei addysg. Addawodd Richard y byddai'n prynu sbectol i'r Hen Ronw yn y tri englyn hynny:[75]

---

[72] Ibid., llythyr VI, at Richard, o Donnington, Mehefin 22, 1752, t. 10.

[73] Ibid., t. 201.

[74] Ibid., llythyr XI, at Richard, o Donnington, Rhagfyr 18, 1752, t. 29.

[75] Ibid., t. 201.

Deisyfaist ag erchaist ar gyrchfa – mydr
Nis medraf ei nacca;
Brenin, iti mi brynna
(Ni wada er dim) wydr da.

’Roedd agwedd Richard at deulu’r Dafarn Goch yn hollol wahanol i agwedd Lewis. Parchai Richard y teulu, ac ’roedd yn llawer nes atyn nhw na’r ddau frawd arall. Prawf o’r agosrwydd hwn oedd i Owen Gronw anfon englyn ato i’w longyfarch am ei waith gyda’r ‘Antient Britons’ yn Llundain, y gymdeithas y datblygodd y Cymmrodorion ohoni, a gofyn iddo am sbectol i’w wraig. ‘I knew his father & grandfaʳ, my neighbours, worthy people,’ oedd barn Richard Morris am yr Hen Ronw ac Owen Gronw, er ei fod yn ceisio dyrchafu a gwyngalchu Goronwy ar y pryd, er mwyn cael swydd deilwng iddo yng Nghymru.[76]

Bu Siân Parry, mam Goronwy, yn forwyn yn Y Fferam ac ym Mhentre-eiriannell, cartref y Morrisiaid, ac yn famaeth i Richard Morris a’i frodyr, fel y dywedwyd eisoes, ac ’roedd Richard, am ryw reswm, wedi cadw a choledd cof annwyl amdani hi a’r dyddiau gynt. ‘If ever you see my face you’ll think your old nurse Jane Lloyd, als Parry, is risen from the dead,’ meddai Goronwy wrth Richard.[77] Cofiai Richard yntau yn dyner amdani, ‘yr hon a’m meithrinodd yn garedigol yn fy ieuengctyd’.[78] Arferai Goronwy ei hun fynd i weld Marged Morris yn awr ac yn y man, a châi groeso a charedigrwydd ganddi, mae’n amlwg:[79]

> Hoff iawn a fyddai genyf redeg ar brydnhawn Sadwrn o Ysgol Llan–Allgo i Bentre Eiriannell, ac yno y byddwn siccr o gael fy llawn hwde ar fwytta Brechdanau o Fêl, Triagl, neu ymenyn, neu’r un a fynnwn o’r tri rhyw; papir i wneud fy Nhasg, ac amryw neges arall, a cheiniog yn fy mhocced i fyned adref, ac anferth *siars*, wrth ymadael, i ddysgu fy llyfr yn dda …

’Roedd Goronwy yn cofio am frechdan fêl Marged Morris ar achlysur arall hefyd. ‘Dywedwch wrth eich mam fy mod hyd y dydd heddyw yn cofio ac yn diolch iddi˙am y frechdan fêl a gefais ganddi,’ meddai wrth William, ‘ac odid na chofia hithau ddywedyd o honof y pryd hynny, “Ped fae genyf gynffon mi a’i hysgydwn”.’[80] Byddai Marged Morris yn adrodd straeon am ei meibion wrth Goronwy, fel y stori honno am Richard: ‘*Pa fodd y cymmerasech fwiall fechan gyda chwi i dorri’r Ysgol erbyn y Gwyliau, a’r cyffelyb*’.[81]

---

[76] *ALMA* 1, llythyr 115, Richard at Zachary Pearce, o Lundain, Ionawr 5, 1752, t. 237.

[77] *LGO*, llythyr XIII, at Richard, o Donnington, Ionawr 17, 1753, t. 33.

[78] Ibid., Richard at Goronwy, o Lundain, Mehefin 4, 1752, t. 207.

[79] Ibid., llythyr XI, at Richard, o Donnington, Rhagfyr 18, 1752, t. 28.

[80] Ibid., llythyr V, at William, o Donnington, Mai 30, 1752, t. 9.

[81] Ibid., llythyr XI, at Richard, o Donnington, Rhagfyr 18, 1752, t. 29.

Gwyddom, felly, mai tebyg i'w fam oedd Goronwy o ran pryd a gwedd, yn ôl ei gyfaddefiad wrth Richard, ond 'roedd hefyd wedi etifeddu cyfoeth ei Chymraeg. Ni wyddom fawr ddim am ei thras, dim ond yr hyn sydd gan Goronwy i'w ddweud amdani. 'Ni adnabûm i neb erioed yn *Llan Elian*, na nemmawr yn unlle arall ym Môn, oddigerth ychydig ynghylch y Cartref, a thua *Dulas* a *Bodewryd* a *Phenmon*, &c., lle'r oedd ceraint fy Mam yn byw,' meddai wrth Richard.[82] 'Roedd Goronwy yn meddwl y byd o'i fam, a bu iddi ddylanwadu'n fawr arno:[83]

> *Cornelia*, the Mother of the *Gracchi*, is commended in History for having taught her Sons in their infancy the purity of the Latin Tongue. And I may say in Justice to the memory of my Mother, I never knew a Mother, nor even a Master, more careful to correct an uncouth, inelegant phrase or vicious pronounciation than her; and that, I must own, has been of infinite service to me.

Mae'n amlwg fod y fam wedi llenwi pen ei mab â Chymraeg llafar coeth, helaethrwydd geirfa a phriod-ddulliau, ac mae'n bur debyg mai Siân Parry a roddodd iddo gyfran helaeth o'r idiomau sy'n britho'i ryddiaith, fel blodau mewn glaswellt. Yn un o'i lythyrau mae'n nodi mai ei fam a roddodd iddo'r dywediad 'y gorau a gair orau', ond mae'n amlwg mai un dywediad ymhlith amryw ydoedd. Felly, os ei dad a'i daid a roddodd y grefft iddo, ei fam a roddodd iddo'r mynegiant; gan Owen Gronw a'r Hen Ronw y cawsai'r delyn ond gan ei fam y cawsai'r alaw.

'Roedd gan Siân Parry a Marged Morris ddiddordeb yn addysg gynnar Goronwy. Derbyniodd gefnogaeth ei fam wedi iddo ddianc i'r ysgol yn Llanallgo, a rhoddai Marged Morris bapur iddo ar gyfer ei waith ysgol, ac fe'i siarsai i ddysgu ei lyfr yn dda. Yn wir, ni fyddai Marged Morris yn fodlon nes y byddai Goronwy un diwrnod 'yn glamp o Berson'.[84] Mae'n rhaid fod y ddwy wedi trafod addysg a dyfodol Goronwy gyda'i gilydd, ac efallai mai Marged Morris a gynghorodd Siân Parry ynglŷn ag addysg ei mab. Mae un peth yn sicr: 'roedd Goronwy wedi amlygu ei awydd i dderbyn dysg yn gynnar iawn yn ei fywyd, ac efallai fod Marged Morris wedi darganfod arwyddion o'i allu a'i athrylith flynyddoedd o flaen ei meibion.

Ynys ei blentyndod i bob pwrpas fu Ynys Môn i Goronwy; bro mebyd yn unig. A sut Fôn oedd honno, a sut blentyndod a gafodd Goronwy? Eglwys y plwyf oedd craidd y bywyd pentrefol: yn yr eglwys y cynhelid prif ddefodau bywyd: bedydd, priodas ac angladd. 'Roedd mynychu gwasanaethau eglwysig ar y Sul yn orfodol mewn rhai plwyfi ym Môn, hyd at 1749 o leiaf, ac 'roedd yr eglwysi'n gymharol lawn ar y Sabath, ac yn enwedig yn ystod y gwasanaethau a ddathlai'r prif wyliau. Gallai'r gwasanaethau hyn amrywio o ran hyd, yn enwedig gan y byddai angladdau a bedyddiadau yn rhan o'r

---

[82] Ibid., llythyr VI, at Richard, o Donnington, Mehefin 22, 1752, t. 14.

[83] Ibid., llythyr XXIII, at Lewis, o Walton, Gorffennaf 9, 1753, tt. 61 – 62.

[84] Ibid., llythyr XI, at Richard, o Donnington, Rhagfyr 18, 1752, t. 28.

gwasanaethau Sul arferol, yn hytrach nag yn ddefodau ar wahân. Dibynnai ansawdd moesol a chrefyddol y plwyf ar gymeriad a buchedd offeiriadau'r plwyfi hyn. 'By all measurable standards,' meddai Nesta Evans, 'the spiritual life of the parishes depended on the clergy in charge'.[85]

Er bod ansawdd y bywyd ysbrydol ym mhentrefi Môn yn dibynnu ar ymddygiad ac ymarweddiad offeiriadau'r plwyfi, 'roedd cryn dipyn o ddifyrrwch a miri cymdeithasol yn gysylltiedig â dathliadau'r prif wyliau eglwysig, gan gynnwys y Pasg a'r Llungwyn, a'r gwyliau mabsant. Mynychid y gwasanaeth eglwysig yn y bore yn ystod y gwyliau hyn, a chynhelid chwaraeon yn y prynhawn, cyn diweddu'r dydd mewn tafarn neu yng nghartref un o'r pentrefwyr, a meddwi'i hochor hi yn aml. 'Roedd rhai plwyfi yn mwynhau chwaraeon ar y Sul, hyd yn oed. Cyfeiria Lewis Morris at gynnal chwaraeon ar y Suliau: 'Most of a Sunday their dancing & Leaping, playing football & other feats of activity. Taflu maen & Distances'.[86] Cynhelid y gwyliau mabsant fel arfer ar y Sul a ddilynai ddygwyl y nawddsant, a chynhelid y chwaraeon a oedd yn gysylltiedig â'r ŵyl yng nghyffiniau eglwys y plwyf. Cynhelid y gornestau pêl-droed hyn, a chwaraeon eraill, rhwng llanciau'r plwyf a fyddai'n dathlu'r ŵyl mabsant a llanciau o blwyfi cyfagos. Ar ôl i dri o'i gyfoedion gynt ymweld ag ef, cyfeiriodd William atyn nhw wrth 'sgwennu at Richard fel 'Gwyr y buoch gynt yn chwareu pel droed efo hwynt yn fynych ag ar y Sul hefyd,'[87] ac mewn llythyr arall ato, ar ôl cyfarfod ag un arall o gyfeillion bore oes, 'Sion Hinds y crydd', trosglwydda neges y Siôn hwn i Richard, 'yr hwn a archodd imi yn benodol ddywedyd i chwi eich bod wedi anafu ei goes neu grimog wrth warae pel droed er's talm bŷd bŷd'.[88] Tybed a fu Goronwy'n bêl-droediwr nwyfus yn ei blentyndod, yn 'Y lle bûm yn gware gynt', ac yn 'llawn afiaith a llon ifanc'?

'Roedd chwarae siawns, ymladd ceiliogod a pherfformio anterliwtiau hefyd yn boblogaidd ymhlith y werin-bobl ym Môn pan oedd Goronwy ar ei brifiant, ond adloniant i oedolion oedd pethau o'r fath. Tyrrai pawb, hen ac ifanc, i'r ffeiriau, fodd bynnag, a chofiai'r Morrisiad yn hiraethus am ffeiriau Llannerch-y-medd eu plentyndod, ac fel y byddai cryn dipyn o godi dyrnau, a rhwygo a rhegi, yn y ffeiriau hynny. Yn y ffeiriau y cyflogid gweision a morynion, ac yno y gwerthid ac y prynid nwyddau ac anifeiliaid, ond difyrrach o lawer i'r werin oedd y wedd gymdeithasol ar y ffeiriau hyn, gyda'u ffidleriaid, eu dawnswyr a'u baledwyr. Ac felly, rhwng rhegfeydd y ffeiriau a gweddïau'r offeiriaid, rhwng angladd ac ymladd, rhwng chwarae a cherydd, yr âi bywyd yn ei flaen ym Môn y ddeunawfed ganrif, wrth i'r dyddiau droi'n fisoedd, a'r misoedd yn flynyddoedd, nes i fywyd a fu ddod i ben.

'Does dim sicrwydd ym mha le y bu Goronwy yn ddisgybl ar ôl iddo fod yn ysgol

---

[85] *Religion and Politics in Mid-Eighteenth Century Anglesey*, G. Nesta Evans, 1953, t. 21.

[86] 'Miscellaneous Notes, Customs and Superstitions Relating to Anglesey', *The Life and Works of Lewis Morris (Llewelyn Ddu o Fôn)* 1701 – 1765, Gol. Hugh Owen, 1951, t. 141.

[87] *ML* I, llythyr CXXIX, William at Richard, o Gaergybi, Mai 11, 1752, t. 200.

[88] *ML* II, llythyr DCXCIII, William at Richard, o Gaergybi, Hydref 26, 1763, t. 592.

Llanallgo, o 1734 ymlaen. Yn sicr, nid ym Môn y treuliodd y tair blynedd ar ôl iddo ymadael ag ysgol Llanallgo. Pan aeth yn ôl i Fôn ym 1745, yn gurad Eglwys Llanfair Mathafarn Eithaf am dair wythnos, 'roedd yn falch iawn o'r cyfle, 'oblegid yn Sir Gaernarfon a Sir Ddimbych y buaswn yn bwrw y darn arall o'm hoes er yn un ar ddeg oed,' meddai.[89] 'Er pan aethum i'r ysgol gyntaf, hyny oedd ynghylch dêg neu un ar ddêg oed, nid oeddwn arferol o fod gartref ond yn unig yn y Gŵyliau,' meddai yn yr un llythyr.[90] Felly, yn fylchog ac yn ysbeidiol yr ymwelai â Môn ar ôl cyfnod Llanallgo, ac mae'n amlwg ei fod yn lletya oddi cartref wrth fynychu'i ysgol. Ond pa ysgol? Mae'r cyfnod y sonia amdano yn ymestyn o 1734 hyd 1745, yn fras, a chan iddo fod yn is-athro Ysgol Ramadegol Dinbych am bron i flwyddyn ym 1745, efallai mai yn Sir Gaernarfon y bu'n parhau â'i addysg rhwng 1734 a 1737. Mae enwi Sir Gaernarfon o flaen Sir Ddinbych efallai yn dilyn trefn amseryddol, ac yn awgrymu mai yn Sir Gaernarfon y bu gyntaf. Pa ysgol bynnag oedd hi, mae'n rhaid ei bod hi'n ysgol rydd gyhoeddus, neu ysgol ramadeg, o'r math a oedd yn agored i fechgyn â chefndir fel Goronwy. 'Roedd tair ysgol o'r fath yn Sir Gaernarfon ar y pryd: Botwnnog, Pwllheli a Bangor. Yn ôl traddodiad, i Bwllheli yr aeth Goronwy, er bod rhai, heb unrhyw dystiolaeth o fath yn y byd, yn haeru mai ym Motwnnwog y derbyniodd ei addysg hyd at 1737, a'i fod yn is-athro yno yn yr oedran cynnar hwn hyd yn oed.[91]

'Roedd Ysgol Rydd Pwllheli yn agored i fechgyn Môn, Arfon a Meirionnydd. Darperid addysg rad ar gyfer bechgyn tlawd o Fôn ynddi. Gadawodd Hugh Jones, rheithor Llanystumdwy a fu farw ym 1695, arian yn ei ewyllys ar gyfer sefydlu ysgol ramadeg rad i wasanaethu siroedd Gwynedd, ac ym Mhwllheli y lleolwyd yr ysgol honno, a'i hagor cyn diwedd yr ail ganrif ar bymtheg. Gallai ddal rhwng 120 a 160 o ddisgyblion, ac os bu Goronwy yn ddisgybl yn yr ysgol, bu yno dan ddau ysgolfeistr, sef John Jones (1722–1736) ac Andrew Edwards (1736–1754), y ddau, fel pob un o'r ysgolfeistri o 1722 hyd at 1840, yn guradiaid sefydlog Abererch. Wrth gwrs, bu Goronwy yn athro yn yr ysgol yn ddiweddarach, ac mae hynny wedi cymylu a chymhlethu'r dystiolaeth braidd. Mae Goronwy yn cyfeirio at Andrew Edwards fel 'fy hen feistr gynt' yn un o'i lythyrau,[92] ac er y gallai cyfeiriad o'r fath gyfeirio ato fel pennaeth yr ysgol pan oedd Goronwy yn is-athro iddo, mae'n fwy tebygol mai disgybl yn disgrifio'i athro sydd yma.

Rhan o'r traddodiad mai ym Mhwllheli yr addysgwyd Goronwy oedd yr honiad i dad Cawrdaf, William Ellis Jones (1795–1848), fod yn gyd-ddisgybl i Goronwy ym Mhwllheli. Er enghraifft, mewn ysgrif ar y bardd yn *Cymru*, honnir y 'Bu ei dad yn cyd-ysgolia â Goronwy Owen ym Mhwllheli'.[93] Bu Ellis Jones, tad Cawrdaf, yn ddisgybl yn Ysgol Ramadegol Pwllheli, yn sicr, oherwydd, yn ôl 'Buchedd-draith' *Gweithoedd Cawrdaf*,

[89] *LGO*, llythyr VI, at Richard, o Donnington, Mehefin 22, 1752, t. 10.

[90] Ibid., t. 14.

[91] Er enghraifft, *Y Gwyddoniadur Cymreig*, cyf. VIII, t. 160: 'Pan yn bymtheg oed, cawn ei fod yn is-athraw yn Ysgol Rammadegol Bottwnog, ger Pwllheli'.

[92] *LGO*, llythyr XXVIII, at William, o Walton, Medi 5, 1753, t. 77.

[93] 'Beirdd Dyfed', *Cymru*, cyf. XXXXI, rhif 240, Gorffennaf 1911, t. 33.

anfonwyd William ac Ellis, meibion Richard ac Ann Jones, taid a nain Cawrdaf, 'pan dyfasant i oedran addas ... i'r Ysgol Ieithadurol ym Mhwllheli'.[94] Yn ôl *Gweithoedd Cawrdaf*, bu farw Ellis Jones ar Ebrill 30, 1826, yn 68 mlwydd oed, felly, 'doedd dim modd iddo fod yn un o gyd-ddisgyblion Goronwy ym Mhwllheli. Yn wir, 'roedd Goronwy yn Virginia pan oedd Ellis Jones yn faban. Ond er bod yr haeriad yn anghywir, mae'n enghraifft o'r traddodiad sy'n mynnu mai yn Ysgol Rad Pwllheli y derbyniodd Goronwy ei addysg rhwng 1734 a 1737.

Ceir tystiolaeth bosib arall hefyd. Yn ôl traddodiad, naddodd Goronwy Owen ei enw ar un o feinciau'r ysgol. Ceir tystiolaeth fwy diriaethol yn adroddiad yr Arglwydd Bryce ar gyflwr ysgolion Cymru a Lloegr ym 1870:[95]

> One of the oldest inhabitants of Pwllheli, William Williams by name, who had himself been in the School about the year 1802, told me that a friend of his 30 or 40 years his senior had also been a Scholar there, and added that he had himself seen carved upon a bench in the School the name of Gronwy Owain, a famous Welsh poet and native of Pwllheli, with the date "1754" appended to the name.

Mae'r flwyddyn 1754 yn amhosib, wrth gwrs, ond fel y dadleua Thomas Shankland, gallai fod yn gamgymeriad am 1734. Os felly, mae'r dyddiad yn cyfateb i'r cyfnod hwn ym mywyd Goronwy, ac os oedd o wedi naddu ei enw ar un o feinciau'r ysgol, cast gan fachgen ysgol ac nid gan athro cyfrifol oedd y weithred hon. 'Adroddwyd ar un adeg fod enw'r bardd enwog hwnnw edi (sic) ei naddu ar un o'r byrddau,' meddai D. G. Lloyd Hughes yn *Hanes Tref Pwllheli*, ond esgeulusodd gopïo'i ffynhonnell, ac efallai mai'r ffynhonnell uchod oedd honno.[96] Mae'n rhaid i ni hefyd ystyried y posibilrwydd mai'r weithred o naddu un o feinciau'r Eglwys Gadeiriol ym Mangor ym 1740 a gychwynnodd y stori hon, a bod cryn gymysgu wedi digwydd.

Mae rhai beirniaid a chofianwyr wedi dyfynnu'r llinellau canlynol

> Ail llanw môr yw y llin mau,
> Ceraint i mi 'mhob cyrau,
> Ym Môn a Llannerch-y-medd,
> Yn Llŷn, a thrwy holl Wynedd;

o'r Cywydd i Ofyn Ffrancod i William Fychan i brofi fod perthnasau a chysylltiadau gan Goronwy yng ngwlad Llŷn, ac mai gyda rhai o'r perthnasau hyn y lletyodd yn ystod ei gyfnod fel disgybl ym Mhwllheli; ond os rhown y llinellau yn eu cyd-destun, a dyfynnu'r rhan ddilynol:

---

[94] *Gweithoedd Cawrdaf*, 1851, t. xi.
[95] *Schools Inquiry Commission*, cyf. XX, 1870, t. 190; dyfynnir gan Thomas Shankland yn 'Goronwy Owen', III, *Y Beirniad*, cyf. V, rhif 3, Hydref 1915, t. 184.
[96] *Hanes Tref Pwllheli*, D. G. Lloyd Hughes, 1986, t. 139.

Yn llinyn yno llanwent,
Hapus gylch, Powys a Gwent;
Diadell trwy'r Deheudir,
Rhaid oedd, a thrwy bob rhyw dir ...

fe welir ar unwaith mai ceisio cryfhau ei ymbiliad ar William Fychan mewn modd cell-weirus y mae Goronwy, drwy ddweud fod ganddo berthnasau ym mhob cwr o Gymru yn disgwyl llythyr ganddo.

Er mai tywyll braidd yw'r cyfnod 1734–1737 yn ei hanes, mae'r pedair blynedd nesaf yn oleuach. Gwyddom mai yn Ysgol y Friars, Bangor, y bu rhwng 1737 a 1741. Mae Goronwy ei hun yn dweud hynny. Sefydlwyd Ysgol y Friars gan Dr Geoffrey Glyn (m. 1557), y cyfreithiwr cefnog a oedd yn frawd i William Glyn (1504 – 1558), Esgob Bangor rhwng 1555 a 1558, ac yn fab i John Glyn, Heneglwys, Môn. O'r dechrau, 'roedd yr ysgol ramadeg y breuddwydiodd Geoffrey Glyn am ei sefydlu i hyfforddi ac addysgu disgyblion o gefndir tlodaidd, nid plant y breintiedig yn unig. Gadawodd Geoffrey Glyn Dŷ'r Brodyr ym Mangor a'r tir a berthynai iddo, yn ogystal â'r tir a oedd yn ei feddiant mewn mannau eraill, i'w frawd, yr Esgob William Glyn, ac i'w gyfaill, Maurice Griffith, Esgob Rochester, 'to the intent and purpose that the said bishops or the survivors of them shall, within the space of half a year next after my decease, cause the same to be assured in due form of law, as learned counsel shall best devise, to the use of a Grammar School to be ever maintained in the said town of Bangor for the better education and bringing up of poor men's children'.[97] Yn wir, plant i rieni tlawd a gâi'r flaenoriaeth yn yr ysgol.

Gadawodd Geoffrey Glyn yn ei ewyllys ddarpariaeth ar gyfer deg o ddisgyblion o gefndir tlawd, a chlustnodid ar gyfer y rhain ddeugain swllt bob blwyddyn, i helpu'r disgyblion hyn i dalu am eu haddysg. Er mai ysgol 'rad' oedd Ysgol y Friars, ac er ei bod hi'n darparu'n arbennig ar gyfer plant difreintiau, 'roedd yn rhaid i'r rhieni gyfrannu rhywfaint o arian tuag at gadw a chynnal eu plentyn yn yr ysgol. Meddai W. Ogwen Williams:[98]

> Unless his son was elected to one of the ten Foundation Scholarships, it is most unlikely that a really poor man in this period could ever have dreamt of sending his son to school ... there was a boy's board and lodging to be paid for, unless his home was in or near Bangor. Boys whose parents were really poor were doubtless sent to Friars, but only through the patronage of some wealthy man. One of the wealthier Anglesey squires, for example, might well have paid for the maintenance whilst at the grammar school in Bangor of the son of one of his servants, if the boy showed promise and had earned the squire's favour. But poor labourers and small farmers struggling to make a living could not possibly, at their own costs, have sent their sons to be educated at Friars, even though it was a free grammar school.

---

[97] Dyfynnir yn 'Friars School from its Foundation to the Year 1789', W. Ogwen Williams, *The Dominican*, Goln E. W. Jones a J. Haworth, Fourth Centenary Number, rhif 66, Gorffennaf 1957, t. 28
[98] Ibid., t. 34.

Mae'n rhaid fod rhywun neu rywrai wedi rhoi help i rieni Goronwy i gynnal eu mab yn Ysgol y Friars, ond pwy? Er ei fod yn cydnabod mai trwy ddiwydrwydd ei rieni tlawd – 'Summâ per pauperum parentum industriâ ...' – y cafodd addysg yn Ysgol y Friars,[99] mae'n rhaid fod ganddo noddwr neu noddwyr a welsai gryn addewid ynddo, ac a oedd yn fodlon talu cyfran helaeth o'i dreuliau addysgol.

Yn ôl amryw, Lewis Morris oedd y noddwr hwn. Mae un ffynhonnell gynnar iawn yn clodfori Lewis am roi addysg i'r Goronwy ifanc:[100]

> It ought not to be forgotten, that it was the fostering hand of *Lewis Morris*, which brought forward *Goronwy Owen*, one of the first Welsh poets of modern times. This truly fine genius, who received his education, and who was afterwards maintained at the university of Oxford, by the munificence of Mr. *Morris*, buoyed himself up, for some years, with the hopes that his talents would be the means of bringing him to a small preferment in the church ...

Mae llawer o rai eraill wedi coledd yr un safbwynt. Yn ôl Robert Jones, Rotherhithe:[101]

> The first instructions that Goronwy received in the art of poetry were, doubtless, imparted to him by Lewis Morris. For, although years elapsed before he became conversant with the "four and twenty bardic metres," he seems to have learnt the nature of the *Cynghaneddion* at an early date. But Lewis Morris's kindness did not end here. We find the boy soon afterwards, at the age of eleven years, pursuing his studies at the Grammar School of Bangor. And though he is said to have been supported there by his mother, we cannot but conclude that there must have been some generous friend behind the scenes to render the supply adequate to the boy's necessities.

Posibilrwydd arall yw mai Edward Wynne (1681–1755), Bodewryd, Canghellor esgobaeth Henffordd, a'i cynhaliodd yn ystod ei gyfnod yn Ysgol y Friars, un ai'n rhannol neu'n llwyr. Bu Goronwy ym Modewryd yn ystod gwyliau Nadolig 1739–1740, pan oedd ar drothwy'i ben-blwydd yn ddwy ar bymtheg oed ac wedyn yn ddeunaw ar ddydd Calan 1740, yn copïo dogfennau i'r Canghellor. Mae nodyn yn llaw Edward Wynne ei hun yn cofnodi'r achlysur:[102]

> January ye 11th 1739 – 40. Here ends the Transcripts of Copies of Wills &c. Beginning at page ye fift & wrote by Grono Owen in ye Christmas Holydays 1739 for ye Preservation of them By my order.

Yn ôl Henry Hughes, ficer Llangefni, ym 1789, 'The learned and benevolent Chancellor Wynne of Bodewryd in this island finding him an ingenious youth had the chief merit of

---

[99] *LGO*, llythyr I, at Owen Meyrick, Medi 1741, t. 1.

[100] 'Some Account of Mr. Lewis Morris', *Cambrian Register*, 1796 (1799), cyf. II, tt. 234-235.

[101] *The Poetical Works of the Rev. Goronwy Owen*, cyf. II, tt. 6-7.

[102] Llsgr. Bodewryd 12, t. 72.

his education'.[103] Mae hyn yn fwy na phosib. 'Roedd y ffaith fod Goronwy yn copïo dogfennau i Edward Wynne ym 1739–1740 yn awgrymu fod y Canghellor yn gyfarwydd â'r llanc ymhell cyn y gwyliau Nadolig hynny, ac yn gwybod am safon ei waith copïo. Yn ôl Henry Hughes hefyd, 'When a boy he used to beg meat about his neighbourhood to support him at school'.[104] Er hynny, mae'n rhaid fod llaw hael arall yn porthi'r bachgen ysgol yn ystod y cyfnod hwn.

'Roedd Lewis Morris hefyd yn gwybod am alluoedd Goronwy pan oedd yn llencyn deunaw oed. Gwyddai am y gwaith da a wnaeth i Edward Wynne. Yn un o'i lythyrau at William Vaughan, Corsygedol a Nannau, mae Lewis, ar ôl dathlu, ar ffurf englyn, well-had Ann, merch William Vaughan, o'r frech wen, yn ychwanegu:[105]

> On yᵉ other side you have a copy of Latin Verses on yᵉ same subject, by a young lad that my Brother can give you Some account of. He is a surprizing lad and understands Welch, English, Latin & Greek Equally. He reads our old Welsh MSS and copies them with great Exactness &&&. never was but Four years in school and is but 18 years of age. His mother was my Fathers servant.

Mae'n hollol amlwg mai Goronwy oedd y bachgen hwn, yn bennaf oherwydd y cyfeiriad at y fam a fu'n forwyn i Morris Prichard a Marged, a gallwn ddyddio'r llythyr (diddydd-iad yn wreiddiol) oddeutu 1740, ar ôl i Goronwy fod yn copïo llythyrau i Edward Wynne ac fel y nesâi at ddiwedd ei gyfnod yn Ysgol y Friars. Yn ôl geiriau Lewis Morris, William oedd yr un a adwaenai Goronwy orau.

'Does wybod yn union pwy oedd cynhaliwr neu gynheiliaid Goronwy yn ystod ei gyfnod yn Ysgol y Friars. Bu Thomas Shankland, yn ei wrth-Forrisiaeth, yn gyndyn iawn i dderbyn y gallai Lewis Morris fod wedi cynorthwyo'r bardd yn ei awydd am addysg,[106] ond ni allwn ddiystyru'n llwyr ran bosib Lewis yn addysg Goronwy. 'Roedd Marged Morris yn sicr wedi sylwi ar ei allu cynnar, ac yn awyddus iddo roi sglein addysg ar y gallu hwnnw. Nid yw'n afresymol tybio iddi hi, o leiaf, roi cymorth ymarferol i Goronwy. Yn wir, mae Goronwy ei hun yn cydnabod ei haelioni iddo, ac yn sôn am ei

---

[103] *LGO*, t. 205.

[104] Ibid.

[105] 'Llythyrau Lewis Morris at William Vaughan, Corsygedol', Emyr Gwynne Jones, *Llên Cymru*, cyf. X, rhifau 1 a 2, Ionawr – Gorffennaf 1968, tt. 56-8; yn wreiddiol Llsgr. (Bangor) Mostyn 7612.

[106] 'Goronwy Owen', I, tt. 2-3: 'Wrth y chwedl Forrisaidd golygir yma y syniad cyffredin a geir ym mywgraffiadau Goronwy am ei gysylltiadau â theulu'r Morrisiaid a'i rwymedigaethau iddynt. Ar fyr eiriau, y syniad hwn ydyw, fod Goronwy Owen yn ddyledus i deulu Pentref Eiriannell am bopeth bron ond ei enedigaeth; i Farged Morris am ddiwallu ei gylla newynog yn hogyn â brechdanau mêl a menyn; a'i bocedi gwag â cheiniogau a phapur gwyn i wneuthur ei dasg yn Ysgol Llanallgo, ac am ei annog i'r Offeiriadaeth; i Lewis Morris am ddarganfod ei awen cyn ei fod yn un ar ddeg oed; a'i gynorthwyo i gael addysg foreol a chwrs yn Rhydychen; ac am ei athrawiaethu yn y cynganeddion a'r pedwar mesur ar hugain cerdd dafod; ac i'r tri brawd haelionus a chymwynasgar am eu helusennau ariannol aneirif iddo yn ei galedi beunyddiol ac am eu hymdrechion diflin i gael bywoliaeth eglwysig iddo ym Môn dirion; a bod y bardd trwstan wedi bradychu eu holl gymwynasgarwch trwy ei annichlyn gampau Bachusaidd ac afradlon ...'

hawydd i'w weld yn dod ymlaen yn y byd. 'Roedd William hefyd yn bur gyfarwydd â Goronwy pan oedd hwnnw yn llencyn yn Ysgol y Friars, ac 'roedd Lewis wedi synnu at ei fedrusrwydd yn copïo hen lawysgrifau ac yn mydryddu yn Lladin. Mae'n fwy na phosib fod teulu Pentre-eiriannell wedi bod yn gefn i Goronwy yn ystod ei flynyddoedd fel bachgen ysgol; ac mae'n ddigon hawdd credu y gallai Edward Wynne hefyd fod wedi ei helpu. Pwy bynnag a'i noddodd, mae un peth yn sicr: 'roedd rhywun neu rywrai wedi helpu Siân Parry ac Owen Gronw i addysgu eu mab disglair. Yn ogystal â lletty, 'roedd yn rhaid i rieni dalu am nifer o bethau eraill i'r ysgol ar ran eu plant, fel mân offer ar gyfer dysgu, ac 'roedd yn rhaid i rieni'r plant a dderbyniai un o ysgoloriaethau Geoffrey Glyn hyd yn oed brynu gwenwisg i'w plentyn ar gyfer mynychu gwasanaethau yn yr Eglwys Gadeiriol ar wyliau eglwysig arbennig, gwely i gysgu arno, pedair ceiniog i'r is-athro am gael ei gofrestru'n swyddogol yn yr ysgol, a sawl peth arall.

Tybiai Thomas Shankland, yn ei awydd i ddibrisio rhan y Morrisiaid yng ngwneuthuriad ac yn ymffurfiad Goronwy, fod tad y bardd 'yn ddyn o gymeriad gweddaidd a dirodres, ac fel ei dad yn Eglwyswr ffyddlon,'[107] a gallai ei dad, felly, 'ei osod ym Mangor yn hawdd iawn …' oherwydd ei fod 'yn adnabyddus iawn â'r gwŷr Eglwysig a gymeradwyent blant, yn ol yr Ystatud, i athrawon Bangor',[108] ond prin fod llafurwr a mângrefftwr llwm fel Owen Gronw mor gyfarwydd â hynny â gwŷr dylanwadol a phwysig o'r fath. Credai Shankland y gallai Goronwy fod yn un o'r deg a dderbyniai ysgoloriaeth ddwybunt Geoffrey Glyn, oherwydd, yn un peth, mai 'Yr Esgob oedd yn dal bywoliaeth plwyf genedigol Goronwy'r adeg hon, ac yr oedd Owen Gronw yn un o'i brif ddeiliaid yno,' ac felly, 'Yr oedd tad Goronwy … mewn gwell mantais na'r cyffredin i sicrhau enwi ei blentyn i gael ei letty a'i gynhaliaeth yn rhad yn yr ysgoldy'.[109] Prin fod hynny'n wir.

Mae'i ail ddadl o blaid credu fod Goronwy yn un o blant ysgoloriaeth Glyn yn gadarnach. 'Roedd yn ofynnol fod plant yr ysgoloriaeth yn mynychu'r gwasanaethau yn yr Eglwys Gadeiriol yn eu gwenwisg, yn ôl statudau'r ysgol, 'every holy day and half holyday', ac aros 'during the whole time of service in decent and convenient order'.[110] Yn y flwyddyn 1740, cerfiodd Goronwy ei enw, 'Grono Owen', ar un o feinciau'r Eglwys Gadeiriol. Ym 1825, taflwyd y fainc honno allan i'w llosgi, pan oedd gweithwyr wrthi'n atgyweirio ac yn adnewyddu'r Gadeirlan. Trwy lwc, 'roedd perthynas i Goronwy yn byw ym Mangor ar y pryd, Matthew Owen, ac fe achubodd y darn pren ag enw Goronwy arno rhag difancoll. 'Roedd Elin Gronw, chwaer Owen Gronw, a modryb i Goronwy, yn nain i Matthew Owen. Priododd Elin Gronw ag Edward Stukeley, ac o'r uniad rhwng eu merch Jane ac Owen Hughes y ganed Matthew Owen, ar Ebrill 30,

---

[107] 'Goronwy Owen', II, *Y Beirniad*, cyf. IV, rhif 4, Gaeaf 1914, t. 269.

[108] 'Goronwy Owen', III, ibid., cyf. V, rhif 2, Haf 1915, t. 114.

[109] 'Goronwy Owen', III, ibid., cyf. V, rhif 3, Hydref 1915, t. 176.

[110] Dyfynnir yn 'Friars School from its Foundation to the Year 1789', t. 39.

1769.[111] Ym 1837, ddwy flynedd cyn ei farwolaeth, lluniodd hunangofiant byr, a soniodd ynddo am y darn pren a achubwyd ganddo rhag difancoll:[112]

> Pan oedd Goronwy Owen yn herlod yr oedd yn yr ysgol yn Mangor. Darfu iddo dori ei enw â chyllell, ar fainc o fasarnen yn y Cathedral yn y flwyddyn 1740. Yn y flwyddyn 1807, pan oeddid yn adgyweirio y Cathedral, taflwyd y fainc allan. Minnau a dorais ymaith o'r fainc y darn lle 'roedd yr enw, ac a'i berwais mewn olew hâd llin. Yna lluniais ddarn o mahogany ... a sinciais ynddo y darn pren a'r enw arno, yn bur ddestlus, ac yna mi a'i hanfonais i Braich Talog, i Gruffydd William y bardd, alias Gutyn Peris, ac efe a ganodd iddo'r englynion canlynol. Ar ol hynny mi a anfonais y pren i Lundain, lle y bu am ysbaid tair blynedd gyda'r Cymreigyddion, ond mi a'i cefais yn ol, ac y mae yn fy meddiant yn bresennol, ac fe erys yn y teulu mae'n debyg tra parhao heb bydru.

Prifathro Goronwy yn ystod ei gyfnod yn Ysgol y Friars oedd Edward Bennett, mab i Edward Bennett, offeiriad Trefeglwys yn Sir Drefaldwyn. Addysgwyd Bennett yng Ngholeg Wadham, Rhydychen, a bu'n ficer Trefeglwys o 1706 hyd 1731. Sefydlwyd Edward Bennett ym mywoliaeth Eglwys Llanrhuddlad, Môn, ar Chwefror 7, 1731, a chadwodd y fywoliaeth honno hyd flwyddyn ei farw, ym 1755, er mai curad a ofalai am yr eglwys yn ei absenoldeb. Bu hefyd yn brifathro'r Friars hyd ddiwedd ei oes. Penodwyd Bennett yn brifathro Ysgol y Friars ar Fedi 2, 1731, ac etholwyd ei fab Frohock yn is-athro

---

[111] Yn ôl 'Hunan-Hanes: Hanes Bywyd Matthew Owen o'r Flwyddyn 1769 hyd y Flwyddyn 1836', *Cymru*, cyf. XXXIV, rhif 203, Mehefin 1908, t. 254: 'Fe ei ganed hi [ei fam] yn Llanfair Mathafarn Eithaf, o un Elinor Gronwy, merch i'r hen Gronwy eurych, a chwaer i dad yr enwog Gronwy Owen, felly yr oedd fy mam a Gronwy Owen yn gefnder a chyfnither. Am dad fy mam nid oes fawr o hanes, ond iddo ddod yma yn hogyn o Loegr gyda'r Counselor Wyn, o Bodewryd, a'i enw oedd Edward Stukely, a hwy a fagasant saith neu wyth o blant yn Mon.'

[112] Ibid., t. 255. Dyma'r englynion o waith Gutyn Peris y cyfeirir atyn nhw, fel y'u ceir yn *Y Gwyliedydd*, llyfr III, 1825, t. 118:

> Ym Mangor mewn côr caed maingc hen, – a hon,
>   Oedd hynod; nid amgen
> Arni'n cerfiaw bu llaw'r llên,
> Yn ieuangc, Grono Owen.
>
> Gwyr llyg, wrth gyweirio y Llan – fawrwech,
>   A fwriai'r faingc allan,
> Heb wybod fod yn y fan
> Honno ei wir enw eirian.
>
> Nai Grono gywreiniol, – Matthew Owen,
>   Mewn maith awydd nerthol,
> A chŷn, dorrai o'i chanol
> Yr enw'n iach heb ran yn ol.
>
> Yna y [sic: ei] ddarn a addurnai – yn wych,
>   Pwy yn well a fedrai?
> A'r hardd gynllun, heb un bai,
> Yn fwyn i'm llaw anfonai.

(parhad t. 40)

yno yr un pryd. Am ryw bum mlynedd y bu Frohock Bennett yn is-athro yn yr ysgol, o 1731 hyd 1736. Fe'i diswyddwyd y flwyddyn honno am esgeuluso'i ddyletswyddau yn yr ysgol, ac etholwyd Humphrey Jones, o Lanengan yn Llŷn, yn ei le. Gŵr graddedig o Goleg Iesu, Rhydychen, oedd Humphrey Jones, ac fe'i hordeiniwyd yn offeiriad ym Mangor ar Fedi 2, 1732. Sefydlwyd Humphrey Jones yn rheithoriaeth Llanfaethlu ym Môn ar Orffennaf 15, 1741, a rhoddodd y gorau i'w swydd yn Ysgol y Friars ar dderbyn y rheithoriaeth, er ei fod yn fab-yng-nghyfraith i Edward Bennett erbyn hynny. 'Roedd bywoliaeth Eglwys Llanfwrog ym Môn hefyd yn eiddo iddo. 'Roedd Goronwy yn llawn edmygedd o'i ddau athro, ac mae'n amlwg fod gan yr athrawon hyn barch mawr ato, ac yntau hefyd atyn nhw. 'There are not two gentlemen in the universe that I would more willingly serve than Mr. Bennett and Mr. Jones,' meddai Goronwy ei hun.[113] Mae'n amlwg fod y ddau, a barnu oddi wrth eu llwyddiannau, yn athrawon rhagorol, ac yn ôl Thomas Shankland, 'Ysgol y Friars a'i hathrawon rhagorol ac nid Morrisiaid Môn a ddylai gael y clod am godi a pharatoi ein prifardd i'w waith mawr llenyddol'[114]

Gwyddom ryw ychydig am yr addysg a gynigid yn Ysgol y Friars, ac am y drefn a geid yn yr ysgol. 'Roedd y cwrs wedi'i wreiddio'n gadarn yn y Clasuron Groeg a Lladin, a thrwythid y disgyblion yng ngwaith Erasmus, Æsop, Cato, Cicero, Fyrsil, Ofydd, Horas ac Isocrates, a llawer o rai eraill. 'Roedd yn rhaid i'r disgyblion ymarfer siarad Lladin o fewn yr ysgol a'r tu allan iddi, ac adroddid y weddi hwyrol yn Lladin hefyd. Cyn gadael yr ysgol gyda'r hwyr 'roedd yn rhaid i'r disgyblion ddysgu tri gair Lladin newydd a'u hystyr, ac fe'u gorfodid i ailadrodd y tri wrth eu hathrawon y bore wedyn. Ni châi neb ganiatâd i fynd allan o ystafell y dosbarth heb adrodd tri gair Lladin ar y ffordd allan a thri gair gwahanol wrth ddod yn ôl.

> Sylwaf, edrychaf hir dro, – ar ei enw,
>   Yr anwyl Brif Athro!
>   Wele waith ei wiw law o,
>   Ein cywirfardd, yn cerfio.
>
> Ei enw bann yn y byd – a adawodd,
>   A diwael waith hefyd:
>   Rhyw enw gwell na'r rhai'n i gyd
>   A gai iawnfardd mewn gwynfyd.

Yn ôl M. L. Clarke, *Bangor Cathedral*, 1969, tt. 27-29: 'In 1810 the Chapter found itself in a position to finance extensive repairs ... The work was put in hand in 1824 ... Some of the work done in 1824 can still be seen in the tower ... The work of altering and refitting the interior followed on that of repair and was the subject of a separate contract, for which tenders were invited in January 1825 ... During the repairs and alterations services took place in the National School in Dean Street, which had been opened in 1822. There was evidently some dissatisfaction on the part of the congregation at their long exile ... Though the Welsh church was opened by September, 1826, the rest of the work was not completed until two years later.' Felly, 'roedd Matthew Owen wedi camgofio'r flwyddyn, ond ym 1825 yr ymddangosodd englynion Gutyn Peris yn *Y Gwyliedydd* a hefyd yn *Eurgrawn Môn*, ac mae dyddiad cyhoeddi'r englynion yn cyfateb i ddyddiad atgyweirio'r Eglwys Gadeiriol.

[113] *LGO*, llythyr V, at William, o Donnington, Mai 30, 1752, t. 9.
[114] 'Goronwy Owen', III, *Y Beirniad*, cyf. V, rhif 2, Haf 1915, t. 119.

Dechreuai'r ysgol am chwech o'r gloch y bore. 'Roedd trefn a disgyblaeth yn rhan hanfodol o fywyd yno. 'None of the scholars shall be so hardy to come to school with his head unkempt, his hands or face unwashed, his shoes unclean, his cap, hosen or vesture filthy or rent,' yn ôl un o stadudau'r ysgol.[115] Am hanner awr wedi chwech adroddid gweddïau yn Saesneg. Cyrhaeddai'r prifathro a'r is-athro am saith yn y bore; byddai'r prifathro yn gyfrifol am ddysgu'r pedwerydd a'r pumed dosbarth, a'r is-athro yn gofalu am y tri dosbarth isaf. Dysgid y bechgyn hyd at un ar ddeg o'r gloch y bore, ac wedyn caent ginio. Byddai'r gwersi prynhawn yn parhau hyd bump o'r gloch.

Neilltuid hanner awr olaf y bore a hanner awr olaf y prynhawn ar gyfer adolygu, a byddai'r disgyblion, bob yn ddau, yn holi ei gilydd am eiriau a gramadeg Lladin, neu'n darllen 'adages, proverbs, pretty sentences in prose or verse by interchange and shifting course, now giving, now receiving one for another'.[116] Gwneid hyn dan oruchwyliaeth yr is-athro yn unig. Bob prynhawn dydd Iau, câi'r disgyblion hanner dydd yn rhydd iddyn nhw eu hunain i chwarae, ond bob dydd Gwener 'roedd yn rhaid i'r bechgyn ailadrodd popeth 'roedden nhw wedi'i ddysgu yn ystod yr wythnos. Câi bechgyn hynaf y pedwerydd a'r pumed dosbarth dasg ychwanegol bob dydd Gwener, sef cyflwyno i'r prifathro, neu i'r is-athro yn ei absenoldeb, 'some epistle or epigram in verse that the scholars premeditated in the fore part of the week besides their ordinary lessons'.[117] 'Roedd Goronwy yn un o'r mydryddwyr Lladin hyn, ac mae'n sicr i'r ddisgyblaeth hon o orfod llunio epigramau neu epistolau Lladin bob diwedd wythnos yn y Friars fod yn un fuddiol iddo ym mlynyddoedd ei ffurfiant fel bardd. Bob prynhawn Sadwrn, wedyn, rhoddid prawf ar wybodaeth grefyddol y disgyblion, a'u holi ynghylch erthyglau'r Ffydd Gristnogol, Gweddi'r Arglwydd, ac yn y blaen. 'Roedd yr addysg a gynigid yn Ysgol y Friars yn addysg fanwl a thrwyadl iawn.

Er bod yr athrawon yn cadw'r harnais yn dynn am y disgyblion, rhag iddyn nhw fynd dros y tresi, 'roedd y bechgyn yn torri'n rhydd weithiau. Torrid cloeon drysau, clwydi, cypyrddau, ffenestri a desgiau yn awr ac yn y man. Bob diwrnod, penodai'r prifathro ddau neu dri o'r bechgyn i gadw golwg ar eu cyd-ddisgyblion ac achwyn amdanyn nhw wrth yr athrawon pe baen nhw'n tramgwyddo neu'n camymddwyn. Mae cofnod am ddrygioni rhai o fechgyn y Friars yng nghofnod Goronwy yn yr ysgol wedi goroesi. Gorchmynnwyd, yn ôl y cofnod hwn a luniwyd ar Awst 18, 1739:[118]

> ... that the schoolmasters of the Free School of Bangor give strict charge to their scholars not to play in the churchyard and that they order the monitors to go to the churchyard often to see whether any of the scholars play there and to forbid the said monitors to connive at any scholars playing there under pain of correction; and upon complaint of any scholar or scholars playing there by the monitor or any other person

---

[115] 'Friars School from its Foundation to the Year 1789', t. 35.

[116] Ibid.

[117] Ibid.

[118] Ibid., t. 39.

that they, the said schoolmasters, should give him or them due correction or on default to subject themselves to an admonition from the dean and chapter.

A oedd Goronwy, tybed, ymhlith y bechgyn hyn a fu'n chwarae ym mynwent yr Eglwys Gadeiriol? Hawdd credu hynny, yn enwedig o gofio iddo naddu'i enw ar un o feinciau'r Gadeirlan.

Direidi neu beidio, mae'n sicr mai caledwaith a disgyblaeth a nodweddai ei bum mlynedd yn Ysgol y Friars. A 'doedd bywyd yno ddim yn fêl i gyd i ddisgyblion tlawd. Gellid tybio mai digon dirmygus oedd agwedd meibion y cyfoethogion tuag at Goronwy a'i debyg. 'One can imagine that they probably made life very difficult for poor scholars like Goronwy Owen struggling daily with their Latin and Greek and finding it hard to live on the small allowances which their parents could send them,' meddai W. Ogwen Williams,[119] gan ychwanegu:[120]

> Life at Friars for the ten Glyn scholars was, as likely as not, extremely hard and attendance at cathedral services in their surplices, when other boys were out playing, was perhaps the least of the impositions which they had to bear. Being poor "scholarship boys," they were probably bullied and badgered by all and sundry, sacrist and organist, master and usher as well as the rich boys at the school. A master intent on making money by providing board and lodging at a profit and extra tuition in consideration of fees for the sons of well-to-do parents, doubtless regarded the scholarship boys with a very jaundiced eye.

Ym 1741 daeth pum mlynedd Goronwy yn Ysgol y Friars i ben. Ar ôl y cwrs llawn, cynghorid y disgyblion gan y stadudau un ai i barhau â'u haddysg yn y prifysgolion neu i ddilyn galwedigaeth fuddiol. 'Roedd Goronwy, heb amheuaeth, yn ddisgybl disglair iawn, a'r brifysgol oedd ei le. Ond 'roedd problem, sef tlodi ei rieni. 'Roedd yn rhaid iddo chwilio am noddwr neu am ysgoloriaeth i'w gynnal yn y brifysgol. Dyna oedd ei unig obaith. Ar un ystyr, gydag addysg gadarn y tu ôl iddo a'r posibiliad y câi ehangu a dyfnhau'r addysg honno, 'roedd cyfnod cyffrous yn ymagor o'i flaen. Yn anffodus, digwyddodd trychineb yn ei hanes. Bu farw ei fam, ac fe'i claddwyd ar Ebrill 23, 1741. Collodd Goronwy gefnogaeth a gofal yr un a gredai ynddo yn fwy na neb. Diffoddwyd cannwyll ei lygad, a'i adael yn ddiymgeledd amddifad yn y tywyllwch. Ailbriododd ei dad yn fuan iawn ar ôl colli ei briod. Elizabeth Hughes oedd enw ail wraig Owen Gronw, a phriodwyd y ddau ar Awst 14, 1741. Un peth oedd i Goronwy golli'i fam; peth arall oedd gweld rhywun arall yn cynhesu'i lle yn y gwely, cyn bod hwnnw wedi oeri hyd yn oed. Collodd Goronwy fwy na mam; collodd gartref a sicrwydd a pherthyn yn ogystal. Yn ôl ei eiriau ei hun: 'fe fu farw fy Mam, ac yno nid oedd ond croesaw oer gartref iw ddisgwyl'.[121] Sefydlwyd patrwm gan farwolaeth y fam: bob tro y dechreuai Goronwy gael ei draed dano, a chael trefn ar ei fywyd, byddai'r tir yn llithro dan ei draed.

---

[119] Ibid., t. 38.
[120] Ibid., t. 40.
[121] *LGO*, llythyr VI, at Richard, o Donnington, Mehefin 22, 1752, t. 14.

Marwolaeth Siân Parry oedd y cam cyntaf yn y gwaith o'i ddieithrio, ei alltudio a'i ddadwreiddio. Gadawodd y brofedigaeth y bardd yn ddiamddiffyn. 'My mother being dead, and my father married to another wife, I was left to struggle on alone,' meddai yn ei lythyr at Owen Meyrick.[122] Ailadroddodd y dystiolaeth hon un mlynedd ar ddeg yn ddiweddarach, prawf arall, pe bai angen, o'r ing a'r golled aruthrol a deimlai ar y pryd. 'Ynghylch yr amser yr oeddwn yn dechreu gallu ymdaro trosof fy hun, fe fu farw fy Mam,' meddai wrth Richard Morris, fel pe bai treigl amser wedi peri iddo anghofio mai marwolaeth Siân Parry a'i gorfododd i sefyll ar ei draed ei hun.[123] Byr fu ail briodas Owen Gronw, ac ym mis Chwefror 1743 priododd am y trydydd tro, â Jane Edwards, ond ni chafodd Goronwy fawr ddim o gwmni ei ail lysfam; ond 'roedd y drwg wedi'i wneud eisoes, drwy i Owen Gronw briodi mor amharchus o fuan ar ôl marwolaeth ei wraig gyntaf, a rhoi ail fam hollol annerbyniol i'r bardd ifanc. Ac mae'n rhaid fod Elizabeth Hughes wedi dangos ei dannedd yn syth ar ôl y briodas. Ym mis Medi y cwynai Goronwy ei fod wedi gorfod dechrau brwydro'i ffordd drwy fywyd, a dim ond newydd briodi ei dad ychydig wythnosau ynghynt yr oedd Elizabeth Hughes. Ym 1741 dechreuodd Goronwy gasáu ei gefndir, ei gynefin a'i geraint. Dechreuodd gasáu Môn.

'Doedd dim byd bellach i'w gadw yn Y Rhos-fawr, ac 'roedd ei awydd am ragor o addysg, yn ogystal â'i awydd i gefnu ar ei gartref, yn ei sbarduno ymlaen. Rhydychen oedd ei gyrchfan mwyach, ac mae'n debyg y bu Edward Bennett a Humphrey Jones yn ei hybu ymlaen, ac yn ei gynghori yn hyn o beth. 'Roedd ysgoloriaethau arbennig ar gael ar gyfer bechgyn tlawd o Fôn a obeithiai fynd i Rydychen neu Gaergrawnt. Un o'r elusennau a ddarparai ysgoloriaethau o'r fath oedd elusen Dr William Lewis o Fôn, a ddarparai ar gyfer '… eight boys inclined to learning and fit for the University towards the maintenance of their studies; viz. to four boys constantly for ever, to be brought up in Trinity College, Cambridge, the yearly sum or exhibition of 8£ each for five years, and 8£ yearly for five years to each of four boys to be constantly brought up in Jesus College, Oxford … Special regards should be had to poor boys born in Anglesey'.[124] Un o ymddiriedolwyr y gronfa honno oedd Owen Meyrick (1682 – 1760), y bonheddwr a'r seneddwr.

Ym Medi 1741, 'sgwennodd Goronwy lythyr ato yn gofyn iddo am un o'r ysgoloriaethau hyn. 'Roedd y llythyr yn Lladin, yn bennaf fel y gallai Goronwy brofi ei feistrolaeth ar yr iaith honno ac i ddangos ei fod yn deilwng o addysg brifysgol. Mae'r llythyr yn llawn o dristwch, ac o rym penderfyniad hefyd. 'Roedd y llythyr yn gais dilys ar ei ran i gael modd i wella'i stad a diwallu'i awch am addysg, yn sicr, ond 'roedd Goronwy hefyd yn chwilio am waredigaeth rhag y cartref a oedd bellach yn lle oeraidd a dieithr iddo. 'Roedd y cyferbyniad amlwg rhwng awydd Goronwy i gyfoethogi ei fywyd drwy fynnu rhagor o addysg a'r ffaith fod ei dlodi yn gweithio yn erbyn hynny hefyd yn

---

[122] Ibid, llythyr I, at Owen Meyrick, Medi 1741, t. 2.

[123] Ibid, llythyr VI, at Richard, o Donnington, Mehefin 22, 1752, t. 14.

[124] Dyfynnir o'r *Report Concerning Charities*, 1819, t. 521 yn 'Goronwy Owen', IV, Thomas Shankland, *Y Beirniad*, cyf. VI, rhif 1, Gwanwyn 1916, t. 33.

dechrau ei wneud yn ymwybodol iawn o anfanteision ei gefndir. Yn wir, 'roedd ei wreiddiau yn ei fygu yn hytrach nag yn ei faethu. 'The benefits my parents have conferred on me are injuries,' meddai.[125] 'If poverty be esteemed a merit,' meddai drachefn, 'I doubt not but I am more deserving of your favour than anyone else'.[126]

Yn ddeunaw oed, felly, 'roedd Goronwy â'i fryd ar fynd i'r Brifysgol, a hynny er mwyn cael ei gymhwyso ar gyfer urddau eglwysig. Efallai fod mynychu'r gwasanaethau eglwysig yng Nghadeirlan Bangor wedi gwreiddio'r uchelgais hwn ynddo, ac 'roedd yn benderfynol iawn yn ei awydd i wireddu'i freuddwyd. Lluniodd nifer o englynion caboledig i fynegi'i ddyhead, ac mae ei lythyr at Owen Meyrick yn cadarnhau tystiolaeth yr englynion. 'If I can obtain this,' meddai am yr ysgoloriaeth, 'it may fit me for some liberal profession, either in the Church or elsewhere'.[127] Ceir yn yr englyn cyntaf y cyfarchiad confensiynol i Dduw:[128]

Duw Tad, Un o'th rad a Thri, – Duw annwyl,
 Daionus dy berchi;
 Duw unig y daioni,
 Clau yw fy nghred, clyw fy nghri.

Mae'r ail englyn, yn ogystal ag ymorol am nawdd Duw ei hun, yn erfyn am gymorth Duw i roi noddwr iddo, fel y gall gyflawni ei uchelgais i wasanaethu'r Eglwys:[129]

Dy eiriau, Iôn clau, clywais – yn addo
 Noddi pawb a'th ymgais;
 Ymagored, mi gurais,
 Y nef wrth fy llef a'm llais.

Mae'r pedwerydd englyn yn mynegi ei ymrwymiad a'i ymgysegriad i achos Duw:[130]

Da gwyddost wrando gweddi – dy weision,
 Dewisaist eu noddi;
 A minnau wyf, o mynni,
 Duw Iesu deg, dy was Di.

Mae'n cloi'r gerdd ag englynion sy'n sôn am y modd y cynorthwyodd ac y bendithiodd Duw fugeiliaid yn yr Hen Destament, ac mae'n gofyn am gael ei gynnwys ymhlith y rhain:[131]

---

[125] *LGO*, llythyr I, at Owen Meyrick, Medi 1741, t. 2.
[126] Ibid.
[127] Ibid.
[128] 'Englynion i Dduw', *Blodeugerdd Barddas o Ganu Caeth y Ddeunawfed Ganrif*, Gol. A. Cynfael Lake, 1993, t. 85.
[129] Ibid.
[130] Ibid.
[131] Ibid., tt. 85–86.

Gwaelaidd gynt yn bugeilio – fu Moesen
　Ym meysydd hen Jethro;
　　Di roddaist hyder iddo
　　A braint, a rheolaeth bro.

A'r Salmydd, cynnydd Duw cu, – cof ydyw,
　Cyfodaist i fyny;
　　O fugail, heb ryfygu,
　　Aeth Dafydd yn llywydd llu.

Minnau, Duw nef, o mynni, – anerchaf
　Hyn o archiad iti:
　　Bod yn fugail cail Celi;
　　A doed im d'ewyllys Di.

Ni cheisiaf gan Naf o nefoedd – gyfoeth
　Na gofal brenhinoedd
　　Ond arail ŵyn ei diroedd;
　　Duw a'i gwnêl a digon oedd.

Mae'r englynion yn codi uwchlaw cywirdeb cynganeddol. Mae yma fynegiant cain, urddasol a gorffenedig, syberwyd mynegiant a glendid ymadrodd a oedd ymhell o gyrraedd y tad a'r taid. 'Roedd Goronwy, o gwmpas ei ddeunaw oed, yn gywreiniach ac yn rhagorach bardd na'r naill a'r llall. 'Roedd sglein dysg ar yr englynion, ac mae'n sicr fod darllen y Clasuron yn y Friars wedi diwyllio a chyfoethogi ei feddwl a gloywi ei ddawn.

　'Doedd yr englynion hyn ddim wedi codi o'r gwagle. Mae ôl blynyddoedd o ymarfer ac o ymbrentisio arnyn nhw, ac mae'r mynegiant yn rhy gaboledig-berffaith a chofiadwy iddyn nhw fod yn gynnyrch newyddian ansicr a dihyder yn y grefft. Mae'n amlwg nad cerddi Lladin yn unig a gynhyrchwyd ganddo yn ystod ei gyfnod yn Ysgol y Friars. Mae gennym brawf arall o'i fedrusrwydd fel bardd yn ystod y cyfnod hwn. Meddai wrth William ym 1754, wrth sôn amdano yn ymrysona ag Elis Roberts, Elis y Cowper (m. 1789), y prydydd a'r anterliwtiwr, yn un o'r eisteddfodau tafarn, neu eisteddfodau'r Almanaciau, a gynhelid yn achlysurol yn ystod y ddeunawfed ganrif:[132]

Mi fum i unwaith ynghwmni Elis yn Llanrwst, er's ynghylch 14 blynedd i rwan, yn ymryson prydyddu *extempore*, ac fe ddywaid fy mod yn barottaf bachgen a welsai erioed, ac etto er hyn cyn y diwedd, ni was'naethai dim oni chai o a lleban arall o Sîr Fôn oedd yn ffrind iddo, fy lainio i; a hynny a wnaethent oni b'asai Clochydd Caernarfon oedd gyda mi. Tybio 'rwyf mai prifio'n rhy dôst o rychor iddo a wnaethwn yn ei arfau ei hun, sef dychanu a galw enwau drwg ar gân.

---

[132] *LGO*, llythyr XLVI, at William, o Walton, Hydref 16, 1754, t. 128.

Tua 1740 y digwyddodd hyn, pan oedd Goronwy oddeutu dwy ar bymtheg oed, ac yn ddisgybl yn Ysgol y Friars o hyd, a chyn iddo lunio'r englynion yn ei gysegru ei hun i Dduw. 'Roedd yn gallu barddoni'n fyrfyfyr y pryd hwnnw, hyd yn oed, ac yn ddigon medrus i ennyn llid a chenfigen Elis y Cowper.

'Doedd dim un o ysgoloriaethau elusen Lewis yn rhydd pan luniodd Goronwy ei gais i Owen Meyrick. Ar Fedi 1, 1743, ddwy flynedd ar ôl i Goronwy ofyn am ysgoloriaeth, y rhyddhawyd y gyntaf. Cyfarfu ymddiriedolwyr yr elusen, ac Owen Meyrick yn eu mysg, ym Miwmares a gorchmynnwyd, yn ôl y cofnodion, fod Goronwy i dderbyn yr ysgoloriaeth yn lle gŵr o'r enw Richard Langford, mab Simon Langford, rheithor Rhoscolyn ym Môn. Cofnodir yng nghyfarfod ymddiriedolwyr yr elusen flwyddyn yn ddiweddarach, ar Fedi 1, 1744, i Goronwy dderbyn saith bunt a deuddeg swllt o arian y gronfa. A dderbyniodd yr arian hwn? Yng nghyfarfod yr ymddiriedolwyr ar Fedi 2, 1745, nodir yn y cyfrifon fod tiwtor Goronwy yn Rhydychen wedi derbyn tâl, ond mae'r cofnod hwnnw wedi'i led-ddileu, ac yn yr un cofnodion ceir y cofnod hwn: 'Ordered that Price Woosnam, son of Mr. Wm. Woosnam of Carno in Montgomeryshire be and is hereby appointed to receive the said Exhibition in the Room of Gronw Owen who is hereby deprived from receiving his Exhibition for the future, he having not gone to Colledge since the last meeting'.[133]

Methodd Goronwy yn ei gais i gael ysgoloriaeth i'w gynnal ei hun yn Rhydychen ym 1741, ond aeth yno beth bynnag. Ymaelododd yng Ngholeg Iesu ar Fehefin 3, 1742, ac mae'n amlwg ei fod wedi penderfynu mentro ar ei liwt ei hun. Mae Goronwy yn ymddangos am y tro cyntaf oll yn llythyrau'r Morrisiaid ar yr union ddiwrnod ag yr ymaelododd yn Rhydychen, a William sy'n llefaru. 'Mae'r Grono wedi mynd i Rydychen,' meddai wrth Richard, gan ychwanegu: 'Nis gwn i etto par sutt a fydd iddo drin y dreth: mae arnafi beth ofn am danaw'.[134] Gwyddai William yn dda am Goronwy a'i gefndir, a gwyddai y câi drafferth i 'drin y dreth', sef i'w gynnal ei hun yn ariannol. Yn wir, yng nghartref William Morris y rhoddwyd Goronwy ar brawf gan Thomas Ellis, ficer Caergybi, cyfaill i William Morris a chymrawd o Goleg Iesu, i sicrhau awdurdodau'r coleg fod Goronwy yn meddu ar y cymwysterau angenrheidiol i gael ei dderbyn yn Rhydychen. Mae'r frawddeg sy'n rhagflaenu'r sôn am Goronwy yn mynd i Rydychen yn cyfeirio at Thomas Ellis, a hynny a oedd wedi atgoffa William fod Goronwy wedi mynd i Rydychen, yn enwedig gan fod y prawf wedi achosi peth cynnwrf a helbul rhwng Goronwy a'i holwr. Cofiodd Goronwy am yr achlysur flynyddoedd yn ddiweddarach:[135]

> I have known him [Thomas Ellis] of old to be of a morose and peevish temper, an
> instance whereof he gave me at your house at Holyhead; for, having given me a thesis

---

[133] Gw. 'A Survey of Parish Records in the Diocese of Bangor', E. Gilbert Wright, *TCHNM*, 1959, t. 48.

[134] *ML* I, llythyr XLVI, William at Richard, o Gaergybi, Mehefin 3, 1742, t. 68.

[135] *LGO*, llythyr IX, at William, o Donnington, Medi 21, 1752, t. 21.

to make a theme on, when I waited on him with it, – made, I suppose, in the best manner I was then able (which was no way contemptible considering my years) – the good Dr. (I conceive, expecting I should have outdone himself and Tom Brown too) fell into such extravagancy of passion as little became him, crying *"What stuff* is here! *Out* upon it! I've done with you! I don't want *your* Latin, I make good Latin myself" (a wonder, forsooth, for a Fellow of a College) ...

'Roedd William yn llygad ei le i bryderu am y myfyriwr ifanc. Dim ond am ryw wythnos yr arhosodd Goronwy yn Rhydychen, er i'w enw aros ar lyfrau Coleg Iesu hyd at 1768, yn bennaf oherwydd bod arno ddyledion i'r Coleg. 'Doedd Goronwy heb dalu'r grôt a oedd yn daladwy ar ei fynediad i'r Coleg, na'r tâl hanfodol o dri swllt a naw ceiniog yr oedd yn rhaid i bob *servitor*, sef y dosbarth isaf a thlotaf o fyfyrwyr, ei dalu i'r Coleg, na nifer o daliadau eraill. 'Roedd arno bymtheg swllt a phum ceiniog o ddyled yn gyfan gwbwl i Goleg Iesu, ond dihangodd oddi yno heb ei thalu, ac ni thalodd mohoni byth wedi hynny. 'He entered at Jesus College and was examined by Dr. Hoare, who was then tutor,' meddai Henry Hughes, ond 'he immediately disappeared and never returned to that or any other College afterwards, probably for want of money, clothing, etc.'[136] 'Roedd Goronwy wedi gorfod dysgu gwers galed iawn yn Rhydychen.

Mae un dirgelwch ynghylch y blynyddoedd cynnar hyn, sef ym mha le y bu Goronwy rhwng Hydref 1741, ar ôl iddo gysylltu ag Owen Meyrick, a dechrau Mehefin 1742, pan aeth i Rydychen? Os oedd croeso oeraidd iddo yn ei hen gartref, ai yn rhywle arall y treuliodd y misoedd hyn, ac ymhle? Ceisiodd Thomas Shankland brofi mai ym Môn y treuliodd fis Medi 1741 ar ei hyd, oherwydd bod dwy gerdd Ladin ganddo 'y naill i'w gyfaill a'i gymydog, Capten Ffoulkes, ar ei ddiangfa ryfeddol o'r dymestl fawr fu ar dueddau Sir Fôn a môr Iwerddon ddydd Iau, Medi 10, 1741, ac a chwythodd ei long o Ben Elian, rhwng Dulas a Phorth Elian i Ogledd yr Ynys Werdd, gan ysgubo'r hwyliau a'u taclau dros y bwrdd; a'r llall i'r llyngesydd Coetmor a rhai o'r boneddigesau oedd ar y fordaith erwin honno'.[137] Yn nhyb Thomas Shankland, treuliodd y misoedd rhwng Hydref 1741 a dechrau Mehefin 1742 yn Llŷn oherwydd 'yr oedd yn berffaith naturiol iddo ddychwelyd i'r hen ardal yn y cyfwng hwn'.[138] Byddai'n rhaid seilio'r dybiaeth ar y gred mai ym Mhwllheli y bu Goronwy yn ddisgybl cyn mynd i Ysgol y Friars, gan na fyddai unrhyw reswm iddo dreulio'r misoedd hyn yn Llŷn heb erioed fod yno o'r blaen. Damcaniaeth yn unig yw hon gan Shankland. Yn wir, efallai mai gartref y bu yn ystod y cyfnod hwn. Er mor ddigroeso a di-serch oedd Elizabeth Hughes, nid yw hynny'n golygu fod tad Goronwy wedi ei daflu allan ar y clwt, a'i adael heb do uwch ei ben, er na chafodd unrhyw garedigrwydd na chefnogaeth gan ei lysfam. 'Does dim byd pendant i brofi fod Goronwy wedi aros gartref nac wedi treulio'r cyfnod hwn, cyn mynd i Rydychen, yn rhywle arall, fel Llŷn.

[136] Ibid., t. 205.
[137] 'Goronwy Owen', III, *Y Beirniad*, cyf. V, rhif 3, Hydref 1915, t. 185.
[138] 'Goronwy Owen', IV, ibid., cyf. V, rhif 4, Gaeaf 1915–1916, t. 239.

Blynyddoedd ei fagwraeth a'i addysg, blynyddoedd ei blentyndod a'i lencyndod, oedd y blynyddoedd ffurfiannol yn ei gymeriad a'i bersonoliaeth. Daeth i sylweddoli yn gynnar iawn yn ei fywyd fod arian yn siarad, fod cyfoeth yn darparu breintiau ac yn prynu bendithion, a bod tlodi yn faen tramgwydd, cyn drymed bob mymryn â meini melinau chwarel Y Rhos-fawr. Daeth i ddeall fod pob tlawd yn gydfrawd i gi. Yr oedd ganddo ddigon o grebwyll, a digon o ddiddordeb, yn yr englyna a'r prydyddu o'i gwmpas, i sylweddoli mai cyff gwawd oedd ei dad gan feirdd eraill Môn, a phrofiad digon annifyr iddo yn grwt ysgol oedd y gwrthdrawiad rhyngddo ac Elis y Cowper. Drwy gydol ei oes, bu Elis yn cynrychioli math arbennig o brydydd iddo, sef y bardd bol clawdd, garw'i ddull a'i ddillad, a gwladaidd-afrosgo a chwrs yn ei fywyd a'i fydryddiaeth. Mewn gair, 'roedd Elis yn ei atgoffa am ei wreiddiau, yn ei atgoffa am ei dincer o daid a'i lafurwr o dad. A daeth Goronwy yn ymwybodol iawn o'i fagwraeth ddiurddas a'i gefndir garw, isel. 'I was not so well-bred as to learn to flatter,'[139] meddai unwaith, gan gyfaddef ei fod yn amddifad o'r moesau cymdeithasol hynny a wnâi fonheddwr, a'i fod hefyd yn meddu ar wendid a oedd yn or-amlwg ynddo ar brydiau yn nhyb Lewis Morris. Sylweddolodd Goronwy, wrth ymlafnio i'w gynnal ei hun yn Ysgol y Friars, noddwr neu beidio, ac wrth fethu ei gynnal ei hun yn y Brifysgol yn Rhydychen, fod golud yn bwysicach na gallu, a bod llwyddiant gyrfa yn dibynnu ar fagwrfa yn hytrach nag ar ddysg a dawn; ac yn blentyn ym Môn y dysgodd y gwersi caled hyn.

---

[139] *LGO*, llythyr IX, at William, o Donnington, Medi 21, 1752, t. 21.

'Bawaidd Fu Hyn o'm Bywyd'

Pwllheli, Dinbych a Chroesoswallt

1742–1748

Erbyn Gŵyl Fihangel, Medi 29, 1742, 'roedd Goronwy yn athro cynorthwyol yn Ysgol Rad Pwllheli, sef yr ysgol y bu iddo ef ei hun, yn ôl traddodiad, ei mynychu rhwng 1734 a 1737.[1] Ym mha le y bu yn ystod hanner Mehefin, Gorffennaf ac Awst y flwyddyn honno ni wyddom, ond rhaid caniatáu amser iddo ddychwelyd i Gymru, a theithio i Lŷn wedi iddo glywed fod swydd ar gael yn Ysgol Pwllheli. Ei bennaeth yno ar y pryd oedd Andrew Edwards, a olynodd John Jones ym 1736.

'Roedd cyfnod Goronwy ym Mhwllheli yn gyfnod o ymddiwyllio a dechrau ymgyf-arwyddo â barddoniaeth y gorffennol. Aeth yn gyfeillgar â phrif gynheiliaid a phrif warchodwyr llên yr ardal. Un o'r rhain oedd Edward Price (1696–1750), rheithor Edern, a disgynnydd i Edmwnd Prys. Sefydlwyd Edward Price ym mywoliaeth Llanfair-pwll-gwyngyll, Môn, ar Ionawr 25, 1723, ychydig ddyddiau wedi genedigaeth Goronwy, ac yno y bu nes iddo gael ei sefydlu yn rheithor Edern ar Ebrill 21, 1740, rhyw ddwy flynedd a hanner cyn i Goronwy ddechrau ar ei waith fel athro ym Mhwllheli. Gwelodd Goronwy drysorau yn rheithordy Edern:[2]

> Mi welais ers talm o flynyddoedd, pan oeddwn yn Llŷn, holl ymrysonion a gorchestion Emwnt Prys, a William Cynwal, gan yr hen berson Price o Edern (Price Pentraeth gynt, a pherson Llanfair yn Mhwll Gwimbill, alias, Pwll Gwyn-gyll,) yr hwn oedd orŵyr i'r Archddiagon, tho' full unworthy of such an ancestor; but those poems were

---

[1] Gw. tystiolaeth Andrew Edwards, Edward Price, Rheithor Edern, a John Owen, yn eu llythyr cymeradwyaeth at Esgob Bangor, ar gyfer ordeinio Goronwy yn ddiacon: 'We, whose Names are hereunto subscrib'd do certify your Lordship that Gronow Owen late Usher of the free School at Pwllhely hath (to the best of our knowledge), from Michaelmass in the year 1742 to Christmass, 1744, led a sober honest and pious Life, and hath not (to our knowledge) maintain'd any opinions repugnant to the Doctrine of the Church of England'. Gw. 'Goronwy Owen', *BBCS*, cyf. I, 1923, t. 337.

[2] *LGO*, llythyr XLVI, at William, o Walton, Hydref 16, 1754, tt. 129–130.

monstrously mangl'd and mis-spell'd. I suppose they might have been copied by old Price of Edern (or perhaps his father, Price of Celynnog,) in his younger years, before he understood Welsh, (and indeed he never understood it well,) and kept for a family piece in memory of the learned progenitor.

Er mai copïau carbwl o'r cywyddau a welodd Goronwy, 'roedden nhw'n faeth i awen y bardd ifanc.

Un arall o'i gyfeillion yn ystod y cyfnod hwn yn Llŷn oedd William Elias, y prydydd o Eifionydd. Bu William Elias yn ddisgybl i Owen Gruffydd, y bardd o Lanystumdwy. Gŵr o Glynnog oedd William Elias (1708–1787), mab i Elias ap Richard, gof yn ôl ei alwedigaeth. Bu'n gweithio fel crydd ar ddechrau ei yrfa, ac wedyn bu'n ffermwr ac yn swyddog tir i Wyniaid Glynllifon. Symudodd William Elias o Glynnog i Blas-y-glyn, Llanfwrog, Môn, tua 1745, ar ôl cyfnod Goronwy ym Mhwllheli. 'Roedd yn gopïwr ac yn gasglwr llawysgrifau, ac yn gasglwr llyfrau hefyd, ac mae'n sicr i'r Goronwy ifanc dreulio oriau yn pori yn ei lyfrgell ac yn trafod y gelfyddydd gyda'i gyfaill. 'Roedd William Elias yn prydyddu ei hun, ac fe'i perchid gan feirdd y cyfnod fel bardd a gwarchodwr llên. Un o'r beirdd a fu'n marwnadu ar ei ôl oedd David Ellis (1736–1795), y bardd, y cyfieithydd a'r copïwr llawysgrifau o Ddolgellau. Os gwir yw portread David Ellis ohono, 'roedd yn gwmnïwr diddan, rhadlon a charedig, ac yn fonheddwr o'r iawn ryw:[3]

> Daearwyd, rhoddwyd mewn rhych
> Ar hwyrddydd Gymro harddwych.
> Wiliam, yn ôl ei alwad,
> Elias, oedd fawr lesâd.
> Goludog a hael ydoedd,
> Gwir yw, elusengar oedd.
> Cyfeillgar, hawddgar ei hwyl,
> Geirwir iawn, garwr annwyl.
> Didwyll, diamwyll dymer,
> Doeth, hoff iawn, da iaith, a phêr.
> Gŵr na fagai genfigen,
> Di-frad oedd bwriad ei ben.

Mae tystiolaeth David Ellis amdano yn ategu barn Goronwy am addfwynder a thegwch barn y gwrthrych: 'A gwêl na chynnig William/Elias na chas na cham', meddai.[4] 'Bu'n blas i gyweithas gwâr' meddai David Ellis am Blas-y-glyn, ac mae'n sicr fod ei gartref yng Nghlynnog hefyd yn ganolfan dysg a diwylliant. Meddai David Ellis am William Elias y bardd:[5]

---

[3] 'Marwnad Wiliam Elias o'r Plas yn y Glyn', *Blodeugerdd Barddas o Ganu Caeth y Ddeunawfed Ganrif*, t. 158.

[4] *LGO*, llythyr II, at Hugh Williams neu William Elias, o Donnington, Tachwedd 30, 1751 (?), t. 4.

[5] 'Marwnad Wiliam Elias o'r Plas yn y Glyn', *Blodeugerdd Barddas o Ganu Caeth y Ddeunawfed Ganrif*, t. 158.

> Carai bur eiriau, bêr iaith,
> A mawrygai Gymreigwaith
> A ffrwd ei hymadrodd ffraeth,
> Bur ddinam, a'i barddoniaeth.
> Lluniai gerdd llawn gywirddysg,
> Englynion dyfnion eu dysg,
> A chywyddau gwycheddawl,
> Odlau ac emynau mawl.
> Ei waith, gair llwyrfaith gerllaw,
> Fu lithrig fel ei athraw.
> Bu hynod cyn darfod dydd
> Goreuffawd Owain Gruffudd.

Cyfeiriodd Twm o'r Nant yn ei farwnad yntau i William Elias at ei lyfrgell o lawysgrifau ac at ei gysylltiad â Goronwy:

> 'Roedd aneirif ysgrifen,
> Lafur gall, i'w lyfrgell hen
> O gerddi sad, clymiad clau,
> A gwaddol o gywyddau ...
> A beirdd Arfon, Môn, a mwy,
> Goeth gywreinwych, gwaith Gronwy ...

At William Elias yr anfonodd Goronwy ei awen rydlyd yn gennad yn un o'i gywyddau cynharaf, gan ddweud amdano mai 'Prif-fardd yw o'r harddaf'.[6] 'Roedd rhai o gywyddau Dafydd ap Gwilym ymhlith llawysgrifau William Elias, a hebog merched Deheubarth a roddodd i'r aderyn brith o Fôn ei batrymau cynnar. Lluniodd Goronwy gywydd serch, Calendr y Carwr, dan ddylanwad cywyddau caru Dafydd ap Gwilym, yn enwedig y rhai yr oed thema'r rhwystrau a thema serch rhwystredig yn ganolog iddyn nhw. Yn y cywydd mae Goronwy, yn null Dafydd ac eraill, yn datgan ei fod yn glaf o serch:

> Nwyfus fu'r galon afiach,
> Ow, galon sâl, feddal, fach!
> Wyd glwyfus, nid â gleifwaith;
> Gwnaeth meinwen â gwên y gwaith! ...
> Teg yw dy wên, gangen gu,
> Wyneb rhy deg i wenu!

Yn null Dafydd ap Gwilym eto, mae'n synnu fod cymaint o dwyll yn llechu y tu ôl i'r fath harddwch:

---

[6] *LGO*, llythyr II, at Hugh Williams neu William Elias, o Donnington, Tachwedd 30, 1751 (?), t. 4.

> Da, ddyn fain, y'th gywreiniwyd;
> Hygar o ffurf; hoywgorff wyd;
> Adwyth fod it, ddyn wiwdeg,
> Ogwydd i dwyll â gwedd deg;
> Odid y canfu adyn
> Chwidrach, anwadalach dyn.

Dyma'r thema twyll ac anwadalwch merch yng nghanu Dafydd. Daw thema'r daith garu yng nghanu Dafydd i'r amlwg wedyn, gyda'r tywydd yn elyn ac yn rhwystr iddo:

> Siomaist fi'r wythnos yma:
> Nos Sadwrn, ni chawn dwrn da;
> Dyw Sul y deuais eilwaith;
> Dydd Llun y bu'n dywydd llaith;
> Dyw Mawrth, da im ei wrthod;
> Dydd Merchur, garw gur ac ôd;
> Dydd Iau di-au a fu deg,
> Och! Wener, glaw ychwaneg;
> Ail Sadwrn a fu swrn sych,
> Oerwynt im oedd, ddyn eurwych;
> Rhew ydoedd a rhuadwynt:
> O berfedd y Gogledd, gwynt.

Gellir cymharu'r darn hwn â chywydd Dafydd, 'Taith i Garu':[7]

> A gerddodd neb er gordderch
> A gerddais i, gorddwy serch?
> Rhew ac eiry, y rhyw garedd,
> Glaw a gwynt er gloyw ei gwedd.

Ac eto, â chywydd arall:[8]

> Annhebyg i'r mis dig du
> A gerydd i bawb garu;
> A bair tristlaw a byrddydd,
> A gwynt i ysbeilio gwŷdd;
> A llesgedd, breuoledd braw,
> A llaesglog a chenllysglaw,
> Ac annog llanw ac annwyd,
> Ac mewn naint llifeiriaint llwyd ...

---

[7] 'Taith i Garu', *Gwaith Dafydd ap Gwilym* (Gol. Thomas Parry), 1952, arg. 1963, t. 227.
[8] 'Mis Mai a Mis Ionawr', ibid., t. 188.

Mae Goronwy'r bardd-garwr wedyn yn cyrraedd tŷ ei gariadferch, ac yn ceisio'i hannerch drwy'r gwydr:

> Trwy gorff nos yr arhosais –
> Dwl im – ac ni chlywn dy lais.
> Cnithio'n gras ar y glaswydr
> Â'm bys, gydag ystlys gwydr;
> Llwyr egru llawer awgrym,
> Disgwyl i'r ddôr egor ym.
> Yno gelwais, â llais llwfr
> Rhag cŵn a pheri cynnwrf:
> "Mari fwyn, mawr yw f'annwyd;
> Oer ydyw, O! clyw, o'th clwyd;
> Mawr yw fy nghur, lafur lwyth,
> Deffro, gysgadur diffrwyth!"

Y tro hwn, cywyddau fel 'Y Ffenestr' o waith Dafydd ap Gwilym a ddaw i gof. Yn y cywydd hwnnw mae'r ffenestr yn rhwystro Dafydd rhag cusanu ei gariad:[9]

> Erchais gusan, gwedd lanach,
> I'r fun drwy'r ffenestr dderw fach.
> Gem addwyn, oedd gam iddi,
> Gomeddodd, ni fynnodd fi.

Ond patrwm pennaf cywydd Goronwy, yn sicr, oedd 'Tri Phorthor Eiddig'. Yng nghywydd Dafydd, mae gan Eiddig dri phorthor i gadw'r bardd rhag cyrraedd ei gariad, gwraig Eiddig. 'Ci glew llafarlew llyfrlud' yw'r cyntaf,[10]

> A'r ail porthor yw'r ddôr ddig,
> Wae ei chydwr, wichiedig,

a hen wrach yn drydydd porthor. Mae Goronwy, i bob pwrpas, yn atgynhyrchu cwpled Dafydd:

> Codi'r glicied wichiedig,
> Deffro porthor y ddôr ddig.

Ac wedyn mae'r ci sy'n gwarchod cartref ei gariad yn ei erlid:

---

[9] 'Y Ffenestr', ibid., t. 172.
[10] 'Tri Phorthor Eiddig', ibid., t. 219.

Gan ffyrnig wŷn uffernol,
Colwyn o fewn; cilio'n f'ôl ...
Chwyrn udaw, och!, oer nadu
Yn ddidor wrth y ddôr ddu;
Yno clywn swrth, drymswrth dro
Goffrom rhwng cwsg ac effro ...
Llemais â mawr ffull ymaith
Yn brudd, wedi difudd daith,
Ac anferth gorgi nerthol,
Llwyd yn ymysgwyd o'm ôl ...

Mae'r ci yn erlid Dafydd hefyd:[11]

Neidiodd, mynnodd fy nodi,
Ci coch o dwlc moch i mi.
Rhoes hyr ym yn rhy sarrug,
Rhoes frath llawn yn rhawn yr hug ...
Ciliais yn swrth i'm gwrthol
I'r drws, a'r ci mws i'm ôl ...

Hefyd lluniodd gerdd Ladin ar fesur Saphig Horas ym 1742 a'i hanfon at Richard Rathbone, a oedd yn gurad Llanystumdwy ar y pryd, ac yn gyfaill i Goronwy yn Ysgol y Friars.[12] Yn y gerdd mae'n anfon ei gyfaill yn llatai at ferch. Byddai rhywun yn tybio mai ymarfer ei grefft a dilyn confensiwn yr oedd Goronwy yn y cerddi serch hyn, yn hytrach na chanu i ferch o gig a gwaed yr oedd o ddifri wedi ymserchu ynddi, ond mae'n rhaid inni hefyd ystyried y posibilrwydd fod y ferch yn berson go iawn. Mae'n ei henwi yng Nghalendr y Carwr, er nad yw hynny'n brawf o gwbwl. Cryfach tystiolaeth yw iddo leoli'r ferch yn bendant yn Eifionydd yn y Calendr ('Af unwaith i Eifionydd;/Unwaith? Un dengwaith yn 'dydd!'), ac os oedd y ferch yn y gerdd Ladin yn ddilys, yn Llanystumdwy, neu rywle yn ymyl y pentref, y trigai. Er iddo ymwrthod â barddoniaeth chwareus a chellweirus Dafydd yn ddiweddarach yn ei fywyd, meddwodd ar ei gywyddau yn llanc ugain oed, a chyffrôdd Dafydd ef i ganu; ond ni pharhaodd y cyffro ieuanc.

Cyfnod ffurfiannol yn ei fywyd oedd y cyfnod hwn yn ei hanfod, cyfnod o gadw a storio ar gyfer y dyfodol. Gwirionodd ar asbri awen Dafydd ap Gwilym yn y fan a'r lle,

---

[11] Ibid., t. 220.

[12] Ceir cyfeiriadau at Richard Rathbone, a oedd yn un o ysgolheigion Glyn, yng nghofnodion Ysgol y Friars: 'August 20. 1736. Ordered by the unanimous consent of the members present that John Roberts & Richard Rathbone be elected into the five pound places now vacant by the removal of William Lloyd and Cadwaladr Williams and that the salary due at All Saints from the first of August be equally divided between those chosen and those removed.' Hefyd: 'Thursday June 18. 1741. It is ordered that William Edwards succeed Richard Rathbone in the five pound place.' Dyfynnir gan Thomas Shankland yn 'Goronwy Owen', III, *Y Beirniad*, cyf. V, rhif 3, Hydref 1915, tt. 176-177.

ond gwaelodi yn ddwfn yn ei ymwybod a wnaeth cywyddau'r ymryson rhwng Edmwnd Prys a Wiliam Cynwal. Os oedd awen Dafydd yn ei hudo i fwynhau pleserau'r cnawd ac yn ei arwain ar gyfeiliorn, 'roedd awen Prys yn dechrau ymffurfio fel cydwybod o'i fewn. Cywyddau'r ymryson a ddylanwadodd arno fwyaf, er bod ei ymdrech i efelychu Dafydd ap Gwilym ar y pryd yn awgrymu mai fel arall yr oedd hi. Rhoddodd yr ymryson, cywyddau Edmwnd Prys yn enwedig, i'r Goronwy ifanc ddwy o'i brif gredoau fel bardd, a byddai'r agweddau hyn ar y grefft o farddoni yn dod yn rhan amlwg iawn o'i syniadau am swyddogaeth barddoniaeth yn y dyfodol.

Cynrychiolydd y ddysg ddyneiddiol newydd oedd Edmwnd Prys, a chynrychiolydd y ddysg draddodiadol, lladmerydd yr hen gyfundrefn farddol, oedd Wiliam Cynwal. Er bod y ddau yn cytuno â'i gilydd fod eu hawen o darddiad dwyfol, ac y dylai, felly, ogoneddu ac anrhydeddu Duw, 'roedd defnydd y ddau o'u crefft yn bur wahanol i'w gilydd. Canu'r gwir a wnâi Prys, yn ei dyb ei hun, sef canu mawl i Dduw, rhoddwr ei awen, ond canu celwydd a wnâi Cynwal, trwy ganu'n wenieithus a ffals i'w noddwyr a'i gynheiliaid: awen gwirionedd ac awen bonedd. 'Ni chanwyd ag ni chenir/Ond i Dduw un wawd oedd wir' meddai'r dyneiddiwr.[13] Cyfeiriodd Prys yn ôl at ymryson enwog arall, ganrif a hanner cyn iddo ef a Wiliam Cynwal ddechrau hyrddio geiriau at ei gilydd, sef yr ymryson rhwng Siôn Cent a Rhys Goch Eryri. Yn ôl Siôn Cent, a gyhuddai'r beirdd o raffu celwyddau yn eu cywyddau, 'roedd dwy awen yn bod, 'Deuryw awen dioer ewybr/Sy'n y byd o loywbryd lwybr', sef yr 'Awen gan Grist' a'r 'Awen arall … I gelwydd budr': 'Yr hon a gafas, gwŷr hy,/Camrwysg prydyddion Cymru'; 'Awen yw hon,' meddai Siôn Cent drachefn, 'O ffwrn natur uffernawl', ond ni cheid yn y llall 'Na thwyll weniaith, na seithug,/Na ffals gerdd gelwydd, na ffug'.[14]

Cydiodd Prys yn y ddamcaniaeth, ei datblygu, a'i defnyddio yn erbyn un arall o gynheiliaid y traddodiad barddol. Cyhuddodd Wiliam Cynwal o droi awen y Ffydd yn awen y ffug. Cyfeiriodd yn ôl at gywydd Siôn Cent:[15]

> Dauryw ysbryd a yrawdd
> Duw o nef, da yw ei nawdd:
> Un a ddoe o iawn ddeall
> A bwrw i'r llawr obry'r llall,
> Un a roes Duw o'i ras da,
> Ymynyddol mewn Adda;
> Yr ail o afreolaeth
> Yn y ne' gynt a wnai'n gaeth,
> Ag o'r ddau, medd llyfrau llên,
> Adrywiodd dauryw awen.

[13] Cywydd 51, *Ymryson Edmwnd Prys a Wiliam Cynwal*, Gol. Gruffydd Aled Williams, 1986, t. 223.

[14] 'Dychan Siôn Cent i'r Awen Gelwyddog', *Cywyddau Iolo Goch ac Eraill*, Goln Henry Lewis, Thomas Roberts ac Ifor Williams, 1925, arg. 1979, tt. 181-182.

[15] Cywydd 25, *Ymryson Edmwnd Prys a Wiliam Cynwal*, t. 112.

Yr Awen Gristnogol yn unig oedd Awen y Gwirionedd, a'r wir awen, yn ôl Prys, ac yn y Beibl y ceid honno, 'Llyfr ffydd Duw llywydd i'm llaw./Llawn faethrâd, llyna f'athraw.'[16] Cyfeiriodd at syniad Siôn Cent fod y naill awen yn tarddu o Dduw a'r llall o'r Diafol:[17]

> Pob celwydd, gynydd gwenwyn,
> Sydd o ddiafl a'i swydd i ddwyn,
> A phob gwir, a'i gywiraw,
> Astud iawn, o Grist y daw.

Myrddin a Thaliesin, sylfaenwyr traddodiad barddol y Cymry, oedd tadau'r awen gelwyddog, a Duw a Christ oedd tadau'r awen Gristnogol. Mae Prys yn gofyn i Wiliam Cynwal pa un o'r ddwy awen a feddai:[18]

> Ai codi'r wyd, o cai drin,
> A chamarddelw iach Merddin,
> A gwadu (euog ydwyd)
> A'th graster iaith Grist ir wyd?

Y Beibl oedd y brif ffynhonnell o ysbrydoliaeth i fardd yn ôl Edmwnd Prys; Gair Duw oedd ei athro. 'Gair Duw, unig grediniaeth,/Dawn fo i'n henaid yn faeth', meddai.[19] 'Doedd pwyslais Prys ar fendithion a rhagoriaethau'r Beibl ddim yn syndod o gofio iddo roi cymorth i William Morgan pan oedd hwnnw wrthi'n cyfieithu'r Beibl i'r Gymraeg. Sylweddolai Prys ar y pryd pa mor wir chwyldroadol fyddai'r Beibl Cymraeg cyflawn newydd, 'Llyfr Duw a'i Ysbryd', yn y pen draw, chwyldroadol o safbwynt Cristnogaeth, dysg a llenyddiaeth. Mae'r cyffro a deimlai wrth edrych ymlaen at weld cyhoeddi'r Beibl yn amlwg yn ei gywyddau. Flynyddoedd yn ddiweddarach, byddai Goronwy, yng Nghywydd y Maen Gwerthfawr, yn rhoi'r un pwyslais yn union ar werth a rhagoriaeth y Beibl, gan hyd yn oed adleisio un neu ddwy o linellau Edmwnd Prys: 'Llyfr ffydd Duw Llywydd i'm llaw' meddai Prys; 'Deulyfr a ddaeth i'm dwylaw ... Sywlyfr y Brenin Selef/A llyfr pur Benadur nef' meddai Goronwy,[20] ac 'roedd Prys hefyd wedi sôn am 'Sywlyfr Selef': 'Gwraiddyn y gywir addysg/Gair Sele' ddoeth, grasol ddysg'.[21]

Dyna'r agwedd gyntaf ar y grefft o farddoni i Goronwy ei hetifeddu gan Edmwnd Prys, sef mai canu mawl i Dduw oedd priod swyddogaeth barddoniaeth, a bod awen bardd o darddiad dwyfol. Yr ail safbwynt oedd fod dysg yn anhepgor i fardd ac yn

---

[16] Ibid., t. 114.

[17] Ibid., Cywydd 26, t. 116.

[18] Ibid., t. 117.

[19] Ibid., Cywydd 23, t. 104.

[20] 'Cywydd y Maen Gwerthfawr', *Blodeugerdd Barddas o Ganu Caeth y Ddeunawfed Ganrif*, t. 102.

[21] Cywydd 25, *Ymryson Edmwnd Prys a Wiliam Cynwal*, t. 111.

angenrheidiol i farddoniaeth. Anogodd Wiliam Cynwal 'I ganu dysg yn dy iaith',[22] a thrwy'r ymryson mae Edmwnd Prys yn edliw i'w wrthwynebydd ei ddiffyg addysg. Yn hyn o beth, etifedd y mudiad dyneiddiol newydd oedd Edmwnd Prys eto, oherwydd pwysleisiai'r mudiad hwnnw fod dysg yn hanfodol i farddoniaeth. 'Rhaid i fardd,' meddai wrth Wiliam Cynwal, 'Wrth ddysg, o gwna araith iawn'.[23] 'Roedd dau fath o anneallus-rwydd neu ddiffyg dysg, yn ôl Prys:[24]

> Dau anneall dan awyr
> Y sydd, aml gwawdydd a'i gwyr:
> Un oedd ni fynnai addysg,
> Yr ail ni all deall dysg,

a llyffethair i fardd oedd y ddau fath. Cyfunodd ei brif safbwyntiau mewn ambell gwpled a darn, fel y cwpled 'Nid llwybr Duw, nid llwybr deall/Yw'r llwybr o'r neithior i'r llall'.[25] Er i Goronwy droedio llwybr Dafydd, yn hytrach na llwybr Duw a deall, i ddechrau, y clerig yn hytrach na'r glêr a enillodd yn y pen draw. Prys oedd y Brawd Llwyd pruddglwyfus a Dafydd oedd y bardd ifanc nwyfus, ac 'roedd y ddau yn ymrafael am enaid Goronwy. Ymhen blynyddoedd, byddai'n dwyn yr ymryson i gof: '... 'rwyf i yn cyfrif Wm. Cynwal yn well bardd, o ran naturiol anian ac athrylith, ond bod Emwnt yn rhagori mewn dysg,' meddai.[26] Dadleuodd Wiliam Cynwal wrth geisio rhoi Edmwnd Prys yn ei le, mai dawn, dawn naturiol ac athrylith gynhenid, yn hytrach na dysg, oedd yn bwysig i fardd, 'Ofer yw dysg ... wrth naturiaeth',[27] ond sylweddolodd Goronwy yn ifanc iawn fod angen dysg yn ogystal â dawn ar fardd.

Gadawodd Goronwy Ysgol Rad Pwllheli cyn diwedd 1744, ac ni wyddom pam. Nid oherwydd unrhyw gamymddwyn, yn sicr, oherwydd tystiwyd iddo fyw bywyd glân a duwiol yn ystod ei gyfnod ym Mhwllheli, os derbyniwn lythyr cymeradwyaeth Andrew Edwards, Edward Price a John Owen fel gwirionedd, a phrin fod angen i ni amau eu gair. Aeth i weithio fel is-athro yn Ysgol Ramadeg Dinbych. 'Roedd un traddodiad yn mynnu mai yn Ninbych y bu Goronwy yn ystod y blynyddoedd tywyll 1734–1737, er enghraifft, cofnod John Gordon Jones, brodor o Lannerch-y-medd:[28]

> Gadawodd Goronwy dŷ ei dad pan yn un ar ddeg oed, ac aeth at berthynasau iddo yn
> Sir Ddinbych, lle y cafodd gyfleusdra i ymdrin â llyfrau Cymraeg, Saesonaeg, a Lladin.
> Er fod ganddo waith i edrych ar ol tyddyn ei berthynas, ac er nad oedd ond un neu ddau

---

[22] Ibid., Cywydd 24, t. 109.

[23] Ibid., Cywydd 50, t. 219.

[24] Ibid., Cywydd 41, t. 182.

[25] Ibid., Cywydd 38, t. 169.

[26] *LGO*, llythyr XLVI, at William, o Walton, Hydref 16, 1754, t. 130.

[27] Cywydd 30, *Ymryson Edmwnd Prys a Wiliam Cynwal*, t. 133.

[28] *Y Cenhadwr Americanaidd*, Ebrill 1858, t. 122.

yn yr ardal a allent roddi hyfforddiant iddo, eto yr oedd ei syched am wybodaeth mor fawr, fel yr oedd yn abl i fyned trwy yr arholiad cyntaf yn y llys-eglwysig, pan yr urddwyd ef yn ddiacon, neu is-offeiriad.

Cofnodir yr un dybiaeth yn *Y Gwyddoniadur Cymreig*:[29]

... gwyddys iddo fod am ryw gymmaint yn Llanallgo: ac yn Ninbych wedi hyny, fel y tybir, o blegid oddi yno yr hanai teulu ei fam.

Ond 'does dim mymryn o sail i'r dybiaeth.

Yn ôl y llythyr cymeradwyaeth i Goronwy wrth ei gyflwyno i Esgob Bangor ar gyfer cael ei ordeinio'n ddiacon, nodir gan Griffith Jones, rheithor Dinbych, Edward Meyrick, ficer Llanefydd, a John Jones, rheithor Llansantffraid Glan Conwy, i Goronwy weithio fel 'Usher of Denbigh School' rhwng Ionawr 25, 1745 a Thachwedd 25, yr un flwyddyn, ac iddo, unwaith yn rhagor, fyw buchedd lân:[30] Ysgol ifanc iawn oedd ysgol Dinbych; cyfrannodd un o lofnodwyr llythyr cymeradwyo Goronwy, Griffith Jones, a ddaethai yn rheithor i Ddinbych ym 1726, £10 i gronfa sefydlu'r ysgol ryw flwyddyn ar ôl iddo gyrraedd y dref. Yn ôl arfer yr oes, y curad lleol oedd yr ysgolfeistr lleol hefyd. Hugh Hughes, curad Dinbych, oedd yr ysgolfeistr cyntaf, ym 1726/1727. Awgrymwyd gan Bedwyr Lewis Jones mai Edward Meyrick, gŵr o Ddolgellau a oedd wedi graddio yn B.A. o Goleg Iesu, Rhydychen, ym 1734, a churad Dinbych cyn ei sefydlu yn ficer Llanefydd ym 1743, o bosib, oedd yr ysgolfeistr yno yng nghyfnod Goronwy, neu fod ganddo gysylltiad agos â'r ysgol o leiaf, ac mai dyna pam mae ei enw ar y ddogfen gymeradwyaeth.[31] Y trydydd llofnodwr oedd John Jones, Cilglesyn, Glan Conwy, a oedd yn dal rheithoriaeth Llansantffraid Glan Conwy oddi ar 1743, ac yn ficer Henllan rhwng 1742 a 1759.

Cyfnod hollol hesb oedd cyfnod Dinbych i Goronwy. Ni luniodd yr un gerdd yno, ac eithrio, efallai, gyfieithiad i'r Gymraeg o gerdd Saesneg.[32] Gadawodd Ysgol Ramadeg

[29] *Y Gwyddoniadur Cymreig*, cyf. VIII, t. 160. Dyfynnir gan Bedwyr Lewis Jones yn 'Goronwy Owen a Sir Ddinbych', *TCHSDd*, cyf. XVIII, 1969, t. 173.
[30] 'Goronwy Owen', Thomas Shankland, *BBCS*, I, 1923, t. 337. Ceir y ddogfen wreiddiol, a lofnodwyd ar Ionawr 15, 1745, ymhlith Cofnodion yr Eglwys yng Nghymru: Papurau Ordeinio Esgobaeth Bangor, B/ O/ 145 (Ionawr 1746), yn y Llyfrgell Genedlaethol.
[31] 'Goronwy Owen a Sir Ddinbych', tt. 169-170.
[32] Tadogir y cyfieithiad ar Goronwy gan amryw. Wrth 'sgwennu at Owain Myfyr ar Hydref 27, 1789, meddai Dafydd Ddu Eryri: 'Mae gennyf yn fy meddiant, Lythyr o eiddo Goronwy at William Elias ... ynghyd a chyfieithiad o Gan Saesneg o'i waith sef yr *Eneth o'r Bryn*' (Llsgr. B. M. Add. 15031, f. 74). Yn Llsgr. Bangor 978, IV, sef papurau Llew Tegid, nodir fod y gerdd yn 'Gyfieithiad Gronwy Owen neu Gronwy Ddu o Fôn pan ydoedd yn Ysgol Feistr yn laslangc yn Ninbych,' yn ôl awdurdod 'Jn Williams Plasybrain 1799', sef John Williams neu John William Prisiart (1749 – 1829), hynafiaethydd a chasglwr llawysgrifau. Yn ôl John Williams, mewn nodyn uwchben y gerdd: 'Efe [Goronwy] a'i cyfieithodd o Gerdd Seisnig. Mr Mostyn Segwrt yn agos i Ddinbych a'i caeodd ef mewn ystafell gloedig ac a dyngodd y mawrion lyfon nas cai ef fyned oddi yno hyd oni byddai iddo gyfieithu y Gerdd hon, yr hyn meddant wnaeth mewn llai

(parhad t. 59)

Dinbych ddiwedd Tachwedd, 1745, i chwilio am borfeydd brasach; neu, a dilyn awgrym Bedwyr Lewis Jones, a oedd rhyw anghydfod wedi digwydd rhyngddo a thrigolion Dinbych?[33] 'Roedd ei agwedd at bobl y sir yn un ddigon dilornus wedi iddo fwrw'i gyfnod fel athro yno. Ac at ba siomedigaethau y mae'r englyn a luniodd ar ddydd Calan, 1746, yn cyfeirio?

> Hynt croes fu i'm hoes o hyd, – echrysawl,
> A chroesach o'm mebyd;
> Bawaidd fu hyn o'm bywyd,
> Ond, am a ddaw, baw i'r byd!

Ai cyfeirio y mae at farwolaeth ei fam ac ail briodas ei dad? Neu at ei fethiant i aros yn Rhydychen, neu at ryw ffrwgwd ac anghytundeb a fu rhyngddo a thrigolion tref Dinbych? Mae siom a chwerwder yn yr englyn, yn sicr, yn ogystal â thinc o'r hunan-dosturi a fyddai'n nodweddu ei gywyddau a'i lythyrau yn y dyfodol.

Ac yntau ar drothwy ei dair ar hugain oed, sef yr oedran canonaidd i gael urdd diacon, mae'n amlwg ei fod â'i fryd ar dderbyn urddau eglwysig o hyd. 'Roedd ganddo bellach brofiad helaeth o weithio fel athro ysgol y tu cefn iddo, a gwyddai y gallai gyfuno swydd eglwysig â'i waith fel athro ysgol, yn ôl arferiad yr oes, i chwyddo'i gyflog. Urddwyd Goronwy yn ddiacon ym Mangor yn Ionawr 1746. Nododd mai ym 1745 y cafodd ei urddo yn ddiacon, ond cyfrif yn ôl yr hen drefn, wedi i'r calendr Gregoraidd ddod i rym ym 1752, yr oedd pan ddywedodd hyn, ac ar Ionawr 15, 1746, y llofnodwyd y llythyr a'i cymeradwyai ar gyfer urdd diacon gan Griffith Jones, Edward Meyrick a John Jones. Ar ôl iddo o'r diwedd ddechrau gwireddu'r uchelgais a goleddai ers dyddiau ei lencyndod, cafodd ei siomi bron ar unwaith:[34]

na dwy awr.' 'Roedd John Mostyn, Segrwyd, yn berson o gig a gwaed, ac yn un o'r rhai a gyfrannodd £10 i'r gronfa ar gyfer sefydlu Ysgol Ramadeg Dinbych ym 1727, ac ni ellir, felly, ddiystyru'r stori, er nad oes dim o ôl arddull Goronwy ar y gerdd. Dyma'r ddau bennill cyntaf:

> 'Roedd Geneth lan sobr ar ochr y Rhiw,
> Heb ffolder ieuengtyd na chwant byd yn byw,
> Ai meddwl yn wastad yn rhedeg ar hyn
> Mai a enilli hi'n gyfion fai ddigon i un.
> Hi godai gyda'r hedydd a beunydd byw'n iach:
> Boddlondeb iw cywaith a byw mewn Bwth bach.
>
> Un Sionyn or Dyffryn gyferbyn ar fan,
> Oedd Impyn da ei ddeunydd llawenydd y Llan,
> A geisia yn fynych y feinir yn fwyn,
> Gan bwyso ar ei gwarthaf ar wrthi wneud cwyn.
> Ai feddwl anweddaidd fe ddysgodd y ferch
> Oedd fel yr Oen gwirion a swynion ei serch.

[33] 'Goronwy Owen a Sir Ddinbych', t. 173.
[34] *LGO*, llythyr VI, at Richard, o Donnington, Mehefin 22, 1752, tt. 10-11.

Yn y flwyddyn 1745, e'm hurddwyd yn Ddiacon, yr hyn a eilw'n pobl ni *Offeiriad hanner pann*; ac yno fe ddigwyddodd fod ar Esgob Bangor eisiau Curad y pryd hynny yn Llanfair ym Mathafarn Eithaf ym Môn; a chan nad oedd yr Esgob ei hun gartref, ei *Chaplain* ef a gyttunodd a mi i fyned yno. Da iawn oedd gennyf gael y fath gyfleusdra i fyned i Fôn ... ac yn enwedig i'r plwyf lle'm ganesid ac y'm magesid. Ac yno yr aethum, ac yno y bûm dair wythnos yn fawr fy mharch a'm cariad gyda phob math o fawr i fach; a'm Tâd yr amser hwnnw yn fyw ac iâch, ac yn un o'm plwyfolion. *Eithr ni chair mo'r melys heb y chwerw.* Och! o'r Gyfnewid! Dyma Lythyr yn dyfod oddiwrth yr Esgob (*Dr. Hutton*) at ei Gappelwr neu Chaplain, yn dywedyd fod un Mr. John Ellis o Gaer'narfon, (a young clergyman of a very great fortune) wedi bod yn hir daer-grefu ac ymbil ar yr Esgob am ryw le, lle gwelai ei Arglwyddiaeth yn oreu, o fewn ei Esgobaeth ef; ac atteb yr Esgob oedd, os Mr. Ellis a welei'n dda wasanaethu Llanfair (y lle y gyrrasai'r Gappelwr fi,) yr edrychai efe (yr Esgob) iddo ef ar fyrder.

Dyma brofiad chwithig ac annifyr arall yn ei fywyd yn ifanc, ac ym Môn y digwyddodd hyn eto. 'Roedd yn cysylltu Môn fwyfwy â phrofiadau diflas a phoenus. 'Roedd ei lysfam wedi ei gwrthod, 'roedd yr awdurdodau eglwysig wedi gwrthod rhoi curadiaeth Llanfair iddo; 'roedd Môn, ym meddwl ifanc ansefydlog y bardd, yn ei wrthod yn raddol. Mae'n debyg y byddai wedi ailfwrw gwreiddyn ym Môn pe bai wedi cael curadiaeth Llanfair Mathafarn, ac wedi aros yno gyda'r gobaith y câi ddringo'r ysgol eglwysig yn raddol. 'Roedd yn ddigon ifanc i allu brwydro yn erbyn ei anfanteision a'i anawsterau cychwynnol, ond cafodd ei siomi unwaith yn ormod pan gollodd guradiaeth Llanfair. Unwaith eto, dysgodd Goronwy fod arian yn rheoli, fod cyfoeth yn prynu breintiau a statws. 'Roedd John Ellis, a olynodd Goronwy fel curad Llanfair, yn ŵr ifanc cefnog, a'i dad yn ŵr o gryn ddylanwad yn yr Eglwys, yn ŵr a fu yn ei dro yn Rheithor Llandwrog, Caernarfon, prebendari Llanfair Dyffryn Clwyd, a Rheithor Llanbedr y Cennin, Sir Gaernarfon. 'Roedd y ffafriaeth tuag ato yn rhy amlwg i Goronwy. Taflwyd llwch i'w lygaid yn ogystal. Newydd gyrraedd yr oed canonaidd i dderbyn urdd diacon yr oedd John Ellis ei hun, ac ni bu, felly, yn 'hir daer-grefu ac ymbil ar yr Esgob am ryw le'. 'Roedd ei dlodi, unwaith yn rhagor, wedi bod yn llyffethair i Goronwy; 'roedd y Fôn lle cafodd ei fagu yn dechrau ei fygu.

Gŵr o'r enw Ellis Jones oedd curad Llanfair Mathafarn Eithaf cyn i Goronwy a John Ellis lenwi'r swydd, y naill dros dro a'r llall yn barhaol. 'Roedd Ellis Jones yn dal curadiaeth Llanbedr Goch yn ogystal, ac yno y lletyai. Beichiogodd forwyn y llety, a dyna pam y cafodd ei ddiswyddo. 'Roedd Richard, am ryw reswm, wedi clywed y stori am y curad yn beichiogi'r forwyn hyd yn oed yn Llundain bell, ond tybiai mai Price oedd cyfenw'r curad. 'Price you mention is one Jones' curate, of Llanvair and Llanbedr, an empty fellow,' meddai William, gan oleuo'i frawd, ac adrodd yr hanes wrtho:[35]

---

[35] *ML* I, llythyr LVIII, William at Richard, o Gaergybi, Awst 17, 1745, tt. 85-86.

Mi ddyweda i chwi chwedl digrif yn ei gylch ef a'r hen ewyrth Owain Parry'r saer. Mae Owain yn byw mewn tŷ i Mr. Meyrick a elwir Glyn Llanbedr, a chidag ê y lletteua Jones yr offeiriad, a rhyw noswaith fe glywai Owain ryw dwrwf ag ameu wnaeth fod y forwyn yn mynd at yr offeiriad, a chodi a orug Owain yn ddistaw deg a myned a sefyll mewn congl yn gyfagos i stafell y gwr, ag yn y man Owain a welai y forwyn yn dyfod allan yn lladradaidd oddiyno ag yn myned i'w gwely ei hun, ag Owain ynteu aeth at ei wraig. A'r boreu pan gododd, ebr ef wrthi, Sian, ni cheiff y llances yma aros ddim hwy yn fy nhy i, obleit mae hi'n godinebu efo'r offeiriad, o ran mi ai gwelais neithiwr gefnant nôs yn dyvod yn ei uncrys oi stafell. Yna Sian a alwodd ar y wasanaethferch, a'r offeiriad ynteu a ddeua i'r fan. Yno tyngu a rhegi a orug y fenyw a'r offeiriad mae breuddwyd a welsai Owain, ag nid oedd dim coel ar ei lygaid, felly rhwng y wraig a nhwytheu, bu raid i'r truan ddal ei dafod. Ond ymhen byr amser cafodd y pleser o weled geni iddi bwmp o gyw offeiriad, er mawr orfoledd i bob plaid.

Daliai Ellis Jones guradiaeth Llanfair Mathafarn a Llanbedr Goch rhwng Awst 1741 a diwedd y flwyddyn eglwysig 1744–1745. Yn ystod 1745 yr aeth y guradiaeth yn wag, ac 'roedd plentyn siawns Ellis Jones wedi ei eni cyn diwedd yr haf, fel y nododd William Morris. Urddwyd Goronwy yn ddiacon ym mis Ionawr 1746, ac mae'n rhaid mai rhyw-bryd rhwng mis Ionawr y flwyddyn honno a mis Mehefin/Gorffennaf y bu'n gweithredu fel curad yn eglwys ei blwyf genedigol, gan fod enw John Ellis yn ymddangos wrth y copïau o restri Bedyddiadau, Marwolaethau a Phriodasau Llanfair Mathafarn a Llanbedr Goch o fis Gorffennaf, 1746, ymlaen, ond mwy na thebyg iddo ymsefydlu yn y guradiaeth rai wythnosau cyn hynny. Gwyddom, felly, yn union ym mha le y bu Goronwy am dair wythnos o chwe mis cyntaf 1746, ond ym mha le y treuliodd y misoedd eraill? Efallai fod y llythyr cymeradwyaeth a gyflwynwyd i Esgob Llanelwy ar gyfer ei urddo yn offeiriad ar Awst 9, 1747, yn taflu peth goleuni ar ei symudiadau yn ystod y cyfnod hwn. Yn ôl y llythyr hwnnw, a arwyddwyd gan Andrew Edwards, Edward Price a John Jones:[36]

> We whose names are underwritten do hereby certify to your Lordship that the Revd. Mr. Gronow Owen now Curate of Oswestry has for four months, that being the space of time he continued to officiate in our neighbourhood behav'd himself sober pious and industrious since as well as before his admission to the sacred office of a Deacon, nor hath he maintained any opinion (that we know or heard of) repugnant to the doctrine of the Church of England. In witness to the truth of the premises we have hereunto set our hands this third day of February, one thousand seven hundred and forty seven.

Mae'r llythyr cymeradwyaeth yn nodi i Goronwy dreulio pedwar mis yn cyflawni swyddogaeth eglwysig yng nghymdogaeth llofnodwyr y llythyr. Mae'r dystiolaeth iddo fyw buchedd lân cyn ei urddo'n ddiacon yn sicr yn cyfeirio at ei gyfnod fel athro ym Mhwllheli. Pa bryd, felly, y bu'n gurad yn Llŷn ar ôl ei urddo'n ddiacon? Ym 1746, yn

---

[36] 'Goronwy Owen', IV, *Y Beirniad*, cyf. VI, rhif 4, Gaeaf 1916, t. 265.

sicr, gan i Andrew Edwards, Edward Price a John Jones nodi iddo dreulio pedwar mis yn Llŷn mewn llythyr a ddyddiwyd Chwefror 3, 1747. Mae'n amlwg mai curadiaeth dros-dro Eglwys Llanfair oedd curadiaeth gyntaf Goronwy. 'Yn y flwyddyn 1745, e'm hurdd-wyd yn Ddiacon ... ac yno fe ddigwyddodd fod ar Esgob Bangor eisiau Curad y pryd hynny yn Llanfair ym Mathafarn Eithaf ym Môn,' meddai.[37] *Ar y pryd*, sef oddeutu'r adeg y derbyniodd y ddiaconiaeth. Mae hynny'n awgrymu mai yn gynnar ym 1746, ac yn union ar ôl ei urddo'n ddiacon, yr aeth i Lanfair Mathafarn. 'Roedd Goronwy ar y clwt ar ôl ei dair wythnos yng nghuradiaeth Llanfair. A fu i rai o'i gyfeillion yn Llŷn dosturio wrtho, a chael curadiaeth arall dros-dro iddo, nes y câi drefn ar ei fywyd? Os felly, ar ôl ei guradiaeth dair wythnos yn Llanfair, a chyn canol y flwyddyn, y bu hynny. A dreuliodd y misoedd rhwng Chwefror a Mai neu Fehefin 1746 yn Llŷn? Os yw tystiolaeth y llythyr cymeradwyaeth yn ddilys, treuliodd bedwar mis yn ystod hanner cyntaf 1746 mewn curadiaeth yn rhywle yn Llŷn. Rhoddodd y gorau i ddysgu yn Ninbych ar Dachwedd 25, 1745, ac erbyn canol 1746 'roedd ar y ffordd i Groesoswallt, felly, os bu iddo dreulio pedwar mis yn Llŷn, ar ôl ei urddo'n ddiacon, yr unig rychwant o amser sy'n gallu cyn-nwys y pedwar mis hyn yw hanner cyntaf 1746.

Ym mha le bynnag y bu yn ystod misoedd cyntaf 1746, dychwelodd i Sir Ddinbych am gyfnod byr, efallai i aros â chyfeillion, wedi hynny. I ble arall yr âi? Nid i Fôn, yn sicr. Yn wir, y tro olaf, ac yntau'n dair ar hugain oed, iddo fod ym Môn oedd y tair wythnos a dreuliodd yn Llanfair. 'Roedd y profiad o golli curadiaeth Llanfair Mathafarn wedi bod yn ormod iddo, ac wedi ei chwerwi. Yn anad dim, chwerwodd yn erbyn plwyf ac ynys ei fagwraeth. Cynyddodd ei gasineb tuag at Fôn. Arhosodd yn Sir Ddinbych am ychydig wythnosau. Mae'r llythyr cymeradwyaeth a luniwyd ar ei ran cyn cael ei ordeinio'n offeiriad yn Llanelwy yn Awst 1747, llythyr a lofnodwyd gan Thomas Trevor, John Skye a Thomas Hanmer ac a luniwyd yng Ngorffennaf 1747, yn tystio iddo fyw bywyd dilychwin ers tri mis ar ddeg yn ardal Croesoswallt, felly, gadawodd Sir Ddinbych ddiwedd y gwanwyn neu ddechrau'r haf ym 1746, ym Mai neu Fehefin. Felly, os treuliodd bedwar mis yn Llŷn, yn ystod pedwar neu bum mis cyntaf y flwyddyn y gwnaeth hynny. 'Gorfu arnaf fyned i Sir Ddimbych yn fy ol,' meddai, 'ac yno y cefais hanes Curadiaeth yn ymyl Croes Oswallt yn sir y Mwythig, ac yno y cyfeiriais'.[38]

Cododd Goronwy ei bac. Yn Eglwys Selatyn, yn ymyl Croesoswallt, yr oedd y gurad-iaeth honno, ond ni bu yno'n hir. Cafodd guradiaeth wedyn yn Eglwys Croesoswallt. Yn ôl Turner Edwards, ficer Croesoswallt o 1784 hyd 1803, mewn llythyr at John Williams, Llanrwst:[39]

---

[37] *LGO*, llythyr VI, at Richard Morris, o Donnington, Mehefin 22, 1752, t. 10.

[38] Ibid., t. 11.

[39] Ibid., Atodiad III, t. 206.

Goronwy Owen was Curate of Selattyn near Oswestry, about the year 1745, and was Usher of the Grammar School in Oswestry, during which time he occasionally read daily prayers in Oswestry Church, for which he acknowledged himself much oblig'd to Mr. Trevor, the then Vicar, as it improv'd him in reading English.

Thomas Trevor oedd rhagflaenydd Turner Edwards fel ficer Croesoswallt, o 1736 hyd 1784, a phennaeth Goronwy yn Ysgol Ramadeg Croesoswallt oedd John Skye, prifathro'r ysgol o 1733 hyd 1763 a ficer Llansilin 1745-1763. Yn sicr, 'roedd y rhagolygon yn dda i Goronwy. Wedyn, ar Awst 9, 1747, fe'i hordeiniwyd yn offeiriad yn Eglwys Gadeiriol Llanelwy, a thystiwyd gan Thomas Trevor, John Skye a Thomas Hanmer, ficer Selatyn, tri a'i hadnabu'n dda, iddo fyw buchedd sobor a duwiol yn ystod y tri mis ar ddeg y bu yn ardal Croesoswallt. Tystiodd Thomas Trevor yn ogystal, mewn llythyr ar wahân at Esgob Llanelwy, fod Goronwy yn gurad iddo, 'and that I design to continue him so'.[40] Felly, ac yntau erbyn hynny ar fin priodi, 'roedd popeth yn gweithio o'i blaid, a 'doedd dim argoel y byddai, yn y dyfodol agos, yn baeddu'i nyth. Y cyfarfod ordeinio hwnnw oedd y tro olaf iddo sengi ar dir Cymru. 'Roedd ei alltudiaeth, bellach, yn gyflawn, ond 'roedd ei stad faterol ar wella.

Tua blwyddyn ar ôl iddo gyrraedd ardal Croesoswallt, a rhyw bythefnos ar ôl iddo gael ei ordeinio'n offeiriad, priododd. Enw ei wraig oedd Ellinor neu Elinor Hughes. 'Roedd Elin yn ferch i Margaret ac Owen Hughes. Priodwyd rhieni Elin ym mhentref St Martins ger Croesoswallt ar Fai 13, 1705. Elin oedd seithfed plentyn y ddau, ac fe'i ganed hi ar Ionawr 31, 1717, a'i bcdyddio ar Chwefror 9.[41] 'Roedd hi, felly, chwe blynedd yn hŷn na Goronwy. Masnachwr llwyddiannus oedd y tad, ond bu farw flynyddoedd cyn i Goronwy gyrraedd cyffiniau Croesoswallt, ar Ionawr 19, 1730. Bu Owen Hughes yn faer tref Croesoswallt am gyfnod byr iawn ym 1718. 'Roedd gwraig Goronwy, felly, yn perthyn i deulu gweddol gefnog a breintiedig. Priodwyd Elin a Goronwy yn Eglwys Selatyn ar Awst 21, 1747. 'Doedd gan Goronwy ddim meddwl o gwbwl o'i fam-yng-nghyfraith, ac mae'n anodd peidio â synhwyro drwgdeimlad a gelyniaeth rhwng y ddau o'r cychwyn cyntaf. 'Pobl gefnog gyfrifol yw Cenedl fy Ngwraig i, ond ni fum i erioed ddim gwell erddynt, er na ddygais moni heb eu cennad hwynt, ac na ddigiais monynt chwaith,' meddai.[42]

---

[40] 'Goronwy Owen', IV, *Y Beirniad*, cyf. VI, rhif 4, Gaeaf 1916, t. 266.

[41] Dyma blant eraill Margaret ac Owen Hughes: William Hughes, a fedyddiwyd ar Ebrill 21, 1706; John Hughes, a aned ar Hydref 31, 1707, a'i fedyddio ar Dachwedd 8; Margaret Hughes, a aned ar Ragfyr 28, 1708, a'i bedyddio ar Ionawr 6, 1709; Alice Hughes, a aned ar Fawrth 3, 1711, a'i bedyddio ar Fawrth 16; Owen Hughes, a aned ar Ionawr 28, 1714, a'i fedyddio ar Chwefror 8; Esther Hughes, a aned ar Fawrth 7, 1716, a'i bedyddio ar Fawrth 14; Robert Hughes, a aned ar Chwefror 19, 1721, a Sydney Hughes (merch), a fedyddiwyd ar Awst 24, 1723.

[42] *LGO*, llythyr VI, at Richard, o Donnington, Mehefin 22, 1752, t. 11.

Trigai Goronwy yn Heol yr Eglwys, Church Street, Croesoswallt, ar un adeg o leiaf.[43] Lletyai, felly, mewn tŷ yn yr un stryd ag Elin a'i theulu. Daeth ei frawd Owen ato i fyw yn y man, ar wahoddiad Goronwy, efallai, ac os felly, mae'n rhaid fod y bardd yn ddigon bodlon ar ei fyd yno. 'I remember when he came first to me at Oswestry,' meddai Goronwy am ei frawd, gan awgrymu mai ef a'i tynnodd i'r dref.[44] Ymsefydlodd Owen yng Nghroesoswallt ac yn Church Street y trigai yntau hefyd, hyd yn oed ar ôl i Goronwy ymadael â Chroesoswallt. Teiliwr oedd Owen wrth ei alwedigaeth. Wrth sôn am lawysgrif goll o'i eiddo wrth William Morris, 'f'aeth hwnnw i law ddrwg, sef y lleidr o daeliwr gan fy mrawd Owen, ac yno y trigodd, a deg i un nad yw bellach gan faned ag us o waith y gwellaif,' meddai.[45] Er gwaethaf camwri Owen, 'roedd y ddau yn agos iawn. 'Roedd gan Goronwy gryn feddwl ohono. 'Llorcan o ddyn llonydd yw'r dyn, ac yn gweithio'n galed i ennill bara iw blant,' meddai amdano wrth Richard Morris.[46] Gwasanaethai Owen fel clochydd yn yr eglwys yng Nghroesoswallt yn ogystal. Mae dryswch wedi codi ynghylch pwy yn union oedd gwraig Owen. Yn ôl Thomas Shankland, ac fe'i dilynwyd gan eraill, Elizabeth Wild oedd enw gwraig Owen cyn iddi briodi. 'Roedd dwy Elizabeth Wild(e) yng Nghroesoswallt yn ystod y ganrif, sef Elizabeth Wilde, merch anghyfreithlon gŵr o'r enw Thomas Wilde, a fedyddiwyd ar Fai 3, 1749, a merch Austin a Mary Wilde, Church Street, Croesoswallt, a fedyddiwyd ar Fedi 9, 1775. Mae'n hollol amhosibl, yn ôl y dyddiadau, mai un o'r rhain oedd gwraig Owen. Elizabeth Wynne, merch Wiliam a Lydia Wynne, o Feifod, oedd gwraig Owen. Fe'i bedyddiwyd ar Fawrth 25, 1720, a phriodwyd y ddau yn Llanymynech ar Ionawr 15, 1747. Mae'r dyddiad hwn yn cyfateb i'r hyn a ddywedodd Goronwy. 'Mae fy mrawd Owen ynteu wedi priodi er ys rhwng chwech a saith o flynyddoedd, ac yn byw o hyd yn Nghroes Oswallt ... a chanddo naill ai pedwar ai pump o blant,' meddai amdano ym 1754.[47] Yn ôl y cofnodion, tri o blant oedd gan Owen ar y pryd, fodd bynnag.[48]

[43] Gw. *LGO*, Atodiad IV, t. 206,

[44] Ibid., llythyr LXV, at Richard, o Northolt, Mawrth 25, 1756, t. 169.

[45] Ibid., llythyr XLIV, at William, o Walton, Gorffennaf 12, 1754, t. 122.

[46] Ibid., llythyr LXV, at Richard, o Northolt, Mawrth 25, 1756, t. 170.

[47] Ibid, llythyr XXXVI, at John Rowlands, o Walton, Mawrth 18, 1754, t. 99.

[48] Yn ôl Cofnodion Geni, Bedyddiadau, Priodasau a Marwolaethau Esgobaeth Llanelwy yn Archifdy Amwythig, *St Asaph 1–7, Shropshire Parish Registration Society*, dyma blant Owen ac Elizabeth: John Owen, 'son of Owen Owen of Church St and Elizabeth Owen', a fedyddiwyd ar Awst 1, 1748; Mary Ann Owen, merch 'Owen Owens of Church St and Elizabeth', a aned ar Fehefin 30, 1750, a'i bedyddio ar Orffennaf 4; Sarah, merch 'Owen Owen Church St and Elizabeth', a aned ar Fehefin 24, 1753, a'i bedyddio ar Orffennaf 8; Owen Owen, a aned ar Ebrill 5, 1756, a'i fedyddio ar Ebrill 11, 1756; Edward Owen, a aned ar Fai 4, 1759, a'i fedyddio ar Fai 13; Elizabeth Owen, a aned ar Chwefror 22, 1762, a'i bedyddio ar Chwefror 25; ac Elinor Owen, a fedyddiwyd ar ôl ei marwolaeth, ar Chwefror 1, 1763.

Flwyddyn a mis ar ôl priodi, 'roedd Goronwy yn hel ei bethau ynghyd i symud unwaith yn rhagor. Yn hytrach na'i sefydlogi ar ôl blynyddoedd o ansicrwydd a diffyg cyfeiriad pendant, parodd ei briodas iddo fynd ar chwâl. Yn nodweddiadol o'i hanes drwy'i fywyd, 'roedd ei haul yn machlud wrth iddo wawrio. Aeth i drafferthion yn syth bin. Adrodd-wyd yr hanes wrth John Williams, i ddechrau, gan Turner Edwards. Mae'n amlwg oddi wrth lythyr Turner Edwards fod Goronwy wedi tramgwyddo fwy nag unwaith yn ystod ei gyfnod yng Nghroesoswallt, ac wedi cael enw drwg gan drigolion y dref:[49]

> If you mean to add to his writings a history of his life, I will endeavour to furnish you, after a more minute enquiry with many more anecdotes of him than these which were sent to me by Mr. Jones, Rector of Knockin, and these, you will allow, are pretty remarkable ones. If you shall be inclined to describe the good traits in his character and to omit the bad ones, I fear you will have some trouble in culling them, as in this short specimen of it, the latter are rather more numerous. But if you will publish to the world the good and the bad together, I assure you that I neither have nor will withhold the one or magnify the other ...

A dyma'r helbul y bu ynddo:[50]

> He was arrested for debt as he came out of Oswestry Church, and was committed to Salop Jail, from which confinement he was releas'd by the bounty of Jonathan Scott of Salop, draper.

Darganfu Bedwyr Lewis Jones gofnod a oedd yn cadarnhau'r hanesyn gan Turner Edwards:[51]

> Gronow Owen To Answer Jeffrey Edwards in a plea of Trespass and allso To a Bill of the said Jeffrey against the Said Gronow To be Exhibited for forty pounds Returnable on Monday next after three Weeks from the Day of Saint Michael. Charged: August 3, 1748.

'Roedd swm y ddyled yn anferthol, bron i ddwbwl y cyflog o ddwy gini ar hugain y flwyddyn a dderbyniai Goronwy ar y pryd. Dwy bunt ar bymtheg, wedyn, oedd swm y fechnïaeth a dalwyd gan Jonathan Scott. 'Roedd Goronwy, mae'n amlwg, wedi mynd dros ben llestri'n llwyr gyda'i wario.

---

[49] *LGO*, Atodiad III, t. 205.

[50] Ibid, t. 206.

[51] 'Goronwy Owen mewn Helbul yn 1748', *Llên Cymru*, cyf. X, rhifyn 3 a 4, Ionawr – Gorffennaf 1969, t. 240. Cafwyd y cofnod yn *Entry Book for the Debtors in the County Gaol in Shrewsbury* yn Swyddfa Gofnodion Salop.

Ddechrau Awst, 1748, felly, 'roedd Goronwy wedi dwyn gwarth arno'i hun, ac ar ei wraig a'i theulu. Mae'n amlwg na chododd Margaret Hughes yr un bys i helpu'r ddau i sefydlu cartref newydd, nac i dynnu Goronwy o'i drybini. Ai Elin oedd y maen melin am wddw Goronwy? Mae'r dystiolaeth yn awgrymu hynny. 'Roedd Thomas Trevor, John Skye a Thomas Hanmer yn cymeradwyo Goronwy i Esgob Llanelwy, ac yn tystio iddo fyw'n ddi-fai, ond cyn iddo briodi y cyflwynwyd y dystiolaeth honno. Efallai ei fod wedi ceisio rhoi popeth i'w wraig o'r dechrau, a rhoi iddi'r breintiau a'r moethusrwydd yr oedd wedi arfer eu cael yng nghartref ei mam. Hwyrach ei fod hefyd am ddangos i'w fam-yng-nghyfraith y gallai gynnal Elin mewn modd teilwng o'i magwraeth glyd. Beth bynnag yw'r gwir, 'roedd Goronwy wedi llifio'r canghennau a ddaliai ei nyth ei hun, a 'doedd dim byd amdani ond ei heglu hi o Groesoswallt cyn gynted ag y gallai.

'Heb Awen, Baich yw Bywyd'

Uppington a Donnington

1748–1753

Ar ôl gwarth ei garchariad, dim ond am ychydig wythnosau yr arhosodd Goronwy yng Nghroesoswallt. 'Roedd yr anfri a'r cywilydd a ddygodd i'w ganlyn yn ormod o faich i'w deulu-yng-nghyfraith ei ysgwyddo, a go brin y câi barch ei blwyfolion bellach. Gwyddai na châi roi troed dros riniog tŷ ei fam-yng-nghyfraith, ac 'roedd drws arall wedi'i gau'n glep yn ei wyneb. Mae brys yn ei ddiflaniad. Mae'n sicr iddo ffoi i osgoi gwg teulu Elin a thrigolion y dref, ond a ddihangodd Goronwy ar ffrwst i osgoi talu'i ddyledion hefyd? Beth am y ddyled honno i Jonathan Scott, er enghraifft? Sut y gallai dalu dyled y fechnïaeth, dwy bunt ar bymtheg, a'i gyflog yn ddim ond dwy gini ar hugain y flwyddyn? A beth am ddyledion eraill? Yn ôl Turner Edwards, gwrthododd Goronwy dalu arian y fechnïaeth yn ôl i Jonathan Scott, ond mae twll yn ei dystiolaeth. 'When Jonathan Scott fail'd in trade and was appointed Master of the House of Correction in that town, his failure was made known to Goronwy Owen who refus'd to reimburse him the money he had advanced to free him from jail'.[1] Fel y dangosodd Bedwyr Lewis Jones, ym 1765 yr etholwyd Jonathan Scott yn Llywodraethwr Tŷ Diwygio Amwythig, a 'doedd dim modd i neb allu hysbysu Goronwy fod yr hwch wedi mynd drwy'r siop yn achos Scott, na gofyn iddo dalu'r ddyled yn ôl, ac yntau bellach yn byw ym mherfeddion Virginia.[2] Er bod yr amseriad yn anghywir, efallai fod sail i'r stori er hynny. Rhaid ystyried posibilrwydd arall hefyd: ystyrid bod talu dyled rhywun arall ar ei ran yn weithred elusennol yn y ddeunawfed ganrif, ac efallai nad oedd Jonathan Scott yn erfyn cael yr arian yn ôl. Rhaid ystyried hefyd y posibilrwydd mai cael ei ddiswyddo a wnaeth Goronwy.

Rhwng popeth, fodd bynnag, dianc nerth ei draed oedd yr unig ddewis i Goronwy. 'Roedd yn ffodus fod curadiaeth wag ar y pryd mewn eglwys weddol agos, ac efallai i rai

---

[1] *LGO*, t. 206.

[2] 'Goronwy Owen mewn Helbul yn 1748', t. 241.

caredigion a chefnogwyr mwy dyngarol na'i gilydd, fel Jonathan Scott, gŵr o ddylanwad yn nhrefi Croesoswallt ac Amwythig, ei gynorthwyo i'w chael. Cafodd swydd ddeuol ym mhentrefi cyfagos Uppington a Donnington yn ymyl Amwythig, rhyw bum milltir ar hugain o bellter i ffwrdd o Groesoswallt. Gallai Goronwy swatio o'r golwg yno nes y byddai'r storm wedi cilio, ac ailgyweirio ei fyd drylliedig gan bwyll bach. Erbyn hyn 'roedd yn 25 oed, ac Elin yn disgwyl eu cyntaf-anedig. Gadawodd Elin ar ôl yn nhŷ'i mam. A hithau chwe mis yn feichiog, 'doedd hi ddim mewn unrhyw gyflwr i ddilyn ei gŵr, heb sôn am fod yn ddigon abl i geisio cael trefn ar gartref newydd. 'Roedd diwedd eu blwyddyn gyntaf yn briod wedi diweddu mewn euogrwydd a beichiogrwydd, carchariad a chariad, gwarth yn ogystal â gwyrth. Prin y gwyddai Elin ar y pryd mai digon ysgafn oedd y pwysau yn ei chroth o'i gymharu â'r baich a rôi cyd-fyw â Goronwy ar ei hysgwyddau yn y blynyddoedd i ddod. Cyn diwedd Medi, 1748, cododd ei bac, ac aeth i'w guradiaeth newydd yn Uppington, ac i ofalu am hen Ysgol Ramadeg Waddoledig Donnington.[3]

Y Parchedig Edward Tipton oedd â gofal Eglwys Uppington pan aeth Goronwy yn gurad yno. Bu yno'n weinidog oddi ar Fai 25, 1738. Milltir a hanner, mwy neu lai, o bellter oedd rhwng y ddau bentref, a gallai Goronwy dramwy rhwng y ddau le yn rhwydd, yn ôl gofynion ei ddyletswyddau. Yn Donnington y preswyliai, ac yn y tŷ lle trigai y cedwid yr ysgol. Felly, 'roedd ganddo ysgol ac eglwys i'w gwasanaethu, 'a'r cwbl oll am 26 punt yn y flwyddyn',[4] gwelliant bychan ar ei gyflog yng Nghroesoswallt, er iddo gwyno am ei fyd ar ôl pedair blynedd o ymgreinio byw yno: 'a pha beth yw hynny tuag at gadw ty a chynifer o Dylwyth, yn enwedig yn Lloegr, lle mae pob peth yn ddrud a'r Bobl yn dostion ac yn ddigymwynas?'[5]

Ganed Robert, plentyn cyntaf Goronwy ac Elin, ar Ragfyr 1, 1748, yn ôl y cofrestri plwyf, ar Ionawr 1, 1749, yn ôl Goronwy ei hun. 'Enw'r hynaf yw Robert, a thair blwydd oed yw er Dydd Calan diweddaf,' meddai wrth Richard Morris ar Fehefin 22, 1752.[6] Balm

---

[3] Sefydlwyd yr ysgol ym 1627 gan Thomas Alcock o Wroxeter. Gadawodd waddol i'r ysgol, gan osod yr amod mai arglwyddi maenordy Wroxeter a feddai ar yr hawl i benodi'r meistr, ac y câi plant plwyfi Uppington a Wroxeter eu haddysg yn rhad ac am ddim yn yr ysgol. Cynhelid yr ysgol ym mhentref Wroxeter cyn y Rhyfel Cartref, yn yr eglwys o bosibl, ac 'roedd wedi symud i Eyton-on-Severn erbyn 1667. Erbyn 1689 'roedd yr ysgol wedi'i throsglwyddo i Donnington, a gelwid y tŷ lle y cynhelid hi, sef y tŷ y preswyliai Goronwy ynddo, yn Donnington House. O 1744 ymlaen caniateid dwy ysgoloriaeth Careswell i'r ysgol.

[4] *LGO*, llythyr VI, at Richard, o Donnington, Mehefin 22, 1752, t. 11.

[5] Ibid., tt. 11-12.

[6] Ibid., t. 11. Fel y dywedwyd, yn ôl Cofnodion geni, bedyddiadau, priodasau, marwolaethau Esgobaeth Llanelwy yn Archifdy Amwythig (*St Asaph* 1-7, Shropshire Parish Registration Society), ganed Robert ar Ragfyr 1, 1748, a'i fedyddio ar Ionawr 2, 1749. Nid rhaid derbyn tystiolaeth y cofrestri plwyf bob tro, ond dyna a wnaed gan ysgolheigion Goronwy, Bedwyr Lewis Jones a Thomas Shankland, er enghraifft. Derbyniodd Thomas Shankland y dyddiad Rhagfyr 1, 1748, fel dyddiad geni Robert yn llwyr ar sail y cofnod '1748 – 9 January. Robert son of y[e] Reverend Mr Gronow Owen late Curat by Ellinor his wife, born y[e] 1st of December, bapt. y[e] 2[d] instant (*Reg. of Bapt. etc., of St. Oswald's Church, Oswestry*), ac meddai: 'gwelir yn ddios mai dyddiad barddonol, ac nid hanesyddol, oedd y Calan i Robert', ac aeth

(parhad t. 69)

i liniaru'i helbulon a gorfoledd i leddfu'i gywilydd oedd y rhodd hon o fab; geni i esmwytho'i gyni. 'Roedd ei gwpan yn llawn, a hyd yn oed bedair blynedd yn ddiweddarach, gorlifai'r gorfoledd hwnnw dros ymyl y ffiol. Dathlodd Goronwy ddydd genedigaeth y ddau yn ei Gywydd i'r Calan, 1753:

> Didrwst ni bu mo'm deudroed
> Ymhen un Calan o'm hoed,
> Nes y dug chwech ar hugain
> Fab ffraeth i fardd meddfaeth, main ...
> Cofiaf, Galan, amdanad,
> Un dydd y'm gwnaethost yn dad;
> Gyrraist im anrheg wiwrodd,
> Calennig, wyrennig rodd:
> Gwiwrodd, pa raid hawddgarach
> Na Rhobert, y rhodd bert bach?
> Haeddit gân, nid rhodd anhardd,
> Rhoi im lân faban o fardd ...
> A chatwyf hir barch iti,
> Ŵyl arab fy mab a mi.

Yn y cywydd a luniodd Goronwy ddwy flynedd yn ddiweddarach, mae'n cofio mai

> ... ar Galan, yn anad
> Un dydd, bûm, o ŵr, yn dad ...

Go brin fod angen i ni amau tystiolaeth y tad mai ar ddydd Calan 1749 y ganed Robert, yn enwedig gan y gall cofnodion y cofrestri plwyf fod mor anghywir. Yn absenoldeb Goronwy y bedyddiwyd y plentyn, mewn bedydd preifat yn y tŷ, yn hytrach na bedydd cyhoeddus yn yr eglwys, mwy na thebyg. Bedyddid plant yn aml ar ddiwrnod y geni neu'r dydd canlynol, yn enwedig os oedd y plentyn yn amlygu unrhyw lesgedd neu wendid corfforol, rhag ofn iddo farw yn ddifedydd yn fuan ar ôl y geni mewn oes pan

---

ymlaen i amau dyddiad geni Goronwy hyd yn oed ('Goronwy Owen', II, *Y Beirniad*, cyf. IV, rhif 4, Gaeaf 1914, t. 268). 'Mae gennyf sail gadarn i gredu mai dyddiad barddonol, ac nid hanesyddol, oedd y Calan fel gŵyl ei enedigaeth ei hun; a sicrwydd diamheuol mai dyna ydoedd fel gŵyl geni Rhobert ei fab,' meddai Thomas Shankland drachefn (ibid., t. 267). Mae hynny'n awgrymu i Goronwy ddewis y dydd Calan fel dydd genedigaeth ei fab, wrth lunio'i gywyddau Calan, am fod hynny yn fwy barddonol nag unrhyw ddydd arall, ond anodd deall y rhesymeg. Mae Thomas Shankland yn anghywir, fodd bynnag, ynghylch y Calan barddonol, oherwydd fe nodir gan Goronwy mai ar ddydd Calan, 1749, y ganed Robert fel ffaith ryddieithol noeth a mater o wybodaeth, yn ei lythyr at Richard Morris fisoedd cyn iddo lunio'r cywydd Calan cyntaf. Dywed Goronwy mai chwech ar hugain oed ydoedd pan aned Robert. Pe bai wedi'i eni ar Ragfyr 1, pump ar hugain oed fyddai'r tad. Yn y llythyr at Richard mae Goronwy yn nodi fod ei ail fab yn flwydd oed 'er y pummed o Fai diweddaf' (t. 11), ac mae'r dyddiad yn cyfateb i'r cofnod ynghylch ei eni a'i fedyddio a geir yn llawysgrifen Goronwy ei hun yng nghofrestr bedyddiau, etc., Eglwys Uppington. Mae ysgolheigion wedi bod yn rhy barod i ddilyn cofnod gan ddieithryn ar draul tair tystiolaeth gan y tad ei hun.

oedd cyfran uchel iawn yn marw yn eu babandod neu yn eu plentyndod.[7] 'Llangciau cryfion iachus oedd pob un o'r ddau fachgen,'[8] yn ôl y tad, ar ôl i'w fab, Gronwy, gael ei eni ar Fai 5, 1751, ac os bedyddiwyd Robert ddydd ar ôl ei enedigaeth, fel rhyw fath o ragofal ac amddiffyniad y gwnaethpwyd hynny. 'Roedd bedydd yn sagrafen ac yn ofergoel sanctaidd yn y ddeunawfed ganrif; credid y gallai bedydd gadw afiechydon draw, a bedyddid plant cyn gynted ag yr oedden nhw wedi eu geni weithiau, er mwyn eu cadw'n fyw.

'Roedd brawd o'r enw Robert gan Elin, a oedd bedair blynedd yn iau na hi, a'r nesaf·o blith ei brodyr a'i chwiorydd i gael ei eni ar ei hôl hi. Efallai mai ar ôl y brawd hwn, yn absenoldeb Goronwy, yr enwyd eu mab. Mae'n debyg mai yn weddol gynnar yn y flwyddyn newydd, wedi iddi hi a'i baban gael cyfle i atgyfnerthu, yr ymunodd Elin â'i gŵr yn Donnington. 'Roedd ei theulu'n ddigon agos iddi hi gadw cysylltiad â nhw, pe dymunai hynny, a phe byddai aelodau'r teulu yn caniatáu hynny. Ni fyddai'n rhaid i Goronwy golli cysylltiad â'i frawd Owen ychwaith. Gyda helynt y carcharu y tu cefn iddyn nhw, 'roedd digon o bethau o'u plaid: 'roedd ganddyn nhw blentyn i'w fagu a'i goledd, 'roedd gan y bardd yntau eglwys ac ysgol dan ei adain, a hefyd ddarn o dir, chwe acer o faint, y gallai ei gael am 'rent gymedrol' i'w helpu i gynnal ei deulu.

Aeth pethau o chwith yn bur fuan, er hynny. Bu farw Tipton ar Awst 3, 1749, lai na blwyddyn cyn i Goronwy gael ei draed dano yn Eglwys Uppington, a bu'n rhaid i'r bardd gyflawni'r dyletswyddau a gyflawnid ganddo ef yn ei le. Goronwy, bellach, a fyddai'n cofnodi genedigaethau a chladdedigaethau, bedyddiadau a phriodasau'r plwyf, ond nid y baich ychwanegol hwn oedd y broblem. Olynwyd Tipton gan Albanwr o'r enw John Douglas (1721–1807). Graddiodd yn B.A. yn Rhydychen ym 1740, ac ar ôl treulio cyfnod ar y Cyfandir yn dysgu Ffrangeg, graddiodd yn M.A. ym 1743, a'i ordeinio yn ddiacon ym 1744. Penodwyd ef wedyn yn gaplan yn y Fyddin, a bu ym mrwydr Fontency ar 29 Ebrill, 1745, ond rhoddodd y gorau i'w gaplaniaeth pan ddychwelodd y Fyddin i Loegr. Cafodd ei ordeinio yn offeiriad ym 1747, ac ar ôl dal dwy guradiaeth yn olynol, cafodd swydd fel athro teithiol i Arglwydd Pulteney, mab Ardalydd Bath. Ym mis Hydref 1749 y cafodd fywoliaeth Uppington gan Arglwydd Bath, ynghyd â bywoliaeth arall, er iddo roi'r gorau i'r ail fywoliaeth hon, yn Eaton Constantine, pan gyflwynodd Arglwydd Bath ficeriaeth High Ercall yn Swydd Amwythig iddo ym 1750. Yn achlysurol yn unig yr ymwelai â'i fywoliaethau. Trigai yn ymyl tŷ Ardalydd Bath yn Llundain yn ystod y gaeaf,

---

[7] Bedyddiwyd Elin, trydydd plentyn Goronwy, ganddo ef ei hun 'y noswaith y ganwyd hi' (*LGO*, llythyr XXX, at William, o Walton, Rhagfyr 18, 1753, t. 82). Am fedyddiadau preifat, cf. C. J. Abbey, *The English Church in the Eighteenth Century*, Charles J. Abbey a John H. Overton, cyf. II, 1878, t. 498: 'At the beginning of the eighteenth century baptisms during time of public service were decidedly unfrequent. There had been at one time such great and widely-spread scruples at the sign of the cross and the use of the sponsors, that many people had preferred, where they found it possible, to get their children baptized at home, that these adjuncts of the rite might be dispensed with … There can be no doubt that these 'home christenings' had got to be very commonly looked upon as little more than an idle ceremony, and an occasion for jollity and tippling'.

[8] *LGO*, llythyr XXIX, at Richard, o Walton, Rhagfyr 17, 1753, t. 81.

a chyd-deithiai â'i noddwr i Bath, Tunbridge ac i dai bonedd yn ystod yr haf. Daliodd John Douglas nifer o swyddi eglwysig o bwys. Penodwyd ef yn Esgob Caerliwelydd ym 1788 ac yn Esgob Salisbury ym 1791.

Ar ôl iddo ddychwelyd o Ffrainc ym 1749, clywodd John Douglas yn Llundain am y modd 'roedd cyd-wladwr iddo, William Lauder, ysgolhaig clasurol disglair, fel Douglas yntau, wedi cynhyrfu'r dyfroedd llenyddol yn y ddinas. Arbenigai Lauder yng ngwaith y beirdd Lladin modern, fel Arthur Johnston a Hugo Grotius. Yn gynnar ym 1747, yn rhifyn Ionawr o'r *Gentleman's Magazine*, cyhoeddodd erthygl a gyhuddai John Milton o lên-ladrad. Yn ôl Lauder, 'roedd Milton wedi aralleirio darnau o gerdd Ladin o'r enw 'Sarcotis' gan Jacobus Masenius yn *Paradise Lost*. Syfrdanwyd y cylchoedd llenyddol yn Llundain gan y dadleniad. Dilynwyd yr ymosodiad gwreiddiol ar Milton gan bedair erthygl arall, lle ceisiodd Lauder brofi fod darnau helaeth o *Paradise Lost* yn ddyledus i ddwy gerdd Ladin am eu bodolaeth, 'Adamus Exsul' gan Hugo Grotius a 'Poemata Sacra' gan Andrew Ramsay. Atebwyd haeriadau Lauder gan eraill, ond nid ildiodd Lauder fodfedd, ac yn Awst 1747 cyhoeddodd daflenni hysbyseb i nodi ei fwriad i gyhoeddi cerdd honedig Grotius, 'Adamus Exsul', drwy danysgrifiadau, 'with an English version and notes, and the lines imitated from it by Milton subjoined'.

Tynnwyd Samuel Johnson i mewn i'r cyffro, a chyhoeddodd gyflwyniad i'r gwaith arfaethedig yn y *Gentleman's Magazine,* ond rhoddodd Lauder y bwriad o'r neilltu am gyfnod, a chyhoeddodd, ym 1750, gyfrol yn dwyn y teitl *An Essay on Milton's Use and Imitation of the Moderns in his "Paradise Lost"*, cyfrol a gynhwysai gyflwyniad Johnson i'r bwriad o gyhoeddi 'Adamus Exsul'. Yn y gyfrol dyfynnwyd gwaith deunaw o feirdd Lladin gan Lauder, i ddangos fod Milton wedi benthyca oddi ar bob un ohonyn nhw. Cyhoeddodd Lauder daflen hysbyseb arall yng Ngorffennaf 1750, a'r tro hwn bwriadai gyhoeddi'r holl weithiau yr honnai fod Milton wedi dwyn oddi arnyn nhw dan y teitl *Delectus Auctorum Sacrorum Miltono facem prælucentium*. Erbyn hyn 'roedd nifer o ysgolheigion y dydd yn dechrau amau mai twyll oedd y cyfan, ac mai Lauder ei hun, mewn gwirionedd, oedd awdur y cerddi Lladin honedig hyn.

Un o'r rhai a amheuai Lauder oedd John Douglas. Ar ôl clywed am yr honiadau, aeth i Lyfrgell y Bodleian yn Rhydychen, a threuliodd beth amser yno yn chwilio am y gweithiau Lladin hyn yr honnid fod Milton wedi lladrata oddi arnyn nhw. Ni ddaeth o hyd i'r cerddi ymhlith gweithiau'r beirdd yr oedd Lauder yn eu priodoli iddyn nhw, a sylweddolodd mai cyfieithu Milton i Ladin a wnaethai Lauder. Penderfynodd Douglas ddinoethi'r twyll. Ddiwedd haf 1750, cyrhaeddodd Donnington, ac mae'n amlwg iddo drafod y llên-ladrad honedig, a'i fwriad i amddiffyn Milton, â'i gurad newydd. Diddordeb John Douglas yng ngwaith Milton, a'i awydd i'w amddiffyn yn wyneb ymosodiadau twyllodrus William Lauder, oedd un o'r pethau pwysicaf i ddigwydd i Goronwy o'i safbwynt fel bàrdd. Gellir dychmygu fod Douglas yn llawn o siarad brwdfrydig ynghylch ei ddarganfyddiadau yn Llyfrgell y Bodleian. O ganlyniad, enynnodd John Douglas ddiddordeb Goronwy yng ngwaith John Milton; yn bwysicach na hynny, deffrôdd ei ysgolheictod cwsg a rhoddodd ysgogiad i awen segur y bardd. Un o nod-weddion amlycaf Goronwy oedd ei allu i ymateb yn eiddgar i her y newydd, a rhoddodd John Douglas nod a nwyd newydd ym mywyd y bardd. Flwyddyn yn ddiweddarach, cyhoeddodd Douglas ei bamffledyn amddiffynnol *Milton vindicated from the Charge of Plagiarism ... in a Letter to the Earl of Bath*.[9]

'Roedd awen Goronwy wedi hepian ers rhai blynyddoedd, wrth iddo geisio ymgiprys â mân broblemau byw. Esgeulusodd, i raddau helaeth, yr addewid gynnar 'roedd wedi ei hamlygu yn ei ieuenctid. Yn Donnington yr adnewyddwyd y diddordeb cynnar hwnnw ynddo, a dod i gysylltiad â John Douglas ym 1750 oedd y cam cyntaf tuag at adferiad llawn. Nid bod John Douglas a Goronwy yn tynnu ymlaen â'i gilydd; yn wir, magodd y bardd, gan bwyll, gasineb mawr tuag at ei feistr. Gŵr crintachlyd oedd Douglas, a hyd yn oed os bu iddo gyfoethogi'r bardd yn ysbrydol ac yn ddiwylliannol, ni wnaeth ddim i liniaru ei dlodi materol. Byrdwn a sbardun oedd Douglas i Goronwy, cynorthwywr a chystwywr, y ddau ar yr un pryd. Yn ôl y bardd, 'tôst a chaled ddigon' oedd agwedd Douglas tuag ato,[10] ond y maen callestr hwn o ddyn a fu'n gyfrifol am gynhyrchu'r gwreich-ion a ailenynnodd awen y bardd.

Nid ailddeffro diddordeb Goronwy mewn barddoniaeth yn unig a wnaeth John Douglas. Yn gymysg o eiddigedd ac edmygedd, parodd y profiad cyffrous o ddarllen gwaith Milton iddo goledd uchelgais newydd. Mae llythyrau Donnington yn llawn o'i edmygedd o waith Milton ac o'r uchelgais newydd hon. 'Milton's Paradise Lost is a Book I read with pleasure, nay with Admiration, and raptures,' meddai wrth Richard; 'call it a great, sublime, nervous, &c. &c., or if you please a Divine Work, you'll find me ready to subscribe to anything that can be said in praise of it'.[11] Efelychu Milton oedd uchelgais newydd Goronwy, a rhoi i'w genedl epig Gristnogol y gallai ymfalchïo ynddi, rhoi urddas ar y Gymraeg er mwyn ei chodi i statws ieithoedd eraill. 'If I had time to spare, my chief desire is to attempt something in Epic Poetry,' meddai wrth William.[12] 'Our language

---

[9] Ymddangosodd ailargraffiad ym 1756, dan y teitl *Milton no Plagiary*. Er mwyn gwarchod ei enw da, mynnodd Samuel Johnson fod Lauder (m. 1771) yn cyffesu ei dwyll, a chydsyniodd y ffugiwr â'r cais, dan orfodaeth megis. Geiriwyd ymddiheuriad Lauder gan Johnson ei hun (Rhagfyr 20, 1750), ac fe'i hargraffwyd ym 1751 dan y teitl *A Letter to the Reverend Mr. Douglas, occasioned by his Vindication of Milton ... by William Lauder, A. M.*. 'In the business of Lauder,' meddai Johnson yn ddiweddarach, 'I was deceived, partly by thinking the man too frantic to be fraudulent' (*Literary Anecdotes of the Eighteenth Century*, L. Nichols, 9 cyf., 1812 – 1815, cyf. II, t. 551). Galwyd John Douglas yn 'the scourge of impostors and terror of quacks' gan Oliver Goldsmith yn *The Retaliation* (1774). Ceisiodd Lauder gyfiawnhau ei hoced drwy fynnu mai ymosod ar eilun-addoliaeth ddall edmygwyr Milton yr oedd, ac er iddo adnewyddu ei ymosodiadau ar Milton yn ddiweddarach, mewn ymdrech i adfer peth hunan-barch, parhaodd yn gyff gwawd i'r cylchoedd llenyddol yn Llundain.

[10] *LGO*, llythyr VI, at Richard, o Donnington, Mehefin 22, 1752, t. 12.

[11] Ibid., llythyr XVI, at Richard, o Donnington, Chwefror 21, 1753, t. 39.

[12] Ibid., llythyr IV, at William, o Donnington, Mai 7, 1752, t. 7.

undoubtedly affords plenty of words expressive and suitable enough for the genius of a *Milton*,' meddai drachefn, 'and had he been born in our country, we, no doubt, should have been the happy nation that could have boasted of the grandest, sublimest piece of poetry in the universe'.[13]

Rywbryd yn ystod gwyliau Nadolig 1751, cysylltodd Lewis Morris â Goronwy. 'Roedd Goronwy wedi colli pob cysylltiad â'r tri brawd yn ystod cyfnod ei alltudiaeth gynnar, ac erbyn iddo gyrraedd Donnington 'roedd Lewis wedi ymgartrefu yng Ngallt Fadog ger Capel Dewi ym mhlwyf Llanbadarn Fawr, Ceredigion, ers dwy flynedd. Ar ôl iddo gael ei benodi yn swyddog yn nhollfa Aberdyfi, ac yn ddirprwy-stiward maenorydd y Goron yng Ngheredigion, ymgartrefodd Lewis yn ardal Aberystwyth am ysbaid cyn symud i Allt Fadog ym 1746. 'Roedd Richard wedi aros yn Llundain oddi ar iddo fudo yno yn llencyn, a William ers tair blynedd wedi sefydlu cartref iddo'i hun a'i wraig newydd ar Fryn yr Haf, Caergybi, yn ymyl y dollfa lle gweithiai, wedi iddo gael ei benodi yn Ddirprwy Gyfarchwyliwr y Tollau ym mhorthladd Caergybi, ac yn Gyfarchwyliwr Tollau'r Glo yn y porthladd, ym 1737.

Os cyfarfod â John Douglas oedd y cam cyntaf tuag at aileni Goronwy'r bardd, dod i gysylltiad â'r Morrisiaid drachefn oedd yr ail gam i'r cyfeiriad hwnnw, ond llam, yn hytrach na cham, oedd yr ail ddigwyddiad hwn. Os Douglas oedd y wreichionen, Lewis oedd y ffagl, a rhwng y ddau cynheuwyd coelcerth eirias o ynni creadigol a brwdfrydedd llenyddol. Mae rhai ysgolheigion wedi maentumio fod Lewis wedi ymweld â Goronwy yn Donnington, ond 'does dim prawf o hynny, ac mae'n amlwg, yn ôl tystiolaeth Goronwy ei hun, mai cysylltu ag ef drwy lythyr a wnaeth Lewis, nid cyfarfod â'r bardd yn y cnawd.[14] Meddai Goronwy am y trobwynt hwnnw yn ei fywyd:[15]

> Ni ddamweiniodd i mi adnabod mo Ieuan Fardd o Coll. Merton; on'd mi a glywais gryn glod iddo, a thrwy gynhorthwy Llewelyn Ddu, mi welais rywfaint o'i Orchestwaith a diddadl yw na chafodd mo'r glod heb ei haeddu. Er ei fod yn iau nâ mi, o ran oedran, etto y mae yn hŷn prydydd o lawer, oblegid ryw bryd *Yngwyliau'r Nadolig* diweddaf y dechreuais i, ac oni buasai'ch Brawd Llewelyn, â yrrodd imi ryw dammaid praw, o waith Ieuan, ac a ddywaid yn haêrllug y medrwn innau brydyddu, ni feddyliaswn i erioed am y fath beth.

---

[13] Ibid.

[14] Er enghraifft, Thomas Shankland, 'Goronwy Owen', IV, *Y Beirniad*, cyf. V, rhif 4, Gaeaf 1915–1916, t. 244: 'Daeth Lewis i gysylltiad â Goronwy fel bardd a llenor am y tro cyntaf erioed tua diwedd y flwyddyn 1751 neu ddechreu 1752 ... Methais i a chael dim manylion ynghylch eu cyfarfyddiad, ond y mae digon o brofion ar gael mai yn yr adeg hon y digwyddodd yr amgylchiad pwysig a diddorol hwn, digwyddiad sydd ar lawer ystyr yn drobwynt yn hanes llenyddiaeth Cymru'. Eto, Thomas Shankland, 'Dau Canmlwyddiant Geni Goronwy Owen', *Y Geninen*, cyf. XLI, rhif 1, Ionawr 1923, t. 41: 'Tua'r Gwyliau yn niwedd 1751 daeth Lewis Morris heibio i Ddonnington. Ar yr ymweliad hwn y darganfu Lewis y Bardd Cymraeg mawr oedd yn guddiedig yn Nonnington'. Cf. hefyd, J. H. Davies, 'Goronwy Owen and the Cymmrodorion Society', *THSC*, 1922–1923 (cyfrol atodol), 1924, t. 30: '... possibly Lewis met him at Donnington about the end of 1751'.

[15] *LGO*, llythyr VIII, at Richard, o Donnington, Awst 15, 1752, t. 18.

Gyrru esiampl o waith Ieuan Fardd at Goronwy a wnaeth Lewis, gan fynnu y gallai Goronwy hefyd farddoni'n gelfydd pe bai'n ymroi i'r gwaith. Cofio am yr addewid ddisglair ynddo yn ifanc a gwybod am ddiddordeb ei dad a'i daid mewn barddoniaeth yr oedd Lewis.

Mae tystiolaeth ar gael fod Goronwy wedi ailafael yn ei gelfyddyd cyn i Lewis gysylltu ag ef, a rhaid mai trwy ddylanwad Milton a John Douglas arno y cydiodd yn ei awen drachefn. Os cywir yw dyddiad ei lythyr at William Elias (yn hytrach nag at Hugh Williams), sef Tachwedd 30, 1751, 'roedd Goronwy wedi ailddechrau barddoni cyn derbyn gair gan Lewis. Yn y llythyr hwnnw ceir cywydd o anerchiad i William Elias, ei gyfaill a'i gyd-efrydydd barddoniaeth gynt yn Llŷn ond bellach yn byw ym Môn,[16] a'r cywydd hwn, ynghyd â Chywydd y Farn, o bosibl, yw blaenffrwyth ailddeffroad ei awen. Mae'r dystiolaeth yn awgrymu hynny. 'Mi fynnaswn i'r Awen daccluso peth ar fy ymadroddion, a hitheu'n rhydlyd ac ynystwyth,' meddai cyn cyflwyno'r cywydd.[17] Mae hyn yn awgrymu mai newydd ailafael yn ei grefft yr oedd Goronwy. Cywydd byr iawn yw'r cywydd anerchiad, ac mae'n amlwg i'w awdur ei adael heb ei orffen. 'Hyd yma mi a'i llusgais gerfydd ei chlust, ac yma hi'm gadawodd,' meddai Goronwy drachefn am ei awen rydlyd, a chwblhaodd y llythyr mewn rhyddiaith, 'yn hytrach nac ymddygnu a'r Awen'.[18] Mae tystiolaeth fewnol y cywydd hefyd yn awgrymu strach a straen bardd a geisiai annog ei awen yn ôl, wedi blynyddoedd o'i hesgeuluso. Mae Goronwy yn anfon ei gân at William Elias i Fôn, gan deimlo ei fod yn dwyn gwarth ar orffennol barddonol llachar Môn â'i ymdrech bitw. Dirywio a wnaethai awen y bardd yn Lloegr:[19]

---

[16] Mae cymhlethdod wedi codi ynghylch y llythyr hwn. Nodir yn *LGO*, t. 3, mai at 'the Rev. Hugh Williams, of Aberffraw' yr anfonwyd y llythyr, a hynny ar sail yr ychwanegiad, mewn llawysgrifen arall ar gefn y copi gwreiddiol yn llawysgrifen Goronwy a oedd ym meddiant J. H. Davies, 'Gronow Owen to Mr Hugh Williams Rector of Aberffraw' (t. 4). Nodir hefyd ar y cefn: 'The date of the printed copies of this letter is Donnington, Nov. 30, 1751' (ibid.). Os yw'r dyddiad yn gywir, at William Elias, ac nid at Hugh Williams, y gyrrwyd y llythyr, oherwydd mai i Fôn y mae Goronwy yn anfon ei awen yn y darn cywydd. Ar Chwefror 15, 1754, y sefydlwyd Hugh Williams yn rheithoriaeth Aberffraw (gw. *The Diocese of Bangor During Three Centuries*, Arthur Ivor Pryce, 1929, t. 29), er i Goronwy ddweud wrth Richard Morris ar Ionawr 2, 1754, fod Hugh Williams yn awr yn 'Beriglor Aberffraw ym Môn' (*LGO*, llythyr XXXI, o Walton, t. 87). Ni allai dyddiad y llythyr, fel llythyr at Hugh Williams, fod yn gywir felly. Cyn hynny bu'n gurad Llanengan yn Llŷn (1745–1751), ac yn rheithor Llanfrothen a churad parhaol Beddgelert (1751–1754). 'Roedd William Elias ym Môn cyn diwedd 1745, oherwydd bedyddiwyd Hugh, pedwerydd mab William Elias a'i wraig Anne, yn Eglwys Llanfwrog, Môn, ar Ragfyr 25, 1745. Bu'n byw ym Mhlas-y-glyn, Llanfwrog, hyd at ei farwolaeth ym 1787. Gw. 'Goronwy Owen', IV, Thomas Shankland, *Y Beirniad*, cyf. V, rhif 4, Gaeaf 1915–1916, tt. 242–244. Ni allai Bedwyr Lewis Jones benderfynu at bwy yr anfonwyd y llythyr (gw. 'Goronwy Owen, 1723–69', ad-argraffiad o *THSC*, Tymor 1971, rhan 1, t. 23). Mae tystiolaeth fewnol y llythyr hefyd yn awgrymu fod y llythyr wedi'i lunio cyn cyfnod toreithiog Donnington. Go brin y byddai Goronwy yn dweud fod ei awen yn 'rhydlyd ac anystwyth' ym 1754 neu hyd yn oed o 1752 ymlaen. Gw. *LGO*, tt. 203–204, am y cymhlethdod ynghylch y llythyr hwn. Ceir tystiolaeth arall hefyd fod dyddiad y llythyr, Tachwedd 30, 1751, yn gywir. Mae Goronwy ynddo yn sôn ei fod 'wedi cymeryd ail afael yn fy Ngramadeg Cymraeg a ddechreuais er cyhyd o amser' (t. 4). Wrth gyflwyno Goronwy i Ieuan Fardd, mae Lewis yn dweud fod Goronwy 'is and hath been some years a laying a foundation for a Welsh rational Grammar' (*ALMA* 1, llythyr 108, o Landeilo Fawr, Ebrill 23, 1752, t. 224). 'Roedd y llyfr gramadeg hwn yn flaenllaw ym meddwl Goronwy erbyn diwedd 1751 a dechrau 1752, ac mae'n sicr iddo sôn amdano wrth Lewis Morris ar ôl i Lewis gysylltu ag ef ddiwedd 1751, yn union fel y bu iddo sôn amdano wrth Wiliam Elias.

(parhad t. 75)

> Tithau, waethwaeth yr aethost,
> Marw yw dy fath, mawr dy fost.
> Nid amgen wyd, nad ymgais,
> Dirnad swrn, darn wyd o Sais.

Mae tystiolaeth y farddoniaeth a thystiolaeth y rhyddiaith yn cyfateb i'w gilydd mewn un peth. Gofidiai Goronwy fod byw yn Lloegr, heb glywed perseinedd y Gymraeg o'i amgylch yn feunyddiol, a heb ddim cyswllt â beirdd ac ysgolheigion y Gymraeg, wedi teneuo a dyfrio'i Gymraeg ef ei hun. Collodd hyder yn ei allu i'w fynegi ei hun drwy gyfrwng ei briod iaith. Y diffyg hyder hwn sy'n gyfrifol yn aml iawn am yr holl Saesneg a geir yn ei lythyrau. Yn y llythyr cyntaf oll at William, mae'n gofyn iddo'i esgusodi am y tro am ddefnyddio'r Saesneg yn gyfan gwbwl, gan addo mai yn y Gymraeg y byddai ei lythyr nesaf ato. 'Nid wyf ond Bwngler am ysgrifennu Llythyr Cymraeg, o eisiau arferu, er fy mod yn dyall yr Iaith yn o lew,' meddai wrth Richard Morris, ac oherwydd hynny mae'n troi at y Saesneg.[20] Bron i ddeufis yn ddiweddarach, wedi ennill peth hyder yn ôl, gallai ddatgan yn orfoleddus wrth Richard ei fod 'yn dechreu dyfod i ysgrifennu Llythyr Cymraeg yn o dwtnais'.[21] Rhan o'i awydd i adennill y Gymraeg a'i thrin yn ei gogoniant oedd ei fod yn Donnington 'wedi cymeryd ail afael yn fy Ngramadeg Cymraeg a ddechreuais er cyhyd o amser,' yn ôl y llythyr a gynhwysai gywydd annerch William Elias, ac efallai i ysgolheictod brwd John Douglas fod yn rhannol gyfrifol am ailennyn y dyhead hwn yn ogystal.

Os bu ffrwd awen Goronwy dan rew am flynyddoedd lawer, fe'i meiriolwyd gan Lewis Morris, nes iddi lifo ar ruthr. Craciodd y rhew, a rhyddhawyd y bwrlwm llifeiriant a gaethiwyd gyhyd. 'Roedd Goronwy wedi dod o hyd i enaid cydymdeimladol, cydrannwr awen, gŵr a allai weithredu fel athro barddol a chynghorwr iddo, ac achubodd ar ei gyfle yn llwyr. Cafodd garreg ateb i'w waedd yn y gwagle. 'Roedd bod yn gyfeillgar â Lewis yn drwydded mynediad i gylch dethol y Morrisiaid yn ogystal. Wedi i Lewis gysylltu â Goronwy, anfonodd y bardd rai o'i gerddi ato. Ni allai Lewis gadw'r fath ddarganfyddiad iddo'i hun, a rhaid oedd rhannu Goronwy â'i frodyr. Anfonodd ddau o gywyddau Goronwy at William, ac ni allai'r brawd ond rhyfeddu a gorfoleddu fod Lewis wedi dod ar draws bardd mor ysgubol:[22]

---

[17] Ibid., llythyr II [at William Elias], Tachwedd 30, 1751, t. 3.

[18] Ibid., t. 4.

[19] 'Annerch William Elias', *Blodeugerdd Barddas o Ganu Caeth y Ddeunawfed Ganrif*, t. 86.

[20] *LGO*, llythyr VI, at Richard, o Donnington, Mehefin 22, 1752, t. 12.

[21] Ibid., llythyr VIII, at Richard, o Donnington, Awst 15, 1752, t. 19.

[22] *ML* I, llythyr CXXV, William at Richard, o Gaergybi, Ebrill 2, 1752, t. 194.

Daccw fo wedi gyrru imi ddau gywydd o waith Gronwy ap Owen (ap Gronw Owen yr Eurych) offeiriad, un o honynt sydd i Ddydd y Farn Fawr, gwaith godidog iawn; ni feddyliais i fod y fath ddyn ar wyneb y ddaear, ni wiw i Mr. William Wynne na cholhector dyfi [Lewis] son mwyach am y gadair, os Gronwy Ddu a â ymlaen fal hyn, nhw allant ganu'n iach iddi, ond gwreigdda Sian Parri am ymddwyn y fath fardd?

Uchel oedd clod y ddau i'r bardd newydd-anedig hwn, a mawr y cynnwrf yn ei gylch. 'Gronw hath overtopt all the bards of this age, and brother says of all others!' meddai William wrth Richard.[23]

Cyfnod o gyffro mawr oedd cyfnod darganfod Goronwy i Lewis, William a Richard. Yn fuan ar ôl anfon y cywyddau at Lewis, gyrrodd Goronwy gerdd newydd sbon o'i waith ato. Erbyn Ebrill 27, 1752, 'roedd y gerdd honno, Awdl y Gofuned, yn nwylo William, ac anfonodd gopi ohoni at Richard:[24]

By the last post came to my hands the inclos'd odidawg awdl, sef Gofuned Goronwy, and I fell to it to copy it for you whilst it was piping hot (as Llewelyn required) but I was too late for the post, and now you have it, gwnewch yn llawen arnaw. Wfft, a dwbl wfft, ir awdwr. I shall write to him this post a letter of canmoliaeth, and to ask Mr. Ellis leave to print Cywydd y Farn i ddangos ir holl Gymry benbaladr fod bardd wedi cyfodi i goleddu eu hiaith ...

Patrwm o fardd oedd Goronwy yn nhyb William: 'Siampl hynod a welwn yn awr yng Ngoronwy Fardd, sydd yn mwynhau awenydd Taliesin, Myrddin, neu rywrai o honynt'.[25]

Yn ystod misoedd cychwynnol 1752, 'roedd brwdfrydedd yn porthi brwdfrydedd. Dôi canmoliaeth a chefnogaeth o du Lewis a William, gan fwydo'r goelcerth, a oedd eisoes yn wenfflam, â rhagor o danwydd. Bu William cystal â'i air. 'Sgwennodd lythyr at Goronwy ar yr un diwrnod ag y cysylltodd â Richard. Yn y llythyr hwnnw, nad yw wedi goroesi, rhoddodd gryn glod i Goronwy am Gywydd y Farn. 'Roedd William wedi dangos y cywydd, mae'n amlwg, i Thomas Ellis, ei gyfaill a'i gymydog yng Nghaergybi, ac wedi gofyn iddo, fel y bwriadai'i wneud yn ôl ei lythyr at Richard, argraffu'r cywydd. Ganed Thomas Ellis (1711/12–1792) yng Ngallt-melyd yn yr hen Sir Fflint. Graddiodd yng Ngholeg Iesu yn Rhydychen ym 1731, ac yn B. D. ym 1741, a bu'n gymrawd o'r Coleg rhwng 1731 a 1761. Thomas Ellis oedd un o'r rhai a fu'n gyfrifol am gael lle i Goronwy yn Rhydychen, yn rhinwedd ei swydd fel cymrawd o'r Coleg, a bu'n rhaid i'r bardd lunio traethawd Lladin iddo i brofi'i fod yn meddu ar ddigon o gymwysterau i fynd i Rydychen. Yn nhŷ William yng Nghaergybi y bu Goronwy dan brawf gerbron Thomas Ellis. Cafodd guradiaeth Caergybi gan ei goleg ym 1737, a daeth yn gyfeillgar â William ar ôl

---

[23] Ibid., llythyr CXXVI, William at Richard, o Gaergybi, Ebrill 20, 1752, t. 196.

[24] Ibid., llythyr CXXVII, William at Richard, o Gaergybi, Ebrill 27, 1752, t. 196.

[25] Ibid., llythyr CXXVIII, William at Richard, o Gaergybi, Mai 7, 1752, t. 198.

iddo symud i Fôn. Yn ôl William, 'Gwr crefyddol deallus, yn caru ei wlad ai iaith,' oedd Thomas Ellis, ac 'yn gwneuthur cymaint o ddaioni ag a fai bosibl iddo drwy gyhoeddi rhai ag argraphu ar ei gost (draul) ei hun amrafael fan lyfrau iw rhoddi ymaith yn rhodd ag yn rhad'.[26] Un o'r mân lyfrau hyn oedd *Byrr Grynhoâd eglur o'r Grefydd Gristianogol ...* (1746), a chyhoeddodd hefyd draethodau fel *Gair i'r Methodist* (1748), cyfieithiad o waith John Wesley, ac *Anrheg i'r Cymro* (1749). Gobeithiai William y gallai'r cymwynaswr hwn o gyhoeddwr amser-hamdden drefnu argraffu gorchestwaith Goronwy, *Cywydd y Farn*. Mewn gwirionedd, dyma'r sôn cyntaf ymhlith y Morrisiaid am gyhoeddi gwaith Goronwy, nod a gymerodd flynyddoedd helaeth i'w gyflawni.

'Roedd Goronwy yn ddiolchgar am y ganmoliaeth, ond ni hidiai ddraenen a gyhoeddid y cywydd ai peidio. 'I am no way fond or ambitious of appearing in print and commencing *author*,' meddai wrth William, oherwydd 'I have no vanity to be gratified by so doing, and if ever I had, my own sense, as I grew up, overtop'd and mortified it'.[27] Os bu iddo goledd uchelgais i fod yn fardd un tro, 'roedd byw yn y byd helbulus hwn, meddai, gan daro'r cywair o hunan-dosturi a oedd i'w glywed mor aml yn ei lythyrau at y tri brawd, yn awr wedi difa'r breuddwyd hwnnw, 'effectually kill'd it, root and branch'.[28] Er hynny, rhoddodd ganiatâd i William a Thomas Ellis i'w gyhoeddi, 'if Mr. Ellis and you think it will do any good'.[29]

Mae'n bosibl mai *Cywydd y Farf* oedd yr ail o'r ddau gywydd i Lewis eu hanfon at William ar ôl eu derbyn gan Goronwy. Yn y llythyr cyntaf hwn at William, 'I have not a turn of genius fit for ludicrous poetry (which I believe is best relished in Wales),' meddai, 'and you will see that the few little witticisms in *Cywydd y Farf* are rather forced than natural'.[30] Mae'r ddau gywydd yn codi cwestiynau. Ystyrir yn gyffredinol fod y ddau yn perthyn i gyfnod Donnington, a thybir eu bod yn gynnyrch dylanwad uniongyrchol Lewis Morris ar y bardd. Ond pa bryd yn union y lluniwyd y ddau gywydd? Erbyn dechrau Ebrill 'roedd y ddau gywydd, *Cywydd y Farn* a *Chywydd y Farf*, wedi cyrraedd William, ar ôl i Goronwy eu hanfon at Lewis ac wedi i Lewis eu hanfon at ei frawd. Os digwyddodd tröedigaeth lenyddol Goronwy o gwmpas Nadolig 1751, mae'n rhaid ei fod, felly, wedi llunio'r cywyddau yn union ar ddechrau'r flwyddyn newydd; ond a fyddai wedi gallu llunio dau gywydd gweddol faith, un ohonyn nhw ymhlith ei orchestion pennaf yn nhyb llawer, o fewn cyfnod mor fyr, yn enwedig gan fod ei awen mor rhydlyd ac anystwyth? Ar ben hynny, crëwr araf oedd Goronwy yn ôl ei dystiolaeth ef ei hun:[31]

---

[26] Ibid., llythyr CLXXXIII, William at Richard, o Gaergybi, Ionawr 13, 1754, t. 272.

[27] *LGO*, llythyr IV, at William, o Donnington, Mai 7, 1752, t. 6.

[28] Ibid.

[29] Ibid.

[30] Ibid., t. 7.

[31] Ibid., llythyr X, at William, o Donnington, Rhagfyr 6, 1752, t. 27.

Cenawes ystyfnig ydyw'r Awen. Ni thry hi oddiar ei llwybr ei hun er ungwr ... F'ellir gwneuthur pwtt o bregeth ar y testun a fynno un arall; ond am Gywydd, ni thâl ddraen oni chaiff yr Awen ei phen yn rhydd, ac aed lle mynno. A phwy bynnag a ddywedo amgen, gwybydded fod ganddo Awen ystwythach na'm Hawen i, 'rhon ysgatfydd sy mor warrgaled o ddiffyg na buaswn yn ei dofi yn ieuangach. Cennad i'm crogi onid wyf yn meddwl fod yr Awen, fal llawer mireinferch arall, po dycnaf a diwyttaf y'i cerir, murseneiddiaf a choeccaf fyth y'i cair. Nis gwn, pe'm blingid, pa un waethaf ai gormod gofal, ai gormod diofalwch.

Drwy chwys ei dalcen y lluniai Goronwy ei gerddi, ac mae'n amlwg ei fod yn grëwr gofalus iawn yn ogystal â bod yn araf. 'I make shift to write some new thing or other to Mr. L. Morris, about once every month,' meddai wrth Richard ar ôl iddo sefydlu'r berthynas rhyngddo a'r brodyr.[32] Dyna oedd y patrwm, mwy neu lai, yn ystod cyfnod Donnington. Golygai llunio un cywydd o leiaf fis o lafur iddo. A fyddai wedi gallu llunio dau o fewn ychydig wythnosau, a hynny cyn i'w awen gael gwynt dan ei hadenydd?

Mae un peth yn sicr: ni luniodd Gywydd y Farn yn ystod dyddiau cyntaf Ionawr 1752, os cywir tystiolaeth y bardd ei hun. 'Gwybyddwch,' meddai wrth Richard Morris ar Awst 15, 1752, wrth esbonio arwyddocâd y llinell 'Crist fyg a fo'r meddyg mau' yn y cywydd, mai 'clâf a thra chlâf o'r Cryd oeddwn y pryd y dechreuais y Cywydd, ac hyd yr wyf yn cofio meddwl am farw a wnaeth i mi ddewis y fath destun'.[33] Mae 'hyd yr wyf yn cofio' yn sicr yn cyfeirio at gyfnod pellach yn ôl na dechrau'r flwyddyn. Mae tystiolaeth arall yn cadarnhau hyn. Ar Ionawr 10, 1755, a'r bardd erbyn hynny yn byw ac yn offeiriadu yn Walton, aeth 'yn drymglaf o ffefer, ond tybio'r oeddwn mai'r *acsus* ydoedd'.[34] Gan gymryd 'Calan' i olygu'r cyfnod ar ddechrau blwyddyn, 'Ni bum yn glaf Galan ermoed o'r blaen,'[35] meddai Goronwy, ac felly, nid o gwmpas Calan 1752 y dechreuodd lunio'r cywydd. Mae'n amlwg, felly, nad oedd hyd yn oed wedi dechrau ar y gwaith o lunio Cywydd y Farn yn ystod dyddiau cyntaf Ionawr 1752, er bod y cywydd wedi cyrraedd William erbyn Ebrill 2. Tybed nad oedd Cywydd y Farn ar y gweill gan Goronwy ers peth amser, ac iddo, efallai, ei adael ar ei hanner? Mae'n ddigon hawdd derbyn fod y cyswllt â Lewis wedi'i sbarduno i gwblhau neu i gaboli'r gerdd, ond ni ellir derbyn yn ddibetrus mai yn Donnington rywbryd yn ystod wythnosau cyntaf 1752 y lluniwyd y cywydd yn ei grynswth. Ddiwedd haf 1750 yr aeth John Douglas i Donnington. Gan mai ymarferiad ar gyfer llunio cerdd epig oedd Cywydd y Farn yn ei hanfod, a chan fod Goronwy wedi amlinellu ei syniadau ynghylch addaster y Gymraeg o safbwynt creu epig ynddi, yn ogystal â mynegi ei fwriad i roi cynnig ar lunio cerdd uchelgeisiol o'r fath, yn fanwl yn ei lythyr at William Morris ar Fai 7, 1752, mae'n amlwg

---

[32] Ibid., llythyr VI, at Richard, o Donnington, Mehefin 22, 1752, t. 13.

[33] Ibid., llythyr VIII, at Richard, o Donnington, Awst 15, 1752, t. 17.

[34] Ibid., llythyr LII, at William, o Walton, Ionawr 21, 1755, tt. 142-143.

[35] Ibid., t. 143.

nad ar ôl i Lewis gysylltu ag ef y dechreuodd Goronwy fyfyrio ar y posibiliad o anrhyd-eddu'r Gymraeg â cherdd epig. Mae'n amlwg fod y syniad hwnnw wedi bod yn berwi yn ei ben ers hydoedd. Mae Cywydd y Farn yn ganlyniad uniongyrchol yr ymhél hwn â'r syniad o greu epig, a John Douglas a'i holl sôn a siarad am John Milton oedd y sbardun. Onid ar ôl haf 1750 y dechreuodd Goronwy weithio ar y cywydd, a'i gwblhau, efallai, ddechrau 1752? Y gwir yw, fodd bynnag, mai John Douglas, ac nid Lewis Morris, a fu'n gyfrifol am ddeffro Goronwy o'i drwmgwsg awenyddol, er mai Lewis a sicrhaodd ei fod yn cadw'n effro o hynny ymlaen.

Ni roir dyddiad gogyfer â Chywydd y Farn yn y *Diddanwch Teuluaidd*, ond rhoir 1752, cyfnod Donnington, uwchben Cywydd y Farf. Mae'r cywydd hwn eto yn achosi problem. 'Roedd Goronwy yn drwm dan ddylanwad awen ddwys a difrifol Milton erbyn 1752; yn wir, dilornus ydoedd o'r awen ysgafn, a hyd yn oed wrth led-gyfaddef mai cywydd yn null ffraeth Dafydd ap Gwilym oedd y cywydd, mae'n collfarnu Dafydd am ganu yn rhy ysgafn-gellweirus, yn hytrach na dyrchafu ei feddyliau: 'D. ab Gwilym was perhaps the best Welshman that ever lived for that kind of Poetry and is therefore very deservedly admir'd for it; and tho' I admire (and even dote upon) the sweetness of his poetry, I have often wish'd he had rais'd his thoughts to something more grave and *sublime*'.[36] Mae'n drwm ei lach ar Dafydd ap Gwilym mewn llythyr diweddarach at William hefyd, pryd y mae'n collfarnu'r 'llychwytgi gan Dd. ap Gwilym' o fod bron wedi 'lladd y Gymraeg wrth gymmyscu Saesneg a hi'.[37] O ran thema ac ymdriniaeth, perthyn i gyfnod Dafydd ap Gwilym y bardd, cyfnod Pwllheli, wedi iddo ddarllen cywyddau Dafydd yng nghasgliad William Elias o'i waith, y mae hwn, fel Cywydd y Calendr.

Efallai nad ym 1743, dyddiad Cywydd y Calendr, y lluniodd Gywydd y Farf, ond anodd dirnad sut y gallai Goronwy ganu yn y dull ysgafn hwn ar yr union adeg yr oedd yn difrïo'r math yma o ganu ac yn chwilio am themâu mwy difrifol i ganu arnyn nhw. Mae Bedwyr Lewis Jones, er enghraifft, yn rhestru'r ddau gywydd hyn ymhlith cerddi Don-nington y bardd, Cywydd y Farn yn 'un o gerddi cyntaf Goronwy Owen ar ôl iddo ail-gydio yn ei ddawn',[38] a dywed 'nid ymarferiadau oedd cerddi Donnington (ac eithrio 'Cywydd y Farf)',[39] wrth sylweddoli'r gwahaniaeth mawr o ran dull a chywair rhwng hwnnw a gweddill cywyddau'r cyfnod, mae'n debyg. Go brin fod cyfiawnhau galw'r cywydd yn ymarferiad yn esbonio'r gwahaniaeth mawr rhyngddo a chywyddau eraill y bardd yn ystod yr un cyfnod, nac yn egluro pam y mae'n barddoni'n gwbl groes i'w egwyddorion. Efallai mai dyddiad ailwampio'r cywydd a geir yn y *Diddanwch Teuluaidd*, yn union fel y bu iddo gaboli Cywydd y Calendr flynyddoedd yn ddiweddarach, neu'r dyddiad y daeth i ddwylo'r Morrisiaid. 'Does dim sicrwydd pendant mai ym 1752, yng nghysgod Lewis, y lluniodd Goronwy y ddau gywydd hyn. Y peth cyntaf a wnâi bardd a

---

[36] Ibid., llythyr IV, at William, o Donnington, Mai 7, 1752, t. 7.
[37] Ibid., llythyr XLI, at William, o Walton, Mai 21, 1754, t. 111.
[38] 'Goronwy Owen, 1723–69', t. 24.
[39] Ibid., t. 25.

oedd newydd ddod o hyd i enaid o gyffelyb fryd, a gŵr a allai ymarweddu fel athro barddol iddo, fyddai dangos ei hen gerddi iddo, neu gwblhau a chaboli rhai a luniwyd ganddo flynyddoedd ynghynt. Dywedod Goronwy mai yn ystod gwyliau Nadolig 1751 y dechreuodd farddoni, ond gwyddom nad yw hynny'n wir o'i dderbyn yn llythrennol, gan iddo lunio cerddi cyn Nadolig 1751. Mae'n debyg mai ailgydio neu ddechrau barddoni o ddifri a olygai wrth hynny.

Mae un peth yn sicr, er hynny. Canlyniad uniongyrchol yr hwb a roddodd Lewis iddo o gylch Nadolig 1751 oedd Awdl y Gofuned, ac efallai mai hon oedd cerdd gyflawn gyntaf yr ailenedigaeth lenyddol. Anfonodd Lewis 'dammaid praw' o waith Evan Evans at Goronwy, a beth bynnag oedd yr enghreifftiau o'i waith a roddodd Lewis i Goronwy, 'roedd rhai o benillion 'Awdl i'r Coler Du', cerdd am y pruddglwyf, yn eu plith. Ac yntau'n anwybodus ynghylch y rhan fwyaf o fesurau Cerdd Dafod, cafodd Goronwy fesur o'i flaen i'w efelychu, a lluniodd ei ofuned ar fesur y gwawdodyn, fel Ieuan, gan adleisio un o'i linellau hyd yn oed, 'Dyfroedd, hoff rydoedd a gloyw ffrydiau' Ieuan yn troi'n 'Dwfr hoffredwyllt ofer a ffrydio' yng ngherdd Goronwy. Cydnabu Goronwy ei ddyled i Ieuan Fardd yn ddiweddarach: 'the only knowledge I had of Gwawdodyn Byrr, when I made my Gofuned, was a stanza or two of it, made by Ieuan Brydydd Hir on Melancholy that Mr. Morris had sent me as a specimen of his ability in Welsh Poetry, and no wonder that my Gofuned should be faulty in blindly copying after so inaccurate a pattern'.[40]

Mae ôl un o ffasiynau thematig y ddeunawfed ganrif ar Awdl y Gofuned, sef thema'r Bywyd Da, dehongliad beirdd Lloegr o un o themâu Horas, thema a geir mewn cerddi fel 'The Choice' gan John Pomfret, a chan nifer o feirdd eraill yn ogystal.[41] Efallai fod ôl dylanwad Douglas yma eto, ac i'r Albanwr gyflwyno Goronwy i feirdd Saesneg eraill ar wahân i Milton. Beth bynnag am hynny, rhoddodd Goronwy gyffyrddiadau personol i'r ffasiwn, wrth iddo ddyheu am gael ymwared rhag 'ffwdanus – fyd/Direol, bawlyd, rhy helbulus',[42] a gwyddai y byddai clodfori Môn yn taro tant hiraethus ac edmygus yn eneidiau'r brodyr:[43]

> Dychwel i'r wlad lle bu fy nhadau,
> Bwrw enwog oes heb ry nac eisiau
> Ym Môn araul, a man orau – yw hon,
> Llawen ei dynion, a llawn doniau.
>
> Caraf rosydd, bronnydd, bryniau – rhywiog
> Ym Môn doreithiog, a'i mân draethau.

---

[40] *LGO*, llythyr XVII, at William, o Donnington, Chwefror 24, 1753, t. 47.

[41] Gw. y drafodaeth ar Awdl y Gofuned ym Mhennod 11.

[42] 'Gofuned Goronwy Ddu o Fôn', *Blodeugerdd Barddas o Ganu Caeth y Ddeunawfed Ganrif*, t. 88.

[43] Ibid., tt. 88-89.

Chwenychai hefyd, yn ei dlodi yn Donnington, gael[44]

> Rhent gymedrol, plwy' da'i reolau,
> Diwall a hyfryd dŷ a llyfrau,
> A gwartheg res a buchesau – i'w trin
> I'r hoyw wraig Elin, rywiog olau.

Er nad oedd Lewis, o bosibl, yn gyfrifol am ysgogi'r bardd i greu cywyddau'r Farn a'r Farf yn eu crynswth, ystyriai Goronwy mai ef oedd ei athro barddol, a dechreuodd eilun-addoli ei athro. 'Roedd ganddo bellach rywun y gallai bwyso arno, a'i gael i gywiro ei gerddi ac i roi barn arnyn nhw. Ni fwriadai ddangos dim i neb hyd nes y byddai'r gerdd wedi bod drwy ogor Lewis. Wedi i William ddarbwyllo Thomas Ellis i argraffu Cywydd y Farn, gwrthododd Goronwy ryddhau'r cywydd hyd nes y byddai Lewis wedi rhoi sêl ei fendith arno'n derfynol. 'I am not willing that any thing of mine should be made public without the consent and approbation of my tutor,' meddai wrth William.[45] Ni phoenai ffeuen am farn neb arall ar ei waith ac eithrio Lewis. 'Ni'm dawr i pa farn a roir arno,' meddai am Gywydd y Farn, 'oblegid gael o hono farn hynaws a mawrglod gan y Bardd godidoccaf, enwoccaf sy'n fyw y dydd heddyw, ac (o ddamwain) a fu byw erioed yn Ghymru, nid amgen Llewelyn Ddu o Geredigion, yr hwn yr wyf fi yn ei gyfrif yn fwy na myrdd o'r Mân-glyttwyr Dyriau, naw hugain yn y Cant, sydd hyd Gymru yn gwybetta, ac yn gwneuthur neu'n gwerthu ymbell resynus Garol, neu Ddyri fol Clawdd'.[46]

'Roedd Lewis yn fwy na bodlon gweithredu fel athro barddol i Goronwy, yn union fel y bu'n barod i gynorthwyo Ieuan Fardd ac eraill. Yn wir, ymhyfrydai yn ei statws fel prif athro barddol Cymru. Rhoddodd lawer o gymorth i'r Ieuan Fardd ifanc cyn tynnu Goronwy dan ei adain yn ogystal. 'Let me have a short *Cywydd* from you now & then, and I'll send you my observations upon them which may be of no disservice to you,' meddai wrth Ieuan.[47] At Lewis yr anfonodd Ieuan ei 'Awdl i'r Coler Du', ac awgrymodd Lewis nifer o welliannau i'r gerdd, gan lunio un pennill cyfan ei hun iddi, pennill a dderbyniwyd gan Evan Evans.[48]

---

[44] Ibid., t. 88.

[45] *LGO*, llythyr IV, at William, o Donnington, Mai 7, 1752, t. 6.

[46] Ibid., llythyr VIII, at Richard, o Donnington, Awst 15, 1752, t. 17.

[47] *ALMA* I, llythyr 99, Lewis at Evan Evans, o Allt Fadog, Gorffennaf 14, 1751, t. 207.

[48] Ibid., llythyr 104, Lewis at Evan Evans, o Allt Fadog, Awst 27, 1751, tt. 216-219. Y pennill o waith Lewis oedd:

> Melancoli, geri, garw eiriau!
> yw'r dybryd glefyd meddylfryd mau
> Sef y pruddglwyf di nwyf du anafau Serch
> gelyn pob annerch a gloywferch glau.

Y cam naturiol nesaf i Lewis oedd cyflwyno'i ddau ddisgybl i'w gilydd, fel y gallai haearn hogi haearn:[49]

> I propose to you a correspondent, a friend of mine, an Anglesey man, who will be glad of your acquaintance and I dare say *you* of his. Especially when you have seen some of his performances ... He is but lately commenced a Welsh poet, and the first ode he ever wrote was in Imitation of your ode on Melancholy, having no Grammar to go by. His Cywydd y *Farn fawr* is the best thing I ever read in Welsh. You'll be more surprizd with his Language & Poetry than with any thing you ever saw. His ode is stiled *The Wish*, or Gofuned Goronwy ddu o Fôn, and is certainly equal if not superior to any thing you ever saw of the Ancients.

'Roedd yr hen frenin yn awr yn barod i rannu ei goron rhwng y ddau dywysog newydd: 'I have shared the dominion of Poetry in Wales among you. He shall have the North, and you the South,' meddai wrth Ieuan, gan geisio ei gymell i gysylltu â Goronwy.[50] Nid â'r Prydydd Hir yn unig y cysylltodd Lewis gyda'r bwriad o geisio lleddfu alltudiaeth ddigyfeillach Goronwy, a rhoi iddo'r ymdeimlad, drwy lythyrau, ei fod yn perthyn i gymdeithas a oedd â diddordeb yn y Gymraeg, ei llenyddiaeth a'i diwylliant. Ar Fai 11, 'sgwennodd at Richard, a rhoddodd gyfeiriad Goronwy i'w frawd gan geisio ei annog i gysylltu ag ef. 'Send it frankd, he is but poor, and let him know how to write free letters to you,' meddai wrth ei frawd.[51] Drwy roi enw Richard Morris a'i gyfeiriad yn Swyddfa'r Llynges ar gefn llythyrau, nid oedd angen i'r sawl a gysylltai ag ef dalu'r un ddimai goch am yrru'r llythyr, a gwyddai Lewis y byddai hynny'n fendith i Goronwy yn ei dlodi.

Felly, yn ystod misoedd cyntaf 1752 y dechreuodd yr ohebiaeth faith a hollbwysig rhwng Goronwy a'r Morrisiaid. Tynnwyd Goronwy i mewn i'r cylch rhyfeddol hwn o lenorion, ysgolheigion, casglwyr llawysgrifau, hynafiaethwyr a naturiaethwyr. Cylch gohebol oedd hwn yn ei hanfod, er bod cysylltiad personol yn awr ac yn y man rhwng rhai o'r aelodau, a chysylltiadau eraill yn ogystal. Yn ogystal â'r Morrisiaid eu hunain, Lewis, Richard a William, prif aelodau'r cylch oedd Hugh Hughes, y Bardd Coch, o Lwydiarth Esgob, Llandyfrydog (1693–1776), William Wynne (1709–1760), Llangynhafal, Evan Evans, Ieuan Brydydd Hir (1731–1788), Edward Richard, Ystradmeurig (1714–1777), a John Owen am gyfnod byr, a thynnid eraill i mewn i'r cylch yn achlysurol; ond y rhain oedd y prif aelodau.

Lewis oedd brenin y cylch hwn, a thrwyddo ef yn bennaf y pasiwyd sylwadau gwahanol aelodau'r cylch y naill at y llall, er bod rhai o'r lleill yn gohebu â'i gilydd hefyd. Bardd gwlad oedd Hugh Hughes, gŵr a oedd mewn cysylltiad â William yn bennaf, er iddo ohebu llawer â Lewis hefyd. Brodor o Landecwyn, Meirionnydd, gŵr o dras

---

[49] Ibid., llythyr 108, Lewis at Evan Evans, o Landeilo Fawr, Ebrill 23, 1752, t. 224.
[50] Ibid.
[51] *ML* I, llythyr CXXX, Lewis at Richard, o Allt Fadog, Mai 11, 1752, t. 201.

uchelwrol, mab i William Wynne o Faesyneuadd, Llandecwyn, Uchel Siryf Meirionnydd ym 1714, a Margaret ei wraig, oedd William Wynne. Derbyniodd ei addysg uwch yng Ngholeg Iesu, Rhydychen. Ym 1739, ar ôl gwasanaethu fel diacon ac offeiriad yn Watlington, gerllaw Rhydychen, dychwelodd i Gymru, i wasanaethu fel Ficer Llanbrynmair, a chanodd Lewis dri englyn iddo ar achlysur ei benodi i'r swydd honno, a dychwelyd i Gymru ar yr un pryd. Ym 1747, derbyniodd William Wynne reithoriaeth Manafon, Sir Drefaldwyn, ac ychwanegwyd bywoliaeth Llangynhafal, yn Sir Ddinbych, ati ddwy flynedd yn ddiweddarach. Ymddiddorai mewn hynafiaethau, a lluniai gerddi yn achlysurol. Bu Lewis a William Wynne yn gohebu â'i gilydd ers 1737 o leiaf.

Ysgolhaig oedd Evan Evans yn bennaf, ond 'roedd yn fardd medrus hefyd. Fe'i ganed yn ffermdy'r Cynhawdref ym mhlwyf Lledrod, Sir Geredigion, a'i addysgu yn ysgol Edward Richard yn Ystradmeurig, a oedd lai na thair milltir o bellter oddi wrth ei gartref. 'Myfi a fyfyriais yn ddifesur yn ieuanc yn yr Ystrad draw, ac ni byddaf byth fal dyn arall o'r achos,' meddai wrth Richard un tro, gan feio'r caledwaith hwn am ei duedd i feddwi drwy'i oes.[52] Lewis Morris, yn ôl pob tebyg, a anogodd Ieuan i ddechrau barddoni, gan ddysgu'r cynganeddion iddo, a dysgu iddo sut i gopïo llawysgrifau hefyd, yn ogystal â'i gymell i ymddiddori mewn dysg Gymraeg. Cydnabu Ieuan Fardd ei ddyled i Lewis Morris ar achlysur ei farwolaeth. 'I have lost a very *valuable friend* as well as a curious correspondent, and an *encourager of my researches* into the history of Britain, and every thing else that related to the honour of our country and the support of its language,' meddai wrth Richard.[53] Urddwyd Ieuan yn offeiriad ym 1755, a threuliodd yntau hefyd gyfnod byr ym Manafon, ar ôl iddo gael urddo, o tua chanol 1754 hyd ddechrau 1756, yn gurad i William Wynne, felly 'roedd cysylltiad agos rhyngddo a dau aelod o'r cylch. 'Roedd ganddo feddwl mawr o William Wynne, ac yn ystod ei gyfnod ym Manafon copïodd rai o gerddi Wynne gyda'r bwriad o'u hanfon at William Morris. 'I am very glad to find I have got so good precedents as Mr Wynne and Mr Gronwy Owen,' meddai wrth William am y ddau fardd.[54] Treuliodd ddiwedd 1756 yn gurad yn Lyminge, Kent, a bu'n copïo barddoniaeth Gymraeg allan o Lyfr Coch Hergest yn Rhydychen ddechrau 1757. O hydref 1758 hyd hydref 1766 trigai yng Ngogledd Cymru, gan wasanaethu fel curad yn Llanllechid am flwyddyn, yn Nhrefriw a Llanrhychwyn am ddwy flynedd, ac o 1761 hyd 1766 ymsefydlodd yn Llanfair Talhaearn. Treuliodd chwe mis yn ei ardal enedigol ym 1766–1767, gan breswylio yn Y Gynhawdref a gwasanaethu fel curad yn Lledrod, Llangwnnws ac Ystradmeurig, ac yn ystod y cyfnod hwn 'roedd mewn cysylltiad parhaol â'i hen athro. Bu'r athro yntau yn ceisio annog ei gyn-ddisgybl i chwilio am fywoliaeth eglwysig yng Ngheredigion yn ystod y cyfnod 1758–1766, gan ei fwydo â gwybodaeth ynghylch curadiaethau a oedd un ai'n wag neu ar fin dod yn wag.

---

[52] *ALMA* 2, llythyr 371, Evan Evans at Richard, o Newick, Medi 28, 1767, t. 724.

[53] Ibid., llythyr 337, Evan Evans at Richard, o Lanfair Talhaearn, Mehefin 28, 1765, t. 651.

[54] *ALMA* 1, llythyr 131, Evan Evans at William, c. 1755, t. 266.

Yn ystod ei gyfnod yng Ngogledd Cymru byddai Evan Evans yn ymweld â William Morris yng Nghaergybi yn awr ac yn y man, ac yno y byddai'n copïo barddoniaeth allan o rai o lawysgrifau William. Ymwelodd â chartref William am y tro cyntaf ganol mis Gorffennaf, 1758. 'Pwy dybiech a ddigwyddws fod yma pan dderbyniais y gampus gerdd einoch?' gofynnodd i John Owen, gan ateb ei gwestiwn ei hun: 'Pwy ond y parchedigcaf fardd Ieuan Brydydd Hir yr ail ... Ieuan a ddaeth yman wythnos i ddyw Llun diweddaf, ac er hynny hyd neithiwr y bu yn coppiaw gwaith y gohenfeirdd ac yn fy mhorthi fi a barddoniaeth, mineu yn ei borthi yntau a bara Gwyddhelig'.[55] Soniodd am yr un ymweliad wrth Richard, gan ei hysbysu fod Evan Evans wedi mynd 'oddi yma heddy wedi bod yma naw niwarnawd yn sgrifenu copi o'm henlyfr, etc; fe ddaethai yma o Langynhafal, lle busai yn yr un modd yn copiaw hen farddoniaeth'; ychwanegodd fod 'gantho gasgliad tra odiaethol o gerddi Taliesyn, etc., a gopiawd allan o lyfr yn llaw y Doctor Davies'.[56] Fel hyn y byddai aelodau o'r cylch yn porthi ei gilydd â chynnwys yr hen lawysgrifau. Ymwelodd â Chaergybi eilwaith ar Fedi 5, 1758, a nifer o lawysgrifau dan ei gesail. 'Ddoe diweddaf y daeth yr enwog a'r haedd barch fardd Ieuan offeiriad i'm hymweled ar ei ddeudroed ol o Lan Llechid a cheseilwrn o FSS., dim llai na phump im i'w darllain a'u trosi, sef y tri llyfr a fu gynt ym mherchen y Llywydd Mynglwyt o Gaer Ludd, a deu lyfr eraill o'i farddoniaeth e hun,' meddai William wrth Richard.[57] Gadawodd y llawysgrifau hyn gyda William, fel y gallai eu copïo. Am bythefnos ym Mai 1762, bu Ieuan yn gwasanaethu fel curad Caergybi, 'yn lle Langford ein ciwriedyn' chwedl William, a 'Daeth a choflaid o hen lyfrau i mi yw darllain, daccw finna wedi rhoddi baich iddo ynta i fynd iw clandrio yn ei letty'.[58] Âi Ieuan i ymweld â Lewis Morris yng Ngheredigion weithiau hefyd. 'Who do you think I have at my elbow, as happy as ever Alexander thought himself after a conquest?' gofynnodd Lewis i Edward Richard, gan ei ateb ei hun: 'No less a man than Ieuan Fardd, who hath discovered some old MSS. lately that no body of this age or the last ever as much as dreamed of ... an epic Poem in the British called Gododin'.[59] 'Our friend Evans is here now,' meddai eto wrth Edward Richard ar achlysur arall, gan frysio i ychwanegu '(No, he is just gone to Aber Ystwyth to bleed for a fall he has had some time ago); he spits blood excessively, and if he doth not take care, it is all over with him'.[60] Pryderai ei gyfeillion am ei iechyd bregus, yn enwedig gan y byddai'n andwyo'i gorff eiddil â gorhoffter o'r ddiod. Ymwelai hefyd, ar dro, â William Wynne ac Edward Richard. 'Gwelais yr *Hirfardd* yn ddiweddar, yn llawn o iechyd a Chymraeg a cherdd,' meddai William Wynne wrth Richard Morris.[61] 'Roedd

[55] *ML* II, llythyr CCCLXXXVIII, William at John Owen, o Gaergybi, Gorffennaf 26, 1758, tt. 75-76.

[56] Ibid., llythyr CCCLXXXIX, William at Richard, o Gaergybi, Gorffennaf 26, 1758, t. 80.

[57] Ibid., llythyr CCCXCIII, William at Richard, o Gaergybi, Medi 6, 1758, t. 86.

[58] Ibid., llythyr DCXVII, William at Richard, o Gaergybi, Mai 19, 1762, t. 483.

[59] *ALMA* 1, llythyr 174, Lewis at Edward Richard, o Benbryn, Awst 5, 1758, t. 349.

[60] *ALMA* 2, llythyr 236, Lewis at Edward Richard, Mehefin 2, 1760, t. 461.

[61] Ibid., llythyr 202, William Wynne at Richard, o Langynhafal, Medi 24, 1759, t. 401.

Ieuan Fardd bob amser yn llawn o Gymraeg a cherdd, ond nid o iechyd. Crwydro o fan i fan y byddai, gan ymweld â chyfeillion o gyffelyb fryd iddo, ac aros gyda nhw am ysbaid, a chopïo barddoniaeth o'r llawysgrifau a oedd yn eiddo iddyn nhw. 'Dyn garw'r Hirfardd,' meddai Richard yn edmygus, 'allu tramwy cymaint ar draws gwledyd[d], ar ei ddeudroed ... i ymofyn gwybodaeth anianol'.[62]

Edward Richard oedd yr olaf i'w dderbyn i'r cylch cyfrin. Mab ydoedd i deiliwr a thafarnwr o Ystradmeurig, a derbyniodd ei addysg yn Ysgol Ramadeg y Frenhines Elisabeth yng Nghaerfyrddin, ac ar ôl hynny, dysgodd Roeg dan ofal clerigwr ac ysgol-haig clasurol medrus o'r enw John Pughe. Dychwelodd i Ystradmeurig tua 1735 neu 1736, i gadw ysgol yno, ysgol a sefydlwyd gan ei frawd Abraham cyn ei farwolaeth annhymig, ac ysgol enwog a dylanwadol yn y cylch erbyn y diwedd, ar ôl i Edward Richard roi oes gyfan i'w chadw a'i chynnal. Nid Ieuan Brydydd Hir oedd ei unig ddisgybl llwyddiannus. Yn ysgol Edward Richard yr addysgwyd David Ellis, y bardd, y cyfieithydd a'r copïwr llawysgrifau o Ddolgellau, gŵr a oedd yn hofran ar ymylon y cylch. Anfonodd Lewis Morris ei ddau fab hynaf, Lewis a John, at Edward Richard i dderbyn eu haddysg yn ei ysgol, a bu'n gohebu'n gyson â'r ysgolfeistr yn ystod y cyfnod y bu'r bechgyn yno, rhwng 1757 a 1761, a rhyw ychydig wedi hynny. Nid addysg y bechgyn yn unig a drafodai yn ei lythyrau, ond nifer helaeth o bynciau, gan gynnwys barddoniaeth a beirniadaeth. Ei gyf-eillgarwch â Lewis Morris yn ogystal â'r diddordeb a gymerai yng ngyrfa'i ddisgybl, Ieuan Fardd, fel bardd ac ysgolhaig ymroddedig a disglair, a symbylodd Edward Richard i ddechrau ymddiddori yn y Gymraeg a dechrau barddoni yn ei famiaith.

Prin fu cynnyrch Edward Richard ei hun fel bardd, ond mae ei ddwy fugeilgerdd yn enwog, yn enwedig y Fugeilgerdd Gyntaf, ar ffurf ymddiddan rhwng dau fugail, Gruffydd a Meurig, a hefyd ei ddau englyn er cof am faban, 'In Sepulchrum Infantoli'. 'Na anghofiwch gydnabod mai ef yw'r cyntaf a yscrifennodd Fugeilgerdd yn Gymräeg, ag onid ef, fo ddigia ag ni chymmydd byth a chwi no minnau,' meddai Ieuan wrth Richard am y Fugeilgerdd Gyntaf, pe byddai Richard yn argraffu'r gerdd.[63] Lluniodd yn ogystal ddwy gân i'r bont a oedd wedi cael ei chodi ar draws afon Teifi yn Rhydfendigaid, sef 'Cân y Bont' ac 'Atteb i Gân y Bont', a'u dangos i Lewis i gael ei farn arnyn nhw. 'Doedd Lewis ddim yn hoff o'r ffurfiau tafodieithol a geid yn y caneuon. 'The *Songs of the Bridg* would have out done the best things of Hugh Morris, if you had been correct in the language, but still I say for South Wales songs they bear the laurel,' meddai am y caneuon, gan roi coron lawryf yn llawn o ddrain pigog i Edward Richard.[64] 'Roedd y ddwy gân yn amddifad o burdeb geirfaol yn ôl Lewis, ac ymosododd wedyn ar y Deheuwyr am esgeuluso'r Gymraeg a gadael iddi gymysgu â'r Saesneg a dirywio o'r herwydd. 'In South

---

[62] *ML* II, llythyr CCCCIX, Richard at Lewis, o Lundain, Mehefin 9, 1759, t. 110.

[63] *ALMA* 2, llythyr 365, Evan Evans at Richard, o Newick, Gorffennaf 22, 1767, t. 706.

[64] Ibid., llythyr 287, Lewis at Edward Richard, o Benbryn, Mawrth 27, 1762, t. 546.

Wales they busied themselves in fighting more than writing,' meddai.[65] Ni allai Edward Richard dderbyn beirniadaeth Lewis, fodd bynnag. 'To make no objections at all were ... to pronounce me a downright dunce, whose works are too mean for criticism,' meddai, 'and the only one you make is my dialect and diction, nor can this hold good any longer than I shall prove from parallel instances that I am justified by the example of all N. Wales Bards, and particularly Hugh Morris, in making ae, eu, e, &c. rhime to one another, and it is a slip of your memory that you charge him with leading the way, since it is plain by all the old songs, that he walked in the beaten road'.[66] Gan fod beirdd Gogledd Cymru, a Huw Morys, Eos Ceiriog, yn enwedig, yn defnyddio odlau tafodieithol, annheg oedd beirniadaeth Lewis yn nhyb Edward Richard. Bu Ieuan Fardd yn llawdrwm ar waith ei hen athro hefyd, ond gallai Edward Richard frathu'n ôl yn bur ffyrnig. Derbyn englyn (colledig, erbyn hyn) oddi wrth Ieuan, a hwnnw'n englyn digon tila yn ôl yr athro, a ysbrydolodd Edward Richard i lunio'i ddau englyn godidog er cof am faban bach, ac er mai Ieuan a ofynnodd i'w hen athro lunio'r ddau englyn yn y lle cyntaf, gwers arall i'r cyn-ddisgybl, a dialedd o ryw fath arno am lunio englyn mor wantan, oedd dau englyn tra llwyddiannus Edward Richard. Ac fel hyn y byddai beirdd y cylch yn beirniadu ei gilydd, ac yn porthi ei gilydd â brwdfrydedd a diddordeb.

Lewis, felly, oedd prif sbardunwr y cylch. Ef a ysgogai'r beirdd i ganu yn y lle cyntaf, yn union fel y gwnaethai gyda Goronwy Owen ac Ieuan Fardd, ac ef a gywirai gerddi'r beirdd, gan weithredu fel athro a golygydd iddyn nhw ar yr un pryd. Digiodd William un tro wrth Hugh Hughes am iddo anfon cywydd yn syth at Richard, heb i Lewis gael cyfle i'w gaboli. Anfonodd William gopi o'r cywydd at Lewis ei hun, i wneud iawn am y camwri. 'Nid da y gwnaeth y Côch fardd anfon yno'r Cywydd cyn ei buro, fo yrrodd i minnau gopi, minnau ai hanfonais i Benbryn iw fwrw drwy buren y gwr hwnnw, ac yno cewch weled y bydd aml fall,' meddai wrth Richard.[67] Anfonodd William gywydd arall hefyd o waith y Bardd Coch at Richard, cywydd i ddathlu genedigaeth Tywysog Cymru, ac 'Roedd y Foelgôch yn ymofidiaw na busai'r gerdd wedi gollwng drwy buran Penbryn,' meddai William wrth Richard.[68]

Cylch eang ei ddiwylliant a'i ddiddordebau oedd y cylch hwn, a thrafodent, ar y cyd, bob pwnc cyfredol dan haul: barddoniaeth, a rheolau barddoniaeth, hynafiaethau a meddyginiaethau, enwau lleoedd, gramadeg y Gymraeg, cynnwys yr hen lawysgrifau Cymraeg, materion gwleidyddol y dydd, a llawer o bynciau amrywiol eraill, yn enwedig llysieueg, ffosiliau, cregyn, pysgod, adar, ac yn y blaen. Cylch hunan-borthiannus, hunan-gynhaliol oedd y cylch hefyd, a'r aelodau yn ysbrydoli ei gilydd i farddoni, ac yn ysgogi ei gilydd hefyd i drafod eu cerddi eu hunain a barddoniaeth yn gyffredinol. Dau gywydd o

---

[65] Ibid., t. 547.

[66] Ibid., llythyr 289, Edward Richard at Lewis, o Ystradmeurig, Mai 12, 1762, t. 550.

[67] *ML* II, llythyr DIV, William at Richard, o Gaergybi, Chwefror 10, 1761, t. 297.

[68] Ibid., llythyr DCLII, William at Richard, o Gaergybi, Rhagfyr 27, 1762, t. 530.

waith Hugh Hughes a sbardunodd Goronwy i ganu ei ddau gywydd o hiraeth am Fôn; 'Awdl i'r Coler Du', Evan Evans, a'i hysbrydolodd i lunio ei Ofuned, a chanodd gywydd arall i amddiffyn Ieuan rhag cyhuddiad offeiriad Tregaron yn ei erbyn, ac i edliw i ddynion diawen eu cenfigen at feirdd ar yr un pryd; yn yr un modd, lluniodd Ieuan Fardd bedwar englyn milwr digynghanedd i gyfarch Goronwy; cywydd Goronwy i Ddydd y Farn a ysgogodd William Wynne i ganu ei gywydd yntau ar yr un testun. 'Dyma Lywelyn eich brawd newydd ddyfod o Lanychmedd, ac yn dywedyd fod dim llai gwr na'r Penbardd Coch o'r Foel wedi canu atteb i'r cysefin gywydd einoch,' meddai William wrth John Owen.[69] Byddai'r beirdd hyn yn trafod cerddi ei gilydd, hefyd, gan gynnig beirniadaeth lem weithiau, cynnig gwelliannau brydiau eraill, a chlodfori pan oedd clod yn ddyledus. Er pob beirniadaeth, edmygent farddoniaeth ei gilydd. Mae'n anochel fod cylch llenyddol agos o'r fath ar brydiau yn feirniadol o waith ei gilydd, ac yn cenfigennu wrth ei gilydd, a 'doedd y cylch hwn ddim yn eithriad. Teimlai Ieuan Fardd fod Goronwy wedi cael llawer mwy o glod a sylw nag a gawsai ef ei hun, a rhoddodd yntau hefyd, fel Goronwy, y gorau i farddoni cyn diwedd ei einioes. 'Mae'r Hir,' meddai William wrth Richard, 'yn ein bugeiliaw yn wndwn, a draen yn sodlau ei dri gelyn marwol – ni chân o, na chywydd, nag awdyl, nag englyn tra bo byw, meddafe gynna','[70] a'r holl glod a gâi Goronwy oedd yn gyfrifol am y penderfyniad hwn. 'Roedd Ieuan, meddai William eto, 'wedi troi'r awen dros y gorddrws am i Ronwy gael mwy o saig i'w ran'.[71] Y tu ôl i benderfyniad Ieuan i roi'r awen heibio hefyd yr oedd y ffaith i Goronwy gael swydd fras yn Virginia ar ôl iddo roi'r gorau i farddoni, a thybiai Evan Evans y dylai ddilyn esiampl Goronwy. Cwynodd, fel y cwynodd Goronwy cyn diwedd ei yrfa fel bardd, mai cymhares dlawd oedd yr Awen, a bod pob bardd yn briod â thlodi. Gofynnodd Ieuan i William Morris ddweud wrth Richard 'fod yr Awen genyf ar drengu, ac nad oes yngallu physygwriaeth ei hadfywio,' oherwydd, meddai, gan adleisio barn Goronwy ar yr un mater, er ei bod 'yn Llances landeg bropr pan i cefais i hi gyntaf,' bellach 'ir oedd ei chynnysgaeth i gyd am dani, ac ni feddai Geiniog yn ei Phwrs'.[72]

Er mai cylch gohebol oedd hwn yn ei hanfod, byddai rhai o'r aelodau pellennig weithiau yn dod wyneb yn wyneb â'i gilydd. Aeth Richard Morris yn niwedd haf 1766 i Ystradmeurig i weld Edward Richard ar un o'i ymweliadau prin, prin â Chymru. Ymwelodd William Wynne ag Edward Richard ym mis Hydref 1759. 'My pride ... will never let me conceal that *Homer* hath this Week made me a Visit,' meddai Edward Richard wrth Lewis Morris.[73] 'I have now seen you all, except Gronw, & that is a Happiness I dispair of,' meddai yn yr un llythyr.[74] Aeth William Wynne i weld Lewis hefyd, wedi iddo adael Gallt Fadog ac ymgartrefu ym Mhenbryn, yn ymyl Goginan, Ceredigion.

[69] *ML* II, llythyr CCCXCV, William at John Owen, o Gaergybi, Hydref 1, 1758, t. 89.

[70] Ibid., llythyr DCXVIII, William at Richard, o Gaergybi, Mai 24, 1762, t. 484.

[71] Ibid., llythyr DCXXIX, William at Lewis, o Gaergybi, Awst 3, 1762, t. 500.

[72] *ALMA* 2, llythyr 296, Evan Evans at William, o Lanfair Talhaearn, Medi 4, 1762, tt. 565-566.

[73] Ibid., llythyr 204, Edward Richard at Lewis, o Ystradmeurig, Hydref 13, 1759, t. 408.

[74] Ibid.

Cysylltodd Richard â Goronwy yn fuan ar ôl anogaeth Lewis, ar Fehefin 4, 1752. 'Roedd William wedi anfon copi o Ofuned Goronwy at ei frawd, ac aeth Richard i orfoledd uwch y gwaith. 'Gwaith gorchestol yn wir!' oedd barn Richard, gan ychwanegu 'ni fedrai'r hen Ronwy Ddu ganu fel hyn' a bod Goronwy wedi 'rhagori ar y melysfardd Dafydd ap Gwilym'.[75] Anogodd Richard ef i fwrw ymlaen â'i waith creadigol, 'er anrhydedd i'ch gwlad, a dangoswch i'r byd odidawgrwydd barddoniaeth yr hen iaith Frutanaeg, yr hon er ei gwerthfawrocced a ddiystyrir ac a goegir gan ormodd o'i phlant ei hun'.[76] Hysbysodd Goronwy fod Lewis 'yn dwrdio siarad a'r pennaethiaid yma am eich symmud i wlad eich gofuned, neu o leiaf i ryw fan o Gymru, er lles i chwi a'ch tylwyth,' ac y byddai yntau ei hun yn rhoi iddo 'air da at Esgobion Cymru, y rhai ynt i gyd yn adnabyddus i mi'.[77] Gan gofio i fam Goronwy ei feithrin yn ei blentyndod a'i fod yn adnabod ei dad, yn ogystal â'i daid, gobeithiai y gallai 'dalu'r pwyth mewn un modd i'w mab' drwy gael gwell bywoliaeth i'r bardd, a gwireddu ei ddyhead yn ei Ofuned.[78]

Atebodd Goronwy ei lythyr ar Fehefin 22. 'Ffafr oedd hon heb ei disgwyl!' meddai, yn enwedig gan nad oedd erioed wedi gweld Richard.[79] Holodd Richard ei hynt a'i hanes, a rhoddodd Goronwy fraslun o'i fywyd iddo o'r flwyddyn 1745 ymlaen. Hyd yn oed yn y llythyrau cyntaf hyn at y Morrisiaid, dôi ei anniddigrwydd ynghylch ei swydd a'i amgylchiadau yn amlwg i'r wyneb. Cwynai yn ddi-dor am ei ddiffyg cynhaliaeth a'i dlodi, ac am ei alltudiaeth yn Lloegr. Dechreuodd Goronwy bwyso'n drwm ar y tri brawd. Sylweddolodd fod gan y tri ddiddordeb mawr ynddo fel bardd, Lewis yn enwedig, ond 'doedd cefnogaeth y tri i'w farddoniaeth ddim yn ddigon. 'Roedd problemau ganddo. Ni allai Goronwy ganolbwyntio'n llwyr ar ei farddoniaeth, gan fod ei eglwys a'i ysgol yn hawlio cymaint o'i egni a'i amser. 'Roedd ganddo wraig a phlant i'w cynnal, a main oedd ei gyflog. Ar ben hynny, 'roedd ei deulu a'i blwyfolion yn Saeson. Siawns na allai'r brodyr, a hwythau mor frwd o blaid ei farddoniaeth, ei helpu i oresgyn ei anawsterau fel y gallai ganu'n ddilyffethair heb ofidio dim am unrhyw ofalon.

Er mai ymarferiad llenyddol oedd y gerdd honno yn ei hanfod, 'roedd wedi mynegi ei anniddigrwydd yn Awdl y Gofuned: ei ddyhead i ddychwelyd i Fôn, fel y gallai deimlo anwes y Gymraeg o'i amgylch yn feunyddiol, a'i erfyniad am 'rent gymedrol', plwyf na fyddai'n ei or-lethu a thoreth o lyfrau i borthi ei ysgolheictod. Cafodd gyfle i arllwys ei fol ar ôl i Richard gysylltu ag ef, a rhestrodd ei ofidiau. Un o'i bryderon mwyaf oedd y cyflog annigonol a gâi yn Donnington, yn enwedig a'i deulu yn prysur gynyddu, a'r bechgyn yn tyfu. 'Am fy mywoliaeth nid ydyw on'd go helbulus, canys nid oes genyf ddim i fyw arno onid a ennillwyf yn ddrud ddigon,' meddai wrth Richard.[80] Gwyddai na

---

[75] *LGO*, Richard at Goronwy, o Lundain, Mehefin 4, 1752, t. 206.

[76] Ibid., t. 207.

[77] Ibid.

[78] Ibid.

[79] Ibid., llythyr VI, at Richard, o Donnington, Mehefin 22, 1752, t. 10.

[80] Ibid., t. 11.

châi yr un geiniog gan ei deulu-yng-nghyfraith, gan eu bod, ar ôl pennod gythryblus y carcharu, wedi'i ddiarddel i bob pwrpas. 'Pobl gefnog gyfrifol yw Cenedl fy Ngwraig i,' meddai wrth Richard, 'ond ni fum i erioed ddim gwell erddynt, er na ddygais moni heb eu cennad hwynt'.[81]

Dyma un o gwynion parhaol Goronwy yn ei ohebiaeth â'r tri brawd o Donnington: ei dlodi. 'Sut y gellir disgwyl byw tra cynydda'r teulu, ac na chynydda'r cyflog?' gofynnodd i William.[82] 'Roedd curadiaid y ganrif ar ffon isaf yr ysgol eglwysig, a 'doedd y modd y caent eu trin gan yr Eglwys yn ddim llai na sgandal enfawr a chywilyddus. Caniatâi'r drefn eglwysig i rai clerigwyr besgi'n fras tra oedd eraill ar eu cythlwng yn ymlafnio i glymu'r ddau ben llinyn ynghyd. 'One of the worst of these abuses – worst both in itself and also as the fruitful source of many others,' meddai J. H. Overton wrth sôn am rai o gamweddau'r Eglwys yn ystod y ganrif, 'was the glaring evil of pluralities and non-residence'.[83] Yn ôl y drefn honno, câi rhai clerigwyr ddal nifer o fywoliaethau, ond heb orfod gwneud unrhyw waith a oedd yn gysylltiedig â'u heglwysi. Y curadiaid tlawd a wnâi'r holl waith yn eu habsenoldeb. Meddai Overton eto:[84]

> There was in the last century a far wider gap between the different classes of the clergy than there is at the present day. While the most eminent or most fortunate among them could take their places on a stand of perfect equality with the highest nobles in the land, the bulk of the country curates and poorer incumbents hardly rose above the rank of the small farmer. A much larger proportion than now lived and died without the slightest prospect of rising above the position of a stipendiary curate; and the regular stipend of a curate was 30*l.* a year.

'Doedd cyflog Goronwy yn Donnington ddim hyd yn oed yn cyrraedd y norm. Crwydrai curadiaid o le i le yn aml yn chwilio am guradiaethau a oedd yn cynnig ceiniog neu ddwy yn fwy. Yn ôl Archesgob Caergaint ym 1713, 'roedd curadiaid yn byw 'a kind of vagrant and dishonourable life, wandering for better subsistence from parish to parish'.[85]

Llwythid y curadiaid â thrymwaith, a'u gorfodi i gyflawni myrdd a mwy o ddyletswyddau yn absenoldeb eu meistri am gyflogau pitw. Mae cerdd gan Jonathan Swift, 'Verses Spoken Extempore by Dean Swift on His Curate's Complaint of Hard Duty', yn rhoi inni syniad gweddol dda am y math o orchwylion y disgwylid i guradiaid eu cyflawni am gil-dwrn o dâl:

---

[81] Ibid.

[82] Ibid., llythyr X, at William, o Donnington, Rhagfyr 6, 1752, t. 26.

[83] *The English Church in the Eighteenth Century*, cyf. II, t. 10.

[84] Ibid., t. 16.

[85] Dyfynnir yn *The Church and the Age of Reason*, G. R. Cragg, 1960, t. 126.

> I marched three miles through scorching sand,
> With zeal in heart, and notes in hand;
> I rode four more to great St Mary;
> Using four legs when two were weary.
> To three fair virgins I did tie men
> In the close band of pleasing hymen.
> I dipped two babes in holy water,
> And purified the mothers after.
> Within an hour, and eke a half,
> I preached three congregations deaf,
> Which, thundering out with lungs long-winded,
> I chopped so fast, that few there minded.
> My emblem, the laborious sun,
> Saw all these mighty labours done,
> Before one race of his was run;
> All this performed by Robert Hewit,
> What mortal else could e'er go through it!

Cwynai Goronwy hefyd yn gyson am ei feichiau fel curad, yn enwedig yn ystod ei gyfnod yn Walton. Nid rhyfedd hynny. Yn ôl ystadegau arloesol Gregory King tua 1688, £40 y flwyddyn oedd y lleiafswm o gyflog y gallai gŵr a gwraig a theulu o dri o blant fyw arno heb fynd i ddyled, neu orfod mynd ar y plwy', neu dderbyn elusen. Yn ei gerdd *The Author*, cwynodd Charles Churchill am y cyflog isel hwn o £40 a gâi am wasanaethu'r Eglwys:

> Condemn'd (whilst proud and pamper'd sons of lawn,
> Cramm'd to the throat, in lazy plenty yawn)
> In pomp of *rev'rend beggary* to appear,
> To pray, and starve, on forty pounds a year.

'Roedd cyflog Goronwy, drigain mlynedd a rhagor ar ôl llunio ystadegau King, yn is na'r norm. 'Roedd y curadiaid llwm a lluddedig hyn yn ffigyrau amlwg iawn yn llenyddiaeth y ddeunawfed ganrif, a chydymdeimlai'r beirdd yn fawr â nhw. Cerdd arall sy'n cyfer-bynnu rhwng byd moethus ac esmwyth y person a byd caled y curad yw 'A Familiar Epistle to J. B. Esq.' gan Robert Lloyd:

> Mark yon round parson, fat and sleek,
> Who preaches only once a week,
> Whom claret, sloth, and ven'son join
> To make an orthodox divine;
> Whose holiness receives its beauty
> From income large, and little duty;
> Who loves the pipe, the glass, the smock,
> And keeps – a curate for his flock.

> The world, obsequious to his nod,
> Shall hail this oily man of God,
> While the poor priest, with half a score
> Of prattling infants at his door,
> Whose sober wishes ne'er regale
> Beyond the homely jug of ale,
> Is hardly deemed companion fit
> For man of wealth, or man of wit ...

'Roedd ei deulu, yn ogystal â'i ddiffyg tâl a'i amlder dyletswyddau, yn poeni Goronwy. Pryder arall iddo oedd anallu'i wraig a'i blant i siarad Cymraeg. I raddau, 'roedd Goronwy yn alltud ar ei aelwyd ei hun yn ogystal ag yn Lloegr. 'Ni fedr fy Ngwraig i ond ychydig iawn o Gymraeg,' meddai wrth Richard, er ei bod yn 'deall peth', sef yr ychydig a ddysgasai Goronwy iddi, mae'n debyg; gan hynny, pryderai 'onid âf i Gymru cyn y bo hir, mai Saeson a fydd y Bechgyn; canys yn fy myw ni chawn gan y mwyaf ddysgu gair o Gymraeg'.[86] 'Roedd Robin erbyn hynny yn tynnu am ei bedair oed, a gwyddai'r tad y byddai'n rhaid dysgu'r Gymraeg iddo yn gynnar yn ei blentyndod os oedd i'w siarad o gwbwl; ond 'roedd Robin yn prysur dyfu'n Sais bach dan ei draed.

Oherwydd y cyflog isel a gâi yr oedd yn rhaid i Goronwy gadw ysgol. 'Roedd curadiaid llwm y ddeunawfed ganrif yn aml yn gorfod cyfuno'u swydd eglwysig â swydd fel athro i chwyddo'u henillion prin, ac fel arfer 'roedd cadw ysgol yn rhan o swydd curad. Casâi Goronwy y gwaith â'i holl enaid:[87]

> Mae'r Ysgol ddiflas agos a'm nychu fi. Pa beth a all fod yn fwy diflas a dihoenllyd i ddyn a fai'n myfyrio, na gwastadol gwrnad a rhingcyn cywion Saeson? Prin y caf odfa i fwytta fy mwyd ganddynt – bychan a fyddai fod cell haiarn i bob un o honynt o'r neilldu, gan yr ymdderru a'r ymgeintach y byddant ...

Dyna oedd y broblem: yr ysgol yn ei rwystro rhag myfyrio, rhag creu. 'Gwaetha peth yw,' meddai wrth Richard, 'nid wyf fi'n cael mo'r amser, na heddwch, na hamdden gan yr hen Ysgol front yma, a drygnad y Cywion Saeson, fy Nisgyblion, yn suo'n ddidor ddidawl yn fy Nghlustiau, yn ddigon er fy syfrdanu a'm byddaru'.[88] Digon drwg oedd yr ysgol, ond 'roedd rhieni'r plant 'yn waeth ac yn dostach na'r plant'.[89] 'Pobl gïaidd, galedion, ddigymmwynnas, annoddefus' oedd y bobl hyn.[90]

---

[86] *LGO*, llythyr VI, at Richard, o Donnington, Mehefin 22, 1752, t. 11.

[87] Ibid., llythyr IX, at William, o Donnington, Medi 21, 1752, t. 22.

[88] Ibid., llythyr VIII, at Richard, o Donnington, Awst 15, 1752, t, 19.

[89] Ibid., llythyr IX, at William, o Donnington, Medi 21, 1752, t. 23.

[90] Ibid.

Yng nghanol ei holl ofalon yn Donnington, 'roedd Goronwy yn bwriadu codi castell heb na cherrig na choed ar gyfer y gwaith, ac yn arfaethu'i godi hefyd ar dir cors, soeglyd a sigledig. Drwy gydol y cyfnod o flwyddyn a rhagor y bu yn gohebu â'r Morrisiaid o Donnington, bu'r syniad hwnnw o lunio arwrgerdd Gristnogol fawr yn y Gymraeg, a'r anawsterau a oedd ynghlwm wrth fenter o'r fath, yn barhaol ar ei feddwl. Yn ôl Goronwy, nid yr iaith ei hun oedd y broblem, ond anallu'r Cymry i barchu eu hiaith, diogi a diffyg ymroddiad, a chyndynrwydd i arddel dysg yn y Gymraeg. Meddai wrth William:[91]

> Our language excells most others in Europe, and why does not our poetry? It is to me very unaccountable. Are we the only people in the world that know not how to value so excellent a language? Or do we labour under a national incapacity and dulness? Heaven forbid it! Why then is our language not cultivated? Why do our learned men blame the indolence of their fore-fathers in former ages for transmitting so little of their learning to posterity and yet at the same time wallow in the same security and indolence themselves?

Meddwl yn uchel yr oedd Goronwy wrth drafod y broblem o lunio epig yn y Gymraeg, ceisio rhannu'r rhwystrau ag eraill er mwyn eu goresgyn, paratoi'i feddwl cyn ymgymryd â gorchwyl mor aruchel a chaled. Ymgais i gael gwared â phob rhwystr posibl oedd y trafod cyson hwn ar y problemau a allai godi yn y gwaith o greu arwrgerdd; rhaid oedd iddo gael rhai pethau yn hollol glir yn ei feddwl cyn ymroi i lunio cerdd a fyddai'n hawlio cryn lawer o nerth ac egni.

Nid ar ei iaith, felly, yr oedd y bai am na cheid ynddi ddim byd o safon *Paradise Lost*. Gwrthodai Goronwy dderbyn fod ei famiaith yn israddol i ieithoedd eraill. 'Roedd y Gymraeg yn fwy nag atebol i fynegi 'the highest strains of Panegyrick, and abundantly fitted for copiousness and significancy, to express the sublimest thoughts in as sublime a manner as any other Language is capable of reaching to'.[92] Ym marn Goronwy ar y pryd, byrder a natur gaethiwus y mesurau traddodiadol oedd y maen tramgwydd. 'Perhaps it were to be wish'd that the Rules of Poetry in our Language were less nice and accurate,'[93] meddai, ond er hynny, ni fynnai benrhyddid barddoniaeth Saesneg:[94]

> I would never wish to see our Poetry reduc'd to the English Standard, for I can see nothing in *that* that should entitle it to the Name of *Poetry*, but only the number of Syllables (which yet is never scrupulously observ'd) and a choice of *uncommon*, or if you please *Poetic* words, and a wretched Rhyme, some times at the end, and in blank Verse, i. e. the best kind of English Poetry, no Rhyme at all.

---

[91] Ibid., llythyr IV, at William, o Donnington, Mai 7, 1752, t. 7.

[92] Ibid., llythyr XVI, at Richard, o Donnington, Chwefror 21, 1753, t. 38.

[93] Ibid.

[94] Ibid., tt. 38–39.

'Roedd natur gynnil y mesurau traddodiadol yn anaddas o safbwynt mynegi meddyliau mawr, aruchel. I lunio arwrgerdd, rhaid oedd cael cyfle i anadlu, ond gwasgu ar yr ysgyfaint a wnâi'r mesurau traddodiadol:[95]

> As the English Poetry is too loose, so ours is certainly too much confin'd and limited, not in the *Cynghaneddau*, for without them it were no Poetry; but in the length of Verses and Poems too, our longest lines not exceeding ten syllables, (too scanty a space to contain anything *Great* within the compass of *Six* or *Seven* Stanzas, the usual length of our *Gwawdodyn Byrr*) and our longest Poems not above *Sixty* or *Seventy* Lines ... which is far from being a length adequate to a Heroic Poem.

'Roedd popeth yn ei erbyn o'r dechrau o'r safbwynt hwn. I lunio arwrgerdd faith a chyfoethog, byddai'n rhaid iddo wrth hamdden a hoe. Byddai'n rhaid iddo wrth ddysg hefyd, wrth lyfrau. 'Doedd dim llyfrau gan Goronwy; ni allai fforddio eu prynu. Mewn gwirionedd, 'roedd ganddo broblem ddeuol yn Donnington. 'Roedd greddf yr ysgolhaig yn gryf ynddo, yr un mor gryf â'r ysfa i greu. Yn wir, 'roedd y ddau beth yn un i Goronwy, ysbrydoliaeth a gwybodaeth, awen a dysg. Mae'n debyg fod trylwyredd ysgolheictod Douglas wedi deffro ei awydd yntau i ymhél â llyfrau, yn ogystal â'i ysgogi i greu drachefn. Yn Donnington, dechreuodd ymbil am lyfrau gan y brodyr, Richard yn enwedig, ac yntau yn byw wrth lygad y ffynnon gyhoeddi yn Llundain. 'Gwyn eich byd chwi, ac eraill o'ch bath, sydd yn cael eich gwala o ddysg a Llyfrau da,' meddai wrth Richard, 'ac yn amcreiniaw mewn ehangder a digonoldeb o bob cywreinrwydd, wrthyf fi a'm bath, sy'n gorfod arnom ymwthio'n dynn cyn cael llyfiad bys o geudyllau goferydd Dysgeidiaeth'.[96]

Gan wybod fod Richard yng nghanol bwrlwm y byd cyhoeddi a llyfrwerthu yn Llundain, gofynnodd iddo chwilio am lyfrau ar ei ran, ond gan gadw golwg ar y prisiau ar yr un pryd. 'Roedd ganddo ddiddordeb mewn ieithoedd yn arbennig. 'Roedd ganddo grap ar Hebraeg a Chaldaeg, meddai, ond dymunai wybod rhywfaint am Arabeg a'r Syrieg yn ogystal. 'Mae genyf ryw awydd diwala i ddysgu cymmaint ag a allwyf,' meddai wrth Richard, 'ond yma ni fedraf gael mo'r llyfrau i ddysgu dim a dalo iw ddysgu'.[97] Yr unig lyfrau yn ei feddiant ar y pryd oedd y Beibl, 'a Salter, a Geirlyfr [sef y copi o eiriadur John Davies, Mallwyd, a brynasai yng Nghroesoswallt, mae'n debyg] a Gramadeg Hebraeg',[98] a gofynnodd i Richard a gâi ganddo lyfrau Hebraeg ac Arabeg nad oedd mo'u hangen arno mwyach.

Dyma, felly, yr hunan-bortread a gyflwynwyd o Donnington ganddo i'r tri brawd: alltud a fynnai ddychwelyd i'w wlad ei hun; bardd heb gymdeithas beirdd na hamdden i

---

[95] Ibid., t. 39.

[96] Ibid., llythyr VIII, at Richard, o Donnington, Awst 15, 1752, t. 18.

[97] Ibid., llythyr VI, at Richard, o Donnington, Mehefin 22, 1752, t. 14.

[98] Ibid., llythyr VIII, at Richard, o Donnington, Awst 15, 1752, t. 18.

greu ei gampweithiau, ysgolhaig heb lyfrau, un o garedigion y Gymraeg yn gorfod ymlafnio byw yng nghanol estroniaid, a churad tlawd a oedd yn nychu o eisiau cynhaliaeth ac yn gwegian dan y straen o orfod magu teulu o bedwar ar binsiad o gyflog. Nid rhyfedd iddo ennyn tosturi'r brodyr ac ennill eu cydymdeimlad llwyr. Cri o'r galon oedd llythyrau Goronwy o Donnington. 'Duw a'm dycco o'u mysg hwynt i Nef neu Gymru, 'r un a welo'n orau,' llefodd o blith dieithriaid ac o ganol ei ddiffeithwch diwylliannol.[99] 'Roedd y brodyr yn gwrando'n astud.

Addawodd Lewis y byddai'n ceisio achub Goronwy o grafangau'r Saeson. 'We must have him into Anglesey, if possible, or at least some part of Wales,' meddai wrth Richard.[100] William, wrth gwrs, oedd y gŵr allweddol o safbwynt ei gael i Fôn, ac erbyn mis Mai 'roedd wedi cael hanes curadiaethau ym Môn iddo. Daliai Edward Bennett, prifathro Goronwy yn Ysgol y Friars, fywoliaeth Eglwys Llanrhuddlad ym Môn oddi ar Chwefror 1731, ac 'roedd Humphrey Jones, un arall o athrawon Goronwy yn yr ysgol, yn rheithor eglwysi Llanfaethlu a Llanfwrog. Mae'n amlwg fod hen athrawon Goronwy, ar gais William Morris, wedi cynnig dod i'r adwy. Cynigiwyd curadiaeth Llanrhuddlad, yn absenoldeb y rheithor, a churiadaethau Llanfaethlu a Llanfwrog, y naill ym mhresenoldeb parhaol y rheithor, i Goronwy, i ddewis o'u plith. Ni fynnai'r un ohonyn nhw. Oedd, 'roedd swydd ym Môn yn apelio, yn bennaf oherwydd y câi gyfle i wireddu ei ddyhead i Gymreigio'i blant, 'which here is utterly impossible'.[101] Rhesymau ymarferol oedd ganddo dros wrthod y cynnig:[102]

> ... except I had something better and more certain than a curacy, it is not, cannot be, worth my while to come to Wales. I could easily better myself by a curacy here in Shropshire; but the difference between one curacy and another is so very inconsiderable, that the best is not worth removing five miles for, and would hardly make one amends for his trouble in shifting and the damaging of his goods ... And what shall we say of removing wife and children so far!

'Roedd dadl y bardd yn un ddigon dilys, ac, ar lawer ystyr, ni ellid ei feio.

Trechwyd delfrydiaeth a dyhead, felly, gan ymarferoldeb; o leiaf ar yr wyneb. Ar un ystyr, 'roedd penderfyniad Goronwy yn un digon hawdd i'w ddeall. Yn yr oes honno o deithio trafferthus, golygai symud o un lle i'r llall lawer o anawsterau. Byddai'n rhaid gwerthu'r rhan fwyaf o'r eiddo, dodrefn yn enwedig, a phrynu dodrefn newydd yn y pen arall. Ond ai esgus oedd trafferthion y mudo? Mae'n amlwg nad oedd Goronwy am ddychwelyd i Fôn, doed a ddelo. 'Roedd elfen o falchder, yn sicr, yn rhan o'i benderfyniad

---

[99] Ibid., llythyr IX, at William, o Donnington, Medi 21, 1752, t. 23.

[100] *ML* I, llythyr CXXX, Lewis at Richard, o Allt Fadog, Mai 11, 1752, t. 201.

[101] *LGO*, llythyr V, at William, o Donnington, Mai 30, 1752, t.9.

[102] Ibid.

i wrthod y swyddi, yn enwedig ar ôl i fam y Morrisiaid ddarogan y byddai Goronwy yn glamp o berson un diwrnod. Ni fynnai ddychwelyd i Fôn yn gurad tlawd: mynd yn ei dlodi yn ôl at ei ddechreuad tlawd. Byddai hynny'n ormod, gan y byddai'n ei atgoffa am ei fagwraeth isel. Swydd israddol oedd swydd curad o fewn y gyfundrefn eglwysig. Meddai Dorothy Marshall:[103]

> When, even with the help of a friendly patron, the difficulties in the way of securing a presentation were so great it is not surprising that many men served as curates for years and that the unlucky ones never obtained a living at all ... If he [y curad] were too poor to afford an episcopal licence he was in a very vulnerable position, not unlike that of the casual labourer. Often he found himself dismissed from his curacy upon very short notice and thrown on a market where supply was greater than demand. This was reflected in the lowness of the salary which he might hope to obtain – some £30 or £35 a year, together with certain fees was considered an adequate stipend. If the vicar in need of additional assistance was resident and, therefore, able to celebrate the required quarterly administration of the Sacrament he was often content to engage a curate merely in deacon's orders and to pay him accordingly. For this reason many curates, who despaired of ever obtaining a benefice, neglected to take full orders because of the expense this involved. Such men, without full professional standing or security, fulfilled all the qualifications for a clerical proletariat. They were wage-earners of uncertain tenure. Competition forced down their remuneration, living conditions were too often difficult, marriage a still greater drag on their slender resources while their children, if they survived infancy, seemed condemned to poverty.

Gwrthod y swyddi hyn yw'r arwydd cyntaf o'r cymhlethdod ynghylch Môn ei febyd ym meddwl y bardd. Mae'r ffin rhwng y bardd a'r person yn anferthol. Newydd lunio Awdl y Gofuned, ychydig wythnosau ynghynt, yr oedd Goronwy. Syniad barddonol oedd ei ddyhead angerddol i ddychwelyd i Fôn, ac nid dyhead gwirioneddol.

Ofnai'r symudiad i Fôn, ofn naturiol yr alltud a oedd ar fin dychwelyd i wlad ei fagwraeth; ofn y byddai popeth wedi newid, ofn cael ei siomi, ofn yr anwybod, ofn dychwelyd yn gurad tlawd i'w ardal ei hun, heb gyflawni disgwyliadau a gobeithion Marged Morris, mam y Morrisiaid, ac eraill, fe ellid tybied; yn bennaf oll, ofn gorfod wynebu ei orffennol isel a llwm. Chwiliodd am bob esgus posibl i beidio â derbyn y curadiaethau hyn. Wedi iddo gwyno hyd at ddiflastod am ei gyflwr yn Donnington, 'roedd ei sefyllfa, er hynny, yn 'considerably preferable to that you mention'.[104] Ar ôl lladd cymaint ar ei blwyfolion, ac ar drigolion Donnington, 'I am here,' meddai, 'in the midst of good friends that are ready to help me in an emergency, but in Anglesey I can't promise myself that happiness'.[105] Mae'n wir fod ganddo o leiaf un cefnogwr yn Donnington, ond 'roedd cyfyng-gyngor ac ofn wedi melysu'i amgylchiadau iddo.

---

[103] *English People in the Eighteenth Century*, Dorothy Marshall, 1956, arg. 1965, tt. 102 – 103.
[104] *LGO*, llythyr V, at William, o Donnington, Mai 30, 1752, t. 8.
[105] Ibid., t. 9.

'Doedd pethau ddim mor wynfydus â hynny yn Donnington, fodd bynnag. 'Roedd John Douglas ym 1752 wedi bygwth codi'r rhent a dalai Goronwy ar y darn o dir a berthynai i'r ysgol, 'rhag ofn a fyddai i Gurad truan ennill dim yn ei wasanaeth ef'.[106] Cyn diwedd yr haf hwnnw, 'roedd mewn gofid ynghylch yr ysgol. Ddiwedd Gorffennaf ymddangosodd gerbron yr Esgob Frederick Cornwallis (1713–1783), Esgob Coventry a Chaer Lwytgoed (Lichfield) ar y pryd, yn Amwythig, 'nid megis Eglwyswr, oblegyd yr wyf yn Esgob fy hun pan fyddwyf gartref, on'd megis Athraw Ysgol'.[107] Rhennid swydd Amwythig rhwng esgobaethau Caer Lwytgoed a Henffordd, a dôi Uppington dan awdurdod esgobaeth Caer Lwytgoed. Yr esgobion a drwyddedai glerigwyr i gadw ysgol, ac ni châi'r un offeiriad weithredu fel ysgolfeistr heb drwydded ddysgu. Yn ôl un sylwebydd o'r ddeunawfed ganrif:[108]

> ... no one could keep a school without a licence from the bishop of the diocese, who, it must be presumed, would not grant one without a previous scrutiny into the moral character and literary abilities of the candidate for such licence. This regulation was made to prevent the growth of Popery and fanaticism ...

Fel y dywedodd Goronwy ei hun yng nghanol pennod ddiweddarach yn ei fywyd: 'Mae'r Esgob Caer yn dyfod i gadw ei ymolygiad cyntefin yn Nerpwl yr 22 o'r mis yma, sef Gorphenhaf, ac yno fe gyst imi ymddangos a thalu'r mawrbris am *Leisians*, a da os diangaf heb gymeryd dwy, un am y Guwradiaeth a'r llall am yr Ysgol'.[109] Ofnai Goronwy y cyfarfod hwnnw hefyd: 'Nid wyf yn ammau na wna'r Esgob eitha cnafeidd-dra â mi, oblegid nad all yr un ohonynt aros gweled dyn yn dyfod o'r naill esgobaeth i'r llall'.[110] Mewn cyfarfodydd o'r fath, holid y clerigwyr yn fanwl gan yr esgobion. 'Gwnaed a fynno, 'rwyf fi'n barod, a saeth (debygaf) genyf i bob nod,' meddai Goronwy cyn y cyfarfod ag Esgob Caer.[111] Ar yr achlysur hwnnw, bu'n rhaid iddo dalu am 'ei dadawl ganiadhad i bregethu ... yr hyn a gefais yn ddigon rhwydd am fy arian,' ond 'nis gorfu arnaf gymeryd yr un *licence* am yr ysgol'.[112]

Ai oherwydd iddo ddod o un esgobaeth i esgobaeth arall y bu'r cyfarfod hwn rhwng Goronwy a Cornwallis yn gymaint o achos torcalon i'r bardd? Cyflawni un o'i ddyletswyddau yr oedd yr Esgob, a châi offeiriaid a phlwyfolion rybudd ymlaen llaw ynghylch ei ymweliad. A oedd rhai o rieni'i ddisgyblion wedi cwyno am yr athro? Gan mai cyfrifoldeb yr Eglwys oedd yr ysgolion hyn a oedd ynghlwm wrth guradiaethau, câi

---

[106] Ibid., llythyr VI, at Richard, o Donnington, Mehefin 22, 1752, t. 12.

[107] Ibid., llythyr VII, at Lewis, o Salop, Gorffennaf 30, 1752, t. 16.

[108] Francis Grose yn *The Olio* (1793). Dyfynnir yn *The English Church and its Bishops 1700–1800*, Charles J. Abbey, cyf. I, 1887, t. 332.

[109] *LGO*, llythyr XLIII, at William, o Walton, Mehefin 25, 1754, t. 120.

[110] Ibid.

[111] Ibid.

[112] Ibid., llythyr XLVI, at William, o Walton, Hydref 16, 1754, tt. 126–127.

rhieni'r plant neu ymddiriedolwyr yr ysgol ddwyn cwynion gerbron esgobion ynghylch yr athrawon. 'Roedd esgobion hefyd yn meddu ar yr hawl i fesur a phwyso cymwysterau clerigwyr a weithredai fel ysgolfeistri yn ogystal â dal swydd eglwysig, archwilio cymwysterau academaidd yr athrawon yn ogystal â'u moesau a'u hymddygiad. Er mai mater o ddyletswydd oedd y cyfarfod hwn, mae'n anodd osgoi'r argraff mai cyfarfod disgyblu o ryw fath ydoedd.

'Roedd y plwyfolion yn elyniaethus yn eu hagwedd at Goronwy, ac 'roedd un o ymddiriedolwyr yr ysgol â'i lach arno yn barhaol. A oedd Goronwy ar brawf am anfoesoldeb neu oherwydd iddo esgeuluso'i ddyletswyddau fel athro? Ceir y cyfeiriad cyntaf at lymeitian Goronwy yn llythyrau'r Morrisiaid mewn llythyr gan Lewis at Richard ar Awst 9, 1752, rhyw ddeng niwrnod ar ôl i Goronwy ymddangos gerbron Cornwallis. 'Roedd Ieuan Brydydd Hir yng Ngallt Fadog ar y pryd. 'He grows drunk and a mere poet in all respects,' meddai Lewis, gan ychwanegu: 'Goronwy (though I am told he loves liquor too) is ten degrees above Ieuan'.[113] A oedd Goronwy wedi bod yn feddw yn yr ysgol, a Lewis wedi clywed hynny? Cyhuddiad cyffredin hefyd yn y ddeunawfed ganrif yn erbyn athrawon-guradiaid, a gâi drafferth i wasanaethu'r ddwy swydd yn gytbwys effeithiol, oedd eu bod yn esgeuluso'r naill swydd neu'r llall wrth ganolbwyntio'n ormodol ar un ohonyn nhw, ac efallai fod trigolion a phlwyfolion Donnington o'r farn mai athro aneffeithiol ac anghymwys oedd Goronwy.[114] Ceir posibiliad arall yn ogystal. Mae tystiolaeth ddiweddarach yn awgrymu ei fod fel athro yn geryddwr llym, a oedd yn dueddol o golli'i limpyn gyda'r plant yn aml, ac efallai mai ei ymddygiad temprus tuag at ei ddisgyblion afreolus oedd achos yr helynt. Beth bynnag a ddigwyddodd rhyngddo a Cornwallis, 'roedd yr holl fater yn achos gofid i'r bardd. 'Mae helbulon byd ar dorri fy nghalon,' meddai wrth Lewis, ond ceisiodd ymwroli yn nannedd y storm: 'I am naturally timorous and dejected, but as I've hitherto observ'd how watchful Providence has been on my behalf I can't despair'.[115]

Yr ysgol, yn hytrach na'i ddyletswyddau fel curad, oedd y ddraenen fwyaf yn ei ystlys yn Donnington, a phigai honno hyd at waed yn aml. Ymlafniai i bwnio Groeg a Lladin i bennau caled ei ddisgyblion. 'Roedd canol y ddeunawfed ganrif yn gyfnod argyfyngus a llawn tyndra yn hanes yr ysgolion gramadeg traddodiadol. Y Clasuron Groeg a Lladin

---

[113] *ML* I, llythyr CXXXV, Lewis at Richard, Awst 9, 1752, t. 208.

[114] Cf. Paul Langford, *A Polite and Commercial People: England 1727–1783*, 1989, arg. 1992, t. 80: 'Trustees who met the nominal requirements of standards which had long since been overtaken by inflation, and schoolmasters who collected an equally outmoded salary while doing the bare minimum to earn it, were a common cause of complaint. Teaching posts were frequently indistinguishable from sinecures and held by clergy whom it was virtually impossible to discharge. Some of the most scandalous cases of neglect were laid at the door of ecclesiastical bodies which might have been expected to exercise their responsibilities with particular care ... At Farnworth in Lancashire in 1756 the parishioners turned in desperation to their bishop to get rid of their master, on the grounds that he kept the boys in ignorance and rendered them unfit for business'.

[115] *LGO*, llythyr VII, at Lewis, o Salop, Gorffennaf 30, 1752, t. 16.

oedd sylfaen yr addysg a geid yn yr ysgolion hyn pan oedd derbyn addysg yn fraint a berthynai i'r haenau uchaf yn y gymdeithas yn unig. Credid fod addysg glasurol o'r fath yn meithrin moesau da, arddull gain, meddwl diwylliedig ac aruchel ac ymdeimlad o uwchraddoldeb. Erbyn canol y ganrif, fodd bynnag, wrth i addysg gyrraedd haenau canol ac is y gymdeithas yn y mudiad mawr i addysgu'r anllythrennog, 'roedd llai o alw am addysg a oedd wedi'i chanoli yn y Clasuron. Oherwydd y cynnydd mawr mewn masnach o bob math, wrth i'r ganrif gerdded rhagddi i gyfeiriad yr Oes Ddiwydiannol, daethpwyd i gredu fod yr hen addysg draddodiadol yn rhy hen-ffasiwn o anymarferol, a hyglyw oedd y gri am addysg fwy modern. Yn ôl amryw, 'roedd angen i ysgolion ddysgu pynciau mwy ymarferol, a llai uchel-ael lenyddol, fel rhifyddeg, cadw cyfrifon, llawfer, ac yn y blaen. Achosodd y gwrthdrawiad rhwng y traddodiadwyr a hyrwyddwyr yr addysg newydd lawer o anniddigrwydd a drwgdeimlad. Clasurydd oedd Goronwy, ac efallai iddo gael ei ddal rhwng y croes-danau a'r croestynnu a geid weithiau rhwng rhieni, ymddiriedolwyr ac athrawon yn ystod y cyfnod hwn o drawsnewid ym myd addysg.

Parhai Goronwy i farddoni er iddo ddigalonni. 'Roedd cyfnod Donnington yn gyfnod toreithiog yng nghanol trafferthion. 'I am infected with a contagious distemper call'd *scribendi cacoethes*,' meddai wrth anfon Cywydd y Cynghorfynt neu'r Genfigen at Lewis.[116] 'Mae Ngallt Vadawg, mi a wranta, ddau ddwsing oi lythyrau a chywydd ymhob un o naddynt, ag yn wir rhai gwychion ynt,' meddai William wrth Richard.[117] Erbyn Awst 'roedd Cywydd Bonedd a Chyneddfau'r Awen yn nwylo William, 'un odiaethol ir Awen, cystal a'r goreu a wnaed'.[118] 'Roedd geirda Lewis i'r cywydd yr un mor frwd. 'Gronwy is a prodigy,' meddai wrth Richard. 'Bonedd a Chynneddfau'r awen is an admirable inimitable piece!'[119]

Ar ôl canol Awst 1752, ysbrydolwyd Goronwy i lunio cywydd arall, a hynny ar achlysur trist a oedd yn agos gysylltiedig â'r tri brawd. Bu farw Marged Morris ar Awst 16. William a gafodd y gorchwyl annifyr o roi gwybod i'w frodyr pell eu bod wedi colli eu mam. Disgrifiodd ei hangladd gan ymfalchïo'n alarus yn y parch a ddangoswyd iddi gan ei chydnabod a'i chymdogion, a gwaedai ei galon am ei dad ar yr un pryd:[120]

> Ni ai claddasom yn Eglwys Benrhos or tu deau iddi, roedd rhy fychan o le i'r bobl i fynd ir eglwys, felly bu raid dyfod ar allor ir fynwent a darllain ag offrymmu yno. Nid eill neb amgyffred y golled a gadd yr hen wr musgrell; mae o'n dra hiraethus a thrist.

Anfonodd Goronwy air o gysur at William yn ei brofedigaeth ar Fedi 21, ac ar Ragfyr 6, anfonodd ei gywydd marwnad i Marged Morris ato. Ar Ragfyr 18 fe'i hanfonodd at Richard yn ogystal, ar ôl iddo anfon copïau at y ddau frawd arall.

---

[116] Ibid., t. 15.

[117] *ML* I, llythyr CXXXIV, William at Richard, o Gaergybi, 'Nos Awst', 1752, t. 206.

[118] Ibid.

[119] Ibid., llythyr CXXXV, Lewis at Richard, Awst 9, 1752, t. 208.

[120] Ibid., llythyr CXXXIX, William at Richard, o Gaergybi, Awst 20, 1752, t. 210.

Er i Goronwy gyffroi diddordeb y brodyr yn ei waith, ni lwyddodd William a Thomas Ellis i argraffu Cywydd y Farn. Mynnai Lewis na ellid ei gyhoeddi heb nodiadau. 'Ni argraphwyd mo un Y Farn,' meddai William wrth Richard, 'ag ni choeliai yr argrephir ar frys, oblegid mae Madog yn dywedyd y bydd rhaid ir Berson a minnau (gwyr cymwys iawn i'r gorchwyl) sgrifennu learned notes upon't, those to be sent Goronwy, thence to Madogallt, thence back to him, and thence hither, so the work stands and will stand'.[121] 'Roedd Goronwy wedi bwriadu anfon y cywydd argraffedig at Richard, yn hytrach na chopi yn ei law ei hun. Wedi blino ar aros i William a Thomas Ellis ei argraffu, anfonodd gopi ysgrifenedig at Richard ganol mis Awst. Mewn gwirionedd, 'roedd rhyw anghydfod wedi digwydd rhwng y bardd a Thomas Ellis. Gyrrodd Goronwy lythyr ato, ac mae'n ymddangos nad oedd wedi diolch digon i Thomas Ellis am ei garedigrwydd yn cynnig argraffu'r cywydd, ymhlith pethau eraill. Ni wyddai Goronwy ei hun yn hollol pam 'roedd ei lythyr wedi tramgwyddo Thomas Ellis:[122]

> I'm sorry my letter to Mr. Ellis was not *kind* enough; I think I thanked him for that and all other favours. What! did he expect that I should burst out in ecstasies, and launch forth into a panegyrick on his extraordinary erudition and deep skill in his mother's tongue ... However, if want of kindness in my letter is the reason why *Cywydd y Farn* is dropt, I am no way concerned at it; let him know (with thanks and compliments) that he does me a special and notable piece of service.

'I was not so well-bred as to learn to flatter,' meddai yn yr un llythyr,[123] a'r union nodwedd hon yn ei bersonoliaeth a godai wrthwynebiad iddo yn aml. Tystiodd mewn llythyr arall at William, ar fater amgenach, na 'ddysgais erioed chware ffon ddwybig'[124]. Canlyniad y ffrwgwd fechan hon oedd i Thomas Ellis wrthod cyfrannu dim tuag at y gost o argraffu'r cywydd, ac awgrymodd Goronwy y gallai William, Hugh Williams ac yntau ysgwyddo'r gost rhyngddynt. 'Par sut yr ydych yn ei leicio fo?' gofynnodd William i Richard wedi i Goronwy anfon Cywydd y Farn ato, gan ychwanegu ei fod 'yn waith godidawg iawn'.[125] 'Roedd Cywydd y Gem wedi cyrraedd dwylo William erbyn hynny, yn ogystal, 'ac yn wir ddiau un campus ydyw'.[126]

Er iddo wrthod y swyddi a gynigiwyd iddo gan Edward Bennett a Humphrey Jones, derbyniwyd ei resymau gan y brodyr. Parhaodd y tri i ymgyrchu o'i blaid. Dymunai Goronwy gael lle ym Môn o hyd, ond yr un oedd yr amod. 'Da iawn a fyddai genyf ddyfod i fyw ym Môn,' meddai wrth William, 'os gallwn fyw yn ddiwall ddiangen'.[127]

[121] Ibid., llythyr CXXXIV, William at Richard, o Gaergybi, 'Nos Awst', 1752, t. 206.

[122] *LGO*, llythyr IX, at William, o Donnington, Medi 21, 1752, t. 21.

[123] Ibid.

[124] Ibid., llythyr XVII, at William, o Donnington, Chwefror 24, 1753, t. 43.

[125] *ML* I, llythyr CLXI, William at Richard, o Gaergybi, Yr Hen Wyl Fathew', 1752, t. 212.

[126] Ibid.

[127] *LGO*, llythyr IX, at William, o Donnington, Medi 21, 1752, t. 22.

'Mae arnai ddiwredd gwlad am ei gael i Fon, mae yma le neu ddau ar ddyfod yn weigion,' meddai William wrth Richard.[128] Un o'r rheini oedd curadiaeth Llangristiolus, ond, fel y dywedodd Goronwy, 'If Llangristiolus could be had at all, I suppose it would not be till after the Death of the present Incumbent'.[129] Ni ddaeth dim o'r bwriad hwn, fodd bynnag, oherwydd 'roedd Lewis wedi derbyn 'atteb oddi wrth Mr. Meyrick o Fodorgan, nad oedd wiw meddwl am Gristiolus'.[130]

Ceisiodd Lewis annog William Vaughan i ddefnyddio'i ddylanwad i gael lle i Goronwy yng Nghymru. Cymeradwyodd Goronwy yn uchel i'w gyfaill pendefigaidd, wrth iddo ymorol am fywoliaeth well i 'the greatest genius either of this age or that ever appeared in our country'.[131] 'Roedd Lewis wedi dangos copi o Gywydd y Farn a rhai darnau eraill o waith y bardd i William Vaughan yn ystod ei ymweliad diwethaf â Nannau, ac yn awr, 'I have three or four pieces of his since that are the best that ever were written in our language, and will endure while there is good sense, good nature and good learning in the world'.[132] Clodforodd hefyd Gywydd Bonedd a Chyneddfau'r Awen. 'When I see in Milton Dryden or Pope such nervous lines and grand expressions as this poem contains, I shall admire them as much as I do Gronow Owen and not till then,' meddai.[133] Diben y clod uchel i Goronwy, a'r pwyslais ar ei oruchafiaeth ar brif feirdd Lloegr, oedd ennyn cydymdeimlad William Vaughan, ac apelio at ei wladgarwch ar yr un pryd, er mwyn ei ddarbwyllo i gynorthwyo'r bardd. 'It is a pity ... that such a man as this, who is not only the greatest of poets, but a great master of languages, should labour under the hardship of keeping a school and serving a curacy in the Middle of Carn Saeson,' meddai Lewis.[134] Chwilio am gynhaliaeth ddigonol i Goronwy oedd nod Lewis, gan ddymuno'i gael i Feirionnydd yn bennaf, er mai Môn oedd dewis y bardd. Gofynnodd i William Vaughan gysylltu ag Esgob Bangor ar y pryd, Zachary Pearce, i gael bywoliaeth deilwng i Goronwy. 'If you can get this man a living, you will not only make yourself immortal, but make me immortal too,' parhaodd Lewis.[135] Efallai fod y brodyr yn gwybod am duedd Zachary Pearce i ffafrio Cymry ar draul Saeson wrth lenwi swyddi gwag yn yr Eglwys yng Nghymru, yn wahanol i'w gyd-wladwyr.[136]

---

[128] *ML* I, llythyr CLXI, William at Richard, o Gaergybi, 'Yr Hen Wyl Fathew', 1752, t. 212.

[129] *LGO*, llythyr IX, at William, o Donnington, Medi 21, 1752, t. 23.

[130] Ibid., llythyr XII, at William, o Donnington, Ionawr 15, 1753, t. 30.

[131] *ALMA* 1, llythyr 113, Lewis at William Vaughan, o Gastell yr Esgob yn Swydd Amwythig, Hydref 7, 1752, t. 232.

[132] Ibid.

[133] Ibid., t. 234.

[134] Ibid., t. 232.

[135] Ibid., t. 233.

[136] Cf. M. L. Clarke, *Bangor Cathedral*, t. 46: 'Bishop Zachary Pearce was an exception to the general rule. "He established in himself," we read, "a resolution of conferring Welch preferment or benefices only on Welchmen"; to this resolution he adhered in defiance of influence or importunity. He twice gave away the Deanery and bestowed many benefices; but always chose for his patronage the natives of the country, whatever might be the murmurs of his relations or the disappointment of his chaplains.' Daw'r dyfyniad o *Lives of Pocock, Pearce, Norton and Skelton*, cyf. I, 1816, t. 420.

Gofynnodd William hefyd i Richard gysylltu â'r Esgob ar ran Goronwy 'er mwyn ei wneuthur yn wybodawl fod y cyfryw ddynan cywrain agos a llewygu o eisiau cael rhent neu giwradiaeth go dda ym Mon Ynys.'[137] Ufuddhaodd Richard. Ar Ionawr 5, 1753, cysylltodd â Zachary Pearce, a chyflwynodd Goronwy iddo fel ieithydd a bardd disglair, awdur nifer o 'Divine poems that surpass all antiquity ... but with all these shining qualities he is entirely lost to his country, and daily strug[g]ling under ye greatest difficulties to support life'.[138] Ceisiodd Richard ddefnyddio pob dadl bosibl o blaid rhoi bywoliaeth i Goronwy yng Nghymru: 'The giving Bread to this poor man in any part of Wales will be doing a very *eminent* service to ye Welsh in general, his writings will do honour to his country, and sure I am were there many such as him among ye Welsh clergy that their labour w^d greatly stop ye progress of the mad Methodists who have in a manner bewitched the major part of ye inhabitants'.[139] Awgrymodd Richard y gallai swydd Thomas Owen, rheithor Aberffraw, a oedd yn prysur ddihoeni, ddod i Goronwy. Addawodd yr Esgob y byddai'n cofio am Goronwy yn y dyfodol.

Erbyn diwedd 1752 a dechrau 1753 'roedd Goronwy yn anniddig o hyd yn Donnington. 'Nid wyf ar fedr aros yma ond lleia fyth ag a allwyf,' meddai ar ddechrau'r flwyddyn newydd.[140] Dechreuodd y brodyr ymgyrchu'n daerach o'i blaid, a gofynnodd Lewis i Richard gysylltu ag Archesgob Caergaint hyd yn oed i ymorol am fywoliaeth i'r bardd. 'Roedd eraill, erbyn dechrau 1753, wedi ymuno yn y frwydr i gael bywoliaeth well i Goronwy. Cynigiodd Thomas Ellis, yn un, chwilio am swydd addas iddo, ond ni fynnai Goronwy iddo ymdrafferthu. Un arall a ochrodd o'i blaid oedd gŵr o'r enw Lee o Wroxeter, un o gyn-ymddiriedolwyr yr ysgol yn Donnington.[141] Bu'r gŵr hwn yn hynod o gefnogol i Goronwy. Cysylltodd ag Esgob Llandaf ar ran y bardd, ac addawodd yr Esgob y byddai'n chwilio am fywoliaeth iddo. Pan glywodd Goronwy fod bywoliaeth Eglwys Boduan yn Llŷn yn wag ar farwolaeth gŵr o'r enw Cadwaladr Jones, gofynnodd i Richard gysylltu ag Esgob Llandaf ar ei ran, gan obeithio y byddai'r Esgob yn cael y swydd honno iddo drwy gael gair â'i frawd-esgob ym Mangor. Gofynnodd Goronwy i

---

[137] *ML* I, llythyr CXLV, William at Richard, o Gaergybi, Rhagfyr 29, 1752, t. 218.

[138] *ALMA* 1, llythyr 115, Richard at Zachary Pearce, o Lundain, Ionawr 5, 1753, t. 237.

[139] Ibid., t. 238.

[140] *LGO*, llythyr XII, at William, o Donnington, Ionawr 15, 1753, t. 31.

[141] Dywedodd Goronwy yn ei lythyr at William Morris (ibid., llythyr XVII, o Donnington, Chwefror 24, 1753, t. 45) fod Lee 'yn awr yn bur henaidd ac oedranus, ynghylch 65 neu 70 o leiaf'. Os oedd dyfaliad y bardd yn gywir, ganed y Lee hwn rhwng 1683 a 1688, yn fras. 'Does dim cofnod fod unrhyw fachgen â'r cyfenw Lee wedi'i eni ym mhlwyf Wroxeter rhwng 1680 a 1690 yn ôl Cofrestri Plwyf Wroxeter a gedwir yn Archifdy Amwythig. Bedyddiwyd bachgen o'r enw Thomas, mab Thomas ac Elizabeth Lee, ar Fawrth 4, 1670, a nodir fod Thomas Lee yn un o wardeniaid Eglwys Wroxeter ym 1719–20, 1722, 1735, 1736, 1743, a 1746. Claddwyd gŵr o'r enw Thomas Lee wedyn ar Fehefin 17, 1758. Thomas Lee yw'r unig Lee yn y cofrestri y mae ei ddyddiadau yn cytuno, yn fras, â'r awgrym y mae Goronwy yn ei roi i ni ynghylch ei oedran. Byddai Thomas Lee (1670–1753) yn hŷn nag amcangyfrif Goronwy o'i oedran, yn 83, ond '65 neu 70 o leiaf' a ddywed y bardd, a bod Lee 'yn bur henaidd ac oedranus'. Mae'n debyg mai'r Thomas Lee hwn oedd amddiffynnydd Goronwy yn Donnington.

Richard ddefnyddio enw Lee wrth 'sgwennu at Esgob Llandaf. Hyd yn oed pe byddai'n colli Boduan, gobeithiai Goronwy y byddai'r esgobion yng Nghymru yn sicrhau bywoliaeth ar ei gyfer. Gwyddai na allai fyth ddychwelyd i Fôn heb ennill ffafr yng ngolwg yr esgobion a reolai Gymru yn ysbrydol. 'This will be a bold push for drawing nigh to Mona else perhaps I may never see it,' meddai wrth Richard.[142]

Ddechrau 1753, 'roedd pethau'n gwaethygu yn faterol ar y bardd. Yn ei absenoldeb, gadawodd John Douglas holl faterion yr Eglwys yn Uppington a'r ysgol yn Donnington yng ngofal un o ymddiriedolwyr yr ysgol, gŵr o'r enw Boycott, un o blwyfolion Goronwy yn Uppington. Mae'n debyg mai William Boycott (1696–1762) oedd y Boycott hwn. Hanai o linach bwysig a bonheddig a oedd â'i gwreiddiau'n ddwfn ers sawl cenhedlaeth yn naear Uppington, a rhaid oedd i ddieithryn fel Goronwy sengi'n ofalus ar y tir a berthynai i'r plwyfolyn hwn a'i dras.[143] Mae ysgolheigion wedi methu esbonio un cyfeiriad yn llythyrau Goronwy. Wrth anfon Cywydd y Cynghorfynt at Lewis, 'The subject I tho't of writing upon ever since Cottyn was pleas'd to accuse me of plagiarism,' meddai.[144] Efallai mai Cymreigio enw Boycott yn fychanus a wnaeth, yn null y Morrisiaid o chwarae ar enwau personol, ac efallai i Boycott gyhuddo Goronwy o lên-ladrad ar ôl clywed un o'i bregethau. Mae bylchau yn yr ohebiaeth rhwng Goronwy a Lewis, ond mae'n amlwg y gwyddai Lewis at bwy y cyfeiriai Goronwy. Rhaid gofyn, yn ogystal, ai Boycott a fu'n gyfrifol am wysio Goronwy gerbron Cornwallis, yn enwedig gan mai ef a ofalai am faterion yr ysgol yn absenoldeb Douglas?

Gan fod Boycott 'yn un o addolwyr Iago,'[145] fel Douglas yntau, 'roedd ef a'i feistr fel llaw dde a llaw chwith ar yr un corff. 'Roedd gelyniaeth rhwng Lee a Boycott, gelyniaeth a oedd yn seiliedig ar y gwahaniaeth rhwng y ddau o safbwynt eu daliadau gwleidyddol, yn un peth, 'a'r sawl a gaffo gariad un, a fydd siccr o gâs y llall,' meddai Goronwy.[146] 'Roedd Lee wedi ochri â Goronwy, a hynny wedi ennyn atgasedd y llall. Boycott a dalai gyflog Goronwy iddo, unwaith, ac weithiau ddwywaith, y flwyddyn, ac iddo ef y talai Goronwy y rhent ar y chwe acer o dir a berthynai i'r ysgol. Yn ddisymwth, cymerodd Boycott y tir hwn oddi ar Goronwy, 'without the least colour of reason or justice'.[147] Dibynnai Goronwy ar y tir hwn am gyfran o'i gynhaliaeth, ac mae'n amlwg y cadwai 'wartheg res a buchesau' i bori arno; ond, wedi'i golli, 'Yn iach weithion i lefrith a phosel deulaeth, ni welir bellach mo'r danteithion gwladaidd hynny heb imi symmud pawl fy nhid'.[148]

[142] Ibid., llythyr XIII, at Richard, o Donnington, Ionawr 17, 1753, t. 33.

[143] 'Roedd William Boycott yn fab i 'William Boycott gent. & Sarah his wife', yn ôl Cofrestri Plwyf Uppington yn Archifdy Amwythig. Fe'i ganed ar Hydref 24, 1696, ac fe'i claddwyd yn Uppington ar Awst 19, 1762. Mae llinach luosog ac aml-ganghennog y Boycottiaid yn amlwg yng Nghofrestri Plwyf Uppington. Coffeir sawl aelod o'r teulu ar feini ar lawr cangell Eglwys Uppington ac ar gerrig beddau yn y fynwent. Gw. ymhellach, am dras y Boycottiaid, 'Uppington Church', W. A. Leighton, *Transactions of the Shropshire Archæological and Natural History Society*, cyf. V, 1882, tt. 89–99.

[144] *LGO*, llythyr VII, at Lewis, o Salop, Gorffennaf 30, 1752, t. 15.

[145] Ibid., llythyr XVII, at William, o Donnington, Chwefror 24, 1753, t. 43.

[146] Ibid.

[147] Ibid.

[148] Ibid.

Colli'r darn tir hwn, a'r modd gwaradwyddus y câi ei drin gan Boycott, oedd y gwelltyn olaf. Gwyddai Goronwy na allai aros yn Donnington fawr yn hwy. Erbyn hyn, 'roedd yn dechrau anobeithio am le yng Nghymru. Ychydig o leoedd a oedd ar gael yno, ac er gwaethaf yr ymgyrchu eiddgar o'i blaid, 'doedd dim sicrwydd y câi Goronwy unrhyw fywoliaeth wag yng Nghymru, heb sôn am Fôn. 'Roedd y bardd hefyd yn cyfyngu ei ddewis. Ni fynnai ddychwelyd i Fôn heb fod yn 'well fy nghyflwr nag yr oeddwn pan ddaethum allan o honi'.[149] Balchder oedd un rheswm, wrth gwrs; ymarferoldeb oedd y llall:[150]

> Pan ddaethum allan o honi, 'roedd genyf arian ddigon i'm dianghenu fy hun, a pha raid ychwaneg? ac nid oedd arnaf ofal am ddim on'd f'ymddwyn fy hun fel y gweddai, a thybio'r oeddwn fod dwy law a dau lygad yn llawn ddigon i borthi un genau ... Mae genyf yn awr lawer o safnau yn disgwyl eu porthi, er nad oes genyf ond yr un rhifedi o ddwylo ...

Ni fynnai ychwaith ddychwelyd i Sir Ddinbych, gan na hoffai drigolion y sir. 'Pobl gignoethaidd, atgas, ydynt,' meddai.[151]

Ei heglu hi o Donnington nerth ei draed oedd yr unig nod bellach, a golygai hynny aros yn Lloegr, gan mor brin oedd y swyddi yng Nghymru. Dechreuodd sylweddoli fod Môn yn llithro o'i afael. Pa bryd, gofynnodd, gan ei ddyfynnu ei hun, 'y caf weled f'anwylyd Môn doreithiog a'i mân draethau?'[152] 'Roedd Goronwy yn awr yn dechrau magu a choledd y ddelwedd ohono'i hun fel yr alltud tragwyddol. Dechreuodd Môn ymsefydlu yn ei feddwl fel delfryd, yn hytrach nag fel nod; fel symbol o ddedwyddwch coll mewn byd helbulus, terfysglyd, yn hytrach nag fel lle y gallai gael bywoliaeth ynddo, a byw'n weddol ddedwydd a diffwdan yno. Gwyddai, erbyn hyn, fod y siawns y gallai ddychwelyd i Fôn yn gwanhau, a gallai hiraethu am berffeithrwydd a rhagoriaeth ei gynefin yn ddiogel yn ei alltudiaeth bell. Treiddiodd y ddelwedd hon o'r alltud diymwared a'r darlun o'r Fôn ddelfrydol-berffaith, cartref pob llawenydd a sefydlogrwydd, i'w farddoniaeth. Ac yntau ar fin ymadael â Donnington, anfonodd lythyr at William Morris ar Ebrill 5, 1753, llythyr nad yw wedi goroesi. Yn hwnnw cynhwysodd ei gywydd Hiraeth am Fôn, a oedd yn ateb i gywydd coll o waith Hugh Hughes. Yn y cywydd hwn, ei alltudiaeth ef ei hun yn Lloegr yw'r thema fawr:[153]

> Dieithryn, adyn ydwyf,
> – Gwae fi o'r sud – alltud wyf.

---

[149] Ibid.

[150] Ibid., tt. 43–44.

[151] Ibid., t. 44.

[152] Ibid., t. 43.

[153] 'Hiraeth am Fôn', *Blodeugerdd Barddas o Ganu Caeth y Ddeunawfed Ganrif*, t. 104.

> Pell wyf o wlad fy nhadau,
> Och sôn! – ac o Fôn gu fau.
> Y lle bûm yn gware gynt
> Mae dynion na'm hadwaenynt.
> Cyfaill neu ddau a'm cofiant;
> Prin ddau lle'r oedd gynnau gant.
> Dyn didol, dinod ydwyf,
> Ac i dir Môn estron wyf ...

Cysylltodd ei gyflwr â chyflwr yr Israeliaid yn eu halltudiaeth yng ngwlad Babilon, gan adleisio sawl un o adnodau Salm 137, y salm sy'n agor â'r adnod adnabyddus 'Wrth afonydd Babilon, yno yr eisteddasom, ac wylasom, pan feddyliasom am Seion'. Aeth Môn a Seion yn un ym meddwl y bardd. Cyfeiriodd at yr adnod 'Pa fodd y canwn gerdd yr Arglwydd mewn gwlad ddieithr?' (137:4), gan awgrymu mai'r un mor anodd oedd iddo yntau farddoni yn ei alltudiaeth heb gyswllt beunyddiol â'r Gymraeg:[154]

> Treiswyr blin, traws arw blaid,
> Pobl anwar, Pabiloniaid,
> O'u gwledydd tra dygludynt
> Wŷr Seion yn gaethion gynt,
> Taergoeg oedd eu gwatwargerdd:
> "Moeswch, ac nac oedwch, gerdd."
> "Gwae ni o'r byd dybryd hwn,"
> Cwynent. "Pa fodd y canwn
> Gerdd Iôn mewn tir estronol
> A'n mad anwylwlad yn ôl?" ...

Amlwg yw'r tebygrwydd rhwng yr Israeliaid yn Babilon a Goronwy yn Donnington:[155]

> Llyna ddiwael Israeliad.
> Annwyl oedd i hwn ei wlad.
> Daear Môn, dir i minnau
> Yw, o chaf ffun, ei choffáu.
> Mawr fy nghwynfan amdani,
> Mal Seion yw Môn i mi.

'Ond ydyw resyn na chai'r dynan gwirion fywioliaeth rhwydd dda ym Môn?' gofynnodd William i Richard ar ôl derbyn y cywydd.[156]

---

[154] Ibid.
[155] Ibid., t. 105.
[156] *ML* I, llythyr CLII, William at Richard, o Gaergybi, Ebrill 21, 1753, t. 226.

Ni laesodd William mo'i ddwylo er i'r bardd anobeithio am gael lle yng Nghymru. Parhai i anfon gwybodaeth at Goronwy ynghylch lleoedd gwag ym Môn ac Arfon. 'Sgwennodd at Richard yn Chwefror i'w hysbysu ynghylch y camau diweddaraf yn yr ymgyrch i gael bywoliaeth i'r bardd yn ei wlad enedigol:[157]

> Y matter sydd fal hyn: marw'r dydd arall a orug Person Aber Gwyn Gregin yn Arfon, a living in the gift of the Baron Hill family, ag mae'n debyg y bydd cynnwrf a symudiadau ymhlith yr offeiriadau cywradiaid (i.e. cywion y rhad, etc.), ac fe allai y ca Oronwy siawns o daro i bawl yn y llawr yn eu plith. Llyma fi yn sgrifennu atto heddyw ar y perwyl hwnnw, nid hwyrach i chwithau gael odfa i roddi gair i mewn gyda'r Escob o'i blaid.

Ond disymud oedd yr esgobion, ac âi Goronwy yn fwy anniddig yn Donnington wrth aros i glywed am le yng Nghymru.

Llwyddodd, yng nghanol ei fân helyntion yn Donnington, i lunio o leiaf ddau gywydd arall ar ddechrau 1753 yn ogystal â'r cywydd hiraeth am Fôn. Anfonodd ei Gywydd y Calan, 1753, at Lewis ym mis Chwefror, ac 'roedd copi yn nwylo William hefyd yr un mis. Ddechrau'r flwyddyn hefyd gofynnodd Richard iddo gyfieithu, ar ffurf cywydd, anerchiad Saesneg i Dywysog Cymru ar ei ben-blwydd yr oedd Richard wedi'i lunio. Ni allai Goronwy fyth wrthod cais Richard, ac yntau wedi bod mor garedig wrtho. 'Mi fu'm yn cael fy llawn hwde ar wneuthur rhyw Gywydd i Gymdeithas o Gymmrodorion yn Llundain,' meddai wrth William, 'a da yr haeddai [Richard] ar fy llaw bob peth a f'ai yn fy ngallu; ni welais erioed ei garediccach o Gymro na Sais'.[158] Llwyddodd i ddod i ben â'r gwaith er ei fod yn 'distracted with a thousand cares and perplexities'.[159] Anfonodd y cywydd at Richard ar Chwefror 19, ar frys braidd, ac anfonodd rai gwelliannau iddo ddeuddydd yn ddiweddarach.

Drwy gydol y cyfnod y bu Goronwy yn Donnington, bu'r Morrisiaid yn gefn ac yn gymorth iddo. Gwerthfawrogent bob sill a ddôi o'i gwilsyn, a rhoddodd eu gwrandawiad brwd hwb i awen y bardd. Ni lwyddwyd i argraffu Cywydd y Farn, yn bennaf oherwydd na allai Goronwy, yn ei dlodi, 'spario 'run or ceiniogcach' i dalu am yr argraffu ar y cyd â William a Thomas Ellis;[160] ond ni chlaearodd hynny ddim ar frwdfrydedd y bardd. Yn ogystal â phrocio'i awen, porthent ei ysgolheictod rhwystredig yn ogystal, yn bennaf drwy anfon llyfrau ato. Teimlai Goronwy na allai lunio'r Arwrgerdd Fawr Gymraeg heb ei arfogi'i hun yn llenyddol ac yn ramadegol ar gyfer y gwaith. Anfonodd Richard gopi o Eiriadur Thomas Richards, y geiriadur y bu Richard ei hun yn gyfrifol am gasglu llawer o

---

[157] Ibid., llythyr CXLVII, William at Richard, o Gaergybi, Chwefror 12, 1753, tt. 220-221.

[158] *LGO*, llythyr XVII, at William, o Donnington, Chwefror 24, 1753, t. 45.

[159] Ibid., llythyr XV, at Richard, o Donnington, Chwefror 19, 1753, t. 37.

[160] *ML* I, llythyr CLII, William at Richard, o Gaergybi, Ebrill 21, 1753, t. 227.

danysgrifwyr ar ei gyfer yn ogystal â rhoi help i'w ddosbarthu ar ôl ei gyhoeddi, ato cyn iddo ymadael â Donnington.[161] Addawodd Thomas Ellis hefyd, ar gais William, gopi o Ramadeg enwog Siôn Dafydd Rhys (sef y *Cambrobrytannicae Cymraecaeve Linguae Institutiones et Rudimenta*, 1592) 'heb fod fymryn gwaeth na newydd,' meddai William, oherwydd 'yr oedd arno eisiau canllaw yn anguriol'.[162]

Ni chafodd Goronwy ddim ymateb i'w farddoniaeth nac unrhyw gymorth i gael amgenach swydd iddo o du Lewis Morris yn ystod ei fisoedd olaf yn Donnington. 'Roedd Lewis mewn trafferthion cyfreithiol dros ei ben a'i glustiau ar y pryd. Cododd yr helynt yn sgîl ei swydd fel dirprwy-stiward maenorydd y Goron yng Ngheredigion. Lewis, yn rhinwedd ei swydd, a ofalai am fuddiannau'r Goron yng Ngheredigion, gan gynnwys hawliau yn ymwneud â mwynau. Yn ogystal â'r ffaith ei fod yn gweithredu ar ran y Goron, 'roedd hefyd yn gyfran-ddaliwr yn rhai o'r mwyngloddiau. Ymunodd Lewis, yn enw ei nai John Owen, mewn partneriaeth fusnes â thri gŵr o Lanafan, Ceredigion, Dafydd a John Morgan, dau frawd, a gŵr o'r enw Evan Williams. 'Roedd y ddwy blaid i rannu'r elw a geid wrth gloddio am fwyn plwm yn Esgair-y-mwyn ger Ysbyty Ystwyth, a hwnnw'n elw sylweddol, 'enill ynghorph y flwyddyn fil o bunoedd bob chwarter heblaw talu i wydd ag i bannwr,' yn ôl William.[163]

Wedi i'r cytundeb rhwng y ddwy ochr ddod i ben ar ôl cyfnod o flwyddyn, penodwyd Lewis gan y Trysorlys yn asiant gwaith Esgair-y-mwyn, ac yn oruchwyliwr arno hefyd, ac ar weithiau eraill yn y cylch, y rhai a ddarganfuwyd ganddo eisoes, ac eraill y dôi ar eu traws yn y dyfodol. Enynnwyd eiddigedd a llid perchnogion y tir a ffiniai ag Esgair-y-mwyn. 'Roedd y Goron, a Lewis Morris ei hun, yn nhyb y gwrthwynebwyr, yn elwa ar draul y brodorion a feddai ar fwy o hawl na neb i weithio'r mwynfeydd lleol. Penderfynodd nifer o'r tirfeddianwyr hyn herio ymyrraeth y Goron a'r grym gormodol a oedd gan Lewis. Ar Chwefror 23, 1753, gorymdeithiodd nifer o'r ysweiniaid lleol, a

---

[161] Cyhoeddwyd *Antiquae linguae Britannicae thesaurus: being a British, or Welsh-English dictionary ... to which is prefix'd a compendious Welsh grammar ...* ym Mryste ym 1753. Cyfieithiad o Ramadeg a Geiriadur Cymraeg–Lladin Dr John Davies, Mallwyd, sef yr *Antiquae Linguae Britannicae ... Rudimenta* a'r *Dictionarum Duplex*, i'r Saesneg oedd hwn, ond gyda'r geiriau a welsai Thomas Richards mewn hen eirfâu a hefyd yn yr *Archaeologia Britannica* gan Edward Lhuyd, yn ogystal â'r geiriau a eglurwyd gan Moses Williams yn *Cyfreithjeu Hywel Dda* (1730), a geiriau o ffynonellau eraill hefyd. Yn ôl G. J. Williams, Thomas Richards (c. 1710 – 1790) oedd yr 'ysgolhaig Cymraeg mwyaf a gododd ym Morgannwg yn hanner cyntaf y ddeunawfed ganrif' (*Traddodiad Llenyddol Morgannwg*, 1948, t. 300). Er hynny, nid oedd gan Goronwy feddwl mawr o'r geiriadur. 'As for poor plodding Richards,' meddai wrth Richard Morris, 'you've said more of him than ever I intended to do myself: but say what you will, you can't injure him much. I've so much Charity for him as to believe he undertook it with a view to the public good; but can by no means allow that the Book will be usefull to the next Compiler or indeed to any body else ... The Dictionaries, Glossaries, &c., that he compil'd from, might have been usefull to a judicious man, that could have pick'd and cull'd with judgment and discretion. But I've no patience when I see H.S. or the late unaccountable Mr. M. Williams quoted to justify a blunder or to legitimate and authorize the uncouthest Gibberish' (*LGO*, llythyr XXV, o Walton, Awst 10, 1753, tt. 68–69). Gw. hefyd *LGO*, tt. 68–70, 111, 115.

[162] *ML* I, llythyr CL, William at Richard, o Gaergybi, Mawrth 24, 1753, t. 225.

[163] Ibid., llythyr CXLIII, William at Richard, o Gaergybi, Medi 22, 1752, t. 215.

William Powell, Nant-eos, un o brif elynion Lewis, yn eu mysg, i Esgair-y-mwyn gyda'r bwriad o feddiannu'r gwaith, a haid o wŷr arfog yn eu dilyn. Gorchmynnwyd i Lewis drosglwyddo'r hawl i weithio'r mwyn i'r tirfeddianwyr, gan fygwth ei ladd yn gelain, a'i asiantwyr a'i fwynwyr i'w ganlyn, pe gwrthodai wneud hynny. Daliwyd gwn wrth ei arlais gan ŵr a oedd yn Ynad Heddwch, a bygwth ei saethu. Cipiwyd Lewis wedyn i Aberteifi ar y diwrnod canlynol, a'i roi yn y carchar yno. Fe'i rhyddhawyd ar fechnïaeth bron ar unwaith, a rhoddwyd iddo ganiatâd i rodio'n rhydd o fewn cyffiniau'r fwrdeistref. Lletyodd yn nhŷ William Gambold yn Aberteifi, ac fe'i cadwyd yn y dref hyd at Fawrth 9. Aeth i Allt Fadog o Aberteifi yng nghwmni ceidwad y carchar, George Evan, ar Fawrth 13, ac oddi yno i Lundain. Ymddangosodd o flaen Syr William Lee yn Llundain yn y man, a'i ryddhau ar Ebrill 4. Un digwyddiad mewn cyfres faith o ymrafaelion cyfreithiol oedd y cynnwrf hwn, helyntion a oedd i suro dyddiau olaf Lewis Morris, ac amharu, yn y pen draw, ar y berthynas rhyngddo a Goronwy.

Ar Fawrth 8 y clywodd William am yr helynt yn Esgair-y-mwyn, a chafodd fraw am ei fywyd. Ei ofn mwyaf ynghylch Lewis 'ydoedd iddo (mewn ond odid wylltineb) daraw neu ladd rhywun, ag felly iddynt ei ddihenyddu o'r achos'.[164] Nid oedd Goronwy wedi clywed gair oddi wrth Lewis ers mis Rhagfyr y flwyddyn flaenorol, ond clywodd wedyn, drwy ei gyfaill Lee, am 'y ffrwgwd a fu rhyngddo a'r pennau-byliaid gan yr Hwyntwyr barbaraidd acw'.[165] William a fu'n gofalu am ddyfodol y bardd yn ystod y cyfnod hwn o dawedogrwydd o du Lewis. Cafodd hanes curadiaeth i Goronwy yn Walton yn ymyl Lerpwl. Y tro hwn, bachodd Goronwy yr abwyd. 'Roedd y swydd yn ddigon dengar iddo, yn enwedig gan y cynigiai £35 y flwyddyn. Gwnaeth gais am y guradiaeth. Ar Ebrill 9 'roedd heb glywed yr un gair o gyfeiriad Walton. Ddeng niwrnod yn ddiweddarach, 'roedd yn diolch i William am adael iddo gael gwybod am y swydd. Cynigiwyd y guradiaeth iddo, a derbyniodd hi. Ar y diwrnod hwnnw 'roedd yn Salop yn ymdrwsiadu cyn teithio i Walton, 'for would not willingly appear very ill accoutred in a strange place on my first arrival'.[166] 'Roedd yr haul wedi codi eto, ac wedi erlid y cysgodion ymaith – dros-dro o leiaf. Edrychai ymlaen at yr her newydd yn ei fywyd. Ei unig ofid oedd y câi drafferth i symud ei deulu i Walton.

Daeth cyfnod cynhyrchiol Donnington i ben, felly. Yno y creodd rai o'i gywyddau gorau, Cywydd y Gem neu'r Maen Gwerthfawr, Cywydd Bonedd a Chyneddfau'r Awen, y cywydd o hiraeth am Fôn a'r cywydd marwnad i fam y tri brawd, ac yno hefyd y cwblhaodd Gywydd y Farn. Yn Donnington, daeth y bardd i bwyso'n drwm ar y Morrisiaid am gynhaliaeth a chefnogaeth. Dibynnai ar Lewis am hwb ac ysgogiad i'w awen, ac am farn ar ei waith a chyngor ar sut i'w wella; dibynnai ar Richard am lyfrau i ddiwallu'i ysgolheictod, ac ar William am ffyrdd i wella'i gyflwr materol, a'i godi yn y

---

[164] Ibid., llythyr CXLIX, William at Richard, o Gaergybi, Mawrth 10, 1753, t. 223.

[165] *LGO*, llythyr XVIII, at Richard, o Donnington, Ebrill 9, 1753, t. 48.

[166] Ibid., llythyr XIX, at William, o Salop, Ebrill 19, 1753, t. 49.

byd. Cafodd Goronwy drindod newydd i'w haddoli yn Donnington. Lewis oedd y tad, William oedd y mab, a Richard, yn ei garedigrwydd a'i dosturi tuag at y bardd, oedd yr ysbryd glân. Credai Goronwy yn gryf yn Rhagluniaeth Duw, ond prin y gwyddai ar y pryd mai'r drindod frawdol hon a fyddai'n rheoli gweddill ei fuchedd ddaearol, ac yn pennu'i dynged, hyd at ei gyfnod olaf un; hyd at y bedd.

Y peth pwysicaf i'w gadw mewn cof am ei gyfnod yn Donnington, ar wahân i'w ddadenedigaeth fel bardd a'i ddibyniaeth ar y brodyr, yw'r ffaith iddo wrthod cynigion i ddychwelyd i Fôn, penderfyniad a oedd wedi syfrdanu William braidd, yn enwedig ar ôl i'r bardd ymdrybaeddu cymaint yn ei hiraeth am ei ynys. 'Gronow might have had 30*l.* per annum a twelve month ago in Môn, but he refused accepting of it,' meddai yn ei syndod pan oedd y bardd newydd gyrraedd Walton.[167] Peth digon naturiol oedd i Goronwy, ar byliau, ddyheu am ddychwelyd i Fôn. Yno câi ei blant eu magu yn Gymry, a hynny, o bosibl, oedd y prif atyniad. Câi yntau hefyd gwmnïaeth rhai a oedd o'r un tueddfryd ag ef: William Morris a Thomas Ellis yng Nghaergybi, a Hugh Hughes y bardd, yn Esgob Llwydiarth. Yn union fel y bu Lewis yn rhoi i'w ddisgybl enghreifftiau o waith Ieuan Fardd, bu William yn ei fwydo ag esiamplau o waith Hugh Hughes, er nad oedd gan Goronwy lawer o feddwl o'i gerddi. Er nad ymfalchïai Goronwy yn ymffrostgar yn ei gynhyrchion ef ei hun, credai ei fod yn rhagori ar Hugh Hughes; nid oedd cywydd y Coch yn ddim byd amgenach na 'Cywydd o waith prydydd prenn–/Bawach na gwaith Mab Owen' yn ôl Goronwy,[168] ond, safon isel neu beidio, ysgogiad o du Hugh Hughes a fu'n uniongyrchol gyfrifol am ddau o gywyddau mwyaf Goronwy. Er iddo deimlo tynfa at yr ynys, dechreuodd Môn ddatblygu yn ddelwedd farddonol o ryw fath iddo yn Donnington, paradwys yn ei feddwl yn hytrach na darn diriaethol, daearyddol o dir y gallai ail-wreiddio ynddo, a magu'i blant yn sŵn y Gymraeg. Dyma ddechreuad y cymhlethdod mawr yn ei agwedd tuag at Fôn, cymhlethdod a oedd i ddwysáu a dyfnhau yn y man. Gellir derbyn yr ystyriaethau ymarferol, hyd yn oed os oedd Goronwy yn wladgarwr ac yn Fôn-garwr. 'Roedd yr ymarferol a'r materol yn drech na dyhead y galon. Gallai symudiad yn ôl i Fôn fod yn drafferthus, ac yn drychinebus yn y pen draw; ond eto, 'doedd y swydd yn Walton ddim yn cynnig fawr mwy na'r swyddi a addawyd iddo ym Môn. 'Doedd y dychwelyd hwn ddim yn fater o ddychwelyd ar unrhyw gyfrif, costied a gosto. Mewn gwirionedd, 'roedd ganddo ddwy Fôn cyn ymadael â Donnington: Môn yn ei galon a Môn yr ymennydd. Er bod ei galon, ar brydiau, yn ei gymell i ddychwelyd i'r ynys, 'roedd rheswm a doethineb yn ei gynghori i beidio â chroesi'r Fenai yn ôl i'w gynefin dir.

---

[167] *ML* I, llythyr CLIV, William at Richard, o Gaergybi, 'yr Hen Nos Galan Mai', 1753, t. 229.

[168] *LGO*, llythyr XII, at William, o Donnington, Ionawr 15, 1753, t. 30.

'Ym Mynwes Mynwent Walton'

Walton

1753–1755

Ddeng niwrnod ar ôl iddo 'sgwennu at William i'w hysbysu ei fod wedi derbyn y guradiaeth newydd, 'roedd y curad crwydrol wedi cyrraedd Walton. Unwaith yn rhagor, gadawodd Elin a'r plant ar ôl, hyd nes y byddai wedi cael ei draed dano, a chael tŷ neu lety i'w deulu. Cyrhaeddodd Walton ar ddydd Sul, Ebrill 29, a bu'n rhaid iddo ddarllen gwasanaeth a phregethu y bore dydd Sul cyntaf hwnnw yn Walton, a darllen gosber yn y prynhawn, er cymaint ei flinder ar ôl ei daith. Creodd y ficer argraff ddymunol arno o'r cychwyn, ac ar ôl y gwrthdaro rhyngddo a Douglas a Boycott yn Donnington, 'roedd hynny yn gaffaeliad mawr iddo. Ficer Walton ers deng mlynedd ar hugain a rhagor oedd Thomas Brooke,[1] a thystiodd Goronwy fod ei noddwr newydd 'yn edrych yn wr o'r mwynaf,' er i'w was a'i forwyn ddweud 'mai cidwm cyrrith, anynad, drwg-anwydus aruthr' ydoedd.[2] Yn ystod gwasanaeth cyntaf Goronwy, pregethodd Brooke yn y prynhawn, ac ni chlywsai Goronwy well pregethwr erioed, 'na digrifach, mwynach, ymgomiwr'.[3] Disgrifiad o Thomas Brooke oedd y disgrifiad enwog a byw canlynol:[4]

Climmach o ddyn amrosgo ydyw – garan anfaintunaidd – afluniaidd yn ei ddillad, o hyd a lled aruthr anhygoel, ac wynebpryd llew, neu ryw faint erchyllach, a'i ddrem

---

[1] Mab Syr Thomas Brooke, o Briordy Norton, oedd Thomas Brooke. Addysgwyd ef yng Ngholeg y Drindod, Caergrawnt, a graddiodd yn M.A. ym 1720. Sefydlwyd Brooke yn ficer Eglwys Walton ar Dachwedd 7, 1722, a bu'n dal y swydd hyd ei farwolaeth ym 1757. Olynodd Thomas Brooke wr o'r enw Silvester Richmond, a ddyrchafwyd yn rheithor yr Eglwys. 'Roedd Thomas Brooke hefyd yn rheithor Eglwys y Santes Fair, Caer, o 1737 hyd 1744.

[2] *LGO*, llythyr XX, at William, o Walton, Ebrill 30, 1753, t. 50.

[3] Ibid.

[4] Ibid.

arwguch yn tolcio (ymhen pob chwedl) yn ddigon er noddi llygod yn y dyblygion; ac yn cnoi dail yr India hyd oni red dwy ffrwd felyngoch hyd ei ên ... Yr oedd yn swil genyf ddoe wrth fyned i'r Eglwys yn ein gynau duon, fy ngweled fy hun yn ei ymyl ef, fel bâd ar ol llong.

Un byr o ran corffolaeth oedd Goronwy, fel y tystia mynych gyfeiriadau'r Morrisiaid at ei faintiolaeth, a darlun diriaethol a llachar yw hwn o'r cawr yn tywys y corrach.

Hen eglwys Walton ar y Bryn, Mam-eglwys Lerpwl, eglwys ac iddi blwyf enfawr, oedd eglwys newydd Goronwy. Mesurai'r plwyf 29,615 o aceri. Oherwydd maint ac ehangder y plwyf, trymhaodd beichiau ei ddyletswyddau ar unwaith. Hyd yn oed os creodd y ficer argraff ffafriol arno, ni chymerodd at y plwyfolion o gwbwl. Nid oedd y rhain 'ond un radd uwchlaw Hottentots,' a chlywodd mai 'llwynogod henffel, cyfrwys-ddrwg, dichellgar ydynt'.[5] Cwynodd hefyd, wrth William a Richard Morris, fod bwyd yn ddrud yno, gan mor agos y trigai at dref Lerpwl. Cyn gynted ag y cyrhaeddodd Walton, cafodd gynnig llety yno, am wyth bunt y flwyddyn, a dalai am ei fwyd a'i ddiod, ei wely a'i olch, a 'rhattach ni chawn ym Mon'[6] meddai wrth Richard, mewn ymdrech wan i gyfiawnhau ei benderfyniad i fynd i Walton rhagor i rywle ym Môn neu yng Nghymru.

'Roedd y cyflog o £35 y flwyddyn eisoes yn welliant mawr ar ei amgylchiadau yn Donnington, ond gobeithiai Goronwy y byddai tro gwell eto ar fyd yn y man. 'Roedd yn Walton 'Ysgol râd, yr hon a gafodd pob Curad o'r blaen,'[7] ac 'roedd Brooke wedi lled-addo y câi Goronwy hi hefyd. Golygai hynny dair punt ar ddeg y flwyddyn yn ychwanegol, ar ben ei gyflog, a châi dŷ i fyw ynddo yn y fargen. Yn anffodus, 'doedd pethau ddim mor hawdd â hynny, ac 'roedd cymhlethdod wedi codi ynghylch yr ysgol. Pan fu farw rhagflaenydd Goronwy yn y guradiaeth, trosglwyddwyd yr ysgol i ofal y clochydd, gŵr o'r enw Edward Stockley, er mai cyfrifoldeb Brooke, mewn gwirionedd, oedd holl faterion yr ysgol. Ymddygiad y curad blaenorol oedd y broblem. Fel y dywedodd Goronwy:[8]

Dyn garw oedd y Curad diweddaf! Nid âi un amser ond prin i olwg yr hen gôrph, ac os âi, ni ddywedai bwmp ond a ofynnid iddo, ac fyth ar y drain am ddiangc i ffordd, oblegid hoffach oedd ganddo gwmni rhyw garpiau budron o gryddionach, cigyddion, &c., ac ynghwmni y cyfryw ffardial yr arhosai o Sul i Sul yn cnoccio'r garreg, a chware pitch and toss, ysgwyd yn yr hett, meddwi, chware cardiau, a chwffio, rhedeg yn noeth lummyn hyd ystrydoedd Le'rpwl i ymbaffio â'r cigyddion, a'r rheiny a'u cleavers, a'u marrow bones yn soundio alarm o'i ddeutu, myn'd i'r Eglwys ar fore Sul yn chwilgorn feddw ...

---

[5] Ibid., t. 51.

[6] Ibid., llythyr XXI, at Richard, o Walton, Mai 6, 1753, t. 52.

[7] Ibid., llythyr XX, at William, o Walton, Ebrill 30, 1753, t. 51.

[8] Ibid., llythyr XXII, at William, o Walton, Mehefin 2, 1753, tt. 57-58.

Oedd, 'roedd Goronwy yn dipyn o angel o'i gymharu â'r curad pechadurus ac anfoesol a wasanaethai yno o'i flaen. Yn wir, 'roedd y bardd wedi ymddwyn yn weddus urddasol oddi ar iddo gyrraedd Walton, er mwyn creu argraff syber ar ei ficer. 'Ni thybia'r hen Lew ddim yn rhy dda i mi,' meddai Goronwy am Brooke, 'am fy mod yn medru ymddwyn mewn cwmni yn beth amgenach na'r lleill, ac am fy mod yn ddyn go led sobr, heb arfer llymeitian hyd y succandai mân bryntion yma'.[9] Hyd yn oed os oedd wedi bod yn ymhél â diod yn Donnington, 'roedd Goronwy wedi ceisio troi dalen newydd yn Walton, a byw'n fucheddol lân; neu, o leiaf, dyna'r argraff y ceisiai ei rhoi i William.

'Roedd y curad blaenorol wedi tynnu un o bwysigion y plwyf i'w ben, oherwydd, 'fe gymmerth het un o'r gwyr penna'n y plwy ac a bisodd ynddi, ac yno f'ai llenwodd â marwor tanllyd, ac a'i taflodd yn nannedd ei pherchennog'.[10] 'Roedd perchennog yr het wleb wedi achwyn am ymddygiad anweddus y curad wrth holl bwysigion y plwyf, ac wedi cael y rheini i gytuno na châi'r un curad ofalu am yr ysgol o hynny ymlaen. Bu'n rhaid i Goronwy ddadlau ei achos â'r plwyfolion hyn, i'w darbwyllo i roi'r ysgol iddo, a llwyddodd, 'by a little art and winning behaviour'.[11] 'Roedd yr ysgol yn Walton yn argoeli'n dda. Ni châi ei boenydio gan ystafell orlawn o gywion Saeson yn trydar yn ddi-baid yn ei glustiau, fel yn Donnington. Dysgu Lladin yn unig, i'r rhai a fynnai hynny, a wnâi. Cytunodd â'i glochydd, Edward Stockley, mai ef a fyddai'n dysgu Saesneg yn yr ysgol, a byddai Goronwy yn rhoi wyth bunt y flwyddyn, o'r tair punt ar ddeg a gâi ef am gadw'r ysgol, i Stockley. Byddai cyflog Goronwy, felly, 'ynghylch 44 punt yn y flwyddyn'.[12]

Y fantais fwyaf o gael bod yn feistr yr ysgol oedd y câi dŷ yn rhad ac am ddim yn sgîl hynny. 'Roedd tŷ parod yn mynd â'r swydd, hwnnw wedi'i leoli yng nghanol mynwent yr Eglwys. Y tŷ, yn hytrach na'r ysgol a'r cyflog ychwanegol, a lygad-dynnai'r curad newydd. Cyn i Brooke a'r plwyfolion gytuno y câi reoli'r ysgol, bu Goronwy yn bryderus iawn ynghylch cael lle addas i fyw ynddo. Gyda thŷ yn barod iddo ef a'i deulu i symud i mewn iddo, gallai yn awr wahodd Elin a'r plant i ddod i fyw ato i'w lety dros-dro. 'Mae genyf dy cyfleus yn barod iw chroesawu,' meddai wrth Richard.[13] Erbyn canol mis Mai 'roedd Elin a'r plant wedi cyrraedd y llety. Unwaith yr oedd Elin gydag ef i'w helpu i sefydlu cartref drachefn, edrychai Goronwy ymlaen at gael symud i'r tŷ. Gwerthodd y rhan fwyaf o'i eiddo cyn ymadael â Donnington, i dalu ei ddyledion 'ac i gael arian i ddwyn ein cost yma',[14] felly 'roedd angen cynnull peth dodrefn ynghyd, gwely neu ddau yn arbennig. Yn ffodus, 'roedd y tŷ yn y fynwent wedi'i led-ddodrefnu yn barod, ac

---

[9] Ibid., t. 57.

[10] Ibid., t. 58.

[11] Ibid.

[12] Ibid.

[13] Ibid., llythyr XXI, at Richard, o Walton, Mai 6, 1753, t. 52.

[14] Ibid., llythyr XXII, at William, o Walton, Mehefin 2, 1753, t. 58.

'roedd Elin a Goronwy wedi cadw rhai mân-bethau fel llenlieiniau a llieiniau bwyd heb eu gwerthu. Addawodd Lewis roi dwybunt i Goronwy i helpu i'w roi'n ôl ar ei draed, ac er y byddai'n llwm arnyn nhw am y tri mis cyntaf yn Walton, 'roedd y ddau wrth eu bodd yn paratoi ar gyfer cyfnod newydd mewn lle a thŷ newydd. 'Roedd bywyd yn ffynnu yng nghanol meirwon Walton.

Treuliodd Goronwy ran helaeth o'i wythnos gyntaf yn Walton yn llythyru â chyfeill-ion, er mwyn rhoi gwybod iddyn nhw am ei amgylchiadau newydd. Yn ystod ei fis cyntaf yno, derbyniodd ddau lythyr gan Lewis, un gan Richard a sawl un gan William. 'Roedd y brodyr am gadw'u gafael ar eu bardd, ac 'roedd Goronwy yn fwy na bodlon iddyn nhw fod yn rhan o'i feddyliau a'i gynlluniau. 'Doedd ganddo ddim gwaith newydd i'w gynnig iddyn nhw. 'Roedd yn rhy brysur yn ceisio cael trefn ar ei fywyd i feddwl am farddoni, a chyfanheddu, yn hytrach na chynganeddu, a gâi'r flaenoriaeth ganddo. 'Tra thrafferthus y gwelaf fi hel ychydig o ddodrefnach ynghyd, a hynny oedd raid i mi wneuthur mewn byrr o amser,' meddai wrth William.[15] 'Roedd 'y genawes gan yr awen wedi naghau dyfod un cam gyda myfi y tu yma i'r Wrekin',[16] ac ni allai ond gobeithio y byddai'i awen yn gallu dygymod â'r newid byd yn y man. 'Roedd Goronwy hefyd wedi llosgi'r rhan fwyaf o'i bapurau cyn gadael Donnington, a nifer o'i gerdd ymhlith y papurau hyn. Gofyn-nodd i William gadw'i afael ar y copïau o'i waith yr oedd Lewis ac yntau wedi eu hanfon ato.

Er mai newydd symud 'roedd Goronwy, parhai'r tri brawd i chwilio am le arall iddo yng Nghymru. Dylai William fod wedi sylweddoli fod Goronwy yn ddedwydd ei fyd, am y tro, beth bynnag, yn Walton. Heulwen yn y bore, cymylau yn y prynhawn, storm enbyd erbyn y nos, dyna hanes Goronwy ym mhob man. Dywedodd wrth William, wedi iddo sicrhau'r ysgol a'r tŷ yn y fynwent iddo'i hun, mai 'hanes go dda' oedd ei hanes er pan aeth i Walton, a diolchodd iddo am ei helpu i gael y guradiaeth. Er mor dda ei fyd oedd Goronwy ar y dechrau yn Walton, mynnai'r brodyr ei gael yn ôl i Gymru; 'roedd achub y bardd rhag i'w awen bydru yng nghanol Saeson diddeall bellach yn ymgyrch fawr gan y tri, William yn arbennig. 'Roedd William wedi gwysio John Owen, Presadd-fed, y Chwig a'r Aelod Seneddol, i'r ymgyrch hyd yn oed, a thrwy ddylanwad John Owen, cafodd y bardd gynnig lle am £20 y flwyddyn, ond, yn ddigon naturiol, fe'i gwrthododd. 'Doedd dim byd yn sicr ynghylch y swydd honno, yn Llandrygarn, fodd bynnag. Fel y dywedodd William wrth lythyru â Richard: 'Am y peth a ddywaid y Brysaddfed nid oes mo'r goel arnaw. Llandrygan, etc., oedd yn ei feddwl, a thing not fixed, and perhaps never will, gwael yw ei *interest* ô gyd ag Escob Bangor, mae o'n rhy hen i ddechreu gwneuthur daioni i ddynolryw'.[17] Erbyn hyn, 'roedd agwedd hiraethus

---

[15] Ibid., llythyr XXIV, at William, o Walton, Gorffennaf 21, 1753, t. 62.

[16] Ibid., llythyr XX, at William, o Walton, Ebrill 30, 1753, t. 52.

[17] *ML* I, llythyr CLIV, William at Richard, o Gaergybi, 'yr Hen Nos Galan Mai', 1753, t. 229.

Goronwy at Fôn wedi dechrau claearu. Prociwyd ei hiraeth am ei fam-ynys wedi i'r Morrisiaid ddod i gysylltiad ag ef yn Donnington, ond wedi i'r berthynas rhwng y curad tlawd a'r tri brawd gael ei sefydlu, a cholli'i newydd-deb, pylodd yr hiraeth i raddau, a dim ond hiraeth ar yr wyneb, yn hytrach nag yn ddwfn yn y galon, oedd hwnnw yn y lle cyntaf.

Oedd, 'roedd gwreiddiau ganddo ym Môn, a byddai clywed y Gymraeg yn feunyddiol yn gaffaeliad mawr o safbwynt ei blant. Hynny oedd y prif atyniad iddo bellach o safbwynt dychwelyd i'r ynys. Enghraifft o'i agwedd ryfedd a chymhleth at Fôn yw'r hanesyn a adroddodd wrth William yn ei lythyr cyntaf o Walton:[18]

> Mi a welais heddyw yn Liverpool yma rai llongwyr o Gymru, ïe, o Gybi, y rhai a adwaenwn gynt, er nas adwaenent hwy monof fi, ac nas tynnais gydnabyddiaeth yn y byd arnynt, amgen na dywedyd mai Cymro oeddwn o Groesoswallt (lle nas adwaenent hwy) ...

Pam na fynnai Goronwy ddweud pwy ydoedd? Balchder, yn un peth, efallai. 'Roedd yn adnabod y llongwyr hyn, a byddent hwythau yn gwybod amdano, am ei gefndir a'i addysg. Ni fynnai Goronwy iddyn nhw ddeall nad oedd yn ddim byd ond curad llwm ei wisg a thlawd ei fyd. Balchder, a chywilydd, a'i cadwodd rhag tynnu cydnabyddiaeth â'r 'dynion na'm hadwaenynt' hyn. 'Roedd y llongwyr hyn yn dwyn atgof poenus iddo am ei fagwraeth anfonheddig a thlodaidd.

Mae'n debyg fod proffwydoliaeth Marged Morris wedi rhoi nod i Goronwy yn ifanc yn ei fywyd. Hynny, yn rhannol, sydd y tu ôl i'w gymhlethdodau ynghylch dychwelyd i Fôn. 'Roedd Richard Morris hefyd wedi darogan yn gellweirus y dyrchefid Goronwy yn Esgob Bangor un dydd, ond gwyddai'r bardd mai Sais yn unig a gâi'r fraint honno, ac nad oedd modd 'weled byth Gymro uwch bawd na sawdl mewn unrhyw ragorbarch gwledig nag Eglwysig'.[19] 'Roedd wedi dysgu trwy brofiad chwerw mai ffafriaeth ac euro llaw, dylanwad a statws cymdeithasol, yn hytrach na gallu neu ymroddiad, a sicrhai swyddi breision yn yr Eglwys. Byddai'n rhaid iddo gael o leiaf reithoriaeth neu ficeriaeth cyn y byddai hyd yn oed yn ystyried dychwelyd i'r ynys.

Erbyn mis Gorffennaf 'roedd Goronwy wedi ymgartrefu yn y tŷ yn y fynwent. Hoffai ei le, ac 'roedd popeth yn dod i drefn gan bwyll. 'Roedd y teulu 'gyda myfi, ac ar ddarparu byw'n ddigon tacclus'.[20] Bu Brooke yn garedig iawn wrtho. Yn ystod ei drimis cyntaf yn Walton, rhoddodd y ficer 'Dim llai na chwech o gadeiriau tacclus, ac un *easy chair* i'w groesawu ef ei hun pan ddel i'm hymweled [ac] ynghylch ugain o bictuwrau mewn frames duon'.[21] Er bod Goronwy yn dechrau cael ei draed dano, 'roedd y newid byd wedi

---

[18] *LGO*, llythyr XX, at William, o Walton, Ebrill 30, 1753, t. 51.

[19] Ibid., llythyr XXV, at Richard, o Walton, Awst 10, 1753, t. 65.

[20] Ibid., llythyr XXIV, at William, o Walton, Gorffennaf 21, 1753, t. 62.

[21] Ibid., llythyr XXVI, at William, o Walton, Awst 12, 1753, t. 71.

tarfu ar ei awen. Ni lwyddodd i greu dim byd newydd yn ystod ei chwe mis cyntaf a rhagor yn Walton. 'Ni fedrais unwaith ystwytho at Gywydd nag Englyn er pan ddaethum i'r fangre yma,' meddai wrth William bron i drimis ar ôl cyrraedd Walton.[22] 'Roedd sawl rheswm am y mudandod awen hwn. Un rheswm amlwg oedd y ffaith ei fod yn gorfod ymsefydlu mewn swydd newydd, a lle newydd, a'r ffwdan a gâi wrth geisio hel dodrefn ynghyd a chreu cartref drachefn. 'Roedd rhesymau eraill yn ogystal. Yn Donnington, cynhyrfwyd ei awen i'r byw, yn un dylif o ysbrydoliaeth. Yn Walton, rhaid oedd sefyll yn ôl, pwyllo, myfyrio, ailfeddwl; peidio â barddoni'n fyrbwyll yn ôl cymhelliad yr eiliad. Ysbrydoliaeth yn Donnington; ystyriaeth yn Walton; ymollwng diatal yn Donnington, ail-grynhoi ei egnïon yn Walton; bwrlwm yn y naill le, hirlwm yn y llall, ond hirlwm hunan-ddewisedig, hunan-ddisgybledig ydoedd.

Rheswm arall am y tawedogrwydd hwn, ar ôl mân-drafferthion y symud a'r ailsefydlu, oedd y ffaith i William Wynne ac Evan Evans feirniadu Goronwy am or-ddefnyddio cynganeddion Llusg a Sain yn ei gywyddau. Drwy Lewis y cafodd wybod hyn. Ysigwyd y bardd i'r byw. 'Roedd ei awen wedi cael ei haileni, ond eisoes 'roedd rhai yn canfod gwendidau yn y plentyn. Bwriodd ati i'w amddiffyn ei hun yn erbyn cyhuddiadau'r ddau. Gwadodd y cyhuddiad, gan nodi fod digon o amrywiaeth cynganeddion yn ei gywyddau, yn enwedig Cywydd y Calan. Ond, meddai, hyd yn oed os oedd beirniadaeth y ddau fardd yn un ddilys, a oedd y diffyg cydbwysedd cynganeddol hwn yn wendid? Pwysodd ar ei ddysg i gryfhau ei ddadl. 'In every Latin Heroic or Hexameter verse there are *four* feet, that may be either Spondees or Dactyls, or some of both indifferently, at the pleasure of the Poet,' meddai, 'but all the *Critics* on *Virgil*, that ever I saw, never enquired, whether he was more inclinable to one or the other, so that he excluded neither'.[23] 'Roedd Goronwy yn llawer mwy cyfarwydd â mydryddiaeth Ladin na Cherdd Dafod y Cymry. Iddo ef, y mater, nid y modd, y mynegiant, craidd a chalon y gerdd, ac nid yr allanolion, oedd yn bwysig. Pa ots pa gynganeddion a ddefnyddid? 'I flatter myself, that I am Master of a fluency of words, and purity of diction,' meddai, a dyna oedd yn bwysig iddo.[24]

Er iddo geisio dal ei dir, gwyddai am ei ddiffygion yn rhy dda. 'Roedd yn ddigon bodlon cyfaddef y gallai fod elfen o wirionedd yng nghyhuddiadau Evan Evans a William Wynne. 'Roedd gan y ddau fantais arno. Yn wahanol i'r ddau ysgolhaig, ni feddai ar ddim llyfrau na llawysgrifau y gallai ymgynghori â nhw. Lloffa am wybodaeth yma a thraw a wnâi Goronwy, casglu ychydig friwsionach o ddysg wedi i'r rheini syrthio i'r llawr oddi ar fyrddau moethus a gorlawn y dysgedigion. 'Whilst others have had their several learned Grammarians, their *Daviesses*, their *Middletons*, their *Gambolds*,' meddai, 'to consult, I had no other Guide, but Nature uncultivated; no Critic but my own ear; no rule or scale, but my own fingers ends'.[25] Maentumiai y byddai William Wynne yn llai parod i fwrw'i

---

[22] Ibid., llythyr XXIV, at William, o Walton, Gorffennaf 21, 1753, t. 63.

[23] Ibid., llythyr XXIII, at Lewis, o Walton, Gorffennaf 9, 1753, t. 60.

[24] Ibid., t. 61.

[25] Ibid.

lach arno pe gwyddai am yr anawsterau a gawsai drwy'i fywyd i gynnull peth dysg ynghyd. Cydnabu ei ddyled i Lewis Morris, ond er i Lewis ehangu gorwelion mydryddol y bardd, nid digon hynny. Parhai i fod, oherwydd y pellter mawr rhyngddo a Lewis, yn 'uninformed, unsatisfied, as to many of the most material points and most essential properties of our Poetry'.[26] Penderfynodd Goronwy rewi ffrwd ei awen am ysbaid, rhag ofn mai'r ddau gyhuddwr oedd yn iawn. Ni allai o ddifri wrthbrofi eu haeriadau hyd nes y câi gopïau o'i gywyddau i'w harchwilio a llyfrau i'w hastudio. 'Roedd yn 'resolv'd to write no more till I am better assur'd of the truth of their criticism, and better guarded from a slip for the future'.[27] 'Roedd beirniadaeth y ddau wedi ei frifo, yn sicr. Cofiai am y feirniadaeth ymhen rhai misoedd, ar ôl iddo ddechrau canu drachefn. 'Chwi ellwch weled na bydd mo'r lle i'r Gwynn nag i'r Hir i achwyn bod gormod o *Lusg* a *Sain* yn hwn,' meddai wrth anfon ei awdl i Gymdeithas y Cymmrodorion at Richard.[28] Mae'n rhaid sylweddoli nad ymateb gŵr hunan-falch a bregus o groendenau mo'r ymateb i gollfarn y ddau. 'Roedd eu beirniadaeth yn ei atgoffa'n boenus am ei ddiffyg cefndir a'i brinder llyfrau. Beirniadaeth fechan iawn oedd beirniadaeth Ieuan Brydydd Hir a William Wynne, mewn gwirionedd, ond 'roedd y feirniadaeth honno yn brathu i'r byw am ei bod yn atgoffa Goronwy am ei gefndir llwm. Os oedd yn ddiffygiol ei ddysg, ei anallu i'w gynnal ei hun yn Rhydychen, oherwydd tlodi ei rieni ac yntau, oedd yn gyfrifol am y diffyg; a'r union dlodi hwnnw a oedd wedi gwarafun iddo swydd a oedd yn gyfwerth â'i allu drwy'r blynyddoedd. 'Roedd nodwydd fechan beirniadaeth y ddau yn anferth o gleddyf miniog yng ngolwg Goronwy, ac 'roedd llafn y cleddyf hwnnw wedi agor clwyf dwfn â'i waniad ysgafn.

Anfonodd William, rywbryd yn ystod mis cyntaf Goronwy yn Walton, rannau o Gorhoffedd Gwalchmai, un o brif feirdd Cyfnod y Tywysogion, ato. Agorodd byd newydd o'i flaen, ond 'roedd y profiad o ddarllen y Gorhoffedd yn un rhwystredig yn ogystal â goleuedig iddo. Sylweddolodd cyn lleied o adnoddau barddonol ac ieithyddol a feddai. Ceisiodd ddatrys awen galed Gwalchmai heb gymorth geiriaduron. 'As I have neither Dictionary nor any other help by me at present, I can't pretend to understand one half of what you sent me,' meddai wrth William, ond er hynny, deallai ddigon 'to think it has no beauties, and too little, to be able to point 'em all out'.[29] 'Doedd llyfrau Goronwy ddim wedi cyrraedd o Donnington eto, ac un llyfr yn unig, *Gweledigaethau'r Bardd Cwsg*, Ellis Wynne, oedd ganddo ar y pryd. 'Roedd y copi o Ramadeg Siôn Dafydd Rhys, rhodd Thomas Ellis, hefyd ar gyfeiliorn yn Swydd Amwythig yn rhywle, wedi'i anfon yno ar ôl i Goronwy ymadael â Donnington, ac awchai am ei gael.

---

[26] Ibid.
[27] Ibid., llythyr XXIV, at William, o Walton, Gorffennaf 21, 1753, t. 64.
[28] Ibid., llythyr XXXI, at Richard, o Walton, Ionawr 2, 1754, t. 88.
[29] Ibid., llythyr XXII, at William, o Walton, Gorffennaf 2, 1753, t. 53.

Cydiodd haint yr ysgolhaig ynddo drachefn. Dechreuodd fyfyrio ar farddoniaeth Gwalchmai. Bwriodd iddi i ddehongli'r gerdd o'i ben a'i bastwn ei hun. Mae ei ddarlleniad a'i aralleiriad o rannau o'r Gorhoffedd yn profi fod greddf yr ysgolhaig a'r ieithydd yn gryf ynddo. Gan ddibynnu ar ei wybodaeth o'r Gymraeg a Lladin, a heb gymorth geiriaduron, esboniodd ystyr llawer o eiriau'r gerdd i William, ac aralleiriodd rannau ohoni. Er na thrawodd yr hoelen ar ei phen bob tro, 'roedd yn bur agos ati, cryn orchest ar ei ran o sylweddoli nad oedd ganddo yr un geiriadur wrth ei benelin, a bod y testun, fel y sylweddolai Goronwy ei hun, yn llwgr mewn mannau.[30] 'Roedd Goronwy, mae'n amlwg, wedi darllen gwaith Gwalchmai o'r blaen, yn ystod ei gyfnod yn Llŷn, mwy na thebyg, oherwydd dywed wrth William mai 'Digrif iawn oedd cael ail-afael yn yr hen gydymaith diofal'.[31] Er hynny, parodd ailddarllen Gorhoffedd Gwalchmai iddo sylweddoli sawl peth pwysig. Canfu fod mesurau eraill yn bodoli heblaw'r mesurau traddodiadol; sylweddolodd hefyd fod angen geiriaduron, a dysg, i wir werthfawrogi canu'r gorffennol; a sylweddolodd fod angen geirfa eang ar fardd a fwriadai lunio arwrgerdd fawr.

---

[30] Aralleiriwyd y rhan ganlynol o'r Gorhoffedd gan Goronwy:

> Gorwyliais nosau yn achadw ffin
> Gorloes rydiau dyfr Dygen Freiddin.
> Gorlas gwellt didryf, dwfr neud iesin,
> Gorddyar eaws awdl gynefin.
> Gwylain yn gware ar wely lliant,
> Lleithrion eu pluawr pleidiau edrin.

Hwn oedd aralleiriad Goronwy (Ibid., t. 54):

> Bum yn effro trwy'r nos yn cadw (y) terfyn
> (Wrth) rhydau wedi eu harloesi, dwr a dynn y cenn (the covering)
>   oddiar wreiddyn;
> Glas (yw) gwellt (y) lle anghyfannedd, diau mai hyfryd y dwr,
> Trydar eos (sydd) ganniad gynnefin,
> Gwylanod yn chware ar wely o lifeiriant
> Lleithion eu plu, pleidiau hydrin, i.e. ciwed ymladdgar, or, hawdd
>   eu trin. q. which of the two?

Cf. yr aralleiriad a geir yn *Gwaith Meilyr Brydydd a'i Ddisgynyddion*, Gol. J. E. Caerwyn Williams, gyda chymorth Peredur Lynch, Cyfres Beirdd y Tywysogion, cyf. I, 1994, t. 207:

> Gwyliais nosau yn gwarchod ffin
> Byrlymog rydiau dyfroedd Dygen Freiddin.
> Gwyrdd iawn yw['r] glaswellt di-sathr, disglair yw['r] dwr,
> Uchel iawn [ei llais] yw['r] eos gynefin [ei] chân.
> Gwylanod yn chwarae ar wely [o] fôr,
> Disglair eu plu yw['r] heidiau trystfawr.

[31] *LGO*, llythyr XXII, at William, o Walton, Mehefin 2, 1753, t. 53.

Ni allai feddwl am ymosod ar y fath dasg hyd nes y câi ragor o lyfrau. Pan gâi afael ar ei lyfrau drachefn, 'I fully intend to aim at something out of the common road, and try whether our Language will bear an Heroic Poem,' meddai wrth Lewis.[32] 'Roedd yr hen uchelgais wedi dychwelyd i'w gorddi drachefn. Dyma oedd y prif reswm am yr ymatal rhag barddoni. Rhaid oedd iddo gadw'i ynni ar gyfer gwaith a fyddai'n trethu ei holl adnoddau corfforol a meddyliol. 'Another reason that suspends my muse,' meddai wrth William, ar ôl cyfeirio at gyhuddiadau William Wynne ac Evan Evans, 'is, that I intend ... to try whether our language will bear a Heroic Poem, and so am loath to exhaust any good subject or jade my muse before I undertake it'.[33]

'Roedd un digwyddiad arall yn ystod mis cyntaf Goronwy yn Walton wedi rhoi nod ychwanegol yn ei fywyd, ar ben ei uchelgais i lunio arwrgerdd. Gwahoddodd Richard ef i fod yn aelod gohebol o Gymdeithas y Cymmrodorion, a oedd yn prysur gynyddu erbyn hyn, wrth iddi nesáu at ei dwyflwydd oed. Gwerthfawrogai Goronwy y fraint, ond teimlai mai braint anhaeddiannol ydoedd. Ni fynnai fod yn aelod segur o'r Gymdeithas. Heb addo dim yn bendant, gobeithiai y gallai gynorthwyo Richard yn ei nod clodwiw, sef ailorseddu'r Gymraeg a rhoi bri drachefn ar ei thraddodiadau a'i hynafiaethau. 'I conceive some hopes of the possibility of retrieving the antient splendour of our Language,' meddai wrth Lywydd y Gymdeithas, 'which can't possibly be better done than by the methods pointed out by your Society, viz., laying open its worth and beauty to Strangers, and publishing something in it that is curious, and will bear perusing in succeeding ages'.[34] Os gallai Goronwy wneud unrhyw gyfraniad i'r Gymdeithas, fel bardd ac fel ieithydd y gwnâi hynny. Sylweddolodd, wrth ddarllen Gorhoffedd Gwalchmai, fod cyflwr ieith-yddiaeth yng Nghymru yn drychinebus o isel.

Beiodd ddifrawder ei gyd-wladwyr, unwaith yn rhagor, am gyflwr yr iaith. Esgeuluswyd y Gymraeg yn llwyr gan ysgolheigion yn y gorffennol, nes ei bod yn gwbl ddiymgeledd. Rhoddodd enghraifft o anwybodaeth a rhagfarn y Cymry ynghylch eu hiaith eu hunain i Richard. Rywbryd yn nechrau Awst 1753, gwahoddodd Goronwy glerigwr o blwyf cyfagos am brynhawn o yfed, yn ôl yr arferiad ar y pryd yn Lloegr, i'w dŷ, a gofynnodd iddo ddod â churad o blwyf cyffiniol gydag ef, 'for I was desirous of creating and cultivating an acquaintance with him, as he was a Welshman and a man of a very good character for learning and morals,' meddai.[35] Y gŵr hwn oedd Edward Owen (1728–1807), ysgolhaig Lladin ifanc a disglair ar y pryd, a brodor o Langurig, Sir

---

[32] Ibid., llythyr XXIII, at Lewis, o Walton, Gorffennaf 9, 1753, t. 61.

[33] Ibid., llythyr XXIV, at William, o Walton, Gorffennaf 21, 1753, t. 64.

[34] Ibid., llythyr XXV, at Richard, o Walton, Awst 10, 1753, t. 66.

[35] Ibid., t. 67.

Drefaldwyn, gŵr arall sy'n taro'i big i mewn i stori Goronwy yn achlysurol.[36] Dyma'r gŵr y bu John Williams, Llanrwst, yn gohebu ag ef o 1789 hyd at 1806, wrth iddo ymholi am Goronwy a chasglu ei weithiau ynghyd.

Ymunodd Brooke â'r cwmni o dri yn nhŷ Goronwy, a daeth â rwm gydag ef i wlychu'r ymgomio. Siom, fodd bynnag, a gafodd Goronwy yn ei gyd-wladwr:[37]

> When we were set, the pleasure I express'd in seeing a countryman at this first interview, turn'd the topic of discourse upon Wales and the Welsh Tongue. Mr. Owen, (like an honest Welshman) readily own'd, he was a Native of Montgomeryshire, (which pleas'd me well enough,) but being ask'd by my Patron (who tho' an English-man, has a few Welsh words which he is fond of) whether he could speak or read Welsh, I found the young urchin was shy to own either, tho' I was afterward, that same day, convinc'd of the contrary. Then, when they alledg'd it was a dying Language not worth cultivating, &c., which I stiffly deny'd, the wicked Imp, with an Air of com-placency and satisfaction said, "there was nothing in it worth reading," and that to his certain knowledge the English daily got ground of it, and he doubted not but in a 100 years it would be quite lost.

Chwerthin am ben y fath agwedd ddirmygus ac anwybodus a wnaeth Goronwy. 'I have a queer turn of mind that disposes me to laugh heartily at an absurdity, and to despise ignorance and conceitedness,' meddai wrth Richard.[38] 'He showed me several of his com-positions,' meddai Edward Owen wrth John Williams, 'which discovered genius, and a very uncommon taste for and knowledge in Celtic antiquities,' gan gofio, efallai, am y prynhawn hwnnw o ymgomio yn nhŷ Goronwy.[39]

Ni fynnai Goronwy i Gymry llugoer fel Edward Owen dynnu Richard oddi ar ei ddewis lwybr. Bwriadai roi pob cymorth iddo yn ei frwydr i sicrhau ffyniant a pharhad

---

[36] Trydydd mab David a Frances Owen o Gefn-hafodau, Llangurig oedd Edward Owen. Fe'i bedyddiwyd ar Fedi 29, 1728. Ymaelododd yng Ngholeg Iesu, Rhydychen, ar Fawrth 22, 1745/6. Graddiodd yn B.A. ar Ragfyr 1, 1749, ac yn M.A. ar Fehefin 1, 1752. Penodwyd ef yn brifathro Ysgol Ramadeg Warrington ar Fehefin 4, 1757, yn beriglor Capel Sankey yn Warrington ym 1763, ac yn rheithor Warrington ym 1767. Bu Edward Owen yn ddiwyd iawn ym mywyd cymdeithasol a llenyddol Warrington, a bu'n llywydd Llyfrgell Warrington ar ôl ei sefydlu ym 1760. Curad Crosby yn ymyl Lerpwl oedd Edward Owen pan gyfarfu Goronwy ag ef gyntaf.

Cyhoeddodd Edward Owen *Satires of Juvenal and Persius, translated into English Verse* ym 1785, a hefyd *A New Latin Accidence, or a Complete Introduction to ... Latin Grammar* ym 1770. Dywedodd un o'i ddisgyblion, Gilbert Wakefield, amdano ei fod 'a man of most elegant learning, unimpeachable veracity, and peculiar benevolence of heart (*Memoirs*, 1792, t. 161), er i Thomas Seddons ei ddychanu yn *Characteristic Strictures*, 1779.

[37] *LGO*, llythyr XXV, at Richard, o Walton, Awst 10, 1753, t. 67.

[38] Ibid.

[39] 'Letters from the Rev. Edward Owen to the Rev. John Williams, Llanrwst', *THSC*, 1922–1923 (cyfrol atodol), 1924, t. 55; llythyr ar Dachwedd 15, 1789. Yn yr un llythyr, dywedodd Edward Owen, gan ategu stori Goronwy amdano: 'I intend to apply to my Welsh Dictionary, as soon as I have leisure, in order to make out the piece [llythyr Goronwy at Gymdeithas y Cymmrodorion, Tachwedd 2, 1757] you inclosed, for at present I am ashamed to own (tell it not near Snowdon, tell it not near Plinlimmon, the country which gave me birth) that I can scarce make out a sentence'.

i'r iaith. Awgrymodd William, wedi iddo ef a Thomas Ellis fethu cyhoeddi Cywydd y Farn, y gallai Richard wneud hynny yn enw'r Cymmrodorion, gan argraffu Cywydd Bonedd a Chyneddfau'r Awen ar yr un pryd; ond, meddai, gan obeithio gwella cyflwr materol y bardd, 'beth a fyddai'r dynan truan gwell er hynny? oni bai roddi o honoch hyn a hyn o gantoedd iddo i wneuthur ceiniawg o naddant'.[40] Gofynnodd William i Goronwy ddarparu nodiadau ac esboniadau ar Gywydd y Farn, ond ni allai finio'i feddwl at y gwaith o gwbl, nid yn unig am nad oedd ganddo eiriaduron wrth law ond hefyd am nad oedd yn weddus i'r awdur ei hun amlygu unrhyw rinweddau a berthynai i'r gwaith, na thynnu sylw at unrhyw wendidau ychwaith, gan fod digon o rai eraill a wnâi hynny yn ddigon eiddgar, Ieuan Fardd ac William Wynne yn anad neb.

Er ei fod yn hiraethu am ei lyfrau, 'roedd bywyd yn fêl ac yn falm yn Walton. Ni allai Goronwy ganmol digon ar Thomas Brooke. Dotiai'r ficer at blentyn hynaf y bardd. 'My Bob is a very great favourite of his, and greatly admired for being such a dapper little fellow in breeches,' meddai wrth William.[41] 'The Vicar can never see him without smiling, and said one day, that if himself could be cut as they do corks, he would make at least a gross of *Bobs*'.[42] Yn ogystal â chyflwyno rhoddion i'r bardd ei hun, rhoddodd Brooke wasgod sidan o'i eiddo i Elin lunio siwt fechan i Robin â'r defnydd. Pan âi i ymweld â chyfeillion, mynnai Brooke gael ei gurad yn gydymaith iddo, a gwnâi'n siŵr fod ceffyl ar gael i Goronwy ar gyfer y teithiau hynny. Noddwr bonheddig a hael oedd Thomas Brooke. Os oedd Goronwy yn waglaw dan Douglas, nid oedd iddo brinder dan Brooke. Diolchai i'r drefn ei fod wedi dianc o balfau ei gyn-feistr. 'Duw a'i cynhalio ac a gadwo imi fy mhatron Brooke,' ochneidiodd mewn rhyddhad, yn enwedig ar ôl iddo glywed, wedi ymadael â Donnington, fod Douglas, wrth chwilio am gurad newydd, wedi codi'r cyflog i £30, a rhoi'r tŷ a'r ardd am ddim i bwy bynnag a fyddai yn olynu Goronwy yn y swydd.[43]

Er bod ganddo lawer mwy o waith ar ei ddwylo yn Walton nag yn Donnington ac Uppington, ni chwynai am ei fyd. Rhan o'i lwyddiant a'i helaethrwydd newydd oedd y trymlwyth gwaith. 'Roedd yr ysgol yn ffynnu, gyda rhwng 60 a 70 o ddisgyblion ynddi. Câi'r athro swllt yn ei boced am bob un disgybl. Rhieni'r plant, hefyd, a fyddai'n talu am lo i'r ysgol, a rhagwelai Goronwy, gyda'i aeaf cyntaf yn Walton ar y gorwel, y byddai'n gynnes yn ystod yr hirlwm a oedd i ddod. Cymeradwyodd yr ysgol i William, a gofynnodd iddo roi'r si ar led ym Môn fod addysg dda i'w chael ynddi am delerau cymedrol, er mwyn ceisio annog disgyblion newydd.

O'i gymharu â Donnington ac Uppington, 'roedd lleoliad ei guradiaeth newydd yn hynod fanteisiol iddo hefyd, yn ddiwylliannol ac yn faterol. Oherwydd y cysylltiad

[40] *ML* I, llythyr CLIV, William at Richard, o Gaergybi, 'yr Hen Nos Galan Mai', 1753, t. 230.

[41] *LGO*, llythyr XXVI, at William, o Walton, Awst 12, 1753, t. 71.

[42] Ibid.

[43] Ibid., t. 72.

masnachol a morwriaethol agos rhwng Lerpwl a Chymru, a rhwng y dref a Môn yn arbennig, gallai Goronwy gael nwyddau o'r ynys am bris rhatach na'r hyn a godid yn Lerpwl. Cwynai fod Lerpwl yn lle drud, ond gallai agosrwydd daearyddol Môn fod o fudd iddo. 'Gadewch [wybod] ... pa'r amser o'r flwyddyn y bydd y cig moch a'r ymenyn rattaf ym Môn,' gofynnodd i William.[44] Anfonodd William, ar y cyd â Thomas Ellis, efallai, 'alwyn o ymenyn' ato ym mis Medi 1753, 'rhodd gymeradwy iawn,' chwedl y bardd.[45] Gallai gael llyfrau a llawysgrifau yn rhwydd oddi yno yn ogystal, pe bai William a chyfeillion eraill yn ddigon bodlon eu gollwng i'w ddwylo eiddgar. Yn wir, 'roedd un o lyfrau William, sef Geiriadur Siôn Rhydderch (neu John Roderick), *The English and Welch Dictionary*, 1725, wedi dod i ddwylo Goronwy drwy ŵr bonheddig o Babydd o'r enw Tom Brownbil, a adwaenai William. Gadawyd y llyfr yn nhŷ mam Tom Brownbil yn Lerpwl gan Fortunatus Wright, y Sais o fôr-heliwr lliwgar y ceir cymaint o sôn amdano yn llythyrau'r Morrisiaid.[46]

'Roedd mantais arall hefyd. Preswyliai llawer o Gymry yn nhref Lerpwl a'i chyffiniau. Lle Seisnig, diarffordd oedd Donnington. Amddifadwyd Goronwy o gwmnïaeth a chyfeillach Cymry yno, yn wahanol i Groesoswallt, lle'r oedd digon o Gymry Cymraeg yn byw, ac yn ymweld â'r dref, ac Owen ei frawd yn un o'r rheini. Yn Donnington yr hiraethodd fwyaf am Fôn, neu, i fod yn gywirach, yno yr hiraethai am gwmnïaeth a chymdeithas Gymreig. Yn Lerpwl câi glywed y Gymraeg o'i gwmpas unwaith yn rhagor, Cymraeg Môn yn enwedig. Gwelodd y llongwyr hynny o Gaergybi yn fuan iawn ar ôl cyrraedd Walton. 'Roedd cysylltiad agos â Lerpwl gan berthynas i'r Morrisiaid, Owen Prichard (c. 1687–1765), yr 'Aldramon', a bu Goronwy yn ei gwmni sawl tro yn ystod ei gyfnod yn Walton. Dyma'r gŵr, wrth gwrs, y bu William yn was iddo yn ystod ei gyfnod yn Lerpwl. 'Roedd cysylltiad agos rhwng Owen Prichard a Fortunatus Wright, gan i Owen Prichard briodi mam weddw'r môr-herwr, Philipia Wright, a fu'n briod am y tro

---

[44] Ibid., t. 73.

[45] Ibid., llythyr XXVIII, at William, o Walton, Medi 5, 1753, t. 78.

[46] Priododd Fortunatus Wright (1712–1757) ferch William Bulkeley (1691–1760), Bryn-ddu, Môn, y sgwier a'r dyddiadurwr toreithiog, ac aelod o deulu cefnog a dylanwadol Bwcleaid Baron Hill, ger Biwmares. Bu'r briodas rhwng Mary Bulkeley a Fortunatus Wright, sef ail briodas Fortunatus, yn achos llawer o bryder i William Bulkeley. Adroddir yr hanes yn *Mr. Bulkeley and the Pirate*, B. Dew Roberts, 1936. Disgrifir Fortunatus Wright fel 'a Brewer and Distiller in Liverpool and possessed of an estate of £120' gan William Bulkeley yn ei ddyddiadur am Fawrth 17, 1738 (*Social Life in Mid-Eighteenth Century Anglesey*, t. 51). Priododd Mary Bwcle yr anturiaethwr, er nad oedd ei thad yn cymeradwyo'r uniad. Pan fu farw Fortunatus ym 1757, gadawyd Mary a'i phlant ar y clwt yn Yr Eidal, lle bu hi a Fortunatus yn byw oddi ar 1748. Dychwelodd Mary i Fryn-ddu ar ôl i'w gŵr farw i blagio ac i boenydio ei thad drachefn. 'Ni wn i a'i byw ein hen gyfaill cywir y Mr. Bwcla o'r Brynddu, os e, nid oes ond ei fod, ac heb obaith o'i wellaad yr ydys er's dyddiau,' meddai William wrth Lewis, gan ychwanegu: 'Mae ei ferch, yr hon a dybir a dorrodd ei galon, a'i bum wyres yno' (*ML* II, llythyr CCCCLXXXIII, o Gaergybi, Hydref 26, 1760, t. 262). Gw. hefyd *Religion and Politics in Mid-Eighteenth Century Anglesey*, tt. 15, 65, 131-133, 138, a hefyd *The Liverpool Privateers, with an account of the Liverpool Slave Trade*, Gomer Williams, 1897. Bu Mary yn diota'n bur drwm byth oddi ar iddi ddychwelyd i gartref ei thad. Priododd Robin, mab William Morris, un o ferched Mary a Fortunatus.

cyntaf â'r Capten John Wright. 'Roedd Owen Prichard wedi lled-ymddeol erbyn i'r bardd
gyrraedd Walton, a rhannai ei amser rhwng Lerpwl a Môn ar y pryd, ar ôl i'w wraig farw
ym 1752.[47] Erbyn mis Awst, 1753, fodd bynnag, 'roedd wedi ailgartrefu yn Lerpwl,
oherwydd, yn ôl William, 'yn Nerpwl y mae yr Aldremon ai wraig; mae wedi cymryd
rhan o dy, debygwn, i dreio par sut y digymydd hi ar fan'.[48] Ail wraig Owen Prichard
oedd hon, a gweddw arall. Cyn pen ei drimis cyntaf yno, 'roedd Goronwy wedi bod yng
nghwmni Owen Prichard o leiaf deirgwaith. Masnachwr llwyddiannus yn Lerpwl oedd
Owen Prichard cyn ymddeol, a bu'n faer y dref ym 1744, ac yn un o'i bwrdeisiaid. Hanai
o deulu'r Figin, ym mhlwyf Llaneugrad ym Môn. 'Roedd Morris Owen o Fodafon y Glyn,
taid y Morrisiaid ar ochr eu mam, yn fab i Owen Williams o'r Figin, a galwai Owen
Prichard y tri brawd yn gefndryd iddo.[49]

'Amheuthyn mawr i mi y troiad yma ar fyd,'[50] meddai Goronwy yn ei ollyngdod.
'Roedd pethau yn dod i drefn unwaith eto, ac ar ben popeth, 'Mawl i Dduw,' meddai,
gyda gwarth ei garcharu yn Amwythig yn bigog o fyw yn ei gof, 'nid oes arnaf ffyrling o
ddled i neb, fel y bu o fewn ychydig o flynyddoedd'.[51] Gadael llonydd i'r bardd yn ei
gynefin newydd oedd y peth gorau i'w wneud, ond ni fynnai William mo hynny, na Lewis
'chwaith, er nad oedd fawr ddim y gallai ef ei wneud ar ran Goronwy ar y pryd. 'Had I
been a master of all these difficulties I could have got something for Gronow,' meddai
wrth William.[52] Ar ôl i'r Llys Barn yn Llundain ar Ebrill 4 ei ryddhau, arhosodd Lewis yn
Llundain hyd at Fedi, er mwyn ceisio datrys y sefyllfa gymhleth a pheryglus a oedd wedi
codi ynghylch Esgair-y-mwyn. Gobeithiai, yn un peth, ddwyn perswâd ar y Trysorlys i
sicrhau diogelwch llwyr iddo ef a'i gydweithwyr, yn enwedig ar ôl yr helynt ym mis
Chwefror. Gwyddai Lewis mai ar berygl ei einioes y dychwelai i Geredigion. Clywodd
fod un o asiantau'r Goron yn Esgair-y-mwyn, William Jones, wedi cael rhybudd gan ŵr
o'r enw Evan Lloyd 'not to go near Aberystwyth or in ye way of ye rioters, for that he and
other persons that he named are to be destroyd if they can be found in a convenient place
for that purpose'.[53] I'r diben hwn, gobeithiai Lewis y byddai'r Trysorlys yn trefnu y câi ef
a'i weithwyr yn Esgair-y-mwyn eu hamddiffyn rhag eu gwrthwynebwyr gan aelodau o'r
milisia, siryf a cheidwaid heddwch. 'Roedd Lewis wedi llwyddo i ennill cefnogaeth a

---

[47] 'Yn y Duwmares y mae'r Aldromon yn taring, wedi gwerthu ei holl fatterion yn Lerpwl ond ei stât; mae o yn
marsiandiaeth yd, etc., fal cynt, ag yn cadw gwin a chwrw i werth (wrth gofio) yn *Nerpwl*'. (*ML* I, llythyr CXLVII,
William at Richard, o Gaergybi, Chwefror 12, 1753, t. 221).

[48] Ibid., llythyr CLXIII, William at Richard, o Gaergybi, Awst 26, 1753, t. 243.

[49] 'Pwy ond O. P. a sgrifennodd attaf o Breston yr wythnos yma? ... eisiau cael gwybod par sut y mae Cousin Lewis a
Cousin Richard.' (*ML* II, llythyr CCCCLXXXIII, William at Lewis, o Gaergybi, Hydref 26, 1760, t. 262). Am ragor o
fanylion ynghylch Owen Prichard, gw. *Cofiant Wiliam Morris (1705–63)*, tt. 33–37.

[50] *LGO*, llythyr XXVI, at William, o Walton, Awst 12, 1753, t. 72.

[51] Ibid., llythyr XXII, at William, o Walton, Mehefin 2, 1753, t. 59.

[52] *ML* I, llythyr CLX, Lewis at William, o Lundain, Awst 14, 1753, t. 239.

[53] *ALMA* 1, llythyr 118, Lewis at Gwyn Vaughan, o Tavistock Court, Mai 4, 1753, t. 243.

chyfeillgarwch Henry Pelham (1696 – 1754), y Prif Weinidog ar y pryd (1743 – 1754), ond 'roedd yr elyniaeth rhyngddo a William Augustus (1721 – 1765), Dug Cumberland a thrydydd mab Siôr II, a'r gŵr a fu'n gyfrifol am fuddugoliaeth Culloden ym 1746, yn amharu ar ei gynlluniau:[54]

> Mae Duc Cumberland yn erbyn Pelam gymaint ag allo, mewn lecsiwn a phob peth, ag yn pallu gyrru milwyr i gadw mwyn Sir Aberteifi, felly mae'n debyg y bydd raid mynd at yr hen frenin yr hwn yw'r mwrthwl mawr a eill yrru'r hoel, ond na ddwedwch mo hyn i'r bobl a fydd yn carrio chwedlau; canys mae'r Duc yn dwedyd fod yn ffittiach i fab y brenin gael lease o'r Esgair Mwyn na mab Pelam, etc.

Er bod Pelham wedi ymgyfeillio ag ef, 'roedd Lewis yn amheus o'i gymhellion. 'Mr. Pelham is just come to town from Scarborough,' meddai, 'and is now at Greenwich, considering upon this affair how to do for the best, *iddo ei hun ai deulu, ag nid i neb arall'.*[55]

Nid yr helynt ynghylch Esgair-y-mwyn yn unig a rwystrai Lewis rhag cynorthwyo Goronwy. Ym mis Ebrill 1753, 'roedd Lewis wedi gadael i William wybod 'bod ei dylwyth yn afiachus gartref';[56] erbyn mis Gorffennaf, clywodd William fod y frech wen 'wedi ymaflyd yn ei deulu ieuanc',[57] a 'doedd dim y gallai Lewis ei wneud, ac yntau yn Llundain, i liniaru pryderon ei wraig. 'Cenawes ffyrnig ddigon cynrhwg a Gwilliaid Teifi, neu waeth pe bai bosibl,' meddai William am yr haint.[58] Hefyd, ar ben popeth, 'roedd cymhlethdod cyfreithiol arall wedi codi yn ystod yr un cyfnod, helynt ynghylch darn o dir ar ystâd Cwmbwa, Penrhyn-coch, a berthynai i'w wraig, ond a hawlid gan gymydog, gan nad oedd rhieni Anne Morris wedi gwneud ewyllys. 'Roedd achos ynghylch perchnogaeth y darn tir i'w gynnal ar y dydd cyntaf o Fedi, ond ni allai Lewis fod yn bresennol. 'Roedd yr holl ymgyfreithio hwn yn dechrau gadael ei ôl ar Anne Morris, a cheisiodd Lewis godi ei chalon. 'I beg of you, my dear, to keep up your courage, for I am strongly of opinion we shall conquer all our difficulties in time,' meddai wrthi.[59] Proffwydoliaeth wag oedd honno, fodd bynnag, oherwydd fe fwriwyd y teulu gan anffawd arall cyn diwedd y flwyddyn. Bu farw Jane, y ferch fach a aned i Lewis ac Anne ym 1753, ym mlwyddyn ei geni. Bu i Jane farw ar Hydref 23. 'Her mother is very disconsolate, being extream fond of her,' meddai'r tad wrth roi'r newyddion trist i William.[60]

---

[54] *ML* I, llythyr CLXII, Lewis at William, o Lundain, Awst 18, 1753, t. 241.

[55] Ibid., t. 240.

[56] Ibid., llythyr CLII, William at Richard, o Gaergybi, Ebrill 21, 1753, t. 226.

[57] Ibid., llythyr CLVII, William at Richard, o Gaergybi, Gorffennaf 16, 1753, t. 234.

[58] Ibid.

[59] Ibid., llythyr CLXI, Lewis at Anne Morris, o Lundain, Awst 14, 1753, t. 240.

[60] Ibid., llythyr CLXXII, Lewis at William, o Allt Fadog, Hydref 23 a 24, 1753, t. 257.

Ni dderbyniodd Goronwy yr un gair oddi wrth Lewis am o leiaf dri mis ar ôl derbyn y
ddau lythyr hynny oddi wrtho cyn dechrau mis Mehefin 'yn dywedyd ei fod wedi
gorchfygu ei elynion yn lew'.[61] 'Roedd gan Lewis ormod o bethau yn pwyso ar ei feddwl,
a gormod o ofidiau teuluol, yn ystod y trimis hyn o'r haf i hidio rhyw lawer am Goronwy
a'i deulu. Er hynny, hiraethai Goronwy am gael clywed oddi wrtho. 'Er mwyn dyn,'
meddai wrth William, 'gadewch wybod a ydyw Mr. L. Morris yngallt-Fadawg ai yn
Llundain, a gadewch ym wybod gynta' bo modd, oblegid fod arnaf ddialedd o eisiau
'sgrifennu ato'.[62] Newydd gyrraedd Gallt Fadog yr oedd Lewis pan holai Goronwy mor
daer yn ei gylch. Er i'r bardd benderfynu ymatal rhag barddoni o'i wirfodd yn ystod ei
fisoedd cychwynnol yn Walton, mae'r diffyg cyfathrebu hwn â'i athro barddol hefyd yn
rhannol gyfrifol am ei fudandod creadigol. Dim ond i Lewis glecian ei fysedd a byddai
cywydd newydd o eiddo Goronwy yn cyrraedd rhiniog ei ddrws.

Yn ystod y cyfnod hwn o dawedogrwydd, ac o anallu ar ran Lewis i wneud fawr ddim i
helpu'r bardd i gael lle yng Nghymru, William a geisiai wthio'r maen i'r wal. 'Roedd
Goronwy wedi hau digon o awgrymiadau yma a thraw, ac wedi mynegi'i amharodrwydd
i symud droeon, ond 'roedd cwynfan hiraethgar blaenorol y bardd yn adleisio o hyd yng
nghlustiau William. Iddo ef, 'roedd Môn a Goronwy yn llunio cynghanedd Lusg berffaith,
ond Walton a Goronwy yn creu cynghanedd Lusg afrwydd ac anfoddhaol. 'Roedd wedi
rhoi'i fryd ar gael rheithoriaeth Aberffraw, yn anad unman, i Goronwy, yn enwedig ar ôl
i Richard ofyn i Esgob Bangor ystyried rhoi'r swydd honno iddo. 'Dyma'r Aberffraw a
Rhoscolyn yn ddiberson ... Oh na chair truan un o'r ddau,' meddai wrth Richard.[63]
Rhestrodd yr holl leoedd gwag a darpar-swyddi a oedd ar gael ym Môn ddechrau Medi
mewn llythyr at Lewis a Richard, gan obeithio sbarduno'r ddau i helpu Goronwy:
'Daccw Ddeon Bangor wedi marw, a chwedi gadael ei renti, etc., ar ei ôl; Llanbeulan,
etc., ym Môn, Llanfair gerllaw'r Penmaenmawr. Ag mae'r gair farw or Siawnsler, ond
nid oes dim siccrwydd o hynny. Mae'r bobl ym Môn yn taeru fod rhai o honoch yn mynny
cael rhai o'r rhenti yma i Gronwy, yr Aberffraw maent yn ei roddi iddo, na atto Duw
chwedl amgen, meddaf innau'.[64] Yn wir, 'roedd William yn dechrau colli pob amynedd
gyda'i frodyr di-drefn. 'Aie pan eloch yn Gomisiwnwr y cynorthwywch eich ffrindiau?'
gofynnodd yn wawdlyd i Richard, gan ychwanegu, yr un mor gas, 'Arglwydd eb y
Gronw ... par bryd y bydd hynny?'[65]

Ni laesodd Lewis mo'i ddwylo yn llwyr yn yr ymgyrch i sefydlu Goronwy yng
Nghymru, er gwaethaf ei fyd gofidus ar y pryd. Digwyddai fod yn gyfeillgar iawn â
Henry Arthur Herbert (c. 1703–1772), pedwerydd Iarll Powis. Ymfalchïai ac ymffrostiai
Lewis yn y cyfeillgarwch hwn, yn naturiol, ac yntau mor hoff o ymrwbio yn y mawrion.

---

[61] *LGO*, llythyr XXII, at William, o Walton, Mehefin 2, 1753, t. 59.

[62] Ibid., llythyr XXVIII, at William, o Walton, Medi 5, 1753, t. 79.

[63] *ML* I, llythyr CLXIII, William at Richard, o Gaergybi, Awst 26, 1753, t. 244.

[64] Ibid., llythyr CLXVI, William at Lewis a Richard, o Gaergybi, Medi 3, 1753, t. 246.

[65] Ibid., llythyr CLXXI, William at Richard, o Gaergybi, Hydref 17, 1753, t. 253.

'Roedd Arglwydd Powis wedi mynegi diddordeb personol yng ngwaith Esgair-y-mwyn, ac wedi ceisio cael gan y Goron roi iddo les ar y gweithiau mwyn yno. 'Mi glywais y Tew yn son am Bowys, mai ffryndiau mawrion oeddynt, etc., a bod rhyw anferth *scheme* ganddynt ar droed,' meddai'r 'Brawd Gwil' wrth Richard.[66] Manteisiodd Lewis ar ei gyfeillgarwch â'r Iarll i'w gael i ddefnyddio'i ddylanwad yn yr ymgyrch i sicrhau bywoliaeth i Goronwy yng Nghymru. 'Mae Iarll Powys gwedi addo cymeryd Gronow yn ei fynwes,' meddai wrth William, 'and I hope to see him a bishop'.[67] 'Roedd William wrth ei fodd. 'Mae gennyf bot a chaccen ir Bowys am ei ostyngeiddrwydd ai garriad tuag at Oronwy,' meddai yn ei orfoledd.[68] Yn anffodus, yn ôl Lewis, 'roedd Richard annoeth wedi mynnu busnesa yn y trefniant hwn:[69]

> At the same time that the Earl was my *supplicant*, (h.y., yn crefu gennif *rywbeth*), my brother Dick took it in his head, upon news of Tom Owen's death, to petition him for Gronow, without ye least acquaintance with the Earl, imagining, I suppose, that as I had private visits from his Lordship he would refuse me nothing. The petition was indiscreet, for it was not well timed, and besides I knew he had promisd Mr. Bodvel all in that district that he could come at. However, the Earl was so complaisant as to send a servant with a letter in answer to my brother, that if he and I would desire it, or if it was our pleasure, he would take Gronwy into his hands; and a few days ago I had a letter from ye *Iarll* about business, where he renews the same offer.

Ni wyddai Richard sut i drin y mawrion, yn ôl Lewis, ac ni chroesawodd yr ymyrryd hwn ar ei ran. Daeth ei holl snobeiddiwch i'r wyneb, unwaith yn rhagor. 'Mae'r brawd yn meddwl mai fal pobl fychain yw pobl fawr, nage, nage,' meddai wrth William yng nghefn y brawd arall, gan ychwanegu: 'They have their times and seasons, and like ye old oracles have their particular priests, who they will answer and none other'.[70]

Cymhlethwyd pethau ymhellach gan un arall o'r 'bobl fawr'. 'Roedd William Vaughan wedi penderfynu rhoi ei fys ym mrwes Goronwy, ar ôl i Lewis roi'r ddysgl o'i flaen. Aeth i Walton i weld y bardd yn bersonol ddiwedd Awst. Un o'r rhai a obeithiai gael rheithoriaeth Aberffraw oedd Andrew Edwards, pennaeth Goronwy yn Ysgol Pwllheli gynt, 'sef yn awr Person Llangefni ... oedd arno ddialedd o eisiau y lle, yn lle Llangefni'.[71] Gofynnodd brawd-yng-nghyfraith Andrew Edwards, Richard Edwards, swyddog uchel yn Llys y Siawnsri, am y swydd i Andrew Edwards, ond gwrthodwyd ei gais. Yn ôl William Vaughan, dywedwyd wrth Richard Edwards na allai ei frawd-yng-nghyfraith

[66] Ibid., llythyr CLXIX, William at Richard, o Gaergybi, Medi 23, 1753, tt. 249-250.

[67] Ibid., llythyr CLXXII, Lewis at William, o Allt Fadog, Hydref 23, 1753, t. 256.

[68] Ibid., llythyr CLXXI, William at Richard, o Gaergybi, Hydref 17, 1753, t. 253.

[69] Ibid., llythyr CLXXII, Lewis at William, o Allt Fadog, Hydref 23, 1753, tt. 256-257.

[70] Ibid., t. 257.

[71] *LGO*, llythyr XXVIII, at William, o Walton, Medi 5, 1753, t. 77. Sefydlwyd John Lewis yn swyddogol ym mywoliaeth 'Llangefni with the Chappel of Tregaian' yn lle Andrew Edwards ar Orffennaf 10, 1753 (*The Diocese of Bangor During Three Centuries*, t. 28). Penodwyd Andrew Edwards i'r swydd ar Fawrth 21, 1741.

gael rheithoriaeth Aberffraw am ei bod eisoes wedi cael ei haddo i glerigwr o Gymro a drigai yn Lloegr, a thybiai William Vaughan mai Goronwy oedd hwnnw. Cododd obeithion y bardd i raddau, ond 'doedd dim sail i'r si mai Goronwy a gâi Aberffraw. Addawodd William Vaughan y gwnâi ei orau glas i gael lle i Goronwy yng Nghymru. 'Y mae Mr. Fychan yn addo y gwna i mi gymwynas, os daw byth ar ei law,' meddai Goronwy, 'but it is an old saying, and a true one, that those that wait for dead men's shoes, may go a great while barefoot'.[72] 'Roedd Goronwy, fodd bynnag, erbyn hyn wedi syrffedu ar sibrydion ac addewidion gwag. Er bod William Vaughan 'yn tyngu ac yn rhegu, ac yn crachboeri ... na chaf aros yma un flwyddyn ychwaneg', ni ddisgwyliai ormod.[73] 'I'm almost sure that I shall never come to Wales,' meddai, 'unless Mr. Vaughan and I both should happen to survive old Nanney of Pwllheli'.[74] Y Nanney hwn oedd Edward Nanney, prifathro Ysgol Rad Pwllheli ar y pryd, ac mae'n amlwg fod William Vaughan wedi trafod y posibiliad o benodi Goronwy yn brifathro ar ei hen ysgol ar ôl dyddiau Edward Nanney, er nad oedd ond rhyw 55 oed ar y pryd. Cyfrifoldeb William Vaughan oedd gweinyddu ymddiriedolaeth yr ysgol, fel ei ewythr, Griffith Vaughan, o'i flaen, a gallai ef, yn anad neb, gael y swydd yn rhwydd i Goronwy ar ôl dyddiau Edward Nanney.[75]

Gofidiai William fod y bonheddwr o Gorsygedol wedi arwain Goronwy ar gyfeiliorn yn y fath fodd. 'He was made to believe that Aberffraw was his, though without foundation,' meddai wrth Richard.[76] Poenai William fod ymdrechion y bardd i gael gwell lle a swydd amgenach yn mynd â'i holl fryd, a'i awen yn dioddef o'r herwydd. 'Ni cha'd byth ddaioni or dyn hwnnw er pan ddaeth o swydd Ymhwythig, fe adawodd ei awen ar ei ol, neu ryw andros,' meddai, a hynny oblegid 'The man's head ... is too much bent upon preferments'.[77] Mynegodd yr un gŵyn mewn llythyr diweddarach at Richard, gan ddatgan mai 'tlodi a ddygymydd oreu a'r awen', yn hytrach nag ymgreinio Goronwy am swydd a statws.[78] Ni chafodd Goronwy reithoriaeth Aberffraw. 'Fe ddywedir ymma mai un Vincent a gâdd yr Aberffraw,' meddai William wrth Richard.[79] James Vincent oedd hwn, gŵr aml ei fywoliaethau ym Môn, ond anghywir oedd y si a glywsai William. Hugh

---

[72] Ibid., t. 78.

[73] Ibid.

[74] Ibid.

[75] Gw. 'Goronwy Owen', III, Thomas Shankland, Y Beirniad, cyf. V, rhif 2, Haf 1915, t. 112. Ni bu farw Edward Nanney tan Orffennaf 4, 1768. Gw. Gleanings from God's Acre, Myrddin Fardd, 1903, t. 14, lle ceir y nodyn: 'Here lieth the body of the Revd. Mr. Edward Nanney late Vicar of this Parish, and Master of the Free School at Pwllheli who departed this life the 4th of July 1768, aged 70'. Ceir cofnod ynghylch trwyddedu Nanney i weithredu fel ysgol-feistr Ysgol Ramadeg Pwllheli yn The Diocese of Bangor During Three Centuries, t. 29, dan Ionawr 8, 1754.

[76] ML I, llythyr CLXVIII, William at Richard, o Gaergybi, Medi 15, 1753, t. 249.

[77] Ibid., tt. 248-249.

[78] Ibid., llythyr CLXXIII, William at Richard, o Gaergybi, Hydref 30, 1753, t. 258.

[79] Ibid., llythyr CLXIX, William at Richard, o Gaergybi, Medi 23, 1753, t. 250.

Williams, cyfaill Goronwy, a benodwyd i'r swydd. Gwyddai William, fodd bynnag, nad Goronwy a gâi'r rheithoriaeth, a melltithiodd y rhai a oedd yn yr uchel-leoedd am ddiystyru eu haddewidion. 'Nid ydyw'r mawrion yn prisio mo'u addewid ddraen crin?' gofynnodd, gan resynu 'na base Bowys a'r Tew yn dre pan ddaeth y newydd yna o farw'r câr Tomos Owain'.[80]

Holai Lewis ynghylch y bardd o ganol ei helbulon cyfreithiol tua diwedd 1753. Cwynai wrth William ym mis Tachwedd a Rhagfyr nad oedd wedi clywed yr un gair oddi wrtho ers dau fis, a dechreuodd boeni fod Goronwy wedi marw. Ddiwedd y flwyddyn 'roedd Lewis a Goronwy dros eu pennau a'u clustiau mewn trafferthion a phryderon, a'r trafferthion hyn a oedd yn gyfrifol am y diffyg cyfathrebu rhwng y ddau. Tra oedd Lewis yng nghanol helynt yr Esgair 'roedd Goronwy yng nghanol helynt yr esgor. Ym mis Tachwedd esgorodd Elin ar drydydd plentyn ei gŵr a hithau, merch a alwyd yn Elin ar ôl ei mam. 'Doedd y geni ddim yn achos gorfoledd llwyr i'r rhieni. Plentyn gwachul oedd Elin, a gwrandawai Goronwy am bob anadliad o'i heiddo, rhag ofn iddi drengi. O fewn deuddydd i'w gilydd, 'sgwennodd lythyrau at Richard a William i roi'r newydd iddyn nhw ynghylch geni Elin, ond 'roedd pryder yn mygu ei falchder. Meddai wrth Richard:[81]

> O fewn y pum wythnos neu chwêch yma, fe ddigwyddodd i'r *Wraig Elin rywiog olau* syrthio'n ddwy Elin, a byd anghysurus iawn, a llawer dychryn, a thrwm galon, ddydd a Nôs, a gawsom oblegid yr Elin iefangc (er bod ei Mam, i Dduw bo'r diolch, yn swrn iach) tros hir amser, am ei bod yn dra chwannog i'r llesmeiriau a elwir *Convulsions*; ond gobeithio 'rŷm ei bod o'r diwedd, (gyda Duw) wedi eu gorchfygu hwynt.

Mynegodd ei ofidiau ynghylch yr ail Elin wrth William hefyd:[82]

> Ni bu yma ddim gwastadfod ar ddim er pan welwyd ei hwyneb hi. Codi ddengwaith yn y nos, a dihuno'r cymydogion o'u gorphwysfa i'w hedrych; disgwyl iddi drengi bob pen awr, ac wylofain a nadu o'i phlegid, y fu'r gwaith pennaf yma er pan anwyd hi hyd o fewn yr wythnos neu naw diwrnod yma ...

Rhoddodd Goronwy fedydd preifat i Elin ar y noson y ganed hi, rhag ofn y byddai'n marw'n ddifedydd, er iddi gael bedydd cyhoeddus yn ddiweddarach, ar Ragfyr 21, 1753. 'Roedd yr Elin newydd wedi cyrraedd ar adeg anghyfleus braidd hefyd, sef ar drothwy'r Nadolig, un o gyfnodau prysuraf y flwyddyn i Goronwy, ac yntau'n gorfod paratoi pregethau ar gyfer yr Ŵyl.

'Roedd Lewis Morris yr un mor drafferthus ei fyd yng Ngallt Fadog. 'Roedd ei Elin yntau, merch Lewis o'i briodas gyntaf, a drigai gyda'i thad a'i llysfam yng Ngallt Fadog, yn hwylio i briodi gŵr o'r enw Richard Morris, o Fathafarn ger Llanwrin ym Maldwyn.

---

[80] Ibid.

[81] *LGO*, llythyr XXIX, at Richard, o Walton, Rhagfyr 17, 1753, tt. 80-81.

[82] Ibid., llythyr XXX, at William, o Walton, Rhagfyr 18, 1753, t. 82.

Priodwyd y ddau ym mis Tachwedd 1753, mae'n debyg, ond ni chroesawai'r tad y paratoadau ar gyfer y briodas, ac yntau yng nghanol myrdd a mwy o helyntion ar y pryd. Diflastod ac anhwylustod oedd y briodas iddo. Gwaeth na'r briodas ei hun oedd y ffaith i Anne Morris benderfynu hebrwng ei llysferch a'i gŵr i'w cartref newydd, ym Mathafarn, a gadael Lewis i warchod y plant a gofalu am y tŷ. 'Lewis is my bedfellow and prattles like a parrott, and John begins to gabble,' meddai wrth William.[83] Ar ben gorfod gofalu am y cartref 'roedd deunaw o'i wrthwynebwyr wedi bod wrthi'n ddyfal yn casglu dat-ganiadau ysgrifenedig i'w bardduo, a bu hynny'n achos cryn bryder i Lewis. Gofynnodd i William gasglu tystiolaeth i'r gwrthwyneb ar ei ran ym Môn, i ddirymu haeriadau ei wrthwynebwyr. Gwaeth na dim oedd y ffaith fod corfflu o'r Ffiwsilwyr Cymreig wedi dod i amddiffyn gwaith Esgair-y-mwyn hyd nes y byddai'r cyfreithwyr wedi penderfynu gan bwy yr oedd hawl ar y lle, ai'r Goron ynteu'r tirfeddianwyr. Cyfrifoldeb Lewis oedd lletya'r milwyr hyn, ciwed afreolus, yn ôl pob sôn. 'I do assure you a veteran soldier told me to-day that the Highland rebels were honest people in comparison to these,' meddai wrth William.[84] Yn absenoldeb ei wraig, 'roedd yn rhaid i Lewis hefyd wahodd capten y milwyr i giniawa gydag ef. 'Pa bryd y ceir llonydd gan y byd?' gofynnai'n bendrist.[85] Cyfnod o baratoi gogyfer â'r achos cyfreithiol arfaethedig rhwng y Goron, a gynrychiolid gan Lewis, a'r tirfeddianwyr oedd misoedd olaf 1753 a misoedd cyntaf 1754 i Lewis, a gofidiau'r byd yn faich ar ei ysgwyddau.

Er gwaethaf ei bryder a'i brysurdeb yn ystod yr wythnosau a arweiniai at Nadolig 1753, ni ollyngodd Goronwy mo'i awen yn llwyr dros gof. Gyda'r sôn am argraffu Cywydd y Farn yn y gwynt o hyd, darparodd nodiadau ar ei gyfer. Nid gwaith rhwydd mo hynny, yn ôl Goronwy. Bu'n rhaid iddo ddarllen gweithiau Homer a Fyrsil, oherwydd 'nad oedd neb a ddichon ysgrifennu dim mewn Prydyddiaeth, na cheid rhyw gyffelybiaeth ... iddo yn y ddau Fardd godidog hynny'.[86] Anfonodd y nodiadau at Lewis Morris ym mis Rhagfyr, er mwyn iddo ef roi sêl ei fendith arnyn nhw, gan dorri, felly, ar y misoedd o ddiffyg cyswllt rhwng y ddau. Cwynodd iddo orfod, yn ei gyfyngder, brynu copi o waith Homer, a benthyca gwaith Fyrsil, ar gyfer y gwaith. Gobeithiai hefyd ddarparu nodiadau cyffelyb ar Gywydd Bonedd a Chyneddfau'r Awen yn y man. Unwaith yn rhagor, digon gwylaidd a diymhongar oedd agwedd Goronwy at gyhoeddi'i waith, ac ni ellir amau ei ddiffuantrwydd. Ni chwiliai am glod personol nac am anfarwoldeb o unrhyw fath; os oedd i'r fenter unrhyw ddiben, gwarchod y Gymraeg, addurno a hyrwyddo'r iaith, oedd hwnnw, 'and so far, and no further, a wise man and a lover of his country ought to regard them'.[87]

---

[83] *ML* I, llythyr CLXXVI, Lewis at William, o Allt Fadog, Tachwedd 26, 1753, t. 262.

[84] Ibid.

[85] Ibid.

[86] *LGO*, llythyr XXIX, at Richard, o Walton, Rhagfyr 17, 1753, t. 79.

[87] Ibid., llythyr XXX, at William, o Walton, Rhagfyr 18, 1753, t. 84.

Pwysicach o lawer na'r gwaith o ddarparu nodiadau ar Gywydd y Farn oedd y ffaith i Goronwy, ar ddiwedd 1753, droi'n ôl at ei awen. Torrodd ar ei ddistawrwydd. Ni wyddai fod achlysur priodas Elin yn fwrn ar enaid y tad, a thybiai y byddai canu priodasgerdd i ddathlu'r uniad yn rhyngu bodd Lewis. Cyfunodd ddau o fesurau'r cywydd yn yr awdl, sef y cywydd deuair hirion, mesur arferol y cywydd, a'r deuair fyrion. Bu William, a Lewis pan allai anghofio am ei helyntion ei hun, yn pryderu am dawedogrwydd y bardd. 'Rwyn ofni fod rhywbeth gwedi llygadtynnu Goronwy,' meddai William wrth Richard, oherwydd 'mi sgrifenais atto on receipt of yours iw symbylu, ond dim atteb nid oes'.[88] Fe gafodd William ateb maes o law. 'Nid oes arnaf faint yn y byd o eisiau swmbwl, pe cawn lonyddwch ac amser,' meddai.[89] Diffyg amser a gormod o waith, yn enwedig ac yntau yn gorfod cadw ysgol a gwasanaethu plwyf anferth, yn ogystal â phrinder llyfrau, a'i cadwai rhag barddoni. Os oedd angen swmbwl o gwbwl arno, cael cip ar ragor o waith Ieuan Fardd fyddai'r 'swmbwl gorau a'm gyrrai fi 'mlaen'.[90] Er i'r brodyr bryderu, 'ni thau mo'm safn i, hyd oni bo arnaf ddiffyg testun, yr hyn ni ddigwydd yrhawg etto, oni ddaw rhyw droiad chwith ar fyd,' meddai yn herfeiddiol.[91] Rhyddhad mawr, fodd bynnag, i'r hynaf o'r tri brawd oedd derbyn y briodasgerdd, nid am mai cerdd i 'wenferch Lewys' ydoedd, ond oherwydd bod Goronwy wedi ailgydio yn ei briod grefft. 'Newydd glowed oddiwrth Oronwy,' meddai Lewis wrth William ar Noswyl Nadolig 1753, gan ychwanegu, yn orfoleddus, ei fod yn 'canu etto, ac yn gwneud dychmygion'.[92] 'Roedd creu deuol wedi digwydd yn y tŷ yn y fynwent: priodas Elin a Goronwy wedi esgor ar ferch, Goronwy wedi esgor ar briodasgerdd, ond, yn anffodus, 'roedd y trydydd aelod o drindod y Drefn – marwolaeth – hefyd yn bresennol, gan mai baban tra nychlyd oedd Elin.

Nid mudandod Goronwy yn unig a boenai William yn ystod misoedd olaf 1753. Clywodd fod Goronwy yn llymeitian yn Lerpwl, a phryderai fod y ddiod yn dechrau cael gafael arno, fel na hidiai ddraen mwyach am farddoni. Cyflwynodd y sibrydion annifyr hyn ynghylch ymddygiad y bardd i Richard:[93]

> ... ond ydyw resyndod mawr fod dyn a ga'dd y fath dalent gan ei Greawdr yn ei chuddio mewn succan. You'll begin to stare at this, ond yswaeth mae'r peth rwy'n ofni (yn ddistaw rwy'n dywedyd) yn rhy wir, Duw a edrycho yn drugarog ar ein gwendidau, onid ydyw hefyd yn erchyll na wyr dyn par sut i gymeryd neb yw fynwes gan anhawsed adnabod plant dynion! Fe ddywedir fod heintiau ar ein meddyliau gystal ag ar ein cyrph, os felly nid hwyrach y daw'r bardd etto atto ei hun, na chymerwch arnoch wrth neb glywed o honoch na siw na miw ynghylch diotta'r dyn.

[88] *ML* I, llythyr CLXXVIII, William at Richard, o Gaergybi, Rhagfyr 8, 1753, t. 264.

[89] *LGO*, llythyr XXX, at William, o Walton, Rhagfyr 18, 1753, t. 83.

[90] Ibid.

[91] Ibid.

[92] *ML* I, llythyr CLXXX, Lewis at William, o Allt Fadog, Rhagfyr 24, 1753, t. 267.

[93] Ibid., llythyr CLXXVIII, William at Richard, o Gaergybi, Rhagfyr 8, 1753, t. 264.

Ac yntau wedi cymryd Goronwy i'w fynwes, ac wedi gweithio'n daer a dyfal i geisio gwell bywoliaeth iddo, a hynny ym Môn, ac wedi ceisio symbylu ei awen droeon, 'roedd William wedi'i siomi i'r byw. 'Doedd dim byd amdani ond ceisio cael y bardd i ddod yn ôl at ei goed, ac edliw iddo ei ffolineb yn y modd mwyaf didramgwydd a chynnil posibl.

Pledio'i anwybodaeth a wnaeth Goronwy, a chwarae'r ffon ddwybig â'i edliwiwr. Byddai'r darn canlynol yn dywyll-amwys inni oni bai fod William wedi ailadrodd ei ymbiliad, 'Duw a edrycho yn drugarog ar ein gwendidau', wrth geisio trafod y mater anodd hwn gyda'r bardd:[94]

> ... a fyddwch cyn fwyned yn y nesaf a gadael imi wybod, pa'r newydd anghysurus a glywsoch o Gaer Nerpwl; oblegid ni chlywais i ddim rhyfedd sydd yn nes atti. Gwir yw, ni bum yno er ys ennyd, ond odid i ddim a dalo i sôn am dano ddigwydd yno na chlywyf mewn amser. Ac am eich gweddi – "Duw o'i drugaredd a 'styrio wrth ein gwendidau," 'r wyf fi'n dywedyd "Amen" o ewyllys fy nghalon, er nas gwn pe crogid fi, ar ba'r achos yr ystwythwyd y weddi. However I beg you would explain yourself in your next, for that same paragraph seems to have an odd and queer aspect.

Ceisio cuddio'i gyfrinach euog a wnaeth Goronwy drwy actio'n ddiniwed. Llyncodd William y stori i raddau, ond dim ond i raddau. 'Nid cynrhwg ond odid y chwedl a glywswn ynghylch y diotta,' meddai wrth Richard drachefn, 'ag nid hwyrach cystal ag y dymunai ddyn ei fod'.[95] Pwy a ddywedodd wrth William fod Goronwy yn diota yn Lerpwl? Ac yntau'n swyddog tollau yng Nghaergybi, 'roedd mewn cysylltiad cyson â'r llongwyr a hwyliai yn ôl ac ymlaen rhwng Môn a Lerpwl, ond pwy o blith y rheini a oedd yn adnabod y bardd? Mae'n bosibl mai Owen Prichard, yr Henadur, a roddodd wybod i William fod Goronwy yn llymeitian. Arferai ohebu'n weddol gyson ag ef, a chyfarfydd-ai'r ddau â'i gilydd yn awr ac yn y man. Mae'n anodd peidio â sylwi fod Owen Prichard yn 'wr mwynaidd iawn'[96] gan y bardd ar ddechrau'i gyfnod yn Walton, ac iddo ganu 'cryn dippyn o glod i'r Aldramon'[97] dair wythnos yn ddiweddarach, ond iddo'i gasáu yn nes ymlaen, am resymau eraill, mae'n wir, ond efallai mai lledaenu'r stori am ddiota Goronwy oedd dechreuad y dirywiad yn y berthynas rhwng y ddau.

'Roedd Goronwy bellach ar drothwy blwyddyn newydd, ac ar drothwy pen-blwydd arall. Bu'r flwyddyn flaenorol yn flwyddyn gyffrous a thrafferthus iddo: newid curad-iaeth, dod yn dad am y trydydd tro, a mynych sôn o du'r brodyr am ei gael yn ôl i Fôn. Methodd pob cais i gael bywoliaeth deilwng iddo. Cymerodd at Walton i ddechrau. 'Roedd pethau wedi dod i drefn gan bwyll bach. 'Roedd ganddo ysgol ffyniannus a noddwr haelionus, cryn dro ar fyd ar ôl drygnadau'r cywion Saeson yn Donnington, a chrintachrwydd Douglas. A ddymunai ddychwelyd i Fôn o hyd? A fu'r ceisiadau

---

[94] *LGO*, llythyr XXX, at William, o Walton, Rhagfyr 18, 1753, tt. 85-86.

[95] *ML* I, llythyr CLXXXI, William at Richard, o Gaergybi, Ionawr 1, 1754, t. 269.

[96] *LGO*, llythyr XXIV, at William, o Walton, Gorffennaf 21, 1753, t. 62.

[97] Ibid., llythyr XXVI, at William, o Walton, Awst 12, 1753, t. 71.

aflwyddiannus i'w sefydlu yn ei hen gynefin yn siom iddo? Mae'n debyg y byddai wedi symud i Fôn pe bai wedi cael bywoliaeth wironeddol wych. 'Duw a dalo'n Ganplyg i chwi oll trosof; nid oes dim a ofynno'r Iarll gan nag Esgob, na nemmawr o undyn arall, na chaiff yn rhwydd, a gresyn ofyn o honaw ryw waelbeth,' meddai wrth Richard.[98] Dyna oedd y peth pwysig; ni fynnai Goronwy unrhyw 'waelbeth'. Mae'n rhaid cofio mai dyn ei deulu yn anad dim oedd Goronwy. Er gwaethaf ei anhrefn a'i anymarferoldeb, 'roedd yn meddwl y byd o'i blant, ac o'u mam. Mae'r cyfeiriadau cyson annwyl at Elin yn ei lythyrau yn brawf o hynny. Beth bynnag oedd ei ffaeleddau, 'doedd esgeuluso'i deulu yn fwriadol ddim yn un o'r rheini. Er mwyn ei blant a'i wraig, er mwyn gofalu am ei deulu, yn anad dim, y byddai'n fodlon symud yn ôl i Fôn, ac er mwyn magu'i blant yn Gymry bach; eilbeth oedd diwallu'i hiraeth am yr ynys. Ac eto, 'roedd rhywbeth rhyfedd wedi digwydd iddo yn ei agwedd at Fôn erbyn diwedd 1753; neu, o leiaf, dyna pryd y sylweddolodd nad oedd Môn yn golygu llawer iddo wedi'r cyfan.

'Pa beth debygwch chwi?' meddai wrth Richard. 'Mae fy meddwl i wedi troi'n rhyfedda' peth a fu erioed; canwaith y dymunais fyned i Fôn i fyw, ond weithion (er na ewyllysiwn ddim gwaeth i'm Gwlad nag i'm Cydwladwyr) ni fynnwn, er dim, fyned iddi fyth, ond ar fy nrho; a gwell a fyddai genyf fyw ymmysg Cythreuliaid Ceredigion gyda Llewelyn, er gwaethed eu moesau, nag ym Môn'.[99] Wrth Richard y dywedodd hyn, wrth gwrs, nid wrth William, rhag brifo'i deimladau. Ond pam y fath hwrdd o gasineb tuag at Fôn, a thuag at bobl Môn yn enwedig? Ai ceisio'i amddiffyn ei hun yr oedd Goronwy, negyddu'i deimladau er mwyn ei alluogi i fygu ei hiraeth am Fôn, ac i'w arbed rhag cael ei siomi ymhellach? Go brin. Mae'n rhaid sylweddoli fod seirff yn Eden ei blentyndod, atgofion poenus na fynnai eu hailwynebu. Y cof am ei lysfam yn ei wrthod, er enghraifft; y cof am ei fagwraeth dlodaidd, ac yntau'n gorfod begera am gardod i'w gynnal ei hun yn Rhydychen; y cof am farwolaeth ei fam a fu'n gymaint o ergyd iddo yn ifanc. Ni fyddai'n hawdd iddo ddychwelyd a chychwyn o'r cychwyn. Dyna'r rheswm mwyaf tebygol, ofn yr atgofion. Mae rhesymau eraill hefyd, o bosibl. Efallai mai wedi pwdu gydag Owen Prichard yr oedd am fradychu'i gyfrinach, sef ei hoffter o'r ddiod. Gwyddai hefyd y gallai pobl Môn fod yn fusneslyd ac yn wenwynllyd. 'Mae yma bobl a lawenycha am ei gwympiad, ond 'rwyf yn hyderu na chant moi gwynfyd,' meddai William wrth Richard wedi i'r tirfeddianwyr a'u dilynwyr fygwth einioes Lewis Morris a'i fwrw i'r carchar ym mis Chwefror 1753.[100] Ni fynnai Goronwy ddychwelyd at ei gyd-ynyswyr yn rhith curad tlawd ar ôl yr holl flynyddoedd hynny o addysg a gawsai. Byddai hynny yn rhoi achos i rai o drigolion Môn ei ddirmygu. Dywedodd droeon wrth y brodyr y byddai'n ystyried dychwelyd i Fôn ar yr amod y câi gynnig gwell bywoliaeth, ac nid chwilio am gyflog uwch yn unig yr oedd, ond am statws uwch yn ogystal. Hyd yn oed os oedd iddo hiraeth

---

[98] Ibid., llythyr XXIX, at Richard, o Walton, Rhagfyr 17, 1753, t. 81.

[99] Ibid.

[100] *ML* I, llythyr CXLIX, William at Richard, o Gaergybi, Mawrth 10, 1753, t. 223.

am Fôn yn y gorffennol, 'roedd yr hiraeth hwnnw wedi cilio erbyn dechrau 1754. 'Yr wyf agos wedi bwrw fy hiraeth am dani,' meddai wrth ei gefnder John Rowlands, Clegir Mawr, mab i chwaer ei fam.[101] Os oedd i Fôn atyniad bellach, rhoi'r Gymraeg yng ngenau'r plant oedd y caffaeliad hwnnw:[102]

> ... pe cawn le wrth fy modd ynddi, mi ddeuwn iddi etto, er mwyn dysgu Cymraeg i'r plant; onide hwy fyddant cyn y bo hir yn rhy hen i ddysgu; oblegid y mae'r hynaf yn tynnu at chwe blwydd oed, heb fedru etto un gair o Gymraeg; ac yn fy myw ni chawn gantho ddysgu, oni bai ei fod yn mysg plant Cymreig i chware; ac ni fedd ei fam ddim Cymraeg a dâl son am dano, ond tipyn a ddysgais i iddi hi.

Y gwir yw fod Goronwy wedi rhoi heibio'r syniad o symud yn ôl i Fôn erbyn diwedd 1753. 'Roedd pethau eraill yn dechrau corddi yn ei feddwl erbyn hynny. Mae un peth yn sicr. Cyn iddo fwrw blwyddyn gyfan yn Walton hyd yn oed, 'roedd yn dechrau aflonyddu eto, ac yn awchu am 'symud pawl ei did', chwedl y Morrisiaid. Gwynfyd dros gyfnod oedd pob gwynfyd i Goronwy; byrhoedlog oedd ei baradwys bob tro. 'Y mae Sir y Mwythig yn llawer hyfryttach a rhattach gwlad na hon,' meddai wrth John Rowlands, 'ac mae'n lled edifar genyf ddyfod yma'.[103] Man gwyn, man draw oedd hi yn hanes y bardd yn wastad. Yn Uppington a Donnington, hiraethai am Fôn; yn Walton, hiraethai am Donnington. Gŵr anniddig yn hyn o fyd oedd Goronwy, a'i anniddigrwydd yn deillio o'i dlodi, o'i ansicrwydd, o'i ymdeimlad o israddoldeb, ac o'i rwystredigaeth ynghylch ei ddiffyg adnoddau fel ysgolhaig a bardd. Trowynt mewn nyth oedd Goronwy.

Os oedd yn bwriadu symud unwaith yn rhagor, i ble yr âi? Dechreuodd bluo'i nyth ei hun yn Walton. 'Does dim amheuaeth iddo weld posibiliad gwaredigaeth yng Nghymdeithas y Cymmrodorion. Dechreuodd freuddwydio am weithio i'r Gymdeithas. Gwirionodd ar yr anrhydedd a gyflwynwyd iddo gan Richard Morris, sef ei wneud yn aelod gohebol o'r Gymdeithas. Prisiai'r anrhydedd yn uwch nag ymdrechion y brodyr a'u cymheiriaid mawreddog i gael bywoliaeth amgenach iddo hyd yn oed. 'Gwychach genyf fi na dim yr anrhydedd a wnaed imi o'm dewis yn Aelod anwiw o Gymdeithas y Cymmrodorion,' meddai wrth William.[104] Ond hon oedd y frawddeg allweddol: 'Oni chaf rent, fe allai y caf fod naill ai'n "Gadeirfardd" neu'n "Gyff Clêr" i'r Gymdeithas'.[105] Rhoi blaen bawd ei droed yn y dŵr yr oedd Goronwy. Mae'n ymddangos yn sylw gwamal, ysgafn, ond 'roedd o ddifri. Adeiladodd ar yr awgrym cyfrwys a chynnil hwn yn raddol. Breuddwydiai Richard am gyhoeddi llyfrau a mân-lyfrynnau Cymraeg, amrywiol eu cynnwys, yn enw'r Gymdeithas, ond cwynai mai ofer oedd disgwyl unrhyw gymorth o

---

[101] *LGO*, llythyr XXXVI, at John Rowlands, o Walton, Mawrth 18, 1754, t. 98.

[102] Ibid.

[103] Ibid., tt. 98–99.

[104] Ibid., llythyr XXX, at William, o Walton, Rhagfyr 18, 1753, t. 83.

[105] Ibid.

du'r aelodau yn Llundain, yn enwedig ac yntau'n rhy brysur i allu gwthio'r maen i'r wal ar ei ben ei hun. 'Gwae fi na bawn yn eich mysg,' meddai Goronwy, 'ni châi fod arnoch ddim diffyg ysgrifennydd na dim arall o fewn fy ngallu fi'.[106] Ar ôl cyflwyno'r syniad i Richard, dechreuodd weithio ar William, gan wybod y byddai hwnnw yn bachu ar yr awgrym ac yn ei ailadrodd yng nghlustiau'i frodyr. 'Pechod na b'ai ganddynt ddau neu dri o ddynion celfyddgar, a'u dwylo'n ddidrafferth i ysgrifennu iddynt,' meddai wrtho.[107] 'Gresyn eich bod mor drafferthus na cha'ech amser i lywodraethu y Cymrodorion a'u matterion yn iawn,' meddai William wedyn wrth Richard, ac yna, gan ailadrodd geiriau Goronwy fel carreg ateb, 'O na bai Oronwy yn agos attoch, neu ryw ddyn arall celfydd-gar'.[108]

Er mwyn ennill ffafriaeth yng ngolwg Richard, lluniodd awdl o fawl i Gymdeithas y Cymmorodion, ac mae'n arwyddocaol iddo'i hanfon at Richard cyn ei gyrru at Lewis, yn groes i'w arferiad. Awdl ar y pedwar mesur ar hugain oedd hon. Er mai awydd Goronwy i ennill ffafr a'i hysgogodd, rhodd gan ei gyfaill Hugh Williams a benderfynodd ei ffurf. Anfonodd gopi o Ramadeg Siôn Rhydderch, *Grammadeg Cymraeg*, a gyhoeddwyd ym 1728, at Goronwy rywbryd cyn diwedd 1753. Gwyddai Goronwy fod y Gramadeg yn enghreifftio'r pedwar mesur ar hugain, gan i gopi ohono fod ym meddiant ei dad, a chrefodd ar Lewis Morris unwaith i anfon enghreifftiau o'r mesurau, allan o'r Gramadeg, ato bob hyn a hyn. Mae'n debyg mai ar gais Goronwy yr anfonodd Hugh Williams gopi o'r llyfr ato. Er nad oedd y Gramadeg 'ond un o'r fath waelaf' 'roedd Goronwy yn falch o'i gael.[109] O'r diwedd, cafodd afael ar yr hen fesurau, er mai siomedig ydoedd yn ansawdd rhai ohonyn nhw:[110]

> As to ... Gorchest y Beirdd, Huppynt Hir a Byrr, and the newest (falsely thought the most ingenious & accurate) kind of all the other Metres, I look upon 'em to be rather depravations than improvements in our Poetry ... What a cursed, grovelling, low thing that *Gorchest y Beirdd* is ... when I have mind to write good sense in such a Metre as *Gorchest y Beirdd*, and so begin, and the Language itself does not afford words that will come in to finish with sense & *Cynghanedd* too, what must I do? Why, to keep Cynghanedd, I must talk nonsense ...

Er mor ddiwerth oedd rhai o'r mesurau ganddo, 'roedd cael enghreifftiau o'r mesurau traddodiadol o'i flaen fel chwa o awyr iach iddo, yn enwedig gan ei fod wedi diflasu ar lunio dim byd ond cywyddau, oherwydd ei anwybodaeth ynghylch y mesurau eraill. Bwriodd ati i lunio awdl enghreifftiol o fawl i'r Gymdeithas, ei gynnig cyntaf erioed ar lunio awdl o'r fath. Canmolodd amcanion clodwiw'r Cymmrodorion yn yr awdl, ac meddai amdano'i hun:

---

[106] Ibid., llythyr XXXIV, at Richard, o Walton, Ionawr 24, 1754, t. 94.

[107] Ibid., llythyr XXXV, at William, o Walton, Chwefror 17, 1754, t. 96.

[108] *ML* I, llythyr CLXXXIX, William at Richard, o Gaergybi, Mawrth 11, 1754, t. 278.

[109] *LGO*, llythyr XXXI, at Richard, o Walton, Ionawr 2, 1754, t. 87.

[110] Ibid., tt. 87–88.

Bardd a fyddaf, ebrwydd, ufuddol,
I'r Gymdeithas, wŷr gwiw a'm dethol,
O fri i'n heniaith, wiw, frenhinol;
Iawn, iaith geinmyg, yw inni'th ganmol.

Ym mis Ionawr y flwyddyn newydd, cyrhaeddodd Gramadeg Siôn Dafydd Rhys, rhodd Thomas Ellis, y bardd o'r diwedd, wedi i'r llyfr fod ar gyfeiliorn am naw mis. Ar ôl cael hwn i'w ddwylo, sylweddolodd fod gwall ganddo yn un o fesurau'r awdl i'r Cymmrodorion, a gofynnodd i Richard newid y gwall cyn cyflwyno'r gerdd i aelodau'r Gymdeithas. Lluniodd awdl arall ar ôl derbyn Gramadeg Siôn Dafydd Rhys. 'Roedd ei orwelion yn dechrau ehangu, ac ar ôl rhygnu ar untant y cywydd gyhyd, braf oedd cael telyn ac iddi ddewis helaeth o dannau, er bod ambell dant yn undonog ac yn afrwydd. Marwnad oedd hon i'w hen gyfaill John Owen o Blas-yng-Ngheidio yn Llŷn.

'Roedd cael y ddau ramadeg i'w ddwylo wedi dyfnhau ei awydd i gael rhagor o lyfrau, a dod i wybod mwy am farddoniaeth Gymraeg. 'Roedd gan William Morris gopi o Lyfr Gwerneigron, sef y copi a wnaeth Dr John Davies, Mallwyd, o Lawysgrif Hendre-gadredd ym 1617. 'Roedd Richard wedi gweld copi o'r llawysgrif hon yn Llundain tua'r flwyddyn 1747, copi a berthynai i William Jones, y mathemategydd enwog a aned yn Llanfihangel Tre'r-beirdd, yn ymyl Y Fferam, ac a symudodd yn blentyn gyda'i rieni i Lanbabo. 'Rwyn cofio weled yn llyfrgell fy hen gyfaill David Foulkes, o Wern y Gron (yn ymyl Llanelwy), Esq., yn y flwyddyn 1734, gymmar ir llyfr hwnw or eiddo W. Jones, Esq.,' meddai William wrth Richard ym 1747.[111] 'Nid hwyrach y medraf ei gael gan yr Ysgwier Foulkes ryw dro,' meddai drachefn.[112] Llwyddodd William i gael y llawysgrif ar fenthyg. 'I have had the loan of the MSS. which I told you Mr. D. Foulks had in his library, the same with that you saw at Jones Pabo's, gwaith prydyddion yr 12d a'r 13 ganrhi,' meddai William wrth Richard ddwy flynedd a rhagor yn ddiweddarach.[113]

Bron i bum mlynedd yn ddiweddarach 'roedd y llawysgrif ym meddiant William o hyd. Soniodd amdani wrth Goronwy yn un o'i lythyrau at y bardd, gan ddeffro'i chwilfrydedd. Ymbiliodd Goronwy ar William am gael hanes rhai o'r hen feirdd, a gofynnodd i'w gyfaill anfon rhai enghreifftiau o'u gwaith ato. Heb ddim byd 'ond y Bibl a'r Bardd Cwsg' yn ei feddiant cyn derbyn y gramadegau,[114] gwyddai fod angen iddo ehangu ei orwelion, a gobeithiai, yn y man, y câi fenthyg copi o'r llawysgrif wedi i William orffen ei chopïo. Rhyfeddod, yn ôl Goronwy, oedd y ffaith ei fod yn barddoni o gwbwl, ac yntau

---

[111] *ML* I, llythyr LXVIII, William at Richard, o Gaergybi, Mehefin 5, 1747, t. 106.

[112] Ibid., t. 107.

[113] Ibid., llythyr LXXXVIII, William at Richard, o Gaergybi, Medi 2, 1749, t. 144.

[114] *LGO*, llythyr XXXIII, at William, o Walton, Ionawr 8, 1754, t. 91.

heb weld ond yr ychydig lleiaf o lawysgrifau Cymraeg erioed, a phriodolai ei allu i farddoni i'w 'dueddiad naturiol at y fath bethau' ac i'w afael ar y Gymraeg.[115] Ceisiodd ddarbwyllo Richard i anfon llyfrau Cymraeg a Lladin ato hefyd, ac anfonodd Destament Arabeg at y bardd, llyfr y gallai ei ddarllen yn lled rwydd.

Ar gais Richard Morris, dechreuodd Goronwy lunio awdl i Siôr, Tywysog Cymru, ar gyfer Gŵyl Ddewi, ond fe'i trawyd yn wael, a methodd ei chwblhau. Bu gaeaf 1753–1754 yn un anarferol o erwin, a bu'n rhaid i'r bardd gael cymorth meddygon i ladd ei beswch. Tybiai ei fod ar fin trengi. Ai'r gaeaf caled hwn a barodd iddo ddechrau anesmwytho yn Walton ar ôl yr ymserchu cyntaf hwnnw yn y lle ac ar ôl diolch i'r Drefn i dro mor ddymunol ar fyd ddod i'w ran? 'Doedd Goronwy ddim wedi rhagweld rhai pethau. 'Roedd ganddo blwyf ehangach i'w wasanaethu na'r un a oedd ganddo dan ei ofal yn Uppington, i ddechrau. Yn gynnar ym 1754, dechreuodd gwyno am ei fyd. Bu'n brysur drwy Wyliau Nadolig 1753, 'heb neb i'm cynhorthwyo mewn un darn o ddyledswydd y Plwyf mawr yma'.[116] 'Mae yma gryn farwolaeth yn ein plith,' meddai wrth John Rowlands, wedyn, ac yntau 'weithiau'n claddu pobl o fesur tri a phedwar yn y dydd'.[117] Yr un oedd ei dystiolaeth mewn llythyr at William Morris. 'Tybio'r wyf o fewn y ddeufis aeth heibio na chleddais ddim llai na deugain corph ... a'r cleifion mor aml nad wyf yn cael gorphwys namyn gofwyaw'.[118] Ar ben hynny, 'roedd wedi dihysbyddu'r pregethau a luniwyd ganddo yn Donnington, a rhaid oedd llunio rhai newydd yng nghanol ei holl ofalon. 'Nid oes yma le i segura,' meddai wrth William drachefn.[119]

O ran hinsawdd, gwell oedd ganddo Donnington. 'Nid yw'r Wlad oerllom yma ddim yn dygymmod â mi'n iawn; llawer clyttach Swydd y *Mwythig*,' meddai wrth Richard.[120] A beth am Thomas Brooke? Ar ôl Rhagfyr 1753, mae Brooke, y noddwr bonheddig a'r meistr hael, yn diflannu'n llwyr o'r ohebiaeth. Un waith yn unig y mae Goronwy yn ei grybwyll, a hynny wrth fynd heibio. Cwynodd ei fod yn gorfod gofalu am ei blwyf heb gymorth neb, ac wrth ymddiheuro i Richard am fethu cwblhau'r awdl i Dywysog Cymru, dywedodd na ddylai neb 'a ystyrio mor ansiccr yw'n bywyd a'n hiechyd a'n hamser (yn enwedig y sawl a fo megis Gweinidog tan arall, fal yr wyf fi) addaw dim yn siccr ac yn ddifeth i neb, oblegid nas gwyddom o'r naill awr i'r llall pa beth a ddigwydd i'n rhwystro'.[121] Tybed nad oedd yn edliw, yn dawel fach, i Brooke y diffyg cymorth a gâi ganddo yng nghanol amlder a thrymder ei ddyletswyddau? Tybed, hefyd, na fu i faich ei ddyletswyddau amharu ar ei iechyd yntau, a pheri iddo fynd i wendid.

Yng nghanol ei holl drafferthion, ei dostrwydd a'i ddyletswyddau, ymarfer barddoni, yn hytrach na chreu o ddifri, a wnaeth Goronwy yn ystod misoedd gaeaf 1753–1754 yn

---

[115] Ibid., t. 90.
[116] Ibid., llythyr XXXI, at Richard, o Walton, Ionawr 2, 1754, t. 86.
[117] Ibid., llythyr XXXVI, at John Rowlands, o Walton, Mawrth 18, 1754, t. 99.
[118] Ibid., llythyr XXXVII, at William, o Walton, Ebrill 1, 1754, t. 100.
[119] Ibid., t. 101.
[120] Ibid., llythyr XXXVIII, at Richard, o Walton, Ebrill 9, 1754, t. 102.
[121] Ibid.

Walton. 'Doedd ganddo mo'r hamdden i greu dim byd sylweddol. Lluniodd awdl-briodasgerdd i Elin Morris a'i gŵr, ac awdlau engreifftiol i Gymdeithas y Cymmrodorion ac er cof am John Owen, yn ogystal ag awdl engreifftiol anorffenedig i Dywysog Cymru. Bu wrthi hefyd yn cyfieithu gwaith Anacreon o'r Roeg i Gymraeg. Edliwiodd Richard ei ddiffyg ymroddgarwch iddo, a gofynnodd iddo, mewn llythyr a gollwyd, pam y gadawai i'w awen rydu. Atebodd Goronwy drwy ddweud y byddai'n gwerthu ei awen pe câi bris gweddol amdani, oherwydd 'Beth a dâl Awen, lle bo dyn mewn llymdra, a thlodi? a phwy gaiff hamdden i fyfyrio, tra bo o'r naill wasgfa i'r llall mewn blinder ysprydol a chorphorol?'[122]

Gyda Lewis yng nghanol ei helbulon cyfreithiol o hyd, â Richard ac â William y bu Goronwy'n gohebu'n bennaf yn ystod 1754. Bu'n rhaid i Lewis ddychwelyd i Lundain ar ôl bod wrthi am fisoedd yn casglu tystiolaeth a thystiolaethwyr a fyddai'n sicrhau hawl y Goron ar Esgair-y-mwyn. Aeth i Lundain yn niwedd mis Ebrill, gyda thua phedwar ugain o ardalwyr cyffiniau Esgair-y-mwyn yn ei ddilyn yn un orymdaith frith. 'Roedd gwaith Esgair-y-mwyn wedi'i leoli ar dir comin, a ffiniai â thiroedd a berthynai i wrthwynebwyr Lewis. Pwrpas tynnu'r ardalwyr hyn i Lundain oedd profi mai i'r Goron y perthynai tir Esgair-y-mwyn erioed, ac 'roedd rhai aelodau o'r cynulliad a ddygodd Lewis i'w ganlyn yn hen iawn, gwŷr a allai dystio mai tir y Brenin fu comin yr Esgair erioed, ac na fu i neb o fewn cof ei hawlio yn eiddo iddo'i hun. Bu farw un hen ŵr yn Llundain. Nid arhosodd Lewis yn Llundain yn hir y tro yma, fodd bynnag, oherwydd dyfarnwyd o blaid y Goron yn yr achos a ddilynodd, rhyw dair wythnos wedi iddo ef a'i dystion gyrraedd y ddinas.

Anfonodd William gopi yn ei law ei hun o Lyfr Gwerneigron at y bardd, a chafodd olwg lawn ar beth o ganu Beirdd y Tywysogion. Gallai Goronwy ymateb i'r newydd â chyffro brwd, bachgennaidd, ac aeth ati i efelychu patrymau'r Gogynfeirdd ar unwaith. Cyffroi ei anian farddonol a wnaethpwyd yn bennaf yn Donnington, ond cynhyrfu ei dueddiadau ysgolheigaidd yn bennaf yn Walton. Lluniodd gerdd o'r enw Brut Sibli, a honno wedi'i phatrymu ar ieithwedd a mydryddiaeth y Gogynfeirdd. Ymarferiad oedd y gerdd hon hithau, ond, fel gyda'r awdlau engreifftiol, 'roedd pwrpas digon difrifol a chyfrifol i'w chreu, sef ymestyn rhychwant ei adnoddau barddonol. Cerdd yn darogan buddugoliaeth yn y gyfraith i Lewis Morris yn erbyn ei elynion oedd y Brut. Anfonodd Goronwy hi at Richard gan gogio i ddechrau, cyn datgelu'r gyfrinach, mai cerdd ddilys o waith un o Feirdd y Tywysogion ydoedd.

Cynigiodd Richard £5 i Goronwy am gyfieithu'r gerdd i Saesneg. 'Ffei, ffei!' meddai William, gyda lles Goronwy mewn golwg fel arfer, 'Gresyndawd anfeidrawl na bai'r cyfieithiad yn fy llogell i, ar pum punt yn un y Bardd'.[123] Cododd cymhlethdod ynghylch y

---

[122] Ibid., llythyr XLVIII, at Richard, o Walton, Tachwedd 9, 1754, t. 134.

[123] ML I, llythyr CXCVIII, William at Richard, o Gaergybi, Mehefin 27, 1754, t. 294.

tâl hwn yn ddiweddarach, ac nid hawdd esbonio'r dryswch. Mewn llythyr at Richard ym mis Awst, mae Goronwy yn cydnabod derbyn llythyr yr oedd Richard wedi'i anfon ato ar Awst 10, 'a chan diolch iwch am dano, ac yn enwedig am dalu y pum darn aur i'r henuriad er nas cefais monynt i gyd etto'.[124] 'Roedd Richard, mae'n debyg, wedi anfon llythyr at Owen Prichard yn gofyn iddo dalu pum gini i Goronwy, ond 'Ni welais i erioed ddiflasach dyn na'r henuriad brwnt yma, yn talu i mi o fesur coron neu chweugain neu'r cyffelyb ddiffrwythbeth na wnâi dda na lleshâd yn y byd'.[125] Gwrthododd Owen Prichard ryddhau'r holl arian ar unwaith. Mae geiriau William yn lled-esbonio'r dirgelwch. 'Ni wyddai'r Bardd mae'n debyg mae bil ar yr Aldremon a yrrech iddo,' meddai wrth Richard.[126] Mae'n debyg fod arno ef, Owen Prichard, arian i Richard, ond yn hytrach na hawlio'r arian yn ôl yn uniongyrchol ganddo, gofynnodd Richard i'r Henadur roi pum gini o'r ddyled i Goronwy. Ond yn ôl William eto, 'roedd peth dyled er's dyddiau byd arno [Goronwy] i O.P., nid hwyrach fod attal or achos hwnnw'.[127] Gallai'r Henadur fod 'yn ddigon diflas pan fo'r *geinog fach* yn brin' yn ôl William.[128] Yr hyn a ddigwyddodd, mae'n debyg, oedd i Richard anfon gair at Owen Prichard i ofyn iddo dalu pum gini allan o'r arian a oedd yn ddyledus iddo ef ei hun i Goronwy, ac i Owen Prichard wrthod rhydd-hau'r arian ar ei ben, am fod Goronwy ei hun wedi benthyca arian oddi ar Owen Prichard a heb dalu hwnnw'n ôl. Fesul tipyn yn unig y byddai'n fodlon talu i Goronwy. Pan oedd Richard wedi cynnig tâl i Goronwy am waith arall a wnâi'r bardd ar ei ran ar y pryd, gofynnodd Goronwy iddo beidio ag anfon yr arian at Owen Prichard, 'y diflasa Cristion a bisodd', y tro hwnnw, oherwydd 'He never disburses above 10s or 20s at a time, which does not one grain of good, compar'd to a round sum'.[129] 'Roedd Owen Prichard wedi cythruddo Goronwy mewn modd arall hefyd. Dywedod am Lewis Morris: 'He is a very mercenary man and whatever he may talk, will do nothing but for his own interest'.[130] 'Roedd Goronwy dan gyfaredd Lewis ar y pryd, ac ni sylweddolai fod Owen Prichard yn llygad ei le.

'Roedd gwaith Beirdd y Tywysogion wedi ei gyffroi i'r byw. Yn ei gyffro, anghofiodd ddiolch i William am anfon y llawysgrif, oherwydd iddo fod 'wedi derbyn o honofi y MS, (fal mochyn wrth ei gafn) mor brysur yn gwancio ac yn yssu pob migwrn o'r barddoniaeth'.[131] 'Roedd y farddoniaeth yn cyffwrdd â thant yn ei enaid. Yn Donnington, flwyddyn a thri mis cyn diolch i William Morris am y llawysgrif, 'roedd Goronwy wedi mynegi'r syniad fod y gyfundrefn gynganeddol yn rhy gaeth, ac 'roedd y gramadegau a

[124] *LGO*, llythyr XLV, at Richard, o Walton, Awst 23, 1754, t. 125.

[125] Ibid.

[126] *ML* I, llythyr CCVII, William at Richard, o Gaergybi, Medi 21, 1754, t. 308.

[127] Ibid.

[128] Ibid.

[129] *LGO*, llythyr LIII, at Richard, o Walton, Chwefror 23, 1755, t. 146.

[130] Ibid., llythyr XLV, at Richard, o Walton, Awst 23, 1754, tt. 125-126.

[131] Ibid., llythyr XLI, at William, o Walton, Mai 21, 1754, t. 110.

ddaethai i'w ddwylo ddiwedd 1753 a dechrau 1754 wedi'i argyhoeddi fod rhai o fesurau traddodiadol Cerdd Dafod yn gwbwl ddiwerth. Darganfu yng ngwaith y Gogynfeirdd yr union fathau o fesurau a'r union ddull o gynganeddu y chwiliai amdanynt. 'Roedd dull braidd-gyffwrdd y Gogynfeirdd o gynganeddu yn gweddu i'r dim i'w bwrpas. 'Roedd mesurau'r Gogynfeirdd yn cyfuno caethiwed a rhyddid, disgyblaeth a digon o rychwant i'r dychymyg weithio o'i mewn. Casâi bob sôn am na chywydd nac englyn wedi hynny. 'O'm rhan i nid awn yn fy myw i ymhel a chywydd nag englyn ar ôl gweled gwaith yr hen gyrph,' meddai.[132] Cneuen wag oedd y gynghanedd hyd yn oed. 'Do you think that that horrid jingle called *Cynghanedd* ... essential to poetry?' gofynnodd.[133] Ymosododd ar y 'llychwytgi' Dafydd ap Gwilym, un o hoff feirdd William, am fritho'i farddoniaeth â geiriau Saesneg, ac ar y 'penbwl' Dafydd ab Edmwnd am ddyfeisio Gorchest y Beirdd. Gwalchmai a'i gyfoeswyr oedd eilunod Goronwy yn awr. 'Compare Gwalchmai's "Arddwyreaf hael o hil Rodri" with the most jingling piece of Dd. ap Gwilym or any of his contemporaries and give the latter the preference if you dare,' meddai wrth William.[134] 'Roedd Goronwy, heb unrhyw amheuaeth, wedi darganfod patrymau mydryddol delfrydol ar gyfer ei arwrgerdd arfaethedig.

Yn llawn o farddoniaeth y Gogynfeirdd, crefai ar William am gael benthyg un arall o'i lawysgrifau, Y Delyn Ledr, 'ag yng nghist honno mae'r holl drysor a feddwn i mewn barddoniaeth a hynafiaeth'.[135] 'Roedd William yn gyndyn iawn i ollwng ei afael arni, ond cydsyniodd yn y pen draw, gan fod y bardd yn taer ymbil am ei chael i'w ddwylo. Dymunai Goronwy gael gafael ar hen farddoniaeth Gymraeg er mwyn dau beth, sef helaethu ei eirfa a chael patrymau i'w hefelychu. 'Odid na bydd rhyw beth ynddi a wna imi geisiaw ei dynwared, neu o'r hyn lleiaf, mi bigaf rai geiriau tu ag at helaethu fy Ngeirlyfr, fal yr wyf yn gwneuthur beunydd o'r hen Walchmai,' meddai wrth ofyn am gael benthyg Y Delyn Ledr.[136] Geiriaduron, llyfrau a llawysgrifau a gadwai Gymraeg y bardd rhag rhydu yng nghanol gwlad anghyfiaith. 'Efe a ddysgodd imi fy Nghymraeg, neu o'r [hyn] lleiaf, a'm cadwodd rhag ei cholli yn nhir estron genedl,' meddai am Dr John Davies, Mallwyd.[137] Cyrhaeddodd Y Delyn Ledr Walton ym mis Gorffennaf. 'Mwy yw hyn nog a welais i ermoed o'r blaen,'[138] meddai'r bardd diolchgar, a soniodd am yr unig lawysgrif a oedd yn ei feddiant, sef y llawysgrif honno yn llaw Edward Davies, o'r Rhiwlas, Llansilin, ac a fu wedyn ym meddiant ei fab, John Davies. 'Roedd llawysgrif arall o'i eiddo yn nwylo Owen ei frawd, a bwriadai ei chael yn ôl yn y man. Er bod nifer o englynion 'go drwsgl' yn Y Delyn Ledr, hoffai Goronwy y cywyddau, cywydd Huw Llwyd i'r Llwynog yn enwedig.

---

[132] Ibid.

[133] Ibid.

[134] Ibid., t. 112.

[135] *ML* I, llythyr CCX, William at Richard, o Gaergybi, Hydref 14, 1754, t. 315.

[136] *LGO*, llythyr XLII, at William, o Walton, Mehefin 4, 1754, t. 114.

[137] Ibid., llythyr XLIII, at William, o Walton, Mehefin 25, 1754, t. 119.

[138] Ibid., llythyr XLIV, at William, o Walton, Gorffennaf 12, 1754, t. 122.

Pryderai o hyd am anallu'i blant i siarad Cymraeg. Erbyn hyn 'roedd ail fab y bardd yn medru siarad, ac yn ynganu Saesneg yn ôl tafodiaith Swydd Gaerhirfryn, a'i frawd hŷn yn ei geryddu am ddefnyddio geiriau hyll. Sylweddolai Goronwy fod y ddau fachgen wedi colli'r cyfle i ddysgu'r Gymraeg yn ystod eu blynyddoedd ffurfiannol cynnar. Tafodiaith Swydd Gaerhirfryn a siaradai'r naill, a thafodiaith Swydd Amwythig yng ngenau'r llall, dau Sais bach naturiol, 'which makes me fear that neither of them will ever learn Welsh to any perfection,' meddai'r tad yn ofidus.[139] 'My sons will never be poets unless I come to live in Wales while they are young, which I see no great likelihood of,' meddai wrth William.[140] Yn ei ofn a'i rwystredigaeth, anfonodd ei fab hynaf, Robin, i Fôn, i ddysgu Cymraeg. Cyrhaeddodd yr ynys ar y dydd cyntaf o Fedi. Bu Robin ym Môn am ryw bum mis i gyd, yn aros gydag aelodau o deulu Goronwy ac eraill o'u cydnabod, a Goronwy yn talu i rai am ei le gyda nwyddau. 'My poor Bob Owen is in Anglesey with Twm Sion Twm, of Red Wharf ... but what progress he has made in the language I can't learn,' meddai wrth William.[141] Pe byddai i'w fab lwyddo i ddysgu'r Gymraeg, ymddiofrydodd y tad y gofalai na chollai mohoni drachefn.

Gweithred arwyddocaol oedd gyrru Robin i Fôn. Dywedodd Goronwy na fynnai ddychwelyd i Fôn, ond ar ei hald, efallai, ac mai'r unig fantais a gynigiai byw ym Môn iddo oedd y ffaith y gallai ei blant ddysgu Cymraeg yno. Bu cyn wired â'i air. A rhaid gofyn: os oedd hiraeth Goronwy am Fôn mor ddirdynnol ag y cred rhai ei fod, pam nad aeth yno o Lerpwl i liniaru rhywfaint ar yr hiraeth hwnnw? Dim ond iddo neidio ar long, a byddai yno mewn dim o amser, ond nid aeth ar gyfyl y lle yn ystod ei gyfnod yn Walton. Ni ddychwelodd yno ei hun, hyd yn oed ar ôl cael cynnig swydd ym Môn, ond 'roedd yn fodlon anfon Robin i'r ynys, er gwaethaf pob perygl, a Robin oedd cannwyll ei lygad. 'Duw o'r nef a'i dycco'n ddiangol, mae fy nghalon yn gofidio trosto bob munud, gan arwed yr hin i'r mordwywr bychan,' meddai wrth William.[142] Bu Robin yn aros yng nghartref modryb ei dad, Agnes Gronw, a'i gŵr Robert Owen, ar fynydd Bodafon, am wythnos neu bythefnos o leiaf yn ystod ei arhosiad ym Môn, a Robert Owen a aeth â Robin yn ôl o Fôn at ei fam a'i dad. 'I'm told one of his boys is in Anglesey, ymhen mynydd Bodafon, mae'n debyg fod Gronow yn meddwl mae hwnnw yw Parnassus, lle i ddysgu ieithoedd,' meddai Lewis yn ddigon gwawdlyd a diystyrllyd.[143] Ceir yr argraff mai symud Robin o aelwyd i aelwyd a wnaethpwyd ym Môn, a'i rannu ymhlith perthnasau a chydnabod. Bu ar un ymweliad o leiaf â Phentre-eiriannell yn ystod y misoedd hyn. Yno y

---

[139] Ibid., t. 125.

[140] Ibid., llythyr XLVI, at William, o Walton, Hydref 16, 1754, t. 129.

[141] Ibid. Gŵr o Ddulas, Môn, oedd hwn. Cyfeirir ato yn aml yn llythyrau'r Morrisiaid. Er enghraifft, *ML* I, llythyr CCXXV, William at Richard, o Gaergybi, Mawrth 7, 1755, t. 336: 'Yr oedd Grono yn iach dydd arall, meddai Dwm Sion Twm gynnau'.

[142] Ibid., llythyr L, at William, o Walton, Rhagfyr 2, 1754, t. 138.

[143] *ML* I, llythyr CCXXVII, Lewis at William, o Lundain, Mawrth 27, 1755, t. 339.

gwelodd delyn Marged, chwaer Siôn Owen, a merch Elin, chwaer Lewis, Richard a William. 'Roedd Marged a Siôn ei brawd yn medru canu'r delyn yn fedrus. Cadwai Marged dŷ i'w thaid, Morris Prichard, ar y pryd. Rhyfeddodd Robin at y delyn, a bu'n siarad yn ddi-baid amdani, gan grefu am gael un debyg iddi, fyth ar ôl yr ymweliad hwnnw. Mae'n rhaid fod Robin wedi clywed Marged yn canu'r delyn yno. Soniodd William am noson gerddorol a gynhaliwyd ar aelwyd Pentre-eiriannell ym mis Ionawr 1754, a phob aelod o'r cwmni – Ffowc Siôn, y trwmpedwr a'r telynor, cymydog i Morris Prichard a drigai yn Rhos Fadog, yn ymyl Pentre-eiriannell, Lewis Owen, person Llaneugrad a Llanallgo, a'i wraig, Marged y delynores, Morris Prichard, a William ei hun – yn cyfrannu at y noson. 'Mi a fuaswn yn ymweled a nhad ... Daeth gyd am fi yma berson Gallgo, a Mr. Foulk Jones y trwmpeter gynt ... the best violin perhaps in Wales,' meddai wrth Richard. 'Cawswn efo rhain noswaith lawen yn yr hen gartref ... Telyn ein nith Marged Owen, who plays very pretty, and Ffoukyn's violin, the parson, father, myself, etc., yn canu gyda'r tannau,' ychwanegodd, gan godi hiraeth, fe ellid tybied, ar y brawd alltud.[144] Ar ôl yr holl ymdrech o gael ei fab i Fôn, gofidiai Goronwy ynghylch un peth. Dywedodd ei gefnder, mab Agnes a Robert Owen, wrtho fod y Monwysion yn 'fond of learning *English* of *him*, and so never trouble their heads about teaching him *Welsh*'.[145]

Hyd yn oed os na ddymunai ddychwelyd i Fôn, ni olygai hynny na fyddai'n symud i Gymru. 'Gwyn ei fyd a fai yn Ghymru; ni waeth pa gwrr!' meddai wrth Richard.[146] Cyn diwedd 1754 'roedd Goronwy wedi syrffedu'n llwyr ar Walton, ac wedi diflasu ar ei fyd main yn fwy na dim. Parhai William a Lewis i ymgyrchu o'i blaid, a breuddwydiai William o hyd am ei gael yn ôl i Fôn. 'Och fi na cha'i yr *rhent* oreu ym Môn!' meddai wrth Richard.[147] Gobeithiai William y gallai Iarll Powis fod o fudd i Goronwy o hyd. 'Pe bai Mr. Bodvel, i.e., Arglwydd Powis, yn ceisio gwell un iw gâr Huw Williams ac yn rhoi'r Aberffraw i Oronwy, ond gwych a fyddai?'[148] Ym 1754 'roedd gwraig Iarll Powis yn feichiog, a gofynnodd Lewis i Goronwy baratoi cywydd i ddathlu genedigaeth yr etifedd, pan ddigwyddai ym 1755. Gobeithiai Lewis, mae'n debyg, y byddai hynny yn ennill rhagor o ffafriaeth tuag at Goronwy, ac y byddai Arglwydd Powis, o'r herwydd, yn ymdrechu'n daerach i gael bywoliaeth iddo.

Gwysiodd William rywun arall i'r frwydr, sef Thomas Mosson. Cyfarchwyliwr Tollau Biwmares oedd Thomas Mosson, ac 'roedd William, i raddau helaeth, yn atebol iddo.

---

[144] Ibid., llythyr CLXXXIII, William at Richard, o Gaergybi, Ionawr 13, 1754, t. 270.

[145] *LGO*, llythyr L, at William, o Walton, Rhagfyr 2, 1754, t. 139.

[146] Ibid., llythyr XLVIII, at Richard, o Walton, Tachwedd 9, 1754, t. 133.

[147] *ML* I, llythyr CCVII, William at Richard, o Gaergybi, Medi 21, 1754, t. 308.

[148] Ibid.

Gan fod Caergybi yn isborthladd i Fiwmares, drwy ddwylo Mosson yr âi cyfrifon misol a chwarterol William, cyn eu hanfon ymlaen at y Bwrdd Tollau yn Llundain. Er mai 'gwr abl diddaioni' oedd Mosson yng ngolwg William,[149] a 'gwr drosto ei hun',[150] 'roedd digon o adnabyddiaeth rhwng y ddau i William allu gofyn iddo ymuno yn yr ymgyrch i sefydlu Goronwy yng Nghymru.[151] Mosson a hysbysodd y bardd fod Dr Hugh Wynn, rheithor Dolgellau, ac Arddiacon Meirionnydd, wedi marw (ar Hydref 13, 1754). Aeth Mosson i Walton i weld Goronwy hyd yn oed, ddiwedd Tachwedd, a gofidiodd y bardd na fedrodd, yng nghanol ei dlodi, gynnig arlwy teilwng i'w ymwelydd. Wedi clywed fod rheithoriaeth Dolgellau yn wag, cysylltodd Goronwy â Lewis ac â Iarll Powis ar unwaith, gan obeithio mai ef a gâi'r rheithoriaeth. 'Sgwennodd hefyd at Richard, gan 'i Iarll Powis addaw wrth y Llew y gwnai erof y cyfle cyntaf', i ddeisyf ar Richard i 'ddwyn yr Iarll ar gof o hynny'.[152] 'Sgwennodd William hefyd at Richard, gan ei atgoffa fod Hugh Wynn yn frawd-yng-nghyfraith i William Vaughan, perthynas a allai fod yn fanteisiol i Goronwy. 'Ai tybiad fod dim siawns i Oronwy gael 'run o'i lefydd? Gofynwch ir Iarll or Castell Côch,' meddai wrtho.[153] Ni chafodd Goronwy reithoriaeth Dolgellau nac unrhyw fywoliaeth arall ychwaith. Siomwyd a digiwyd William gan ffug-addewidion a geiriau gwag y mawrion, a daeth Esgob Bangor ac Arglwydd Powis dan ei lach:[154]

> Wrth son am y bardd, mae'n amlwg i bob dyn nad yw'n Esgob ni ar fedr gwneuthur dim gwasanaeth iddo, for he hath had of late opportunities enow. Dolgellau is offer'd a young clergyman, already a Rector, a tutor to Mr. Wynne of Glynllifon, and if [he] doth not accept of it, Andrew Edwards, a brother-in-law of Chancery Edwards, is to have it. *Llanrhaiadr*, one of the best livings in the diocese has been offer'd Mr. Ellis, a vicar of Bangor, and upon his choosing to have the Archdeaconry with what he had, it was given to Syr Thomas Prendergast for a friend of his, one Roberts, who had Conway and another good living. The Archdeaconry of Merionyth has been given as above. Llangelynin, near Conway, which Roberts resigned, is, they say, given away. Conway and Gyffin is also lost ... Ffei gan gywilydd. Nid oes bosibl fod y Castell Côch o ddifrif am helpu'r truan, beth meddwch?

[149] Ibid., llythyr CCCIII, William at Richard, o Gaergybi, Tachwedd 24, 1756, t. 436.

[150] Ibid., llythyr CCCVI, William at Richard, o Gaergybi, Rhagfyr 22, 1756, t. 441. Dywedodd William hefyd fod Owen Prichard 'cyn diflased gwr ar Fosson am ei en' (ibid., llythyr CCLXXXVI, William at Richard, o Gaergybi, Ebrill 21, 1756, t. 411).

[151] Byddai Mosson yn ymweld â William yng Nghaergybi yn achlysurol, ac arhosodd gydag ef am wythnos gyfan yn niwedd mis Awst, 1750: 'Heddyw yr aeth merch hyna Captain Fortunatus Wright oddiyma, wedi bod efo Mr. Mosson or Duwmares, ai fab in hymweled dros wythnos. 'Rwyf wedi cael fy 'sgegio yn dost drwy eistedd i fynu yn hwyr, a bolera, ni ddaw mo'm corphilyn yw hwyl un wythnos mi wranta' (ibid., llythyr CI, William at Richard, o Gaergybi, Awst 29, 1750, tt. 159 – 160). Mae'n amlwg nad edrychai William ymlaen at ymweliadau Mosson, oherwydd ei fod yn ei gadw ar ei draed yn hwyr: '... dymma Fosson ai wraig wedi dyfod i'm hymweled dros rai oriau, felly ni cheir na hun na gorphwys' (*ML* II, llythyr DLXVI, William at Lewis, o Gaergybi, Tachwedd 16, 1761, t. 408). Dewiswyd Thomas Mosson gan William i setlo'i gyfrifon cyn ei farwolaeth.

[152] *LGO*, llythyr XLVII, at Richard, o Walton, Hydref 22, 1754, t. 132.

[153] *ML* I, llythyr CCXI, William at Richard, o Gaergybi, Hydref 21, 1754, t. 316.

[154] Ibid., llythyr CCXVI, William at Richard, o Gaergybi, Rhagfyr 14, 1754, t. 323.

Gyda'r holl swyddi hyn wedi diflannu dan ei drwyn, gwyddai Goronwy nad oedd fawr o siawns y byddai'n dychwelyd i Gymru bellach. 'Roedd bywoliaeth Llanrhaeadr yn Sir Ddinbych yn cynnig £150 y flwyddyn. Byddai Goronwy, yn sicr, wedi ei derbyn pe byddai wedi cael ei chynnig. 'Gwych a f'asai gael gafael arni hi,' meddai, ond gwyddai mai siawns wan oedd mai ef a'i câi.[155] Edifarhaodd iddo dderbyn y guradiaeth yn Walton a gwrthod swydd ym Môn am £30 y flwyddyn. Dechreuodd sylweddoli fod Cymru ar fin llithro o'i afael am byth, a'r dyhead i fod yn agos at y Gymraeg, ac i ymadael â Walton, oedd yn gyfrifol am hynny. 'Gwyn ei fyd a gaai 30 punt yn rhyw gwrr o Gymru!' meddai yn ei anobaith wrth Richard.[156] 'Mi welaf nad oes dim siawns am ddyfod i Gymru,' cwynai wrth William, gan ychwanegu, 'I never was so sanguine as to promise myself any success, and therefore can have no disappointment'.[157] Os oedd siom, siom ydoedd i'r gŵr a garai ei wlad a'i iaith, ac nid i'r curad tlawd a geisiai wella ei fyd. 'Pe medrwn unwaith gael y gorau arnaf fy hun, a threchu'r naturiol hoffder sydd genyf i'm iaith a'm gwlad, dyn a fyddwn,' meddai.[158]

Yn ei awydd i fod yn gynhorthwy i Goronwy, parhai William i geisio procio Richard i gyhoeddi Cywydd y Farn, yn ogystal â chwilio am swyddi iddo. 'Roedd William yn dechrau colli amynedd. Gwyddai'n rhy dda am addewidion gwag ei frawd. Gofynnodd iddo anfon y cywydd yn ôl ato fel y gallai ei gyhoeddi yn Nulyn drwy danysgrifiadau. Bu'n canmol y cywydd wrth gyfeillion, ac awchai'r rheini am gael darllen gwaith Goronwy o'r herwydd. 'Mae rhai o'r Personiaid a'r bobl 'nheddigions yma'n dechreu cyfaddef fod y bardd yn ddyn abl rhyfeddol,' meddai.[159] Cynnig argraffu'r cywydd yn ei le oedd dull cyfrwys William o edliw i'w frawd ei aneffeithiolrwydd, ac nid ei frawd yn unig ychwaith. Gwyddai, oddi wrth lythyrau Richard, mai esgus oedd cyfarfodydd y Cymmrodorion i gael cyfeddach a chyfeillach i'r rhan fwyaf o'r aelodau, nid cyfle i weithio'n ymarferol dros y Gymraeg. 'Nid ydych yn son un amser am ein brodyr y Cymrodorion,' meddai wrth Richard yn edliwgar, gan ofyn 'a'i llaccau y mae gwres brawdgarwch yn eich plith?'[160]

'Roedd Richard, fodd bynnag, yn brysur ar y pryd yn darparu Cyfansoddiad Cymdeithas y Cymmrodorion, a luniwyd ym mis Ebrill, 1753, ar gyfer ei gyhoeddi. Gofynnodd i Goronwy lunio'r cyfieithiad Cymraeg o'r 'Gosodedigaethau', gair hir na allai William ei stumogi. Cynigiodd Goronwy wneud y gwaith yn rhad ac am ddim i'w gyfaill, 'as badly as I want money'.[161] Dyma gyfle gwych i Goronwy i brofi'i werth i Richard ac aelodau'r Gymdeithas, ac at Richard y trodd am waredigaeth bosibl. Yn ei

[155] *LGO*, llythyr L, at William, o Walton, Rhagfyr 2, 1754, t. 139.

[156] Ibid, llythyr XLIX, at Richard, o Walton, Tachwedd 26, 1754, t. 135.

[157] Ibid., llythyr L, at William, o Walton, Rhagfyr 2, 1754, t. 136.

[158] Ibid.

[159] *ML* I, llythyr CCV, William at Richard, o Gaergybi, Awst 23, 1754, t. 304.

[160] Ibid.

[161] *LGO*, llythyr XLVIII, at Richard, o Walton, Tachwedd 9, 1754, t. 133.

anobaith am gael lle yng Nghymru, mae'n amlwg i Goronwy ofyn i Richard a'i gyd-Gymmrodorion ddod i'r adwy. 'I wrote to you some time ago in answer to your last favor and conjecture that you deferr writing till the Cymmrodorion meet together the first Wednesday of next month,' meddai wrth Richard.[162] Oherwydd bod bwlch yn yr ohebiaeth rhwng y ddau, ni wyddom yn union beth oedd byrdwn llythyr Goronwy ato, ond mae'n amlwg mai gofyn am swydd o ryw fath yr oedd y bardd; ac o graffu ar y gwaith yr oedd ar ei ganol ar y pryd, gellir dyfalu pa swydd oedd honno. Yn ôl Cyfansoddiadau Cymdeithas y Cymmrodorion:[163]

> ... as the Protestants of all Nations in *Europe* (the *Antient Britons* excepted) have their particular Churches in *London*, for the Worship of God in their own Language, the Society have under Consideration the Building, purchasing, or hiring a Place of Worship here, and supporting an able Minister to perform Divine Service, and Sermons therein Weekly, according to the established Doctrine of the *Church of England*, in the *Antient British Language*: A Foundation greatly wanted and wished for by a numerous Body of People of truly religious Disposition, and firmly attached to his Majesty and his Government in Church and State ... when a sufficient Sum shall be promised, the Society will give Notice in the public Papers for the Money to be paid into a Banker's Hands, and will take the necessary Measures to accomplish the Work with all Speed, under the Care and Inspection of a Committee to be chosen for that Purpose.

Swydd yn yr arfaeth oedd hon, a naturiol oedd i Goronwy ofyn i Richard ac aelodau'r Gymdeithas ystyried ei benodi i'r swydd wedi iddi gael ei sefydlu. Ceir cadarnhad mai gofyn i'r Cymmrodorion ystyried ei benodi i weinidogaethu ar Eglwys y Gymdeithas a wnâi yng ngeiriau'r bardd mewn llythyr at William bron i ddeufis yn ddiweddarach. 'Yr wyf ar bendronni yn disgwyl llythyr oddiwrth y Mynglwyd,' meddai.[164] Aros i glywed am benderfyniad Richard yr oedd o hyd. Yn yr un llythyr at William, ceir y geiriau allweddol hyn:[165]

> Mae fel y byddwch gan fwyned ag ymwrando am offeiriadaeth imi erbyn Calanmai; oblegid mi roddais *warning* i'm hen feistr er ys mis neu well, drwy ryw ymgom a f'asai rhyngof a'r Mynglwyd ynghylch bod yn offeiriad Cymreig yn Llundain; a chan nad wyf yn clywed gair oddiwrtho, I mistrust the scheme has miscarried, and almost repent of my rash warning here.

---

[162] Ibid., llythyr XLIX, at Richard, o Walton, Tachwedd 26, 1754, t. 135.

[163] *Constitutions of the Honourable Society of Cymmrodorion in London*, 1755, cymal XXI, *A History of the Honourable Society of Cymmrodorion and of the Gwyneddigion and Cymreigyddion Societies (1751–1951)*, R. T. Jenkins a Helen M. Ramage, *Y Cymmrodor*, cyf. L, 1951, tt. 237-238.

[164] *LGO*, llythyr LII, at William, o Walton, Ionawr 21, 1755, t. 144.

[165] Ibid., t. 145.

Felly 'roedd Goronwy wedi rhoi'i fryd ar y swydd gyda'r Cymmrodorion, gan dybied y câi'r swydd honno yn ddidrafferth drwy ddylanwad a chefnogaeth Richard. Yn fyrbwyll braidd, rhoddodd ar ddeall i Thomas Brooke ei fod yn rhoi'r gorau i'w guradiaeth, gan led-edifarhau iddo gyflawni'r weithred honno. Creadur byrbwyll oedd Goronwy, a phan âi amgylchiadau'n drech nag ef, gallai ei gael ei hun i drybini yn rhwydd. Un o freuddwydion Richard oedd sefydlu Eglwys i'r Cymmrodorion yn Llundain, ac ni sylweddolai Goronwy ar y pryd fod gwahanfur trwchus rhwng delfrydau a bwriadau Richard yn wastad. Sylweddolai, fodd bynnag, y gallai tawedogrwydd Richard olygu nad oedd swydd ar ei gyfer yn Llundain. 'Yr wyf yn ymadael a'r fangre hon ddiwedd Ebrill, ac a rois ar fy holl ffrindiau ymofyn am offeiriadaeth yn Ghymru,'[166] meddai wrth y Richard diymateb, ond gwyddai, gan fod anlwc yn ei ddilyn yn barhaol, na châi swydd yng Nghymru ychwaith. 'Gan i'r byd a minnau unwaith syrthio allan, 'rwy'n tybio na chymmodwn byth drachefn,' meddai yn ei siom.[167]

'Mae'n gwaeddi am offeiriadaeth ym Mon gan nad oes yr un yn Llundain,' meddai William wrth Richard ym mis Ionawr.[168] 'Roedd cael swydd ym Môn, hyd yn oed, yn well na dim. Ceisiodd William, eto fyth, wneud ei orau glas i gael bywoliaeth yng Nghymru i Goronwy, ac erbyn hyn, 'roedd cael swydd iddo yn fater o frys mawr. Cysylltodd â Lewis ym mis Chwefror yn y gobaith y gallai hwnnw ddefnyddio'i ddylanwad ar Iarll Powis i achub Goronwy rhag cael ei daflu'n glwt ar domen y di-waith. Yn Llundain yr oedd Lewis ar y pryd. Dychwelodd i'r ddinas fawr ddiwedd Ionawr 1755, i ateb rhai cyhudd-iadau a honiadau yn ei erbyn o du ei wrthwynebwyr. Wedi i'w elynion golli'r dydd gyda'u hymgyrch i sefydlu eu hawl ar waith Esgair-y-mwyn, lledaenwyd sibrydion maleisus yn ei gylch ganddyn nhw. Nid oedd Lewis wedi cyflwyno'r cyfrifon a oedd yn ymwneud ag Esgair-y-mwyn i'r Trysorlys un waith oddi ar ei benodi'n asiant y Goron yng Ngheredigion ddwy flynedd yn gynharach. Esgus Lewis oedd iddo fod yn rhy brysur, yn ystod y ddwy flynedd hynny y bu'n casglu tystiolaeth ar ran y Goron i sefydlu hawl y Brenin ar y gwaith, i baratoi'i gyfrifon ar gyfer y Trysorlys. Honnodd ei elynion fod rhyw ddrwg yn y caws, a bod Lewis yn amlwg yn celu rhai pethau. Bu'n rhaid iddo gyrchu Llundain drachefn, i geisio achub ei gam. Y tro hwn, aeth â John Owen gydag ef fel tyst, gan i'w nai weithredu fel cyfrifydd i Lewis am dymor yn Esgair-y-mwyn. 'When my own hurry is over,' meddai Lewis o ganol ei bryderon, 'I shall apply my self entirely to help Goronwy'.[169] Gyda Lewis yn Llundain unwaith yn rhagor, gwyddai William ei fod mewn cysylltiad parhaol â William Vaughan ac Arglwydd Powis, a dyna pam y ceisiodd annog ei frawd i wthio'i ddylanwad ar y mawrion ym mis Chwefror.

'Sgwennodd Lewis yn ôl at ei frawd:[170]

---

[166] Ibid., llythyr LI, at Richard, o Walton, Ionawr 17, 1755, t. 142.

[167] Ibid.

[168] *ML* I, llythyr CCXX, William at Richard, o Gaergybi, Ionawr 24, 1755, t. 330.

[169] Ibid., llythyr CCXXVI, Lewis at William, o Lundain, Mawrth 15, 1755, t. 337.

[170] Ibid., llythyr CCXXIII, Lewis at William, o Lundain, Chwefror 15, 1755, t. 332.

Mi a eis a'ch llythyr Cymraeg ynghylch Goronwy at yr Arglwydd Powys neithiwr ynghylch chwech, lle bum heb ond y fi ag ynteu yn *constrio* pob materion dan unarddeg ... Gwedi darllain (nage edrych) dros eich llythyr Cymraeg chwi, a gweled enwau Bangor a Llanrhuddlad ynddo, a rhyfeddu weled y fath sgrifen Gymraeg lân loyw, fe ddymunodd arnaf sgrifennu henwau'r llefydd ar bappir, ag fe sgrifen yn union deg at yr Esgob; os gwel Duw yn dda i Ronwy fynd yn Berson Rhuddlad fe a'i ca, ac onide os byddwn byw fe ga y peth cynta a allo'r Iarll iddo. He is really concernd for him; and we agreed it was proper to rescue such a man, lest he should fall into the hands of Jacobites, ond na ddywedwch mor rheswm hyn i Oronwy.

Afraid dweud na chafodd Goronwy Lanrhuddlad nac unman arall, ac na allod Arglwydd Powis wneud dim er ei fwyn.

Gallai Goronwy hefyd, pe cynigid swydd y Cymmrodorion iddo, fod yn ymyl Richard yn barhaol, a'i helpu i gael y maen i'r wal gydag amryw byd o'i gynlluniau. 'Roedd eisoes wedi awgrymu'n gryf y gallai fod o gymorth mawr i Richard ac i'r Cymmrodorion pe gallai breswylio yn Llundain. 'Roedd cymal arall yng Nghyfansoddiadau'r Gymdeithas yn rhestru dyletswyddau'r Ysgrifennydd. Cyfrifoldeb yr Ysgrifennydd oedd dethol rhannau o lythyrau aelodau'r Gymdeithas ar gyfer eu cyhoeddi yn y '*Memoirs of the Society of* CYMMRODORION *in* LONDON', ynghyd â thrafodaethau ar bynciau amrywiol fel hanes, barddoniaeth a hynafiaethau; un arall o ddyletswyddau'r Ysgrifennydd oedd cyhoeddi hen lawysgrifau prin a gwerthfawr gyda nodiadau eglurhaol, a gweithredu hefyd fel Llyfrgellydd a Cheidwad Amgueddfa'r Gymdeithas, a gedwid ar y pryd yn yr Ysgoldy yn Clerkenwell Green. Er iddo wneud cais am y swydd, gofidiai na châi moni. 'Nid oes lle i ddisgwyl dim newydd oddiyna bellach yr wy'n ofni,' meddai wrth Richard.[171] Mae'n amlwg mai gofyn i Richard am swydd a wnâi Goronwy, oherwydd, yn ei bryder na châi mo'r swydd y gofynnai amdani, mae'n gofyn i Richard 'A fyddai anhawdd cael lle ar fwrdd llong o Ryfel?' oherwydd, gyda'r tyndra rhwng Lloegr a Ffrainc bellach yn dwysáu ac yn graddol arwain at ryfel, 'fe fyddai ddewisach genyf fi ymladd a'r Ffrangcod, a gweddio tros Saeson tra baent yn eu rhegu eu hunain, na byw yn y fangre lom felldigaid yma'.[172] Gwyddai y gallai Richard, drwy ei gysylltiadau, gael swydd iddo fel caplan yn y Llynges, ond ymbalfalu yn y niwl yr oedd Goronwy.

Er iddo weithredu'n fyrbwyll drwy hysbysu Brooke ei fod yn rhoi'r gorau i'w swydd, 'roedd ar dorri'i wddw eisiau ymadael â Walton. Ni allai oddef aros yno fawr yn hwy. Un o'r rhesymau pennaf am ei anniddigrwydd oedd baich ei ddyletswyddau yno. 'Roedd wedi ymlâdd erbyn y diwedd, ond gwaethygodd pethau. 'Roedd gaeaf 1754–1755 yn hawlio llawer iawn o fywydau yn Walton. 'Mae poblach yn gleifion yn aml yn y cyrrau yma, a llawer iawn yn meirw,' meddai wrth Richard ym mis Ionawr y flwyddyn newydd.[173] Drwy orweithio a chymysgu â chleifion, aeth Goronwy ei hun i wendid ac fe'i

---

[171] *LGO*, llythyr XLIX, at Richard, o Walton, Tachwedd 26, 1754, t. 135.
[172] Ibid.
[173] Ibid., llythyr LI, at Richard, o Walton, Ionawr 17, 1755, t. 141.

trawyd yn wael. Ar Ionawr 10, aeth i ymweld ag Edward Owen yn Crosby, ac yng nghartref ei gyfaill y clafychodd y bardd, er iddo lwyddo, gydag anhawster, i farchogaeth yn ôl i Walton y diwrnod wedyn. Y Sul canlynol, pregethodd Edward Owen yn ei le yn Eglwys Walton. Am gyfnod byr bu'n dioddef o'r dwymyn, llid ar yr ysgyfaint a pheswch, 'but by timely bleeding and taking physic, I got rid of my fever and pleurisy, but my cough still sticks to me and gathers strength'.[174]

Ergyd ddidostur oedd y salwch hwn i Goronwy. Suddodd i bwll o iselder ysbryd. 'A body and mind harass'd and worn out with cares and afflictions can't hold out any long while,' meddai wrth William,[175] ac eto, 'roedd helbulon a threialon ei fywyd wedi troi'r bardd byr yn dalp o galedrwydd. ''Rwyf yn tybio fod fy nghalon i o ddur neu ryw ddefnydd rhy wydn a pharhaus i dorri,' meddai wrth William drachefn.[176] Ceisiodd Lewis godi ei galon, ond 'roedd ansicrwydd, yn ogystal â thostrwydd, yn amharu ar ei iechyd, yn feddyliol ac yn gorfforol. Calan o dorcalon a gofalon oedd hwnnw, a gadawodd ei ôl arno. Lluniodd gywydd newydd sbon wedi iddo gael peth adferiad iechyd, cywydd i Galan 1755, a'i waeledd oedd prif fyrdwn y cywydd. Yn y gorffennol bu'r Calan yn gyfnod o lawen chwedl i Goronwy, dydd ei ben-blwydd ef a'i fab hynaf, dydd dathlu genedigaeth, ond bradwr o Galan oedd y Calan hwn:

> Dy gywyddau, da gweddynt
> Â'th fawl; buost gedawl gynt;
> Weithion paham yr aethost,
> Er Duw, wrthyf fi mor dost?
> Rhoddaist im ddyrnod rhyddwys
> O boen, a gwae fi o'i bwys;
> Mennaist o fewn fy mynwes
> Â chlefyd o gryd a gwres,
> A dirwayw'r poethgryd eirias
> Ynglŷn â phigyn a phas.

Bu i'r Calan caled hwn ei atgoffa am ei fyrhoedledd, a pheri iddo sylweddoli mai taith o'r bru i bridd yw ein taith drwy fywyd, ac mai cael ein geni i fyd o feidroldeb a marwoldeb a wnawn:

> Rhedaist, fal llif rhuadwy
> I'r môr, ac ni'th weler mwy;
> A dygaist ddryll diwegi,
> Heb air sôn, o'm berroes i;
> Difwynaist flodau f'einioes:
> Bellach, pand yw fyrrach f'oes?

---

174 Ibid., t. 142.
175 Ibid., llythyr LII, at William, o Walton, Ionawr 21, 1755, t. 143.
176 Ibid., t. 144.

O Galan hwnt i'w gilydd
Angau yn nesáu y sydd;
Gwnelwyf â nef dangnefedd
Yn f'oes, fel nad ofnwyf fedd,
A phoed hedd cyn fy medd mau,
Faith ddwthwn, rhof a thithau.

Er gwaethaf ei bryderon ar y pryd, 'roedd Goronwy, yn ogystal â llunio'r cywydd Calan a gweithio ar y cywydd ar gyfer dathlu genedigaeth aer neu aeres i Iarll Powis, yn gweithio ar sawl cerdd arall rhwng diwedd 1754 a dechrau 1755, a'r cerddi hyn yn gerddi i'r uchel a'r isel, i'r crach ac i'r corachod. Gofynnodd Richard iddo lunio cerdd i Dywysog Cymru gogyfer â Dygwyl Dewi ym 1755, a lluniodd Goronwy ei hun gywydd i William Vaughan i ofyn iddo am ffrancod. Ar gost eraill yn aml y gyrrai Goronwy ei lythyrau, oherwydd ei dlodi. Cafodd ddau ddwsin o ffrancod gan William Vaughan ddiwedd Medi 1753, pan ymwelodd y bonheddwr â'r bardd yn Walton, a naturiol oedd iddo droi at William Vaughan unwaith yn rhagor am na 'fu yma ermoed gymaint o newyn a llymdra am danynt'.[177] Yn ôl y cyfraddau y penderfynwyd arnyn nhw ym 1711, ac a gadwyd yn sefydlog hyd at 1765, codid lleiafswm o dair ceiniog am anfon llythyr, er bod Llundain yn gweithredu system bostio ratach a gostai geiniog y llythyr.[178] Prin y gallai Goronwy afforddio anfon llythyrau at gyfeillion a chydnabod heb garedigrwydd y cyfeillion hynny, ac nid rhyfedd i'r bardd ddatgan yn y cywydd 'na fedd dyn ... Diles mo'r modd i dalu', a mynegi mai ei ddymuniad

Yw cael gan ŵr hael yn rhad
Ffrancod eglur, Mur Meirion,
O ran mael, i 'Ronwy Môn.

Lluniodd hefyd nifer o englynion dychan i Elis Roberts, Elis y Cowper, neu Elisa Gowper, yn ôl Goronwy. Gwelsai rai o englynion Elis yn llawysgrif Y Delyn Ledr. Cynrychiolai Elisa ddosbarth arbennig o feirdd yn nhyb Goronwy, sef y beirdd gwerinaidd, rhigymaidd, y beirdd bol clawdd a ganai'n garbwl-anghelfydd ac yn fas fasweddus. Rhôi Goronwy, fel bardd, y pwyslais ar ganu dyrchafol, difrifddwys ac urddasol, canu sicr ei grefft a glân ei fynegiant, a pharchai ei awen fel rhodd gan Dduw ei hun. Sarhad ar grefft a galwedigaeth y bardd oedd canu bustlaidd ac amrwd Elis a'i debyg. Felly, cynrychiolai Elis ddull o farddoni a oedd yn hollol groes i bob egwyddor farddonol a goleddai Goronwy, ac yn ogystal â'r gwrthdaro syniadol hwn, 'roedd cof Goronwy am y gwrthdaro corfforol a phersonol hwnnw a fu rhyngddo ac Elis, pan oedd y bardd yn ddisgybl yn Ysgol y Friars, yn rhoi mwy o fin ar ei gwilsyn. Gofynnodd i

---

[177] Ibid., llythyr XLIX, at Richard, o Walton, Tachwedd 26, 1754, t. 135.
[178] Cf. ibid., llythyr LVI, at Richard, o Lundain [The Bell Inn yn Smithfield], Mai 13, 1755, t. 152.

William Morris ddyfeisio 'ryw ffordd ddirgel i yrru hyn o Englynion i Elisa,' ac 'mai'r ffordd orau fyddai eu rhoi i ryw faledwr i'w hargraphu'.[179] Gan i'r Bardd Coch ddychanu Elis unwaith, gofynnodd Goronwy i William ddweud mai Hugh Hughes oedd biau'r englynion, ond addawodd y byddai'n ochri â'r Bardd Coch pe bai ffrae farddonol yn codi rhwng y Cowper a'r Coch ar gyfrif yr englynion!

Aeth y bardd yn wael eto ym mis Chwefror, wrth i'r afiechyd a gydiodd ynddo ddechrau'r flwyddyn ailafael. Oherwydd ei holl alwadau beichus, ni chafodd gyfle i gael llwyr adferiad i'w iechyd. 'As the Duty is very large in this Parish, I am forc'd to stir out as soon as I'm able to crawl, tho' at the hazard of my life,' meddai wrth Richard, a hynny a barodd iddo nychu eilwaith.[180] 'Roedd 'yn pendroni ac yn siarad yn ofer' yn ystod nosweithiau'r dwymyn,[181] a hyd yn oed ar ôl gorchfygu'r gwaethaf, 'I have been, sometime after my illness, troubled with a shortness of Breath, & am still with a sort of involuntary sighing, which comes upon me unawares, very frequently & suddenly'.[182] Er gwaethaf ei waeledd, llwyddodd i gwblhau'r cywydd i'r Tywysog gogyfer â Gŵyl Ddewi y flwyddyn honno, ac i lunio'r cyfieithiad o Gyfansoddiad Cymdeithas y Cymmrodorion. Cafodd ddau ddarn aur yn dâl am y gwaith hwnnw gan Richard.

Ac yntau wedi cael dechrau mor gythryblus i'r flwyddyn, ansicrwydd ynghylch swydd, a thostrwydd yn ystod cyfnod ei ben-blwydd, digwyddodd trychineb canmil gwaeth. Bu farw Elin, merch fach y bardd, yn gynnar ym mis Ebrill, yn bymtheng mis oed. Goronwy ei hun a'i claddodd, ar Ebrill 11.[183] Plentyn musgrell fu Elin o'i genedigaeth, ac anochel, efallai, iddi drengi cyn i'w hail aeaf yn Walton redeg ei gwrs. 'Dedwydd gyfnewid iddi hi, f'enaid bach!' meddai Goronwy yn annwyl ac yn alarus.[184] Ergyd ofnadwy oedd hon iddo, a golygfa dorcalonnus oedd gweld y bedd newydd bob dydd, gyda dim ond rhwng hanner a thri chwarter erw, 'deurwd neu dri',[185] chwedl y tad galarus, rhwng y tŷ a'r bedd hwnnw. Cyfnod ofnadwy oedd hwn i Elin a Goronwy: y bardd ar fin marw ei hun, a dyfodol annelwig o'i flaen, ac wedyn y ferch fach yn dwyn cyfnod Walton i ben mewn modd creulon o derfynol. Canodd y bardd awdl ar ei hôl, un o'i gerddi mwyaf adnabyddus, er na lwyddodd i gwblhau'r awdl yng nghanol ei alar a'i ansefydlogrwydd. 'Roedd yr awdl anorffenedig yn ddrych i fywyd anghyflawn ac anhrefnus Goronwy. Canodd yn dyner amdani, gan agor â deigryn o englyn:[186]

[179] Ibid., llythyr LII, at William, o Walton, Ionawr 21, 1755, t. 143.

[180] Ibid., llythyr LIV, at Richard, o Walton, Mawrth 18, 1755, t. 146.

[181] Ibid., llythyr LIII, at Richard, o Walton, Chwefror 23, 1755, t. 145.

[182] Ibid., llythyr LIV, at Richard, o Walton, Mawrth 18, 1755, t. 147.

[183] Ceir y cofnod am gladdu Elin yn llawysgrifen y bardd ei hun yn Llyfrgell Picton, Lerpwl. Gw. *A True and Perfect Register of all Marriages, Births, Christenings, and Burials, at the Parish Church of Walton; commencing September, 25th: 1743.*

[184] *LGO*, llythyr LV, at Hugh Williams, o Walton, Ebrill 15, 1755, t. 151.

[185] Ibid., llythyr LVII, at William, o Lundain, Mehefin 7, 1755, t. 153.

[186] 'Awdl Farwnad Elin, Unig Ferch y Bardd', *Blodeugerdd Barddas o Ganu Caeth y Ddeunawfed Ganrif*, t. 105.

> Mae cystudd rhy brudd i'm bron, – 'rhyd f'wyneb
> Rhed afonydd heilltion;
> Collais Elin liw hinon,
> Fy ngeneth oleubleth lon.

Cyfnod Walton oedd cyfnod awdlaidd Goronwy, ac awdl arbrofol oedd hon eto, er mor ddirdynnol o drist oedd yr achlysur. 'Roedd ôl ei edmygedd o waith Beirdd y Tywysogion yn amlwg ar ei mydryddiaeth, yn enwedig o ystyried ei chynganeddion gwreiddgoll a phengoll, gan gynnwys y llinell 'Gorffwys ym mynwes mynwent Walton'.

Er iddo led-edifarhau am ei fyrbwylltra ynghylch gadael ei guradiaeth, mae'n rhaid ei fod, er gwaethaf yr ansicrwydd mawr a'i hwynebai, yn falch iddo benderfynu gadael Walton ar ôl marwolaeth Elin. 'Roedd pob pennod ddiweddar ym mywyd Goronwy yn gyfres o ddigwyddiadau anffodus ac annymunol, y naill yn dilyn y llall, hyd nes cyrraedd uchafbwynt, a dyna fyddai'r patrwm yn y dyfodol hefyd. 'Roedd pob anghaffael yn fellten ar ôl mellten yn taro coeden, a phob mellten yn gwanhau ac yn hollti'r goeden gan bwyll, nes i un hyrddiad mawr terfynol ei malurio'n chwilfriw. Y carchariad yn Amwythig oedd y fellten fawr olaf yn ystod cyfnod Croesoswallt; agwedd elyniaethus Douglas a Boycott a'r weithred drahaus o ddwyn y chwe acer o dir oddi arno oedd ergyd derfynol Donnington; colli Elin oedd yr ergyd hyd at hollt yn Walton. Bob tro y chwilfriwid y goeden byddai Goronwy yn cael ei orfodi i drawsblannu un arall mewn lle amgenach. Bob tro yr ymadawai â rhywle, dan orfod neu o'i wirfodd, byddai un gic olaf a therfynol yn ei hyrddio dros y trothwy, ac yn ei yrru ymlaen i le gwahanol.

Llundain oedd y lle gwahanol y tro hwn. Bedwar diwrnod ar ôl claddu Elin, 'roedd ei olygon wedi eu troi i gyfeiriad y ddinas. Byddai'n ymadael â Walton ar Ebrill 29. Ceisiodd annog Hugh Williams i ddod i Walton i ymweld ag ef, rhag ofn na châi weld ei gyfaill byth wedyn. 'Ond odid i'm ddyfod byth ychwaneg i unlle yng Nghymru,' meddai wrth Hugh Williams,'canys dyna fi yn myned yn union i Lundain, cyn pythefnos o'r haf, lle mae'r Cymmrodorion yn addo i mi a'r teulu ddigon o gynhaliaeth hyd oni chaffont imi Bersonoliaeth yn rhyw wlad'.[187] 'Roedd y Cymmrodorion, felly, am roi help i'w gynnal hyd nes y ceid swydd iddo. Meddai eto wrth Hugh Williams:[188]

> Mi gaf gyflog am fod yn ysgrifennydd ac yn gyfieithydd etc. iddynt, ac y maent yn bwriadu llogi rhyw Eglwys neu Gappel, a thalu i minnau am offeiriadu yn Gymraeg ynddi unwaith bob Sul ... Maent yn rhoi imi addewidion mawr; nis gwn i beth a wnant; ond gyda Duw, mi fynnaf weled.

Mewn gwirionedd, Lewis a awgrymodd y dylai Goronwy hel ei draed tua Llundain. 'I have wrote to Gronow to come here, which is, I think, the best scheme of all,' meddai

---

[187] *LGO*, llythyr LV, at Hugh Williams, o Walton, Ebrill 15, 1755, t. 150.
[188] Ibid.

wrth William, 'and leave his wife and children in ye country for a while'.[189] Gobeithiai Lewis roi help personol i Goronwy unwaith y cyrhaeddai Lundain. Mae'n amlwg iddo gael gair â Richard o blaid Goronwy, a darbwyllo'i frawd y gallai wneud gwaith i'r Cymmrodorion am beth cyflog, hyd nes y sefydlid yr Eglwys yn Llundain, neu gael swydd arall iddo. 'Mae ei eisiau yma yn dost gyda'r Cymmrodorion, ag fe wna fywoliaeth o'r gorau,' meddai, gan edrych ar yr ochr olau i'r sefyllfa braidd.[190] Bwriad Goronwy oedd gadael Elin a'r plant ar ôl, am bum neu chwe wythnos, ac anfon amdani wedyn ar ôl iddo ymsefydlu yn Llundain. Awgrymodd i'w wraig y dylai fynd at ei mam, ond gwrthododd, arwydd nad oedd pethau yn rhy dda rhwng Elin a'i theulu, oherwydd eu gwrthwynebiad i'w gŵr. Dewisodd hi fynd i Fôn, at rai o berthnasau Goronwy, ond, gan nad oedd ganddo 'ym Mon ddim ceraint a dâl faw,'[191] llusgodd Elin a'r plant ar ei ôl yr holl ffordd i Lundain.

A beth am Elin? Beth oedd ei hymateb hi i'r byrbwylltra a'r brys-baratoi, i'r galar a'r ymgilio? Y tu ôl i'r Goronwy gymhleth ac athrylithgar hwn, y mae rhyw gysgod annelwig, aneglur yn symud, rhith niwlog, anghyffwrdd yn llercian yn y cefndir: Elin, ei wraig; yr Elin ddewr, ddioddefus, dawel hon. Nid hawdd cael gafael arni hi yng nghanol y cruglwythi o ohebiaeth. Hi yw'r un or-amlwg o'r golwg, yr absennol-bresennol. Beth oedd agwedd Elin at yr anniddigrwydd hwn ym mywyd ei gŵr, ei hagwedd at ei lên a'i aflonyddwch? Sut yr oedd Elin yn dal y straen, yn dygymod â'r tlodi, yn ymdopi â'r ymdrech i glymu deupen y llinyn ynghyd? Ni siaradodd Goronwy erioed yn amharchus amdani; i'r gwrthwyneb, meddyliai'r byd ohoni. Os cywir honiadau'r Morrisiaid, 'roedd Elin wedi torri dan y straen, ac wedi dechrau hel diod i ganlyn ei gŵr. Gan Lewis y ceir y cyfeiriad cyntaf at ddiota Elin, yn union fel y cafwyd y cyfeiriad cyntaf at botio Goronwy ganddo. 'Duw helpio Gronwy a phob dyn sy a gwreigan wleb ddifraw,' meddai wrth William.[192] Anodd deall ymhle y cafodd Lewis afael ar y stori. Mae brawddeg dosturiol Lewis yn awgrymu fod William yn gwybod am broblem Elin eisoes. Efallai mai William, drwy Owen Prichard, oedd y cyntaf i glywed fod Elin yn diota, ac mai ef a ddywedodd wrth Lewis. Newydd fod ar ei aelwyd, fis cyn i Lewis gwyno am lymeitian Elin wrth William, yr oedd Owen Prichard. 'Doedd dim rheswm gan Lewis, ar y pryd, i bardduo Elin, ac felly rhaid derbyn fod peth gwirionedd yn y stori. 'Gwreigan feddal ni thal dim yn y byd, yn enwedig i fardd a fai ar awen yn berwi yn ei ben yn oestad teg,' cytunai William.[193] Ac ar ben y tlodi a'r diota, yr ansicrwydd a'r ansefydlogrwydd, 'roedd yr Elin drist hon wedi colli ei merch fach.

Bu llawer o ymchwilwyr yn methu dirnad sut na pham yr aeth y bardd o Walton i Lundain, ac yn cael yr holl hanes yn dywyll ac yn ddyrys. O astudio'r dystiolaeth yn

---

[189] *ML* I, llythyr CCXXVII, Lewis at William, o Lundain, Mawrth 27, 1755, t. 339.

[190] Ibid., llythyr CCXXX, Lewis at William, o Lundain, Ebrill 14, 1755, t. 341.

[191] *LGO*, llythyr LV, at Hugh Williams, o Walton, Ebrill 15, 1755, t. 151.

[192] *ML* I, llythyr CCXIV, Lewis at William, o Esgair-y-mwyn, Tachwedd 24, 1754, t. 320.

[193] Ibid., llythyr CCXVIII, William at Richard, o Gaergybi, Ionawr 9, 1755, t. 327.

fanwl, mae'r holl fater yn berffaith glir; ac eto, efallai y dylid amlinellu'r gwahanol gamau yn y symudiad i gyfeiriad Llundain. Gwahoddwyd Goronwy i fod yn aelod gohebol, neu 'aelod anghyttrig', chwedl ef ei hun, o Gymdeithas y Cymmrodorion gan Richard Morris. Ystyriai'r bardd hynny yn fraint, a rhoddodd iddo'r ymdeimlad o fod yn perthyn i gyfeill-ach lenyddol. Cwynai Richard yn barhaus ei fod yn rhy brysur i allu gweithredu'i ddel-frydau a'i fwriadau, ac na châi fawr o gymorth gan ei gyd-aelodau yn y Gymdeithas. Gwelodd Goronwy ei gyfle, ac awgrymodd sawl tro, mewn dulliau digon cyfrwys, y gallai fod o gymorth mawr i Richard yn ei nod i ymgeleddu'r Gymraeg pe bai'n nes ato. Cafodd hefyd gyfle i brofi ei werth sawl tro. Lluniodd awdl o fawl i Gymdeithas y Cymmrodorion, a cherddi comisiwn eraill, cerddi i'w darllen yng nghyfarfodydd y Gymdeithas. Gwahoddodd Richard ef hefyd i drosi Cyfansoddiad y Gymdeithas i'r Gym-raeg, a sylwodd Goronwy, wrth gyfieithu, fod y Cymmrodorion yn bwriadu un ai adeiladu neu brynu neu logi Eglwys yn Llundain, er mwyn gallu cynnal gwasanaethau Cymraeg yn y ddinas, a bwriedid cyflogi gweinidog llawn-amser i wasanaethu ynddi. Gofynnodd Goronwy, wedi 'laru ar addewidion gwag mawrion fel William Vaughan ac Arglwydd Powis i sicrhau bywoliaeth deilwng iddo, i Richard a gâi ef y swydd honno. Gwyddai na allai Richard ei wrthod, oherwydd gallai Goronwy roi llawer o gymorth iddo o safbwynt gwireddu rhai o gynlluniau llenyddol a diwylliannol y Gymdeithas.

Yn ei or-hyder mai ef a gâi'r swydd gyda'r Cymmorodorion, ac yn ei awydd i ymadael â'i blwyf eang a thrafferthus, gadawodd i Thomas Brooke wybod ei fod yn bwriadu rhoi'r gorau i'w guradiaeth. Pe bai'r swydd eglwysig wedi'i sefydlu yn bendant, byddai Richard wedi sicrhau y câi Goronwy hi, heb fawr ddim o amheuaeth; ond 'doedd y swydd ddim yn bod, a dyna oedd y broblem. Ni sylweddolai Goronwy mai cynllun ar gyfer y dyfodol oedd y swydd hon, ac mai gŵr â'i ben yn y cymylau a'i ben-ôl ar dwmpath morgrug oedd Richard; delfrydwr a breuddwydiwr yn hytrach na gweithredwr, gŵr a oedd yn rhy brysur i ddod i ben â'r rhan fwyaf helaeth o'i gynlluniau. Ni chlywodd Goronwy ddim gair oddi wrth Richard am ysbaid go hir wedi iddo ofyn i'w gyfaill gyflwyno'i gais am y swydd gerbron aelodau'r Gymdeithas, a dechreuodd amau'r gwaethaf. 'Roedd yn rhy hwyr, fodd bynnag, iddo fynd yn ôl ar ei air a gofyn am ei hen swydd yn ôl, ond yn nwfn ei galon, ni fynnai mohoni'n ôl. 'Roedd wedi ei roi ei hun mewn sefyllfa enbyd o gymhleth ac anodd, a daeth Lewis, yng nghanol ei holl ofidiau a'i drafferthion, i'r adwy, i geisio datrys rhywfaint ar y sefyllfa ddyrys hon. Tybiodd mai gwahodd Goronwy i Lundain oedd y cynllun gorau, yr unig beth y gellid ei wneud dan yr amgylchiadau, gan addo i'r bardd y byddai ef a'r Cymmrodorion yn estyn cymorth a chynhaliaeth iddo hyd nes y sefydlid y swydd gyda'r Cymmrodorion, neu gael bywoliaeth arall iddo. Y peth pwysicaf i'w gofio ynglŷn â'r holl bennod yw mai Goronwy a'i gwahoddodd ei hun i weithio i'r Cymmrodorion, gan roi Richard mewn sefyllfa ddigon anodd. Mae llawer iawn o feirniaid ac ymchwilwyr wedi beio'r Morrisiaid am hudo Goronwy o Walton heb fod wedi darparu dim ar ei gyfer yn Llundain, ond mae'r cyhudd-iad yn un hollol ddi-sail.

Y peth pwysig arall i'w gofio ynghylch cyfnod y bardd yn Walton yw mai cyfnod llwm ydoedd o ran cyflawniad barddonol, mor wahanol i'w gyfnod yn Donnington. Ond ni fwriadodd Goronwy i'w gyfnod yn Walton fod yn un barddonol doreithiog. Cyfnod o fyfyrio ac o arbrofi ydoedd, cyfnod o geisio ehangu ei orwelion barddonol ac o chwilio am ragor o adnoddau angenrheidiol ar gyfer ymosod ar dasg fawr ei fywyd, sef llunio'r Gerdd Epig Fawr Gymraeg. Ni allai hyd yn oed feddwl am roi cychwyn i'r gwaith heb ehangu ei eirfa ac ymestyn rhychwant ei adnoddau mydryddol. 'Roedd y dasg yn hawlio dysg yn ogystal â dawn. Cafodd afael ar enghreifftiau o'r pedwar mesur ar hugain o'r diwedd, ac aeth ati i'w hefelychu; cafodd i'w ddwylo, drwy William Morris, enghreifft-iau o waith Beirdd y Tywysogion, ac aeth ati i efelychu'r patrymau o'i flaen. Cyfnod arbrofol oedd cyfnod Walton yn ei hanfod, a chyfnod o ymbrentisio hefyd, nid cyfnod o gyflawni. Os oedd Goronwy yn feistr ar y cywydd, a'r englyn, efallai, prentis ydoedd gyda phob dim arall. Cerddi comisiwn, ac nid cerddi emosiwn, oedd llawer o gerddi Walton; cerddi ymarfer ac nid cerddi mawr. Mae hyd yn oed ei farwnad anorffenedig i'w ferch fach yn arbrawf, ac ar ôl yr ysgytwad hwnnw o englyn sy'n agor y gerdd, mae'r fydryddiaeth yn tagu'r galar, yr arloesi yn amlycach na'r loes, fel rhywun yn ceisio cludo arch â hualau a llyffetheiriau amdano. Mae'n arwyddocaol mai cerdd ar fesur y cywydd, ei gywydd i Galan 1755, oedd ei gerdd orau fel cyfanwaith yn ystod cyfnod Walton. Prentis, ac nid prifardd, oedd Goronwy yn Walton.

Bellach, 'roedd cyfnod arall wedi dirwyn i ben, a Goronwy yn hel ei bac i'w throedio hi tua Llundain. Ar ôl rhai blynyddoedd o ohebiaeth, 'roedd Goronwy, Richard a Lewis yn barod i ddod wyneb yn wyneb â'i gilydd, yn yr un man, ar yr un pryd. Yn Llundain hefyd 'roedd John Owen, nai'r Morrisiaid, un arall o gymeriadau'r ddrama a oedd ar fin dechrau. 'Roedd y llwyfan wedi'i baratoi, a'r llen yn barod i godi. Yn y man byddai'r cymeriadau yn dod ynghyd i chwarae'r ddrama fawr. Goronwy oedd yr arwr a'r gwrth-arwr; Lewis oedd y prif wrthwynebwr; Richard oedd y dyn yn y canol, yr un a geisiai gadw'r ddysgl yn wastad rhwng yr arwr a'i wrthwynebwr, gan newid ei deyrngarwch yn awr ac yn y man wrth geisio lliniaru a llacio'r tyndra rhwng y ddau brif gymeriad; John Owen oedd y croesan, cyfaill i'r arwr, gelyn i'r gwrthwynebwr. Rhan John Owen yn y ddrama oedd dod ag ambell olygfa ysgafn a doniol i mewn iddi, i leddfu rhywfaint ar y tyndra dramatig. Yr aelod mwyaf amlwg o'r gynulleidfa oedd William, er na chafodd sedd flaen yn y theatr. Ceisiai wylio'r chwarae ymhell o olwg y llwyfan ac o gyrraedd y llefaru, a chollai ambell beth o'r herwydd. Er y byddai i'r ddrama hon elfennau comig, nid drama gomedi mohoni, ond drama drasiedi, a honno'n drasiedi fawr iawn; ac 'roedd y llen yn Llundain ar fin codi wrth i'r cymeriadau ddechrau ymgynnull yng nghefn y llwyfan.

'O Dref hyd yn Northol Draw'

Llundain a Northolt

1755–1757

Erbyn Mai 13, 'roedd Goronwy wedi cyrraedd Llundain, a'i deulu wrth ei gwt. Y cynllun gwreiddiol oedd cael y pedwar ohonyn nhw i aros gydag Andrew Jones, yn Bread Street Hill, yn ymyl Cheapside. Gan fod Andrew Jones yn aelod o Gyngor Cymdeithas y Cymmrodorion, mae'n debyg mai Richard a fu'n gyfrifol am y trefniant hwn, ond ni wyddom a fu i Goronwy a'i deulu aros gydag Andrew Jones ai peidio. Mae'r ffaith i Goronwy, yn ei lythyr olaf oll at Richard, anfon ei gyfarchion at Andrew Jones yn awgrymu iddo fod yn agos ato unwaith. 'O'm lloches yn Nhafarn y Gloch ym Maes y Gof',[1] sef The Bell Inn yn Smithfield, y 'sgwennodd Goronwy at Richard wedi iddo gyrraedd Llundain, i drefnu cyfarfyddiad rhwng y ddau ohonyn nhw. Gan mai ar *fore* dydd Mawrth y lluniodd Goronwy ei lythyr at Richard Morris, ac iddo ddweud ynddo 'mi a rodiais ddarn fawr o'r dref eisus,' mwy na thebyg ei fod wedi cyrraedd Llundain cyn Mai 13.[2] Cysylltu â Richard oedd y cam cyntaf naturiol i'r bardd ar ôl cyrraedd, oherwydd 'roedd ei holl ddyfodol yn dibynnu arno.

Ddiwrnod neu ddau ar ôl iddo gyrraedd y ddinas fawr, 'roedd Lewis yn dal i chwilio am le i Goronwy yng Nghymru. Arhosai o hyd i ymddangos gerbron gwŷr y Trysorlys. Ar Fai 14, gohebodd â William:[3]

Mi rois gynnyg ddoe ddiwaetha am *Fallwyd* i Ronw, ond fal y mynnodd d---l roi mhen'r Esgob, mae hi gwedi ei gadel ers dwy flynedd cyn marw'r person. Ond pei gwelai Dduw'n dda alw am berson etto, yn enwedig yn Esgobaeth Elwy, rwy'n meddwl y

---

[1] *LGO*, llythyr LVI, at Richard, o The Bell Inn yn Smithfield, Mai 13, 1755, t. 152.
[2] Ibid.
[3] *ML* I, llythyr CCXXXIII, Lewis at William, o Lundain, Mai 14, 1755, t. 346.

byddwn siwr o honi. I have not so great interest in Bangor, – dyn bawaidd drewllyd diddaioni. Felly gwneuthur, neu geisio gwneuthur, personiaid yw ngwaith neu nghrefft i'r wythnos yma.

Yn yr un llythyr, 'The Cymrodorion go on bravely, they sadly want Gronow,'[4] meddai. 'Roedd Gosodedigaethau'r Gymdeithas ar fin ymddangos, a gobeithiai Lewis a Richard y byddai rhifyn cyntaf Trafodion y Gymdeithas yn dilyn yn fuan ar ôl cyhoeddi Cyfansoddiad y Cymmrodorion, ond poenai Lewis nad oedd ganddo ef na Richard 'any leisure to assist much'.[5] 'Roedd Goronwy, felly, yn hanfodol i ddyfodol y Gymdeithas. Ac yntau ar ganol llunio'r llythyr at William, 'Dyma Ronwy ai wraig ai ddau fachgen yn dref, a glowafi'r munyd yma,'[6] meddai. 'Gobeithio y gwnewch yn fawr am dano hyd na chaffo rent wrth ei fodd,' meddai William wrth Richard.[7] Yn ogystal â phoeni am gyflwr Goronwy yn Llundain, pryderai William am ei lawysgrif, Y Delyn Ledr. Ofnai y gallai Goronwy fod wedi ei gadael ar ôl yn Walton, yn ei frys a'i froch. 'Gofynwch iddo pa beth a wnaeth im Telyn, nid hwyrach iddo ei gadael ar led ymyl, a bod plant Alis y biswail yn dryllio ei thanau,' meddai wrth Richard drachefn.[8]

Cwynai William wrth Richard na chlywsai air gan y bardd oddi ar iddo gyrraedd Llundain. Derbyniodd Goronwy y neges, a chysylltodd â William ar ddechrau Mehefin. 'Mi fum yn hir yn lluddedig ar ol fy maith ymdaith o'r Gogledd, ac nid oes etto ddim gwastadfod na threfn arnaf,' oedd esgus Goronwy dros beidio â gohebu â William.[9] Siom a'i disgwyliai yn Llundain: 'ni welaf etto fawr obaith cael Eglwys Gymreig,' meddai.[10] 'Roedd Richard wedi gorfod esbonio wrtho mai cynllun ar gyfer y dyfodol oedd sefydlu Eglwys y Cymmrodorion. Er nad oedd swydd ar ei gyfer wedi iddo gyrraedd Llundain, canmolodd Lewis a Richard am eu bod, gyda chymorth rhai o aelodau Cymdeithas y Cymmrodorion, 'yn ymwrando ac yn ymofyn am le imi'.[11] 'Roedd ganddo air o glod i'r aelodau hynny. 'Pobl wychion odidog ... yw'r Cymmrodorion, dynion wyneb-lawen, glan eu calonnau oll'.[12] Dechreuodd bwyso'n drwm ar Richard a Lewis a'u cyfeillion yn Llundain am gefnogaeth a chynhaliaeth. Dywedodd Richard wrth William Vaughan, wrth anfon copi o lyfr *Gosodedigaethau Cymdeithas y Cymmrodorion* ato, sef y *Constitutions of the Society of Cymmrodorion in London*, y fersiwn Saesneg yn unig, fod Goronwy 'yn disgwyl am fywoliaeth o law'r Gwŷr mawr, sef Arglwyddi llyg a llên, a addawsant wneud y Bardd yn wr bonheddig'.[13] Dilladwyd a bwydwyd y bardd a'i deulu gan y ddeufrawd yn

---

[4] Ibid.
[5] Ibid., t. 347.
[6] Ibid.
[7] Ibid., llythyr CCXXXIV, William at Richard, o Gaergybi, Mai 23, 1755, t. 348.
[8] Ibid.
[9] *LGO*, llythyr LVII, at William, o Lundain, Mehefin 7, 1755, t. 153.
[10] Ibid.
[11] Ibid.
[12] Ibid.
[13] *ALMA* 1, llythyr 130, Richard at William Vaughan, o Lundain, Mehefin 14, 1755, t. 265.

Llundain. 'Da oedd gwaith ddilladu'r gwr modd y gallai ymddangos gar bron Ieirll ac Arglwyddi,' meddai William, ond gan resynu hefyd 'na bai yna Ieirll ac Arglwyddi Cymreig o ben bwygilydd, yno y gellid disgwyl daioni'.[14] Er i William ddymuno gwell byd i Goronwy, ac erfyn ar ei ddau frawd i roi pob cymorth iddo, parhai i bryderu'n ddirfawr am ei Delyn. Ni chrybwyllodd Goronwy mo'r llawysgrif o gwbwl yn ei lythyr cyntaf at William o Lundain, a hynny oedd craidd gofid William. 'Mae arnaf ofn,' meddai wrth Richard, 'fod yr hen wrechyn honno y canodd iddi wedi gwneuthur iddo, heb yn ddiolch yn ei ddannedd, ei gwystlo hi ac eraill er mwyn bodloni yr widdon anynad'.[15] Tyngodd William na rôi 'byth fenthyg i brydydd' eto, ond siarsiodd Richard i beidio â dweud hynny wrth Goronwy, 'rhag iddo ganu duchan imi'.[16]

Llundain: y ddinas fawr, fyglyd, beryglus. Yno y byddai Goronwy yn preswylio am y ddeufis a rhagor i ddod, a byddai'n ymweld yn achlysurol â'r ddinas, i fynychu cyfarfodydd y Cymmrodorion ac i gwmnïa â chyfeillion a chydnabod iddo, am y ddwy flynedd a hanner o'i flaen. Derbyniwyd Goronwy yn gyflawn aelod o'r Gymdeithas, yn hytrach nag aelod gohebol, ddechrau mis Mehefin. Llundain, wrth gwrs, oedd dinas fwyaf ynysoedd Prydain, canolfan wleidyddol a masnachol Lloegr, prif gartref y gyfraith, y celfyddydau a gwyddoniaeth (sefydlwyd Cymdeithas Frenhinol Llundain ym 1660), dinas â'i phoblogaeth o gwmpas y tri chwarter miliwn, pan oedd dinasoedd pwysig eraill Lloegr yn eu babandod. Yma yr oedd y porthladd mwyaf ar gyfer masnachu â gwledydd eraill. Drwy gydol y ganrif 'roedd Afon Tafwys yn un berw o brysurdeb, a llongau'n mynd ac yn dod wrth gludo nwyddau o wahanol rannau o Loegr i'r ddinas: llysiau o erddi masnachol Kent, er enghraifft, caws a halen o Swydd Gaer, pysgod o Devon ac arfordir Sussex, glo o Newcastle. 'Roedd y strydoedd hefyd yn un strach o brysurdeb, gyda gyrroedd o wartheg a phreiddiau o ddefaid yn cyrraedd yn gyson o Gymru, Yr Alban a Dwyrain Canoldir Lloegr, tua 80,000 o wartheg a thua 610,000 o ddefaid yn cyrraedd y brifddinas bob blwyddyn ar ddechrau'r ganrif.

Efelychid ffasiynau a dulliau moethus Llundain o fyw gan y cyfoethogion, ac ymgartrefai rhai bonheddwyr a'u teuluoedd yn y ddinas, un ai dros-dro neu yn barhaol, fel William Vaughan. Treulient eu hamser yno yn mynychu'r theatrau, yn crwydro gerddi rhyfeddol y ddinas, ac yn cymdeithasu â'i gilydd yn y tai-coffi, yn yr ystafelloedd ymgynnull, ac yn y tafarnau gorau. 'Roedd Llundain hefyd yn ddinas o gyferbyniadau, moethusrwydd ac esmwythdra mawr, ar y naill law, a thlodi dychrynllyd ar y llaw arall. Os oedd Gainsborough yn portreadu'r syberwyd, 'roedd Hogarth yn darlunio'r hagrwch. Cyflwynodd Hogarth yr ochr dywyll i fywyd y ddinas mewn cyfresi o ddarluniau, gan ddangos fel y gallai bâr, ariangarwch, chwant ac afradlonedd arwain at ddinistr, cyfresi o

---

[14] *ML* I, llythyr CCXXXVI, William at Richard, o Gaergybi, Mehefin 12, 1755, t. 351.

[15] Ibid., t. 350. Mae'r 'hen wrechyn honno' a'r 'widdon anynad' yn cyfeirio at y wrach Cenfigen yng Nghywydd y Cynghorfynt, sef y wrach a dybiai mai 'Eiddo arall oedd orau'.

[16] Ibid., tt. 350-351.

luniau fel hanes y Butain a'r Oferwr (1732 a 1735), a phortreadu priodas yn dirywio yn *Marriage à la Mode* (1743). Dangosodd William Hogarth fod Llundain yn ddinas temtasiwn yn ogystal â bod yn ganolfan ffasiwn, yn ddinas ysblander a budreddi, moeth a malltod, baweidd-dra a gwareidd-dra.

'Roedd y bryntni yn amlwg ym mhobman. Y peth cyntaf a drawai unrhyw ymwelydd â Llundain y ddeunawfed ganrif oedd y drewdod. Gorchuddid y strydoedd gan dail anifeil-iaid a baw cŵn. Llifai gwastraff dynol o'r tai. Yr unig awgrym o garthffosiaeth a geid oedd gwter a redai i lawr canol y stryd, a chludid baw a gwastraff o bob math ymaith gan y gwteri hyn, nes bod y budreddi yn crynhoi'n byllau drycsawrus yma a thraw. 'Roedd cyflwr aflan y ddinas yn gyffredinol yn gyfrifol am fyrdd o afiechydon, ac am gyfartaledd uchel o fyrhoedledd. Llundain y budreddi a'r bryntni, Llundain yn llawn chwain yn ei baweidd–dra hefyd. 'Fe ddaeth cenawes o wasanaethferch a'r ymgrafu i'n plith yn felldigedig,' meddai Richard wrth Lewis, gan ychwanegu na bu 'erioed o'r blaen er pan ddaethym i Lundain yn y fath gyflwr ffiaidd'.[17] Disgrifiwyd y budreddi hyn mewn modd diriaethol iawn gan Jonathan Swift yn 'A City Shower':

> Now from all Parts the swelling Kennels flow,
> And bear their Trophies with them as they go;
> Filths of all Hues and Odours seem to tell
> What street they sail'd from, by their Sight and Smell ...
> Sweepings from Butchers Stalls, Dung, Guts and Blood,
> Drowned Puppies, stinking Sprats, all drench'd in Mud,
> Dead Cats and Turnip-tops, come tumbling down the Flood.

Llundain llawn peryglon oedd hi hefyd. Gyrrid teirw cynddeiriog drwy'r strydoedd, crwydrai cŵn gwallgof ym mhobman. 'Roedd y seleri agored, y palmentydd toredig a'r tai adfeiliedig, bregus hefyd yn peryglu'r dinasyddion, yn enwedig yn y tywyllwch. 'Roedd trafnidiaeth yn broblem yn Llundain hyd yn oed yn y ddeunawfed ganrif! Yn ôl cerdd John Gay, 'Trivia, or the Art of Walking the Streets of London' (1716):

> Here laden carts with thundring waggons meet,
> Wheels clash with wheels, and bar the narrow street;
> The lashing whip resounds, the horses strain,
> And blood in anguish bursts the swelling vein.

Gosodid siediau o siopau yn erbyn muriau eglwysi, a hawlid y strydoedd gan siediau a stondinau. Llenwid y strydoedd gan orymdaith liwgar o bobl: cardotwyr, potwyr, puteini-aid, trueiniaid, troseddwyr, bonheddwyr, masnachwyr, morwyr a milwyr. Disgrifiwyd yr amrywiaeth liwgar hwn o bobl a lanwai strydoedd Llundain gan Ned Ward yn *Hudibras Redivivus* (1705–1707), canto vii, darlun digon tebyg, ar lawer ystyr, i ddarlun Goronwy yng Nghywydd y Nennawr:

---

[17] *ML* II, llythyr DLXIV, Richard at Lewis, o Lundain, Tachwedd 8, 1761, t. 400.

155

Young Drunkards reeling, Bayliffs dogging,
Old Strumpets plying, Mumpers progging,
Fat Dray-men squabling, Chair-men ambling,
Oyster-Whores fighting, School-Boys scrambling,
Street Porters running, Rascals batt'ling,
Pick-pockets crowding, coaches rattling,
News bawling, Ballad-wenches singing,
Guns roaring, and the Church-Bells ringing.

Mewn gwirionedd, cyrhaeddodd Goronwy Lundain yn ystod cyfnod o ymgyrch i godi safonau byw yn y ddinas, cyfnod o ddiwygio cymdeithasol mawr. Dau frawd, yn y pen draw, a oedd yn gyfrifol am y gwelliannau cymdeithasol hyn, sef Henry Fielding, y nofelydd a'r diwygiwr cymdeithasol, a'i frawd John. Penodwyd Henry Fielding yn brif ynad Westminster ym 1749, ac ymroddodd o ddifri i geisio cael gwared â'r felltith barhaol honno o yfed *gin*. John Fielding a osododd y seiliau ar gyfer cael Heddlu cyflogedig, a gwnaeth lawer i geisio achub plant amddifad Llundain rhag troi'n lladron a phuteiniaid, drwy gael y bechgyn i fynd i'r môr, ac anfon y merched i gartrefi arbennig ar gyfer yr amddifaid. Er bod Goronwy wedi cyrraedd Llundain lanach a diogelach ar ôl ymadael â Walton, 'roedd peryglon o hyd. Pobl arw, pobl greulon a chaled, oedd y Llundeinwyr cyffredin. 'Throughout the century,' meddai Dorothy George, 'Londoners lived in a world in which violence, disorder and brutal punishment (though decreasing) were still part of the normal background of life'.[18] 'Roedd lladron Llundain yn cipio popeth, hyd yn oed wigiau oddi ar ambell gorun. 'Roedd Richard Morris yn or-gyfarwydd â'r ochr anfad i fywyd y ddinas. Yn wir, symudodd o'i gartref yn Stryd Penington ym 1763 oherwydd ei fod yn ofni am ei feddiannau a'i fywyd: 'The numerous murders and robberies committed here continually has frightened me out of Penington Street,' meddai wrth Lewis, a'i fod, o'r herwydd, wedi cymryd 'a house in the Tower, and shall move thither in a fortnight's time, where I shall be safe, and but a little way from my office'.[19]

Gyda'r boblogaeth ar gynnydd yn wastad drwy gydol y ganrif, dinas ar ei thyfiant oedd Llundain hefyd, Llundain heb gyrraedd ei llawndwf. 'All London increasing in architecture and inhabitants conveys no other idea but that of bustle and business,' meddai John Shebbeare yn *Letters on the English Nation* (1756).[20] 'Rows of houses shoot out of every ray like a polypus,' meddai Horace Walpole ym 1776, 'and so great is the rage for building everywhere that if I stay here a fortnight, without going to town, I look about to see if no new house is built since I went last'.[21] 'London was growing more rapidly in bricks and mortar than in population as people left the crowded lanes of the City for the newer parts

---

[18] *London Life in the Eighteenth Century*, M. Dorothy George, 1925, argraffiad 1992, t. 18.

[19] *ML* II, llythyr DCXCI, Richard at Lewis, o Lundain, Hydref 2, 1763, t. 590.

[20] Dyfynnir yn *The Augustan World: Life and Letters in Eighteenth-Century England*, A. R. Humphreys, 1954, t. 5.

[21] Dyfynnir yn *Eighteenth-Century London Life*, Rosamond Bayne-Powell, 1937, t. 8.

of the town,' meddai M. Dorothy George.[22] Nid trigfannau'n unig mo'r adeiladau newydd hyn; 'roedd Llundain yn cynyddu'n fasnachol hefyd, yn enwedig gydag Afon Tafwys yn ganolbwynt masnach y ddinas, a Lloegr yn gyffredinol, ac 'roedd angen swyddfeydd a stordai o bob math. Meddai Dorothy George eto:[23]

> The process [sef datblygiad diwydiannau bychain newydd] was accompanied by an increase of financial business of all kinds, and by an enormous development of the port of London, both fostered by wars and by the use of convoys for merchant shipping. Wars called into existence whole armies of contractors and clerks, public bodies and charitable institutions were employing an increasing number of paid officials, and private venture schools multiplied.

Un o'r fyddin hon o glercod oedd Richard Morris, wrth gwrs. Gweithiai yn Swyddfa'r Llynges, yn ymyl Tŵr Lundain, yn y man lle'r oedd Seething Lane a Crutched-Friars yn ymuno â'i gilydd. Dyma adeilad arall yn Llundain y byddai Goronwy'n gyfarwydd ag ef yn ystod y ddwy flynedd o'i flaen. Cynlluniwyd Swyddfa'r Llynges gan Syr Christopher Wren, a dyma ddisgrifiad o'r adeilad fel ag yr oedd pan weithiai Richard Morris yno:[24]

> The principal building is extremely neat, regular, and plain: It stands in the Center of a handsome little pav'd Square, and looks like an eminent Mathematician with all his Apparatus about him; every Side of the Square being furnished with Buildings appertaining thereto. The Gate that opens to the Front of the principal Building is in Crutched-Friars: There is another opens into Mark-Lane, and a Back-Door into Tower-Hill. The Entrance from Crutched-Friars is quite handsome; it leads directly up to the great Hall, where the great Stair fronts you, and leads up to the Room where the Commissioners sit, and to the Offices where the Clerks more immediately attending on the Commissioners, as for making out Bills, Warrants, &c. do their business; and on each Side of the Hall below are other Offices, as the Surveyors, &c. On the Sides of the Square toward Crutched-Friars, and Part towards Mark-lane, are various others, as the Ticket-Office, &c. There are likewise Houses for the principal Commissioners, with Out-houses and suitable Conveniences.

Llundain feddw oedd hi hefyd. Y broblem fwyaf oedd y *gin* rhad a gynhyrchid ac a werthid o fewn y ddinas. Hysbysebid y ddiod yn y siopau *gin* fel hyn: 'Drunk for a penny, dead drunk for tuppence; straw free'. Cyfeiria Dorothy George at 'the orgy of spirit-drinking which was at its worst between 1720 and 1751, due to the very cheap and very intoxicating liquors, which were retailed indiscriminately and in the most brutalizing and demoralizing conditions'.[25] Pasiwyd sawl deddf gan y Llywodraeth yn ystod ail chwarter

---

[22] *London Life in the Eighteenth Century*, t. 15.

[23] Ibid., t. 16.

[24] *The Laws, Ordinances, and Institutions of the Admiralty of Great Britain*, Anhysbys, 2 gyfrol, cyf. II, 1746, t. 385. Anghywir yw'r gosodiad fod un o'r giatiau yn agor ar Mark Lane. Seething Lane a olygid.

[25] *London Life in the Eighteenth Century*, t. 41.

y ganrif i geisio rheoli'r gorlif hwn o *gin* a lifai drwy Lundain. Gwerthid y ddiod mewn pob math o siopau, a phan gynhaliwyd ymchwiliad swyddogol i'r sefyllfa ym 1726, darganfuwyd fod 6,187 o dai a siopau yn gwerthu diod gadarn yn Llundain, heb gynnwys y Ddinas ac ochr Surrey i'r Afon. Y canlyniad oedd pasio deddf ym 1729 a wrthodai roi caniatâd i neb werthu gwirodydd heb brynu trwydded arbennig a gostiai £20, a rhoddwyd toll o ddau swllt ar rai mathau o ddiodydd. Pasiwyd deddfau cyffelyb ym 1736, pan godwyd y drwydded werthu o £20 i £50, a rhoi punt o doll ar bob galwyn o wirod; ym 1743, pan ganiatawyd gwerthu *gin* yn agored, heb drwydded, a diddymu'r tollau, gan godi pris gwerthu'r ddiod ei hun fel na allai pawb afforddio prynu diod; ac wedyn ym 1751, y ddeddf fwyaf digymrodedd o'r cyfan, gan iddi godi'r tollau ar ddiodydd, a gwahardd rhai mathau o siopau rhag eu gwerthu. Y ddeddf hon oedd y trobwynt, gan iddi leihau cryn dipyn ar yfed. 'Gwych a fyddai ir Parlment yna fedru wneuthur argau i lestair ir *gin* brwnt ymledu dros yr holl deyrnas a boddi o'r holl wragedd sychedig,' meddai William wrth Richard, cyn i ddeddf 1751 gael ei phasio.[26] Erbyn i Goronwy gyrraedd Llundain, 'roedd y ddinas wedi lled-sobri, er bod meddwdod yn parhau'n broblem fawr yno.

Oes y Cymdeithasau oedd hi yn Llundain yn ystod y ganrif. Gyda'r pwyslais ar natur gymdeithasol dyn mor gryf, ynghyd â'r tuedd naturiol i greu carfanau er mwyn cadw hunaniaeth a gwarchod gwahaniaeth mewn dinas fawr boblog, wasgaredig, ffurfiwyd a sefydlwyd nifer o sefydliadau a chlybiau yn Llundain yn ystod y cyfnod. 'Man is a social animal, and we take all occasions and pretences of forming ourselves into those little nocturnal assemblies which are commonly known as *clubs*,' meddai Joseph Addison.[27] 'Boswell is a very clubable man,' meddai Dr Johnson yn un o'i ddatganiadau enwog, gan roi pwys mawr ar y nodwedd gymdeithasol honno yn ei gyfaill. Johnson ei hun oedd ffigwr canolog y Clwb Llenyddol enwog, ond gallai cymdeithasau a chlybiau'r ganrif amrywio'n fawr o safbwynt yr elfennau a glymai'r aelodau ynghyd. Cymdeithas ddiwylliannol a llenyddol oedd Cymdeithas y Cymmrodorion yn bennaf, fel cymdeithas lenyddol Johnson, a chymdeithas o gyd-wladwyr hefyd, math arall amlwg o gymdeithas a geid yn Llundain ar y pryd. 'Roedd gan y Cernywiaid eu cymdeithas eu hunain yno, ac ymgasglai'r Almaenwyr ynghyd yn eu heglwysi eu hunain, tra byddai pobl dduon y ddinas (hyd at ryw 14,000 ohonyn nhw) yn ymgynnull mewn tafarnau i ganu a dawnsio. Ceid yn Llundain gymdeithasau sectyddol, gwleidyddol, cymdeithasau garddio a chymdeithasau o bobl a berthynai i'r un alwedigaeth, ac, yn union fel y Cymmrodorion, cynhelid cyfarfodydd y cymdeithasau hyn mewn tafarnau fel arfer (yn nhafarn The Half Moon yn Cheapside y cynhelid cyfarfodydd y Cymmrodorion yn ystod cyfnod Goronwy yn Llundain a Northolt), neu mewn tai-coffi. Ffurfiwyd cymdeithasau gan yr haenau isaf yn ogystal, clybiau yfed, clybiau pot a phutain, clybiau hap-chwarae, a chymdeithasau undebol. 'Roedd Cymdeithas y Cymmrodorion yn rhan o batrwm arbennig a fodolai yn Llundain y ddeunawfed ganrif.

---

[26] *ML* I, llythyr CVII, William at Richard, o Gaergybi, Mawrth 2, 1750, t. 166.

[27] Dyfynnir yn *English Society in the Eighteenth Century*, t. 156.

Dim ond am ychydig wythnosau y bu Goronwy yn preswylio yn Llundain ei hun, ond creodd y ddinas gryn argraff arno. Mae'n debyg fod y symudiad i Lundain, er gwaethaf yr ansicrwydd a'i hwynebai ef a'i deulu, wedi ei gyffroi i'r byw, gan y gallai fod yn ymyl ei eilunod yn barhaol, mynychu cyfarfodydd y Cymmrodorion, a bod yn rhan ymarferol ac anhepgorol o gynlluniau diwylliannol a llenyddol Richard a Lewis. Fel arfer, 'roedd Goronwy yn gorfod cael ei wynt ato a'i draed dano cyn y gallai hyd yn oed feddwl am farddoni ar ôl cyrraedd lle dieithr. 'Roedd ei brofiad yn Llundain yn wahanol. Y tro hwn, llwyddodd Goronwy i ymateb i her y newydd yn ddiymdroi.

'Does dim sôn yn unman fod Goronwy wedi lletya gydag Andrew Jones, yn ôl y cynllun gwreiddiol, ond mae'n amlwg iddo ef a'i deulu breswylio mewn croglofft neu 'nennawr' am gyfnod. Lluniodd gywydd am y profiad hwnnw, *Arwyrain y Nennawr*. 'Fe wnaeth gywydd yn y *Nennawr* y dydd arall (i.e., the Garret),' meddai Lewis wrth William, gan ychwanegu y dylai'r cywydd fod yn un da, oherwydd mai'r nennawr oedd 'the proper element of a poet'.[28] Dyma un o'r pethau a wylltiai Goronwy ynghylch Lewis, sef ei gred ryfedd fod tlodi a barddoni yn mynd lawlaw â'i gilydd, ac mai bod yn dlawd oedd ffawd pob bardd. 'It is a poet's fate to be distressd,' meddai Lewis yn yr un llythyr.[29]

'Does dim dwywaith nad oedd Goronwy a'i deulu yn ystod y cyfnod hwn ar eu cythlwng. 'Croeso i'm diginio gell' yw llinell agoriadol Cywydd y Nennawr, ond yn ôl y bardd, 'gorau 'stafell' ydyw. Synhwyrwn eironi a hunan-wawd yn llinellau agoriadol y cywydd, yn enwedig mewn llinellau fel 'Dyrchafiad offeiriad ffur', llinell sy'n chwarae ar y syniad fod y curad tlawd wedi cael dyrchafiad o'r diwedd, ond ei godi 'drichwe llath uwch llawr' yw'r dyrchafiad hwn, nid cam ymlaen o safbwynt ei yrfa eglwysig. Ni phery'r hunan-watwar, fodd bynnag, a sylweddolwn yn fuan fod Goronwy o ddifri yn ei fawl i'w groglofft:[30]

> Hanpwyf foddlon ohonod,
> Fur calch; on'd wyf falch dy fod?
> Diau mai gwell, y gell gu,
> Ymogel na'th ddirmygu.

Y rhai mwyaf tlawd o fewn cymdeithas a letyai mewn croglofftydd. 'The very poor, that is, casual labourers, street sellers and the like, silk winders, char-women and those who kept a mangle, as a rule lived in cellars or else in garrets,' meddai Dorothy George.[31]

---

[28] *ML* I, llythyr CCXLIII, Lewis at William, o Lundain, Gorffennaf 15, 1755, t. 359.

[29] Ibid.

[30] 'Arwyrain y Nennawr', *Blodeugerdd Barddas o Ganu Caeth y Ddeunawfed Ganrif*, t. 107.

[31] *London Life in the Eighteenth Century*, t. 95. 'Roedd y croglofftydd hyn yn aml mewn cyflwr echrydus, er enghraifft, y dystiolaeth ganlynol am dlodion Llundain tua diwedd y ddeunawfed ganrif: 'The room occupied is either a deep cellar, almost inaccessible to the light, and admitting of no change of air; or a garret with a low roof and small windows, the passage to which is close, kept dark, and filled not only with bad air, but with putrid excremental effluvia from a vault at the bottom of the staircase.' (*Diseases in London*, Dr Willan, 1801, t. 255).

'Roedd Goronwy yn ymwybodol iawn o'i dlodi a'i drueni, ond mae'n troi'r trueni hwnnw yn brofiad dyrchafol a gwaredigol, yn brofiad ysbrydol aruchel, mewn gwirionedd. Mae'r nenlofft yn datblygu i fod yn seintwar ac yn noddfa i'r bardd rhag sŵn a strach y strydoedd y tu allan:[32]

> Ai diystyr lle distaw
> Wrth grochlef yr holl dref draw
> Lle mae dadwrdd, gwrdd geirddadl,
> Rhwng puteiniaid a haid hadl?
> Torfoedd ynfyd eu terfysg;
> Un carp hwnt yn crio pysg,
> Tro arall, howtra hora,
> Crio pys, ffigys, neu ffa.
> Gwich ben â trwy ymennydd,
> Dwl dwrf, trwy gydol y dydd.
> Trystiau holl Lundain trosti,
> A'i chreg waedd ni charai gi.

Mae'n symud wedyn oddi wrth yr hyn a glywir ar strydoedd Llundain at yr hyn a welir, ac yn ôl y bardd, nid yw'r hyn a welir fawr gwell na'r hyn a glywir:[33]

> Os difwyn – gwae ddi'stafell –
> Clywed, – nid oes gweled gwell:
> Gweled ynfyd glud anferth
> O'r wâr â fynych ar werth;
> Gwên y gŵr llys, hysbys oedd,
> Addewidiwr hawdd ydoedd;
> Cledd y milwr arwrwas,
> Dwnswr yr eglwyswr glas;
> Cyngor diffaith cyfreithiwr,
> Trwyth y meddyg, edmyg ŵr;
> Diod gadarn tafarnwas,
> Rhyw saig gan ei frwysgwraig fras ...

Er mor llwm ei fyd yn ei nenlofft, mae gan y bardd lawer i fod yn ddiolchgar amdano:[34]

> Dedwydd im gell a'm didol
> Tua'r nen uwch eu pennau;

---

[32] 'Arwyrain y Nennawr', *Blodeugerdd Barddas o Ganu Caeth y Ddeunawfed Ganrif*, t. 107. Diddorol sylwi fod Richard, a oedd yn gyfarwydd iawn ag iaith strydoedd Llundain, yn ebychu 'Howtra hora!' yn un o'i lythyrau (*ML* II, llythyr DLXXII, Richard at Lewis, o Lundain, Rhagfyr 6, 1761, t. 419).

[33] Ibid.

[34] Ibid.

Mae'r nenlofft, mewn gwirionedd, yn datblygu i fod yn symbol o natur ddyrchafol barddoniaeth, ac yn symbol hefyd o arwahanrwydd yr artist. Un o themâu'r cywydd yw natur sanctaidd barddoniaeth, a'r modd y mae barddoniaeth yn codi uwchlaw helyntion, anfoesoldeb a dichellion dynion:[35]

> Pêr awen i nen a naid,
> Boed tanodd i buteiniaid.

Ni chlyw ac ni wêl y bardd mo'r dorf groch y tu allan ar y strydoedd. Mae'r groglofft yn hafan rhag terfysgoedd dynoliaeth. Gwêl, er hynny, ffurfafen Duw drwy'r ffenestr yn y to:[36]

> Heddiw pond da fy haddef,
> A noeth i holl ddoniau nef?
> Gwelaf waith Iôn, dirion Dad,
> Gloyw awyr a goleuad.
> A gwiwfaint fy holl gyfoeth
> Yw lleufer dydd, a llyfr doeth,
> A phen na ffolai benyw,
> Calon iach a chorff bach byw,
> Deuryw feddwl diorwag,
> A pharhaus gof, a phwrs gwag,
> A lle i'm pen tan nennawr,
> Ryw fath, drichwe llath uwch llawr.

Er gwaethaf ei 'bwrs gwag', mae ganddo fathau eraill o gyfoeth, fel ei awen, a'i gred yn Nuw'r Creawdwr. Mae'r nenlofft, yn eironig braidd o gofio am gyflwr llwm yr ystafell, yn symbol o ymchwil dyn am ddedwyddyd, unwaith yn rhagor, ac mae'r ystafell yn symbol o'r dedwyddyd hwnnw y mae modd i ddyn ei brofi ambell ennyd awr yn y byd cythryblus hwn. Mae'r nenlofft yn ynys o dawelwch a llonyddwch yng nghanol môr stwrllyd, rhwyfus a rhyfygus o bobl; mae'r nenlofft hefyd yn nesáu at Dduw wrth bellhau oddi wrth ddynion. Nid yw amgylchiadau'r bardd yn bwysig; swydd ddyrchafol a dwyfol-aruchel ei awen sy'n bwysig, ac er mor dlodaidd ac isel ei fyd, gallai Goronwy ei gysuro ei hun fod ei awen yn ei godi uwchlaw baw sawdl. Delwedd farddonol oedd hon yn ei hanfod; 'roedd y gwirionedd yn wahanol, ac yn fwy dirdynnol.

O'r eiliad y cyrhaeddodd Lundain, dechreuodd y bardd fod yn broblem i Lewis a Richard, i Richard yn arbennig, gan y teimlai yn gyfrifol amdano. Camddeallwtwriaeth rhyngddo a Goronwy, neu ragdybiaeth ar ran Goronwy, yn hytrach, a hudodd y bardd i Lundain. Gobeithiai Lewis hefyd y gallai fod o gymorth i Goronwy a'i deulu. 'Ceiff y

---

[35] Ibid., t. 108.
[36] Ibid.

bardd ryw fywoliaeth yma tocc,' meddai wrth William, mewn gobaith yn hytrach na chyda gwybodaeth.[37] Ond y gwir yw fod Lewis yn mynd yn fwyfwy blin yng nghanol ei holl ymrafaelion cyfreithiol, ac yn tynnu pawb i'w ben. Dirywiodd y berthynas rhyngddo a John Owen yn Llundain, er mai digon bregus oedd y berthynas honno o'r dechrau. 'Mi dybygwn wrth Sion Owen ei fod yn chwenych syrthio allan a mi, mae ef gwedi mynd yn o *stiff* er pan ddaeth yma,' meddai wrth William, 'felly mae'n rhaid ymadel ag ef mae'n debyg, ond gwell a fuase iddo beidio, o achos roedd ar ffordd wych ... i gael dyfod i ryw beth yn fy nghysgod i neu ar fy ol i a llawer peth'.[38] 'Rwy gwedi blino yn ymdrech a'r byd croes yma,'[39] cwynai drachefn, ac ni allai, oherwydd ei holl bryderon, lwyr ganolbwyntio'i egnïon ar gael bywoliaeth i Goronwy. 'It is impossible to push Lord Powis about him any further till I have finishd my own affair,' meddai wrth William eto.[40]

Er gwaethaf ei ofalon a'i ymrafaelion, rhoddodd Lewis lawer o help i Goronwy, Elin a'r ddau fachgen, ac o dipyn i beth, 'roedd y bardd yn dechrau ymloywi. 'Gronow is here criticising and improving daily, and hope will get some certainty for bread soon,' meddai Lewis wrth William ymholgar, gan ychwanegu: 'He wants pruning sadly, he hath been among positive people, and positiveness will not always do'.[41] Erbyn dechrau Gorffennaf, fodd bynnag, 'roedd y bardd 'ymron cael curadiaeth', a 'rhywyr iddo i chael' hefyd, meddai Lewis, gyda pheth rhyddhad.[42] Curadiaeth Eglwys Northolt yn Swydd Middlesex oedd hon, ac erbyn canol Gorffennaf 'he hath just now got a curacy and a pretty one at North Holt, about ten miles from London towards Oxford,' yn ôl Lewis.[43] Mae'n amlwg fod Goronwy wedi trethu amynedd Lewis yn ystod y cyfnod di-waith hwn, trwy ei blagio am arian yn barhaus, fe ellid tybied. 'Roedd Lewis yn hynod o falch fod ei gyfaill wedi cael bywoliaeth o'r diwedd, fel y gallai gael llonydd ganddo. Mae anniddigrwydd Lewis ynghylch Goronwy yn amlwg yn ei sylw am Ieuan Brydydd Hir yn yr un llythyr: 'Or goreu oedd gael ymadel ag Ieuan Manafon yn groen gyfa, anodd yw cael ymadael a bardd felly, *witness Gronwy*'.[44] Er i Lewis golli amynedd gyda Goronwy, penderfynodd fod angen cymorth ar y bardd i symud i'w gartref newydd yn Northolt, oherwydd poenai Lewis 'pa fodd a fydd cael gwely i orwedd arno yno?'[45]

Ni wyddom sut y cafodd Goronwy guradiaeth Northolt, ond, yn sicr, 'roedd a wnelo Richard rywbeth â'r mater. Gan Richard yr oedd y cysylltiadau, ac nid teimlo'n lledgyfrifol am Goronwy yn unig a barodd iddo ddymuno'i gynorthwyo. Gwyddai o brofiad pa mor anodd oedd i rywun newydd a dibrofiad geisio ymsefydlu ac ymgartrefu yn

[37] *ML* I, llythyr CCXXXVII, Lewis at William, o Lundain, Mehefin 12, 1755, t. 352.
[38] Ibid., llythyr CCXXXIII, Lewis at William, o Lundain, Mai 14, 1755, tt. 345-346.
[39] Ibid., llythyr CCXXXVII, Lewis at William, o Lundain, Mehefin 12, 1755, t. 353.
[40] Ibid., llythyr CCXL, Lewis at William, o Lundain, Gorffennaf 4, 1755, t. 356.
[41] Ibid., llythyr CCXXXVIII, Lewis at William, o Lundain, Mehefin 14, 1755, t. 354.
[42] Ibid., llythyr CCXL, Lewis at William, o Lundain, Gorffennaf 4, 1755, t. 356.
[43] Ibid., llythyr CCXLIII, Lewis at William, o Lundain, Gorffennaf 15, 1755, t. 359.
[44] Ibid.
[45] Ibid.

Llundain, fel y tystia un o'i lythyrau at ei rieni.[46] Yn wir, 'roedd Richard yn gyfarwydd â'r profiad chwerw o fod yn ddrwg-ddyledwr, ac â chanlyniadau'r profiad hwnnw, gan iddo gael ei garcharu am flwyddyn yng Ngharchar y Fleet am gyfri punt yn ddwy. Ficer absennol Northolt oedd Dr Samuel Nicholls, Meistr y Deml yn Llundain rhwng 1753 a 1763. Gwasanaethu fel curad yn absenoldeb y Ficer oedd swydd newydd Goronwy, ond prin y gwyddai neb ar y pryd y byddai Samuel Nicholls yn pennu tynged y bardd.[47]

Pentref bychan disylw, ond hynod o ddymunol, oedd Northolt yn y ddeunawfed ganrif, ac er mor ddiarffordd oedd y pentref, ar un ystyr, nid oedd ond dwy filltir o bellter o Southall, a deng milltir o gyrraedd Llundain. Dyddiai'r Eglwys yn ôl i'r drydedd ganrif ar ddeg, a gwasanaethai blwyf bychan iawn, yn enwedig o'i chymharu ag Eglwys Walton. Gallai Goronwy, cyn diwedd 1755, ganmol ei swydd newydd i'r entrychion wrth ohebu â William. 'Mae'n rhoi i mi 50 punt yn y flwyddyn,' meddai, ac nid yn unig fod y cyflog yn weddol dderbyniol, ac yn welliant ar Walton, ond 'roedd amodau'r swydd hefyd yn tra rhagori ar ei amgylchiadau yn ei guradiaeth flaenorol:[48]

> ... lle digon esmwyth ydyw'r lle, am nad oes genyf ond un bregeth bob Sul, na dim ond 8 neu 9 o ddyddiau gwylion i'w cadw trwy'r flwyddyn. A chan nad yw'r plwyf ond bychan, nid yw pob rhan o'm dyledswydd ond bechan bach ...

Am unwaith yn ei fywyd, 'roedd popeth o blaid Goronwy, ar yr wyneb o leiaf. 'Roedd curadiaeth Northolt yn swydd gyfforddus a dalai'n weddol dda. 'Roedd y lleoliad yn berffaith hefyd, fel y sylweddolodd Goronwy ei hun. Gallai dramwyo'n ôl a blaen i Lundain yn weddol ddidrafferth, i fynychu cyfarfodydd y Cymmrodorion, ac i roi cymorth ymarferol i Richard i wireddu rhai o'i freuddwydion ynghylch y Gymraeg, ei llenyddiaeth a'i diwylliant. Oherwydd mai pur ysgafn oedd baich ei ddyletswyddau yn Northolt, 'mwyaf fyth a gaf o amser i sgrifennu i'm Cymdeithas, a phrydyddu,' meddai wrth William.[49]

---

[46] *ALMA* 2, llythyr 402, Richard at Morris Prichard, o Lundain, Chwefror 27, 1738 [–9]. tt. 859–860. Digon torcalonnus yw cywair y llythyr hwnnw: ''E orfu arnaf y dydd arall fenthycia 2 gini aur gan Mr Meyrig, yr hwn a addawodd wneuthur rhywbeth drosof, ond ni xlywais byth yxwaneg oddiwrtho. Gwr arall o Sais am cynorthwyodd yma, mae hi eto'n dôst greulon arnaf am bob peth, bod cyhyd [allan] o waith wedi gwneuthur imi ymadel a'm holl ddillad ... Pa fodd bynnag, rwy'r awron mewn anrhydedd mawr tra parhatho y gwaith hwn, ag a fydd dipin o arian yn fy ffordd, ond y mod mewn dled eilwaith dros mhen a nghlustiau, ni ddigwyddodd imi o hyd ond y naill anhunedd ar sodl y llall, ag rwyf yn awr mor gydnabyddus ag aflwyddiant nad wyf un amser yn disgwyl dim arall ...'

[47] *Nicholls* yw'r ffurf fwyaf cyson ar y cyfenw mewn dogfennau eglwysig, a glynir wrth y ffurf hon wrth ymdrin â Samuel Nicholls, yn hytrach na'r ffurf *Nicolls* a geir weithiau. Ceir y manylion canlynol amdano yn *Venn. Alumni Cantabrigiensis*, rhan 1, cyf. III: 'Adm. sizar (age 18) at Magdalene, Oct. 6th, 1731. Son of Samuel ... clerk, deceased. Born at North Somercote, Lincs. School: Haberdashers', London. Matric. 1732; B.A. 1735–6; M.A. 1739; LL. D. 1746. Golden lecturer, St. Margaret's, Lothbury, 1740–1755. Chaplain to the King, 1746–69 (sic). Preb. of St. Paul's, 1749 – 63. Vicar of Northolt, Middlesex, 1749–63. Died Nov. 11th, 1763. Brother of Potter (1724) and William (1709–10).' Cyhoeddwyd sawl pregeth unigol o'i eiddo yn ystod ei fywyd.

[48] *LGO*, llythyr LXII, at William, o Northolt, Rhagfyr 29, 1755, t. 165.

[49] Ibid.

'Roedd pethau eraill o'i blaid hefyd. Yn Llundain ar y pryd trigai llawer o Gymry, a nifer ohonyn nhw yn frodorion o Fôn. 'Roedd yn gyfle gwych i Goronwy ymgyfeillachu â chyd-Gymry, yn hytrach na theimlo'i fod yn alltud yng nghanol Saeson digrebwyll. 'Roedd John Owen yn Llundain, i ddechrau, ac ymserchodd y ddau yn ei gilydd ar unwaith, a dod yn gyfeillion. Mynych yw'r cyfeiriadau at John Owen yn llythyrau Northolt Goronwy, ac ambell ymadrodd o'i eiddo yn bradychu'i hoffter mawr o nai'r Morrisiaid, fel y frawddeg hon mewn llythyr at Richard: '... rhowch fy annerch at John Owen, a diolch iddo am ei lythyr, ond gwell f'asai weled ei benpryd angylaidd'.[50]

'Roedd un o'i gymdogion agosaf yn Northolt, hyd yn oed, yn Gymro ac yn frodor o'r Fam-ynys. Dywedodd Lewis wrth William fod Goronwy yn giwrad yn Northolt, 'yn ymyl y lle mae Owen Cornelius yn arddwr'.[51] 'Roedd Owen Cornelius yn perthyn i'r Morrisiaid. 'Roedd hen-daid y brodyr, Morys Wiliam Puw, tad Richard Morris, Tyddyn Melys, yn frawd i Wmffra Wiliam Puw, a oedd yn hen-daid i Wiliam Cornelius. Y Wiliam Cornelius hwn oedd tad Owen neu Owain Cornelius. Mae enw Owen Cornelius yn britho llythyrau'r Morrisiaid. Bu'n gweithio fel garddwr yn Llundain ac yng nghyffiniau'r ddinas er 1751, ac mae'n amlwg mai Richard a gafodd ei swydd gyntaf iddo yn Llundain, yn arddwr i ŵr o'r enw Mason yn Datchet, pentref yn ne Swydd Buckingham ar lan Afon Tafwys. Bu William yn gohebu llawer ag Owain Cornelius, neu Cornelius Agrippa, llysenw'r Morrisiaid amdano, ac arferai anfon hadau at William. Arferai Owen Cornelius ymweld â Goronwy yn Northolt, gan ei helpu i wella'i ardd hyd yn oed.[52] Byddai'r bardd yn ychwanegu eraill at ei restr cyfeillion yn y man, fel William Parry, y 'cyfaill puraf'. Gallai Goronwy yn hawdd fod wedi ymgartrefu am weddill ei oes yn Northolt, ond nid felly y bu.

Wedi iddo symud i Lundain y dechreuodd Richard a Lewis o ddifri weld sut un oedd Goronwy. Cafodd y ddau, Lewis yn enwedig, agoriad llygad. Perthynai i'r bardd, yn nhyb y brodyr, elfen anymarferol iawn, rhyw letchwithdod a rhyw annibendod a oedd yn ennyn trugaredd yn ogystal â chynddaredd, trugaredd o du Richard yn bennaf, cynddaredd o du Lewis. Sylweddolodd Lewis hefyd fod rhyw elfen ystyfnig a gwrthwynebus yn ei natur. 'The man doth everything but what he ought to do,' meddai wrth William.[53] Ceisiodd Lewis amlinellu a rhestru gwendidau Goronwy i'w frawd:[54]

> Duw ai helpo, dynan trwstan, difeddwl ydyw; he hath no manner of œconomy no more than his wife; pob dydd trosto ei hun fal pob bardd arall. Mi ollyngais fy nhafod arno fo yn dda ddoe ddiwaethaf, ond ni choeliai y gwiw. Ni wyr o amcan pa fodd i rannu rhwng y bol a'r cefn ...

[50] Ibid., llythyr LX, at Richard, o Northolt, Hydref 28, 1755, t. 159.

[51] *ML* I, llythyr CCXLVI, Lewis at William, o Lundain, Gorffennaf 21, 1755, t. 363.

[52] Am ragor o wybodaeth ynghylch Owen Cornelius, gw. *Cofiant Wiliam Morris (1705–63)*, tt. 123, 134, 137–138.

[53] *ML* I, llythyr CCLXV, Lewis at William, o Lundain, Hydref 3, 1755, t. 383.

[54] Ibid., llythyr CCXLVI, Lewis at William, o Lundain, Gorffennaf 21, 1755, t. 363.

Dyma ddechreuad y ffrwgwd rhwng Lewis a Goronwy, Lewis yn gwaredu fod Goronwy
mor ddi-glem, ac yn ei geryddu er mwyn ei gael i wella'i fuchedd, ond Goronwy yn
gwrthod derbyn na cherydd na chyngor gan Lewis. Y gwir yw fod Lewis wedi cael ei
siomi yng nghymeriad y bardd wedi iddo ddechrau dod i'w adnabod. Er bod Lewis yn
miniogi ei dafod ar hogfaen gwendidau'r bardd, ac yn ei geryddu am ei ddiffyg crebwyll
wrth drin arian, mae'n rhaid cofio fod Goronwy, ar ôl treulio cyfnod digyflog a digynhal-
iaeth yn Llundain, heb dderbyn ceiniog o'i gyflog ar ddechrau ei gyfnod yn Northolt. Er
mwyn ceisio cael peth arian yn ei boced yn ystod y cyfnod llwm hwn gosododd ran o'i dŷ
yn Northolt, ynghyd â'r stabal, i denant. Fodd bynnag, er bod addewidion o bethau gwell
i ddod, addewidion yn unig oedden nhw ar ddechrau'i gyfnod yn Northolt, ac 'roedd
Goronwy mewn trafferthion ariannol a chyfreithiol pan oedd yn ceisio cael ei draed dano.
'Trafferthus oeddwn yr wythnos aeth heibio'n cardotta arian o dy gwrda bwygilydd ar
ryw garp o *brief*,' meddai ddiwedd Hydref 1755 wrth ymddiheuro i Richard am beidio â
chydnabod derbyn pecyn o roddion a llythyr ganddo.[55]

  Gwelodd Lewis ochr annymunol arall i Goronwy hefyd, yn ychwanegol at ei anallu i
drin arian a gofalu am ei deulu, sef ei feddwod, a'i ymarweddiad cymdeithasol anffodus.
Ar Fedi 3, 1755, aeth Lewis i gyfarfod y Cymmrodorion, ond cyfarfod hollol ddi-fudd
oedd hwnnw. 'Doedd dim trefn o gwbwl ar y cyfarfod, oherwydd bod 'Gronow yno
gwedi meddwi fal llo, a rhai eraill yn ymdaeru'.[56] Gofidiai Lewis y gallai'r Gymdeithas
fynd i'r gwellt pe bai pob cyfarfod yn dilyn yr un trywydd: 'Mae'n rhaid cael gwell *ordor*
na hyn, ag onide ffarwel Gymrodorion'.[57] 'Y cebystr ir *sut* nad ellid byw heb lai o'r
gwlŷch,' oedd ymateb William i'r newyddion drwg am lymeitian Goronwy, oherwydd
'Digon bychan esgobaeth lle bo'r wraig yn sychedig beunoeth'.[58]

  Yn nhyb Lewis, 'roedd Goronwy wedi bod yn hynod o ffodus iddo gael curadiaeth
Northolt, a gwyddai y gallai'n rhwydd fod wedi llunio nyth esmwyth iddo'i hun yno. Ar
Fedi 7, aeth Lewis a Richard, a dau arall nas enwir, i weld Goronwy yn Northolt, a dyma
hanes yr ymweliad o enau Lewis ei hun:[59]

> ... four of us went yesterday in chaises to see Gronwy, and by chance heard Dr. Nicol,
> his master (person y plwyf) preach ... I cannot spare time to describe our elegant
> entertainment at y Persondy, six dishes of meat, etc., fruit in abundance, apricots,
> nectarines, green plumbs, pears, apples, eirin duon, plwmmws, figs, etc. He is very
> happily situated, ped fae ddim yn tyccio, ond ni eill dim ddal. Daeth Owen William
> hefyd a ffrwythydd coed ini yno, a rhai oddiwrth y Person.

[55] *LGO*, llythyr LX, at Richard, o Northolt, Hydref 28, 1755, t. 157.
[56] *ML* I, llythyr CCLVI, Lewis at William, o Lundain, Medi 4, 1755, t. 375.
[57] Ibid.
[58] Ibid., llythyr CCXLIX, William at Richard, o Gaergybi, Awst 1, 1755, t. 366.
[59] Ibid., llythyr CCLVII, Lewis at William, o Lundain, Medi 8, 1755, t. 376.

'Roedd Goronwy, am unwaith, yn ymddangos yn llewyrchus ac yn foethus ei fyd, hyd yn oed os oedd yn byw y tu hwnt i'w gyraeddiadau. Adroddodd Richard hefyd hanes y daith i Northolt wrth William, ond 'roedd Owen Cornelius a Lewis eisoes wedi traethu'r hanes wrtho, er nad oedd 'ei hanesion nhw hanner cystal'.[60] 'Gresyndod mawr na fedra'r bardd lunio'r gwadn fal y bo'r troed, yno gallai fyw yn happus ddigon yn y fan honno tra b'ai yn aros i Bowys drugarhau wrtho,' meddai William drachefn.[61]

Gwelodd Richard fod rhai nodweddion annymunol yn perthyn iddo hefyd. 'Roedd Goronwy wedi manteisio cryn dipyn ar haelioni'r ddau frawd ers iddo gyrraedd Llundain, ond ni ddaeth terfyn ar fegera'r bardd wedi iddo gael y guradiaeth newydd. Daliai i wagio pocedi'r ddau. Ym mis Hydref, ar ôl anfon chwech o gywion colomennod yn rhodd at Richard, gofynnodd iddo a gâi fenthyg rhagor o arian ganddo:[62]

> Dyma guro wrth fy nrws i am hanner blwyddyn o Dreth y Goleuad, a chwarter o *Poor's & Church Rate*. 'Rwy'n dyall y bydd raid talu neu wrido tua Duw llun nesaf; pa beth a wneir? ni ddaeth mo'r *Dydd tâl* etto hyd yma: a allech ystyn o 20 i 30 Swllt mewn tippyn o barsel ... ac onid e, Duw a ŵyr, rhaid gofyn cêd gan Ddieithraid.

Erbyn diwedd y flwyddyn, 'roedd Goronwy a Richard wedi ffraeo â'i gilydd ar gownt arian. Anfonodd Richard lythyr at Goronwy ar Ragfyr 27. Aeth y llythyr hwnnw ar goll, ond gwyddom y cynhwysai'r geiriau canlynol, gan fod Goronwy yn eu dyfynnu:[63]

> Oni ddywedasoch yn yr Hanner Lleuad fod y darn a hanner eurog yn eich coden i mi? Paham y dyludech chwithau hwynt yn ol? Nid oes achos dywedyd i chwi gased peth i ddyn dorri ei air. Mae'r peth hwnnw'n gwneud iddo'n fynych golli ei gyfeillion gorau oll.

Stori gymysglyd iawn oedd stori Goronwy wrth iddo geisio ateb cyhuddiadau Richard:[64]

> The case was this exactly ... I told you at the Half Moon I had the money for you; you said "very well," or some such words, but did not think fit to take 'em then in company. When the company broke up, you ask'd me to take a share of your bed that night, because it was late, which I consented to ... Next morning, after we had got up and breakfasted at your room, I took out two guineas and ask'd you whether you had ever a half guinea; you look'd and found one and gave it me and I gave you the same time the two guineas I had in my hand. You then went to shave you to the glass, and when you had done, made me a present of a box of sope and a brush, and look'd out for Nicholson's Historical Library and Bishop Lloyd's book for me, with which I went to

---

[60] Ibid., llythyr CCLXIII, William at Richard, o Gaergybi, Medi 28, 1755, t. 381.

[61] Ibid.

[62] *LGO*, llythyr LIX, at Richard, o Northolt, Hydref 7, 1755, tt. 155-156.

[63] Ibid., llythyr LXI, at Richard, o Northolt, Rhagfyr 28, 1755, t. 160.

[64] Ibid., t. 161.

Mr Humphreys, where I had two books more. I did not see you after till I came to town (as I thought) to shew Mr Lewis Morris those verses, and then you did not speak a syllable about the money, and if you had I could have soon satisfied you.

Gofynnodd Goronwy i Richard ateb ei lythyr, gan fod yr holl fater wedi peri llawer o bryder ac anniddigrwydd iddo.

'Roedd gan William hefyd achwyniad yn erbyn Goronwy o Gaergybi bell. Ni ohebodd y bardd â William unwaith rhwng Gorffennaf 8 a Rhagfyr 29, 1755. Gwyddai William mai euogrwydd ar ran Goronwy a'i cadwai rhag 'sgwennu, oherwydd nad oedd wedi anfon llawysgrif Y Delyn Ledr yn ôl at ei pherchennog. 'Mae'r ffargod hwnnw wedi fy esgeuluso i yn deg, ffei arni hi'r Delyn Ledr,' meddai William wrth Richard ar ôl i John Owen anfon un o gywyddau Goronwy, Cywydd y Nennawr, mae'n debyg, at ei ewythr.[65] 'Hi oedd mam y drwg,' ategodd William, gan resynu mai 'Peth echrydus ydoedd colli'r Delyn a'r Cyfaill'.[66] 'Fe ollyngws yn angof ei hen ffrindiau, gresyn fod ei gof cynrhwg,' meddai drachefn wrth Richard.[67] Pryderai, mewn llythyr arall at Richard, iddo fwrw 'fy arian a llawer o amser yn ofer' oblegid y llawysgrif.[68] Parhai i achwyn hyd at ddiwedd y flwyddyn. 'Gwendid creulon a gwae arall na chawn fy Nhelyn Ledr anwyl, mae arnai ofn yn fy ngalon na welaf moni byth bythoedd,' meddai wrth Richard ym mis Rhagfyr,[69] a'r un oedd ei gŵyn un diwrnod ar ddeg yn ddiweddarach. Rhaid bod Lewis a Richard wedi trosglwyddo cwynion William i glyw Goronwy. Torrodd y bardd ar ei ddistawrwydd, a gohebodd â William, mewn sachliain a lludw, ddiwedd Rhagfyr. Ar ôl hel esgusion o bob math wrth geisio esbonio ei dawedogrwydd, daeth at y prif fater:[70]

> ... mewn brys a ffwdan o'r mwyaf [y cychwynnais] o'r fangre gythreulig yn y Gogledd accw, a chan nad allwn gludo dim ar fy nghefn, nid oedd genyf ond rhoi'r Delyn gydâ'r llyfrau eraill, a'u gorchymyn oll i law gwr a dybiwn yn bur ac yn onest i'w gyrru ar fy ol. Gwir yw, ni 'sgrifennais ddim am danynt, hyd nad oeddwn ar ymadael a Llundain, ac yno mi gefais atteb, eu bod yn barod i ddyfod mewn wythnos neu bythewnos o amser; ond y mae'r pymthengnos hynny wedi myned heibio er ys mis neu well. Pa beth a wnaf ynteu? Nid oes genyf ddim i'w wneuthur onid ysgrifennu etto yn ffyrnig atto ef i erchi arno yrru'r llyfrau. Os cyll y Delyn, bid siccr i mi golli ei gwerth ddengwaith o lyfrau o amryw ieithoedd, ond yn enwedig yn Gymraeg. E fydd hynny'n bechod – ond gwaeth genyf fi y Delyn na dim, am nad oedd ond benthyg; ac am fy mod yn hyspys ei bod yn cynnwys eich llafur, a'ch difyrrwch, tros amryw flynyddoedd.

Ceisiodd Goronwy gysuro William drwy ddatgan nad ofnai ynghylch y llawysgrif, a'i fod yn bur hyderus y byddai yn ôl yn nwylo ei pherchennog yn y man.

---

[65] *ML* I, llythyr CCLXIII, William at Richard, o Gaergybi, Medi 28, 1755, t. 381.

[66] Ibid.

[67] Ibid., llythyr CCLXIX, William at Richard, o Gaergybi, Hydref 18, 1755, t. 388.

[68] Ibid., llythyr CCLXXIII, William at Richard, o Fron yr Eira, gerllaw Caergybi, Tachwedd 6, 1755, t. 393.

[69] Ibid., llythyr CCLXXV, William at Richard, o Gaergybi, Rhagfyr 10, 1755, t. 395.

[70] *LGO*, llythyr LXII, at William, o Northolt, Rhagfyr 29, 1755, t. 164.

Er bod Goronwy yn brwydro i gael ei draed dano yn Northolt yn ystod ail hanner 1755, rhoddodd Lewis awen y bardd ar waith. Ym 1755 ganed mab i Henry Arthur Herbert, pedwerydd Iarll Powis, a chyfaill mawr Lewis, sef George Herbert. 'Mae Gronwy yn llunio cywydd iddo, croeso i'r byd,' meddai Lewis wrth William, gan ychwanegu 'I gave him the *testyn*'.[71] 'Mae Iarll Powys yn llawen iawn gael mab,' meddai drachefn, 'ac mae Gronwy yn gosod hên eiriau a sillafau mewn *ranks* a *files* i wneuthur cywydd croeso i Arglwydd Llwdlo i'r byd, and it is to be translated into Latin'.[72] 'Roedd Goronwy yn parhau i weithio ar y cywydd ddechrau mis Hydref, ond erbyn diwedd y flwyddyn gallai amgáu fersiwn anorffenedig o'r cywydd mewn llythyr at Richard. Dechreuodd ailym-afael yn ei astudiaethau ysgolheigaidd hefyd yn Northolt, a bu wrthi'n astudio'r Wyddeleg er mwyn ei chymharu â'r Gymraeg.

Er iddo ailgydio yn ei ysgolheictod, ac ailafael yn ei farddoniaeth, i raddau, 'doedd pethau ddim yn dda rhwng Goronwy a'r tri brawd erbyn diwedd 1755. Cythruddodd Goronwy bob un o'r tri yn ei dro. Ei fegera a gynddeiriogai Richard; ei ofera a wylltiai Lewis; ei esgeulustod a bryderai William, wrth iddo hiraethu am ei Delyn Ledr. Mae ei lythyrau at y brodyr yn ystod y cyfnod hwn yn llawn o esgusodion ac ymddiheuriadau. 'Roedd Goronwy wedi benthyca arian gan Richard ac wedi taeru'n ddu-las yn ei wyneb ei fod wedi rhoi'r arian yn ôl iddo, a Richard yn gwadu hynny. 'Doedd ei lyfrau heb gyrraedd Llundain o Walton, ac ymhlith y llyfrau colledig 'roedd un o drysorau mwyaf William, llawysgrif Y Delyn Ledr. 'Roedd Goronwy wedi gofyn i Richard ofalu am y llyfrau hynny dros-dro, unwaith y byddent yn cyrraedd Llundain, ond 'doedd dim sôn amdanyn nhw. 'Os yna y daw'r Delyn Ledr,' meddai William yn gwynfannus wrth Richard, 'nid hwyrach y ceir ail afael ynddi ... ond y cebystr ir sut, mi gollais y bardd o'i phlegyd'.[73] Dechreuad digon cythryblus a gafodd Goronwy yn Northolt.

Nid bai Goronwy yn unig oedd y ffaith i'r berthynas rhyngddo a Lewis ddechrau dirywio yn Llundain. Bu Lewis yn helbulus ei fyd drwy gydol 1755, ac arthiai ar bawb a phopeth o fewn cyrraedd iddo. Hiraethai am Allt Fadog o ganol bwrlwm a bryntni Llundain, yn enwedig gan fod plentyn arall iddo ar fin cyrraedd. 'Gwae fi na bawn yn eu mysg,' meddai am ei deulu.[74] Ganed mab arall i Lewis ym mis Mehefin, ac fe'i galwodd yn Richard ar ôl ei frawd. 'Your name shall be on the next,' meddai wrth William rhag ofn pechu,[75] ond heulwen ddeufis yn ei wybren gymylog oedd y newyddion da hwn o gyfeiriad Gallt Fadog. Ym mis Awst, yn ddau fis oed, bu farw'r baban. 'The chincough killd him at two months old,' meddai wrth William yn ei alar.[76] Gofidiai Lewis na allai gysuro'i wraig yn ei phrofedigaeth, a chyd-alaru â hi. Ceisiodd liniaru'i phoen a'i hiraeth

[71] *ML* I, llythyr CCXLIII, Lewis at William, o Lundain, Gorffennaf 15, 1755, t. 360.

[72] Ibid., llythyr CCXLIV, Lewis at William, o Lundain, Gorffennaf 17, 1755, t. 360.

[73] Ibid., llythyr CCLXXIII, William at Richard, o Fron yr Eira, gerllaw Caergybi, Tachwedd 6, 1755, t. 393.

[74] Ibid., llythyr CCXXXVII, Lewis at William, o Lundain, Mehefin 12, 1755, t. 353,

[75] Ibid., llythyr CCXXXVIII, Lewis at William, o Lundain, Mehefin 14, 1755, t. 354.

[76] Ibid., llythyr CCLV, Lewis at William, o Lundain, Medi 1, 1755, t. 374.

o'i alltudiaeth yn Llundain. 'Have patience ... my dear,' meddai wrth ei gymar, 'for either God will give you another in his room, or will take us to Him to the same place with this innocent child, when He thinks proper to do it'.[77] 'I pity you with all my heart and soul as you have not one real friend in the world to advise with, or to comfort you,' meddai wrth Anne drachefn, ond gobeithiai fod yn ôl gyda hi cyn y gaeaf.[78]

Cafodd drafferth gydag un arall o'i blant, Margaret, neu Pegi fel y gelwid hi, un o blant ei briodas gyntaf ag Elizabeth Griffith. Merch benchwiban, 'styfnig, oedd Pegi, fel ei mam o'i blaen hi, a draen yn ystlys ei thad. Cododd yr helynt pan dderbyniodd Lewis lythyr gan ŵr o'r enw Hugh Hughes, o Roscolyn ym Môn, perchennog ychydig o dir a ffiniai â thir a adawyd i ddwy ferch Lewis o'i briodas gyntaf, Pegi ac Elin. Gofyn a wnaeth y llythyrwr am ganiatâd Lewis i briodi ei ferch, gan dybio y byddai uno'r ddau ddarn o dir drwy uno'r ddau mewn priodas yn fargen ardderchog, er y byddai'n rhaid i Elin werthu ei chyfran hi yn y tir i'r ddau, pe bai cynnig Hugh Hughes yn dwyn ffrwyth. Cymeradwyai Lewis y bwriad, ond, yn anffodus, 'roedd gan Pegi ei syniadau ei hun ar y mater. 'Roedd wedi syrthio dros ei phen a'i chlustiau mewn cariad â Dafydd Morgan, y mwynwr o Lanafan a weithiai yn Esgair-y-mwyn, ac 'roedd y ddau yn cynnal carwriaeth, yn groes i ewyllys ei thad. 'Roedd Pegi wedi symud o Fôn, lle bu'n cadw tŷ i William am gyfnod, ar ôl marwolaeth Jane, ei wraig, i Allt Fadog, a chafodd y garwriaeth rhyngddi a Dafydd Morgan bob cyfle i ffynnu a blodeuo. 'Roedd Pegi a Dafydd Morgan yn anwahanadwy. 'Ni wn fi beth i ddwedyd am y Capt. Cydidach [Dafydd Morgan] ond ei fod yn ymlyfu efo'r Cidyll [Pegi] yn ddidrangc ag nid oes na dur na haiarn au gwahana,' meddai John Owen yn ei ddull lliwgar dihafal ei hun.[79]

Mwynwr garw a gwerinwr cyffredin a thlawd oedd Dafydd Morgan, ac 'roedd penderfyniad ei ferch i'w ganlyn, a gwrthod cynnig anrhydeddus Hugh Hughes, yn boendod i Lewis. 'The account I have from Cardiganshire about my silly unfortunate daughter gives me great uneasiness,' meddai wrth ei briod.[80] Lodes ffôl a phenstiff oedd Pegi. 'Such a man of sense and character would have been a credit to be allied with,' meddai Lewis drachefn, 'and might have made that silly creature happy; but it seems she chooses to be allied with dirt and rags and ignorance'.[81] Dyma snobyddiaeth Lewis yn dod i'r amlwg eto. Ceisiodd gael ei wraig i ddylanwadu ar benderfyniad lloerig Pegi, ond gwrthododd Anne Morris ymyrryd yn y mater. 'It is likely he may come to Galltvadog,' meddai wrth Anne, a gofynnodd iddi roi pob croeso iddo, er na thybiai fod llawer o obaith cael Pegi i ymserchu yn Hugh Hughes.[82] 'Roedd y mater teuluol hwn hefyd yn peri llawer o bryder a

[77] Ibid., llythyr CCLIII, Lewis at Anne Morris, o Lundain, Awst 26, 1755, t. 371.

[78] Ibid.

[79] *ALMA* 2, llythyr 413, John Owen at ?, o Allt Fadog, Gorffennaf 20, 1756, t. 877.

[80] *ML* I, llythyr CCLIII, Lewis at Anne Morris, o Lundain, Awst 26, 1755, t. 371.

[81] Ibid., t. 372.

[82] Ibid.

rhwystredigaeth i Lewis yn Llundain bell. Bu farw Dafydd Morgan, fodd bynnag, cyn iddo gael cyfle i briodi Pegi. Priododd gythraul o ddyn o'r enw Robert Lance ar ôl marwolaeth Dafydd, a rhoddodd hwnnw y clwy gwenerol iddi, a bu farw yn ddeg ar hugain oed. Bu Pegi yn bryder mawr i'w thad am flynyddoedd, a bu i'w helyntion carwr-iaethol a'i marwolaeth gynnar benwynnu Lewis Morris ymhell cyn pryd.

Ac yntau'n awyddus i'w dwyn i derfyn buan a boddhaol, fel y gallai ddychwelyd i Allt Fadog i ddatrys problemau teuluol, llusgo ymlaen yr oedd helyntion cyfreithiol Lewis. Penodwyd dau ŵr i archwilio'i gyfrifon ddiwedd Medi neu ddechrau Hydref 1755, sef John Tidy, un o Arglwyddi'r Trysorlys, a John Paynter, gŵr a fu'n rheolwr ar waith mwyn yng Nghwmsymlog. Gobeithiai a hyderai Lewis na welai'r archwilwyr fod unrhyw beth o'i le ar y cyfrifon, yn enwedig gan yr ystyriai Paynter yn gyfaill iddo, ond, yn ddiarwybod i Lewis, bwriad Paynter oedd dwyn rheolaeth gwaith Esgair-y-mwyn oddi ar Lewis, yn hytrach na'i gefnogi a'i gynorthwyo. Ceisiodd Lewis roi pob cymorth i'r ddau yn ystod cyfnod yr archwilio, er mwyn prysuro'r gwaith diflas yn ei flaen, a rhoi diweddglo hapus i'r bennod hirfaith a chythryblus hon yn ei hanes. Colli amynedd a cholli cwsg fu hanes Lewis gyda'r ddau hyn, fodd bynnag. 'Rwy'n ffyddlon gredu nad oes dan haul ddynion dylach yn ceisio trin materion mawrion,' meddai yn ei ddadrith wrth William.[83] Yn groes i obeithion dechreuol Lewis, honnodd y ddau archwiliwr iddo fod yn grintachlyd ei gymorth a'i gydweithrediad, a'i fod wedi cuddio rhai dogfennau hollbwysig. Gorchmynnwyd y ddau gan Ysgrifennydd y Trysorlys, yn sgîl y cyhuddiad newydd hwn, i fynd i Geredigion i archwilio dogfennau a chyfrifon eraill, ac i geisio achub y blaen arnyn nhw, dychwelodd Lewis i Allt Fadog ddiwedd 1755. Colli'r dydd a wnaeth Lewis, fodd bynnag. Erbyn diwedd mis Ionawr y flwyddyn newydd, 'roedd Paynter wedi llwyddo i gael ei ddwylo ar Esgair-y-mwyn, drwy ddulliau pur ddichellgar, ac i ychwanegu at ofidiau Lewis, honnodd y ddau archwiliwr fod arno ddyled enfawr i'r Goron, rhwng £2910 a £3460. 'Roedd William wedi ceisio rhybuddio Lewis ymlaen llaw ynghylch Paynter. 'Ni allasai'r Llew fyth daro wrth bennach cnâ na'r Paintiwr,' meddai wrth Richard; 'roedd o yn broliaw gormodd o hono, a minnau ni fedrwn yn fy myw gredu y deuai ddaioni byth oddiwrth ymhel ai fâth'.[84] Dychwelodd Tidy a Paynter i Lundain ar ôl eu harchwiliadau yng Ngheredigion, a dilynodd Lewis y ddau, i gadw llygad arnyn nhw. Erbyn Mawrth 22, 1756, 'roedd Lewis yn ôl yn Llundain, y tro hwn heb John Owen.

Ni chysylltodd Lewis ryw lawer â'i ddau frawd yn ystod y cyfnod cythryblus hwn, nac â Goronwy ychwaith. 'Da clywed bod y ddau frawd tewion yn iach, ond pam na sgrifenant?' gofynnodd i Richard ganol Chwefror 1756.[85] 'Roedd William wedi pwdu ar gownt Y Delyn Ledr, a Lewis yn gwegian dan bwysau ei helbulon personol. Hysbysodd

---

[83] *Ibid.*, llythyr CCLXV, Lewis at William, o Lundain, Hydref 3, 1755, t. 383.

[84] *Ibid.*, llythyr CCLXXXII, William at Richard, o Gaergybi, Mawrth 2, 1756, t. 404.

[85] *LGO*, llythyr LXIII, at Richard, o Northolt, Chwefror 18, 1756, t. 167.

Goronwy ei gyfaill yn y llythyr hwnnw ei fod am ddod i Lundain i ddathlu dydd Gŵyl Ddewi, a'i holl deulu gydag ef, a gofynnodd nifer o gwestiynau i Richard am y modd y dathlai'r Cymry ddydd eu nawddsant. Dethlid dygwyl Dewi gyda sbloet a 'sbleddach gan Gymry alltud Llundain. 'Gwych or riolti oedd yna Wyl Ddewi,' meddai William wrth gofio ei ymweliad cyntaf â'r briddinas ym Mawrth 1732, a dwyn i gof hefyd y modd y bu'n 'gloddestu gyd a chwi [Richard] ar gyfenw'r dydd hwnnw'.[86] Disgrifiodd Richard ei hun rai o weithgareddau'r dydd arbennig hwn ar galendr y Cymry: 'St. David's Day was observ'd here with great ceremony, the sermon was preach'd in English by Mr. John Morgan and they (sic) prayers in British by Mr. Phillips, at St. Clement's Danes, in the Strand; but the Prince was not there. The 12 stewards and the Society walk'd in procession to Merchant Taylor's Hall where they din'd, consisting of about a thousand people, Welsh and English, and made a handsome collection for the Charity Children descended from British parents which they keep. The stewards wore plumes of feathers in their hatts and underneath yᵉ motto, *Ich Dien*, work'd in silver very pretty'.[87] 'Roedd Goronwy a'i deulu hefyd wedi cael dillad newydd, ac wedi 'ymloywi'n rhyfeddol i gael ymddangos i *Ddewi* yn ein glandrwsiad'.[88] A oedd ei sefyllfa ariannol, felly, yn dechrau gwella?

Ar yr un diwrnod ag y cysylltodd â Richard, Chwefror 18, 'sgwennodd lythyr at wr o'r enw John Thomas hefyd, a gofynnodd i Richard roi'r cyfeiriad cywir ar gefn y llythyr, gan na wyddai beth oedd ei gyfeiriad llawn. 'Roedd John Thomas wedi cysylltu â Goronwy wythnos ynghynt, ac mae'n amlwg mai diben y llythyr oedd cynnig swydd o ryw fath iddo. Yn ôl Rhestr 1755 o aelodau Cymdeithas y Cymmrodorion, 'roedd y John Thomas hwn yn aelod o Gyngor y Gymdeithas ac yn enedigol o Sir Gaernarfon. Nodir ar Restr 1759 mai 'Ensign in the Army' ydoedd, ac yn ôl Rhestr 1762 rhoir ei alwedigaeth fel 'Cadben', ac 'roedd yn un o amryw islywyddion y Gymdeithas erbyn hynny. Dyma'r 'Cadben John (neu Siôn) Thomas' y cyfeirir ato yn fynych yn llythyrau'r Morrisiaid. Fel swyddog yn y Fyddin bu John Thomas yn casglu dynion o Gymru i ymuno â'r Fyddin yn ystod cyfnod y Rhyfel Saith Mlynedd rhwng Ffrainc a Phrydain (a Sbaen yn ymuno â Ffrainc ar ôl 1762). Meddai Richard wrth William: 'Mae'n debyg weled o honox y papurau gwyxion a brintiwyd i'r Cyrnol John Vaughan i godi gwŷr i'r Fyddin a elwir y Brenhinol Cymraeg Volunteers! Brygowthan yn ddigon i beri i Gi brith xwerthin. Llyma'r Cadpen John Thomas a'r Cadpen Siarles Richardes ... yn cyxwyn i Gymru i godi Cannyn bob un, i fod dan eu rheolaeth ... ac y mae yxwaneg o Gadpeniaid ar yr un dixellion cas i ddwyn ymaith Ieuenctyd ein gwlad'.[89] Ddiwedd Medi 1759 'roedd 'yn yr Iwerddon yn casglu Gwyddelod i ymladd trosom ar y Ffrancod'[90]. Mae'n bur amlwg mai

[86] *ML* I, llythyr CXCI, William at Richard, o Gaergybi, 6-8 Ebrill, 1752, t. 281.

[87] Ibid., llythyr I, Richard at Lewis, o Lundain, Mawrth 20, 1728, t. 3.

[88] *LGO*, llythyr LXIII, at Richard, o Northolt, Chwefror 18, 1756, t. 167.

[89] *ALMA* 2, llythyr 440, Richard at William, o Lundain, Mawrth 1760, t. 962.

[90] *ML* II, llythyr CCCCXIX, Richard at Lewis, o Lundain, Medi 30, 1759, t. 127.

ceisio gwysio Goronwy i'r Fyddin, fel caplan, a wnaeth John Thomas. 'Am y peth y soniasoch am dano, ni chymerwn i fuwch a llo er ei wneuthur,' meddai Goronwy wrth y Cadben, 'nid rhag ofn y gyfraith, ond am ei bod yn amser rhy beryglus i fyned i ymdderu a'r Ffrancod yn eu gwlad eu hunain'.[91] Ni allai feddwl am fentro i Ffrainc ar amser mor gythryblus, oherwydd ei fod 'yn mwynhau dwy fendith arbennig, sef Tlodi cywir a Rhydd-did, ac ofni 'rwyf na chanlyn y ddiweddaf monof tu hwnt i'r mor'.[92]

Mewn gwirionedd 'roedd Llundain yn arbennig, a Phrydain yn gyffredinol, yn un siarad gwyllt am y Rhyfel a oedd newydd gychwyn. Dechreuodd bywyd Richard yn Swyddfa'r Llynges brysuro ar unwaith, a gallai hyd yn oed Lewis, gyda'r holl sôn am ryfel yn gyffro yn y gwynt, anghofio'i ofidiau am y tro. Derbyniodd Goronwy lythyr gan ei frawd Owen, a bryderai y gallai gael ei orfodi i ymuno â'r Llynges, gan fod yn ardal Croesoswallt 'bressio tôst tros ben, ac nad ydynt yn eiriach neb dieithr yn enwedig, ond eu llusgo ymaith hyd yn oed y gwyr oddiwrth eu gwragedd a'u plant'.[93] Gofynnodd i Richard a allai roi i Owen 'Brotecsiwn os oes y fath beth iw gael am aur nag am arian nag am eiriau teg,' er, meddai, 'Nid wyf yn cofio glywed erioed son am Brotection i ddyn tir'.[94] Gwyddai, o brofiad chwerw, y gallai pobl Croesoswallt fod yn ddialgar ac yn elyniaethus. 'Os digwyddws iddo erioed biso'n groes i neb yn y dref honno,' meddai eto wrth Richard, 'dyma'r amser i ddial arno, yn enwedig gan fod arian am gyhuddo morwyr a fo'n ymgudd'.[95] Gwyddai hefyd na châi Owen ddim cymorth gan deulu snobyddlyd Elin.

Erbyn misoedd cyntaf 1756 mae arwyddion fod Goronwy wedi cael ei draed dano yn Northolt, a'i fod, unwaith yn rhagor, yn weddol ddedwydd ei fyd. Dechreuodd ailafael yn ei awen, a lluniodd un o'i gywyddau pwysicaf yn Northolt. Hwnnw oedd ei Gywydd yn Ateb y Bardd Coch o Fôn, neu'r ail Gywydd Hiraeth am Fôn. 'Roedd y cywydd o

---

[91] *LGO*, llythyr LXIV, at John Thomas, o Northolt, Chwefror 18, 1756, t. 168.

[92] Ibid.

[93] Ibid., llythyr LXV, at Richard, o Northolt, Mawrth 25, 1756, t. 169.

[94] Ibid. Gofynnai William hefyd i Richard am amddiffyniadau o'r fath, er enghraifft, *ML* I, llythyr CCLXXXV, o Gaergybi, Ebrill 19, 1756, tt. 409–410: 'Dyma eisia protecsiwn, ond os afiach ydych nid hwyrach na waeth gennych par un am ymhel ag 'e. Os felly nid rhaid i'ch[wi ond] rhoddi yr darn lythyr yma mewn tippyn o bappur ai yrru at M[r. M]artin at the secretary's office, Customhouse, ac fe ai cais i mi heb ddim chwaneg o ddyrecsiwn ... "Please to procure me with all speed a protection for two men belonging to the *Hopewel* of Beaumaris ..." '. Tystysgrifau a amddiffynnai forwyr rhag cael eu dwyn yn erbyn eu hewyllys i wasanaethu ar longau nad oedden nhw'n dymuno gweithio arnyn nhw oedd y rhain. 'Roedd dau fath o amddiffyniad swyddogol, sef y rhai a ganiateid gan y Llywodraeth a'r rhai a ganiateid gan y Morlys, i wahanol fathau o forwyr. Ni chaniateid amddiffyniadau o'r fath i 'ddyn tir', ac 'roedd Goronwy yn gywir i amau hynny. Darparwyd 14,800 o amddiffyniadau dilys ym 1741, ond erbyn 1757, 'roedd y ffigwr wedi codi i 50,000, oherwydd y Rhyfel Saith Mlynedd. Er mwyn sicrhau cyflenwad cyson a digonol o forwyr i'r llongau rhyfel, ar adegau anwybyddai'r Morlys y tystysgrifau amddiffyniad a ganiatawyd gan y Morlys ei hun, a pharchu'r rhai a ganiatwyd gan y Llywodraeth yn unig. Ceisiai llawer o forwyr osgoi gorfod gwasanaethau ar longau rhyfel, a chyflawni gorchwylion angenrheidiol eraill, a llai peryglus, o fewn y Llynges.

[95] Ibid., tt. 169-170.

waith Hugh Hughes y lluniodd Goronwy ei ateb iddo yn nwylo William cyn diwedd Mawrth. 'Mae eisiau sgrifennu at Oronwy,' meddai wrth Richard, oherwydd 'Dyma gywydd gwych iddo newydd ei eni, y Bardd Côch a'i hymddûg'.[96] Tua mis ar ôl i William dderbyn cywydd Hugh Hughes, 'roedd Goronwy wedi derbyn y cywydd ganddo. 'Nid oes ar y cywydd gamp yn y byd,' meddai wrth William, 'ond y mae ynddo lai o eiriau segur nag a fyddai'n arferol yn ei gywyddau ef'.[97] 'Siccr yw genyf mai dyma'r Cywydd gorau a welais erioed o waith y Côch,' meddai wrth Richard ryw fis ar ôl derbyn y cywydd, 'ac fe gaiff atteb ryw bryd, fal yr haeddai'.[98] Rywbryd yn ystod haf 1756 'roedd Goronwy wedi llunio'i gywydd ateb. 'Mae yma atteb gorchestol i'r hen ddyn wedi ei wneud er ys ennyd,' meddai wrth William ym mis Awst, 'ond mae'r Llew i'm rhwystro i'w yrru yna, ac onide 'roedd yn fawr fy mwriad i yrru atoch y tro yma'.[99] Ar ôl pwt o ateb i'r Bardd Coch, 'oddiyno allan yr oedd mawl i Ynys Fôn, a chofrestr o'r beirdd hynottaf a fagwyd ynddi gynt, a descrifiad prydferth o'r wlad a'i hamryw doreithiau'.[100] Cafodd Goronwy ei gymeradwyo a'i gystwyo am y cywydd hwnnw gan Lewis:[101]

It's a pity your Cywydd Môn did not stand upon its own bottom without being tack'd to such a worthless piece as that of Bardd Coch's. The man meant well, but it is the worst thing he ever wrote. But whatever it is, this excellent description of yours of the island should not be read the same day with it, for it is too like feeding a man with stinking meat the first dish, and the second with fresh ortolans.

Mae Hugh Hughes yn cyfeirio at ddwy alwedigaeth Goronwy, fel bardd ac offeiriad, ar ddechrau'i gywydd:[102]

Trwy wir barch y'th gyfarchaf,
Di-gŵyn, os cennad a gaf.
Dy swydd, Duw'n rhwydd it a rhad,
Bugail eneidiau bagad
A bardd enwog, bur ddoniau,
Gyff o'n gwlad, i'w goffáu'n glau.

Cydiodd Goronwy yn y syniad hwn, a datgan nad dwy alwedigaeth ar wahân mohonynt, ond un alwedigaeth, oherwydd[103]

---

[96] *ML* I, llythyr CCLXXXIII, William at Richard, o Gaergybi, Mawrth 24, 1756, t. 407.

[97] *LGO*, llythyr LXVIII, at William, o Northolt, Awst 16, 1756, t. 177.

[98] Ibid., llythyr LXVI, at Richard, o Northolt, Mai 20, 1756, t. 171.

[99] Ibid., llythyr LXVIII, at William, o Northolt, Awst 16, 1756, t. 178.

[100] Ibid.

[101] Ibid.

[102] 'Annerch Goronwy Owen', *Blodeugerdd Barddas o Ganu Caeth y Ddeunawfed Ganrif*, t. 4.

[103] 'Cywydd yn Ateb y Bardd Coch o Fôn', ibid., t. 111.

> O farddwaith, od wyf urddawl,
> Poed im wau emynau mawl, –
> Emynau'n dâl am einioes
> Ac awen i'r Rhên a'u rhoes.

Trodd linell wreiddiol Hugh Hughes, 'Bugail eneidiau bagad', o chwith:[104]

> Os mawredd yw coledd cail,
> Bagad gofalon bugail,
> Ateb a fydd rywddydd raid
> I'r Iôn am lawer enaid.

Mae'r llinellau hyn o eiddo Goronwy[105]

> Lewis Môn a Goronwy,
> Ni bu waeth gynt hebddynt hwy,
> A dilys nad rhaid alaeth
> I Fôn am ei meibion maeth

yn cyfeirio'n uniongyrchol at y llinellau hyn yng nghywydd y Bardd Coch:[106]

> Trem o wylo, trwm alaeth,
> I mi am fy meibion maeth:
> Lewis Môn a Goronwy,
> Dau fardd, ac odid dau fwy.

'Roedd Môn wedi cynhyrchu beirdd o bwys ymhell cyn i Lewis ac yntau gyrraedd, meddai, ac er i Hugh Hughes wylo a hiraethu am y ddau fardd alltud, fel Môn hithau, 'doedd dim angen iddo golli dagrau o'u plegid nhw ill dau.

Arllwysodd Goronwy lawer o'i brofiad personol ef ei hun ar y pryd i mewn i'r cywydd. Ni fynnai glod Hugh Hughes; nid oedd yn deilwng o'i fawl. Gwyddai Goronwy yn rhy dda am ei wendidau ef ei hun, yn enwedig yn ystod y cyfnod rhwystredig hwn o orfod begera arian i'w gynnal ei hun a'i deulu, ac o droi at y ddiod am gysur. 'Odidog mi nid ydwyf,/Rhyw isel un, rhy sâl wyf' meddai wrth Hugh Hughes.[107] Os oedd wedi'i ddonio â'r gallu i farddoni, ac os oedd gystal bardd ag yr honnai ei gyfeillion, 'roedd ganddo hawl, yn ei dyb ef ei hun, i fod yn rhydd i farddoni, heb i ofalon teulu a phryderon personol ei wasgu i'r llawr. Ei fraint, a'i ddyletswydd, oedd 'gwau emynau mawl' i Dduw yn dâl am y rhodd o einioes a gawsai ganddo, ond tybed nad yw Goronwy hefyd yn awgrymu yn y cwpled[108]

---

[104] Ibid.

[105] Ibid., t. 112.

[106] 'Annerch Goronwy Owen', ibid., t. 6.

[107] 'Cywydd yn Ateb y Bardd Coch o Fôn', ibid., t. 110

[108] Ibid., t. 111.

Emynau'n dâl am einioes
Ac Awen i'r Rhên a'u rhoes

y dylai gael ei dalu a'i gynnal am ei gyfraniad i farddoniaeth Gymraeg? Mae'n sicr ei fod erbyn hyn wedi dechrau syrffedu ar y mawl a gâi ei farddoniaeth, ac yntau ei hun yn gorfod ymlafnio i gadw'i ben uwch y dŵr. 'Cerais fy ngwlad, geinwlad gu,/ Cerais, ond ofer caru' meddai yn y cywydd.[109] Cynhaliaeth, ac nid canmoliaeth, a fynnai bellach. 'Roedd wedi rhoi ei fryd ar farddoni yn y Gymraeg, er mwyn ei hyrwyddo a'i haddurno, a hynny ar draul gofalu am ei deulu a chan anwybyddu'i les ef ei hun yn aml, ond ofer oedd y cyfan. Ni chafodd ddim byd yn ôl am ei drafferth, dim ond geiriau gwag a phwrs gwacach. 'Roedd Goronwy'r bardd ar fin cyflawni hunan-laddiad yn ei siom a'i ddadrith.

Cwblhaodd hefyd ei gywydd i George Herbert, mab Henry Arthur Herbert, pedwerydd Iarll Powis, ym mis Mai. 'Roedd ei awen yn ei llawn gyffro unwaith eto, er nad oedd sôn am lunio cerdd epig yn un o'i lythyrau yn ystod ei gyfnod yn Northolt. 'Ond gwych y mae'r hin hafaidd araul [fendigaid hon yn dygymmod â'r] Awen?'[110] meddai, a gofynnodd i Richard anfon y cywydd at Lewis Morris i Allt Fadog, er mai yn Llundain yr oedd Lewis ar y pryd, ond ni wyddai Goronwy hynny. Anfonodd y cywydd at William ganol Awst, yn ogystal â'r fersiwn Lladin o'r gerdd. 'Roedd Lewis Morris eisoes wedi rhoi'r gerdd i Iarll Powis:[111]

> Dydd Iau diweddaf y rhoes y Llew y Gymraeg yn llaw'r Iarll, ac yntau a ddywawd, "It is a pity but there was a translation of it"; ac eb y Llew wrtho ynteu; "Here it is", ac a roes y Lladin yn ei law ef. Felly'r oedd yr Iarll yn ymddangos yn fodlon iawn i'r peth. Yno fe ofynnodd y Llew gennad i'w hargraphu a nodau Seisnig arnynt; a'r Iarll a ddywawd "I am not a proper judge of the excellency of it; but will shew it a friend of mine, a great critic, and then you shall know. But I am so much a judge of it, that you may depend upon it, I shall take care of Gronovius" ...

Gwyddai Goronwy o hir brofiad, fodd bynnag, 'nad oes rhith o goel ar wyr mawrion yr oes yma'.[112]

Un arall o gywyddau Northolt y bardd yw'r cywydd a luniodd i wahodd William Parry, un o'i gyfeillion newydd, a weithiai yn y Bathdy Brenhinol yn Nhŵr Llundain, dirprwy-reolwr neu 'Gyfarchwyliwr y Mint' yn ôl Rhestr 1762 o aelodau Cymdeithas y Cymmrodorion, un o brif swyddogion y Gymdeithas a brodor arall o Fôn. Ymserchodd Goronwy yn y gŵr hwn. Wrth estyn gwahoddiad i Richard i aros gydag ef yn Northolt, ceisiodd ei gymell i gael perswâd ar William Parry i letya gydag ef hefyd. 'Cofiwch fi atto, ac yn rhodd gofynnwch iddo, i ba beth y mae'n chwareu *pricsiwn*, yn addo dyfod ac

---

[109] Ibid., t. 112.

[110] *LGO*, llythyr LXVII, at Richard, o Northolt, Mai 28, 1756, t. 176.

[111] Ibid., llythyr LXVIII, at William, o Northolt, Awst 16, 1756, t. 179.

[112] Ibid.

etto'n naghau; ac os cewch y gwr talog yn glôff yn ei esgus, mae fel y rhowch iddo wers, a dau dro a hanner ar ei arddwrn, neu wasgu'r fegg arno mal y gwelo'ch doethineb yn orau, a'i yrru unwaith o fwg y Dref hyd yn y Pren dioddef, ac odid na ddaw yma'.[113] 'Nid rhaid ichwi ddim ofn prinder o fwyd na Diod, na lle i orwedd,' meddai drachefn, wrth wahodd y ddau i'w gartref, gan annog Richard i aros ychydig ddyddiau, 'ond am y Parry, fe eill aros mîs neu ddau er dim sydd gantho i'w wneud gartref'.[114] Dyma'r union groesogarwch a dyhead am gyfeillgarwch a fynegwyd ganddo yn ei Gywydd Gwahodd i William Parry:[115]

> Dithau ni fynni deithiaw
> O dref hyd yn Northol draw
> I gael cân – beth ddiddanach? –
> A rhodio gardd y bardd bach ...
> Dod i'th fint, na fydd grintach,
> Wyliau am fis, Wilym fach.
> Dyfydd o fangre dufwg,
> Gad, er nef, y dref a'i drwg.
>
> Dyred, er daed arian,
> Ac os gwnei ti a gei gân,
> Diod o ddŵr, doed a ddêl,
> A chywydd, ac iach awel ...

Yng nghanol yr holl gyffro awenyddol newydd hwn dechreuodd Goronwy feddwl am gasglu ei gerddi ynghyd i'w cyhoeddi'n llyfr. 'Yr wyf er dechreu haf yn ceisio hel ynghyd ryw ychydig o'm cywyddau a'm hodlau anwiw fy hun i'w 'sgrifennu mewn llyfr gyda'u gilydd,' meddai wrth William.[116] 'Roedd wedi hel ynghyd rhyw bump neu saith ar hugain o gerddi, a gofynnodd i William anfon copïau o rai cerddi, nad oedd ganddo gopïau ohonyn nhw, ato. Bwriadai ailwampio a chaboli'r cerddi cyn eu cyhoeddi, 'rhag cael mefl o'u plegid pan f'wyf yn bridd ac yn lludw'.[117]

Lluniodd gywydd arall yn ystod y cyfnod hwn o fwrlwm barddonol, ond arwydd o ddirywiad, yn hytrach na deffroad, oedd y cywydd hwnnw. Anfonodd ei Gywydd i Ddiawl, cywydd a ddychanai ac a wawdiai Lewis Morris yn ddi-flewyn-ar-dafod, 'Erthyl o Gywydd' chwedl Goronwy ei hun,[118] at Richard ym mis Mai. 'Doedd Goronwy heb glywed gair oddi wrth Lewis Morris, ac 'roedd hynny yn ei 'ddigalonni'n gethin'.[119] Y

---

[113] Ibid., llythyr LXVI, at Richard, o Northolt, Mai 20, 1756, t. 173.

[114] Ibid., tt. 175-176.

[115] 'Cywydd y Gwahodd', *Blodeugerdd Barddas o Ganu Caeth y Ddeunawfed Ganrif*, tt. 108-109.

[116] *LGO*, llythyr LXVIII, at William, o Northolt, Awst 16, 1756, t. 179.

[117] Ibid., t. 180.

[118] Ibid., llythyr LXVI, at Richard, o Northolt, Mai 20, 1756, t. 173.

[119] Ibid., t. 171.

gwir yw fod Lewis wedi digio wrth Goronwy am fod yn feddw ac am smygu'i getyn fel ffŵl yn un o gyfarfodydd y Cymmrodorion, ac 'roedd Goronwy 'agos a chanu'n iach iddo' am y sen a gawsai gan Lewis yn y llythyr diwethaf 'roedd wedi'i dderbyn ganddo. [120] 'Y matter sy fel hyn,' meddai wrth Richard:[121]

> Digwydd a wnaeth y Llew ddal sulw arnaf yn ysmoccio fy nghettyn ynghyfarfod y Cymmrodorion, ac uthr oedd gantho weled Bardd (fal Iâr mewn mwg), a'r niwl gwynn yn droellau o amgylch ei ben ("like a glory in a picture"), dyna'i air ... Yr oedd yn taeru'r un amser, fy mod wedi hanner crapio; ac yn wîr mae'n atgof genyf yfed o honof ran o phiolaid o *Bwins* yn nhŷ y câr H. Prŷs cyn dyfod yno. Ond gadewch i hyny fod: nid yn aml y bydd y gwendid hwnw arnaf, (a gorau fyth po'r anamlaf) a diau yw fod maddeuant i fwy troseddau na hyny, er ei gymaint.

Mae'n amlwg mai wedi meddwi yr oedd Goronwy yn y cyfarfod hwnnw, a 'doedd hynny ddim wrth fodd Lewis. 'Roedd un o reolau'r Gymdeithas yn gwahardd i'r aelodau feddwi yn ystod ei chyfarfodydd, 'and if any Member shall be guilty of Drunkenness, profane Cursing or Swearing, using any obscene or irreligious Expressions in his Discourse; or shall create any unnecessary Disputes, cavilling or wrangling, to the Disturbance of the Company ... the Chairman shall call the Offender to Order, and admonish him to better Behaviour'.[122] Dyna oedd llythyren y ddeddf, ond mae'n amlwg, oddi wrth rai o lythyrau Lewis, fod llawer o lacio ar y rheol hon. 'Doedd Lewis ddim yn cymeradwyo'r dihidrwydd hwn ynghylch y rheol. Arswydai rhag i'r Cymry ymddwyn fel ffyliaid yng ngolwg ei gyfeillion crachaidd a Saeson Llundain yn gyffredinol. 'Last night was the Cymmrodorion meeting for August ... and at eight they meet and seldom part till twelve or two in the morning – all boozy,' cwynai wrth William, rhag ofn i hwnnw gael camargraff o'r Gymdeithas.[123] 'The wisest thing they ever did is to admit no strangers among them,' meddai am y Cymmrodorion.[124] Os oedd gwendidau, cadwed y Cymry y gwendidau hynny iddyn nhw eu hunain. Pryderai ynghylch Richard hefyd, wrth i hwnnw godi'r bys bach yn rhy aml yng nghyfarfodydd y Cymmrodorion ac andwyo'i iechyd yn y fargen. 'I am afraid,' meddai wrth y brawd Gwil, 'that foolish meeting of Cymmrodorion will make an end of him, for he stays there till one, two, three or four in the morning, and sometimes comes as far as his door (or has done it), and there sleeps till the watch awake him, or did use to sleep drunk on the vault for four or five hours and afterwards cough for a month'.[125] Er bod nifer o aelodau'r Gymdeithas yn potio, mae'n rhaid fod Goronwy wedi mynd dros ben llestri'n llwyr ar yr achlysur hwn, yn nhyb Lewis o leiaf, ac nid dyna'r unig dro iddo godi cywilydd ar Lewis â'i feddwdod yn un o gyfarfodydd y Gymdeithas.

---

[120] Ibid., t. 172.

[121] Ibid.

[122] *Constitutions of the Honourable Society of Cymmrodorion in London, 1755*, cymal XIII, *A History of the Honourable Society of Cymmrodorion and of the Gwyneddigion and Cymreigyddion Societies (1751–1951)*, t. 234.

[123] *ML* II, llythyr CCCXLI, Lewis at William, o Lundain, Awst 4, 1757, t. 2.

[124] *ML* I, llythyr CCCXXXVI, Lewis at William, o Lundain, Mehefin 18, 1757, t. 489.

[125] *ML* II, llythyr CCCLVII, Lewis at William, o Lundain, Hydref 5, 1757, t. 27.

Tybiai Goronwy mai cerydd er ei les ei hun oedd sen Lewis iddo, neu o leiaf fe obeithiai mai dyna oedd y gwir; ond y gwir oedd fod Lewis a Richard, a Lewis yn enwedig, wedi dechrau syrffedu ar duedd Goronwy i fenthyca'n barhaus oddi ar ei gyfeillion, yn aml er mwyn meddwi. Er i Lewis Morris gysylltu â Goronwy ar ôl iddo anfon y Cywydd Ateb ato, ac er i Lewis ganmol y cywydd hwnnw mewn llythyr a dderbyniodd y bardd ar Awst 15, 'roedd yn lled-feirniadol o'r cywydd wrth ei drafod gyda William. 'Fe ddygodd y Cywydd yna lawer o hen eiriau oddiar y Dictionary,' meddai.[126] 'Roedd Lewis, yn bendant, wedi cymryd yn erbyn Goronwy. Heuodd ragor o wenwyn yn ei gylch ym meddwl William ychydig ddyddiau yn ddiweddarach, drwy ddweud wrtho, gan rwbio'r halen i'r briw, na châi'r Delyn Ledr yn ôl fyth. 'Gronwy says he left it and all his books with that man [Rhys neu Reese Jones, cyfaill i Goronwy o Lerpwl] to be sent after him, but did not owe him a penny, but I am sure he pawnd them, a needy man will lie confoundedly'.[127] Fodd bynnag, cyrhaeddodd llyfrau Goronwy Lundain yn y pen draw, a'r Delyn Ledr yn eu plith. 'Da cael hanes y Delyn Ledr,' meddai Lewis wrth ei pherchennog.[128] Cynigiodd William ei phrynu'n ôl os oedd raid. 'Ni chefais linnell oddiwrthaw er's blwyddyn, y Delyn Ledr ai para, perhaps he is offended because I did not bear that injury with better grace,' meddai William, gan ymdynghedu am yr eildro na roddai 'fyth fenthyg dim i brydydd' eto.[129] Cafodd William ei lawysgrif werthfawr yn ôl ar Ebrill 8, 1757, ond 'roedd ei bryder yn ei chylch yn ystod y cyfnod y bu ar goll wedi suro'r berthynas rhyngddo a Goronwy, ac ni allai pethau fyth fod yr un fath eto. Nid colli'r Delyn Ledr oedd camgymeriad pennaf Goronwy, fodd bynnag, o safbwynt claearu'r berthynas rhyngddo a'r brodyr, ond llunio'r Cywydd i Ddiawl mewn pwl o wylltineb, ac anfon copi ohono at Richard. Mae'n amlwg fod Richard wedi ei ddangos i'w frawd. 'Roedd y cywydd wedi codi gwrychyn y ddau, Richard a Lewis, ac ni allai dim achub ei gam yn eu golwg. 'Nid oes ond y celwydd yn ei ddal wrth ei gilydd,' meddai Lewis am Goronwy.[130] Dirywiodd y berthynas rhwng Goronwy a'r brodyr yn gyflym yn ystod 1756 a dechrau 1757.

Dechreuodd Goronwy hel dyledion unwaith eto, a dyna reswm arall pam y dechreuodd Lewis a Richard wfftio ato: ei fyw di-lun. 'Roedd ei sefyllfa ariannol yn bur ddrwg erbyn canol 1756. Yn ôl y llythyr a anfonodd at Richard ar Fai 20, 'roedd ei frawd Owen wedi rhoi gwybod iddo fod mam Elin wedi marw, ond ni ddisgwyliai Goronwy gael yr un geiniog goch ar ei hôl, ddim mwy nag y disgwyliai iddi roi i Robin ei fab ychydig dir yr oedd wedi ei addo iddo. Daeth i glyw Richard a Lewis fod Goronwy mewn trafferthion enbyd. 'Rwy'n ofni am Ronwy ei fod yn cael ei droi allan oi offeiriadaeth, mi glowaf fod ei benaeth yn achwyn, medd'dod neu redeg mewn dyled i'r wlad neu ryw ddiawl,'

[126] *ML* I, llythyr CCXCIII, Lewis at William, o Lundain, Awst 17, 1756, t. 421.
[127] Ibid., llythyr CCXCIV, Lewis at William, o Lundain, Awst 28, 1756, t. 423.
[128] Ibid., llythyr CCCXIII, Lewis at William, o Lundain, Chwefror 7, 1757, t. 450.
[129] Ibid., llythyr CCCXIV, William at Richard, o Gaergybi, Chwefror 9, 1757, t. 453.
[130] Ibid., llythyr CCXCIII, Lewis at William, o Lundain, Awst 17, 1756, t. 423.

meddai Lewis wrth William, gan ychwanegu 'Dyna lle bydd o'n ymgrogi neu ryw ddiben drwg mae'n debyg, os bydd beirdd yn gwneuthur eu diwedd eu hunain'.[131] Yr un oedd pryder Richard wrth 'sgwennu at Evan Evans ar Hydref 26. 'Mae'n ffaelio ei gynnal ei hun ar ei Guradiaeth, ond rhedeg yn nled pawb yn nhref a gwlad, a hyn wedi dyfod i glustiau'r Dr. Niccols,' meddai, 'ac rwy'n ofn yn fy nghalon y try ef allan o'i wasanaeth, canys y mae'n achwyn ei fod yn dwyn gwradwydd arno!'[132] Derbyniodd Goronwy ddau lythyr oddi wrth Richard yn ei holi am ei helyntion ac yn ei geryddu am fod mor ddiofal. Gwylltiodd Goronwy wrtho. 'Please to lay your hand upon your heart and coolly ask yourself this question, *Will spightfull and opprobrious language do Gronow any good (or harm) or me any satisfaction or credit?*'[133] Rhoddodd Richard lawer o goel ar y stori fod Samuel Nicholls ar fin diswyddo Goronwy a'i hel o Northolt. 'You think my continuance here will be but very short, and wonder what I intend doing,' meddai wrth Richard.[134] Gwadodd fod Samuel Nicholls wedi ffraeo ag ef, a digio wrtho am ei ymddygiad:[135]

> I must tell you sir, that the whole affair is represented to you in a wrong light. The Doctor never was anyways angry with me (nor indeed could be in justice) for I never offended him by any fault of mine either of commission or omission. He behaves to me with his usual good nature; I eat, drink and converse with him as usual. We have more than once talk'd together about this affair, upon which topic he express'd himself with some concern, but a great deal of humanity and benevolence. So far was he from all bitterness ... that he told me frankly he never entertain'd a thought to my prejudice, and that as I had been carefull enough of his curacy, I was welcome to continue in it, if I could live upon it, and go on without contracting any more debt ... He is so good as to tell me I am welcome to anything his house affords, if I will but let him know what I want. This is not, surely, a sign that I must march off, bag and baggage so soon.

'Does dim rhaid inni amau geirwiredd Goronwy. 'Roedd Samuel Nicholls, yn ôl pob tystiolaeth, yn batrwm o'r dyngarwch hwnnw yr oedd y ddeunawfed ganrif yn ceisio ymgyrraedd ato. 'Roedd Goronwy yn meddwl y byd ohono, a'r gŵr hwn, fel y cawn weld, a benderfynodd ddyfodol y bardd, yn ei awydd mawr i'w helpu.

Ond 'roedd Goronwy mewn trybini mawr, a gwyddai Richard hynny. 'Roedd arno arian i ryw ŵr o'r enw Davies, ac aeth hwnnw i Northolt gyda gŵr a gynrychiolai'r gyfraith i hawlio'i arian neu ei eiddo yn ôl, gan fygwth carchar ar Goronwy os na châi ei gydweithrediad. Adroddwyd yr hanes cythryblus gan Lewis wrth William, a oedd ar dorri'i wddw eisiau clywed rhagor am helyntion Goronwy:[136]

---

[131] Ibid., llythyr CCXCV, Lewis at William, o Lundain, Medi 6, 1756, t. 424.

[132] *ALMA* 1, llythyr 140, Richard at Evan Evans, o Lundain, Hydref 26, 1756, t. 288.

[133] *LGO*, llythyr LXIX, at Richard, o Northolt, Medi 27, 1756, t. 181.

[134] Ibid.

[135] Ibid., tt. 182 – 183.

[136] *ML* I, llythyr CCCI, Lewis at William, o Lundain, Hydref 14, 1756, t. 434.

A Londoner of whom Gronwy had bought household stuff to a considerable value, went to him the other day for his money, and a writ in his pocket to take his body if he did not deliver him back the goods and a watch, etc. But Gronwy [like a] valiant Briton, on sight of him bristled up, and rattled him, and told him he had no business to trouble *him* or to come so far, that he was not to be used in that manner. But the man told him: "I have a writ in my pocket and an officer here to execute it, and if you dont deliver me my goods by fair means I shall make bold with your body and carry it to yᵉ county gaol which is Newgate. Give me that watch first of all," says the tyrant. The ancient Briton's courage failing him, put his hands in his fob and took out yᵉ watch and deliverd it, but first he took off a silk string that was to it, (value 2d.) and then put up the affront. The Briton insisted that he was of a good family and a very ancient nation, and it was not right to strip him of all, for he had no bed to lie on, and after abusing his tyranical creditor to some purpose, he got off clear for that time at the expense of the watch which he had never paid for, nor ever intended to pay for it, nor ever will pay for any thing if he can help it, for I believe he thinks all mankind obligd to find him all necessaries.

Hyd yn oed ar awr o argyfwng fel hyn, neu, efallai, *oherwydd* yr argyfwng, mynnai Goronwy ei fod yn tarddu o deulu da: yr union deulu da hwnnw a oedd yn gyfrifol o hyd am ei dlodi a'i anallu i godi yn y byd. Dyma gymhlethdod israddoldeb Goronwy yn dod i'r wyneb eto. Mae'n anodd gwybod sut y cafodd Lewis y stori yn ei holl fanylder. Cyfeiria Goronwy ei hun at yr helynt wrth ateb dau lythyr chwyrn Richard, felly, mae'n rhaid fod Richard wedi codi'r mater hwn yn un o'r llythyrau hynny. 'Am y Dafis yna, mae iddo groeso i'r dodrefn (sydd heb dalu am danynt) pan fynno, nid oes arnynt nemmor o geiniogwerth,' meddai.[137] 'Roedd y llechgi brwnt yn ddiswydd ddigon ddyfod yma gyda'r cynrhonyn coesgam hwnw o fachgen i hel chwedlau,' meddai drachefn, gan gadarnhau cywirdeb fersiwn Lewis o'r stori i raddau.[138]

Digwyddodd helynt arall yn ystod y cyfnod cythryblus hwn yn hanes Goronwy. Mae'n amlwg fod y bardd wedi ymbil am gymorth rhai o aelodau Cymdeithas y Cymmrodorion yn ei drafferthion ariannol, ac 'roedd Richard, mae'n amlwg, yn blino ar y blingo hwn ar ei gyd-Gymmrodorion. 'Rych yn dywedyd fod pawb yna wedi blino'n rhoi,' meddai Goronwy wrtho.[139] Blino rhoi neu beidio, 'roedd y Gymdeithas, drwy anogaeth Richard, fe ellid tybio, wedi casglu wyth neu naw punt ar gyfer Goronwy, i'w helpu yn ei helbul. Aeth Trysorydd y Cymmrodorion, David Humphreys, i Northolt i'w weld, gyda'r bwriad o drosglwyddo'r arian iddo, ond am ryw reswm neu'i gilydd, gwrthododd wneud hynny, ac aeth yn ôl i Lundain â'r arian gydag ef. Efallai fod rhywbeth yn agwedd neu ymddygiad Goronwy wedi'i gythruddo, ond 'roedd Goronwy a Samuel Nicholls wedi synnu at haerllugrwydd a phenstiffrwydd Humphreys. 'The Doctor told me he thought Mr. Humphreys us'd him ill in not calling on him, and doing as he had promis'd ... and says he'll talk to him roundly about it,' meddai Goronwy wrth William Parry.[140] 'Roedd y ffrwgwd hon rhwng Goronwy a Thrysorydd ei Gymdeithas wedi cynddeiriogi Richard.

---

[137] *LGO*, llythyr LXIX, at Richard, o Northolt, Medi 27, 1756, t. 183.

[138] Ibid.

[139] Ibid., t. 181.

[140] Ibid., llythyr LXX, at William Parry, o Northolt, Ionawr 14, 1757, t. 185.

Pryderai Richard hefyd y byddai Goronwy yn gwrthod dychwelyd rhai llyfrau 'roedd wedi eu benthyca iddo, yn enwedig pe byddai'r berthynas rhwng y ddau yn dirywio ymhellach. 'Am eich llyfrau chwi a fenthyciais, chwi a'u cewch pan fynnoch,' meddai wrtho, oherwydd, meddai'n goeglyd, 'Ni bum erioed ar gyngyd na'u bwyta, na'u hyfed, na'u gwerthu, na gwneuthur ffagl o honynt'.[141] 'Roedd yr ofn hwn ar ran Richard y byddai Goronwy yn gwrthod rhoi ei lyfrau yn ôl iddo wedi gwylltio'r bardd yn gaclwm ulw. 'As to Mr Morris's books, he never order'd me to send them him, but in a very spitefull way bid me not make away with them or let 'em be lost ... as if I must starve or pawn 'em, or as if all I had must be seiz'd on for debt,' meddai wrth William Parry.[142]

'Roedd ateb llidiog Goronwy wedi gwylltio Richard yntau yn ei dro, ac ni chysylltodd â Goronwy am fisoedd wedi hynny. 'Roedd Lewis eisoes wedi rhoi'r gorau i ohebu â'r bardd, ac 'roedd y tawedogrwydd hwn yn fwrn ar ei enaid. 'Now the Morrises have dropt their correspondence, I shall be as much out of the world at Northolt as if I was really dead and shall myself be in a fair way i farw o hiraeth,' meddai wrth William Parry.[143] Yn niffyg y cyfeillachu hwn â'r ddau frawd, ceisiodd gael William Parry i weithredu fel rhyw fath o gymodwr rhyngddo a Richard. 'Does dim dwywaith nad oedd Goronwy yn lled-edifar iddo godi gwrychyn Richard, oherwydd ni ddymunai golli ei gyfeillgarwch. 'I am sorry if I've given him any just cause of offence and solemnly declare I never design'd it, and don't know to this minute when, where, or whereby I might affront him,' meddai, ond wedyn fe'i cywirodd ei hun: 'Yes, yes I do. It was by being poor'.[144] 'Roedd gwir angen cyfeillgarwch Richard arno, ac ar ben hynny, 'roedd angen ei gymorth a'i gyngor arno hefyd gyda chyhoeddi ei waith. 'If Mr Morris could be hit on in a lucky minute perhaps he might lay aside his wrath and assist one with his advice at least, which is all I desire at present,' meddai wrth ei gyfaill puraf.[145] Trosglwyddwyd neges Goronwy i Richard gan William Parry, a rhyddhad mawr i'r bardd oedd clywed fod Richard yn fodlon ei roi ar ben y ffordd gyda'i fwriad i gyhoeddi ei waith. Yn ffodus i Goronwy, 'roedd gan Richard natur addfwynach, garedicach, a mwy parod i faddau, nag a feddai Lewis. Gwendid Richard, yn ôl Lewis, oedd ei fod yn dueddol o weld yr ochr orau i bawb, ac ymddiried ymhob enaid byw, hyd nes y gwelai ei gamgymeriad, ac wedyn collai ei dymer a phwdu, 'but he that deals with all mankind as if they were rogues is never mistaken or uneasy,' meddai, gan gyfeirio ato'i hun yn fwy na neb.[146]

Er nad oedd dim Cymraeg rhwng Goronwy a'r ddau frawd yn ystod y misoedd rhwng diwedd 1756 a dechrau 1757, dôi ambell stori am Goronwy i'w glustiau, a dôi'r straeon hynny yn ôl ato drwy William Parry. Ar ddydd Calan 1757 'sgwennodd Lewis at William:[147]

---

[141] Ibid., llythyr LXIX, at Richard, o Northolt, Medi 27, 1756, t. 183.

[142] Ibid., llythyr LXXI, at William Parry, o Northolt, Chwefror 22, 1757, t. 187.

[143] Ibid., llythyr LXX, at William Parry, o Northolt, Ionawr 14, 1757, t. 186.

[144] Ibid., t. 185.

[145] Ibid.

[146] *ML* I, llythyr CCCXV, Lewis at William, o Lundain, Chwefror 15, 1757, t. 455.

[147] Ibid., llythyr CCCVIII, Lewis at William, o Lundain, Ionawr 1, 1757, tt. 443–444.

... daccw Ronwy ar fynd yn alldud; an unaccountable fellow! his story is too long to tell. His wife on the brink of delivery and not a rag provided for ye child. He without a penny in his pocket, his salary stop'd by ye Rector to pay his debts, sends to London a sawcy letter to borrow two guineas, being obligd by ye Rector's orders to distribute the surplice fees among the poor, which money amounting to about forty shillings he had spent every farthing. We know the Rector offer'd ye curacy to another person, who did not like it, but Gronow will not believe but he is to stay there, and now talks of publishing his own works by subscription, which is a genteeler way of begging than what he has made use of hitherto, like a sturdy beggar abusing all about him.

Efallai fod Lewis yn gorliwio ambell beth yn ei gasineb at Goronwy, oherwydd, yn ôl ei lythyr at William Parry bythefnos ar ôl i Lewis lunio'i lythyr ef at William, celwydd oedd yr honiad i Samuel Nicholls gynnig curadiaeth Northolt i rywun arall. Curadiaeth arall oedd honno, yn ôl Goronwy. 'The Doctor did resign a place he had in town in favor of some young Clergyman,' meddai wrth William Parry, gan ychwanegu na fyddai Nicholls yn cynnig talu cyfran o'i gyflog ymlaen llaw nac yn ei helpu i sefydlu ysgol pe bai wedi rhoi ei swydd i rywun arall.[148] Ni chredai Lewis ddim a ddywedai, fodd bynnag. 'Roedd yn argyhoeddedig na 'cheiff Gronwy un bersonoliaeth ... oblegid ei ffolineb'.[149]

Er iddo ennill cyfeillgarwch Richard yn ôl i raddau erbyn mis Chwefror 1757, 'roedd misoedd cythryblus hanner olaf y flwyddyn flaenorol wedi dweud ar Goronwy. Yn ogystal, 'roedd y straen yn dechrau dweud ar Elin hefyd, yn enwedig a hithau'n feichiog eto. 'Mae'r wraig yn dal allan fyth, ond nid eill mo'r dal yn hir bellach,' meddai.[150] 'Roedd arno ddyledion i eraill heblaw Davies, ac er i Nicholls gynnig talu cyflog chwarter blwyddyn ymlaen llaw iddo, a rhoi cefnogaeth iddo i sefydlu ysgol yn Northolt, yn araf y dôi pethau'n ôl i drefn. Er y gobeithiai gael ei ysgol i lwyddo, a dod â pheth arian ychwanegol iddo, yn enwedig yn yr haf pan allai gael rhagor o ddisgyblion gyda dyddiau meithach a thywydd tecach, 'roedd hi'n bur gyfyng arno yn y cyfamser, ac ar ben popeth, ganed plentyn arall iddo ar Ionawr 28, 1757, mab a enwyd yn Owen, 'a rhaid i hwnnw gael tammaid yn ei big cystal a'r goreu'.[151] Yn ei siom a'i ddadrith, daeth i'r casgliad anochel mai ei farddoni a fu'n gyfrifol am ei dlodi, ac iddo esgeuluso materion pwysicach drwy ganolbwyntio mor llwyr ar ei grefft yn ei ymdrech a'i awydd i'w pherffeithio. 'Mi fum bum mlynedd fel dyn gwirion, yn prydyddu ac yn ymhurtio yn ddibaid, gan ddisgwyl personoliaeth am fy mhoen, and that even to the neglecting of my necessary business and things of the greatest moment to me in this world,' meddai wrth William Parry.[152] Cafodd ddigon o glod am ei farddoniaeth, gan Lewis, Richard, William a John Owen, gan Hugh Hughes ac Evan Evans, ond ni chafodd well swydd na mwy o arian o'i phlegid. 'Roedd yn

---

[148] *LGO*, llythyr LXX, at William Parry, o Northolt, Ionawr 14, 1757, t. 184.

[149] *ML* I, llythyr CCCXXIV, Lewis at William, o Lundain, Mawrth 19, 1757, t. 465.

[150] *LGO*, llythyr LXX, at William Parry, o Northolt, Ionawr 14, 1757, tt. 185-186.

[151] Ibid., llythyr LXXI, at William Parry, o Northolt, Chwefror 22, 1757, t. 187.

[152] Ibid., llythyr LXX, at William Parry, o Northolt, Ionawr 14, 1757, tt. 183-184.

hollol argyhoeddedig mai ei gamp oedd achos ei gwymp, ac mai melltith oedd ei athrylith. 'I've often told him and his brother,' meddai am Richard a Lewis, 'that poverty and poetry were inseparable companions, but they laugh'd at it; but I am now more convinc'd of the truth of it than ever, for since I ceas'd to be a poet, I've also remov'd a few steps from the extremity of poverty, my debts melt down apace and no new ones contracted, which is a blessing'.[153] 'Roedd a wnelo'r ffaith iddo golli anogaeth, cefnogaeth a chyfarwyddyd Lewis lawer â'i benderfyniad i ymwrthod â'r Awen hefyd. Heb gefnogaeth Lewis, barddoni yn y gwagle, barddoni ar ei gyfer, y byddai Goronwy. Ac felly y bu farw bardd.

'Doedd dim byd ar ôl iddo bellach. 'Roedd yn methu'i gynnal ei hun yn Northolt. Rhoddodd y gorau i farddoni, a chollodd gyfeillgarwch Lewis am byth. Hwnnw, am flynyddoedd, oedd prif ysgogwr ei awen, a'i hwb a'i werthfawrogiad oedd y sbardun i Goronwy ddal ati. Bellach 'roedd y goeden y canai'r aderyn arni wedi cael ei llifio i'r llawr. Ni chollodd bob cysylltiad â Richard, ond 'roedd y cyfeillgarwch taer a fu rhwng y ddau wedi claearu llawer. Cyfeillgarwch llugoer oedd hwnnw bellach. Ym mis Mai 1757, anfonodd lyfrau Richard yn ôl ato, y cam amlwg cyntaf tuag at dorri pob cysylltiad rhwng y ddau, er na wyddai Richard mo hynny ar y pryd. Anfonodd hefyd ddwy golomen ar gyfer pryd o fwyd i Richard, yn anrheg iddo am ei gyfeillgarwch a'i gymorth yn y gorffennol. Yn anffodus, yn ôl Richard, 'The box stunk abominably, the pidgeons being rotten, and all the books stunk and I was oblig'd to put them into the air to sweeten!'[154] Trodd anrheg yn anhrefn, yn union fel yr aeth breuddwydion a gobeithion bardd i'r gwellt.

Erbyn tua chanol Mehefin 'roedd Goronwy wedi dychwelyd y llyfrau a roddodd Lewis ar fenthyg iddo i'w perchennog. Ymosodiad ffiaidd ar ei gymeriad a gafodd Goronwy gan Lewis yn dâl. 'Roedd Lewis o hyd yn fodlon cyfaddef fod mawredd ac athrylith yn perthyn iddo fel bardd, ond ni allai stumogi ei wendidau fel dyn. Meddai wrth William:[155]

---

[153] Ibid., t. 185.

[154] Ibid., llythyr LXXII, at Richard, o Northolt, Mai 30, 1757, t. 189 (nodyn Richard).

[155] *ML* I, llythyr CCCXXXVI, Lewis at William, o Lundain, Mehefin 18, 1757, tt. 488 – 489. Mae disgrifiad Lewis o Goronwy, a disgrifiad Goronwy yntau o Thomas Brooke, yn dilyn dull a thraddodiad rhyddieithwyr y ddeunawfed ganrif o ddisgrifio pobl mewn modd manwl, realistig, a digon gwawdluniol. Er enghraifft, dyna ddisgrifiad Samuel Richardson o Monsieur Colbrand yn *Pamela* (1740–1741), disgrifiad sy'n ein hatgoffa o bortread Goronwy o Berson Walton: 'He is a giant of a man for stature; taller by a good deal than Harry Mowbridge, in your neighbourhood, and large boned and scraggy; and has a hand! – I never saw such an one in my life. He has great staring eyes, like the bull's that frightened me so; vast jaw-bones sticking out; eye-brows hanging over his eyes; two great scars upon his forehead, and one on his left cheek; and two large whiskers, and a monstrous wide mouth; blubber lips; long yellow teeth, and a hideous grin'. Cymharer hefyd ei ddisgrifiad o Mrs Jewkes yn yr un nofel: 'She is a broad, squat, pursy, fat thing, quite ugly, if anything human can be so called; about forty years old. She has a huge hand, and an arm as thick as my waist, I believe. Her nose is fat and crooked, and her brows grown down over her eyes; a dead, spiteful, grey, goggling eye to be shure she has. And her face is flat and broad; and as to colour, looks like it had been pickled a month in saltpetre: I daresay she drinks ...' Ceir disgrifiadau tebyg gan Daniel Defoe ac eraill, ac mae portreadau gwawdluniol Hogarth yn yr un wythïen yn union.

Dyma ni newydd gael y llyfrau a fenthycciasom i Gronwy gelwyddog, mi a feddyliais a maint ei ystumiau ai esgusion na ddaethent byth adref. He sent along with the books a MS. of his to be returnd, which is a translation of his own out of ye Greek into Welsh, one of Lucian's dialogues. The subject is lying, lying stories and spirits, and I believe he sent it as a defence for telling lyes in some cases ... I wonder how the poor devil of *offeiriad* goes on now. I dont hear anything of his being to be turnd out, I suppose they dont drink as much as they did, poverty hinders them, and the alehouse will not give them credit. Nawdd Duw rhag y fath ddyn! a surprizing composition! What poet ever flew higher? What beggar, tinker, or sowgelder ever groped more in the dirt? A tomturd man is a gentleman to him. The juice of tobbacco in two streams runs out of his mouth. He drinks gin or beer till he cannot see his way home and has not half the sense of an ass, rowls in ye mire like a pig, runs through the streets with a pot in his hand to look out for beer; looks wild like a mountain cat, and yet when he is sober his good angel returns and he writes verses sweeter than honey and stronger than wine ... His body is borrowd or descended from the dregs of mankind and his spirit from among the celestial choir, what a stinking dirty habitation it must have.

Efallai, unwaith yn rhagor, fod Lewis yn gor-ddweud, a bod yn y disgrifiad elfen gref o ddialedd am Gywydd y Diawl, ond rhaid bod elfen o wirionedd yn y disgrifiad hefyd. 'Roedd meddwdod Goronwy, erbyn hyn, yn ddihareb, ac yn un o'r prif resymau am y rhwyg rhyngddo a'r brodyr. Ond eto, rhaid derbyn fod yma lawer o liwio wedi bod ar y darlun du a gwyn gwreiddiol. Mae dawn Lewis y dychanwr a'r llenor hunan-ymwybodol ar waith yma, yn bendant, ac mae un frawddeg o'i eiddo yn adleisio disgrifiad Goronwy o Berson Walton, hyd yn oed. 'The juice of tobbacco in two streams runs out of his mouth,' meddai Lewis; soniodd Goronwy fel 'roedd Person Walton 'yn cnoi dail yr India hyd oni red dwy ffrwd felyngoch hyd ei ên'. Gorliwio neu beidio, mae un peth yn sicr: 'roedd y cyfeillgarwch mawr a fu rhwng y ddau ar un adeg wedi troi'n elyniaeth ffyrnig, ac ni allai neb gael y ddau i gymodi â'i gilydd byth eto.

'Y Fordaith Hirfaith Hon'

Hwylio am Virginia

1757

Ar Fai 20, 1757, penderfynodd aelodau'r Bwrdd Ymwelwyr, corff llywodraethol Coleg William a Mary yn Williamsburg, Virginia, fod angen diswyddo Meistr yr ysgol ramadeg ar y pryd, Thomas Robinson, a gofyn am rywun arall yn ei le. Anfonwyd cais y Bwrdd Ymwelwyr am athro newydd i'r ysgol ramadeg gan Thomas Dawson, Llywydd y Coleg, yn rhinwedd ei swydd fel cynrychiolydd swyddogol Esgob Llundain yn Virginia. Gallai llong gyrraedd Lloegr o Virginia mewn chwech neu saith wythnos ar dywydd ffafriol, er mai rhyw ddeufis oedd yr hyd arferol, ac yn ystod yr haf, yr adeg orau i deithio, yr anfonwyd y llythyr ynghylch y swydd wag at Esgob Llundain. Byddai'r Esgob, Thomas Sherlock, wedi derbyn penderfyniad a chais y Bwrdd Ymwelwyr o bosibl ddiwedd mis Gorffennaf ac o leiaf rywbryd ym mis Awst, 1757. Ar Fehefin 30, anfonodd Robinson, yr athro y penderfynwyd ei ddiswyddo, hefyd lythyr at yr Esgob, i gwyno am y driniaeth annheg a gawsai gan lywodraethwyr y Coleg. Cadarnhawyd penderfyniad y Bwrdd Ymwelwyr, a'u cais am athro arall, gan Lywodraethwr Virginia, Robert Dinwiddie, mewn llythyr at Thomas Sherlock, Esgob Llundain, ar Fedi 12, 1757, ond erbyn hynny, 'roedd Sherlock yn gwybod fod y swydd yn wag. Cynigiwyd y swydd i Goronwy. Trwyddedwyd Goronwy i weinidogaethu yn Virginia ar Hydref 21, 1757,[1] ac ar Dachwedd 4, 'roedd y Trysorlys wedi gwarantu y câi £20 ar gyfer treuliau'r fordaith, ond 'roedd materion swyddogol o'r fath ar y gweill ymhell cyn i'r Esgobaeth a'r Llywodraeth eu dilysu.

'Does dim amheuaeth sut y cafodd Goronwy gynnig y swydd. Esgob Llundain, Thomas Sherlock (1678–1761), yn ystod cyfnod Goronwy yn Northolt, oedd yn gyfrifol am benodiadau eglwysig ac addysgol yn y Trefedigaethau Americanaidd. Sherlock oedd

---

[1] *An Index to The Letters of Orders and Licences Granted by The Lords Bishops of London from the Year 1746 to the Year 1774*, Fulham Papers, cyf. XXXIX, t. 41, yn Llyfrgell Lambeth Palace.

Canghellor Coleg William a Mary, a byddai'n gohebu â Llywodraethwr Virginia ac â Llywydd y Coleg ynghylch pob mater eglwysig ac addysgol o bwys. 'Roedd Ficer Goronwy, Samuel Nicholls, wedi olynu Thomas Sherlock fel Meistr y Deml ym 1753, a gweithredai fel caplan personol i'r Esgob. Dirywiodd iechyd Thomas Sherlock ar ôl 1753, a chafodd lawer o help gan Nicholls i weinyddu'r materion eglwysig yr oedd yn gyfrifol amdanyn nhw, hyd at farwolaeth yr Esgob ym 1761. Yn sicr, 'roedd perthynas agos rhwng y ddau. Nicholls a draddododd y bregeth yn angladd Sherlock, a phwysleisiodd ei garedigrwydd a'i dosturi:[2]

> The private flow of his bounty to many individuals was constant and regular, and upon all such occasions he was ever ready to stretch forth his hand towards the needy and afflicted; of which no one can bear testimony better than myself, whom he often employed as the distributor of it. He was, indeed, a person of great candour and humanity, had a tender feeling of distress, and was easily touched with the misfortune of others.

Bu Sherlock yn Esgob Bangor o 1727 hyd 1734, ac yn ôl ei gofiannydd:[3]

> In the distribution of his preferment ... he seems to have been guided by the most laudable motives; not only rewarding talent and exciting emulation, but encouraging the humble efforts of the lowly pastor, and preserving him from that poverty which is too often his lot in the world. His attention to that indigent though hard-working class of men, the Welsh curates, appears from the two following letters ...

Mae'n amlwg fod Nicholls wedi cyflwyno achos Goronwy gerbron yr Esgob, ac wedi ennyn ei gydymdeimlad â'r bardd yn ei dlodi a'i drueni.

Un peth oedd ar feddwl Goronwy yn ystod y cyfnod y rhyddhawyd swydd Thomas Robinson ac y cyrhaeddodd cais y Bwrdd Ymwelwyr am feistr arall yn ei le, sef cyhoeddi ei farddoniaeth ar ffurf llyfr. Drwy'r flwyddyn bu'n ceisio cael y maen i'r wal gyda chymorth Richard Morris. Aeth i Lundain i weld Richard ar Fehefin 24, a 'sgwennodd lythyr at William drannoeth yr ymweliad i ddweud wrtho fod Richard ac yntau 'yn un feddwl ynghylch argraphu barddoniaeth Gronwy Ddu, ac yr ydis yn amcanu dwyn y gwaith i ben gyntaf byth ag y gellir'.[4] Unwaith yn rhagor, 'roedd Goronwy yn mynegi ei ddifrawder ynghylch argraffu ei gerddi, gan nodi nad oedd ganddo ddigon ohonyn nhw i gyfiawnhau cyhoeddi llyfr. Erbyn hyn 'roedd y bardd wedi penderfynu rhoi'r gorau i farddoni, 'wedi rhoi llwyr ddiofryd yr awen ac ymwrthod â hi tros byth',[5] a'r unig beth a

---

[2] *The Gentleman's Magazine*, 1762, tt. 23-24.

[3] *The Works of Bishop Sherlock*, T. S. Hughes, cyf. I, 1830, t. 53.

[4] *LGO*, llythyr LXXIII, at William, o Northolt, Mehefin 25, 1757, t. 190.

[5] Ibid.

ddymunai bellach oedd 'cael tâl am y boen a dreuliais arni eisus'.[6] Gofynna i William Morris anfon copïau o rai o'i gerddi ato, sef 'gyrru imi Ddychymig Cryfion Byd a'r Ganiad Ladin i'r Cadben Ffwgs',[7] ac unrhyw beth arall o'i waith a allai fod yn ei feddiant. Mae'n ymbil arno hefyd i chwilio am ragor o danysgrifwyr i'r llyfr, ac yn erfyn arno am ateb brys.

Ym mis Awst, anfonodd lythyr at Richard, eto ynghylch y posibiliad o gyhoeddi llyfr o'i waith, wedi iddo fod yn trafod y syniad gyda'i ficer, Dr Nicholls. 'Roedd Richard a Goronwy wedi penderfynu argraffu 500 o daflenni cynigion (*proposals*), er mwyn hysbysebu'r llyfr arfaethedig a chasglu tanysgrifiadau i dalu am ei gyhoeddi, a gwneud elw pe bai modd. Ni chredai Samuel Nicholls fod 500 o daflenni yn ddigonol:[8]

> The objection he had against the number was, that 500 was not half enough, though we should suppose they would be sure to go into 500 hands (which yet he says can't be supposed or expected as they may fall into some careless hands that will not deliver out one in a dozen, but light tobacco pipes &c with them and this I am apt to believe) and that 1500 would have cost but a trifle more, as the expence of paper and ink is inconsiderable when the types are compos'd.

Gwrthwynebai Dr Nicholls hefyd faint y taflenni yn ogystal â'r nifer. Mae Goronwy yn erfyn ar Richard iddo drefnu argraffu 500 o daflenni eraill at y 500 gwreiddiol, 'if the press is not broken up'.[9] 'Roedd Dr Nicholls wedi addo casglu tanysgrifwyr i Goronwy hefyd:[10]

> The Doctor is likely to get some money under colour of subscription from some of these English Clergy, but how much or from whence he did not yet tell me. Pa les a wna Gywydd i Sais? Ond byd hynny fal y bo, fo wna arian les mawr i Gymro.

Mae sŵn brys mawr yn y ddau lythyr. 'I beg your answer by the first conveniency,'[11] meddai wrth William, ac wrth Richard, 'I beg a line by the return of the post'.[12] Pam 'roedd Goronwy mor daer i gyhoeddi ei waith, ac yntau wedi dangos cymaint o ddifrawder yn y gorffennol? Tlodi oedd y prif rheswm, mae'n debyg. Fel y gwyddom, 'roedd wedi bod yn sôn am gyhoeddi ei waith ers canol Awst, 1756, ac 'roedd Elin, ddechrau Ionawr 1757, ar fin esgor ar ei phedwerydd plentyn. 'Roedd Goronwy, yn naturiol, yn poeni y byddai plentyn arall ganddo i'w fwydo yn y man, a gobeithiai y byddai cyhoeddi ei waith yn dod ag ychydig arian iddo. Erbyn haf 1757 'roedd Owen yn ychydig fisoedd oed, a gofalon teuluol y bardd yn trymhau. 'Roedd y rheswm arall a

---

[6] Ibid.

[7] Ibid.

[8] Ibid., llythyr LXXIV, at Richard, o Northolt, Gŵyl Awst, 1757, t. 191.

[9] Ibid.

[10] Ibid., t. 192.

[11] Ibid., llythyr LXXIII, at William, o Northolt, Mehefin 25, 1757, t. 190.

[12] Ibid., llythyr LXXIV, at Richard, o Northolt, Gŵyl Awst, 1757, t. 191.

nodasai Goronwy, sef ei fod am gael rhywbeth yn ôl am ei holl lafur, hefyd yn rheswm dilys, ond nid yw'n esbonio'r brys. A oedd Goronwy eisoes wedi'i wahodd i dderbyn y swydd yng Ngholeg William a Mary yn Awst, pan oedd Samuel Nicholls yn ei gynghori ynghylch y llyfr? Mae'n sicr y gwyddai Nicholls am y swydd ym mis Awst. A oedd y ddau yn rhannu cyfrinach? Os oedd Goronwy wedi cael gwybod am y swydd yn Awst neu cyn hynny, ac wedi penderfynu ei derbyn, nid yw'n anodd credu y byddai yn ceisio'i orau glas i drefnu argraffu'i waith cyn ymadael â Lloegr, gan na ddôi cyfle byth eto o bosibl. Mae hynny'n esbonio'r brys. Ar y llaw arall, efallai mai twyll oedd y cyfan, ac nad oedd y bardd yn bwriadu cyhoeddi llyfr o'i waith o gwbwl. Hwyrach mai ceisio gwneud ceiniog neu ddwy ar gorn tanysgrifwyr i'w lyfr yr oedd Goronwy. Dyna oedd amheuaeth Lewis Morris o'r cychwyn, a rhaid i ninnau hefyd archwilio'r posibiliad.

O ddechrau 1757 ymlaen, 'roedd Lewis Morris a Dafydd Jones o Drefriw, yr argraffydd, wedi dechrau gohebu'n rheolaidd â'i gilydd, ar ôl i Dafydd Jones gysylltu â Lewis i ofyn am ei help a'i arweiniad ynghylch llunio ac argraffu blodeugerdd (*Blodeu-gerdd Cymry*, a gyhoeddwyd ym 1759), ac mae'r llythyrau hyn rhwng y ddau yn taflu llawer o oleuni ar y cyfnod hwn yn hanes Goronwy, ac ar ei gymhellion posibl ynghylch cyhoeddi'r llyfr hefyd.[13] Maen nhw hefyd yn bwysig o safbwynt deall y modd yr eid ati i gyhoeddi llyfr Cymraeg yn y ganrif. 'You should have mentiond what your proposed book is to Contain, whether Ancient Poetry or modern, and whose works, for no body will subscribe to a book without knowing its' contents, let it be ever so cheap or so good,'[14] meddai Lewis wrth Dafydd Jones wedi i hwnnw gyflwyno'r syniad iddo am y flodeugerdd bosibl. Cynigiodd Lewis roi ffurf derfynol, gaboledig ar daflen apêl Dafydd Jones. Gofynnodd am 'a full account of ye work in a Letter, that I may help to put it in a form fit for ye public'.[15] 'Roedd Lewis, fel y gwyddom, yn ofalus iawn rhag rhoi cyfle i'r Saeson ddifrïo'r Gymraeg a'r Cymry, a 'doedd ganddo ddim llawer o ymddiriedaeth yng ngallu Dafydd Jones, yn enwedig gan fod ei Saesneg yn bur fregus. 'Mi dybygwn mai gwell i chwi Brintio eich *Proposals* yn ol y pappir sydd yn hwn fal na chaffo Plant alis a rhyw goegion Gymru le i chwerthin am ei ben,'[16] meddai wrtho mewn llythyr arall. Addawodd Lewis iddo y gwnâi ef a Richard 'ein goreu i geisio i chwi *subscribers* ond gyrru o honoch rai or *Printed Proposals* fal y Cyfarwyddais chwi at fy mrawd, ni wiw gofyn i bobl *subscreibio* heb *Broposals*'.[17]

Erbyn Mai 2, 'roedd taflen apêl Dafydd Jones wedi'i hargraffu, a'r bwriad oedd argraffu trwy danysgrifiadau lyfr yn dwyn y teitl *Blodeugerdd Cymry*, sef casgliad o gerddi gan Edward Morris, Huw Morys, Owen Gruffydd ac eraill. Nodir enwau Richard a Lewis Morris arni fel dau o'r casglwyr tanysgrifiadau. 'Sgwennodd Lewis at Dafydd Jones ar ôl i'r taflenni ei gyrraedd:[18]

---

[13] Cyhoeddwyd y llythyrau hyn, *Llythyrau at Ddafydd Jones o Drefriw*, Gol. G. J. Williams, gan Gylchgrawn Llyfrgell Genedlaethol Cymru: Atodiad, Cyfres III, Rhif 2, ond testun *ALMA* a ddefnyddir yma.

[14] *ALMA* 1, llythyr 146, Lewis at Dafydd Jones, o Lundain, Chwefror 27, 1757, t. 301.

[15] Ibid.

[16] Ibid., llythyr 147, Lewis at Dafydd Jones, o Lundain, Mawrth 14, 1757, t. 305.

[17] Ibid.

[18] Ibid., llythyr 150, Lewis at Dafydd Jones, o Lundain, Mehefin 24, 1757, t. 309.

Dyma ryw fesur o'r *Proposals* gwedi dyfod a chwedi eu dangos, ag fe geir ymbell un a *subscreibia*, ond pan fo'r llyfrau'n barod gwedi eu printio ag i'w dangos yn y Gynulleidfa o Gymmrodorion fe fydd haws ymadel a 80 neu Gant o honynt na chael deg o *subscribers* cyn gweled beth yw'r llyfr, oblegid fod yn Llundain gynnifer o bobl yn twyllo eu gilydd a gau addewidion, a chael arian i'w dwylo ag heb byth ddangos dim am danynt.

Mae Lewis yn sôn am yr hoced o argraffu taflenni apêl er mwyn casglu arian tanysgrif-wyr yn unig, heb fyth fwriadu cyhoeddi'r llyfr a hysbysebid. 'Roedd yn amau ar brydiau mai dyna oedd bwriad Goronwy hefyd. 'Sgwennodd at William ar Orffennaf 9:[19]

> If Gronwy's bookseller has the money in his hands, he may possibly publish something, otherwise he'll drink ye money before the book is printed. Dyna fâr! A'i dyn yw fo?

Ai twyll cywrain ar ran Goronwy oedd y cyfan? Ai ei fwriad oedd llenwi ei bocedi ei hun ag arian y tanysgrifwyr heb fyth fwriadu cynhyrchu'r llyfr? Os dyna oedd ei fwriad, 'roedd yn ystryw hynod o gymhleth, yn enwedig o ystyried iddo ofyn i William Morris anfon copïau o'r cerddi yr oedd wedi esgeuluso'u cadw. Ar y llaw arall, gwyddai fod William mewn cysylltiad cyson â Richard a Lewis, a phe gallai argyhoeddi William ei fod o ddifri, gwyddai y byddai ei ddifrifwch amcan yn siŵr o gyrraedd clustiau'r ddau arall. Yn ôl tystiolaeth ddiweddarach, 'roedd Goronwy wedi pocedu peth o arian y tan-ysgrifwyr ac wedi ffoi am Virginia. Daw'r dystiolaeth o lythyr John Owen (a oedd wedi gorfod ailymuno â'i ewythr Lewis yn Llundain ers yr wythnos olaf ym mis Gorffennaf, 1757, i ymddangos gerbron gwŷr y Trysorlys) at Hugh Hughes, fe dybir: 'Yr ydych yn dywedyd fod "yna rai yn disgwyl am dano, ac y talant yn llawn, er eu bod wedi rhoi ariant i'r Goronwy o'r blaen: 'nid wyf fi yn dyall mo hynny yn iawn, – A dderbyniodd GORONWY arian tu ag at y gwaith cyn iddo Fordwyo i Virsinia?'[20]

Yn anffodus i Goronwy, cyrhaeddodd ei gais i Richard Morris am ragor o daflenni cynigiadau yn rhy hwyr. 'Grono's proposals are in the press, you'll have some next post,'[21] meddai Lewis wrth William ar Awst 2, wedi i'w frawd holi amdanyn nhw mewn llythyr blaenorol. Erbyn Awst 3, 'roedd y taflenni wedi eu hargraffu. Anfonodd Lewis gopi at William, yn ôl ei addewid:[22]

> Yesterday brother brought me a parcell of Gronwy's proposals, but as they wanted the corrections you see in the enclosed, word was sent to the printer to stop till further orders, and some of the compleat proposals will be sent you soon. But, pray, is there not more promisd in ye proposal than can be performd? It was my own doing, for I thought it lookd blank with only Gronwy's works, which might be but ballads for ought some

[19] *ML* I, llythyr CCCXXXVIII, Lewis at William, o Lundain, Gorffennaf 9, 1757, t. 494.

[20] *ALMA* 1, llythyr 181, John Owen at Hugh Hughes (?), o Lundain, Hydref 5, 1758, t. 362.

[21] *ML* I, llythyr CCCXL, Lewis at William, o Lundain, Awst 2, 1757, t. 495.

[22] *ML* II, llythyr CCCXLI, Lewis at William, o Lundain, Awst 4, 1757, t. 3.

people know. I have some notion that the book will be publishd, for that the money doth not come into Gronow's hands before the printer is paid, and for that he and his wife could not help themselves from makeing away with it if they could come at it.

Dyna oedd pryder mawr Lewis: ofn y câi Goronwy ei bump ar yr arian; ond 'roedd ganddo bryder arall hefyd, ac adlewyrchai ofnau Goronwy ei hun yn hyn o beth. Poenai Lewis nad oedd gan Goronwy ddigon o gerddi i gyfiawnhau argraffu llyfr o farddoniaeth, ac felly rhoddodd syniad arall i'r bardd, i chwyddo maint y llyfr. 'It was my own doing,' meddai uchod, a'r syniad oedd cyhoeddi nodiadau ar waith rhai o'r hen feirdd. 'Na feddaf fi ddim gwaith gorchestol nas canfu Grono o'r eiddo yr Henfeirdd, a pha beth bynnag sydd yma y mae at ei wasanaeth, fal y dywedais wrtho heddyw ddiwaetha','[23] meddai William wrth Richard. Soniodd Richard hefyd am y nodiadau hyn wrth ateb llythyr gŵr o'r enw R. Saunders a ofynnodd iddo am 'a Dozen Lines from the most ancient British Author that you can procure ... to be inserted in an *Historical Performance*, which a *Gentleman of Cambridge* is now going to oblige the *Public* with'.[24] Cyfeiriodd Lewis at gais R. Saunders wrth 'sgwennu at William ar Fedi 13:[25]

> Pa bryd y bydd Gronwy yn sgrifennu *Notes on the Ancients*? Ni chlowai ddim sôn, ag rwy'n ofni na fydd hynny byth. Here is a letter from a Welsh clergyman ... But I have drawn a letter for the Society of Cymrodorion to refuse him, because Gronow is publishing things of that nature, and to let him and the Cambridge man know that a member of ye Society is going to publish a book called Celtic Remains.

Yn enw Richard yr atebwyd llythyr R. Saunders, ond mae'n amlwg, felly, mai Lewis a'i lluniodd, ac mae'r mynych gyfeiriadau hunan-hyrwyddgar at y gwaith mawr a oedd ar y gweill gan Lewis, *Celtic Remains*, yn cadarnhau hynny! Anfonwyd copi o daflen apêl Goronwy at y llythyrwr:[26]

> ... you'll see by the Inclosed proposals of the rev^d Mr. Gronow Owen a member of our Society that he is about publishing some of the very things your friend wants to see, and we think it would Interfere with Mr Owen's publication, if we were to assist any person with the materials he is to make use of.

Canu cloch y Cymmrodorion 'roedd Lewis yn ei lythyr at R. Saunders, gan seinio'r tincial uchaf arni iddo ef ei hun a'i waith. Yn nwfn ei galon, gwyddai na allai Goronwy fyth lwyddo i lunio nodiadau ar yr hen feirdd ar ben rhoi trefn ar ei waith ei hun. Mae'n bosibl mai bwriad Lewis, yn ei ddialedd a'i ddiawlineb, oedd gosod maen tramgwydd ar

---

[23] Ibid., llythyr CCCXLVI, William at Richard, o Gaergybi, Awst 22, 1757, t. 10.

[24] *ALMA* 1, llythyr 154, R. Saunders at Richard, Awst 13, 1757, t. 315.

[25] *ML* II, llythyr CCCLI, Lewis at William, o Lundain, Medi 13, 1757, tt. 14-15.

[26] *ALMA* 1, llythyr 159, Richard at R. Saunders, Medi 27, 1757, t. 320.

ffordd Goronwy drwy awgrymu y dylai lunio nodiadau ar hen farddoniaeth Gymraeg.
'Doedd Lewis ddim yn awyddus i helpu Goronwy mewn unrhyw ffordd, yn enwedig gan
ei fod yn amau mai ystryw oedd y cyfan. Cadwodd ei afael ar 'broposals' Goronwy, ac
oedodd rhag dwyn i ben y gwaith o'u hargraffu'n gywir a'u dosbarthu.

Ar Fedi 18, aeth John Owen i Northolt i weld Goronwy, yn ôl llythyr Lewis at
William, 'ond ni fyddis fawr well' meddai.[27] Mae'n debyg mai Lewis a oedd wedi gofyn
i'w nai fynd i weld y bardd, i holi ynghylch y llyfr, a gweld faint o waith paratoi 'roedd
Goronwy wedi'i wneud arno; o leiaf mae llythyr Lewis at William chwe diwrnod yn
ddiweddarach yn awgrymu hynny:[28]

> John Owen is returned from Gronwy, he says he has some preparations towards the
> book. It would have no chance of comeing out if the money was receivd by Gronwy, so
> what subscriptions are receiv'd must be secured for the printer. How many subscribers
> do you think will be got in Anglesey, that we may guess at the number of books to be
> printed? I dont think above two hundred and fifty will go off as they are so dear.

Wedi derbyn sicrwydd gan John Owen fod Goronwy wedi bod wrthi'n paratoi'r llyfr,
ceisiodd Lewis daflu dŵr oer ar ben y syniad, a chlaearu brwdfrydedd William ac eraill,
drwy broffwydo mai gwerthiant isel a gâi'r llyfr gan ei fod mor ddrud.

'Roedd rheswm arall pam na fynnai Lewis roi unrhyw wir gefnogaeth i lyfr Goronwy.
Gwaith digon anodd oedd casglu tanysgrifwyr i sicrhau cyhoeddi unrhyw lyfr Cymraeg
yn y ddeunawfed ganrif. 'Roedd Dafydd Jones yn gobeithio y gallai werthu mil o gopïau
o'i flodeugerdd, neu fil a hanner hyd yn oed, ond fel y dywedodd Lewis wrtho:[29]

> Breuddwydio 'roeddech yn son am Fil neu Bymtheg Cant; os cewch *Bum Cant* chwi
> gewch yn rhyfeddol; yn Enwedig a Phrinned yw'r Geiniog ynghymru y dyddiau yma.
> Mi adwaen fi lawer o Awdwyr Godidog na fedrasant gael oddiar Gant neu ddau o'r
> Eithaf.

Cynghorodd Dafydd Jones ynghylch y ffordd fwyaf ymarferol i gasglu tanysgrifiadau:[30]

> Mi dybygwn na chewch chwi eich hunan ar eich trafael mo'r llawer i *subscreibio* yn
> union deg, ond eich chware goreu chwi ar eich taith ydyw, cael gan rai Ewyllysiwyr da
> i'r Iaith ymofyn am *subscribers* i chwi un ymhob Tref Farchnad o'r lleiaf, ag ymbell
> Berson neu offeiriad mwyn, gan daeru yn ei Hwynebau eich bod chwi o'r un grefft a
> nhwythau, a bod rhaid mynd yn Glochydd cyn mynd yn Berson.

'Musgrell iawn y mae subscriptions D. Jones yn mynd yn mlaen, rwy'n ofni na welir un

[27] *ML* II, llythyr CCCLII, Lewis at William, o Lundain, Medi 18, 1757, t. 15.

[28] Ibid., llythyr CCCLV, Lewis at William, o Lundain, Medi 24, 1757, t. 22.

[29] *ALMA* 1, llythyr 150, Lewis at Dafydd Jones, o Lundain, Mehefin 24, 1757, tt. 309–310.

[30] Ibid., t. 310.

o'r llyfrau cynygiedig yma,' cwynai Lewis wrth William.[31] 'Roedd casglu tanysgrifiadau ar gyfer cyhoeddi un llyfr Cymraeg yn waith digon dyrys a beichus, a byddai cyhoeddi dau oddeutu'r un pryd yn gam annoeth iawn, gan mai godro'r un fuwch a wnâi'r argraffwyr yn aml, a honno'n fuwch ddigon hesb ar brydiau. Poenai Dafydd Jones 'bod llyfr Gronwy yn rhwystr iddo', yn ôl Lewis mewn llythyr at William.[32] Ceisiodd Lewis liniaru pryderon Dafydd Jones gan wawdio ei gyn-gyfaill ar yr un pryd:[33]

> Fe ddigiodd Goronwy lawer un gyda gwyr Môn, ond gan nad oes moi fath ar wyneb y ddaiar, mae ef fal Alecsander fawr, yn meddwl y geill wneud y peth a fynno'n ddigerydd. mi wranta y newidia Gronwy a chwi Lyfr am ddau; ond duw a wnel *i'w Lyfrau* ef ddyfod allan.

Cynghorodd Dafydd Jones, yn yr un llythyr, i beidio â gyrru 'i Ronwy ddim Englynion iw lyfr, nes y gwelom a ddaw llyfr ai peidio; llawer plentyn a fu farw yn yr Enedigaeth, a haeddai gywydd marwnad yn lle Croeso i'r byd'.[34]

Gan fod y ddau gyhoeddiad yn taro yn erbyn ei gilydd, penderfynodd Lewis ochri â Dafydd Jones yn erbyn Goronwy. Fel y gwyddom, cafodd Dafydd Jones help gan Lewis i lunio'i daflen apêl, ac ar Fedi 27 anfonodd gyfieithiad Cymraeg o'r daflen at yr argraffydd, fel y gallai hwnnw gasglu arian yng Nghymru. Holodd hefyd rai o argraffwyr Llundain am brisiau ar ran Dewi Fardd, ac anfonodd y manylion hyn am gostau cyn-hyrchu'r flodeugerdd ato. Er ei fod wedi ochri â Dafydd Jones yn erbyn Goronwy, digon dirmygus, yn y bôn, oedd agwedd Lewis, a Richard hefyd o ran hynny, tuag ato; ond y gwir yw y gallai Dafydd Jones fod o ddefnydd i Lewis hunanol. Disgwyliai i Dafydd Jones dalu'n ôl iddo'n ganplyg am ei gymwynasau ef iddo. Yn ystod y cyfnod hwn yn Llundain, 'roedd Lewis wedi ailafael yng ngwaith mawr ei fywyd, sef y *Celtic Remains* fel y galwai'r llyfr erbyn y diwedd, llyfr y bu'n gweithio arno ers 35 o flynyddoedd. Geiriadur oedd hwn a restrai ac a esboniai enwau lleoedd ac enwau priod yng Nghymru, yn ogystal â'r enwau Celtaidd a geid yng ngweithiau rhai awduron clasurol. 'Dewi Fardd o Drefriw a yrrodd Gywydd i'r Cymmrodorion, dan obaith cael *subscriptions* i ryw lyfr cân o waith Huw Morus, Edward Morus, etc., a minneu ai rhois ar waith i hela afonydd, a nentydd a chornaint!'[35] Rhoddodd Lewis ddigon o waith i Dafydd Jones i'w gadw'n brysur am fisoedd! Gofynnodd iddo chwilio am lyfrau a llawysgrifau ar ei ran, a hefyd:[36]

> I am an Entire Stranger in your parts of ye Country, and can give you no plainer directions, but for some particular reasons I should be very glad of having the names of

---

[31] *ML* II, llythyr CCCLX, Lewis at William, o Lundain, Hydref 14, 1757, t. 31.

[32] Ibid., llythyr CCCXLIX, Lewis at William, o Lundain, Medi 2, 1757, t. 13.

[33] *ALMA* 1, llythyr 156, Lewis at Dafydd Jones, o Lundain, Medi 2, 1757, t. 317.

[34] Ibid., t. 318.

[35] *ML* I, llythyr CCCXXX, Lewis at William, o Lundain, Mai 6, 1757, t. 475.

[36] *ALMA* 1, llythyr 146, Lewis at Dafydd Jones, o Lundain, Chwefror 27, 1757, tt. 303–304.

all ancient places about the river Conwy, such as old Forts or Castles, old Houses, ruins of Towns, villages, names of mountains, of vallies, churches, chapels, or ruins of churches, High roads, if they have any old names, Passes thro' mountains, Lakes as Llyn dulynn etc. and what tradition you have of ye Etymology of ye names of your village ...

Mewn llythyr arall at Dewi Fardd, esboniodd Lewis ei fod 'yn casglu Enwau holl afonydd Prydain a Ffraingc a'r Eidal',[37] a chyflwynodd ei gais am gymorth y tro hwn ar ffurf naw o englynion, gan gynnwys:[38]

> Gyr Dewi immi, mae ammod, henwau
>   hanes mawr ryfeddod
> Conwy a'i Cheingciau Hynod
> ai chlir wythennau, ai chlod.

Mewn llythyr diweddarach eto mae'n datgelu pam y dymuna i Dafydd Jones wneud y gwaith hwn ar ei ran:[39]

> Oni welwch i wrth yr Englynion a yrrais i chwi, fy mod yn Casglu Enwau Pobl a Lleoedd yn Ffraingc a Phrydain a'r Ynysoedd? [Gorchwyl na wnaeth neb erioed o'r blaen,] fal y dealler ystoriau'r Teyrnasoedd hynny ac y caffo'r Hen iaith ei gwir barch ai chymeriad ...

Defnyddio Dafydd Jones i'w ddiben ei hun 'roedd Lewis Morris, troi pob dŵr i'w felin ei hun yn ôl ei arfer, a'r dŵr yn llifo o gyfeiriad Afon Conwy y tro hwn. 'Roedd cefnogi menter gyhoeddi Dafydd Jones yn llawer mwy buddiol iddo na hybu llyfr Goronwy. Mae un peth yn sicr: 'roedd disymudrwydd Lewis ynghylch llyfr arfaethedig Goronwy wedi dyfnhau'r rhwyg enfawr rhwng y ddau, ac wedi cryfhau atgasedd y ddau tuag at ei gilydd.

'Roedd yn rhaid i Goronwy, yn hwyr neu'n hwyrach, ddweud wrth y tri brawd am ei fwriad i ymfudo i Virginia. Efallai mai dyna beth oedd byrdwn y llythyr byr a anfonodd at Richard i dafarn y Red Lyon yn Southall. Mae sŵn brys mawr yn hwnnw hefyd. 'Mi wnaf fy llaw at fy mhâb am gael y weddi yn gynt o hanner awr os bydd modd yn y byd,' meddai, a 'Da chwi peidiwch a diangc cyn y delwyf, obleid eisiau'ch gweled yn rhy arw sydd ar eich gwasanaethwr'.[40] Byddai'n rhaid i Goronwy gadw cyfeillgarwch Richard Morris i raddau, a cheisio lled-gymodi ag ef, gan y byddai angen ei help arno i drefnu'r

---

[37] Ibid., llythyr 148, Lewis at Dafydd Jones, o Lundain, Ebrill 14, 1757, t. 306.

[38] Ibid., t. 307.

[39] Ibid., llythyr 150, Lewis at Dafydd Jones, o Lundain, Mehefin 24, 1757, tt. 311-312.

[40] LGO, llythyr LXXV, at Richard, diddyddiad, t. 192.

fordaith i America, ac yntau'n arbenigwr ar longau a mordeithiau. Datgelodd y gyfrinach fawr ar Hydref 10. Aeth Lewis yn gaclwm wyllt ar ôl clywed y newyddion a 'sgwennodd at William ar unwaith:[41]

> ... here is a proposal made to Gronwy feddw to go to Virginia to be master of a College (Grammar School) there, where the income is £200 sterling, and to be carried there free and his family. What do you think Gronwy's conclusion is (or was last night) after coming to town to advise with his countrymen? Why, indeed, he was afraid he was too drunk to go there, for if he was there turnd out for drunkenness he must beg his bread and never be able to see his country. Doth not this prove him to be of the *rhywogaeth* of Welsh poets and of Welsh horses? Rhywogaeth yr hen gaseg ddu o Bentrerianell a fyddant yn diangc adref o bob man. One of them ran away from me in the Isle of Walney and swam an arm of the sea *yn ei lyffethair*, and so Gronwy would swim from Virginia to Rhosvawr if he was sent there to get such a trifle as £200 a year or more.

Erbyn hyn 'roedd y berthynas rhwng Lewis a Goronwy wedi datblygu'n un gymhleth iawn, yn gyfrodedd o ddirmyg ac edmygedd. Casâi'r dyn ond edmygai ei waith. 'Roedd Lewis yn ddig wrth Goronwy am ei fod yn torri'r cysylltiad, yn cefnu ar hen gyfeill-garwch. Efallai ei fod yn falch o weld cefn y bardd ar un ystyr, ond rhaid hefyd ei fod yn teimlo chwithdod ac edifeirwch ar yr un pryd. 'Roedd y disgybl wedi troi yn erbyn yr athro, y plentyn wedi gwrthod ei dad mabwysiedig; ac, wrth gwrs, 'roedd Lewis yn gynddeiriog am fod Goronwy wedi ofera'i athrylith. Am ei ran yntau, mae'n amlwg y poenai Goronwy y gallai ei hoffter o'r ddiod, yn wir, ei lwyr ddibyniaeth ar wirodydd, weithio yn ei erbyn.

'Sgwennodd Lewis ddau lythyr bedwar diwrnod ar ôl derbyn y newyddion syfrdanol am fwriad Goronwy i ymfudo i Virginia, ac 'roedd y mater yn pwyso'n drwm ar ei feddyliau yn ôl y ddau lythyr hyn. Mae coegni a chasineb yn ei sylwadau, ond efallai mai chwerwedd i guddio edifeirwch ydyw, gorchudd o rew dros ddyfroedd cythryblus. 'Daccw Ronwy fardd yn mynd i *Virginia* i ganu i'r Indiaid ag i fwytta dobacco,' meddai wrth Dafydd Jones, gan ychwanegu 'felly nid rhaid iddo wrth *subscreibers*'.[42] Mae'n wfftio at William Wynne, Llangynhafal, yn yr un llythyr, am 'na fedrai gael mwy nag un *subscriber* i Gronwy, nag yr un (duw'n helpio) i ddafydd Sion'.[43] 'Roedd William Morris, mae'n amlwg, wedi casglu arian ar gyfer cyhoeddi llyfr Goronwy. 'Ceisiwch roi'r arian i'r bobl yn ol, ond arhoswch dippyn dan na weler ef dan hwyl,' meddai wrtho.[44] Yn ôl Lewis, 'roedd Goronwy i ymadael am Virginia ymhen deuddeng niwrnod, a byddai'n hwylio ymaith, felly, oddeutu Hydref 26, pe bai'r tywydd yn ffafriol. Y noson honno, Hydref 14, 'roedd Goronwy wedi bod yng nghwmni Richard hyd at yn hwyr yn y nos,

---

[41] *ML* II, llythyr CCCLIX, Lewis at William, o Lundain, Hydref 11, 1757, t. 30.

[42] *ALMA* 1, llythyr 160, Lewis at Dafydd Jones, o Lundain, Hydref 14, 1757, t. 325.

[43] Ibid.

[44] *ML* II, llythyr CCCLX, Lewis at William, o Lundain, Hydref 14, 1757, t. 31.

'consulting I suppose about his voyage, etc.' yn ôl Lewis.[45] Gwyddai Lewis am rai o'r trefniadau a wnaed ar gyfer y bardd, ac am rai darpariadau yr oedd ef ei hun wedi'u gwneud i dalu am y daith ac i'w gynnal ar ôl cyrraedd hyd nes y câi gyflog, a hefyd am y modd 'roedd rhai caredigion wedi estyn cymorth iddo; ond digon llidiog oedd Lewis o hyd:[46]

> Hanbury, the rich Welsh quaker merchant, is very kind to him, a noted good man as they say. He is like a whale among the other Welshmen who are but shrimps. Gronwy is to carry with him a servant maid (now Dr. Nicol's cook), merch o Veirion; and there he shall eat tobbaco in the fields, and his wife drink rum. They'll live like kings of beggars.

'Roedd Goronwy, yn awr fod cynllun y llyfr wedi methu, yn begera arian gan wahanol bobl. Mae'n amlwg ei fod yn poeni am y daith: y costau, y peryglon, y rhagolygon, yr anwybod o'i flaen. 'Roedd Samuel Nicholls wedi ceisio lliniaru ei ofnau ac wedi cynnig gwasanaeth un o'i forynion iddo, er mwyn ei annog i ymgymryd â'r daith a gwneud popeth mor hwylus ag y gallai iddo. Ceisiodd ei ficer dynnu llun deniadol o Virginia i Goronwy, i godi ei galon a'i argyhoeddi fod man gwyn man draw:[47]

> Dr. Nicols told Gronwy that peaches grow wild in the woods in Virginia, and tobbacco [more com]mon in the fields than wheat in England.

Ond nid oedd Lewis, yn hollol wahanol i Richard, yn argyhoeddedig y gwnâi unrhyw newid byd neu unrhyw welliant yn ei amgylchiadau personol gael y bardd i gallio a cheisio byw'n waraidd-drefnus am unwaith:[48]

> Dyna lle bydd meddwi ac ymdrabaeddu mewn ffosydd, fal y bu'r dydd arall pan fu Sion Owen yn Northhall. Duw gyda ni ag a'n cadwo rhag y fath ddyn anfoesol afreolus. The oddest mixture upon earth! My brother says he is sure he'll change his way of living when he is in high life, and his wife too, but I insist he will grow worse and his wife too, and that they will be a discredit to the Cambrians.

Yn wir, ymhob llythyr a arweiniai at ymadawiad Goronwy, mae Lewis yn arllwys gwawd a digofaint ar y bardd. Gwyddai, bellach, fod ymadawiad Goronwy yn anochel, ac mai mater o aros am dywydd ffafriol ydoedd cyn i'r llong a fyddai'n ei gludo i Virginia godi'i hwyliau. Un o'r llongau a arferai gludo drwgweithredwyr i'r Trefedigaethau oedd y llong hon, y *Tryal*. Bu'r *Tryal* yn cludo troseddwyr i America ers Ebrill 1750 o leiaf. Fel

---

[45] Ibid.
[46] Ibid.
[47] Ibid., tt. 31–32.
[48] Ibid., t. 32

arfer, rhwng saith a phymtheng mlynedd oedd hyd einioes y llongau hyn ar gyfartaledd. Byddai blynyddoedd o orfod ymladd â'r elfennau yn peri iddyn nhw ddirywio'n gyson, a chludid rhai drwgweithredwyr i America mewn llongau digon peryglus eu cyflwr.

Ni chollodd Lewis mo'i gyfle i gymharu Goronwy â'r drwgweithredwyr hyn. Câi hwyl chwerw wrth feddwl amdano yn gorfod teithio i Virginia yng nghwmni gwehilion cymdeithas. 'Wele daccw Ronwy yn myned gyda llong sy'n carrio drwg *weithredwyr*, (people transported to ye plantations), ac yn disgwyl am y gwynt yn deg. So you see the *Awen* hath committed some damnd misdemeanour, and is transported into Virginia, yn iach *awen* Ynghymru na Lloegr bellach,' meddai wrth William.[49] Yn ôl Lewis, 'roedd Goronwy cynddrwg ag unrhyw un o'r troseddwyr a fyddai'n gyd-deithwyr iddo:[50]

> Grono goes to ye other world with thieves and malefactors, and so is he as bad as some of them. He prevailed on my brother Richard to answer for him for twelve guineas in his necessity, and is now as saucy as a beggar, and the little children here cannot afford to give such sums of money to a scoundrel. I am quite out of patience with that motley breed, etc. Perhaps you never saw a prouder, saucier fellow, and, like a goose, thinks all mankind are to feed him.

'Doedd gan Lewis mo'r bwriad lleiaf i hybu cyhoeddi llyfr Goronwy ymlaen, er gwaethaf ymholiadau William ei frawd. Cynghorodd William eto i gadw'r arian a gasglwyd ganddo, 'dros dro', ond tybiai 'mai ei rhoi'n ol a wneir, oblegid pwy a gymer y boen i brintio'r fath beth, and who is equal to write proper notes on such a work?' meddai.[51] Gwelai William ryw lygedyn o obaith yn y ffaith nad oedd Lewis yn barod i dros-glwyddo'r arian yn ôl i ddwylo'r tanysgrifwyr, ac nid oedd Richard, yn wahanol i Lewis, wedi rhoi heibio bob gobaith y gellid cyhoeddi'r llyfr o hyd. 'Mae'n dda gennyf yn fy nghalon fod gobaith myned ymlaen a barddoniaeth Gorono gethin,' meddai William wrth Richard.[52] 'Roedd William eisoes wedi casglu tua deg neu ddeuddeg o danysgrifiadau, ond poenai fod y pris y gofynnid amdano, coron y copi, yn rhy uchel, a bod hyn yn gweithio'n erbyn y bwriad o gasglu tanysgrifwyr. 'Gostyngwch o i 3 swllt, os medrwch, ac onide i 3/6, ag anfonwch yma fagad o'r proposals, minneu a wna ngoreu,' meddai drachefn wrth Richard.[53] Fel Lewis o'i flaen, rhyfeddai William at y ddeuoliaeth ym mhersonoliaeth Goronwy, gan awgrymu na fyddai neb yn prynu'i lyfr pe baen nhw'n adnabod yr awdur:[54]

---

49 Ibid., llythyr CCCLXIII, Lewis at William, o Lundain, Hydref 27, 1757, t. 36.
50 Ibid., llythyr CCCLXIV, Lewis at William, o Lundain, Hydref 28, 1757, t. 37.
51 Ibid., llythyr CCCLXV, Lewis at William, o Lundain, Tachwedd 1, 1757, t. 38.
52 Ibid., llythyr CCCLXVII, William at Richard, o Gaergybi, Tachwedd 9, 1757, t. 41.
53 Ibid.
54 Ibid., tt. 41–42.

Ni welais i erioed ddyn cywraint hynaws o Gymro na byddai mewn carriad a'r bardd-oniaeth, ac ni wn i weled erioed ddyn a fai a synwyr a ddealltwriaeth ynddo (ac yn adwyn y bardd) a ganmolai'r awdwr, ond ymhell yn y gwrthwyneb. Cymysg Owain Grono a Sian Parri. Nid oedd dan haul ddyn mwy diddaioni nag Owain, ac nid allai fod ddynes gwrteisiach, ie, a diniweittiach na Sian. Nid rhyfedd yntau fod yr etifedd yn fûl.

Priodolai William yr elfen anystywallt yng nghymeriad Goronwy i'w dad, a'r elfen waraidd-greadigol i'w fam.

Er mor ddig oedd William wrth y bardd, ni ddymunai ei weld yn mynd 'yn noeth lyman i bregethu i'r Americaniaid'.[55] 'Ai ni cheir dim ced gan Hanbri hyd na cheir cyflog?' gofynnodd.[56] 'Doedd dim byd ar ôl i Goronwy ond begera, a dibynnu bellach ar haelioni ac ewyllys da cyfeillion a chydnabod i godi'r arian ar gyfer y daith. A dyna'n union a wnaeth. Yn ôl Lewis:[57]

> Daccw Ronwy fegerllyd, neu Ronwy'r crefwr, gwedi crefu 7 gini gan Hanbury'r Quaker ymenthig, siawns y gwel e ffyrling byth, a chael gini gan Harris o'r Mint, a 4 hengrys gan ryw offeiriad yno, a phrynnu dau hen grys yn Rag Fair i'r plant am 2s., a bwytta ag yfed yr arian a wneir, a bod yn noeth lumaniaid erbyn mynd i'r lann yn ngwlad Madog.

Darlun trist yw hwn o'r bardd yn crefu am arian gan gyfoethogion megis Capel Hanbury, un o fasnachwyr baco mwyaf llwyddiannus y cyfnod, a chydnabod fel Joseph Harris, brawd y diwygiwr Howel, o'r Bathdy Brenhinol, ac aelod gohebol o Gymdeithas y Cymmrodorion, ac eraill. 'Roedd *Rag Fair* wedi'i lleoli yn Rosemary Lane (Royal Mint Street ar ôl 1850) yn rhan ddwyreiniol y ddinas, un o'r rhannau tlotaf a pheryclaf yn Llundain, ac yno fe geid marchnad ar gyfer tlodion. Cyfeirir at *Rag Fair* gan Alexander Pope yn *The Dunciad*, 'the tatter'd ensigns of Rag Fair', a disgrifir y farchnad ganddo mewn troednodyn fel 'a place near the Tower where old clothes and frippery are sold'. Lleolid *Rag Fair* yr holl ffordd ar hyd canol Rosemary Lane (ar hyd holl Royal Mint Street heddiw), hyd at y Tŵr ei hun. Mae printiau fel 'High Change, or Rag Fair', a argraffwyd gan Thomas Bowles (1795), neu ddarlun Thomas Rowlandson, 'The Rag Fair', yn dangos byd tlodaidd, tywyll yn llawn o wehilion cymdeithas. Yn *Rag Fair* gwerthid dillad mewn cyflwr gwael am y nesaf peth i ddim, gan ddarparu ar gyfer y tlodion yn unig. 'Much of the clothing that was sold there,' meddai un awdurdod ar hanes Llundain, 'was stolen; the market was also the final destination of all cast-off rags, in an epoch notorious for its

---

[55] Ibid., t. 42.

[56] Ibid.

[57] Ibid., llythyr CCCLXX, Lewis at William, o Lundain, Tachwedd 17, 1757, t. 46.

careless habits and for seldom or never changing its linen'.[58] 'Roedd Rosemary Lane a'r strydoedd cyfagos iddi yn ardal enwog am ei phuteiniaid a'i lladron hefyd yn y ddeunawfed ganrif. Yn nhyb Lewis, 'roedd Goronwy wedi crafu gwaelod y gasgen.

Yn ogystal â chrefu am arian gan unigolion, troes Goronwy at Gymdeithas y Cymmrodorion am gymorth. Ar Dachwedd 2, lluniodd lythyr i annerch y Gymdeithas yn nhafarn yr Half Moon 'ar noswaith eich Cyfarfod, pryd y mae rhan fawr o honoch wedi ymgynnull trwy Undeb a Brawdgarwch ... i gydsynniaw ar wir les eich Gwlad, ac i hwylio 'mlaen amryw eraill o ddibenion canmoladwy'ch Cymdeithas', ac mae'n debyg iddo roi'r llythyr yn llaw Richard Morris y noson honno.[59] Ar ôl gwenieithu'r Gymdeithas, mae Goronwy yn ceisio meddalu eu calonnau drwy daro'r nodyn hunan-dosturiol sydd mor gyfarwydd inni erbyn hyn: 'Dyn wyf i, (fal y gŵyr amryw ohonoch) a welodd lawer tro ar fyd, er na welais nemmor o dro da, ac mi allaf ddywedyd wrthych (fal y Padriarch Jacob wrth Pharaoh gynt) ychydig a blin a fu ddyddiau'ch Gwas hyd yn hyn'.[60] Gobeithiai Goronwy fod ei fywyd helbulus bellach y tu cefn iddo, a bod y symudiad i Virginia yn gychwyn pennod newydd lewyrchus yn ei hanes:[61]

> ... yn awr yr wyf yn gobeithio fod Nef yn dechreu gwenu arnaf, ac y bydd wiw gan yr Hollalluog, sy'n porthi cywion y gigfran pan lefont arno, roi i minnau fodd i fagu fy mlhant yn ddiwall, ddiangen. Er eu mwyn hwy'n unig y cymmerais yn llaw y Fordaith hirfaith hon, heb ammeu genyf nad galwad Rhagluniaeth ydyw. Hir a maith yn ddiau yw'r daith i *Virginia*; ond etto mae'n gysur (pan elir yno) gael dau ganpunt yn y flwyddyn at fagu'r plant. Mae hyn yn fwy nag a ddisgwyliais erioed ym *Mrhydain* na'r *Iwerddon*; a pha fodd yr attebwn i'm teulu, pe gwrthodwn y fath gynnyg trwy lyfrdra a difräwch? Er eu mwyn hwy ynteu, mi deflais y Dîs, gan roi f'einioes yn fy llaw, a diystyru pob perygl a allai 'ngoddiwes; a hynny nid yn fyrrbwyll ond o hir ystyried ac ymgynghori a'm carai.

'Roedd y flwyddyn 1757 yn drobwynt mawr yn hanes Goronwy. Gyda phlentyn arall ar fin cyrraedd ddechrau'r flwyddyn, ac wedi'i eni ers canol Ionawr, 'roedd wedi ceisio sobri i'w gyfrifoldeb. Rhan o'r sobri hwnnw oedd y penderfyniad i fygu'r bardd yn ei gyfansoddiad, gan na chawsai yr un ddimai goch am ei holl lafur, ac 'roedd yr awen yn gyfystyr â newyn iddo. Er mwyn ei deulu, felly, ac ar ôl ymgynghori yn hir ac yn ystyriol ag Elin, a Samuel Nicholls hefyd, y penderfynodd wynebu peryglon y daith. Daeth y

---

[58] *The East End of London*, Millicent Rose, 1951, t. 59. Enwir Rosemary Lane (*Rag Fair*), fel un o ardaloedd gwaethaf Llundain yn y ddeunawfed ganrif gan nifer o sylwebwyr cyfoes. Cyfeirir at *Rag Fair* gan Daniel Defoe yn *Colonel Jack* (1722), lle mae Jack yn dweud iddo brynu dau bâr o esgidiau a sanau yno am bum ceiniog. Gw. ymhellach *Grub Street: Studies in a Subculture*, Pat Rogers, 1972, tt. 40-44, lle cyfeirir at 'Rag Fair, a place infamous for crime, prostitution, poverty and cheap secondhand trading' (t. 44).

[59] *LGO*, llythyr LXXVI, at Gymdeithas y Cymmrodorion, Tachwedd 2, 1757, t. 193.

[60] Ibid.

[61] Ibid., tt. 193-194.

cynnig am y swydd ar yr union adeg yr oedd Goronwy yn pryderu am ei ddyfodol ef a dyfodol ei deulu, a thybiai, gyda'i gred ddiysgog a bythol-ddigyfnewid bersonol ef, yn ogystal â chred gyffredinol yr oes, yn Rhagluniaeth Duw, mai darpariaeth ddwyfol ar ei gyfer oedd y swydd. Unwaith y cyrhaeddai Virginia byddai'n esmwyth ei fyd; y daith oedd y broblem. 'Roedd Goronwy wedi sylweddoli 'yn awr lawer anghaffael na fedrais graffu arnynt nes bod yn rhywyr', sef:[62]

> Erbyn cyttuno a Pherchennog y Llong, mi welaf nad yw'r holl arian a gaf at fy Nhaith, ac oll a feddaf fy hun (wedi talu i bawb yr eiddo), ond prin ddigon i ddwyn fy nghôst hyd yno; ac erbyn y caffwyf fy nrhaed ar Dir yr Addewid, y byddaf cyn llymmed o arian a phan ddaethum o grôth fy Mam.

'Roedd wedi casglu digon o arian ar gyfer y fordaith ei hun, ond nid oedd ganddo ddim at ei gynnal ef a'i deulu ar ôl cyrraedd Virginia. 'Gwaith tost yw i bump o bobl fyned (nid i *Deyrnas* ond) i Fyd arall, heb ffyrling at eu hymborth,' meddai.[63] Poenai hefyd ei fod ef, Elin a'r plant 'mor llwm ac annrhwsiadus' i fynd i Williamsburg,[64] ond gallai ddygymod â hynny; cael digon o arian i fwydo'r pump ohonyn nhw oedd y peth pwysicaf.

Ceisiodd gysuro aelodau'r Gymdeithas mai dyma'r tro olaf y byddai iddo ymbil am eu cymorth, ac addawodd helpu Cymry eraill a fyddai'n ymfudo i Virginia yn dâl am y gymwynas. Ond wedyn gwnaeth Goronwy gamgymeriad mawr. Cyfeiriodd at yr helynt rhyngddo a David Humphreys, Trysorydd y Gymdeithas:[65]

> Rhowch hefyd im' gennad, ar hyn o achlysur, i dalu diffuant Ddiolch ichwi am eich parodrwydd i'm cymmorth dro arall, pryd yr oedd llai fy angen i, er nad llai eich Ewyllys da chwi, na'm Diolchgarwch innau; er na cheisiais ac na chefais y pryd hyny ddim o'ch haelioni, o fai rhyw Aelod blin terfysgus oedd yn eich plith.

Gwrthododd Richard Morris ddarllen y llythyr i aelodau'r Gymdeithas. Ar gefn y llythyr nododd 'nid oedd gwiw darllein y Llythyr iddynt',[66] a hawdd deall pam, ond er hynny, bu sawl trafodaeth a damcaniaeth ynghylch cyndynrwydd Richard i ddarllen y llythyr i aelodau'r Gymdeithas. Daeth y llythyr i feddiant Owain Myfyr yn ddiweddarach, a 'sgwennodd y nodyn hwn ar ei waelod ym 1780:[67]

> O herwydd, mae'n debyg ei fod yn Gymraeg; ac fe allai nad oedd yno nemor, heblaw y Llywydd ei hunan, ai dyallai.

---

[62] Ibid., t. 194.

[63] Ibid.

[64] Ibid.

[65] Ibid.

[66] Ibid., t. 195.

[67] BM 15022, t. 41.

Ychwanegodd Owain Myfyr hefyd nodyn a gynhwyswyd yn argraffiad Robert Jones o gerddi'r bardd:[68]

> Probably because it was in Welsh, and perhaps there was hardly any member except the Chairman himself who could have understood it. I do not know for certain what kindness the Society shewed the bard after receiving his petition, but I remember once hearing Mr. Morris say that they gave him a present of gold.

Ceisiodd J. H. Davies wrthbrofi damcaniaeth Owain Myfyr:[69]

> At the time Owen Jones wrote this note, the Cymmrodorion Society was still in existence, as it was not dissolved until 1787, but Jones had been the moving spirit a few years previously in starting a rival Welsh Society in London called the *Gwyneddigion*. The latter Society prided itself on the fact that it carried on its proceedings in the Welsh Language, and for some years only natives of North Wales were eligible for membership. On the other hand, membership of the Cymmrodorion Society was open to all who had some Welsh connection, and though it was customary to use the Welsh language in their proceedings, they were always glad to welcome English visitors to their meetings.
>
> There is a suspicion, therefore, that Owen Jones, in making the suggestion that hardly any members of the Cymmrodorion Society except the chairman understood Welsh, was having a sly hit at the Society as it existed in his day.

Dangosodd J. H. Davies mai dim ond 6 allan o 112 o aelodau yn ôl rhestr 1755 a oedd wedi eu geni y tu allan i Gymru, a daeth i'r casgliad fod y rhan fwyaf ohonyn nhw yn deall y Gymraeg.

Anghytunodd Thomas Shankland â damcaniaeth J. H. Davies, a bod 'y Cymmrodorion 1751–1757 yn enwog am eu snobyddiaeth, eu Dic-Sion-Dafyddiaeth a'u rhithwladgarwch'.[70] Yn garn i'w ddamcaniaeth, mae'n dyfynnu rhan o lythyr Lewis at William ar Fehefin 18, 1757:[71]

> Dont cry when I tell you that among the numerous meeting of A. Br. [*Ancient Britons*] (rhai a ddarllen Ancient Brutes) at ye Cymrodorion room, when that cywydd was read, one, and one only, said he thought that cywydd was an allegory, and so all with one voice desired it might be read over again, and explain in English. Would not the English laugh at the idiots if they knew this? The wisest thing they ever did is to admit no strangers among them.

---

[68] *The Poetical Works of the Rev. Goronwy Owen*, cyf. II, t. 271.

[69] 'Goronwy Owen and the Cymmrodorion Society', *THSC*, 1922 – 1923 (cyfrol atodol), 1924, t. 29.

[70] 'Cymdeithas y Cymmrodorion a Goronwy Owen', *Y Llenor*, cyf. III, rhif 4, Gaeaf 1924, t. 227.

[71] *ML* I, llythyr CCCXXXVI, Lewis at William, o Lundain, Mehefin 18, 1757, t. 489.

Gwyddom fod llawer o aelodau'r Cymmrodorion yn medru'r Gymraeg, er bod llawer o rai di-Gymraeg yn eu plith. Prin, felly, fod damcaniaeth Owain Myfyr a Thomas Shankland yn gywir. Ceir ymhlith papurau'r Morrisiaid lawer apêl debyg at Gymdeithas y Cymmrodorion, a'r rheini yn y Gymraeg. Barn Helen Ramage oedd mai 'cenfigen, neu elyniaeth bersonol at Oronwy, neu yn wir, fod yr aelodau wedi hen alaru ar ei gwynion' oedd y rheswm.[72] Mae'n sicr fod aelodau'r Gymdeithas wedi hen syrffedu ar fegera Goronwy, a bod hynny'n un o'r rhesymau pam na allai Richard ddarllen y llythyr iddyn nhw, ond y gwir reswm yw'r 'elyniaeth bersonol' at y bardd. Byddai David Humphreys yn bresennol yn y cyfarfod ar Dachwedd 2, a 'doedd dim modd y gallai Richard ddarllen y llythyr yng nghlyw'r Trysorydd. Dyna farn J. H. Davies, ac mae'n hollol gywir. 'Roedd Goronwy yn gyfarwydd iawn ag aelodau Cymdeithas y Cymmrodorion, a phe baen nhw'n methu siarad a deall Cymraeg, byddai yn gwybod hynny yn sicr, a byddai wedi llunio ei lythyr yn Saesneg yn y lle cyntaf. Mae'n bosibl iddo'i lunio yn Gymraeg yn fwriadol. Ni wyddom faint o Gymraeg oedd gan David Humphreys, brodor o Sir Drefaldwyn yn ôl y rhestrau o aelodau'r Gymdeithas, ond os oedd yn brin ei Gymraeg, ni fyddai yn deall cyfeiriad Goronwy ato. Efallai ei fod yn gobeithio y byddai Richard yn cyflwyno byrdwn ei lythyr i'r aelodau di-Gymraeg, ond ni allai Richard ei ddarllen yn Gymraeg hyd yn oed, gan y byddai'r cyfeiriad at y Trysorydd yn peri llawer o anes-mwythyd a diflastod. Yn ôl Richard Morris, fel yr awgryma Owain Myfyr, cafodd Goronwy 'bum darn o aur' gan aelodau'r Gymdeithas ar yr achlysur hwn, ac os yw hynny'n wir, mae'n rhaid fod Richard wedi cyflwyno cynnwys llythyr Goronwy i'r aelodau, ond heb ei ddarllen.[73] Mae'n amlwg hefyd mai ceisio achub cam Goronwy yn ei eilun-addoliaeth ohono yr oedd Owain Myfyr.

Yn sicr, ni fyddai Lewis yn cefnogi apêl Goronwy at aelodau Cymdeithas y Cym-mrodorion, yn wahanol i Richard a Siôn Owen, a'i cefnogodd hyd nes iddo ymadael am Virginia. Meddai Lewis:[74]

> My brother R. and Jo. Owen are surprizd that I dont sympathize with the poor man in his poverty, and I am surprizd how any man that pretends to have common sense can supply such a fellow with money to get drunk along with his wife, when their own children at the same time are in want of y^t money lent so foolishly. Aye, but he is a surprizing genius, and should be assisted for the honour of our country, and let our children who [are] no geniuses be without assistance. No, says I, he is a scandal to the country and to the religion he pretends to teach, and if an angel from heaven was to behave after the manner he doth with the juice of the chewd tobbacco running down his chin, I should insist he was an angel from hell, and though that angel could write a

---

[72] 'Anrhydeddus Gymdeithas y Cymmrodorion, *Llên Cymru*, cyf. I, rhif 2, Gorffennaf 1950, t. 76.

[73] BM. 15022, t. 41.

[74] *ML* II, llythyr CCCLXX, Lewis at William, o Lundain, Tachwedd 17, 1757, tt. 46–47.

cywydd and an *awdl* as well as Davydd ap Gwilym I should despise him. Onid gwaed yr eurychod (nage'r tinceriaid) crachlyd a'r cardotwyr cadachog, sydd yn berwi ynddo yn drechaf ag ni wiw disgwyl daioni o hono. If he doth not bite my brother for more pounds before he goes off I wonder.

Mae un o ragfarnau Lewis yn erbyn Goronwy yn dod i'r wyneb yn y collfarniad hwn. 'Roedd ymddygiad Goronwy yn codi cywilydd arno ef yn bersonol, yn enwedig pan oedd yng nghwmni'r 'mawrion' yr oedd Lewis mor hoff o rwbio'i lewys gyda nhw. Snob oedd Lewis, ac mae'r ymosodiad ar gefndir a magwraeth Goronwy yn amlygu'i snobeiddiwch unwaith yn rhagor. 'Roedd Lewis yn llygad ei le ynghylch un mater, fodd bynnag. Byddai Goronwy wedi blingo pob un o'i gyfeillion a'i gydnabod o bob ceiniog oedd ganddyn nhw pe bai'r rheini wedi caniatáu iddo. Gwyddom fod Richard ac eraill wedi rhoi arian iddo. Un arall o arianwyr y bardd oedd William Parry, y Mint, ond yn ôl Lewis, digon anniolchgar oedd Goronwy am unrhyw gymorth a gâi gan ei gyfeillion:[75]

> He took his leave of Wil Parry who had been so good to him, and never so much as thankd him for the several pounds which he had given or lent him, but I suppose thought it very hard he did not offer him more. Dont geese think so, and that all mankind are obligd to feed them?

Erbyn canol Tachwedd 'roedd Goronwy a'i deulu yn cysgu ar fwrdd y *Tryal*, 'y llong sydd iw drosglwyddo ymaith nid am ei ddaioni,'[76] chwedl Lewis. Rhaid oedd aros am dywydd gweddol ffafriol a rhoi cyfle i weddill y confoi a fyddai'n cyd-hwylio â'r *Tryal* ymgynnull. Treuliodd Goronwy y dyddiau olaf hyn yn Lloegr rhwng y lan a'r llong. Gwyddai erbyn hyn na chyhoeddid ei lyfr o gerddi cyn y byddai'n ymadael, a rhoddodd y llawysgrif i Siôn Owen. Daeth y llawysgrif i ddwylo Lewis, llyfr 'ag ynddo dybygwn gynnifer o ganiadau ag a wnae dair sheet neu bedair, a rhai notes, ond ni chefais i mor amser i edrych drosto etto nag ynddo',[77] meddai wrth William. 'Doedd Lewis ddim yn meddwl llawer o ymdrechion Goronwy i gael trefn a therfyn ar y llyfr:[78]

> Ni thal ef mor ffydownen, er bod y brawd Richard yn ynfydu am gael ei brintio. Ond pwy ai gwna'n gymwys i'r press nag a ysgrifenna *notes* arno? Nid myfi, ag ni wn i pwy a fedr chwaith, nag i ba bwrpas y gweir hynny oni bae fod gennifi amser ar fy nwylo na wyddwn beth iw wneuthur ag ef, ond gobeithio na bydd.

---

[75] Ibid., t. 47.

[76] Ibid., llythyr CCCLXVIII, Lewis at William, o Lundain, Tachwedd 14, 1757, t. 43.

[77] Ibid.

[78] Ibid.

Yn sicr, 'doedd Lewis ddim am roi unrhyw help i ddwyn y llyfr i olau dydd. Yn llwyr i'r gwrthwyneb, cychwynnodd ymgyrch yn erbyn y bwriad. Cadarnhawyd amheuon Lewis ynghylch gwir fwriadau Goronwy wedi i nodiadau anghyflawn ac anfoddhaol y bardd ddod i'w ddwylo. Ceisiodd dawelu meddwl Dafydd Jones:[79]

> Na phrintir byth moi waith yn ol y proposal yma; Canys dyma ei lyfr yn fy llaw i, heb iddo wneuthur ond ychydig Iawn tuagat ei berffeithio nai fwriadu at y wasg, ag mi wn na feddyliodd ef Erioed ond am gael rhyw geiniogach oddiwrth y *Proposals* a thwyllo'r wlad. Felly nid rhaid i chwi ofni dim afles a ello hwnnw wneud i chwi.

Yr un oedd neges Lewis i William:[80]

> Rhowch yr arian i'r bobl yn ol etto gynta galloch, oblegid nid oes neb a gymer nag a eill gymeryd y matter yn llaw i brintio'r llyfr. There is nobody equal to the task, nor was Gronwy himself equal to what was proposed without the assistance of friends. Felly helpwch Ddewi o Drefriw oreu galloch, fal y caffom gerddi Huw Morus fwyn naturiol, oni cheir cywyddau.

'Roedd William yn adnabod ei frawd yn ddigon da i wybod mai cynnen bersonol oedd y tu ôl i'w ymgyrch yn erbyn Goronwy, a gwyddai na allai roi gormod o goel ar eiriau Lewis. Gwyddai hefyd y byddai safbwynt Richard a John Owen ynghylch y posibiliad o gyhoeddi llyfr Goronwy yn hollol wahanol i safbwynt Lewis. Ceisiodd gael peth synnwyr gan Richard. 'Ai rhaid o ddifrif rhoi arian llyfr Grono gethin yn ol ir bobl?' gofynnodd, gan ychwanegu 'felly y dywaid rhywun'.[81] Y 'rhywun' hwnnw oedd Lewis, wrth gwrs. 'Roedd William ar dorri'i wddw eisiau gweld y llyfr yn ymddangos, ond gwyddai na ellid ei gyhoeddi yn hawdd heb gefnogaeth Lewis.

Aeth Richard a Siôn Owen i ben Lewis oherwydd ei gyndynrwydd i gyhoeddi'r llyfr ar fore Tachwedd 24. Mae'n debyg fod y ddau am roi'r sicrwydd i Goronwy y byddai'r llyfr yn gweld golau dydd, er mwyn cysuro rhyw ychydig arno cyn iddo orfod wynebu'r daith greulon i Virginia. 'Roedd y ddau wedi bod yn holi argraffwyr yn Llundain am y posibiliad o gyhoeddi'r llyfr:[82]

> This morning brother Richard and John Owen attackd me with telling me that a certain printer in London (William Roberts, a Llandygai man), was ready to publish Gronow's works at his own expence, if [we] could not get subscriptions, and they proposed to make it a half-crown book, by adding some old poems to it, and a new proposal to be printed.

---

[79] *ALMA* 1, llythyr 161, Lewis at Dafydd Jones, o Lundain, Tachwedd 18, 1757, t. 327.

[80] *ML* II, llythyr CCCLXXI, Lewis at William, o Lundain, Tachwedd 19, 1757, t. 48.

[81] Ibid., llythyr CCCLXXIII, William at Richard, o Gaergybi, Tachwedd 23, 1757, t. 52.

[82] Ibid., llythyr CCCLXXIV, Lewis at William, o Lundain, Tachwedd 24, 1757, t. 53.

Rhygnu ar yr un tant a wnaeth Lewis a dweud wrth y ddau nad oedd gan Goronwy ddigon o ddeunydd i gynhyrchu llyfr hanner coron. Awgrymodd y ddau y gellid cynnwys peth hen farddoniaeth yn y llyfr, gan gydio yn awgrym gwreiddiol Lewis, ond ni thyciai awgrym o'r fath ddim gyda'r Llew, oherwydd, heb nodiadau arnyn nhw, 'they'll be but miserable performances and better let alone, and the whole scheme looks to me like a man that had found a bag of nails on the road, and would buy timber and all other materials to build a house of those nails'.[83]

Er mwyn cryfhau'i ddadleuon yn erbyn bwrw ymlaen â'r llyfr, nododd Lewis ddau reswm arall pam nad oedd modd ei gyhoeddi. Am y tro cyntaf erioed, ymosododd yn hallt ar y cerddi eu hunain, gan honni nad oedden nhw'n ddigon da i'w cyhoeddi, ac nad oedd Goronwy yn fardd o gwbwl! Chwilfriwiodd un o gywyddau Goronwy yn dipiau mân, gan ddewis ei gywydd yn gyfrwys ofalus, sef y farwnad i fam y brodyr, Marged Morris. 'Roedd rhai elfennau yn y cywydd hwn yn dibynnu'n helaeth ar rai o nodweddion confensiynol y traddodiad mawl a marwnad, fel gormodiaith, a gwyrdrôdd Lewis ystyron rhai geiriau er mwyn profi pa mor wachul oedd y cywydd mewn gwirionedd, a pha mor gelwyddog hefyd:[84]

> Gronow's works will not make above a 3d. pamphlet as they are, but I see the loadstone and magic that is in them is the *Cywydd Marwnad Marged Morris* and some silly empty encomiums on her sons, which should be perpetuated to future ages in these poems which must live for ever. But if the sons can make nothing else perpetuate their memories, I (as for my part) would chuse this ill expressed poem would never do it, for I should be ashamed of it; as much ashamed as I was of the advertisement formerly put in the newspapers about *yr allor yn y fonwent,* for it would make people look empty and vain, and ready to swallow the flattery of fools and indigent beggars. Suppose only your own case as you are described in that cywydd, a most miserable botanist –
> "A allai fod (felly ei fam),
> Deilen na nodai William!"
> that is in plain English: he was as good a botanist as an old woman. Wonderful indeed! 'Chwiliai ef yr *uchelion,'* in the clouds I suppose. But if he means by *uchelion* the tops of mountains for *dail,* why not *iselion* too, "a môr a thir am wyrth Ion." Our grand-children, from this blind account, can only gather that William gathers *dail* from *môr a thîr,* and so makes *elion ac olewon* of them as his mother did, and as most good old women doctors do. Lewis's station is to watch the Welsh awen, "*Gwarcheidwad Awen,"* an excellent post! and he is fit for nothing else; and for aught our grand-children may know, might have been a *clerwr* from house to house.
> "Rhisiart am gerdd ber hoywsain
> Hafal ni fedd Gwynedd gain."
> No poet in North Wales to be compared to him. Is not this a lying rascal? The man never wrote a poem in his life. But he would be glad that the world should believe he did, and so would have this lye published.

---

[83] Ibid.
[84] Ibid., tt. 53–54.

Rheswm arall pam na ellid cyhoeddi'r llyfr oedd y dewis o argraffwr. 'No, no,' meddai Lewis wrth William eto, 'Will Roberts the journeyman printer is a fool, a drunken, ignorant fellow of Llandygai, that wanted to print gwaith Twm William, taeliwr, Talybont, ei ewythr, can gwaeth na Sion Peri ag Owen Gronw'.[85] 'Roedd y William Roberts hwn wedi cyhoeddi llyfrau i'w ewythr, Thomas Williams, ym 1760 a 1762, a rhwng bwnglerwaith y printio ac oferwaith y cerddi a gynhwyswyd ynddynt, llyfrau carbwl iawn a gynhyrchwyd.

Ymosod ar Goronwy fel bardd er mwyn cyfiawnhau ei benderfyniad i beidio â hybu'i lyfr ymlaen a wnaeth Lewis. Yn ddistaw bach, 'roedd ganddo feddwl mawr ohono fel bardd o hyd. Edmygu'r bardd a dirmygu'r dyn a wnâi Lewis. Y gresyndod mwyaf, yn nhyb Lewis, oedd fod awen mor ysblennydd yn cartrefu mewn cymeriad mor bwdr, blodyn godidog yn tyfu allan o hen domen dail. 'Roedd Lewis yn bwrw gwawd a llysnafedd ar ben Goronwy bob cyfle a gâi yn ystod y dyddiau hynny a arweiniai at ymadawiad y bardd, a gallai Lewis, yn enwedig yn un o'i byliau o gynddaredd, fod yn gignoeth o goeglyd. Meddai wrth William, ryw bythefnos cyn i Goronwy gefnu'n derfynol ar ei gyfeillion:[86]

> If I was in the humour I would write *cywydd traws borthiad yr Awen i Virginia*, but I cannot sing at present, but if I could get any body to carry it a piece of news to ye publisher of y^e *Advertiser* I would let him know that "we are informed that the Welsh Awen is now on board the *Ysgraff*, Captain Charon, to be transported among other malefactors for Virginia to the great regret of several well disposed poets, etc."

Cychwr Afon Angau oedd capten y llong a fyddai'n cludo Goronwy ymaith yn ôl Lewis, ac mae'n sicr mai'r awgrym oedd mai hwylio i'w farwolaeth yr oedd Goronwy, i'w farwolaeth fel bardd, os nad fel dyn. Ac eto, Goronwy oedd 'the Welsh Awen' iddo. 'Coded pob awen fechan ei phen bellach oblegid daccw'r odidoccaf yn y deyrnas gwedi myned i'r Byd newydd i ganu i'r *Virginiaid a'r Philadelphiaid*,' meddai wrth Dafydd Jones.[87] Y gwir yw i benderfyniad Goronwy i gyhoeddi llyfr o'i waith, ac wedyn i fynd i Williamsburg a throi ei gefn am byth ar y Morrisiaid, ddod ar yr adeg anghywir yn hanes Lewis. Âi Lewis yn fwy blin a sarrug fel yr âi'r flwyddyn 1757 rhagddi, ac erbyn tua diwedd y flwyddyn, a Goronwy ar ei ffordd i Virginia, 'roedd wedi syrffedu ar fyw yn Llundain ac yn dyheu am gael dychwelyd at ei deulu, a oedd wedi gadael Gallt Fadog ac ymgartrefu ym Mhenbryn ers y gwanwyn. 'Roedd cyflwr ei iechyd yn ei boeni hefyd, a rhwng ei ddirywiad a'i ddyhead, 'roedd Lewis wedi mynd yn dipyn o fwrn iddo ef ei hun a phawb arall o'i gwmpas. Cwynodd am ei fyd helbulus wrth William: 'dyma fi gan glafed a phastai, ag yn ffaelio sgrifennu, a chwedi cwbl ddiflasu ar fy myd; och fi am

---

[85] Ibid., llythyr CCCLXXV, Lewis at William, o Lundain, diddyddiad, t. 55.

[86] Ibid., llythyr CCCLXVIII, Lewis at William, o Lundain, Tachwedd 14, 1757, t. 44.

[87] *ALMA* 1, llythyr 161, Lewis at Dafydd Jones, o Lundain, Tachwedd 18, 1757, t. 327.

fynydd ag awel deneu, a golwg ar fy nheulu,' meddai.[88] 'Roedd ei helyntion cyfreithiol wedi gadael eu hôl arno hefyd, yn enwedig ar ôl i bethau ddechrau mynd o chwith fel yr âi'r flwyddyn rhagddi. Sicrhaodd Arglwydd Powis les ar Esgair-y-mwyn ym mis Chwefror, ond yn ddiweddarach ochrodd â John Paynter, gelyn mawr Lewis, gan adael Esgair-y-mwyn dan ei reolaeth ef. 'Daccw'r Llewod wedi bod yn cwrdd yr Arglwydd Powis ac yn siared ynghylch matterion tuag ef, ond ni welaf ddim tebygrwydd am i'r Esgair ddyfod dan ei Lyfodraeth etto,' meddai Siôn Owen.[89] Draenen arall ym mhawen y Llew, a draenen nad oedd mo'i hangen, oedd anawsterau Goronwy.

Goronwy a bwniodd yr hoelen olaf i mewn i arch eu cyfeillgarwch, drwy lunio'r cywydd hwnnw, Cywydd i Ddiawl. Rhoddodd Goronwy ragor o danwydd ar ben coelcerth o lid a oedd eisoes yn llosgi'n chwyrn drwy ddychanu a gwawdio Lewis ar ffurf cywydd. Clywodd William fod rhywbeth arall wedi corddi cynddaredd Lewis heblaw trafferthion ariannol Goronwy a'i fegera di-baid. 'Aïe arian a barodd ir Llew ddibrisiaw barddoniaeth yr offeiriad? A ddarfu ddim cerdd hefyd ei ddigiaw?' gofynnodd mewn llythyr at y llareiddiaf o'i ddau frawd.[90] 'Gerwin or troad, nid oedd ac ni fasai ermoed hafal Grono, cyn troseddu,' synnai William drachefn.[91] 'Roedd ymosodiad awenyddol Goronwy ar Lewis wedi peri cryn gyffro ymhlith y Morrisiaid. Anfonodd Siôn Owen gopi o'r cywydd at ei ewythr, Edward Hughes, gyda chryn foddhad fe ellid tybied, ar Ragfyr 8, 1757, a 'Goronwy wedi hwylio am Virginia ers dyddiau'.[92] Mae'n amlwg fod Edward Hughes wedi ei chael hi'n anodd credu mai Lewis oedd gwrthrych y cywydd, a bu'n rhaid i Siôn Owen ei argyhoeddi:[93]

> ïe, yn ddigon gwir ichwi mai y Llewod oedd y Ronwy yn ei feddwl pan sgrifennodd y cywydd Melltigedig hwnnw, ond nid oedd dim yn chwnnych ei Enwi fallai am ryw achos dirgeledig, ond ettwa fe ddigwyddodd i'r Llew weled y gwaith yn rhywle ac nid eill o byth aros son am Gronwy druan. ni thal gwaith Gronwy faw yr awron! ond ai nid [co]f gan bobl onest ddiragrith diymffrost fal chwi a minnau, (neu ryw wyr eraill defosionawl or fath) fod gwaith Ronwy gynt fal *Salmau dafydd* yngolwg llewod, ag na basai erioed y fath ddyn celfyddgar ar wyneb y ddiaren o'r blaen? ond yn awr na soniwch am dano rhag ofn drwg. dyn meddw cas anfoesawl, heb arno un gamp odidog mwy nag ar ryw anifail arall, ac yn ddiau y bydd raid iddo drigo mewn ffos a drewi o eisiau lluniaeth cyn ei fynd o'r byd yma!

[88] *ML* II, llythyr CCCLXVIII, Lewis at William, o Lundain, Tachwedd 14, 1757, t. 43.

[89] *ALMA* 2, llythyr 430, John Owen at Edward Hughes, o Lundain, Rhagfyr 29, 1757, t. 932.

[90] *ML* II, llythyr CCCLXXXII, William at Richard, o Gaergybi, Mai 9, 1758, t. 65.

[91] Ibid.

[92] *ALMA* 2, llythyr 429, John Owen at Edward Hughes, o Lundain, Rhagfyr 8, 1757, t. 929.

[93] Ibid., llythyr 430, John Owen at Edward Hughes, o Lundain, Rhagfyr 29, 1757, tt. 931-932.

'Roedd John Owen wedi anfon copi o'r cywydd at ei ewythr Gwilym Cybi hefyd, 'a dyma fo yn anfon attaf i ofyn a edwyn ef y gŵr y mae'r bardd yn ei anfon i'r Diawl hwnnw'.[94] 'Roedd William hefyd, fel Edward Hughes, 'yn lled *ddowto'* mai am Lewis y canodd Goronwy, yn ôl dosbarthwr brwd y cywydd.[95]

'Roedd Goronwy wedi arllwys ei holl gynddaredd i'w gynghanedd. Ceir disgrifiad o'r Diafol ei hun ganddo i ddechrau:

> ... Camog o ên fal cimwch,
> Barf a gait, fel ped fait fwch,
> A'th esgyll i'th ddwy ysgwydd,
> Crefyll cyd ag esgyll gŵydd;
> Palfau'n gigweiniau gwynias,
> Deg ewin ry gethin gas,
> A'th rumen, anferth remwth,
> Fal cetog, was rhefrog, rhwth;
> Wfft mor gethin y din dau!
> Ffei o lun y ffolennau!
> Pedrain arth, pydru a wnêl,
> A chynffon, fwbach henffel:
> Llosgwrn o'th ôl yn llusgo –
> Rhwng dy ddau swrn, llosgwrn llo,
> A gwrthffyrch, tinffyrch tanffagl,
> Ceimion wrth y gynffon gagl,
> A charnau'n lle sodlau sydd,
> Gidwm, islaw d'egwydydd.

Creadigaeth erchyll a brawychus yw Diafol Goronwy, ond holl ddiben y disgrifio manwl yw cyferbynnu rhwng y Diawl a Lewis, a dangos fod Lewis yn llawer erchyllach na'r Diafol ei hun hyd yn oed. Yn ôl Goronwy, nid oes fawr neb yn haeddu cael ei anfon i Uffern at y Diafol, gan mor arswydus a dychrynllyd yw teyrn y 'Fagddu. Ond na, mae un gŵr sy'n haeddu cael ei gyflwyno i'r Diafol fel un o'i blant, sef Lewis, 'Blaenawr yr holl rai blinion', 'Canys os hyn a fyn fo,/Lewddyn, pwy faidd ei luddio?' gofynna Goronwy, gan chwarae ar enw Lewis.

Mae Goronwy yn portreadu Lewis fel cecryn cwerylgar, rheglyd ac anfoesol:

> Dyn yw, ond heb un dawn iach,
> Herwr, ni bu ddihirach;
> Gŵr o gynneddf anneddfawl,
> Lledfegyn, rhwng dyn a diawl.
> Rhuo gan wŷn, rhegi wna,
> A damio'r holl fyd yma;
> Dylaith i bawb lle delo,

---

[94] Ibid., t. 933.
[95] Ibid.

> Llawen i bawb lle na bo;
> Ofnid ef fal Duw nefawl,
> Ofnid ef yn fwy na diawl:
> Ni chewch wyth yn y chwe chant,
> O chuchia ef, na chachant.
> Cofier nad oes neb cyfuwch,
> Nid oes radd nad yw Syr uwch;
> Marchog oedd ef (merchyg ddiawl),
> Gorddwy, nid marchog urddawl;
> Marchog gormail, cribddail, cred,
> Marchog y gwŷr a'r merched.

Cyfeirir at nifer o wendidau Lewis yn y darn, a rhaid bod John Owen wedi synnu na allai ei ddau ewythr adnabod y gwrthrych, yn enwedig ac yntau wedi mwynhau dinoethi ffaeleddau niferus Lewis yn ei lythyrau at ei geraint. Mae Goronwy yn awgrymu'n ddigon pendant mai'r Llew sydd dan ei lach yn y disgrifiad ohono'n 'Rhuo gan wŷn'. Tipyn o gableddwr a rhegwr oedd Lewis pan fyddai'n ddrwg ei hwyliau, a damiai bawb a phopeth o'i gwmpas, ac nid enllibio di-sail oedd ei alw'n farchog y merched ychwaith. Dylai tystiolaeth Siôn Owen, mewn llythyr at Edward Hughes, ein goleuo ynghylch disgrifiad Goronwy o Lewis fel rhegwr a godinebwr:[96]

> Myn D----l mae yn bur wir ichwi ei fod ers dyddiau wedi bod yn llettyfa dipyn or dref mewn ty hen gymraes, a rhyw noswaith maen debygol e gyttunodd ar forwyn am ei neges, ar Bore dranoeth efo a hithau a godasant o boitti pump or gloch (cyn pryd arferawl i eraill godi yn y teulu) y Bore, ac atti hi yr aed gan osod y lodesig ar draws rhyw fwrdd oedd yn y ty, ond yn rhywfodd fal yr oedd anlwc iddynt yr oedd yn lletyfa yn yr un ty ddyn arall yr hwn a ddigwyddodd godi ynghynt na phob amser, ac aeth i lawr y grisiau ac ai daliodd yn ei gweithio hi yn dingrych. bid a fynno nid aeth y dyn ddim iw rhwystro ond ar ol edrych tippyn arnynt fe aeth allan ir drws arall heb iddynt hwy oll ei weled. nid oes mor llawer er pan glywais i hynn, ond y mae'n bur wir. dyna hen anlladwr onide? ac nid oes neb arall onid ef yn onest, hwrs, Putteiniaid, lladron &c yw yr holl fyd ...

'A damio'r holl fyd yma' – 'hwrs, Putteiniaid, lladron ... yw yr holl fyd': 'roedd Siôn a Goronwy yn adnabod Lewis i'r dim. 'Rôcs, Lladron, &c. yw'r holl fyd ond y fo ei hunan, medd ef, medd pawb eraill mai y fo ydyw'r gwaethaf o'r cwbl,' meddai ei nai eto.[97] Mae hunan-falchder trahaus Lewis hefyd dan yr ordd gan Goronwy – 'Nid oes radd nad yw Syr uwch'.

Ar ôl cyflwyno darlun o Lewis fel gŵr rheglyd, ffroenuchel ac anllad, mae Goronwy yn ymosod ar ei gybydd-dod a'i ariangarwch:

---

[96] CM 601; dyfynnir yn *Y Llew a'i Deulu*, Tegwyn Jones, 1982, t. 67.
[97] *ALMA* 2, llythyr 429, John Owen at Edward Hughes, o Lundain, Rhagfyr 8, 1757, t. 928.

Cod arian, y cyw diras,
Yw crefydd y cybydd cas,
A'i oreudduw oedd ruddaur
A'i enaid oedd dyrnaid aur;
A'i fwnai yw nef wiwnod,
A'i Grist yw ei gist a'i god,
A'i eglwys a'i holl oglud,
Cell yr aur a'r gloywaur glud;
A'i ddu bwrs oedd ei berson,
A mwynhad ddegwm yn hon;
A'i brif bechod yw tlodi –
Pob tlawd sydd gydfrawd i gi;
A'i burdan ymhob ardal
Yw gwario mwn ac aur mâl,
A'i uffern, eithaf affwys,
Rhoi ei aur mân, gloywlan, glwys.

Trwy gydblethu termau ac ymadroddion crefyddol â geiriau yn ymwneud ag arian a chyfoeth, cydasio'r ysbrydol a'r materol fel petai, mae Goronwy yn awgrymu mai arian-addolwr oedd Lewis, ac mai budd oedd ei ffydd. Mae hefyd yn cyfeirio'n gyfrwys at gywydd o waith Lewis, 'Cywydd y Geiniog'. Yn y cywydd hwnnw mae Lewis yn ymgrymu i addoli'r geiniog, 'Ceiniog o gyflog i'r gŵr/I'w ddelw fe â'n addolwr', ac mae'n galw'r geiniog yn dduwies iddo sawl gwaith: 'Duwies wyt dan dewi sôn', 'dduwies yr addewid' a 'Duwies fwyn, O! dewis fi'. Cydiodd Goronwy yn y syniad hwn o addoli'r geiniog er mwyn difrïo Lewis. 'Ceir nef er ceiniog' meddai Lewis; 'A'i fwnai yw nef wiwnod' meddai Goronwy fel carreg adlais wawdlyd; 'Cawn am geiniog farchogaeth/ March, a merch rhag serch wayw saeth' meddai Lewis; ac yn ôl Goronwy, 'Marchog y gwŷr a'r merched' oedd Lewis, gan awgrymu ei fod yn wrywgydiwr yn ogystal â bod yn ferchetwr. Nid canu â'i dafod yn ei god 'roedd Lewis; nid smalio addoli arian. 'Mae'r Llewod ... a Phentwr o arian wrth ei drwyn, ac yr wyf yn meddwl ei fod yn eu haddoli fal yr Israeliaid efo'r Llo aur ers Llawer dydd, ai fod yn tybed nad oes dim difyrrwch na happusrwydd iw gael yn y byd yma heb Goded o arian byddent ar gam neu ar yr union wedi eu Cludo ynghyd,' meddai Siôn Owen wrth ei dad-gyffeswr, Edward Hughes.[98] 'Y Gwyr Mawr yma fal ac arferol yn gweithio dan eu gilydd, a Phawb am yr arian fal y Llewod,' meddai drachefn, wrth gyfeirio at y modd yr oedd y pwysigion yn ymgiprys am waith Esgair-y-mwyn.[99]

Bu Lewis yn ddigon hael wrth Goronwy yn y gorffennol, ond yn y bôn, gŵr digon crintachlyd a llawgaead oedd y Llew. Gwyddai Siôn Owen hynny yn fwy na neb; yn wir, 'roedd pob aelod o'r teulu yn gyfarwydd â chybydd-dod diarhebol Lewis. Credai Siôn

---

[98] *ALMA* 2, llythyr 425, John Owen at Edward Hughes, o Lundain, Medi 9, 1757, t. 917.

[99] Ibid., llythyr 428, John Owen at Edward Hughes, o Lundain, Tachwedd 15, 1757, t. 926.

Owen fod ei ewythr wedi'i ddefnyddio, ac wedi cael ei lafur a'i wasanaeth am y nesaf peth i ddim. Cyn i Lewis ymadael â Llundain yn Ionawr 1758 i fynd adref i Benbryn, rhoddodd hanner canpunt namyn chwecheiniog i John Owen, yn dâl iddo am ei wasanaeth yng Ngallt Fadog a Llundain. 'Roedd y tâl yn llai na boddhaol yn nhyb John Owen, a gwaeth na hynny, gadawodd Lewis ei nai ar y clwt unwaith yr oedd wedi goroesi ei ddefnyddioldeb. 'Pan welodd nad oedd dim o'm heisiau arno ef fe'm troes i bant a'r Cebyst dros fy ngwar fal hen geffyl ... och yn ei hen din dew,' meddai'r nai.[100] 'Dyna ddyn ondte a roddai ei ferch i Dd---l os byddai gantho ddigon o arian,' meddai Siôn Owen, ac nid rhyfedd, felly, fod Goronwy yn rhoi Lewis i'r Diafol.[101]

Ar ôl rhestru nifer o wendidau Lewis – ei gabledd a'i gybydd-dod, ei odineb a'i ddiawl-ineb yn gyffredinol – gan nodi mai cyfran fechan iawn o'i holl bechodau a grybwyllwyd ('Rhyw swrn o'r rhai sy arnaw,/Nid cyfan, na'i draean, draw'), mae Goronwy yn cynghori'r Diafol i beidio â'i dderbyn i blith ei ellyllon:

> Nid oes modd it ei oddef,
> Am hyn, na 'mganlyn ag ef:
> Nid oes i'r diawl, bydawl bwyll,
> Ddiawl gennyt a ddeil gannwyll.

Ond os byth yr â Lewis i Uffern 'I drin ei gysefin swydd', bydd yr holl le'n ben-dramwnwgl o'i herwydd. Mae'n cynghori'r Diafol hefyd i roi cloeon ar goffrau Uffern, oblegid byddai Lewis yn troi Annwfn ben i waered pe gwyddai fod yno gyfoeth:

> Gyr byth â phob gair o'i ben
> Dripharth o'th ddieifl bendraphen,
> Ac od oes yna gwd aur
> Mâl Annwn er melynaur!
> O gwr ffwrn dal graff arnaw –
> Trwyadl oedd troad ei law;
> A'r lle dêl, gochel ei gern,
> Cau ystwffwl cist uffern ...

Am hynny, ei gyngor i'r Diafol yw iddo droi Lewis ymaith o Uffern, a chau'r drws arno. Yn wir, Lewis yw'r Pen-diafol, ac ofer a dianghenraid yw unrhyw ddiawl arall wrth ei ochr ef: 'Afreidiawl un diawl ond ef'.

'Roedd y berthynas rhwng Lewis a Goronwy wedi dirywio y tu hwnt i unrhyw gymod posibl erbyn diwedd 1757. 'Roedd ymosodiad Goronwy ar Lewis yn eithafol, ond, fel y dengys tystiolaeth Siôn Owen, 'doedd yr anfri ar ei ewythr ddim yn gwbl ddi-sail. I ba raddau yr oedd disgrifiadau Lewis o Goronwy, yn ystod y flwyddyn olaf hon o gyfathrach

---

[100] Ibid., llythyr 431, John Owen at Edward Hughes, o Lundain, Ionawr 26, 1758, t. 937.
[101] Ibid., llythyr 429, John Owen at Edward Hughes, o Lundain, Rhagfyr 8, 1757, t. 929.

rhwng y ddau, yn gywir ac yn deg? Gan Lewis y cawn ni'r disgrifiadau mwyaf creulon-gignoeth o'r bardd, ac 'roedd ganddo ef ragfarnau mawr at Goronwy, ac o gyplysu'r rhagfarn honno â dawn gynhenid Lewis fel dychanwr chwyrn, onid darlun gwyrdröedig o Goronwy a gawn? Ac eto, 'doedd enllibion Lewis ddim yn gwbwl ddi-sail ychwaith. Ni cheir yr un cyfeiriad dilornus at Goronwy gan Siôn Owen, er ei fod yn malu Lewis yn yfflon mân yn ei felin o falais. Ond 'roedd Siôn Owen yn hoff iawn o Goronwy, ac yn casáu ei ewythr. Gallai Siôn Owen dderbyn gwendidau Goronwy, oherwydd ei hoffter ohono, ond ni allai stumogi gwendidau Lewis. Weithiau, mae tystiolaeth Siôn Owen a Lewis ynghylch y bardd fel pe baen nhw'n gwrth-ddweud ei gilydd. Er enghraifft, pan aeth John Owen i weld Goronwy ac Owain Cornelius y garddwr yn Northolt ar Fedi 18, 'roedd Goronwy wedi meddwi yn chwilgorn ulw yn ôl Lewis, ac yn 'ymdrabaeddu mewn ffosydd', ond nid oes unrhyw awgrym o flerwch o'r fath yn nhystiolaeth John Owen. 'Mi fum nid oes mo'r llawer, yn edryx am *Rono Owen ac Owen Wm Cornelius*, yr oedd y ddau ... yn Iach lawen'.[102] 'Does dim awgrym fod Goronwy yn feddw afreolus yng ngeiriau John Owen, ac efallai fod Lewis wedi gordduo'r bardd. Y gwir yw fod y ddau, Lewis a Goronwy, yn porthi ar wendidau ei gilydd erbyn y diwedd, fel adar prae yn ysglyfaethu eu burgynod, ac 'roedd y naill fel y llall yn anferthu ac yn gorliwio pob nam a chamwedd o eiddo'i gilydd.

'Roedd Lewis, fel yr heneiddiai, yn mynd yn fwyfwy sarrug a blin, ac yn fwy hunanol hefyd. Yn ystod ei gyfnod yn Llundain, 'roedd ei hiraeth am ei gartref, ei helyntion cyfreithiol a'i ymdeimlad o rwystredigaeth wrth iddo fethu â bwrw ymlaen â'i gynlluniau llenyddol ei hun, wedi ei newid er gwaeth. Digwyddodd y ffrae fawr rhwng Goronwy ac yntau pan oedd Lewis ar ei fwyaf anniddig a sorllyd. Yn ogystal â mynd yn fwyfwy hunangar, 'roedd Lewis yn mynd yn fwy ariangar. Pan ddechreuodd John Owen farddoni, ar ôl i Goronwy ymadael am Virginia, bu'n rhaid iddo anfon ei ymdrech gyntaf i lunio cywydd at Ieuan Brydydd Hir am farn a chyfarwyddyd, gan na rôi Lewis mo'r cymorth lleiaf iddo. Cwynodd am hunanoldeb ei ewythr yn un o'i lythyrau at Evan Evans:[103]

> I remember the time when he used to be a great lover of Music & Poetry, and an Encourager of every body that were that way Inclined, but of late I think the thoughts of getting & spending of Money have drove all those good *qualifications* out of his noddle, nawdd Duw meddaf i rhag dodi fy mryd yn rhy ddwys ar arian.

'Roedd Lewis yn ddigon parod i gyfaddef ar goedd mai arian bellach oedd y peth mawr ganddo, cynilo ar gyfer ei henaint, ac i'r diawl â chelfyddyd a helpu eraill, yn enwedig Goronwy. Meddai mewn llythyr at Dafydd Jones, ar Ragfyr 2, 1757, pan oedd Goronwy ar fin cychwyn ar ei fordaith: 'Am Lyfr Gronwy mi dybygwn na phrintir byth mono. pwy a ddichon sgrifennu eglurhadau o hono, ag sydd gantho amser i hynny? om rhan i ni

---

[102] Ibid., llythyr 426, John Owen at Edward Hughes, o Lundain, Hydref 8, 1757, t. 920.

[103] *ALMA* 1, llythyr 182, John Owen at Evan Evans, o Lundain, Hydref 17, 1758, t. 365.

rof na bys na bawd arno, oblegid natur dyn pan bwyso tua diwedd ei oes yw pentyrru Cyfoeth rhag anghaffael mewn gwendid; a rhag dywedyd fal Llywarch hen, *main fy nghoes nid oes duddedyn*'.[104] 'Doedd disgrifiad Goronwy o Lewis fel crafangwr cyfoeth yn ei gywydd ddim yn or-ddweud.

Ar yr union ddydd ag 'roedd Lewis yn 'sgwennu'i lythyr at Dafydd Jones, Rhagfyr 2, 'roedd llyfrwerthwr o'r enw James Davidson, o Tower Hill, Llundain, yn rhoi ei ginio olaf i Goronwy a'i deulu cyn iddyn nhw ymadael â Lloegr, a chan y gŵr hwn y ceir y darlun olaf o'r pump ar dir Prydain:[105]

> Today at a Coffee House I meet the above named Welsh eminent poet & Preacher, & his family five in all. They go to start tomorrow to the far West. He is well knowed here in London as well as in his own Country; as a scarce genius poet & Preacher. The round faced, dark hair hero is a thoroughly allround Gentleman (only in his pocket). A Christian in heart, a Gentleman in Conduct, and a Schoolar in mind with his five languages, homely in the foreighn four; as well as his own mother language. I gave them a dinner and a couple of Guinies, to face the strange & far land. And with a thankfull break down heart, and eyes full of tears, he gave me this Greek Testament, and a copie of his masterpiece poetry, – The last judgement with an English translation of it. Goodbye, noble man. It's a pitty that Wales cant price her valueable boys.

Cristion a gŵr bonheddig oedd Goronwy yn ôl Davidson, disgrifiad pur wahanol o'r bardd i'r hyn a geid gan Lewis Morris. Ond adnabyddiaeth y foment oedd gan Davidson ohono, pan oedd Goronwy ar ei ddwysaf a'i sobreiddiaf.

Yn ôl Rhestrau Lloyd, hwyliodd y *Tryal* i lawr Afon Tafwys ar Ragfyr 1, gyda'r bwriad o hwylio wedyn 'o'r Nore i'r Downs',[106] sef o'r angorfa bwysig yn aber Afon Tafwys, ar bwys yr agoriad i Afon Medway, i'r angorfa ar arfordir dwyreiniol Kent, un o'r mannau ymgynnull pwysicaf i longau yn y ddeunawfed ganrif, rhwng Deal a Goodwin Sands.

---

[104] Ibid., llythyr 162, Lewis at Dafydd Jones, o Lundain, Rhagfyr 2, 1757, t. 329.

[105] Bangor MS. 2705. 'Sgwennwyd y cofnod mewn Testament Newydd Groeg a gyhoeddwyd yn Llundain ym 1728. Perthynai'r llyfr i Goronwy. Ailrwymwyd y llyfr rywbryd, o bosibl gan ei berchennog ar un adeg, R. H. Thomas, Caer'ffynnon, Pentraeth, Sir Fôn (1859–1934). Yng nghatalog llawysgrifau Llyfrgell Coleg Bangor ceir y disgrifiad canlynol: 'New Testament – Greek – London, 1728 ... Unfortunately, neither Goronwy's signature nor the statement look genuine contemporary scripts; they are almost certainly in the hands of the "R. H. Thomas" on the opposite page (copied, possibly, from originals)'. Ceir pedair dalen wen ar ddechrau'r Testament, a phedair ar ei ddiwedd, ac ar y drydedd o'r dalennau hyn, ceir 'Gronow Owen/ Fryars. Bangor/Jany 4. 1739', ond nid yn llaw Goronwy ei hun. Mae'n amlwg mai trosglwyddo'r cofnod o'r rhwymiad gwreiddiol yn ei law ei hun a wnaeth cyn-berchennog y llyfr. Ceir yr enw 'Ja Davidson jun./Tower Hill London/ 1762' y tu ôl i wynebddalen y Testament ei hun, mewn llawysgrifen wreiddiol, fe ymddengys. Mae'n debyg mai mab ydoedd i J. Davidson o Lundain, a oedd yn rhannol gyfrifol, ar y cyd â chyhoeddwr arall, am gyhoeddi *Thesaurus Linguae Latinae Compendiarius* ym 1753, a thad James Davidson (1793–1864), 'antiquary and bibliographer', yn ôl y *Dictionary of National Biography*. Dywedir mai ef oedd 'the eldest son of James Davidson of Tower Hill, London, a stationer in business, a citizen of London, and a deputy-lieutenant of the Tower, by Ann his wife, only daughter of William Sawyer of Ipswich, was born at Tower Hill on 15 Aug. 1793'.

[106] *LGO*, llythyr LXXVII, at Richard, o Spithead, Rhagfyr 12, 1757, t. 195.

Hwyliodd y *Tryal* yn rhan o gonfoi a gynhwysai longau fel *Royal Sovereign, Harwich, Roebuck, Dover, Vestall, Diana, Acteon, Swan, Beaver, Granada Bomb, William and Anne, Gibraltar, Seaford* a nifer o rai eraill. Ar Ragfyr 2 y rhoddodd James Davidson ginio i Goronwy a'i deulu, gan ddatgan y byddai'n cychwyn ar ei fordaith y diwrnod canlynol. Ym mhle yn union y gwelodd Davidson y bardd a'i deulu, os oedd y *Tryal* wedi cychwyn hwylio i lawr Afon Tafwys ar Ragfyr 1? Un ai fod Davidson wedi methu o ddiwrnod neu ddau, neu pan oedd y *Tryal* a gweddill y confoi ar y pryd wedi angori yn y Nore, cyn hwylio i gyfeiriad y Downs. Yr ail sydd fwyaf tebygol. Byddai arolygwyr y tollau yn archwilio'r llongau cyn iddyn nhw adael Llundain, yn Gravesend fel arfer, rhag ofn eu bod yn smyglo nwyddau o'r ddinas i rannau eraill o'r byd, ac i sicrhau fod popeth mewn trefn. Byddai llongau hefyd yn oedi yn y Nore cyn wynebu mordeithiau maith am resymau eraill, er enghraifft, i drosglwyddo morwyr o un llong i long arall, ac i aros i longau eraill gyrraedd i ffurfio llynges fechan.[107] Yn ystod y seibiannau hyn pryd y câi'r llongau eu harchwilio, neu pan arhosid i ragor o longau ymgynnull, câi'r teithwyr ganiatâd i fynd i'r lan. Mae'n fwy na thebygol mai yn ystod egwyl o'r fath y cyfarfu Davidson â Goronwy. Bu'r *Tryal* wrth angor yn y Downs hyd at Ragfyr 9. 'Roedd hir-oedi yn y Downs yn digwydd yn aml ar adegau o ryfel neu o dyndra gwleidyddol, ac 'roedd Prydain ar y pryd mewn sefyllfa o'r fath.[108] Hwyliodd wedyn, ynghyd â bron i gant o longau, i gyfeiriad Spithead, sef y fynedfa ddwy filltir o hyd i mewn i Borthladd Portsmouth. Cyrhaeddodd y confoi Spithead ar Ragfyr 10 neu 11, ac angori yno am ryw 9 diwrnod, ymhlith y llongau a oedd yn aros yno eisoes, ac i roi cyfle i ragor o longau gyrraedd i chwyddo'r confoi.[109]

---

[107] Cf. N. A. M. Rodger, *The Wooden World: An Anatomy of the Georgian Navy*, 1986, arg. 1990, t. 38: 'The life of a seaman had at least as much to do with time in port as with time at sea. 'In port' must be understood; it meant at anchor in some reasonably secure road, such as Spithead or the Nore. Only a small proportion of those in port were actually in harbour, for entering harbour was an awkward operation only undertaken if really necessary, usually to go into dock. The rest lay at anchor, often miles from the shore, cut off from it by weather too bad for boatwork and not entirely safe from the perils which attended all seafaring. Nevertheless, ships in port, and their crews, were in a fundamentally different and easier situation from those at sea, and overall, they were in a majority'. 'Roedd y Nore hefyd yn un o'r canolfannau presio neu orfodaeth, a hefyd yn fan derbyn gwŷr wedi eu gorfodi i ymuno â llongau. 'Delahoyde prest at the Nore with several others,' meddai Richard Morris wrth Lewis (*ML* II, llythyr CCCCXLVIII, o Lundain, diddyddiad, 1760, t. 190). Cf. 'A parcel of prest men were put on board the *Edgar* from the *Princess Royal* guardship at ye Nore ...' (ibid., llythyr CCCCXIX, Richard at Lewis, o Lundain, Medi 30, 1759, t. 123). Cf. N. A. M. Rodger eto (t. 165): 'Most Impress districts were centred on a seaport where one or two tenders would lie afloat to receive men and convey them to Portsmouth, Plymouth or the Nore'.

[108] Cf. Abbot Emerson Smith, *Colonists in Bondage: White Servitude and Convict Labor in America 1607–1776*, 1947, t. 210: 'During periods of political stress there was apt to be a long detention of the ship at the Downs, or perhaps it would be necessary to wait in port for special permits to sail'.

[109] Derbyniais y wybodaeth ganlynol gan y Fns. J. M. Wraight, yr Amgueddfa Forwriaethol Genedlaethol yn Llundain (NMM), mewn llythyr dyddiedig Ionawr 24, 1994, yn dilyn ymholiadau gennyf: 'I enclose a photocopy from *Lloyd's List* for 2nd December 1757, which reported the sailing of the convoy including the *Trial* under Captain Hayton. I regret that we do not hold the log or any other original documentation for this ship, and that as merchant ships were not required

(parhad t. 214)

Yn ystod y cyfnod o aros yn Spithead, 'sgwennodd Goronwy at Richard Morris, ddiwrnod neu ddau ar ôl cyrraedd Portsmouth. 'Dyma ni, trwy Ragluniaeth y Goruchaf, wedi dyfod hyd yma'n iach lawen heb na gwyw na gwayw na selni Môr na dim anhap arall i'n goddiwes,' meddai, 'er caffael o honom lawer iawn o dywydd oer, dryghinog tra buom yn y Downs ac o'r Downs yma'.[110] Yn wahanol i'r lladron a'r lladronesau, a rhai o'r llongwyr hefyd, a oedd 'ar chwydu eu perfeddau allan', 'roedd Elin 'a'i thri Chymro bach yn dal allan heb na chlefyd y môr na chyfog'.[111] Mae'n ein taro'n rhyfedd, efallai, fod Goronwy yn diolch i'r drefn ei fod ef a'i deulu heb gael salwch y môr, a chymaint o afiechydon llawer gwaeth i boeni yn eu cylch; ond rhaid cofio fod y salwch hwn yn llawer gwaeth ar longau'r ddeunawfed ganrif nag ydyw'n awr. Ar adegau o storm, cyfyngid y teithwyr a'r carcharorion rhwng y deciau, a'r hatsys wedu eu cau'n dynn arnyn nhw, ac anodd inni heddiw ddychmygu'r uffern yr âi'r teithwyr drwyddi. Ni allwn ond dibynnu ar dystiolaeth uniongyrchol, fel eiddo teithiwr o'r enw John Harrower, a ddisgrifiodd ddioddefaint ei gyd-deithwyr ar ôl i storm godi:[112]

> ... there was the odest shene betwixt decks that ever I heard or seed. There was some sleeping, some spewing ... some daming, some Blasting their leggs and thighs, some their liver, lungs, lights and eyes, And some for to make the shene the odder, some curs'd Father, Mother, Sister, and Brother.

Er mai Saeson bach oedd dau fab hynaf y bardd, ac er mai yn Lloegr y ganed ei dri phlentyn, 'tri Chymro bach' oedden nhw i Goronwy ac yntau'n gwybod mai prin oedd y gobaith y gwelai ei famwlad byth eto. 'Roedd fel pe bai yn cydio yn ei weddillion Cymreictod, fel dyn ar fin boddi yn gafael mewn gwelltyn ar fin y lan.

Dynion garw a brwnt oedd y llongwyr:[113]

> Dynion bawaidd aruthr yw dynion y môr. Duw fo'n geidwad, mae pob un o naddunt wedi cymeryd iddo gyffoden o fysg y lladronesau ac nid ydynt yn gwneud gwaith ond cnuchio'n rhyferig ymhob congl o'r llong. Dyma 5 neu 6 o naddunt wedi cael y clwy' tinboeth (na bond ei grybwyll) oddiwrth y merched, ac nid oes yma feddyg yn y byd ond y fi sydd a llyfr y Dr Shaw genyf, ac yn ol hwnw y byddaf yn clyttio rhywfaint arnynt a'r hen gyffiriau sydd yn y gist yma. Fe fydd arnaf weithiau ofn ei gael fy hun wrth fod yn eu mysg.

---

to keep any form of official log before 1850, it is rare for the deck log to have been preserved. We do have lieutenants' logs for many naval vessels of this period, and I have consulted that for HMS *Roebuck*, which records that at the beginning of December she was moored in the Downs. At 2 p.m. on 9th December she got under way in company with HMS *Vestall* and *Beaver* and 97 sail of merchant ships in convoy. On the 11th she moored at Spithead, and on the 19th, at 1 p.m., weighed and made sail in company with HMS *Montague, Gibraltar, Thetis, Seaford, Mercury* and the *Beaver* and *Viper* sloops, with 150 sail of merchant ships, arriving in Plymouth Sound on the 20th. No further mention is made of the merchant ships, and it appears that the *Roebuck* did not accompany the convoy further'.

[110] *LGO*, llythyr LXXVII, at Richard, o Spithead, Rhagfyr 12, 1757, t. 195.

[111] Ibid.

[112] Dyfynnir yn *Colonists in Bondage*, t. 215.

[113] *LGO*, llythyr LXXVII, at Richard, o Spithead, Rhagfyr 12, 1757, tt. 195-196.

Mae'n rhyfedd gweld Goronwy yn chwarae doctor ar fwrdd y llong, gan y byddai'r llongau trawsgludo hyn fel arfer yn cario meddyg. Gwerthid y drwgweithredwyr fel gweision a morynion yn y Trefedigaethau, ac 'roedd y troseddwyr hyn yn gargo gwerthfawr i'r capteiniaid ac i benaethiaid y diwydiant trawsgludo. Y penaethiaid hyn oedd perchnogion y rhan fwyaf o'r llongau a ddefnyddid i drawsgludo troseddwyr, a llogid capteiniaid, a fyddai'n derbyn tâl am eu gwasanaeth gan y cwmnïau, i'w hwylio draw i America. Rhôi'r Llywodraeth gymhorthdal o £5 y pen (o 1727 ymlaen) i'r cwmnïau trawsgludo am bob troseddwr a gyrhaeddai America yn fyw, ac er mai perchnogion y llongau a dalai am gynhaliaeth y carcharorion, yn ogystal â chyflogi'r criw a gofalu am bob traul arall yn ymwneud â'r llong, gellid gwerthu'r troseddwyr am elw sylweddol yn y pen draw. 'Roedd trawsgludo yn fusnes proffidiol i rai. Byddai gan y cwmnïau hyn asiantau a marsiandiwyr yn America, a gwaith y rhain oedd trefnu arwerthiannau unwaith y cyrhaeddai'r llongau America, a cheisio cael y pris gorau bosibl am y caethweision gwyn hyn. 'Roedd angen meddygon i ofalu am y drwgweithredwyr, yn enwedig gan eu bod yn agored i gymaint o wahanol afiechydon yng nghwrs y fordaith. Mae'n amlwg nad oedd meddyg y llong wedi cyrraedd ar y pryd, gan mai cyfnod o oedi ac o ymgasglu cyn wynebu'r fordaith fawr oedd hwn.

Dwy gyfrol Dr Peter Shaw, meddyg o Scarborough, *A New Practice of Physic*, a gyhoeddwyd ym 1728, a ddefnyddiai Goronwy i drin ei gleifion.[114] Mae'n debyg mai dioddef oddi wrth y clwy' llosg, y clwy' tinboeth, chwedl Goronwy (*gonorrhoea*), 'roedd y rhain, sef y mwyaf heintus a'r mwyaf cyffredin o'r ddau haint gwenerol. Dyma

---

[114] *A New Practice of Physic;/wherein/The various DISEASES incident to the human Body are describ'd,/Their Causes assign'd,/Their Diagnostics and Prognostics enumerated,/and the/Regimen proper in each deliver'd;/with a/ Competent Number of MEDICINES for every Stage and Symptom thereof,/Prescribed after the Manner/ Of the most eminent PHYSICIANS among the MODERNS, and particularly those of LONDON.* Cyhoeddwyd gan Thomas Longman. Y pumed argraffiad, 1738, a ddefnyddir yma. 'Roedd cyfrolau Shaw yn hynod o boblogaidd yn y ddeunawfed ganrif. 'Roedd gan Lewis a William Morris gopïau o'r ddwy gyfrol. Cymeradwyodd Lewis wellhad Shaw ar gyfer diffyg anadl a pheswch i Richard (*ML* II, llythyr CCCCLXXXVI, o Benbryn, Tachwedd 13, 1760, t. 273): '... a very cheap remedy from Dr. Shaw, common in all countries, is of great service, ceisiwch o hono'. Wedi i William droi a sigo'i ffêr, 'Why in the name of God have not you Dr. Shaw's new Practice of Physic, a ddywaid i chwi bob peth rhag pob clwyf a dolur? 2 vols. 8vo., price 10s. or 12s., neu lai,' gofynnodd Lewis iddo, gan nodi gwellhad Shaw i William. 'This is the substance of the honest and ingenious Dr. Shaw's discourse on dislocations or luxations,' meddai, 'and is very plain and clear' (ibid., llythyr DXIII, o Benbryn, Chwefror 27, 1761, t. 309). Diolchodd William i Lewis 'am y drafferth a gymerasoch yn copiaw cynghorion Pedr Shaw, ond fe ddigwyddodd fod ei lyfrau ganwyf ac wrthynt hwy yr hwyliais trwy'r gorffrydau erchyll y bum ynddynt' (ibid., llythyr DXIX, o Gaergybi, Mawrth 14, 1761, t. 321). Mewn llythyr arall at William (ibid., llythyr DXLIV, o Benbryn, Gorffennaf 27, 1761, t. 366), meddai Lewis: 'I have the vertigo as describd by Dr. Shaw, but sometimes in both eyes, and only one of them is partly blind, with bright oblique pillars and coloured flowers playing in the optic nerve. Gofynnwch i'r Doctor Nickols oes gantho ef un nostrum ychwaneg nag sydd gan y Doctor Shaw, a Doctor Woodman, a'r cyffelyb. I hate vomiting and cupping, and I can get nobody to bleed me in the jugular as Shaw directs ...' Cf. hefyd *ML* II, t. 333 ac *ALMA* 2, t. 618. 'Roedd cyfrolau Peter Shaw yn boblogaidd yn y Virginia drefedigaethol hefyd. Cadwodd Goronwy *A New Practice of Physic* hyd ei farwolaeth, oblegid fe restrir y ddwy gyfrol ymhlith ei eiddo yn ei ewyllys.

ddisgrifiad Peter Shaw o nodweddion y clwy': '... a flux of corrosive matter from the internal parts of the *pudenda* ... If this matter flow through the *urethra*, it commonly appears in a few days after the infection was received, with titillation in that part, the sensation of heat, or a small pricking pain in making water'.[115] 'A gochel drin ym min môr/Y forwyn a biso farwor' meddai Lewis Morris am y clwy' yn ei gywydd 'Caniad Putain Selyf Ddoeth'. 'Roedd brech a llid hefyd yn nodweddu'r afiechyd: 'A similar matter flowing from the *vagina*, internally, the neck of the *penis*, confines of the *podex*, or the *scrotum* externally, occasions inflammation, excoriation, and gives rise to warts, *mariscae*, *porri*, *condylomata*, &c. tho' these also frequently happen in the respective parts, without any flux of a corrosive matter from them'.[116]

Pa driniaeth a gâi'r cleifion hyn gan Goronwy? Y driniaeth gyffredinol oedd 'bleed directly, especially if the patient be plethoric, or an inflammation appear in the part affected; and repeat it as occasion requires'.[117] Mae Goronwy yn ei lythyr at Richard yn diolch i Gapten Hayton 'am roi imi fenthyg dul o gleddyf cyn flaenllymmed'.[118] Yn ôl yr ysgolheigion sydd wedi trafod y llythyr hwn, rhoi benthyg cleddyf neu gyllell i Goronwy i'w amddiffyn ei hun rhag y troseddwyr a wnaeth y capten, ond mae'n llawer mwy tebygol, o ystyried mai creadur hollol ddi-hid oedd Hayton, a bod y carcharorion wedi eu cadwyno a'u llyffetheirio drwy gydol y fordaith, mai cael y gyllell i waedu'r morwyr a wnaeth. Mae'n sôn wedyn am glytio rhywfaint arnyn nhw. Yn ôl Dr Shaw: '*An inflammation and tumefaction of the testes*, may arise in a gonorrhoea, either from the natural weakness of the vessels, violent motion, the unseasonable use of astringents, a neglect of purgation, or any other means whereby the corrosive matter is detained, or falls, with the blood, into them ... In this case, bleed proportionably to the violence of the symptoms, and the patient's constitution. Suspend the testes in a truss, and give brisk mercurial purgatives'.[119] Hefyd '... let a plaster be applied to the *scrotum*, covering the part affected ... Or, perhaps, it would be as well to rub upon the part, once in two or three days, a little strong mercurial unguent'.[120] Gwaedu'r cleifion i ddechrau, ac wedyn rhoi rhyw fath o eli neu bowltis, arian byw efallai, ar y rhannau llidus, a gorchuddio'r rhannau hynny â rhwymynnau, mae'n debyg mai dyna'r driniaeth a gawsai'r morwyr hyn. 'Mi glywaf fod Goronwy wedi troi yn gwac doctor, h.y., gwag ddogtor y frech ffreinig,' meddai William yn ddigon gwamal wrth Richard, wedi i'w frawd anfon llythyr Goronwy ato.[121] 'Gobeithio na cha Sion Freinig mor gwall ar yr Esgob Grono gethin,' meddai drachefn.[122]

[115] *A New Practice of Physic*, cyf. I, t. 289.
[116] Ibid.
[117] Ibid., t. 290.
[118] *LGO*, llythyr LXXVII, at Richard, o Spithead, Rhagfyr 12, 1757, t. 196.
[119] *A New Practice of Physic*, cyf. I, tt. 297-298.
[120] Ibid., t. 298.
[121] *ML* II, llythyr CCCLXXVIII, William at Richard, o Gaergybi, Rhagfyr 26, 1757, t. 60.
[122] Ibid., llythyr CCCLXXIX, William at Richard, o Gaergybi, Ionawr 16, 1758, t. 60.

'Roedd erchyllterau wedi digwydd ar fwrdd y llong ymhell cyn iddi wynebu'r fordaith fawr. Yn ystod yr ychydig amser y bu Goronwy ar ei bwrdd, 'roedd wedi bedyddio plentyn o'r enw Francis Trial, 'ac a'i cleddais ef wedi, a lleidr a lladrones heblaw hyny'.[123] Ychydig a wyddai ar y pryd y byddai gwraig a phlentyn arall yn marw cyn pen y daith. Mae'n amhosibl peidio â sylwi ar greulondeb yr eironi. 'Roedd y capten wedi addo i Goronwy a Richard Morris y byddai un o'r lladronesau yn gweini ar Elin yn ystod y fordaith, ond ni chadwodd at ei air. 'I weini pidyn y gwr yma, nid i wasnaethu fy ngwraig i y deuwyd a hi yma,' meddai yn chwerw.[124] Yn wir, dyn ffiaidd, brwnt a diegwyddor oedd y capten, a byddai'n rhaid i Goronwy a'i deulu oddef ei sen, ei sadistiaeth a'i sarhad am wythnosau. 'Bwystfil o ddyn' oedd Hayton iddo, oherwydd 'Y mae yn gorfod arnom er ys pythefnos yfed dwr drewllyd neu dagu (canys nid oes diferyn o ddiod fain yn y llong) ac edrych arno ynteu'n yfed ei winoedd a'i gwrw rhyngo ef a'i gyffoden, ac yn sipian ei weflau diawl i godi blys arnom ac yn dwedyd "It is very good".'[125] Er mor greulon a mochaidd oedd y capten, 'roedd yn ddigon nodweddiadol o gapteiniaid y llongau trawsgludo, ac 'roedd cymryd putain bersonol o blith y gwragedd a drawsgludid yn arferiad ganddyn nhw. Ym 1725, er enghraifft, daeth i glyw Jonathan Forward, y gŵr a oedd yn gyfrifol, trwy gytundeb gan y Llywodraeth, am y diwydiant trawsgludo ar y pryd, gan ei asiant yn Virginia fod ymddygiad capten un o'i longau, y *Forward*, yn warthus ac yn anghyfrifol. 'Roedd y capten hwn a marsiandïwr y cwmni wedi rhannu'r holl ddarpariaethau ar gyfer y teithwyr i gyd rhyngddyn nhw eu hunain a'u puteiniaid:[126]

> ... when Master and Merchant keep each of them a Mistress in their cabin coming over from England to Virginia, I must believe that it occasions great embezlement in provisions; and where there is such governors in a ship, the owner of such a cargo must be a great sufferer, for when they came to their anchoring at Vailers Hole they had not so much as a barrel of beef left, nor none of the Servants' provisions.

Byddai'r morwyr yn defnyddio'r merched a drawsgludid fel puteiniaid drwy gydol y fordaith; ac nid y rheini'n unig 'chwaith. 'Doedd y gwragedd ymhlith y teithwyr cyffredin ddim yn ddiogel o bell ffordd, a châi aml un ei threisio gan y morwyr, yn gwbwl groes i'w hewyllys. 'Roedd y puteiniaid a enillai ffafr y capteiniaid yn ddigon breintiedig ar un ystyr, oherwydd fe gaent ddillad moethus a chynhaliaeth dda drwy'r fordaith. 'Roedd Hayton hefyd yn afradu bwyd a diod y llong ar ei butain, a diolchai Goronwy i'r drefn fod ganddo 'faril o borter heb erioed ei agor a pheth rumm' ar gyfer y daith.[127] Camwri arall o eiddo Hayton oedd digio Goronwy trwy daro'i blant, am ryw reswm neu'i gilydd, a bygythiai 'redeg fy nglheddyf tan ei assennau byrrion'.[128]

---

[123] *LGO*, llythyr LXXVII, at Richard, o Spithead, Rhagfyr 12, 1757, t. 196.
[124] Ibid.
[125] Ibid.
[126] Dyfynnir yn *Emigrants in Chains: a Social History of Forced Emigration to the Americas 1607–1776*, Peter Wilson Coldham, 1992, t. 104.
[127] *LGO*, llythyr LXXVII, at Richard, o Spithead, Rhagfyr 12, 1757, t. 196.
[128] Ibid.

Terfyna'r llythyr drwy anfon ei gofion at John Owen, William Parry, y Mint, Cornelius Humphreys, a hyd yn oed Lewis Morris. 'Pa beth, meddwch chwi, a ddaw o honom cyn pen y daith?' gofynna.[129] 'Roedd Goronwy eisoes wedi cael rhagflas o'r hyn oedd o'i flaen. Cyn gadael arfordir Lloegr hyd yn oed, 'roedd wedi gweld marwolaeth a chaledi. 'Roedd holl dreialon a throeon bywyd ar y llong hon: bedyddio, cydgyplu a marwolaeth; afiechydon, prinder a chreulondeb. 'Roedd eisoes wedi gwasanaethu fel offeiriad a meddyg. Nid rhyfedd iddo ofni'r hyn oedd o'i flaen. Gwyddai am afiechydon y môr, a pha mor angheuol y gallai'r rheini fod. 'Roedd yr adran ar 'Sea Diseases' yng nghyfrol gyntaf *A New Practice of Physic* yn rhestru afiechydon y môr, ac mae'n sicr fod Goronwy wedi darllen yr adran hon cyn cychwyn ar y daith. 'The salt food made use of by sailors, the abuse of spirituous liquors, the confin'd life they generally lead, and their frequent change of climate, diet, and air, subject them, in a particular manner, to the *scurvy, an obstructed perspiration, fevers, agues, dysenteries,* or *diarrhoea's, vomiting,* or *want of appetite, costiveness,* and *calentures,*' meddai Shaw.[130] Gwyddai Goronwy y gallai unrhyw un o'r afiechydon hyn ei daro ef neu Elin a'r plant yng nghwrs y fordaith.

Hwyliodd y confoi ymaith o Spithead ar Ragfyr 19, cyrraedd Plymouth Sound ddiwrnod yn ddiweddarach, a mentro i'r môr agored rywbryd ar ôl Rhagfyr 20. Hwylio ar hyd yr arfordir fel hyn, cyn ffarwelio'n derfynol â glannau Prydain, ac oedi mewn sawl porthladd mawr er mwyn sicrhau cyflenwadau ychwanegol o ddŵr croyw a bwyd glân, oedd yr arferiad. 'Roedd y ffaith mai mewn confoi yr hwyliodd y *Tryal* i gyfeiriad Virginia yn nodi perygl arall. 'Roedd Ffrainc a Phrydain ar y pryd yng nghanol y Rhyfel Saith Mlynedd (1756–1763), a byddai llongau o Brydain yn hwylio yn eu rhifedi ar fordeithiau pell, i wrthsefyll ymosodiadau o du llongau'r Ffrancwyr. 'Doedd pethau ddim yn argoeli'n dda i Goronwy a'i deulu. 'Roedd peryglon a bygythiadau ar bob tu: afiechydon a brwydrau posibl, bwyd gwael a dŵr brwnt, oerfel a gwlybaniaeth, a'r perygl ychwanegol y byddai'r llong yn suddo pe codai storm fawr, ac ar ben popeth, gorfod treulio wythnosau ar drugaredd llongwyr brwnt a meddw ar y naill law, a drwgweithredwyr ffiaidd ac afiach ar y llaw arall.

Pa fath o bobl oedd cyd-deithwyr Goronwy, a sut fordaith a gawsai ef a'i deulu? Mae'n rhaid i ni gyfuno dychymyg a thystiolaeth i geisio amgyffred y caledi a'r erchyllterau a ddaeth i'w rhan. Yn syml, troseddwyr na ellid mo'u crogi yn ôl y gyfraith, am nad oedd eu troseddau yn teilyngu'r gosb eithaf, oedd cyfran helaeth o'r rhai a drawsgludid i America, ac eraill yn rhai a oedd wedi cyflawni troseddau y gellid eu crogi amdanyn nhw, ond bod y gyfraith, dan bwysau o du'r cyhoedd, wedi gorfod chwilio am gosbedigaethau llai llym a mwy trugarog ar eu cyfer. Canlyniad y cynnydd parhaol mewn tor-cyfraith, yn enwedig o ddechrau'r ddeunawfed ganrif ymlaen, oedd y gosb hon. Câi tlodi a chyfoeth, y ddau eithaf, eu beio am y cynnydd hwn. 'Roedd tlodi eithafol, y frwydr i gael

---

[129] Ibid.

[130] *A New Practice of Physic*, cyf. I, tt. 408–409.

dau ben y llinyn ynghyd, yr angen i ladrata dim ond er mwyn cadw'n fyw, yn gorfodi rhai i dorri'r gyfraith. Enghraifft dorcalonnus, ond nodweddiadol, o ladrata oherwydd angen dirdynnol oedd achos gwraig ifanc feichiog a ddedfrydwyd i'w thrawsgludo gan lys yn Llundain ym Medi 1771 am iddi ddwyn dysglaid o gawl a hithau ar ei chythlwng. 'The immediate general cause of most Villanies is certainly the extreme Misery and Poverty great Numbers are reduced to,' yn ôl y clerigwr Francis Hare.[131] 'Roedd gwelliannau amaethyddol yn peri diweithdra, a heidiai llafurwyr y tir o'r ardaloedd gwledig i'r dinasoedd i chwilio am waith, a throi at droseddu yn eu siom. 'Roedd cyfoeth hefyd i'w feio. 'Roedd siopau a stordai'r dinasoedd mwyaf – Llundain, Bryste a Lerpwl – yn orlawn o nwyddau o bob math, oherwydd y cynnydd parhaol mewn masnach, ac 'roedd yr helaethrwydd golud hwn yn ormod o demtasiwn i aml un â dwylo blewog.

'Roedd crogi, a hyd yn oed gosbedigaethau llai, fel chwipio, llosgi llaw neu fawd, caethiwo mewn rhigod ac erchyllterau carcharau tra oedd y condemniedig yn aros am ei gosb, wedi methu atal y cynnydd mewn troseddau. Pwrpas crogi cyhoeddus oedd dychryn y dorf, magu arswyd mewn pobl wrth iddyn nhw weld rhyw druan yn ymlusgo'n ofnus ac yn edifar tuag at y crocbren, ond yn aml, 'doedd y sawl a ddienyddid ddim yn dangos unrhyw edifeirwch. Rhaid, felly, oedd chwilio am ddulliau eraill i ddychryn pobl rhag cyflawni troseddau ac i gael gwared â'r broblem. Ni allai cymdeithas a amcanai at fod yn ddyngarol ac yn wareiddiedig glymu'r rhaff am wddw pob troseddwr, mawr a bach, a byddai gweinyddu'r gosb eithaf am bob trosedd yn ennyn protest gyhoeddus a gwrthwynebiad unfryd i'r gosb. 'Roedd y carchardai hefyd yn orlawn, yn enwedig y pedwar carchar ar ddeg a geid yn Llundain – yn eu plith carchar Newgate, yr hynaf a'r gwaethaf ohonyn nhw, carchar y King's Bench a charchar Bridewell, a neilltuid ar gyfer gwragedd yn unig – ac 'roedd cael lle i'r troseddwyr hyn na ellid eu crogi yn broblem enfawr ac yn dreth ar gyllid y Llywodraeth.

Yr angen am ddulliau newydd o gosbi a lleihau drwgweithredu a esgorodd ar y Ddeddf Drawsgludo ym 1718. 'Roedd trawsgludo yn gosb hŷn na'r ddeunawfed ganrif, wrth gwrs, ond 'roedd angen rhoi trefn a chysondeb ar y dull hwn o gosbi, a diffinio'i amodau yn fanylach. Digon di-drefn oedd yr holl fusnes cyn hynny, a gallai'r troseddwyr a gondemnid hyd yn oed drefnu eu mordaith eu hunain. Penderfynwyd drwy Ddeddf 1718 fod dau derm o alltudiaeth i fod, sef saith mlynedd am fân-ladrad, a mân droseddau eraill fel cardota a phuteindra, dwywreiciaeth a dyn-laddiad, ac yn y blaen, a phedair blynedd ar ddeg am droseddau mwy difrifol, gan gynnwys derbyn nwyddau wedi eu lladrata, os oedd y sawl a oedd wedi eu derbyn yn gwybod eu bod wedi eu dwyn.[132] 'His Majesty's

---

[131] *A Sermon Preached to the Societies for the Reformation of Manners ...*, Francis Hare, 1731, t. 30.

[132] Enw'r Ddeddf yn llawn oedd 'An Act For the Further Preventing Robbery, Burglary and Other Felonies, and For the More Effectual Transportation of Felons, and Unlawful Exporters of Wool; and For the Declaring the Law upon Some Points Relating to Pirates'. Yn ôl y Ddeddf: '... Be it enacted ... that where any person or persons have been convicted of any offence within the benefit of clergy before the twentieth day of January 1717 [/18] and are liable to be whipt or

(parhad t. 220)

Seven-Year Passengers' oedd yr enw ar lafar am y troseddwyr a gludid am y cyfnod byrraf. Lladron, fodd bynnag, oedd y mwyafrif o'r drwgweithredwyr hyn. Trawsgludid lladron a oedd wedi dwyn eiddo neu nwyddau gwerth swllt neu uwch, ond heb gynnwys nwyddau a oedd yn 4 swllt a rhagor o ran eu gwerth, o siopau, a lladrata eiddo nad oedd yn uwch na 39 swllt neu ragor o dai. Y crocbren oedd cyrchfan arch-droseddwyr y ganrif (yn ôl diffiniad y ganrif o'r prif droseddau), fel y rhai a fyddai'n twyllo echwynwyr, trosedd ddifrifol yn y cyfnod hwnnw, lladron pen-ffordd, llofruddion, ffugwyr arian, lladron ceffylau, lladron a ddygai eiddo sylweddol o dai, a'r rhai a fyddai'n dychwelyd i Brydain cyn i gyfnod eu halltudiaeth, boed saith mlynedd neu bedair blynedd ar ddeg, ddirwyn i ben. Ond 'doedd cyflawni'r troseddau mwyaf yng ngolwg y gyfraith ddim yn arwain at y crocbren bob tro 'chwaith. Gallai'r condemniedig brynu pardwn yn aml drwy lwgrwobrwyo gweinyddwyr a swyddogion y gyfraith, a chyfnewid y gosb eithaf am drawsgludo, newid y rhaff am yr ysgraff, fel petai. Hefyd, os oedd y condemniedig yn wrthrych tosturi, a'r cyhoedd yn ymgyrchu o'i blaid, gallai osgoi'r crocbren. Eraill a gâi bardwn oedd y rheini a fyddai'n achwyn ar eu cyd-droseddwyr, ac yn galluogi'r gyfraith i'w cosbi. Cymerid oedran i ystyriaeth yn ogystal, a chondemnio'r ifainc diniwed a gâi eu harwain ar gyfeiliorn gan droseddwyr mwy profiadol a chaled i derm o alltudiaeth yn hytrach na'u dedfrydu i farw ar y crocbren.

Mewn gwirionedd, 'roedd union amodau'r gosb yn bur gymhleth. I ddechrau, lle i gadw troseddwyr ynddo hyd nes y dôi'r adeg i'w dienyddio, neu eu chwipio neu losgi llaw neu fawd, oedd y carchar yn y ddeunawfed ganrif; nid y gosb ynddi hi ei hun oedd y carchariad, ond cyfnod yr aros am y gosb. Cyn sefydlu trawsgludo fel cosb ar raddfa eang, y crocbren oedd yr ateb i'r rhan fwyaf o droseddau, a dim ond trwy ddwy ffordd y gellid osgoi rhaff y crogwr, sef trwy gael pardwn brenhinol a thrwy i'r cyhuddiedig brofi y medrai ddarllen, yn ôl yr egwyddor gamarweiniol fod pawb a allai ddarllen yn perthyn i urddau sanctaidd, ac felly yn sefyll y tu allan i'r gosb eithaf. I osgoi'r gosb honno, byddai'n rhaid i'r cyhuddiedig brofi y gallai ddarllen, a phe gallai brofi hynny, derbyniai benyd llai yn lle'r brif gosb. Cymhlethwyd pethau gan ddeddf a basiwyd ym 1705. Yn ôl y ddeddf honno, nid oedd raid i'r cyhuddiedig bellach brofi y medrai ddarllen i hawlio'r rhyddhad darllen, ond ar yr un pryd nodwyd 25 o droseddau a oedd y tu allan i faddeuant y prawf darllen, ac a oedd yn hawlio'r gosb eithaf, troseddau fel brad, môr-ladrad, llofruddiaeth,

---

burnt in the hand or have been ordered to any workhouse and who shall be therein on the said twentieth day of January; as also where any person or persons shall be hereafter convicted of grand or petit larceny, or any felonious stealing or taking of money or goods and chattels, either from the person or the house of any other, or in any manner, and who by the law shall be entitled to the benefit of clergy and liable only to the penalty of burning in the hand or whipping (except persons convicted for receiving or buying stolen goods knowing them to be stolen), it shall and may be lawful for the court before whom they were convicted, or any court held at the same place with the like authority, if they think fit, instead of ordering any such offenders to be burnt in the hand or whipt, to order and direct that such offenders in any workhouse as aforesaid shall be sent as soon as conveniently may be to some of his Majesty's Colonies and Plantations in America for the space of seven years ... as also of any person or persons convicted of buying stolen goods, knowing them to be stolen, for the term of fourteen years ...' Dyfynnir yn *Emigrants in Chains*, Atodiad III, tt. 165-166.

rhoi eiddo ar dân, lladrata o dai pobl, dwyn eiddo sylweddol ei werth a lladrad pen-ffordd. Crogi, yn ddieithriad, oedd y gosb am gyflawni troseddau o'r fath cyn y Ddeddf Drawsgludo. Ar ôl pasio'r ddeddf, 'roedd y sawl a gyflawnai'r mân droseddau hynny a ddôi o fewn trefn maddeuant y prawf darllen, ac a gosbid fel arfer drwy losgi neu chwipio, yn awr i gael eu trawsgludo i wledydd eraill, a gorfod aros yng ngwlad eu halltudiaeth am saith mlynedd cyn y caent ddychwelyd. Ar y llaw arall, 'roedd y sawl a gyflawnai un o'r prif droseddau a safai y tu allan i drefn maddeuant y prawf darllen, troseddau a hawliai'r gosb eithaf, i dreulio cyfnod o bedair blynedd ar ddeg yng ngwlad eu halltudiaeth cyn cael yr hawl gyfreithiol i ddychwelyd, ond dim ond ar yr amod eu bod yn derbyn pardwn brenhinol. 'Roedd pardwn brenhinol yn golygu fod trawsgludo yn disodli dienyddio.

'Roedd y dulliau traddodiadol o gosbi wedi methu yn nhyb y mwyafrif. Hyd yn oed yn y ddeunawfed ganrif, nid cosbi er mwyn cosbi oedd y nod, ond cosbi er mwyn diwygio buchedd. Gobeithiai cefnogwyr y dull hwn o gosbi y gallai dau ddaioni ddeillio o'r gosb. Y gobaith oedd y byddai gorfodi'r troseddwyr i wneud diwrnod gonest a chaled o waith, yn enwedig yn niffeithleoedd pellennig America lle'r oedd yn rhaid llafurio i fodoli a gor-oesi, yn ddisgyblaeth angenrheidiol a fyddai'n eu hannog i droedio'r llwybr diwyrgam, a gellid hefyd anfon cyflenwad ar ôl cyflenwad o weithwyr i helpu'r trefedigaethwyr, gan fod 'great want of servants' yno, yn ôl geiriad Deddf 1718.[133] Gan mor arteithiol oedd y daith o Brydain i America, gobeithid hefyd y byddai hyd yn oed meddwl am y siwrnai yn cadw'r drwgweithredwyr rhag torri'r gyfraith eilwaith ar ôl iddyn nhw ddychwelyd o wlad eu halltudiaeth wedi i gyfnod y gosb ddirwyn i ben. Ond ystyriaethau eilradd oedd y rhain: prif ddiben y Ddeddf a'r gosb oedd cael gwared â throseddwyr nad oedd modd diwygio'u ffyrdd drwy gosbedigaethau llai. Yn hyn o beth, America oedd bin sbwriel Prydain. 'Draining the Nation of its offensive Rubbish, without taking away their Lives,' oedd trawsgludo yn ôl un tyst cyfoes.[134]

Byddai'r rhan fwyaf o gyd-deithwyr Goronwy yn ddynion, pedwar ymhob pump ohonyn nhw, a barnu oddi wrth yr ystadegau. Byddai'r rhan fwyaf o'r dynion hyn yn wŷr cymharol ifanc, yn eu hugeiniau, a byddai oddeutu eu hanner yn llafurwyr cyffredin, gwŷr di-grefft a oedd wedi troi at ladrata er mwyn llenwi eu boliau, neu hanner eu llenwi o leiaf. 'Roedd traed y rhan fwyaf o'r dynion a drawsgludid yn gadarn ar ffon isaf yr ysgol gymdeithasol. Gwŷr o wahanol alwedigaethau fyddai'r gweddill, rhai yn grefftwyr isradd, basgedwyr neu bysgotwyr, er enghraifft, eraill wedyn yn wŷr-wrth-grefft uwch o ran statws, teilwriaid, gwneuthurwyr gwalltiau gosod, cryddion, ac yn y blaen. 'Roedd y gyfraith, at ei gilydd, yn fwy trugarog tuag at wragedd, a dim ond rhyw un ymhob pump

---

[133] Ibid., t. 165.
[134] *An Essay Humbly Offer'd for an Act of Parliament to Prevent Capital Crimes*, George Ollyffe, 1731, tt. 11–12.

o fenywod a drawsgludid, puteiniaid a lladronesau gan mwyaf. Ymhlith y garfan a oedd ar yr un llong â Goronwy byddai rhai troseddwyr profiadol a garw, yn sicr, ond torri'r gyfraith er mwyn torri cythlwng a wnâi'r rhan fwyaf o droseddwyr y cyfnod, lladrata rhag llwgfa. Yn ôl A. Roger Ekirch:[135]

> Young, male, single, and minimally skilled, a majority of convicts belonged to that segment of society most vulnerable to economic dislocation. Britain's working poor led lives filled with uncertainty. Regular employment depended upon the harvest, the weather, the seasons, the fluctuations of foreign markets, and upon the general health of the economy ... It is no coincidence that most offences committed by convicts were crimes against property, or that levels of crime rose whenever economic conditions sharply deteriorated.

Gan mai cynhaeaf gwael a gafwyd ym 1757, mae'n deg maentumio mai llafurwyr a oedd wedi gorfod dwyn rhag llwgu i farwolaeth oedd llawer o gyd-deithwyr Goronwy. Mewn gwirionedd, cafwyd dau gynhaeaf gwael yn olynol ym 1756 a 1757, y cynaeafau gwaethaf ers 1740. Y canlyniad anochel oedd codi prisiau bwyd. Pris ŷd ar gyfartaledd ym 1757 oedd 55 swllt y chwarter, a 41 swllt a 4 ceiniog ym 1756, codiadau sydyn a sylweddol o'u cymharu â 31 swllt y chwarter ym 1755. Achosodd y chwyddiant hwn lawer o gyffro a gwrthdystio cymdeithasol, ac efallai fod rhai cynhyrfwyr ymhlith cyd-deithwyr y bardd.

Nid carcharorion yn unig a fyddai'n cyd-deithio ag ef i Virginia. Ymhlith yr ymfudwyr byddai nifer o deithwyr rhydd, fel Goronwy ei hun, a oedd wedi ymgymryd â'r fordaith o'u gwirfodd ac nid o'u gorfod. Byddai'r garfan hon yn bobl weddol gefnog, gan na allai'r tlodion afforddio costau'r daith. Cael a chael oedd hi yn achos Goronwy ei hun, a bu'n rhaid iddo fegera yn ogystal â chynilo ar gyfer y daith; ond nid ar gyfer y daith ei hun fel y cyfryw. Ni chododd y tâl am deithio o Brydain i America yn uwch na £5 neu £6 y pen i oedolion ar unrhyw adeg yn ystod y cyfnod trefedigaethol. Cludid plant rhwng saith a deuddeg oed am hanner y gost i oedolion, plant rhwng dwy a saith oed am draean y gost lawn, a phlant a babanod a oedd yn llai na dwy oed yn rhad ac am ddim. Wyth oed oedd mab hynaf Goronwy ar y pryd, a'i ail fab yn chwech, felly codwyd hanner a thraean y gost lawn am gludo'r ddau fachgen i Virginia, a chafodd Owen, y baban, deithio am ddim. 'Roedd tâl bychan ychwanegol am gludo eiddo personol hefyd, a gwyddom fod Goronwy wedi mynd â nifer o'i lyfrau gydag ef. Byddai'r daith wedi costio rhwng £15 ac £20 i gyd i Goronwy, ac 'roedd £20 cymhorthdal y Trysorlys, felly, yn ddigon i dalu am holl gostau'r fordaith. Dywedodd Goronwy 'nad yw'r holl arian a gaf at fy Nhaith [sef cymhorthdal y Trysorlys], ac oll a feddaf fy hun (wedi talu i bawb yr eiddo), ond prin ddigon i ddwyn fy nghôst hyd yno'.[136] Er bod cymhorthdal y Trysorlys yn gofalu am gostau'r fordaith, y broblem, felly, oedd y ffaith fod ganddo ddyledion i'w clirio; ond a

---

[135] *Bound for America: The Transportation of British Convicts to the Colonies, 1718–1775*, A. Roger Ekirch, 1987, arg. 1992, t. 55
[136] *LGO*, llythyr LXXVI, at Gymdeithas y Cymmrodorion, Tachwedd 2, 1757, t. 194.

oedd yn bwriadu talu'r rhain cyn ymadael, neu ai ystryw oedd y cyfan i hudo rhagor o arian allan o bocedi'r Cymmrodorion? Byddai Richard yn gwybod yn union faint fyddai costau'r fordaith, a byddai'n rhaid i Goronwy ddyfeisio rhyw gyfiawnhad dros fynnu cael rhagor o arian. Ond hyd yn oed pe na bai mewn dyled, rhaid oedd gofalu am rai darpariaethau personol hefyd, fel y porter a'r rwm y cyfeiria'r bardd atyn nhw, a chadw peth arian wrth gefn ar gyfer ail ran y siwrnai, hyd nes y câi gyflog. Gobeithiai'r rhydd-deithwyr grafangu rhagor o gyfoeth ar ôl cyrraedd Virginia. Câi pob un a dalai gostau'r fordaith ei hun i'r trefedigaethau 50 o aceri o dir yn rhodd, a 50 acer am bob gwas neu forwyn neu aelod arall o'r teulu y gellid eu hudo i'r trefedigaethau. Byddai rhai o'r rhain yn ymuno â theulu neu berthnasau a oedd eisoes wedi ymsefydlu'n llwyddiannus ar yr ochr arall i'r môr.

Yn ogystal â'r teithwyr rhydd, byddai carfan arall ar y llong hefyd, sef gweision a morynion rhwymedig. Cynnyrch tlodi cymdeithasol oedd y dosbarth hwn o deithwyr, pobl a oedd wedi syrffedu ar ddiweithdra a chyni, ac a obeithiai am fan gwyn fan draw. Ni allai'r rhain dalu costau'r fordaith, ac fe wneid hynny ar eu rhan gan eu meistri neu eu darpar-feistri yn y trefedigaethau, un ai drwy drefniant ymlaen llaw neu ar antur ar ôl cyrraedd. Byddai'n rhaid i'r gweision a'r morynion hyn weithio'n ddigyflog i'w meistri ar ôl cyrraedd y trefedigaethau am nifer penodedig o flynyddoedd – rhyw bedair blynedd fel arfer – hyd nes y byddent wedi talu pob dimai o gostau'r daith drwy eu llafur. Er na chaent gyflog, câi'r caethweision dros-dro hyn eu bwydo a'u dilladu yn rhad ac am ddim gan eu meistri. Ar ôl i'r cyfnod o ymrwymedigaeth i feistri ddirwyn i ben, 'roedd y rhain yn rhydd i ddewis eu llwybr eu hunain. Arhosai rhai gyda'u meistri, yn enwedig os bu'r rheini yn garedig wrthyn nhw, ac âi eraill i'w ffordd eu hunain.

Yng nghwmni ciwed amryliw o ddrwgweithredwyr o'r fath y byddai Goronwy yn treulio'r wythnosau nesaf. Gallai mordaith i Virginia gymryd cyn lleied â chwe wythnos neu lai ar dywydd ffafriol, ond rhyw ddeufis oedd hyd y daith fel arfer, er y gallai tywydd gwael iawn ymestyn yr hyd arferol. Uffern oedd y daith hyd yn oed ar y tywydd mwyaf hwylus. 'Mynd i Uffern mewn crud' oedd ymadrodd un troseddwr am y fordaith o Brydain i America. Byddai'n fordaith erchyll ddigon i Goronwy a'i deulu, ond byddai amgylchiadau'r carchararion yn llawer gwaeth nag eiddo'r teithwyr cyffredin. Byddai'r troseddwyr yn treulio'r rhan fwyaf o'r fordaith yn eu cadwynau, rhag ofn iddyn nhw wrthryfela yn erbyn eu meistri a cheisio meddiannu'r llong. Fe'u cedwid islaw bwrdd y llong, mewn mannau cyfyng a llaith. Meddai un gŵr, wedi iddo weld carcharor ar long drawsgludo: 'All the states of horror I ever had an idea of are much short of what I saw this poor man in; chained to a board in a hole not above sixteen feet long, more than fifty with him; a collar and padlock about his neck, and chained to five of the most dreadful creatures I ever looked on'.[137] 'We were for that Night clapt under Hatches, and kept so close, that I thought I should have been suffocated for want of Air,' meddai Moll Flanders

---

[137] Dyfynnir yn *Bound for America*, t. 100.

yng nghlasur Defoe.[138] A dyna oedd un o'r prif broblemau, diffyg awyr iach. Cyffelyb yw tystiolaethau eraill. Mae'r dystiolaeth ganlynol, o eiddo John Coad, er mai i Jamaica y trawsgludwyd ef, yn rhoi inni ryw fath o syniad o ddioddefaint y trueiniaid hyn, ac o erchyllterau'r mordeithiau:[139]

> The master of the ship shut 99 of us under deck in a very small room where we could not lay ourselves down without lying one upon another. The hatchway being guarded with a continual watch with blunderbusses and hangers, we were not suffered to go above deck for air or easement, but a vessel was set in the midst to receive the excrement, by which means the ship was soon infected with grevious and contagious diseases as the smallpox, fever, calenture and the plague with frightful botches. Of each of these diseases several died, for we lost of our company 22 men. This was the straitest prison that I was ever in, full of crying and dying, from whence there can be no flying ... We had enough in the day to behold the miserable sight of blotches, pox, others devoured with lice till they were almost at death's dore. In the night fearful cries and groning of sick and distracted persons which could not rest ...

Helpid y carcharorion gan y teithwyr eraill:

> ... would bestow upon us some part of their provision in secret to help satisfie our hunger for the wicked wretch [y capten] would not allow no provision though there was enough in the ship and to spare. Some days we had not enough in five men's mess to suffice one man for one meal ... Our water was also exceeding corrupt and stinking, and also very scarce to be had.

Mae'r dystiolaeth ganlynol yn disgrifio mewn dull graffig a grymus iawn y bywyd erchyll a gâi'r teithwyr hyn ar y llongau a gyrchai America. Mae'r dystiolaeth yn nes o ran amser at yr adeg yr aeth Goronwy i Virginia. Ym 1750 hwyliodd Almaenwr o'r enw Gottlieb Mittelberger o Loegr i Philadelphia, a disgrifiodd y fordaith a bywyd ar y llong fel hyn:[140]

> When the ships have for the last time weighed their anchors near the city of Kaupp [Cowes] in Old England, the real misery begins with the long voyage. For from there the ships, unless they have good wind, must often sail 8, 9, 10 to 12 weeks before they reach Philadelphia. But even with the best wind the voyage lasts 7 weeks.
>
> During the voyage there is on board these ships terrible misery, stench, fumes, horror, vomiting, many kinds of seasickness, fever, dysentery, headache, heat, constipation, boils, scurvy, cancer, mouth-rot, and the like, all of which come from old and sharply salted food and meat, also from very bad and foul water, so that many die miserably.

---

[138] *The Fortunes and Misfortunes of the Famous Moll Flanders*, &c., Daniel Defoe, 1722, arg. Penguin 1989, t. 386.

[139] *Memorandum of the Wonderful Providence of God*, John Coad, 1849, tt. 23 –27. Trawsgludwyd John Coad i Jamaica ym 1685.

[140] *English Historical Documents*, cyf. IX, *American Colonial Documents to 1776*, Gol. Merrill Jensen, 1955, tt. 464–469.

*Y Dafarn Goch, Y Rhos-fawr, Llanfair Mathafarn Eithaf,
Môn: cartref Goronwy Owen.*

*Enghraifft o'r pererindota a fu i'r Dafarn Goch. Un o ddosbarthiadau nos Meuryn (R. J. Rowlands) yn ymweld
â chartref Goronwy. Meuryn yw'r trydydd o'r dde, gyda het ar y clawdd o'i flaen.*
Llun: T. Meirion Hughes.

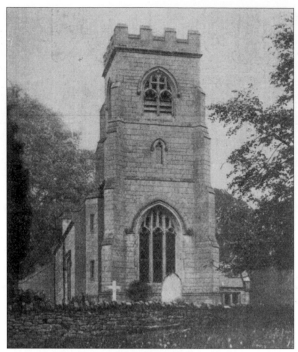

Eglwys Uppington.

Tŷ Donnington. Mae tair ffenestr hen ysgoldy Goronwy Owen ar y dde, ar y llawr isaf.

Marwnâd Elin, yn llaw Goronwy.

*Llawysgrifen Goronwy Owen eto: llythyr at John Thomas,
Chwefror 18, 1756.*

Eglwys Walton ar y Bryn.
Llun: Llyfrgell Genedlaethol Cymru.

Ysgoldy a chartref Goronwy Owen yn Walton, a'r fynwent lle claddwyd Elin.
Llun: Llyfrgell Genedlaethol Cymru.

Edward Owen, Warrington, cyfaill Goronwy yn ystod ei gyfnod yn Walton.
Llun: Llyfrgell Genedlaethol Cymru.

Swyddfa'r Llynges yn Crutched-Friars, Llundain, lle gweithiai Richard Morris.

Lewis Morris.

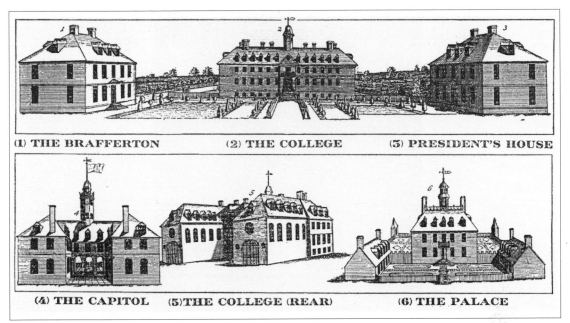

(1) THE BRAFFERTON   (2) THE COLLEGE   (3) PRESIDENT'S HOUSE

(4) THE CAPITOL   (5)THE COLLEGE (REAR)   (6) THE PALACE

Engrafiad a wnaethpwyd ym 1740 o Goleg William a Mary a rhai o adeiladau pwysig eraill Williamsburg.

Coleg William a Mary.

~Francis Fauquier, Llywodraethwr Virginia.

Peyton Randolph, un o'r ddau a geisiodd roi terfyn ar yr ymladdfa rhwng disgyblion Coleg William a Mary,
dan arweiniad Goronwy Owen a Jacob Rowe, a bechgyn tref Williamsburg.

Dwy enghraifft, ar ddau wahanol achlysur, o'r pererindota o Gymru i
Goleg William a Mary gan wŷr llên amlwg.

Y Prifardd James Nicholas yn sefyll o flaen y goflech i Goronwy Owen yn Llyfrgell Swem, Coleg William a Mary.
Llun: James Nicholas.

Y Prifardd T. James Jones yn sefyll o flaen yr un goflech.
Llun: T. James Jones a Manon Rhys.

Dwy wedd ar dŷ Goronwy, yn Dolphin, i'r gogledd o Lawrenceville.
Lluniau: Dewi Jones.

William C. Pollard a'r Parchedig Edwin Williams uwchben y garreg a osodwyd gan
Gymdeithas Farddoniaeth Virginia ar fedd Goronwy ym 1958.
Llun: Dewi Jones.

Planhigfa Goronwy, o lan y bedd.
Llun: Dewi Jones.

James Nicholas uwch bedd Goronwy.
Llun: James Nicholas.

THE TRADITIONAL GRAVESITE OF
THE REv. GORONWY OWEN
1723 — 1769

Yr arysgrifen ar y garreg goffa uwch bedd Goronwy.
Llun: James Nicholas.

Y bedd yn y goedwig.
Llun: Dewi Jones.

Eglwys St Andrew, Lawrenceville.
Llun: T. James Jones a Manon Rhys.

Y tu mewn i Eglwys St Andrew.
Llun: T. James Jones a Manon Rhys.

T. James Jones yn sefyll yn ymyl y garreg goffa yn Lawrenceville.
Llun: T. James Jones a Manon Rhys.

William Vaughan, Corsygedol a Nannau.

Owain Myfyr, un o hyrwyddwyr cyntaf cwlt Goronwy.

Rhamanteiddio Goronwy: dau o luniau Arthur E. Elias yn argraffiad O. M. Edwards
o waith Goronwy Owen mewn dwy gyfrol, 1901/02.

'*Tua gwlad machlud haul*'.

'*Ymysg y Cymmorodorion*'.

Add to this want of provisions, hunger, thirst, frost, heat, dampness, anxiety, want, afflictions and lamentations, together with other trouble, as the lice abound so frightfully, especially on sick people, that they can be scraped off the body. The misery reaches the climax when a gale rages for 2 or 3 nights and days, so that every one believes that the ship will go to the bottom with all human beings on board. In such a visitation the people cry and pray most piteously ...

That most of the people get sick is not surprising, because, in addition to all other trials and hardships, warm food is served only three times a week, the rations being very poor and very little ... The water which is served out on the ships is often very black, thick and full of worms, so that one cannot drink it without loathing, even with the greatest thirst ...

At length, when, after a long and tedious journey, the ships come in sight of land, so that the promontories can be seen, which the people were so eager and anxious to reach, all creep from below on deck to see the land from afar, and they weep for joy and pray and sing, thanking and praising God ... But alas!

When the ships have landed at Philadelphia after their long voyage, no one is permitted to leave them except those who pay for their passage or can give good security; the others, who cannot pay, must remain on board the ships till they are purchased ... The sick always fare the worst, for the healthy are naturally preferred first, and so the sick and wretched must often remain on board in front of the city for 2 or 3 weeks, and frequently die ...

Bob hyn a hyn, fesul carfanau bychain, câi'r carcharorion gerdded ar y bwrdd, rhag iddyn nhw gyffio. Er mor werthfawr oedd y cargo dynol hwn, rhaid oedd disgyblu ambell un yn llym, rhag ofn i'r gweddill ddilyn. 'Roedd chwipio a churo yn gosb gyson ar y mordeithiau hyn, yn ogystal â chadw'r carcharorion mewn cadwynau dwbwl mewn rhannau cyfyng o'r llong.

'Doedd y bwyd ddim yn dda, hyd yn oed ar y llongau gorau. Ar ôl ychydig wythnosau ar y môr, byddai'r cig wedi cynrhoni a madru yn aml, byddai'r dŵr yn drewi, ac nid oedd modd bwyta'r menyn. Ni pharhai cwrw am fwy na rhyw fis cyn dirywio'n llwyr, fel na allai neb ei yfed. Teflid bwydydd pwdr dros ochr y llong yn aml. Yr un bwyd a gâi'r teithwyr rhydd a'r carcharorion. Mae'r rhestr ganlynol yn rhoi inni fras-amcan o'r lluniaeth a gâi'r rhai a fyddai'n ymfudo yn ogystal â'r rhai a gâi eu trawsgludo ar y mordeithiau hyn:[141]

> On the four Beef days
> Four Pounds of Beef for every Mess of Five Heads
> And Two Pounds and a half of Flour
> And half a Pound of Suet, or Plums.
> On the two Pork Days
> Five Pounds of Pork
> And two Pints and a half of Pease, for every Five Heads.

[141] *The Colonial Records of the State of Georgia*, Gol. Allen D. Candler, 1904–1916, cyf. III, tt. 408–409.

And on the Fish Day
Two Pounds and a half of Fish,
    And half a pound of Butter, for every Five Heads.
The whole at Sixteen Ounces to the Pound
    And allow each Head Seven Pounds of Bread, of Fourteen Ounces to the Pound, by the Week.
    And Three Pints of Beer, and Two Quarts of Water, (whereof one of the Quarts for drinking, and the other for boiling Victuals) each Head by the Day, for the Space of a Month; and a Gallon of Water (whereof Two Quarts for Drinking, and the other Two for boiling Victuals) each Head by the Day after, during their being on their Passage.

Rhestr ddelfrydol oedd hon, fodd bynnag, a 'doedd pob capten ddim yn darparu mor hael ac mor gydwybodol ar gyfer y teithwyr

Y bygythiad pennaf oedd afiechyd. Gallai heintiau fel y frech wen a chlefyd y gwaed ladd cynifer â thraean y teithwyr ar un fordaith. Amcangyfrifir i 5,000 o bobl o leiaf farw yn ystod cyfnod y diwydiant trawsgludo, o'i ddechrau i'w ddiwedd. Byddai tuag un ymhob pump, ar gyfartaledd, yn marw ar bob mordaith. Gellid osgoi llawer o'r clefydau hyn drwy ymarfer ychydig o lendid, ond hollol ddiofal ac esgeulus oedd y rhan fwyaf o'r capteiniaid llong. Byddai'r rhai mwyaf cydwybodol yn ceisio cadw rhyw safon o lendid, ac yn golchi byrddau'r llongau yn gyson â finegr yn ystod y mordeithiau i ladd peth ar y drewdod ac i felysu'r awyrgylch ffiaidd. Ond mae'n amlwg nad oedd Capten Hayton ymhlith y capteiniaid mwyaf cydwybodol. Un o'r heintiau gwaethaf oedd clefyd neu dwymyn y carchar. Rhyw ffurf ar deiffws oedd hwn a achosid gan gyflwr afiach y carcharau ac a drosglwyddid o berson i berson gan lau. Byddai'r carcharorion yn dod â'r afiechyd hwn gyda nhw o'r carcharau i'r llongau. 'Roedd yn afiechyd hynod o heintus. Disgrifiwyd carchar Newgate fel hyn ym 1754, gan sôn ar yr un pryd am yr afiechyd brawychus hwn:[142]

It is a large prison, and made very strong the better to secure such sort of criminals which too much fill it. It is a dismal place within. The prisoners are sometimes packed so close together and the air so corrupted by their stench and nastiness that it occasions a disease called the Jail Distemper of which they die by dozens, and cartloads of them are carried out, and thrown into a pit in the churchyard of Christchurch without ceremony, and so infectious is this distemper that several judges, jurymen and lawyers, etc., have taken it off the prisoners when they have been brought to the Old Bailey to be tried, and died soon after ...

Cafodd yr haint afael ar Lewis Morris wedi ymweliad o ychydig funudau yn unig â charcharor yn Newgate:[143]

---

[142] Dyfynnir yn *Eighteenth-Century Life*, tt. 209 – 210.
[143] *ML* I, llythyr CCXXXIII, Lewis at William, o Lundain, Mai 14, 1755, t. 347.

Mi eis i Newgate y dydd arall i edrych am ddynan truan, ag a gefais glefyd y carchar mewn 5 neu 10 munud o amser, mi fum yn ysgothi (neu fal y dywaid y *Ceredigwyr* ysgarthu) er hynny hyd yrwan ag a gefais yr anwyd, sef y peswch, wrth noethi'r din mor fynych ...

Er mwyn ei deulu, er mwyn rhoi bywyd gwell a dyfodol sicrach i'w wraig a'i blant, y penderfynodd Goronwy wynebu'r holl beryglon hyn. 'Roedd yn fodlon ei mentro hi i ddod allan o'r twll yr oedd ynddo ar y pryd. Uffern dros-dro cyn cyrraedd gwynfyd parhaol oedd y fordaith, cyfnod byr o aflwydd cyn cyfnod maith o foethusrwydd a hapusrwydd; neu o leiaf, dyna fel y gobeithiai. Ond digwyddodd trychineb. Rywbryd yn ystod y fordaith bu farw Elin ac Owen, y baban, a bu'n rhaid eu gollwng i'r môr. 'Roedd Elin wedi glynu wrth ei gŵr drwy'i gyfnodau o feddwdod a thlodi, drwy garchariad a sarhad, drwy brofedigaeth ac erledigaeth. Mae'n rhaid fod Goronwy wedi ymddiheuro iddi ganwaith am ei ymddygiad yn y gorffennol ac wedi addo iddi y byddai'n diwygio'i ffyrdd. Rhyw fath o ymddiheuriad ac ernes o'i addewid i ofalu am ei deulu oedd ei benderfyniad i dderbyn y swydd yng Ngholeg William a Mary. Dyfodiad ei drydydd mab a sobrodd Goronwy i'w gyfrifoldeb: gweld ei deulu'n cynyddu eto fyth oedd y sbardun iddo droi dalen newydd, ond gollyngwyd ei freuddwydion a'i obeithion i'r môr gyda'r ddau gorff. Mae'n amlwg mai rhyw salwch heintus a laddodd y ddau, ac mae'n fwy na phosibl mai clefyd y carchar oedd y salwch hwnnw. 'Many of the convicts taken from Newgate, Old Bailey, and other prisons of London were infected with jail fever and other diseases contracted in crowded and unsanitary jails before embarking for Virginia and Maryland ... Sometimes passengers on such ships contracted diseases from the convicts and died at sea,' meddai un hanesydd.[144] 'Roedd y ffaith fod Goronwy wedi claddu lleidr, lladrones a baban arall, cyn i'r llong gychwyn ar y wir fordaith hyd yn oed, yn awgrymu hynny. Beth bynnag oedd yr achos, 'roedd ffawd wedi taro'r bardd ag ergyd lawchwith arall. Chwilio gem a chael amdo o wymon oedd y cyfan.

John Owen a drosglwyddodd y newyddion i William Morris fod 'y wraig Elin rywiog oleu wedi myned yn ymborth i'r morfilod ai maban ieuaf gyda hi', ar y dydd olaf o Awst, 1758.[145] Mae'n debyg mai Richard, drwy ei gysylltiadau, oedd y cyntaf i ddod i wybod am farwolaeth y ddau. 'Doedd gan William yr un rhithyn o gydymdeimlad â Goronwy yn ei brofedigaeth. 'Gwych o'r newydd fod Ellin, wraig Grono, wedi myned i'r nef a'i mab bach gyda hi, fal y gallo'r awen gael llonyddwch i ganu,' meddai, mewn brawddeg ffiaidd o greulon.[146]

---

[144] *Tobacco Coast: a Maritime History of the Chesapeake Bay in the Colonial Era*, Arthur Pierce Middleton, 1953, t.10.

[145] *ML* II, llythyr CCCXCV, William at John Owen, o Gaergybi, Hydref 1, 1758, tt. 87 – 88.

[146] Ibid., llythyr CCCXCIII, William at Richard, o Gaergybi, Medi 6, 1758, t. 85.

Pan welwyd tir o'r diwedd, wedi wythnosau o ddiflastod glas undonog, gollyngdod, yn hytrach na gorfoledd, a deimlai Goronwy. 'Roedd ei gynlluniau yn llanast cyn glanio ar dir hyd yn oed, ond o leiaf 'roedd uffern y fordaith ar fin dod i ben. O'i gwmpas byddai'r teithwyr a'r carcharorion, y ddwy garfan fel ei gilydd, yn syrthio ar eu gliniau mewn gweddi, yn bloeddio'u llawenydd, ac yn crio a gweddïo wrth weld y tir yn nesáu. Byddai wynebu'r anwybod mewn tir anghyfannedd ac anghyfarwydd yn nefoedd o'i gymharu â'r wythnosau o brinder a braw, o hunllef a dioddefaint, a dreuliwyd ar y llong. Ond prin y gallai Goronwy ymuno yn rhialtwch y dathlu. Yn wahanol i'r lleill, yn ôl drach ei gefn yr edrychai ef, nid ar y rhimyn tir o'i flaen. Iddo ef, 'roedd cyrraedd Virginia yn fwy o ddiwedd nag o ddechreuad.

'Chwilio Gem a Chael Gwymon'

Coleg William a Mary

1758–1760

Cyrhaeddodd Goronwy Owen ei drydedd wlad ar ôl colli ei ail blentyn a'i wraig gyntaf rywbryd ym mis Mawrth 1758. Yn dlodaidd ei wisg ac yn llwm ei wedd, ac wedi'i sigo i'r byw ar ôl colli Elin ac Owen bach, mae'n rhaid ei fod yn drwblus ei feddyliau ac yn drwm ei ysbryd wedi iddo gyrraedd pen y daith. Mae'n rhaid bod tryblith o emosiynau yn ei gorddi: edifeirwch iddo ymgymryd â'r fath daith, gwewyr enaid oherwydd iddo roi bywyd mor galed i Elin, a'i cholli cyn cael siawns i gynnig bywyd newydd gwell iddi, ofn ac ansicrwydd o orfod wynebu swydd newydd mewn gwlad ddieithr, ac ar ben popeth, gorfod magu'r ddau fachgen ar ei ben ei hun, heb ofal mamol ei wraig. 'Roedd y fordaith yn sicr wedi gadael ei hôl arno: tri mis, mwy neu lai, o fyw ar fwyd pwdr a dŵr drewllyd, o orfod goddef aflendid corfforol a mochyndra'r morwyr o'i amgylch; tri mis o fyw yng nghanol afiechydon a bryntni, a chyn pen y daith, galar a hiraeth am Elin a'r baban yn ei lethu.

Hyd yn oed os oedd swydd gymharol sicr yn ei aros, y tro hwn, oni fyddai wedi bod yn well ganddo ganwaith wynebu ansicrwydd ac ansefydlogrwydd Llundain eto, â'i deulu yn gyfan, yn hytrach na chyrchu swydd addawol â'i deulu'n deilchion? Pa freuddwydion bynnag a goleddai ef ac Elin cyn cychwyn ar y fordaith, pa obeithion bynnag a rannai'r ddau â'i gilydd, 'roedd y breuddwydion a'r gobeithion hynny yn chwilfriw mân. Cwbwl nodweddiadol o hanes bywyd Goronwy ar ei hyd oedd y sefyllfa: bob tro y tybiai fod gwell byd ar riniog ei ddrws, caeid y drws hwnnw yn glep yn ei wyneb, a'i fwrw'n ôl i gyflwr gwaeth nag erioed. Yng nghanol yr holl siom ac ansicrwydd 'roedd un peth yn sicr: 'roedd ganddo ddau fab bychan, Robin yn wyth a Gronwy yn chwech, a'r ddau yn llwyr ddibynnol arno. Siawns nad oedd hyn yn sbardun iddo ddal ati, ac ymgynnal ac ymddygnu orau y gallai yn nannedd trallodion a cholledion. Byddai'n rhaid i'r gŵr gweddw roi'r gorau i fod yn ŵr meddw.

Cyn hir byddai taith arall o'i flaen drwy dir dyrys ac anghyfannedd i Williamsburg. Ni châi gyfle i fwrw'i alar nac i ddadflino. Byddai'n rhaid iddo gadw'i egni ar gyfer y rhan olaf o'r daith, ac ymwroli, petai ond i liniaru rhywfaint ar ludded a galar y ddau hogyn. Ac fe allai taith ar dir yn America drefedigaethol y ddeunawfed ganrif fod yn anos na thaith ar fôr hyd yn oed. Garw a chyntefig oedd y ffyrdd, er bod y cynnydd mewn masnach o bob math wedi creu'r angen am well rhwydwaith o ffyrdd drwy Virginia, ac wedi lleihau'r arferiad o deithio ar ddŵr. Erbyn 1732 'roedd digon o ffyrdd ar gael i gyfiawnhau cyhoeddi teithlyfr bychan, *Vade-Mecum for America: or a Companion for Traders and Travellers*, llyfr a nodai'r gwahanol ffyrdd, a'u pellter, o geg Afon Penobscot hyd at Afon James yn Virginia, pellter o saith gan milltir. Er bod amodau teithio wedi gwella'n aruthrol erbyn 1758, gorchwyl digon amhleserus oedd trafaelio ar dir o hyd. Llaid meddal oedd y ffyrdd hyn ar dywydd gwlyb, a llwch caled ar dywydd sych. Mae'n debyg mai mewn men y teithiodd i gyfeiriad Williamsburg, sef y dull mwyaf cyffredin o gludo teithwyr a nwyddau ar dir. Byddai gan yrwyr y wagenni fwyell gyda nhw bob amser, i dorri ymaith y coed yr oedd stormydd Virginia wedi eu hyrddio ar draws y ffyrdd. 'Bro coedydd, gelltydd gwylltion' a 'Pau prifwig' oedd Virginia yn ôl disgrifiad Goronwy ohoni yn ei farwnad i Lewis Morris, ac yn ôl un tyst cyfoes, yntau hefyd, fel Goronwy, yn cyrchu Williamsburg ar y pryd, 'roedd 'the whole land ... one continuous immense forest, intercepted by openings where the trees had been cut down, and the land cultivated'.[1] Er mor ddrwg oedd cyflwr y ffyrdd yn Virginia, mae un peth yn sicr. Gan fod Williamsburg yn ganolfan mor bwysig ar y pryd, 'roedd y ffyrdd yn gwella wrth nesáu at y dref:[2]

> ... travel over Virginia roads was laborious, and often hazardous. From time to time, as people began to settle in the forests away from navigable rivers, laws were passed for the building and upkeep of highways. The general pattern for road-building followed during this period appears in an act of 1705. It provided that, where not already done, the surveyors of the highways "in their several precincts" lay out public roads "in such places as shall be most convenient for passing to and from the City of Williamsburg, the court house of every county, the parish churches, and such public mills and ferries as now are or hereafter shall be erected, and from one county to another ..." and to public landing places that had "store-houses, commonly called rolling-houses, built at or near them."

Er mai ar dir y teithid yn bennaf erbyn canol y ddeunawfed ganrif, byddai'n rhaid rhydio

---

[1] *A Tour in the United States*, J. F. D. Smythe, 1784, cyf. I, t. 24.

[2] *Colonial Virginia*, Richard L. Morton, cyf. II, *Westward Expansion and Prelude to Revolution 1710–1763*, 1960, t. 530. Cf. Richard L. Morton eto, *n.* yn *The Present State of Virginia*, Hugh Jones, 1724, Gol. Richard L. Morton, 1956, tt. 192 –193: 'The first reference to highways in Virginia laws was the act of 1632, at the time that Virginians were beginning to settle between the James and the York rivers. As the name implies, roads were first built on the high ways or watersheds above the heads of small streams to avoid these streams and ravines along the hillsides. The roads often followed Indian trails. Since dwelling houses were usually built on rivers, near springs, or in the cleared ground in the midst of the farms or plantations away from the highways, the roads usually ran through forests, often primeval with huge trees set far apart and free of underbrush like a park'.

afonydd yn aml, ac weithiau, pan gyrhaeddai'r wagenni lan afon, fe'u cludid i'r ochr arall gan rafftiau. Hyd yn oed cyn iddo gychwyn o Lundain ryw dri mis ynghynt, gwyddai Goronwy y byddai'n rhaid iddo gadw peth o'i arian a'i gryfder ar gyfer y rhan olaf hon o'r daith i Williamsburg. Yn y llythyr hwnnw o'i eiddo a gyfeiriwyd at aelodau Cymdeithas y Cymmrodorion, dywedodd 'nad â'n Llong ni o fewn 30 milltir i *Williamsburgh*,' a 'pa fodd yr ymlusgir yno hyd Fôr na Thïr heb arian?'[3]

Bae Chesapeake oedd y cyrchfan cyntaf, cyn teithio i Williamsburg. Yn ôl un dystiolaeth gyfoes:[4]

> The Entrance into *Virginia* for Shipping, is by the Mouth of the *Chesapeak* Bay, which is indeed more like a River, than a Bay: For it runs up into the Land about Two Hundred Miles, being every where near as wide, as it is at the Mouth, and in many places much wider. The Mouth thereof is about Seven Leagues over, through which all Ships must pass to go to *Maryland*.
>
> The Coast is a bold and even Coast, with regular Soundings, and is open all the Year round: So that having the Latitude, which also can hardly be wanted, upon a Coast where so much clear Weather is, any Ship may go in by Soundings alone, by Day or Night, in Summer or in Winter; and need not fear any Disaster, if the Mariners understand any thing ... A bolder and safer Coast is not known in the Universe; to which Conveniences, there's the Addition of good Anchorage all along upon it, without the Capes.

'Roedd trigolion rhanbarthau'r Chesapeake yn hen gyfarwydd â gweld llongeidiau o ddrwgweithredwyr yn cyrraedd. Bae Chesapeake oedd y man dadlwytho arferol. O'r 7,010 o droseddwyr a drawsgludwyd o Brydain rhwng 1718 a 1744 i leoliadau gwybyddus, anfonwyd 6,815 ohonyn nhw i ranbarthau'r Chesapeake, 3,341 i Maryland, 2,706 i Virginia, a 768 i'r naill neu'r llall. Amcangyfrifir i ryw 12,000 o ddrwgweithredwyr gyrraedd Virginia rhwng 1746 a 1775. Ac ymhlith yr anffodusion a gyrhaeddodd y drefedigaeth ym Mawrth 1758, yr oedd bardd o Gymro.

Ar ôl cyrraedd tir, y flaenoriaeth oedd cael gwared â'r troseddwyr, nid dadlwytho'r teithwyr eraill. Ni allai unrhyw long drawsgludo hwylio'n ôl i Brydain nes y byddai pob carcharor wedi'i werthu, a gorau po gyntaf y gwerthid y rhain. Gwerthid y carcharorion mewn nifer o leoliadau masnachol rhagbenodedig a chyfarwydd yng nghyffiniau'r Chesapeake. Yn Virginia, rhai o'r prif fannau masnachu oedd Leedstown, Hobb's Hole, a Fredericksburg ar Afon Rappahannock, a Dumfries ac Alexandria ar ran uchaf Afon Potomac. Mae cyfeiriad at y *Tryal* yn cynnal arwerthiannau yn rhai o'r mannau masnachu hyn wedi goroesi. Yn Ebrill 1765, saith mlynedd ar ôl i'r bardd hwylio ar y llong i Virginia, hysbysodd Thomas Hodge, asiant cwmni Stewart & Campbell yn Llundain, aelod o'r cwmni hwnnw a'i cyflogai fod:[5]

---

[3] *LGO*, llythyr XXVI, at Gymdeithas y Cymmrodorion, Tachwedd 2, 1757, t. 194.

[4] *The History and Present State of Virginia*, Robert Beverley, 1705, Gol. Louis B. Wright, 1947, tt. 117–118.

[5] Thomas Hodge at William Allason, Ebrill 19, 1765, William Allason Papers, Blwch 4, Virginia State Library.

> The *Tryal* is in Potomack with about 100 Convicts. The Sale will commence at Cedar point on 1st of May and will continue till the Saturday following. From thence the Ship will be moved to Alexandria about the 8th or 10th.

Gwyddom, felly, y gallai'r *Tryal* gludo o leiaf gant o droseddwyr. Nid cael gwared â'r carcharorion yn unig a wneid yn y mannau hyn, ond dadlwytho nwyddau yn ogystal, ac ail-lenwi'r llongau â darpariaethau cyn wynebu'r fordaith yn ôl. Meddai Richard L. Morton am y mannau masnachu hyn:[6]

> The line which divides the tidewater region (the coastal plain in which the tide rises and falls in the rivers) from the piedmont region beyond is known as the fall line. At this line there is a series of rapids in the rivers which form a barrier to navigation. At the head of navigation on the great rivers there developed, during the Colonial Period, trading stations where ships unloaded their goods in warehouses and where frontier traders started their pack trains or boats along the routes to the west. These posts grew into cities – Alexandria on the Potomac, Fredericksburg on the Rappahannock, Richmond on the James, and Petersburg on the Appomattox.

Cyn rhoi'r drwgweithredwyr ar werth, gwneid pob ymdrech i'w hymgeleddu, er mwyn denu cwsmeriaid. Byddai'n rhaid iddyn nhw ymolchi cyn i'r darpar-brynwyr gyrraedd. Eillid y dynion, torri eu gwalltiau, a gwisgid pawb mewn dillad glân. Gwneid pob ymdrech i wella ymddangosiad y gweision a'r morynion ymrwymedig yn ogystal. Mae'n sicr fod Goronwy wedi bod yn llygad-dyst i'r ddefod hon. Ar ôl cyrraedd pen y daith, hefyd, llunnid rhestr newydd o'r rhai a oedd wedi goroesi'r fordaith, gan nodi eu cymwysterau a'u medrau. Ar fwrdd y llong y cynhelid yr awerthiannau hyn gan amlaf. Gan mai anllythrennog oedd y mwyafrif helaeth o'r troseddwyr hyn, prin iawn yw'r dystiolaeth uniongyrchol-bersonol o'u caledi a'u dioddefaint. Ond mae un gerdd wedi goroesi, eiddo gŵr o'r enw James Revel, a drawsgludwyd i Virginia ym 1771. Yn honno, mae'n croniclo caledi'r daith a gwarth yr arwerthu:[7]

> The Captain and the sailors us'd us well,
> But kept us nude lest we should rebel.
> We were in number about three score,
> A wicked lousy crew as e'er went o'er.
>
> Oaths and tobacco with us plenty were,
> For most did smoak and all did curse and swear.
> Five of our number in the passage died,
> Which soon was thrown into the ocean wide.

---

[6] *The Present State of Virginia*, n. t. 265.

[7] *The Poor Unhappy Transported Felons Sorrowful Account of Fourteen Years' Transportation at Virginia in America;* dyfynnir yn *Emigrants in Chains*, tt. 102-103.

And after sailing seven weeks or more,
We at Virginia all were set on shore
Where to refresh us we were washed clean,
That to our buyers we might better seem.

Our things they gave to each they did belong,
And they that had clean linen put it on.
They shav'd our faces, comb'd our wigs and hair,
That we in decent order might appear.

Against the planters did come down to view
How well they lik'd this fresh transported crew.
The women from us separated stood
As well as us by them for to be viewed.

... Some view'd our limbs and others turn'd us round,
Examining (like horses) if we were sound ...

Some felt our hands and view'd our legs and feet,
And made us walk to see if we were compleat.
Some view'd our teeth to see if they were good,
Or fit to chew our hard and homely food.

Ond er pob ymdrech i ymgeleddu'r carcharorion, 'doedd dim modd cael gwared â'r drewdod a'u dilynai i bobman, na chuddio trueni eu cyflwr ychwaith. 'I never see such pasels of pore Raches in my Life, some all most naked and what had Cloths was as Black [as] Chimney Swipers, and all most Starved by the Ill [usage] in their Pasedge By the Capn, for they are used no Bater than so many negro Slaves,' meddai un o'r trefedigaeth-wyr wrth weld arwerthiant o ryw gant o garcharorion yn Williamsburg.[8] Yn ogystal â'u harchwilio, byddai'r prynwyr yn holi'r caethweision gwyn hyn am eu camwedd a'u cefndir. Byddai'r pris a delid amdanyn nhw, ar ôl cryn fargeinio, yn dibynnu ar eu cym-wysterau, eu hoedran, eu rhyw a'u cyflwr, ac, yn aml, ar eu cenedl a'u crefydd. Ceid rhwng £15 a £25 am grefftwyr, rhwng £7 a £14 am lafurwyr di-grefft neu'r rhai â medrau cymedrol, a rhwng £7 a £10 am ferched. Gostyngid y prisiau am yr hen a'r afiach i'r gwaelodion, er mwyn cael gwared â nhw yn sydyn. 'Roedd y dull o brynu gweision a morynion yn dilyn yr un egwyddor, i bob pwrpas. Weithiau, byddai'r capteiniaid yn gadael yr holl gargo dynol hwn yng ngofal asiant neu gynrychiolydd i'r cwmni traws-gludo, a rhoi'r cyfrifoldeb o gael gwared â'r carcharorion i hwnnw, ond weithiau'n unig y dilynid y drefn hon. Pan wneid hynny, byddai'n hwyluso pethau i'r capteiniaid, gan y gallen nhw hwylio'n ôl i Brydain yn gynt nag arfer i gyrchu cargo arall.

---

[8] Dyfynnir yn *Bound for America*, t. 122.

Mae'r broses hon o werthu troseddwyr efallai yn esbonio pam y cymerodd Goronwy ryw dri mis i gyrraedd Williamsburg. Gallai'r arwerthiannau barhau am ddyddiau, a byddai'n rhaid i'r teithwyr eraill adael y llong yn y man glanio mwyaf cyfleus iddyn nhw o safbwynt cyrraedd eu cyrchfan. Nid yw amwysedd amcangyfrifiad Goronwy, 'o fewn 30 milltir i *Williamsburgh*', yn rhoi llawer o help inni. Gallai gyrraedd Williamsburg un ai o gyfeiriad Afon James ar y naill ochr neu afon York ar yr ochr arall i'r penrhyn;[9] ac wedyn, gallai'r daith dros dir a dŵr fod yn un drafferthus a llafurus. Mae'n dibynnu ym mha le yn union y gollyngwyd Goronwy.

Cyrhaeddodd Goronwy Goleg William a Mary un ai ddiwedd Mawrth, 1758, neu ddechrau Ebrill, oddeutu Ebrill 1, yn ôl un ffynhonnell.[10] Gallem feddwl y byddai yn awr yn ymdrechu'n daer i gladdu'i ofidiau a'i brofedigaethau, ac yn ymroi i yrfa newydd a allai sicrhau dyfodol diogel a ffyniannus i'w feibion, hyd yn oed os oedd ei fyd ef ei hun yn deilchion. Yn anffodus, cyrhaeddodd Goronwy yng nghanol pennod gythryblus yn hanes y Coleg, ac am y ddwy flynedd nesaf, byddai bywyd personol Goronwy a gwleidyddiaeth y Coleg wedi eu gwau'n annatod glwm yn ei gilydd. Yn wir, gellid honni fod Goronwy yn darged gwleidyddol drwy gydol yr amser y bu yno.

Sefydlwyd Coleg William a Mary ym 1693. Hwn oedd yr ail goleg i'w sefydlu yn America, yn dilyn sefydlu Harvard yn Cambridge yn ymyl Boston ym 1636 gan y Piwritaniaid. Cynnyrch yr Eglwys Anglicanaidd oedd Coleg William a Mary. Yn wreiddiol, diben y ddau sefydliad addysg-uwch hyn oedd darparu a hyfforddi pobl ifainc ar gyfer y weinidogaeth, ond bu'n rhaid ehangu cryn dipyn ar y delfryd hwn ac addasu'r addysg a geid ynddyn nhw at ofynion ac amgylchiadau newydd gwlad ar ei thwf:[11]

> The need in a fast-growing society for trained minds in profane fields was too urgent to confine instruction to a single skill, even that of preparing young men to save souls. The colleges therefore accepted students regardless of creed, though of course with the hope of inoculating them against error. Following English example, the schools sought to equip the youths for their lifework, whatever it might be ... The colleges had a further role – one expressed by George III in 1762 ... "The continual Accession of People" to

---

[9] Cf. Rutherfoord Goodwin, *A Brief & True Report Concerning Williamsburg in Virginia*, 1941, t. 19: 'The Act directing the Building of the Capitol and the City of *Williamsburgh* at *Middle Plantation*, which was passed by the Assembly (with the Urging of his Excellency, Francis Nicholson, Esq., the Governor) in June, 1699, set aside two Hundred eighty-three Acres, thirty-five Poles and a Half of Land for the sole Use of the City to be there built. Of this, two Hundred and twenty Acres were surveyed and allotted to the City proper, and the Rest was set aside for two Ports to be known as *Queen Mary's Port* and *Princess Anne Port* (together with Land for Roads leading to them) upon *Queen's Creek* and *Archer's Hope* or *Princess Creek*, so that the City's Bounds might be accessible from the *James* and *York* Rivers, yet the City proper not subject to Bombardment from either.'

[10] Tystiolaeth o eiddo Robert Nicholson, Awst 29, 1795, a gynhwyswyd mewn llythyr a anfonwyd gan John Sherlock at Edward Owen, Warrington. Anfonodd Edward Owen y wybodaeth at John Williams, Llanrwst, ar Dachwedd 29, 1795. 'Letters from the Rev. Edward Owen to the Rev. John Williams, Llanrwst', *THSC*, 1922–1923 (cyfrol atodol), 1924, t. 62 ('He with two sons came to Williamsburg about the 1st of April.').

[11] *The Birth of the Nation: a Portrait of the American People on the Eve of Independence*, Arthur M. Schlesinger, 1968, arg, 1981, t. 179.

the Middle colonies "from different Parts of the World," the king said, presented dangers should "so mixt a Multitude" be left "unenlightened in Religion, uncemented in a common Education, strangers to the Humane Arts, and to the just use of rational Liberty." Schooling was thus also counted on to expedite the operation of what Americans had not yet learned to call the melting pot.

Erbyn canol y ddeunawfed ganrif 'roedd y coleg wedi meithrin peth gwerth snobyddol, a pharatôi feibion i deuluoedd cefnog, yn enwedig o blith perchnogion y planigfeydd baco, ar gyfer gyrfaoedd fel meddygon, cyfreithwyr, a gwleidyddion, ond 'roedd y delfryd cychwynnol yn parhau o hyd.

Sefydlwyd rhai o'r trefedigaethau gan ffoaduriaid crefyddol, sectau a fynnai'r rhyddid a'r hawl i ymarfer eu ffurf arbennig nhw eu hunain ar addoliad heb ofni unrhyw fath o erledigaeth. Nid felly 'roedd hi yn achos Virginia, y mwyaf Seisnig geidwadol o'r trefedigaethau newydd. Nod sefydlu Virginia oedd trosglwyddo'r Lloegr fonheddig, draddodiadol yn ei chrynswth i America, a'i chrefydd frodorol i'w chanlyn. Meddai'r Parch. Hugh Jones, awdur *The Present State of Virginia* :[12]

> If New England be called a receptacle of dissenters, and an Amsterdam of religion, Pensylvania the nursery of Quakers, Maryland the retirement of Roman Catholicks, North Carolina the refuge of run-aways, and South Carolina the delight of buccaneers and pyrates, Virginia may be justly esteemed the happy retreat of true Britons and true churchmen for the most part; neither soaring too high nor drooping too low, consequently should merit the greater esteem and encouragement.

Ar ddechrau'r ddeunawfed ganrif, aelodau'r Eglwys Anglicanaidd oedd yn y mwyafrif yn y trefedigaethau, ac eithrio yn Pennsylvania a Delaware, ond 'roedd un gwendid mawr sylfaenol yn andwyo'r holl gyfundrefn. Ym 1691, penderfynwyd gosod y trefedigaethau dan awdurdod Esgob Llundain, ac nid oedd modd gweinyddu materion eglwysig yn effeithiol gyda'r fath bellter rhwng y Fam Eglwys a'i chywion. Nid oedd y sefyllfa wrth fodd Esgob Llundain ychwaith. 'For a Bishop to live at one end of the world, and his Church at the other,' meddai Thomas Sherlock, Esgob Llundain 1748 – 1761, 'must make the office very uncomfortable to the Bishop, and in a great measure useless to the people'.[13] 'Roedd Sherlock ei hun o blaid sefydlu esgobaeth Americanaidd. Pan olynodd Edmund Gibson fel Esgob Llundain ym 1748, gwrthododd ofyn i'r Brenin adnewyddu ar ei ran yr awdurdod a berthynai i'w ragflaenydd yn y trefedigaethau. Gobeithiai Sherlock y byddai ei ddiffyg awdurdod ar yr eglwysi trefedigaethol yn gorfodi llywodraeth Prydain i sefydlu trefn esgobol yn y trefedigaethau, ond gwrthododd y llywodraeth benodi esgobion yn America. Swyddog digon amwys ei gymwysterau a'i bwerau â'r teitl

---

[12] *The Present State of Virginia*, t. 83.

[13] *The Americans: the Colonial Experience*, Daniel J. Boorstin, 1958, arg. 1988, t. 126.

Commissary oedd yr unig gysylltiad bregus rhwng y Fam Eglwys a'r Trefedigaethau, ac fel y gwyddom, Thomas Dawson, Llywydd Coleg William a Mary, oedd y *Commissary*, cynrychiolydd Esgob Llundain, pan benderfynodd Goronwy dderbyn y swydd yn y Coleg.

Drwy gydol y ganrif, hyd at y Rhyfel o blaid Annibyniaeth America, a hyd nes i'r Eglwys yn Virginia gael ei hesgob ei hun ym 1783, ar ôl i America ennill ei hannibyniaeth, 'roedd y ffaith fod yr Eglwys yn Virginia heb esgob yn bwnc llosg o'r mwyaf ac yn achos sawl dadl ac anghydfod. Dyma, yn ôl y trefedigaethwyr, un o'r anfanteision niferus hynny o fod yn perthyn i Brydain.

'Roedd yn rhaid i bob ymgeisydd am urddau eglwysig hwylio o America i Loegr i gael ei ordeinio. Cwynodd Thomas Sherlock ym 1751 fod yr anhwylustod hwn o orfod anfon darpar-offeiriaid i Loegr yn andwyol i achos a dyfodol yr Eglwys Anglicanaidd yn y trefedigaethau. 'The people of the Country,' meddai, 'are discouraged from bringing up their Children for the Ministry, because of the hazard and expence of sending them to England to take orders where, they often get the small pox, a distemper fatal to the Natives of those Countrys.'[14] 'Roedd ymorol am urddau eglwysig yn fater costus a pheryglus, a mawr oedd yr angen i'r Eglwys yn Virginia gael ei hesgobion ei hun os oedd yr Eglwys Anglicanaidd i oroesi yn America.

'Roedd y pryder hwn yn flaenllaw ym meddyliau sefydlwyr Coleg William a Mary. Sefydlwyd y Coleg, yn wreiddiol, er mwyn addysgu a hyfforddi darpar-offeiriaid, 'that the Church of Virginia may be furnished with a Seminary of the Ministers of the Gospel, and that the youth may be piously educated in good letters and manners'.[15] Tybid y byddai sefydlu coleg o'r fath, yn absenoldeb unrhyw sefydliad addysg-uwch a baratoai bobl ifainc ar gyfer gyrfa eglwysig, yn gam mawr tuag at sicrhau cyflenwad cyson o weinidogion i'r Eglwys yn Virginia. Hyd yn oed os oedd yn rhaid anfon darpar-offeiriaid i Loegr i gael eu hordeinio, gellid o leiaf eu haddysgu yn America, a byddai hynny'n golygu fod hanner y frwydr wedi ei hennill.

Sefydliad Anglicanaidd oedd Coleg William a Mary o'i ddechreuad. Mewn cynhadledd a gynhaliwyd gan aelodau o'r Eglwys Anglicanaidd yn Virginia ym 1690, penderfynwyd sefydlu coleg ac iddo dair adran neu ysgol: yr ysgol ramadeg, yr ysgol athroniaeth neu wybodaethau (gan gofio mai ystyr *philosophy* yn y cyfnod oedd dysg neu wybodaeth), a'r ysgol ddiwinyddol. Ym mis Mai 1691 anfonwyd yr Albanwr, y Parch. James Blair, *commissary* neu gynrychiolydd Esgob Llundain yn Virginia ar y pryd, gan Gynulliad Cyffredinol Virginia i Loegr i ofyn i'r Brenin William III a'r Frenhines Mary II ganiatáu siarter i'r Coleg. Caniatawyd y siarter ar Chwefror 8, 1693, a phenodwyd James Blair yn Llywydd cyntaf y Coleg. Gwasanaethodd fel Llywydd hyd at ei farwolaeth ym 1743.

---

[14] Ibid.

[15] Dyfynnir yn *The History of the Church of England in the Colonies and Foreign Dependencies of the British Empire*, James S. M. Anderson, 1856, t. 204. Hefyd yn *The History of the American Episcopal Church 1587–1883*, W. S. Perry, cyf. I, 1885, t. 122.

Erbyn mis Chwefror 1729, 'roedd pob un o adrannau'r Coleg wedi eu sefydlu: yn ogystal ag ysgol ramadeg, a baratoai ddisgyblion ar gyfer addysg uwch, ysgol athroniaeth neu wybodaethau ac ysgol ddiwinyddiaeth, sefydlwyd ysgol ar gyfer Indiaid. 'Roedd addysgu Indiaid yn fwriad gan y Coleg o'r dechrau, er mwyn dangos ewyllys da tuag at y brodorion, a chyda'r gobaith y byddai eu haddysgu yn y pen draw yn eu troi'n Gristnogion. Cesglid yr Indiaid ifainc hyn, plant i benaethiaid rai ohonyn nhw, o blith llwythau a drigai ar gyrion Williamsburg, a'u lletya yn y dref i ddechrau, ac wedyn yn adeilad y Brafferton, a godwyd ym 1723, o fewn y Coleg ei hun. Arbrawf aflwyddiannus oedd hwn yn y pen draw, fodd bynnag. Bu farw llawer o Indiaid o afiechydon fel y frech goch a'r pas, a dychwelai'r lleill '... to their home, some with and some without baptism, where they follow their own savage customs and heathenish rites,' yn ôl Hugh Jones.[16] Yng nghyfnod Goronwy yn y Coleg, 'roedd rhyw hanner dwsin o Indiaid yn derbyn eu haddysg yno. 'Roedd yr ysgol ramadeg yng ngofal un meistr, ac felly hefyd ysgol yr Indiaid, tra oedd y ddwy adran arall yng ngofal dau athro, staff o saith i gyd gan gynnwys y Llywydd.

'Roedd i'r Coleg dri adeilad yn ystod cyfnod Goronwy yno, sef y prif adeilad, y Coleg ei hun, ac adeilad y Brafferton ar y naill ochr iddo a thŷ'r Llywydd ar yr ochr arall, gyferbyn â'r Brafferton. Codwyd y prif adeilad ym 1694, a thŷ'r Llywydd ym 1732. Yn ôl traddodiad, cynlluniwyd adeilad gwreiddiol y Coleg ei hun (llosgodd i'r llawr ym 1705) gan y pensaer enwog Christopher Wren, ond nid oes unrhyw brawf pendant o hynny. Mae'n bosibl mai copïo cynllun Ysbyty Chelsea, a gynlluniwyd gan Wren, a wnaed. Pwy bynnag oedd y pensaer gwreiddiol, ni adawodd pensaernïaeth y Coleg argraff ddofn iawn ar un o'i ddisgyblion enwocaf, Thomas Jefferson, a ddisgrifiodd y Coleg a'r Ysbyty i Wallgofiaid yn Williamsburg fel 'rude, mis-shapen piles, which, but that they have roofs, would be taken for brick-kilns'.[17] Dyma ddisgrifiad Hugh Jones o'r Coleg ym 1724:[18]

> The front which looks due east is double, and is 136 foot long. It is a lofty pile of brick building adorned with a cupola. At the north end runs back a large wing, which is a handsome hall, answerable to which the chapel is to be built; and there is a spacious piazza on the west side, from one wing to the other. It is approached by a good walk, and a grand entrance by steps, with good courts and gardens about it, with a good house and apartments for the Indian Master and his scholars, and out-houses; and a large pasture enclosed like a park with about 150 acres of land adjoining, for occasional uses.

'Roedd Achos yr Esgob yn creu llawer o anghydfod a thyndra o fewn y Coleg pan ymunodd Goronwy â'r staff. Cyrhaeddodd hefyd yng nghanol helynt arall, a oedd yn fwy uniongyrchol nag anniddigrwydd yn y cefndir. Trefedigaeth wedi'i sefydlu ar fwg, yn ôl

[16] *The Present State of Virginia*, t. 114.

[17] 'Notes on the State of Virginia', *The Writings of Thomas Jefferson*, Gol. Paul Leicester Ford, 1892–1899, cyf. III, t. 258.

[18] *The Present State of Virginia*, tt. 66–67.

y dywediad poblogaidd, oedd Virginia. Baco oedd ei phrif gynnyrch a chraidd yr economi. Cnwd masnachol oedd hwn yn ei hanfod, nid cnwd cynhaliol: tyfid baco yn unswydd er mwyn ei werthu i wneud elw. Gan mai baco oedd sylfaen economaidd Virginia, 'roedd yn gyfwerth ag arian. Ar ôl 1695, cyflog offeiriad plwyf yn Virginia oedd 16,000 pwys o faco, a gallai'r offeiriaid werthu'r baco yn ôl y cyfraddau cyfredol. Pasiwyd deddf arall gan y Cynulliad Cyffredinol, corff llywodraethol lleol Virginia, ym 1748 a godai'r tâl i glerigwyr i 17,280 o bwysi o faco y flwyddyn, a chadarnhawyd fod cyflogau'r clerigwyr i aros yn sefydlog ddigyfnewid pe byddai i werth ariannol baco newid oherwydd y tywydd neu ffactorau eraill. 'Roedd y cyfraddau hyn yn weddol sefydlog; prin y byddai'r un cnwd yn methu. Yr unig broblem barhaol oedd y gwahaniaeth yn ansawdd y baco o blwyf i blwyf. 'Roedd y math o faco a elwid yn *Oronoko* yn arw a gwael o'i gymharu â math arall, y *Sweet Scented*, a oedd o well ansawdd ac yn uwch yn ei bris. 'The establishment is indeed tobacco, but some parts of the country make but mean and poor, so that clergymen don't care to live in such parishes,' meddai'r Parch. Hugh Jones.[19] Ym 1724, wrth ofyn i Esgob Llundain am ragor o offeiriaid i Virginia, dywedodd James Blair fod lleoedd gwag mewn pum plwyf a dyfai'r math gorau o faco, ond 'about double that number of Oranoco ones Vacant'.[20] Er mor ddibynadwy oedd y cnwd baco blyn-yddol, ym 1755 cafwyd cnwd truenus o wael, a chododd yr ychydig faco a gafwyd y flwyddyn honno yn ei werth. Pasiwyd deddf gan y Cynulliad Cyffredinol, y Ddeddf Ddwy Geiniog, fel y gelwid hi, a rôi'r hawl i'r senedd i dalu cyflogau i offeiriad ac i rai swyddogion cyhoeddus mewn arian, yn hytrach nag mewn baco, yn ôl dwy geiniog y pwys. Golygai hyn fod y raddfa dalu gryn dipyn yn is na phris y baco ar y farchnad am y flwyddyn honno, oherwydd prinder y cnwd.

Gwrthwynebwyd y ddeddf newydd hon yn ffyrnig gan garfan fechan o glerigwyr. Arweiniwyd gwrthdystiad gan bedwar o athrawon Coleg William a Mary – John Camm, William Preston, Thomas Robinson a Richard Graham. Anfonwyd dirprwyaeth o bedwar at Robert Dinwiddie, Llywodraethwr Virginia ar y pryd, i geisio dylanwadu arno i ddiddymu'r ddeddf. Gwrthododd Dinwiddie gydweithredu, a gofynnodd y gwrth-dystwyr i Thomas Dawson alw cynhadledd rhwng y clerigwyr ynghyd, fel y gellid cyflwyno'u gwrthwynebiad i'r ddeddf yn unol ac yn swyddogol i Esgob Llundain. Ymateb Dawson, a ffafriai ddulliau heddychlon a digyffro o weithredu,[21] oedd y byddai'n well ganddo anfon adroddiad personol ynghylch y mater at yr Esgob. Yn wyneb cyn-dynrwydd Dinwiddie a Dawson i gydweithredu, anfonodd y protestwyr hyn, y pedwar

---

[19] Ibid., t. 100.

[20] *The Americans: the Colonial Experience*, t. 129.

[21] Yn ôl llythyr a anfonwyd gan ŵr o'r enw Dudley Digges, aelod o Fwrdd Ymwelwyr y Coleg, at Esgob Llundain ar Orffennaf 15, 1767, ar ôl marwolaeth Dawson, 'roedd y Llywydd yn 'gentleman of an exceedingly amiable disposition, which had indeared him to all his acquaintance'; *Colonial Virginia*, cyf. II, t. 768. Ceir tystiolaethau cyffelyb gan gyfoedion eraill iddo.

athro o'r Coleg yn eu plith, lythyr at Esgob Llundain ar Dachwedd 29, 1755. Cwynwyd fod y Cynulliad Cyffredinol yn Virginia wedi sarhau hawliau'r clerigwyr, ac wedi tanseilio awdurdod y Brenin ei hun, a bod tranc yr Eglwys Sefydledig yn Virginia yn anochel oherwydd y cam haerllug hwn. Cyflwynwyd deiseb i Dŷ'r Bwrdeisiaid yn ogystal, gan haeru fod cyflogau'r clerigwyr ar eu huchaf yn annigonol, a'u bod yn cael anhawster i gynnal eu teuluoedd fel ag yr oedd hi. Honnwyd mai'r fywoliaeth fain hon oedd yn gyfrifol am y ffaith fod cyn lleied o weinidogion graddedig o Rydychen a Chaer-grawnt yn derbyn galwadau eglwysig yn Virginia. 'Our salaries have had the royal assent,' meddent, 'and cannot be taken from us or diminished in any respect by any law made here without trampling upon the royal prerogative'.[22]

Anfonwyd dau lythyr arall at yr Esgob ar Chwefror 25, 1756, y naill gan ddeg o glerigwyr Anglicanaidd, a'r llall gan Thomas Dawson. Amgaewyd copi o ddeddf 1755 yn y ddau lythyr, a phrotestiwyd yn ei herbyn gan Dawson a'r clerigwyr fel ei gilydd. 'Roedd llythyr y clerigwyr yn hynod o sarhaus o'r Cynulliad Cyffredinol, a mynegwyd amheuaeth gref ynghylch gwir fwriadau aelodau Tŷ'r Bwrdeisiaid wrth lunio'r ddeddf hon. Trwy i'r rhain anfon protest i Lundain, enynnwyd llid a gelyniaeth aelodau corff llywodraethol y Coleg, sef y Bwrdd Ymwelwyr. Crafwyd hen grachen unwaith eto. Codwyd yr hen gwestiwn: gan bwy yr oedd yr hawl i weinyddu Virginia yn gyfreithiol, yn grefyddol ac yn wleidyddol, y Virginiaid eu hunain, ynteu'r Llywodraeth a'r Eglwys Anglicanaidd yn Lloegr? A chan bwy yr oedd yr hawl i reoli materion mewnol y Coleg, Esgob Llundain ynteu'r Bwrdd Ymwelwyr? Canlyniad y Ddeddf Ddwy Geiniog, neu 'Achos y Person' fel y galwyd y ddeddf honno maes o law ar ôl achos llys enwog,[23] oedd gwaethygu'r croestynnu rhwng brodorion Virginia a'r offeiriaid Prydeinig, a tharo hoelen arall i mewn i arch y berthynas simsan rhwng y Trefedigaethau a Lloegr.

Dan bwysau'r materion gwleidyddol-eglwysig hyn, Achos yr Esgob ac Achos y Person, âi'r berthynas rhwng staff y Coleg ac aelodau'r Bwrdd Ymwelwyr o ddrwg i waeth. Ym mis Mai 1756 daeth cyfle i aelodau'r Bwrdd Ymwelwyr ddial ar athrawon y Coleg am eu rhan yn y gwrthdystiad yn erbyn y Ddeddf Ddwy Geiniog, gweithred a danseiliai

---

[22] *Journals of the House of Burgesses of Virginia*, cyf. 1761–1765, Goln H. R. McIlwaine a J. P. Kennedy, 13 cyf., 1905–1915, tt. xlii–xlvi.

[23] Daethpwyd i adnabod yr holl ymrafael ynghylch y Ddeddf Ddwy Geiniog fel 'Achos y Person' yn dilyn achos llys enwog ar Ragfyr 1, 1763, pan ddygodd rheithor plwyf Fredericksville, y Parch. James Maury, achos yn erbyn aelodau'i festri am ei amddifadu o'i gyflog llawn ar ôl pasio deddf 1758. Cyfiawnhaodd Patrick Henry, a gynrychiolai'r Amddiffyniad, Ddeddf 1758, ac ymosododd ar y Brenin ac ar glerigwyr Virginia am wrthod derbyn deddf y bu'n rhaid ei llunio oherwydd amgylchiadau economaidd Virginia, gan ennyn cydymdeimlad a chefnogaeth y rheithgor. 'Roedd Maury yn hawlio iawndal ac ôl-ddaliad o £288, ond dyfarnodd y rheithgor ei fod i dderbyn un geiniog o iawndal yn unig, sarhad ar James Maury a'i gyd-glerigwyr, a buddugoliaeth bendant i Patrick Henry a brodorion Virginia.

awdurdod y senedd leol yn Virginia; ond dan gochl cwynion eraill yn eu herbyn y llwydd-wyd i'w cosbi. 'Roedd Llywodraethwyr y Coleg wedi aros eu cyfle, ac wedi chwilio'n ddyfalbarhaus am unrhyw ffeuen o esgus i ddial ar yr athrawon, a dangos iddyn nhw pwy, mewn gwirionedd, oedd â'r llaw uchaf ym materion gweinyddol y Coleg. Yn awr, 'roedd y cyfle hwnnw wedi codi, ac 'roedd yr ysgol ramadeg yng nghanol yr helynt.

Ym 1755 penodwyd James Hubard yn is-athro ar yr ysgol ramadeg, yn lle Emmanuel Jones, a ddyrchafwyd i fod yn feistr ysgol yr Indiaid, sef y swydd a ddaliai pan gyrhaeddodd Goronwy. Achoswyd yr helynt gan frawd James Hubard, Matthew, a disgybl arall. Gwaharddwyd y ddau o'r coleg am gamymddwyn. Yn ôl Cofnodlyfr y cyfarfodydd rhwng y Llywydd a'r Meistri, cynhaliwyd cyfarfod tyngedfennol ar Fai 3, 1756:[24]

> Resol: unanimously, Y[t] Cole Digges & Matthew Hubard be expelled ye College of W. & Mary not only for y[ir] remarkable Idleness and bad Behaviour in general, but particularly for whipping y[e] little Boys in y[e] Grammar School – for Obstinacy & Disrespect to y[e] Grammar Master, & refusing to answer before y[e] President & Masters y[e] complaints made ag[t] y[m].
>
> Resol: unanimously Y[t] any young Gentleman, who shall keep Company with y[e] said Cole Digges & Matthew Hubard or shew y[m] any countenance, shall be looked upon as their abettors & punished accordingly.
>
> Resolved unanimously, Y[t] y[ir] Parents be acquainted with y[e] above Resolves, & desired to keep y[m] f[m] coming within y[e] College Bounds, otherwise y[e] Society will cause them to be punished by y[e] Civil Magistrate.

Aeth James Hubard yn gaclwm wyllt, a phrotestiodd yn chwyrn yn erbyn y penderfyniad i ddiarddel ei frawd o'r Coleg. Gwysiwyd ef i ymddangos gerbron Llywydd ac Athrawon y Coleg, gyda'r bwriad o'i ddisgyblu:[25]

> James Hubard the Usher of the College having in the Case of Digges & Hubard behaved to the President & Masters in a most scandalous, impudent, & unheard of Manner, by breaking into the Room, where the said President & Masters consult upon Business, & thence, when they were examining upon account of his bad Behaviour, forcing away his Brother in opposition to every known Rule of the College, nay even of common Decency & good Manners; was this Day sent for to appear before the said President & Masters to know what he had to alledge in Extenuation of a Crime, which tended entirely to destroy the good Government of the College. Upon his Appearance he pleaded the Heat of Passion, excited by brotherly Affection, that he was very sorry for what had happen'd and asked Pardon sincerely of the Society for so heinous a crime, which he again assur'd them was not the Effect of Deliberation, but of Madness, the Height of Passion.

---

[24] 'Journal of the Meetings of the President and Masters of William and Mary College', *W. & M.*, cyfres 1, cyf. II, rhif 4, Ebrill 1894, t. 257.

[25] Ibid., tt. 257-258.

Er i Hubard ymddiheuro ac erfyn am faddeuant, ni thawelodd y cythrwfwl, a pharhaodd Hubard i beri anghydfod o fewn y Coleg. 'Doedd dim dewis ar ôl gan y Llywydd a'r athrawon. Diswyddwyd Hubard ar Fedi 27, 1756:[26]

> Whereas all the Masters are fully satisfied that Mr Hubard continues to behave very ill in his Office, and is the chief occasion of the present Disorders in the College notwithstanding his Promises of better & more respectful Conduct some Time ago upon which he was pardon'd for a very flagrant Affront to the President & Masters assembled in Meeting; we therefore think it necessary for the Quiet and Good of the College that he be remov'd from the ushership ...

Diswyddo James Hubard a diarddel ei frawd oedd y sarhad eithaf yn nhyb aelodau'r Bwrdd Ymwelwyr. Brodorion o Virginia oedd y ddau, ac 'roedd penderfyniad staff y Coleg, Saeson dwad bob un, i gael gwared â nhw yn gamwri o'r mwyaf yn nhyb y Llywodraethwyr. Ganddyn nhw, a neb arall, 'roedd yr hawl i weithredu penderfyniadau tyngedfennol o'r fath. 'Roedd ymddygiad staff y Coleg, unwaith yn rhagor, yn enghraifft o'r modd trahaus a sarhaus y ceisiai'r Saeson danseilio awdurdod y Virginiaid. Yr achos hwn oedd yr union esgus y chwiliai'r Llywodraethwyr amdano.

Dechreuodd aelodau'r Bwrdd ddangos eu dannedd, a'r un a frathwyd ddyfnaf ganddyn nhw oedd Thomas Robinson, rhagflaenydd Goronwy fel meistr yr ysgol ramadeg. Penodwyd Robinson i'r swydd pan oedd James Blair yn Llywydd ar y Coleg. Ni wyddom lawer amdano, dim ond iddo gael ei eni, mae'n debyg, yn Swydd Gaerhirfryn ym 1718, yn fab i John Robinson, ac iddo briodi merch o'r enw Edith Tyler. Fodd bynnag, oherwydd ei ymddygiad ef y cafodd Goronwy gynnig y swydd yng Ngholeg William a Mary, neu o leiaf dyna oedd yr esgus. Cyfarfu aelodau'r Bwrdd Ymwelwyr ar Fai 20, 1757, gan ddatgan fod y Parch. Thomas Robinson yn anghymwys i'w swydd: '... is incapable of discharging the duties of his office as Master of the Grammar School'.[27] Penderfynwyd gofyn i Esgob Llundain, yn rhinwedd ei swydd fel Canghellor y Coleg, am rywun arall yn ei le:[28]

> Upon consideration thereof it is the opinion of the Visitors that another master be speedily provided ... and that because the Visitors have observed that the appointing of a clergyman to be Master of this Grammar-School has often proved a Means of the School's being neglected, in Regard of his frequent Avocations as a Minister That therefore his Lordship will be pleased that the person to be sent over be a Lay-man, if such a one may be procured; but if not, A clergyman. And in the Mean Time, Mr Robinson is to be continued Master, six Months longer.

---

[26] Ibid., t. 258.
[27] *Fulham Papers*, cyf. xiii, Virginia, t. 227, yn Llyfrgell Palas Lambeth, Llundain.
[28] Ibid.

Ail ddewis oedd gweinidog eglwysig: lleygwr oedd y dewis cyntaf. Lluniwyd y cais yn ofalus, rhag tramgwyddo'r Esgob, a rhag datgelu'r gwir resymau dros fynnu lleygwr i'r swydd. Gallai penodi lleygwr fod yn gam ymlaen tuag at dorri'r llinyn cyswllt hwn rhwng brodorion Virginia a Llundain, a phe ceid gwared â'r offeiriaid a oedd ar staff y Coleg yn raddol, gallai'r Bwrdd Ymwelwyr, yn y man, reoli materion mewnol y Coleg yn gyfan gwbwl. 'Roedd yn rhaid i Thomas Dawson, yn ôl gofynion ei swydd fel cyn-rychiolydd Esgob Llundain yn Virginia, anfon y llythyr ymlaen at yr Esgob, cytuno â'i gynnwys neu beidio. 'Roedd Robinson o'r farn iddo dderbyn triniaeth annheg, a phrotest-iodd yn erbyn penderfyniad y Bwrdd Ymwelwyr mewn llythyr at yr Esgob, dyddiedig Mehefin 30, 1757. Cwynodd, yn un peth, fod y Llywodraethwyr wedi gweithredu yn ei gefn a'i ddiswyddo heb arlliw o rybudd, a hefyd mai gwaeledd a'i cadwasai rhag cyflawni ei ddyletswyddau am gyfnod byr:[29]

> I understand, My Lord, there is an Order of our Visitors to request of You to send in a Master to succeed me under the Pretence of my Infirmities and therefore Incapacity of supplying the Place longer; By which it might seem, as if I had requested of them to be discharg'd on that Account, whereas neither I, nor any Master of the College, knew, or suspected any Thing of such Proceeding, 'till several Days after ... This, My Lord, to my Apprehension appears to be a strange kind of Proceeding, and looks, as if they themselves were asham'd of it at the Time. Why else was not I call'd upon to answer for myself? *My bodily Infirmities* were not so great at that Time, but that I could easily have gone from my Room to that, wherein they met ... I acknowledge, My Lord, I had a Fit of Sickness this last Spring, which render'd me incapable of attending my Business for several Weeks; but then that Deficiency was made up by the kindness of the other Masters, who took Care of my School by Turns ...

Gwyddai Robinson, yn y bôn, mai helynt James Hubard oedd yn gyfrifol am y penderfyn-iad i'w ddiswyddo. Meddai yn ei lythyr:[30]

> I happen'd My Lord not long before this to have Occasion to rebuke my Usher pretty smartly for Behaviour, which the President, and all the Masters, agreed deserv'd immediate Expulsion. But thro' the *Timidity* of the *President* (which he would fain con-strue into *Prudential Reasons*) it was at last carry'd that he should be continued some Time longer.
>
> The Usher (who by the by has *some Sort* of connection with a few of these great Men) immediately complain'd of this Treatment ... They (to shew their Zeal and Affection for his Family) in a great Fury call an irregular Meeting ...

Sylweddolai Robinson hefyd pam y mynnai'r Bwrdd Ymwelwyr gael lleygwr yn ei le:[31]

---

[29] Ibid., tt. 228-229.
[30] Ibid., tt. 232-233.
[31] Ibid., t. 232.

... I cannot conceive what makes 'em so very desirous of having a Lay-man, except it be, that they may have him more under their Thumbs, and make him as supple as a Slave.

Cefnogwyd ef gan ei gyd-athrawon yn y Coleg: Emmanuel Jones, Richard Graham, John Camm a William Preston. Rhoesant eu llofnod ar waelod llythyr Robinson, ynghyd â'r datganiad: 'According to the Knowledge & Judgment of us the Professors of William & Mary College in Virginia The above Letter contains a true State of the Case between The Visitors of the said College, & the Professor of Humanity'.[32] 'Roedd William Preston, aelod o'r adran athroniaeth, hefyd mewn trybini. Amlinellwyd y sefyllfa o fewn y Coleg gan Lywodraethwr Virginia ar adeg yr helynt, Robert Dinwiddie (1693–1770), wrth iddo gadarnhau penderfyniad a chais y Bwrdd Ymwelwyr mewn llythyr at Esgob Llundain ar Fedi 12, 1757:[33]

> The Visitors of the Colledge, and indeed the Country in general have for many Years, been greatly Dissatisfied with the behaviour of the Professor of Philosophy & the master of the grammar School, not only on Acct. of Intemperance & Irregularity laid to their Charge, but also because they had married, and, contrary to all Rules of Seats of Learning, kept their Wives, Children & Servants in Colledge, w^c must Occasion much Confusion & disturbance. And the Visitors having Often Express'd their Dissaprobation of their Family remaining in Colledge, about a year ago they remov'd them into Town, & since that time, as if they had a mind to Shew their Contempt of the Visitors, they have Liv'd much at home, And negligently attended their duty in Colledge; In a Meeting therefor on the 20th May last there was a Complaint Laid before them of their neglect of Duty & immoral Conduct, being Often drunk & very bad Examples to the Students on w.^c. it was Order'd that the President Should write to your Lordship to be so kind as to recommend & send over two proper persons in their room.

Llusgodd yr helynt ymlaen hyd at ddiwedd y flwyddyn. Cyfarfu aelodau'r Bwrdd Ymwelwyr drachefn ar Dachwedd 1, i drafod y broblem, gan fynegi pryder fod yr anghydfod yn amharu ar sefydlogrwydd y Coleg:[34]

> The Visitors being informed that since their last Meeting Mr James Hubard Usher of the Grammar-School has been turned out, and another put in his Place, and that, as is alledged, without any equitable Cause. And as that Usher was justly esteemed for his Capacity and Diligence, his being so displaced, and the supposed Occasion thereof, have given such public Offence, that several of the Scholars are about to leave the College.

---

[32] Ibid., t. 234.

[33] Ibid., t. 240 (b).

[34] Ibid., t. 242.

Dridiau yn ddiweddarach, galwyd ar Thomas Dawson a'i gyd-athrawon i fod yn bresennol mewn cyfarfod arall rhwng aelodau'r Bwrdd Ymwelwyr, i gyfiawnhau eu penderfyniad a nodi'r rhesymau am ddiswyddo James Hubard:[35]

> The President told the Committee, that he had informed the Visitors at their last Meeting of all the Reasons he knew for their proceeding in that Matter; but Mr Camm refused to give any Reasons for it; alledging that he was Sworn to observe the Statutes, by which the sole Power of appointing or removing an Usher, is in the President and Masters, and therefore he thought himself not at Liberty to give any Reasons lest thereby he might give up that Power to which they claim a Right ...

'Roedd y Coleg, felly, yn rhanedig ym 1757, Thomas Dawson, yn rhinwedd ei swydd fel Llywydd y Coleg a chynrychiolydd Esgob Llundain yn Virginia, yn gorfod gweithredu penderfyniadau'r Bwrdd Ymwelwyr yn groes i ewyllys ei staff, a'i staff yn edliw iddo ei feddalwch a'i lwfrdra. Drwy ufuddhau i orchmynion y Bwrdd Ymwelwyr, 'roedd Dawson wedi ochri â'r Americaniaid yn nhyb ei gyd-athrawon, ond 'roedd y croestynnu rhwng dyletswydd a dyhead wedi gadael ei ôl yn ddwfn arno. Troes at y ddiod am ddihangfa a chysur, ac ni lwyddodd i sobri'n llwyr fyth wedi hynny. 'Roedd y cecru a'r ymrafael o fewn y Coleg wedi creu meddwyn rhonc ohono. Ond un peth oedd ymrafael ac anghydfod; peth arall oedd chwalu trefn a phatrwm y Coleg yn llwyr. O ganlyniad i'w hymddygiad yn gyffredinol, a'u safiad o blaid Robinson, diswyddwyd Richard Graham a John Camm, yn ogystal â Preston, wrth gwrs. Yn ôl cofnod yn yr adroddiad am gyfarfod y Bwrdd Ymwelwyr ar Dachwedd 11:[36]

> Resolved that Mr Camm, Mr Graham and Mr Jones be removed on Wednesday the 14.th of next Month; and that other Masters be provided in their Room, who will submit the Reasons of their Conduct, to the Consideration of this Visitation, agreeably to the said Charter and Statutes.

Mynegodd yr Ymwelwyr hefyd eu bod yn gwrthod derbyn penodiad meistr newydd yr ysgol ramadeg i'w swydd. Osgôdd Emmanuel Jones dynged ei gyd-athrawon, trwy iddo ymddangos gerbron aelodau'r Bwrdd Ymwelwyr ar Ragfyr 14, a chydnabod fod gan y Bwrdd Ymwelwyr yr hawl i wneud ymholiadau ynghylch ei ran ef yn y mater o ddiswyddo'r is-athro. Caniatawyd iddo gadw ei swydd.

Dim ond nhw ill dau, Dawson ac Emmanuel Jones, oedd yn bresennol yng nghyfarfod y Llywydd a'r Meistri ar Chwefror 15, 1758. 'Roedd Robinson wedi colli ei swydd ers Rhagfyr 14 y flwyddyn flaenorol, ac yn ôl y cofnod o'r cyfarfod hwnnw, 'roedd Dawson,

---

[35] Ibid., t. 242 (b).
[36] Ibid., t. 243.

yn ôl gorchymyn gan y Bwrdd Ymwelwyr, wedi penodi 'the Rev[d] Mr William Davis to be Master of the Grammar School in the room of M[r] Robinson ... until the arrival of the Master expected from England',[37] sef Goronwy, wrth gwrs.

Nid helynt y diswyddo oedd yr unig drybini y bu Thomas Dawson yn ei ganol, na'i frawd William ychwaith o ran hynny, ac 'roedd helyntion eraill yn peri ansicrwydd a phryder yn ogystal. Bu William Dawson yn flaenllaw iawn mewn un achos enwog yn Virginia, sef yr achos i ailsefydlu offeiriad ifanc o'r enw William Kay yn ei swydd, wedi i aelodau o'i festri ym mhlwyf Lunenburg yn Swydd Richmond ei ddiarddel o'i eglwys a rhentu'r clastir a oedd yn ei ofal ef i eraill. Cafodd Kay lawer o gymorth i ymladd ei achos gan William Dawson, a chafwyd buddugoliaeth i'r Eglwys yn erbyn y brodorion yn y pen draw, ond nid heb lawer o ymgecru ac ymgyfreithio. Cafodd Thomas Dawson ei hun yng nghanol anghydfod cyffelyb.

Yn wir, 'roedd gyrfa Thomas Dawson fel Llywydd y Coleg fel pe bai wedi ei phlagio o'r dechreuad. Ar Robert Dinwiddie, Llywodraethwr Virginia pan benodwyd Dawson i'r swydd, yr oedd y bai am hynny. Deddfodd Dinwiddie fod yn rhaid talu un *pistole* (16 swllt ac wyth geiniog) iddo ef yn bersonol am bob dogfen swyddogol a lofnodid i hawlio tir newydd o gant o aceri neu fwy, a Dinwiddie ei hun oedd i gael yr arian hwn. Tynnodd aelodau Tŷ'r Bwrdeisiaid yn ei ben ar unwaith, gan fod y rheini yn ceisio denu pobl i ymsefydlu yn Virginia, a threth newydd Dinwiddie yn rhwystr iddyn nhw rhag gwneud hynny. Protestiodd aelodau'r Tŷ a thrigolion Virginia yn gyffredinol yn erbyn y dreth hon, a chyflwynwyd eu gwrthwynebiad i aelodau'r Bwrdd Masnach yn Llundain. Ochrodd y Bwrdd o blaid y Virginiaid yn erbyn Dinwiddie, a chreodd yr anghydfod lawer o ddrwgdeimlad rhwng y Llywodraethwr a'r bobl.

Effeithiodd yr anghydfod hwn ar benodiad Llywydd newydd y Coleg ym 1752. Yn unol â'r drefn, rhoddodd Dinwiddie, yn rhinwedd ei swydd fel Llywodraethwr Virginia, wybod i Esgob Llundain fod William Dawson wedi marw, a chymeradwyodd ei frawd Thomas Dawson fel olynydd iddo. Y cam nesaf oedd aros i Esgob Llundain benodi cynrychiolydd newydd. Unwaith y byddai'r Esgob wedi enwi ei gynrychiolydd newydd, penodid y person hwnnw yn Llywydd y Coleg gan y Bwrdd Ymwelwyr yn ogystal, a'i wahodd i ymuno â'r Cyngor, gyda sêl bendith y Brenin, unwaith y ceid lle gwag arno. Y tro hwn, er mwyn mynd yn groes i Dinwiddie, penderfynodd y Bwrdd Ymwelwyr beidio â disgwyl am ymateb Esgob Llundain, a phenodi eu dewis nhw eu hunain, William Stith, yn Llywydd. 'Roedd Stith wedi bod yn un o brif wrthwynebwyr y 'pistole fee', a dyna pam y penodwyd ef yn Llywydd cyn i Esgob Llundain enwi ei ddewis ef. A Stith, nid Dawson, a gafodd y swydd. Byddai Thomas Dawson, felly, wedi cael ei benodi i'r swydd dair blynedd cyn iddo ef ei hun gael cynnig y llywyddiaeth oni bai am y ffaith i Dinwiddie ennyn gelyniaeth y brodorion. Oherwydd ei sefyllfa fregus, oherwydd

---

gwrthwynebiad rhai o aelodau'r Bwrdd Ymwelwyr iddo, troediodd Thomas Dawson yn ofalus rhag sathru ar gyrn yr Ymwelwyr drwy'i yrfa, ac 'roedd yn or-awyddus yn aml i blesio'r Americaniaid ar draul ei gyd-offeiriaid Prydeinig.

Fel yr awgrymwyd, bu Dawson a'i gyd-athrawon yn rhan o gwthrwfwl arall a ddigwyddodd oddeutu adeg helynt y diswyddo. 'Roedd a wnelo'r cythrwfwl hwnnw, a llawer o'r hyn a ddigwyddodd wedyn, â safle Thomas Dawson o fewn ei swydd. Yn wahanol i'w ragflaenwyr James Blair a William Dawson, 'doedd Thomas Dawson ddim wedi derbyn comisiwn gan Esgob Llundain i roi awdurdod eglwysig iddo, yn rhinwedd ei swydd fel Cynrychiolydd yr Esgob, ac 'roedd ei bwerau, felly, yn gyfyngedig. 'Roedd Dawson wedi cysylltu ag Esgob Llundain i ofyn am gomisiwn:[38]

> Suffer me again to remind your Lordship, that if there was occasion to exercise any ecclesiastical jurisdiction or even to call a meeting of the clergy in this Colony, a commission from your Lordship would be thought necessary. At the first convention it would be very proper to have my commission publicly read, by which means the clergy in general would be acquainted with my power and authority and I could with a better grace rebuke, exhort and reprove.

Bu'r diffyg awdurdod hwn yn gyfrifol am greu rhwyg arall rhwng athrawon y Coleg a'r brodorion.

Yn Ebrill 1757, cyflwynwyd cwynion ynghylch ymddygiad y Parch. John Brunskill ieu., o blwyf Hamilton yn Swydd y Tywysog William gan aelodau'i festri i Robert Dinwiddie. Fe'i cyhuddwyd o feddwi a rhegi, ac ymddwyn yn anfoesol. Pan ymgynghorodd Dinwiddie â Thomas Dawson ynghylch y mater, dywedodd Dawson na allai wneud dim gan nad oedd yn meddu ar yr awdurdod priodol, a phenderfynodd y Llywodraethwr y byddai'n rhaid i'r Cyngor yn Virginia drafod yr achos. Gwysiwyd Brunskill a'i gefnogwyr, ar y naill law, a'i wrthwynebwyr ar y llaw arall, gerbron y Cyngor ar Fai 19. Cafwyd Brunskill yn euog o'r cyhuddiadau yn ei erbyn, a gwaharddwyd ef rhag gweithredu fel gweinidog nid yn unig yn ei blwyf ef ei hun, ond yn Virginia gyfan.

Yn ôl rhai o athrawon y Coleg, dan arweiniad John Camm, o blwyf York-Hampton yn Swydd York, brodor o Swydd Efrog yn Lloegr yn wreiddiol, 'roedd y Llywodraethwr yn ymarfer ei awdurdod ef ac awdurdod ei Gyngor i'r pen draw eithaf drwy wahardd Brunskill rhag gweinidogaethu yn ei blwyf, ond 'roedd y gwaharddiad arno i beidio â gweinidogaethu yn unman yn Virginia yn mynd yn rhy bell. Gan Esgob Llundain yn unig yr oedd yr hawl i weithredu penderfyniadau o'r fath. Heriwyd gorchymyn y Llywodraethwr a'i Gyngor gan ddau glerigwr, John Camm yn un, drwy wahodd Brunskill i bregethu yn eu plwyfi nhw. Gofynnodd Camm a'i gyd-rebeliaid Torïaidd i

---

[38] *Historical Collections Relating to the American Colonial Church*, Gol. W. S Perry, cyf. I, Virginia, 1870, t. 410.

Thomas Dawson alw cynhadledd ynghyd, fel y gallai'r clerigwyr gyflwyno gwrth-wynebiad ffurfiol i'r modd yr amherchid eu hawliau i Esgob Llundain, fel y gallai hwnnw ddwyn y mater i sylw'r Brenin a'r Cyfrin-Gyngor yn Llundain. Gwrthododd Dawson gydweithredu, a phenderfynodd Camm a'r lleill alw cynhadledd ar eu liwt eu hunain, yn Williamsburg ar Awst 31, 1757, heb ganiatâd na chydweithrediad y Llywydd. Collodd yr athrawon bob ymddiriedaeth yn eu pennaeth o'r herwydd, a lledwyd yr hollt rhwng Dawson a'i staff. Ceryddodd Dawson yr athrawon am esgeuluso'u gwir ddyletswyddau, ond gwrthododd y rebeliaid ymgymryd â'u dyletswyddau hyd yn oed pan fu Dawson yn wael am rai misoedd yng nghanol yr helyntion hyn. Aeth pob trefn a disgyblaeth o fewn y Coleg ar chwâl, a gofidiai Dinwiddie fod yr athrawon hyn wedi difetha'r Coleg, a bod llawer o'r brodorion erbyn hyn yn anfon eu plant i Philadelphia i dderbyn eu haddysg, oherwydd yr enw drwg a gawsai'r Coleg yn ddiweddar.

Yng nghanol yr holl helyntion hyn, safai Thomas Dawson yn ŵr unig. Bu'n un o bileri'r Coleg ers blynyddoedd, ac nid swydd yn unig, nid mater o ennill ei fara menyn, mo swydd y Llywydd iddo. 'Roedd yn swydd y bu'n rhaid iddo ymladd o'i phlaid o'r dechrau, a hefyd 'roedd i'w gysylltiad â'r Coleg draddodiad teuluol maith. Buasai ei frawd, William Dawson, ail Lywydd y Coleg, yn Llywydd am naw mlynedd, o 1743 hyd 1752. Penodwyd Thomas Dawson ei hun yn Llywydd ym 1755, a bu'n gynrychiolydd Esgob Llundain yn Virginia oddi ar 1752, ar farwolaeth ei frawd a ddaliai'r swydd o'i flaen. Yn y Coleg hefyd yr addysgwyd Dawson, ac ym 1738, penodwyd ef yn feistr ysgol yr Indiaid. 'Roedd y ddau frawd yn hanu o deulu da, yn feibion i William Dawson o Aspatria, Cumberland, gŵr gweddol gefnog a roddodd addysg yng Ngholeg y Frenhines, Rhyd-ychen, i'w fab William. Bu yn Rhydychen am naw mlynedd fel myfyriwr ac athro, cyn ei benodi i swydd athro yng Ngholeg William a Mary ym 1729. 'Roedd William Dawson wedi priodi i mewn i un o'r teuluoedd pwysicaf yn Virginia. Ei wraig oedd Mary Stith, chwaer yr hanesydd William Stith, awdur *The History of the First Discovery and Settlement of Virginia* (1747). I gryfhau'r gadwyn deuluol, gwahoddwyd chwaer William a Thomas Dawson, Anne Clayton, i fod yn 'House-keeper of the College' ar Ionawr 14, 1754; derbyniodd y gwahoddiad, a phenodwyd hi i'r swydd ar Ionawr 26.[39] Ychydig a wyddai Goronwy y byddai yntau hefyd yn ffurfio dolen arall yn y gadwyn deuluol hon. Felly, 'roedd methiant Dawson i gadw'r ddysgl yn wastad rhwng y ddwyblaid, yr Ymwel-wyr a'r athrawon, yn ergyd drom iawn iddo ef yn bersonol yn ogystal ag i'r Coleg. Gwelsai flynyddoedd ffyniant y sefydliad, er mai ffynnu drwy groestynnu a wnaed, blodeuo mewn drain, fel petai, ac erbyn ei gyfnod ef fel Llywydd, 'roedd nifer y disgyblion a'r myfyrwyr wedi cyrraedd cant. Dawson oedd y Llywydd pan gyflwynwyd gradd M.A. gyntaf erioed y Coleg, i Benjamin Franklin ym 1756, ac 'roedd y Coleg erbyn cyfnod ei lywyddiaeth·wedi llwyddo i ddenu meibion y teuluoedd pwysicaf a

---

[39] 'Journal of the Meetings of the President and Masters of William & Mary College', *W. & M.*, cyfres 1, cyf. II, rhif 1, Gorffennaf 1893, t. 56.

chyfoethocaf yn Virginia. Ac yntau wedi brwydro cymaint i sefydlu heddwch o fewn y Coleg, ac wedi dioddef cymaint wrth geisio'i gryfhau'n fewnol, nid ar chwarae bach y byddai Dawson yn gollwng ei afael ar y sefydliad. 'Roedd wedi glynu wrth y Coleg drwy'r chwith a'r chwerw, a 'doedd dim byd amdani, ym misoedd cyntaf 1758, ond gobeithio fod yr athro newydd yn un cymeradwy, ac y gallai fod o gymorth i ail-greu trefn o fewn y Coleg.

I ganol yr helyntion hyn, *enter* Goronwy, gyda'i ddau fab bychan yn llusgo ar ei ôl. Ni chafodd gychwyn da yn y Coleg. 'Doedd y storm ddim wedi llwyr ostegu. Fel arfer 'roedd trybini yn dilyn Goronwy i ble bynnag yr âi, fel gwybed haf ar ôl buwch. Y tro hwn, 'roedd helynt wedi ei ragflaenu, a rhwng ei duedd gynhenid i fynd i ddormach a'r ffaith fod y sefyllfa o fewn y Coleg pan gyrhaeddodd mor danllyd, 'roedd ei dynged eisoes wedi'i phennu. Deilen fregus rhwng dau groes-gerrynt oedd Goronwy.

Hyd yn oed os oedd Thomas Dawson yn falch o'i weld, 'doedd neb arall. Er i aelodau'r Bwrdd Ymwelwyr, ar Chwefror 7, orchymyn fod Dawson a Jones yn gyrru'r athrawon gwaharddedig o'r Coleg, gwrthododd y rheini ildio modfedd pan geisiodd Dawson weithredu'r gorchymyn ar Chwefror 13. Yn ôl y cofnod swyddogol:[40]

> This day the President of the College & Emmanuel Jones Master of the Indian-School (the other Masters of the College being lately depriv'd by the Visitors) met in the College in Obedience to the Order of the Visitors of the 7th Instant, and having sent for Mr. Robinson, & Mr. Graham, (Mr. Camm being absent) demanded of them that they remove from the College, & deliver up the Keys of their Schools, & Appartments, which they absolutely refus'd to do. The President likewise demanded of Mr. Graham the Seal, & Papers belonging to the College, which he also refus'd to deliver; Whereupon the Housekeeper, and the Steward of the College were severally directed to observe & perform what was respectively requir'd of them ... that the President & Masters use all proper Methods for their Removal, by directing the Housekeeper not to supply them with any Provisions; the Servants not to obey their Orders; & other Measures in their Said Order appointed.

Deddfwyd hefyd 'That Mr. Graham be desired to lay the College accounts before the President & Masters, in Order to have them examined'.[41]

Ar y diwrnod canlynol, Chwefror 14, cyfarfu'r adran ddeuddyn hon unwaith yn rhagor i drafod problem y meistri gwrthryfelgar ac i geisio gweithredu gorchmynion yr Ymwelwyr. Y tro hwn gofynnwyd i John Camm:[42]

---

[40] 'Minutes of the College Faculty, 1758', ibid., cyfres 2, cyf. I, rhif 1, Ionawr 1921, t. 24. Yn ôl y nodyn yn *W. & M.*: 'The Minutes printed below were found among the Dawson Papers in the Library of Congress. For some reason they were never entered in the official minute book ...'

[41] Ibid., t. 25.

[42] Ibid.

... if he would deliver the keys of his School & Appartments, & remove from the College pursuant to the Order of the Visitors; but he refus'd & answer'd that he did not think the President, & One Master had Power to call upon him by the Said Order, it being to the President & Masters.

Whereupon Mr. Robinson, & Mr. Graham being also call'd in, the President, & Emmanuel Jones, in Presence of Mr. Davenport, Writing Master, Mr. Nicolson, Steward & Gardiner, & Mrs. Clayton, Housekeeper, whom they call'd in to be Witnesses, requir'd of Mr. Robinson, Mr. Graham & Mr. Camm, forthwith to remove, & take away from the College, all their Effects of all kinds; & that if they did not, They must according to the Directions of the Visitors & Governors use Force & Violent Measures.

Gofynnodd Dawson, yn y cyfarfod a gynhaliwyd fis yn ddiweddarach, ar Fawrth 13, i Richard Graham gyflwyno'i 'accounts before the President and Masters, in Order to have them examined, To which he received no direct or explicit Answer; but only in general, That he would go about them, when the Weather was warmer'.[43]

Ystyfnigodd Robinson yn enwedig. Gwrthododd ollwng ei afael ar allweddi ystafelloedd yr ysgol ramadeg, ac ar Fawrth 23, 1758, mynnodd Thomas Dawson ei fod yn trosglwyddo'r agoriadau iddo, fel y gallai eu rhoi yng ngofal Goronwy. Yn wyneb cyndynrwydd Robinson i weld pen-rheswm, bu'n rhaid defnyddio dulliau mwy cadarnhaol, a gorchmynnodd Dawson fod 'Hasps with Staples & Padlocks to be put upon the Doors of the several Apartments, & Schools, and two new Locks upon the Wicket Doors'.[44] 'Doedd gan Thomas Robinson ddim dewis yn y pen draw ond plygu i'r drefn. Cychwynnodd Goronwy ar ei yrfa newydd yn swyddogol ar Ebrill 5. Cyfarfu'r unig dri aelod o'r staff, Goronwy, Emmanuel Jones a Thomas Dawson, â'i gilydd ddeuddydd yn ddiweddarach. Ymrwymodd Goronwy i dderbyn a chadw'r deugain namyn un o erthyglau Eglwys Loegr, a chymerodd y llw teyrngarwch arferol ('de fideli Administratione').

Er mai camu o'r bad i'r gad a wnaeth, ymddengys i bethau fynd o'i blaid, gan bwyll bach. Cafodd ei draed dano yn raddol, gyda llawer o help gan Thomas Dawson, fe ellid tybied. Ond nid gan Dawson yn unig. Rywbryd rhwng Awst a Hydref 1758 priodwyd Goronwy ac Anne Clayton. A'r ddau yn weddw ar y pryd, yn gweithio o fewn yr un sefydliad, ac yn rhieni sengl, Goronwy yn dad i ddau ac Anne yn fam i un bachgen, naturiol oedd iddyn nhw glosio at ei gilydd. Efallai mai mater o gyfleuster, yn hytrach na dyfnder cariad, a'u tynnodd at ei gilydd, ond 'roedd yr uniad, yn sicr, yn gyfle i Goronwy drwsio rhywfaint ar wead brau ei fywyd. 'Doedd gwragedd gweddwon ddim yn aros yn weddwon yn hir yn Virginia, nac yn y trefedigaethau yn gyffredinol: 'a widow, it would appear, scarcely had time to attend her husband's funeral before another suitor would be

---

[43] Ibid., tt. 25–26.
[44] Ibid., t. 26.

after her,'[45] meddai un sylwebydd am y prinder menywod hwn yn y trefedigaethau, ac fe wyddai William Morris, hyd yn oed, am brinder gwragedd yn yr America drefedig-aethol: 'Gwae ni na bai'r wraig yn New York lle mae eisiau gwragedd i fanu,' meddai am Elin, gwraig Goronwy.[46]

Ychydig a wyddom am Anne Owen, ond gwyddom ryw ychydig am deulu ei gŵr. Mab oedd James Clayton, gŵr cyntaf Anne, i John Clayton (1665–1737), a aeth i Virginia o Lundain ym 1705, a'i benodi naw mlynedd yn ddiweddarach yn Dwrnai Gwladol y Drefedigaeth. Cafodd o leiaf bedwar o blant, efallai bump, a James yn un ohonyn nhw.[47] Ganed un plentyn i James ac Anne Clayton, William Dawson Clayton, ond, yn anffodus, mae'r cofnod o enedigaeth eu mab yn anghyflawn yng nghofrestr plwyf Bruton, ac nid oes modd gwybod pa bryd yn union y ganed ef. Lletyid bechgyn Goronwy o fewn y Coleg am dâl (£25.10s ar un cyfnod), ac er yr ymddengys fod Goronwy yn ddigon hwyr-frydig yn talu ei ddyled i'r Coleg, cawn yr argraff iddo ailsefydlogi ei fyd yng Ngholeg William a Mary.

Digon sgornllyd oedd y Morrisiaid o ail briodas Goronwy, wedi i'r newyddion eu cyrraedd ym mhen arall y byd. 'Digrif oedd i Grono ymrwymaw ac un o'r Americanod a chael myned yn wr 'nheddig, na bond i grybwyll,' meddai William mewn llythyr at Richard ar Ragfyr 26, 1758.[48] Y briodas, yn nhyb William, oedd yr hoelen olaf yn arch Goronwy fel bardd: 'Yn iach sôn am yr awen yn y teulu hwnnw,' meddai drachefn.[49] Ceir yr un coegni yn nhôn ei lais a'r un anobaith ynghylch parhad y bardd yng Ngoronwy mewn llythyr diweddarach at Richard: 'Digrif oedd i Grono briodi an English lady forsooth! Honno a ymlid yr awen ar ffo yn ddiddadl'.[50] 'Sgwennodd John Owen lythyr at Ieuan Fardd o Borthladd Portsmouth, pan oedd ar fwrdd *Yr Aurora*, ar Ragfyr 4, 1758, a swniai'n falch fod Goronwy wedi priodi'n dda, ond, fel ei ewythrod, gofidiai am awen y bardd, ac wfftiai ato am beidio â chysylltu â'i hen gyfeillion:[51]

> I am told Gronow is well establishd in Virginia having maried into a very good family it seems, but I think his behaviour is none of the best, for he has not as much as wrote one single Ɫre by what I can find to anyone of his Friends & benefactors, except Dr Nicolls, which I think is very strange. I w^d be very glad, was our ship orderd to that Quarter of

---

[45] *Virginians at Home: Family Life in the Eighteenth Century* (Williamsburg in America Series II), Edmund S. Morgan, 1952, t. 47.

[46] *ML* I, llythyr CCXCIX, William at Richard, o Gaergybi, Hydref 4, 1756, t. 430.

[47] Y lleill oedd John (1685–1773), a aned yn Fulham yn Llundain; Arthur (m. 1733); Thomas (m. 1739), ac efallai ferch o'r enw Anne. Am ragor o fanylion am y teulu, gw. 'Davies – Clayton', *Geneologies of Virginia Families*, cyf. III, *Tylers Quarterly*, 1981, tt. 97-99.

[48] *ML* II, llythyr CCCCI, William at Richard, o Gaergybi, Rhagfyr 26, 1758, t. 99.

[49] Ibid.

[50] Ibid., llythyr CCCCIV, William at Richard, o Gaergybi, Chwefror 9, 1759, t. 104.

[51] *ALMA* 1, llythyr 191, John Owen at Evan Evans, o'r *Aurora* ym Mhorthladd Portsmouth, Rhagfyr 4, 1758, t. 380.

the world, fal y gallai ddyn wybod a ymadawodd yr Awen ar ffoadur a'i Peidio? Och yn ei safn ai dobacco, mae arnaf arswyd iddo fynd i fysg cimmaint o gyflawnder o'r Dail bryntion hynny ac iddo eu cnoi mo'r anweddus fal nas arhosai awenydd yn ei enau.

'Roedd y Coleg yn graddol ddod i drefn, hefyd, a rhai o'r adrannau gwag yn dechrau llenwi. Ar Fehefin 14, 1758, cychwynnodd Jacob Rowe, gŵr ifanc 28 oed o Gernyw, ar ei waith fel athro yn yr ysgol athroniaeth, yn lle William Preston, ac ar Fehefin 17, ymrwymodd i dderbyn erthyglau Eglwys Loegr a thyngu'r llw o deyrngarwch ac ymgysegriad. Penodiad anffodus oedd hwn, yn y pen draw, i Goronwy ac i Thomas Dawson. Erbyn Hydref 19 o'r un flwyddyn, 'roedd William Small wedi ymuno â'r staff, fel athro gwybodaeth naturiol a mathemateg (un o athrawon yr ysgol athroniaeth).

Ym 1758 mynychodd Goronwy bob un o'r cyfarfodydd rhwng y Llywydd a'r athrawon: Mehefin 17, 20, Awst 15, Hydref 11, 18, a Rhagfyr 14. Yn y cyfarfodydd hyn gweinyddid nifer o fân faterion mewnol y Coleg, fel disgyblaeth a threfn, penodi is-athrawon, trafod adroddiadau am y planigfeydd baco cyfagos, sicrhau fod y rhai a oedd yn rhentu peth o dir y coleg yn talu eu trethi yn brydlon, ac yn y blaen. 'Does dim arwydd o gicio yn erbyn y tresi yng nghofnodion y cyfarfodydd rhwng y Llywydd a'r athrawon, a chawn yr argraff fod Goronwy, am y tro o leiaf, wedi dod at ei goed. 'Roedd bywyd o fewn y Coleg yn hawlio disgyblaeth lem, ac efallai fod y ddisgyblaeth honno wedi rhwbio peth ar Goronwy, ac wedi gwneud byd o les iddo. Mae'n wir i'r ddisgyblaeth honno fynd ar ddisberod yn llwyr cyn i Goronwy gyrraedd, ond gyda thri athro newydd yn y Coleg, 'roedd gobaith am ffyniant a pharch unwaith yn rhagor. Ni châi'r disgyblion ryddid i redeg reiat. Rhaid oedd eu gwarchod rhag unrhyw ryfyg neu berygl, yn enwedig am eu bod yn feibion i bobl bwysicaf Williamsburg a'r cyffiniau, a dyletswydd yr athrawon oedd cadw goruchwyliaeth dynn arnyn nhw. Rhaid oedd parchu rheolau fel y rhain, a restrwyd yng nghyfarfod y Llywydd a'r athrawon am Awst 14, 1752, ond a ddaliai mewn grym yn ystod cyfnod Goronwy yn y Coleg:[52]

> Ordered yt no scholar belonging to any school in the College; of wt Age, Rank, or Quality, soever, do keep any race Horse at ye College, in ye Town – or any where in the neighborhood – yt they be not any way concerned in making races, or in backing, or abetting, those made by others, and yt all Race Horses, kept in ye neighborhood of ye College & belonging to any of ye scholars be immediately dispatched & sent off, & never again brought back, and all this under Pain of ye severest Animadversion and Punishment.

> Ordered – yt no scholar belonging to ye College of wt Age, Rank, or Quality, soever, or wheresoever residing, within, or without ye College, do presume to appear playing or Betting at ye Billiard or other gaming Tables, or be any way concern'd in keeping or fighting cocks under Pain of ye like severe Animadversion or Punishment.

---

[52] 'Journal of the Meetings of the President and Masters of William and Mary College, *W. & M.*, cyfres 1, cyf. II, rhif 1, Gorffennaf 1893, t. 55.

Ordered, yt no Scholar, belonging to ye College do frequent, or be seen, in ye Ordinaries, in or about ye Town except they be sent for by their Relations, or other near friends.

’Roedd Goronwy, felly, yn dda ei fyd am unwaith, ac yn ennill cyflog parchus am y tro cyntaf yn ei fywyd. Câi Meistr yr Ysgol Ramadeg £150 y flwyddyn fel sylfaen, ac yn ychwanegol at hynny, derbyniai bunt y pen gan bob disgybl yn ei ysgol, ac eithrio’r disgyblion tlotaf, a phryd na chyflogid is-athro gan yr adran. Rhwng ei gyflog ef a chyflog ei wraig, ’doedd y plant ddim yn gyfarwydd â bol gwag a dillad llwm rhagor. Mae’n rhaid hefyd fod Goronwy yn ymgolli yn awr ac yn y man ym mywyd cymdeithasol amryliw Williamsburg, pan oedd angen torri’n rhydd arno ar ôl gwaith undonog y dydd a gofalon teuluol.

Er bod trefi Norfolk a Petersburg yn fwy na hi o ran poblogaeth, Williamsburg oedd prif dref Virginia ym mhob dim arall; ac er mai tref oedd hi o ran poblogaeth, ’roedd yn ddinas o ran swyddogaeth. Fe’i sefydlwyd ym 1633, a’r enw gwreiddiol ar y lle oedd Middle Plantation, y Blanhigfa Ganol, oherwydd ei lleoliad yng nghanol gwahanfur o bolion a godwyd yn y flwyddyn honno ar draws y penrhyn rhwng afonydd James a York. Codwyd y gwahanfur hwn er mwyn cadw’r Indiaid rhag ymosod ar y bobl wynion. Trigai rhwng mil a hanner a dwyfil o bobl o fewn milltir sgwâr y dref yn ystod cyfnod Goronwy yno, a cheid yno 200 o dai, yn ôl rhai ffynonellau, 300 yn ôl eraill. Sylwodd un teithiwr fod y tai yn sefyll ‘at convenient distances apart, have a good exterior, and, on account of the general white paint, have a neat look’.[53] Beth bynnag oedd poblogaeth graidd y dref, byddai’n dyblu bob gwanwyn a hydref, pan gynhelid sesiynau yn y Llys Cyffredinol ac yn Nhŷ’r Bwrdeisiaid, corff seneddol y drefedigaeth, yno. Williamsburg oedd canolfan gymdeithasol, wleidyddol a diwylliannol Virginia, a byddai’n un cyffro lliwgar bob tro y cyfarfyddai’r llys a’r senedd ynddi. Heidiai’r planigwyr cefnog o’u planigfeydd diarffordd i’r dref ar adegau o’r fath, a dôi eu gwragedd a’u merched i’w canlyn, i sipian coffi a hel straeon, ac i brynu’r ffasiynau diweddaraf yn siopau’r dref, fel emporiwm Madame Finette, gyda’i gyflenwad o frethynnau, sidanau, rhubanau a chareiau. Ar adegau cyhoeddus o’r fath, byddai’r dref yn deffro drwyddi. ‘In the Day time people hurying back and forwards from the Capitol to the taverns, and at night, Carousing and Drinking,’ meddai un tyst cyfoes am y bwrlwm o weithgarwch a chymdeithasu a welid ynddi ar yr adegau prysuraf.[54] Disgrifiwyd Williamsburg yn frwdfrydig iawn gan Hugh Jones:[55]

---

[53] *Travels in the Confederation*, Johann David Schoepf, cyf. II, 1911, t. 78.

[54] ‘Journal of a French Traveller in the Colonies, 1765’, *American Historical Review*, cyf. XXVI, tt. 742 – 743. Dyfynnir yn ‘The Role of Williamsburg in the Virginia Economy, 1750–1775’, *W. & M.*, cyfres 3, cyf. XV, Hydref 1958, tt. 469-470.

[55] *The Present State of Virginia*, tt. 70 –71.

Williamsburgh is now incorporated and made a market town, and governed by a mayor and aldermen; and is well stocked with rich stores [siopau], of all sorts of goods, and well furnished with the best provisions and liquors.

Here dwell several good families, and more reside here in their own houses at publick times.

They live in the same neat manner, dress after the same modes, and behave themselves exactly as the gentry in London; most families of any note having a coach, chariot, berlin, or chaise ...

The town is laid out regularly in lots or square portions, sufficient each for a house and garden; so that they don't build contiguous, whereby may be prevented the spreading danger of fire; and this also affords a free passage for the air, which is very grateful in violent hot weather.

Thus they dwell comfortably, genteely, pleasantly, and plentifully in this delightful, healthful, and (I hope) thriving city of Williamsburgh.

Meddai Hugh Jones am leoliad y dref ei hun, gan gyfeirio at gynlluniau'r Llywodraethwr Francis Nicholson:[56]

Here he laid out the city of Williamsburgh (in the form of a cypher, made of W. and M.) on a ridge at the head springs of two great creeks, one running into James, and the other into York River, which are each navigable for sloops, within a mile of the town; at the head of which creeks are good landings, and lots laid out, and dwelling houses and ware houses built; so that this town is most conveniently situated, in the middle of the lower part of Virginia, commanding two noble rivers, not above four miles from either, and is much more commodious and healthful, than if built upon a river.

Caiff Goronwy yn awr fod yn dywysydd inni, a dangos yn union sut le oedd Williamsburg yn ystod ei ddyddiau ef yno. Safai'r Coleg ar y naill ben i'r dref, a'r *Capitol*, yr adeilad lle cynhelid y llys a'r senedd-dy lleol, ar y pen arall, a rhwng y ddau, fel llinyn hir rhwng dau frigyn, prif stryd y dref, Stryd Dug Gloucester, bron i filltir o hyd a chan troedfedd o led. Cregyn wystrys wedi eu malu'n fân oedd llawr y stryd, a byddai'n edrych fel llawr o dywod ar dywydd sych, ond trôi'n llaid ar dywydd gwlyb. Yn ôl un tyst cyfoes, 'doedd cerdded ar hyd y stryd hon ddim yn waith pleserus iawn:[57]

... very disagreeable to walk in, especially in summer, when the rays of the sun are intensely hot, and not a little increased by the reflection of the white sand, wherein every step is almost above the shoe, and where there is no shade or shelter to walk under unless you carry an umbrella.

---

[56] Ibid., t. 66.
[57] *A Tour in the United States*, cyf. 1, t. 19.

Ar y stryd hon, hanner y ffordd rhwng y Coleg a'r *Capitol*, safai Eglwys Bruton, eglwys y dref. Yn y canol hefyd, ar yr ochr ogleddol, i mewn o'r stryd, safai Plas y Llywodraethwr, Francis Fauquier ar y pryd, adeilad mawreddog ac urddasol. Ychydig gamau ymlaen wedyn ar ôl gadael yr eglwys, wrth gerdded i gyfeiriad y *Capitol*, 'roedd swyddfa'r *Virginia Gazette*, papur y dref a'r cyffiniau, a sefydlwyd gan William Parkes ym 1736, a Parkes a fu'n gyfrifol am argraffu'r papur hyd 1746; William Hunter, fodd bynnag, a argraffai'r *Gazette* pan oedd Goronwy yn Williamsburg, a bu wrthi'n ei argraffu o 1751 hyd 1762. Hwn oedd y papur newydd cyntaf i gael ei argraffu yn Virginia, a byddai'n cynnwys newyddion o Loegr yn ogystal â newyddion am Williamsburg a Virginia. Gallai trigolion y dref brynu rhai llyfrau a cherddoriaeth yn swyddfa'r papur hefyd. Yn is i lawr, wrth nesáu mwyfwy at y *Capitol*, 'roedd tafarn y Raleigh, prif dafarn y dref, lle cynhelid dawnsfeydd llachar a rhwysgfawr, yn Ystafell yr Apollo, a lle byddai'r gwŷr yn trafod gwleidyddiaeth a gweinyddiaeth y dalaith. Mae'n bosibl fod Goronwy, ac yntau wedi priodi i mewn i deulu o bwys yn Williamsburg, wedi mynychu'r ganolfan gymdeithasol hon, yn sobrach na'i arfer, gobeithio, ac wedi ymdroi ymhlith cyfoethogion y dref. Am ysbaid, 'roedd bywyd yn wâr, yr union warineb yr oedd y bardd wedi crefu amdano yn Awdl y Gofuned, ond mewn lleoliad pur wahanol i'w Fôn doreithiog a'i mân draethau.

Ar brif stryd Williamsburg hefyd 'roedd nifer o siopau, ac yn y dref ei hun 'roedd theatr hyd yn oed. Yn Williamsburg y codwyd theatr gyntaf Virginia, ym 1716, ond fe'i caewyd ym 1735. Codwyd theatr newydd ym 1751, yn ymyl y *Capitol*, a dôi cwmnïau o Loegr yno i berfformio trasiedïau a chomedïau Shakespeare, ac o Efrog Newydd a mannau eraill, a pherfformid rhai dramâu cyfoes ynddyn nhw yn ogystal, gan ddramodwyr fel William Congreve a William Wycherley. Codwyd y theatr hon gan drigolion y dref, a chasglwyd y tanysgrifiadau gan dafarnwr y Raleigh, Alexander Finnie. Flwyddyn yn ddiweddarach, cyrhaeddodd gŵr o'r enw Lewis Hallam a'i deulu ac aelodau o'i gwmni Williamsburg, a chymryd gofal o'r theatr. Yn ôl y *Virginia Gazette*, Mehefin 12, 1752: 'This is to inform the Public that Mr. Hallam, from the New Theatre in Goodmansfield, London, is daily expected here with a select Company of Comedians; the Scenes, Cloaths, and Decorations are entirely new, extremely rich, and finished in the highest Taste, the Scenes being painted by the best Hands in London, are excell'd by none in Beauty and Elegance, so that the Ladies and Gentlemen may depend on being entertain'd in as polite a Manner as at the Theatres in London, the Company being perfect in all the best Plays, Operas, Farces and Pantomimes that have been exhibited in any of the Theatres for these ten years past'.[58] Hysbyswyd pobl Williamsburg y byddai'r cwmni yn dechrau 'with a play call'd the *Merchant of Venice* (written by Shakespeare) and a farce, call'd *The Anatomist* or *Sham Doctor*. The ladies are desired to give timely notice to Mr. Hallam, at Mr. Fisher's, for their places in the boxes, and on the day of the performance to send their servants early to

---

[58] Dyfynnir yn *Colonial Virginia: its People and Customs*, Mary Newton Stanard, 1917, t. 236.

keep them in order to prevent trouble and disappointment'.[59] Byddai'r theatr yn orlawn yn ystod adegau cynnal y prif weithgareddau cymdeithasol. A fu Goronwy yn un o fynychwyr y theatr yn Williamsburg, yn ystod ei gyfnod mwyaf sefydlog yn ei swydd? Ni allwn ond dyfalu.

Ym mhen arall y stryd 'roedd *y Capitol*, adeilad ar ffurf y llythyren H. Ar y llawr isaf, cynhelid sesiynau'r Llys Cyffredinol yn y naill ochr a sesiynau Tŷ'r Bwrdeisiaid, senedd Virginia, yn yr ochr arall. Yn Nhŷ'r Bwrdeisiaid y gwneid pob penderfyniad o bwys parthed materion mewnol gwleidyddol a gweinyddol y dalaith: pris ac ansawdd baco, a'r dulliau o'i fasnachu, addysg, trethi, y berthynas rhwng y gwynion a'r Indiaid, ac yn y blaen. Ar yr ail lawr cynhelid cyfarfodydd y Llywodraethwr a'i Gyngor, rhwng naw a deuddeg o unigolion, pob un o'r rhain wedi'i ddewis trwy apwyntiad brenhinol. Hwn oedd y llys barn uchaf ei awdurdod yn y taleithiau. Drwy'r Cyngor y gweinyddid awdurdod y Goron yn Virginia, a'r corff hwn, wrth reswm, a fyddai'n delio ag achosion yn ymwneud â chlerigwyr. Yn Nhŷ'r Bwrdeisiaid y llunnid deddfau newydd, ond ni allai'r un ddeddf ddod i rym heb i'r Cyngor ei harchwilio a'i diwygio. Yr enw a roid ar y cyfuniad o'r tri chorff hyn – y Llywodraethwr, Tŷ'r Bwrdeisiaid a'r Cyngor – oedd y Cynulliad Cyffredinol. Yn ôl Robert Beverley, 'this General Assembly debated all the weighty Affairs of the Colony, and enacted Laws for the better government of the People; and the Governor and Council were to put them in execution'.[60] 'Roedd Tŷ'r Bwrdeisiaid yn cynrychioli pobl y dalaith a'r Cyngor yn cynrychioli'r Goron. Yn ymyl y *Capitol* 'roedd y carchar, a'r tu draw i'r adeilad, faes agored a elwid y Gyfnewidfa, lle byddai'r planhigwyr yn trafod materion busnes, yn prynu ac yn gwerthu caethweision. Yn ymyl y Gyfnewidfa 'roedd tŷ coffi. Y tu allan i'r dref hefyd yr oedd y crocbren cyhoeddus, lle crogid troseddwyr ar ôl sesiynau yn y Llys Cyffredinol, gan atgoffa trigolion ucheldrem Williamsburg fod i fywyd yn y taleithiau ochr ddigon brwnt ac anwaraidd. Y tu allan i'r dref hefyd yr oedd y cae rasio ceffylau, a chollodd sawl un o wŷr goludog y meysydd baco ffortiwn dros nos yn y pen yma i Williamsburg. Yn ôl pob tyst, 'roedd gamblo – dis, cardiau, ceffylau, ymladd ceiliogod – yn bla yn y dref. Amgylchynid Williamsburg gan y planigfeydd, '... generally from one to four miles distant from each other, having a dwelling-house in the middle, with kitchens and outhouses all detached'.[61] 'Roedd elfen ddigon crachaidd yn perthyn i'r dref, yn enwedig gan fod y pendefigion baco yn ei thramynychu gyda'u gwragedd rhwysgfawr a thrwsiadus, ond 'roedd iddi elfen ddigon gwaraidd a diwylliedig hefyd. Er eu bod yn afradu eu cyfoeth drwy hapchwarae, 'roedden nhw hefyd yn gasglwyr llyfrau brwd, ac 'roedd gan y prif dai bonheddig lyfrgelloedd gwych. Cyfuniad o'r garw a'r gwâr, o'r cyntefig a'r pendefigaidd, oedd Williamsburg: 'roedd taflu dis a pharchu dysg bron yn gyfwerth â'i gilydd yno.

[59] Dyfynnir yn *The Golden Age of Colonial Culture*, Thomas J. Wertenbaker, 1949, arg. 1967, tt. 120-121.
[60] *The History and Present State of Virginia*, t. 237.
[61] *A Tour in the United States*, cyf. I, tt. 15-16.

Yma, felly, y treuliodd Goronwy bron i ddwy flynedd a hanner o'i fywyd byr. Ond hyd yn oed os cafodd sefydlogrwydd a phwrpas i'w fywyd am ysbaid, bu'r gwynfyd hwnnw yn un byr ei barhad. Bu farw Anne, ail wraig Goronwy, yn haf 1759, heb i'r ddau fod yn briod â'i gilydd am flwyddyn hyd yn oed. Ceir y cofnod canlynol yng nghofnodion Awst 28, 1759, o'r cyfarfod rhwng y Llywydd a'r athrawon:[62]

> Resol: That Mrs Martha Bryan be appointed House-keeper to the College in the place of Mrs Owen deceas'd.

Ni wyddom sut y bu farw Anne Owen, ond rhaid ystyried un posibiliad. Bu hi a Goronwy yn briod am ryw naw mis i gyd, o haf neu hydref 1758 hyd at yr haf canlynol, cyn Awst 28, o leiaf. Mae hyn yn awgrymu'r posibiliad mai marw ar enedigaeth plentyn a wnaeth Anne Owen, neu efallai o dwymyn beichiogrwydd, afiechyd a drosglwyddid i wragedd beichiog gan feddygon aflan, afiechyd a oedd yn rhemp yn Virginia yn ystod y ddeunawfed ganrif, a hyd yn oed ymlaen i hanner cyntaf y ganrif ddilynol. Nid amherthnasol yn y cyswllt hwn yw dyfynnu'r hyn a ddywed Richard Middleton yn *Colonial America*:[63]

> Because women were expected to submit sexually to their husbands, a first child usually appeared within twelve months after marriage and another one thereafter every two or three years ... The possibility of death was also recognized, though the risks may not have been as high as has been supposed. Statistically, the chance of a complicated birth was about one in 30 though of course all births were painful and took several hours to complete.

Beth bynnag oedd achos marwolaeth Anne Owen, 'roedd Goronwy wedi'i adael yn ddiymgeledd unwaith eto, a'i fyd ymddangosiadol sefydlog wedi troi'n sigledig.

Cymerodd fisoedd i'r newyddion am farwolaeth Anne Owen gyrraedd y Morrisiaid. Richard Morris oedd y cyntaf o'r tri i glywed am drychineb diweddaraf Goronwy, ond 'roedd y pellter rhwng Williamsburg a Llundain wedi gwyrdroi cryn dipyn ar yr hanes erbyn iddo gyrraedd Richard, fel pe na bai gan y creadur truenus o fardd ddigon o ofidiau ar y pryd:[64]

> I find by a Gentleman lately come from Virginia, that Poor Gronw gethin is still unfortunate; his second wife is also dead, and left him a heap of children to maintain, I think five or six, and her brother, the president of the college, insists on his maintaining them entirely out of his own Income; digon er gyrru'r awen ar ddigrain byth bythoedd. I have not had a line from him since he left us; an ungrateful Bard.

---

[62] 'Journal of the Meetings of the President and Masters of William and Mary College', *W. & M.*, cyfres 1, cyf. III, rhif 1, Gorffennaf 1894, t. 64.
[63] *Colonial America: a History, 1607–1760*, Richard Middleton, 1992, t. 235
[64] *ALMA* 2, llythyr 225, Richard at Evan Evans, o Lundain, Mawrth 18, 1760, t. 441.

Er bod y gor-ddweud am y torllwyth plant yn hollol anghywir, mae tystiolaeth arall yn awgrymu fod peth sail i'r stori. Dyletswydd Goronwy, fel llystad i William Dawson, fyddai gofalu am y plentyn, wrth gwrs, ond rhaid bod y bardd, fel y byddai rhywun yn disgwyl, wedi ceisio osgoi'r cyfrifoldeb hwnnw. Byddai hynny wedi peri anghydfod rhyngddo a Thomas Dawson, yn enwedig gan y byddai Dawson wedi mynnu fod Goronwy yn ymgymryd â'i ddyletswyddau. 'Roedd Dawson eisoes wedi profi pa mor feichus y gallai'r cyfrifoldeb o fagu plant rhywun arall fod. I'w ran ef, ar farwolaeth ei frawd ar Orffennaf 20, 1752, y daeth y cyfrifoldeb o orfod gofalu am ei chwaer-yng-nghyfraith a'i phlant hi a William Dawson, ac mae'n amlwg fod y baich hwn wedi peri gofid iddo, oherwydd, mewn cynhadledd rhwng clerigwyr Virginia a drefnwyd ganddo ef ei hun ar Hydref 30, 1754, argymhellodd sefydlu cronfa i helpu gweddwon a phlant clerigwyr a oedd wedi marw, 'the only organization started by the Church in Virginia before the Revolution'.[65] Ond 'doedd Goronwy ddim y person mwyaf cyfrifol dan haul, a theimlai, yn ddiamau, fod ganddo ddigon o waith ar ei ddwylo yn magu ei blant ei hun. Mae un peth yn sicr: rhywun arall a ofalodd am blentyn Anne Owen, oherwydd nid aeth Goronwy â William Clayton Dawson i'w ganlyn pan ymadawodd â'r Coleg. Yma mae rhywun yn synhwyro dechreuad rhwyg rhwng y ddau frawd-yng-nghyfraith, a cheir rhagor o dystiolaeth o hynny yn y man.

Aeth Goronwy ar gyfeiliorn yn llwyr ar ôl marwolaeth ei wraig. Aeth pob trefn drachefn ar chwâl, ac achosodd ef ac un o'i gyd-athrawon, Jacob Rowe, helynt lawer gwaeth na'r un a ddymchwelodd drefn a sefydlogrwydd y Coleg cyn i Goronwy gyrraedd yno. Yn anffodus, digwyddodd yr helynt ar yr union adeg yr oedd un o arweinwyr mwyaf disglair America yn y blynyddoedd i ddod wedi ymgofrestru yn y Coleg. Ar Fawrth 25, 1760, cofrestrwyd llanc ifanc o'r enw Thomas Jefferson yng Ngholeg William a Mary, ar drothwy'i ben-blwydd yn 17 oed. Wythnos yn ddiweddarach, ar Fawrth 31, 'roedd y Bwrdd Ymwelwyr yn cyfarfod i drafod ymddygiad anfoddhaol Rowe a Goronwy:[66]

> The Visitation being informed that the Conduct of Mr Rowe ... has been, in several Respects, very exceptionable ...
> Resolved That this Matter, as well as the Behaviour of the Masters in general, be forthwith enquired into ...

Penderfynwyd ar Ebrill 25 fel dyddiad y cyfarfod nesaf ac y dylid ymchwilio i'r mater yn y cyfamser.

---

[65] *Virginia's Mother Church and The Political Conditions Under Which It Grew*, George M. Brydon, cyf. 2, 1947, tt. 277.
[66] *Fulham Papers*, t. 284.

Cyn trafod helynt Rowe a Goronwy, mae'n briodol sôn yma am gyfnod Jefferson yn y Coleg, yn enwedig gan fod ei fisoedd cyntaf yno yn cydredeg â'r cyffro mawr a grewyd gan Goronwy a'i gyfaill, ac oherwydd bod rhai o'r bobl yr oedd Jefferson yn troi yn eu plith ar ymylon yr helynt. Jefferson, wrth gwrs, oedd un o brif hyrwyddwyr Annibyniaeth 1776, ac ef a luniodd y Datganiad enwog o blaid Annibyniaeth i America; ef, hefyd, oedd un o'i harlywyddion galluocaf. 'Roedd Goronwy a Jefferson yn y Coleg ar yr un pryd am ryw bum mis, a bu llawer o holi a dyfalu a fu Goronwy yn athro ar Jefferson ai peidio. Yn anffodus, nid yw Jefferson yn crybwyll enw Goronwy yn unman, er iddo sôn llawer am ei ddyddiau yn y Coleg; ond os ystyriwn bob tystiolaeth sydd ar gael, gwelwn fod y posibiliad i Goronwy fod yn un o athrawon Jefferson yn un cryf.

'Roedd Meistr yr ysgol ramadeg yn aml yn gweithredu fel athro Lladin y Coleg, sef y 'Professor of Humanity', yn ôl y term a ddefnyddid yn y Coleg ar y pryd. Cyflawnwyd y ddwy swyddogaeth gan ragflaenydd Goronwy, Thomas Robinson, fel y prawf y datganiad gan ei gyd-athrawon ar waelod llythyr Robinson at Esgob Llundain ar Fehefin 30, 1757. Yn ôl cyfansoddiad swyddogol y Coleg ar y pryd un o ddyletswyddau Meistr yr ysgol ramadeg oedd dysgu Lladin a Groeg i'r disgyblion, gan neilltuo pedair blynedd ar gyfer dysgu Lladin a dwy flynedd ar gyfer dysgu Groeg. Ychydig wythnosau cyn i Jefferson gofrestru yng Ngholeg William a Mary, 'sgwennodd lythyr at un o'i warchodwyr, John Harvie, ar Ionawr 14, 1760, yn nodi ei obeithion fel myfyriwr yn y Coleg:[67]

> ... by going to the College I shall get a more universal Acquaintance, which may hereafter be serviceable to me; and I suppose I can pursue my Studies in the Greek and Latin as well there as here, and likewise learn something of the Mathematics.

Gan fod Lladin yn rhan hanfodol o addysg y Coleg ar y pryd, mae'n bur debygol i Goronwy fod yn athro ar y Jefferson ifanc.

'Roedd Jefferson yn ymwybodol o'i wreiddiau Cymreig. Enwodd ei dad, Peter Jefferson, un o'i stadau, ar fforch ddeheuol Afon James, yn Snowden, ac meddai Thomas Jefferson am y cysylltiad â Chymru:[68]

> The tradition in my father's family was that their ancestor came to this country from Wales, and from near the mountain of Snowden, the highest in Gr. Br.

Prin, fodd bynnag, y byddai Jefferson wedi closio at Goronwy am mai Cymro oedd. 'Roedd sawl cenhedlaeth o fyw yn Virginia wedi pylu'r ymwybyddiaeth Gymreig yn y teulu erbyn hynny.

---

[67] *The Writings of Thomas Jefferson*, cyf. I, t. 340
[68] 'Autobiography [1821]', ibid, t. 1.

Yn sicr, 'roedd Jacob Rowe yn un o athrawon Thomas Jefferson, ond y prif reswm na adawodd Rowe na Goronwy unrhyw argraff ar feddwl y llanc oedd iddo syrthio mor llwyr dan gyfaredd un arall o'r athrawon, Dr William Small o'r Alban, athro gwybod-aeth naturiol a mathemateg y Coleg. Fel y dywedwyd eisoes, penodwyd Small i'r swydd honno ar Hydref 19, 1758, yn dilyn helynt y diswyddo. Yn wahanol i'r lleill, lleygwr ydoedd. Graddiodd yng Ngholeg Marischal Aberdeen ym 1755, a bu'n aelod o staff y Coleg hyd 1764. Collodd ei swydd pan ailsefydlwyd John Camm yno, a dychwelodd Small i Loegr. Bu farw yn Birmingham ym 1775. Pan luniodd Jefferson ei hunangofiant ym 1821, talodd deyrnged hael i William Small, a chofiodd yn hiraethus am y gyfeillach y bu'n ymdroi ynddi yn ystod ei gyfnod fel myfyriwr, ac wedyn fel prentis o gyfreithiwr i George Wythe, rhwng 1762 a 1765:[69]

> It was my great good fortune, and what probably fixed the destinies of my life, that Dr. William Small of Scotland, was the Professor of Mathematic, a man profound in most of the useful branches of science, with a happy talent of communication, correct and gentlemanly manners, and an enlarged and liberal mind. He, most happily for me, soon became attached to me, and made me his daily companion when not engaged in the school; and from his conversation I got my first views of the expanse of science and of the system of things in which we are placed. Fortunately, the philosophical chair became vacant soon after my arrival at college and he was appointed to fill it; and was the first who gave in that college regular lectures in Ethics, Rhetoric, and Belles-Lettres. He returned to Europe in 1762 [1764 oedd y flwyddyn gywir], having previously filled up the measure of his goodness to me by procuring for me, from his most intimate friend, George Wythe, a reception as a student of law under his direction, and introduced me to the acquaintance of the familiar table of Governer Fauquier, the ablest man who had ever filled that office. With him, and at his table, Doctor Small, and Mr. Wythe, and myself formed a *partie carrée*, and to the habitual conversations on these occasions I owe much instruction.

Yn wahanol i'r athrawon eraill yn y Coleg, cymerai Small, yn ôl Jefferson, 'even and dignified line',[70] ac ni fanteisiai fyth ar hawl yr athrawon i gosbi'r disgyblion, pe bai raid, awgrym pendant fod Goronwy a'r lleill yn ddisgyblwyr llym. Os bu i Goronwy a'r athrawon eraill ddylanwadu ar Jefferson mewn unrhyw fodd, dylanwad negyddol oedd hwnnw yn ei hanfod. Meithrinodd Jefferson agwedd wrth-glerigol o'i ugeiniau ymlaen, a dechreuodd amau gwerth a dilysrwydd awdurdod eglwysig a diwinyddiaeth draddod-iadol. Fel y dywed ei brif gofiannydd :[71]

---

[69] Ibid., t. 4.
[70] Ibid., cyf. IX, llythyr at T. J. Randolph, Tachwedd 24, 1808, t. 231.
[71] *Jefferson and His Time*, cyf. I, *Jefferson the Virginian*, Dumas Malone, 1948, tt. 52-53.

The scandals and confusion which the youth observed in his first year must have made a deep impression on so sensitive a mind, but at this immature age he was not deeply interested in the continuing struggle between the clerical faculty and the local governing board ... The seeds of anticlericalism, however, were probably sown in his mind while he was in college or soon afterwards, when he became intimate with Francis Fauquier.

Mae Jefferson yn crybwyll enw Francis Fauquier, Llywodraethwr Virginia ar ran Prydain pan oedd Goronwy yn Williamsburg, yn ei eirda i William Small. Oedwn gyda'r gŵr hwn, a chylchdrown am eiliad ymhlith y gymdeithas yr oedd Jefferson yn rhan ohoni yn Williamsburg, oherwydd mae rhai o'r personau hyn yn brif gymeriadau yn nrama Goronwy yn Virginia, a'r rhan a chwaraeodd Fauquier, yn enwedig, yn gwbwl allweddol yn y ddrama honno. Cawn gip, ar yr un pryd, ar gymdeithas freintiedig a gwareiddiedig Williamsburg.

Fauquier (c.1704–1768) oedd un o'r gwŷr mwyaf dylanwadol a phwysig yn Williamsburg, yn rhinwedd ei swydd fel Llywodraethwr y dalaith. 'Roedd Jefferson, er mor ifanc oedd, yn aelod blaenllaw o'r cylch o gyfeillion 'roedd Fauquier wedi eu crynhoi o'i amgylch, cylch a gynhwysai George Wythe, meistr Jefferson ar ôl iddo adael y Coleg, a William Small. Gwahoddid y tri yn aml i giniawa a gwledda yn y Palas wrth fwrdd y Llywodraethwr. Yn wir, gwahoddiad i ginio yng nghartref y Llywodraethwr oedd un o'r breintiau uchaf a ddôi i ran pwysigion Williamsburg, ac ystyrid achlysuron o'r fath yn uchafbwynt yn y calendr cymdeithasol. 'At the Governor's House upon birth-nights, and at balls and assemblies, I have seen as fine an appearance, as good diversion, and as splendid entertainments ... as I have seen any where else,' meddai Hugh Jones am y Palas pan oedd un o ragflaenwyr Fauquier yn lletya yno.[72] Cartref y Llywodraethwr hynod boblogaidd hwn oedd calon bywyd cymdeithasol y dref.

Daethai Fauquier i Virginia ym 1758, pan oedd yn 54 oed. 'Roedd yn fab i feddyg o Ffrancwr, John Fauquier, protestant a oedd wedi ffoi o Ffrainc i Lundain ar adeg yr erlid ar Brotestaniaeth dan deyrnasiad Louis XIV, ac wedi priodi Saesnes, Elizabeth Chamberlayne. Ganed eu mab Francis yn Llundain. Ar ôl gyrfa filwrol, etifeddodd gyfoeth ac eiddo ewythr iddo, ac fel ei ewythr, ymddiddorai mewn gwyddoniaeth a pherthynai i'r Gymdeithas Frenhinol. Yn ôl pob coel, collodd ei holl etifeddiaeth drwy gamblo. 'Roedd Fauquier yn ŵr deallus a diwylliedig, yn ddiddanwr tan gamp ac yn ddilychwin ei foesau. 'Roedd ei ddiddordebau'n eang, gwyddoniaeth a cherddoriaeth yn flaenllaw yn eu plith, ac 'roedd yn enghraifft ddelfrydol o'r 'compleat gentleman'. Fel y Morrisiaid, 'roedd yn wyddonydd amatur chwilfrydig iawn, ac arferai astudio'r tywydd yn Virginia. Pan ddigwyddodd storm ryfedd o genllysg yn Williamsburg ar ddiwrnod poeth o Orffennaf ym 1758, anfonodd Fauquier nodiadau manwl ar y cenllysg at ei frawd

---

[72] *The Present State of Virginia*, t. 70.

i'w cyhoeddi yng nghylchgrawn y Gymdeithas Frenhinol, *Philosophical Transactions of the Royal Society*. Ystyrid Fauquier yn Llywodraethwr teg iawn gan frodorion Virginia, yn enwedig gan y byddai, wrth ymdrechu i gadw'r ddysgl yn wastad rhwng y trefedigaethwyr a'r Prydeinwyr, yn ochri â'r Americaniaid yn hytrach na'r Prydeinwyr. Yr unig nam ar ei gymeriad, yn ôl ei edmygwyr, oedd ei hoffter o gamblo, ac er i Jefferson etifeddu llawer o nodweddion ei noddwr, ei foesgarwch, ei warineb a'i ddiwylliant yn enwedig, ni chafodd gwendid Fauquier afael arno. 'Roedd y Llywodraethwr yn gerddor medrus hefyd, ac arferai Jefferson ganu'r fiolin, ar y cyd â dau neu dri o gerddorion eraill, yng nghartref y Llywodraethwr, i ddiddanu eu noddwr. Hyrwyddwr y bywyd gwaraidd, ym mhob ffordd, oedd Fauquier, a gadawodd, yn ôl un hanesydd blaenllaw, 'an impression of taste, refinement, and erudition on the character of the colony'.[73]

Aelod arall o gylch dethol y Llywodraethwr oedd Peyton Randolph, cefnder i fam Jefferson, Twrnai Gwladol ac un o lefarwyr Tŷ'r Bwrdeisiaid. 'Roedd brawd Peyton Randolph, John Randolph, yn un o gyd-gerddorion Jefferson ym mhalas y Llywodraethwr. O ran gwleidyddiaeth, 'roedd Peyton Randolph yn un o brif hyrwyddwyr Annibyniaeth i America, ac edmygai Jefferson ef. Yn anffodus i Rowe a Goronwy, 'roedd hefyd yn aelod blaenllaw o'r Bwrdd Ymwelwyr, ac yn un o gyn-ddisgyblion y Coleg. 'Roedd Thomas Dawson hefyd, ac yntau'n dal swydd uchel o fewn y dref, yn un o gyfeill-ion Fauquier, ac mae'n sicr y câi yntau ei wahodd yn awr ac yn y man i wledda wrth ford y Llywodraethwr.

Taflwyd Fauquier, ar ôl iddo gyrraedd Virginia ar Fehefin 5, 1758, i ferw'r frwydr rhwng y clerigwyr Prydeinig a'r gwleidyddion brodorol, ac mae'n hanfodol ein bod yn gwybod beth a ddigwyddai yn y cefndir pan oedd Goronwy yn dysgu yn y Coleg, gan fod y digwyddiadau hynny, yn sicr, wedi helpu i greu rhagfarn enfawr yn erbyn clerigwyr o Brydain ym meddyliau'r Americaniaid. A 'does dim dwywaith na bu i'r helyntion hyn yn y cefndir amharu ar agwedd feddwl Goronwy ar y pryd, a pheri iddo deimlo'n ansicr ac yn ansefydlog yn ei swydd.

Ym 1758 cafwyd un o'r hafau sychaf erioed yn hanes talaith Virginia, a gwywodd y cnwd baco am yr eildro o fewn tair blynedd o'r herwydd. Ar y pryd, 'roedd y trefedig-aethau yng nghanol y Rhyfel Saith Mlynedd (1755–1763) yn erbyn y Ffrancwyr a'r Indiaid. Ar ôl iddo gyrraedd Williamsburg, un o'r gorchwylion cyntaf a wynebai Fauquier oedd casglu digon o arian ar gyfer codi rhengoedd i geisio ennill Fort Duquesne (Pittsburg) o ddwylo'r Ffrancwyr. 'Roedd angen arian i gynnal y Rhyfel, a chyda'r cynhaeaf baco yn un mor wael, rhaid oedd cynilo yn rhywle. Ar Hydref 12, 1758, rhoddodd Fauquier ei lofnod ar yr Ail Ddeddf Ddwy Geiniog, a thrwy hynny, gweith-redu uwchlaw ei swydd, gan y dylai deddf o'r fath dderbyn sêl bendith y Brenin cyn y

---

[73] *History of Virginia, from its First Settlement to the Present Day*, John Daly Burk, cyf. III, 1805, t. 333.

gellid ei dilysu. Ar un ystyr, ochrodd gyda'r brodorion yn erbyn Prydain. Golygai'r ddeddf y câi'r clerigwyr eu cyflogau yn ôl dwy geiniog y pwys o hyd, tra oedd baco yn werth pedair ceiniog a hanner y pwys yn ôl arian Virginia. Ceisiodd Fauquier gyfiawnhau ei gefnogaeth i'r ddeddf:[74]

> ... it would be a very wrong Step for me to take who was an entire Stranger to the Distresses of the Country, to set my Face against the whole colony by refusing a Bill which I had a Precedent for Passing. Whatever may be the case now, I am persuaded that if I had refused it, I must have despaired of ever gaining any Influence either in the Council or House of Burgesses.

Cythruddwyd y clerigwyr gan y ddeddf hon, a phenderfynodd John Camm a'i gyd-athrawon yng Ngholeg William a Mary brotestio'n chwyrn yn ei herbyn. Aeth Camm, Thomas Dawson a Thomas Robinson i'r Palas i ymbil ar Fauquier i ddiddymu'r ddeddf. Dywedwyd wrth y Llywodraethwr ei fod yn sarhau awdurdod y Brenin. Atebodd Fauquier mai plesio'r bobl oedd y peth pwysicaf, nid plesio'r Brenin, a gwrthododd gyd-weithredu â'r clerigwyr. Credai Fauquier y byddai caniatáu i'r offeiriaid gyflog a gyd-weddai â gwerth baco ar y pryd yn peri rhwyg rhwng y clerigwyr a'r lleygwyr, ond y gwir yw y byddai gwrthod y tâl llawn hefyd yr un mor andwyol i'r berthynas rhwng y ddwy blaid. Drwy iddo gymeradwyo'r ddeddf, gwnaeth Fauquier ei hun yn boblogaidd iawn gyda'r brodorion.

'Doedd y clerigwyr ddim yn fodlon llaesu dwylo ynghylch y mater, er hynny. Ceisiodd John Camm a'i gyd-wrthwynebwyr ddwyn perswâd ar Thomas Dawson i alw cyn-hadledd ynghyd i benderfynu ar y camau nesaf yn eu gwrthwynebiad i'r ddeddf. Gwrth-ododd Dawson gydsynio, a rhybuddiodd y lleill i fod yn ofalus ac yn ochelgar. Unwaith yn rhagor, aeth athrawon y Coleg uwch ei ben, a galw cynhadledd ar eu liwt eu hunain. Erbyn hyn, 'roedd y clerigwyr yn dechrau colli pob amynedd gyda Dawson. Mewn llythyr at Thomas Sherlock, cwynodd un o'r offeiriaid fod Dawson yn feddwyn ac yn simsan yn ei deyrngarwch i'w gyd-glerigwyr. Yn wir, cyflwynwyd darlun trist a thruenus o Thomas Dawson ganddo:[75]

> ... He is a very immoral man. At a late Visitation of the College, he was accused, by two of the Visitors, of being a drunkard, of going to his parish Church in Williams-burgh drunk. I have seen him so intoxicated by 9 o'clock in the morning as to be in-capable of doing business, he was likewise accused of seldom or ever attending College Prayers, of being much addicted to playing at Cards, and that in public Houses. All these accusations he was obliged to acknowledge to be true, there being witnesses ready to prove them. The Visitors insisted on his making these acknowledgments in writing

---

[74] Fauquier at y Bwrdd Masnach, Ionawr 5, 1759, PRO CO5/1329.
[75] *Historical Collections Relating to the American Colonial Church*, cyf. I, Virginia, t. 469.

and giving them at the same time and in the same manner, the strongest assurances of his future good behaviour, which he accordingly did, and was continued president. But I am credibly informed he goes on in the old way. He is as Bishop's Commissary, of his Majesty's Council and consequently one of the Judges of the Supreme Court here. I have been told, by one who has the Honor to sit on the same Bench, that he frequently falls asleep on the Bench, which he attributes to the effects of Liquor. In short he is despised by all, and I believe is continued president only as a fit instrument for designing men.

Dyletswydd y Llywydd, yn ôl y clerigwyr, oedd cysylltu ag Esgob Llundain ar ran aelodau o Eglwys Loegr yn Virginia, nid ceisio osgoi ei gyfrifoldeb. Fel y dywedodd y llythyrwr, William Robinson, wrth yr Esgob:[76]

Had he acted as becomes the Bishop's Commissary, I am well persuaded none of these disorders would have happened, but, my Lord, he is a meer tool. His dependance is so great on the College, being president and *great ones here* being Visitors, that they make him act as they please not only as president, but as Commissary too.

Penderfynodd y gynhadledd anfon John Camm i Lundain, i gyflwyno cwynion y clerigwyr gerbron aelodau'r Bwrdd Masnach. Aeth Camm â dogfen ysgrifenedig gydag ef, 'Representation of the Clergy of the Church of England', papur a ddisgrifiai'r modd yr aeth y gwleidyddion yn Virginia yn groes i ddeddf 1748, a thorri'r cytundeb drwy gadw'r cyfraddau cyflog yn sefydlog mewn cyfnod o chwyddiant. Ni allai'r clerigwyr elwa dim oddi ar y codiad diweddar hwn yng ngwerth baco. Gofynnai'r papur i'r Bwrdd Masnach ddarbwyllo'r Brenin y dylid diddymu Deddf 1758, a gwahardd gwleidyddion Virginia rhag pasio unrhyw ddeddf o'r fath yn y dyfodol.

'Roedd Camm yn dipyn o ddraenen yn ystlys y Virginiaid: gŵr penderfynol, di-droi'n-ôl, a thanllyd ei natur. Rhybuddiwyd Dr Samuel Nicholls ac Esgob Llundain yn ei gylch gan Fauquier: '... M^r. Camm whose Delight as I before mentioned to the Bishop is to raise a Flame and to live in it,' meddai amdano.[77] I frodorion Virginia, 'roedd Camm yn enghraifft berffaith o fethiant y Prydeinwyr i ymaddasu at y modd yr oedd lleygwyr, o anghenraid, wedi gorfod ymarfer peth rheolaeth ar yr Eglwys yn Virginia, drwy'r festrïoedd a thrwy'r Cyngor.

Yn Llundain, gyda chymorth Archesgob Caergaint, ymddangosodd Camm gerbron aelodau'r Bwrdd Masnach yn gynnar ym 1759, ac yn ddiweddarach o flaen y Brenin a'r Cyfrin-Gyngor, i gyflwyno'r ddogfen. Anfonodd y Bwrdd Masnach gopi o'r act ac o'r ddogfen a'r ddeiseb yn ei herbyn gan Camm a'i gyd-wrthdystwyr at Thomas Sherlock. Mewn llythyr at y Bwrdd ar Fehefin 14, 1759, ymosododd Sherlock yn hallt ar y ddeddf ac ar ei hyrwyddwyr. Synhwyrodd Sherlock fod ysbryd gwrthryfel yn codi yn Virginia:[78]

---

[76] Ibid., t. 468.
[77] Ibid., t. 471.
[78] Ibid., t. 461.

... within a very few years past Virginia was a very orderly and well regulated colony, and lived in submission to the power set over them. They were all members of the Church of England and no Dissenters among them, the Clergy were respected and well used by the people, but these days are over, and they seem to have nothing more at Heart than to lessen the influence of the Crown and the maintenance of the Clergy both which ends will be effectually served by the act now under consideration.

Ym 1748 y dechreuodd yr ysbryd hwn ei amlygu ei hun, yn ôl Sherlock, 'at which time an act of assembly passed by which the patronage of all the livings in the Colony were taken from the Crown and given to the Vestry in several parishes'.[79] Storm mewn gwniadur, mewn gwirionedd, oedd Deddf 1758; nid y ddeddf ei hun oedd gwir asgwrn y gynnen. Cwmpasai'r holl densiynau a geid yn Virginia ar y pryd: yr ymgiprys rhwng y brodorion a'r Prydeinwyr am yr hawl i reoli'r Eglwys a'r Coleg, y broblem ynghylch cael esgobaeth i Virginia, y gwrthwynebiad o du trigolion y dalaith i ymyrraeth Prydain ym materion gweinyddol, gwleidyddol a chrefyddol Virginia, a phrif arwyddocâd y ddeddf, efallai, yw iddi adlewyrchu ac amlygu llawer o'r croestynnu a'r anniddigrwydd a geid ar y pryd rhwng y ddwy ochr. Gwir fod y ddeddf yn bygwth bywoliaethau'r clerigwyr, ond pwysicach na'i heffaith uniongyrchol oedd ei harwyddocâd cudd. 'Roedd y ddeddf yn amlygu safle bregus yr Eglwys yn Virginia ar y pryd, oherwydd 'roedd yr Eglwys Sefydledig yn graddol wanhau yn ystod y cyfnod a arweiniai at y Rhyfel o Blaid Annibyniaeth. Ceid, yn ogystal â'r ymdrechion i danseilio'i hawdurdod o du'r Virginiaid, fygythiadau o gyfeiriadau eraill, fel ymosodiadau lladmeryddion Piwritaniaeth y Goleuni Newydd, dan arweiniad pobl fel Samuel Davies, arni. Y gwir yw fod agwedd ac ymddygiad y clerigwyr eu hunain yn gwanhau achos Eglwys Loegr yn Virginia. Fe'u cyhuddid gan ddilynwyr y Goleuni Newydd o ddifrawder ac esgeulustod. 'Roedd y gwaethaf o'u plith yn ymddwyn yn anfoesol hefyd, yn meddwi ac yn rhegi, ac yn mynychu'r talyrnau ymladd ceiliogod a'r meysydd rasio ceffylau. Yn ogystal, 'roedd alcoholiaeth yn broblem yn eu mysg, a 'doedd y gred fod gwirod yn meddu ar y gallu i wella rhai afiechydon ddim yn help i gadw neb yn sobor.

Felly 'roedd Camm wedi ennill cydymdeimlad y Bwrdd Masnach, Esgob Llundain a'r Brenin. Ar Fehefin 4, 1759, argymhellodd aelodau'r Bwrdd Masnach fod y Brenin a'r Cyfrin-Gyngor yn diddymu Deddfau Dwy Geiniog 1755 a 1758, yn ogystal â rhai deddfau eraill. Derbyniodd y Brenin argymhellion y Bwrdd, ac ar Awst 10, diddymwyd y ddwy ddeddf a cheryddwyd Fauquier yr un pryd am weithredu heb ymgynghori â rhai uwch nag ef yn Lloegr.

Ymddiriedwyd i Camm y gwaith o fynd â phenderfyniad y Brenin a'r Cyfrin-Gyngor yn ôl i Virginia. Ni ddychwelodd ar ei union. Penderfynodd oedi yn Lloegr am ryw saith neu wyth mis arall, ac ysgrifennodd at ei dwrnai yn ei awdurdodi i fynd ag aelodau'i festri ym mhlwyf York-Hampton (a ffiniai â Williamsburg) i gyfraith pe bai'r rheini yn

---

[79] Ibid., tt. 461–462.

gwrthod talu'i gyflog llawn iddo ar ôl iddyn nhw glywed penderfyniadau'r Cyfrin-Gyngor. Yn y cyfamser, 'roedd y Virginiaid wedi clywed, yn answyddogol, am benderfyniadau'r Cyfrin-Gyngor, ac wedi dechrau styfnigo. Er lles y dalaith, rhaid oedd ymladd awdurdod Lloegr, a chefnogi'r festriwyr yn erbyn Camm a'i gyfreithiwr.

Ar ôl iddo ddychwelyd i Virginia, aeth Camm â phenderfyniad swyddogol y Cyfrin-Gyngor at Fauquier ym Mehefin 1760. Ymateb y brodorion oedd deisebu'r Brenin i geisio'i ddarbwyllo i ailfeddwl ar y sail y byddai dirymu'r ddeddf yn achosi cythrwfwl ac anawsterau. Hyd y gwyddys, ni dderbyniodd y deisebwyr unrhyw ateb, ac 'roedd penderfyniad y Cyfrin-Gyngor i sefyll. Llusgodd yr anghydfod ymlaen am ryw bedair blynedd arall, ond 'roedd Goronwy wedi gadael Williamsburg erbyn i'r helynt ddod i ben. Mewn awyrgylch chwerw a gelyniaethus o'r fath y bu'n rhaid i Goronwy weithio, a Rowe hefyd o ran hynny, a gwyddai'r ddau y gallen nhw golli eu swyddi pe bai Camm a'r lleill yn ennill eu hachos ac yn profi fod yr Ymwelwyr wedi eu diswyddo ar gam. Dyna'n union a ddigwyddodd yn y man. Ailsefydlwyd Camm yn ei swydd, ac fe'i penodwyd yn Llywydd y Coleg hyd yn oed ym 1771, swydd y bu ynddi hyd 1777. Ansicrwydd neu beidio, 'roedd Goronwy a Jacob Rowe wedi penderfynu camymddwyn ar adeg pan oedd aelodau'r Bwrdd Ymwelwyr wedi glân syrffedu ar glerigwyr Prydeinig.[80]

Yn ôl pob tyst, creadur byrbwyll ac anystywallt oedd Jacob Rowe, diawl mewn croen os bu un erioed. 'Roedd hwn yn llawer mwy penboeth ac anghyfrifol na Goronwy hyd yn oed, os gellir dychmygu'r fath beth. Un o raddedigion Coleg y Drindod, Caergrawnt, oedd Rowe, a buasai'n offeiriad am dair blynedd cyn iddo gyrraedd Virginia. Mab i ŵr o'r

---

[80] Dyma weddill yr hanes, a ddigwyddodd ar ôl cyfnod Goronwy yn y Coleg. Llwyddodd dau aelod o Dŷ'r Bwrdeisiaid, Richard Bland a Landon Carter, i gael gafael ar y copi o'r llythyr a anfonodd Thomas Sherlock at y Bwrdd Masnach, ac achosodd cynnwys y llythyr lawer o anniddigrwydd a drwgdeimlad. 'Roedd Bland yn aelod o un o'r teuluoedd mwyaf dylanwadol yn Virginia, ac yn gefnder i Peyton Randolph. 'Roedd Peyton Randolph hefyd yn briod â nith i Landon Carter. Cyhoeddwyd llythyr yr Esgob gan y ddau mewn dau bamffled, *A Letter to the Right Reverend Father in God, the Lord B----p of L----n*, ac *A Letter to the Clergy of Virginia in which the Conduct of the General Assembly is vindicated Against the Reflections contained in a letter ... from the Lord-Bishop of London.* Haerwyd yn y pamffledi hyn fod yr Esgob wedi gwyrdroi'r gwirionedd, a chollfarnwyd Camm a'r lleill am ei gamarwain.

Yn y cyfamser, aeth Camm â festriwyr ei blwyf i gyfraith i hawlio cyflog llawn ganddyn nhw yn ôl gwerth cyfredol baco, yn ogystal ag ôl-ddaliad. Collodd Camm yr achos yn Ebrill 1764, ac aeth â'i gŵyn at y Cyfrin-Gyngor yn Llundain, ond ni lwyddodd i ddadwneud y dyfarniad gwreiddiol. Diystyrwyd ei achos ym 1767 am resymau technegol. Ymunodd Camm yn y rhyfel pamffledi, ac ym 1763, cyhoeddodd bamffledyn yn dwyn y teitl *A Single and Distinct View of the Act, Vulgarly Entitled, The Two-Penny Act.* Honnodd yn ei bamffledyn mai planhigwyr cyfoethog, fel Bland a Carter eu hunain, a fyddai'n elwa ar gorn y ddeddf, ac nid y tlodion, fel yr honnent hwy ill dau. Yn Chwefror 1764, atebwyd pamffledyn Camm gan Carter yn *The Rector Detected: Being a Just Deffence of the Two-Penny Act.* Atebwyd pamffled Carter gan Camm yn anhysbys mewn pamffledyn dan y teitl *A Review of the Rector Detected: or the Colonel Reconnoitered.* Ym mis Awst 1764, atebwyd Camm gan Richard Bland yn *The Colonel Dismounted ... Containing a Dissertation upon the Constitution of the Colony.* Bwriodd ei lid ar Loegr am ymyrryd ym materion gwleidyddol Virginia, ac yn enwedig am drethu trigolion y drefedigaeth i chwyddo coffrau'r Trysorlys. Fodd bynnag, enillodd Camm fuddugoliaeth bwysig yn y pen draw. Penderfynodd Ymwelwyr y Coleg, ar Ionawr 18, 1764, roi eu swyddi yn ôl i Camm a Richard Graham.

enw Isaac Rowe oedd y Cernywiad hwn, a gwyddys iddo gael ei ordeinio'n ddiacon ar Fehefin 9, 1753, ac yn offeiriad ar Ragfyr 23, 1754. Mae coel iddo weithredu fel caplan yn y Llynges ym 1756, ac efallai mai yng nghwmni morwyr y dysgodd ei ffyrdd garw a gwrthryfelgar, a meistroli'r grefft o rwygo a rhegi hyd at berffeithrwydd. Rhyw ddwy flynedd cyn iddo ef a Goronwy eu cael eu hunain mewn picil, ac ychydig wythnosau ar ôl cyrraedd y Coleg, 'roedd Rowe wedi datgan ar goedd fod yr aelodau hynny o senedd Virginia a gefnogai'r Ddeddf Ddwy Geiniog yn ddihirod, gan fygwth gwrthod cymun i'r un ohonyn nhw pe bai iddyn nhw ddod i un o'i wasanaethau ef. Daeth protest gyhoeddus Rowe i gyrraedd clustiau un o aelodau Tŷ'r Bwrdeisiaid, ac adroddodd hwnnw yng nghyfarfod Medi 21, 1758:[81]

> ... that the Reverend Mr. Jacob Rowe, Professor of Philosophy in the College of William and Mary, did on Thursday evening last, in a public company speak the following words, to wit, "How many of the House of Burgesses were to be hanged? That every member who should vote for settling the parsons salaries in money, would be scoundrels, and if any member wanting to receive the Sacrament, was to apply to him, we would refuse to administer it."
>
> *Resolved*, That the said words are scandalous and malicious, highly reflecting on the honor and dignity of the House of Burgesses, and that the said Mr. Rowe, in speaking the same is guilty of an open violation and breach of the privileges of this House.
>
> Ordered, that the said Jacob Rowe, be sent for in custody of the serjeant at arms.

Y diwrnod canlynol, derbyniodd aelodau'r Tŷ ymddiheuriad ysgrifenedig gan Rowe, a ddywedodd ei fod yn

> ... sorry for his offence, which was committed without any evil intention or design to derogate from the dignity and honor of this House, in a private conversation at his friend's house, without knowing the gentleman then present to be a member, and to which he too easily and indiscreetly provoked by some rude expressions used by some of the company, against that sacred order to which he belongs.

Gorchmynnwyd rhyddhau Rowe – 'discharged out of custody paying fees'[82] – ar ôl derbyn ei esboniad a'i ymddiheuriad. A hwn oedd cyfaill newydd Goronwy, partner cyson iddo ar ôl marwolaeth Anne. 'Roedd diawlineb wedi denu ffolineb, fel gwyfyn at fflam.

Cyfarfu aelodau'r Bwrdd Ymwelwyr i ystyried y cyhuddiadau yn erbyn Rowe ar Ebrill 25, ar ôl ymchwilio'n drwyadl i'r mater:[83]

> The Visitors and Governors being this Day met ... for enquiring into the Conduct of the Masters of the College, occasioned by Information given by some of the Visitors,

---

[81] *Journal of the House of Burgesses of Virginia*, cyf. 1758–1761, t. 16.

[82] Ibid., tt. 17, 18.

[83] *Fulham Papers*, t. 284.

and much corroborated by current Reports of their Misbehaviour in many Respects; several Matters were now objected against Mr Rowe and Mr Owen, and one of the Members objected against the President of the College ...

Un hawdd dylanwadu arno a'i arwain ar gyfeiliorn oedd Goronwy, fel y tystia'i berthynas â'r Morrisiaid, ond ar ôl marwolaeth ei ail wraig, 'roedd yn ddiamddiffyn agored i gael ei arwain ar gyfrgoll, ac ar ben ei brofedigaeth 'doedd Goronwy ddim yn teimlo'n ddiogel iawn yn ei swydd. Cawn yr argraff mai Rowe oedd y prif symbylydd yn y berthynas rhwng y ddau, a Goronwy'n dilyn; ond er mai Rowe oedd y prif droseddwr, 'roedd Goronwy hefyd mewn dyfroedd dyfnion, ac yn sgîl ynfydrwydd y ddau, 'roedd Dawson dan y lach am fethu cadw trefn a disgyblaeth o fewn y Coleg. Gan fod yr holl fater yn un pur ddifrifol, trefnwyd cyfarfod ar gyfer y diwrnod dilynol i drafod y cyhuddiadau yn erbyn y ddau ymhellach. Cyflwynodd un o aelodau'r Bwrdd Ymwelwyr y dystiolaeth ganlynol:[84]

> I do not pretend to know any Thing of my own Knowledge but I have been informed That Mr Rowe, one of the Professors of Philosophy, and Mr Owen Professor of Humanity, have been often seen scandalously drunk in College, and in the public Streets of Williamsburgh and York [tref yn ymyl Williamsburg]: That the said Mr Rowe and Mr Owen frequently utter horrid Oaths and Execrations in their common Conversation – by which Practices the Youth are liable to be corrupted, and the Influence and Authority of the Masters in directing the Scholars in their Moral Duty, quite destroyed: That the said Mr Rowe, by a contentious, turbulent, contumacious, and a strange Madness of Behaviour, has frequently endeavoured to destroy the regular Authority of the President of the College, and to create and keep up Differences and Parties between the President and Masters to the Destruction of the ordinary Government of the College ... and that Mr Owen has been lately guilty of the same Behaviour.

Cyhuddwyd y ddau hefyd o esgeuluso eu dyletswyddau. Fe'u gwelwyd yn marchogaeth o gwmpas y wlad yn ystod eu horiau gwaith yn y Coleg. Yn ogystal â meddwi o fewn libart y Coleg, ac ar strydoedd Williamsburg a York, 'roedd Rowe hefyd wedi arwain ymgyrch fewnol yn erbyn Thomas Dawson, ac wedi ceisio creu gelyniaeth rhwng Dawson a'r athrawon eraill. Y cwestiwn yw, o gofio fod Rowe a Goronwy yn gyfeillion, ac yng nghanol yr helynt gyda'i gilydd: a oedd Goronwy wedi troi yn erbyn ei frawd-yng-nghyfraith ef ei hun?

Beth bynnag am hynny, mae'r cyhuddiadau yn erbyn Goronwy wedi eu gollwng erbyn cyfarfod nesaf y Bwrdd Ymwelwyr, bedwar diwrnod yn ddiweddarach, ar Ebrill 30. A oedd peth pledio ac ymbil ar ran Goronwy wedi digwydd yn y cefndir, rhwng y ddau gyfarfod? A oedd Dawson wedi manteisio ar ei gyfeillgarwch â Fauquier, a chael ganddo

---

[84] Ibid., t. 284–284 (b).

ddiddymu'r cyhuddiadau yn erbyn Goronwy? Ond pam y dylai Dawson geisio achub cam Goronwy os oedd ei frawd-yng-nghyfraith wedi troi yn ei erbyn? Mae'n bur debyg fod Dawson yn cydymdeimlo â Goronwy yn ei golled a'i unigrwydd, ac yn sylweddoli mai marwolaeth Anne oedd wedi ei fwrw oddi ar ei echel.

Fodd bynnag, 'does dim sôn am ran Goronwy yn y rhegi a'r rafio yng nghyfarfod Ebrill 30. Yn y cyfarfod hwnnw gofynnwyd i Rowe gyfiawnhau ac esbonio ei ymddygiad gwarthus:[85]

> Mr Rowe being called upon to answer the Charge exhibited against him, delivered a Writing purporting his Confession. That as to the Charge of Drunkenness, he has been sometimes overtaken in Company, not from any Fondness for, or Love of the Liquor; and that also through his Infirmity in the Heat of Passion, he has sometimes been guilty of uttering Oaths in Company ...

Ymbalfalu am esgusion yr oedd Rowe. Ar y llaw arall, gwadodd y cyhuddiad iddo geisio creu gelyniaeth rhwng y Llywydd a'r athrawon, ac yn sgîl hynny, danseilio ei awdurdod:[86]

> Whereupon the President was called upon to produce some Letters he had received from Mr Rowe, which were read: From which, as well as from the Testimony of Witnesses now here examined upon Oath, the Visitors and Governors are of Opinion that this Part of the Charge is fully proved.

Gwysiwyd Rowe i ymddangos gerbron aelodau'r Bwrdd Ymwelwyr ar Fai 2. Darllenwyd y cyhuddiadau yn ei erbyn, a'i gael yn euog o bob un. Er mor ddifrifol oedd y cyhuddiadau hyn, penderfynwyd rhoi un cyfle arall iddo, 'To all which M[r] Rowe appeared well satisfied and repeating his Promises of future good Behaviour, withdrew'.[87]

Mae'n debyg i'r ddau, Goronwy a Rowe, gallio am gyfnod. Yna, fisoedd yn ddiweddarach, digwyddodd gwaeth helynt nag erioed yn hanes y Coleg. 'Roedd Goronwy a Rowe wedi arwain rhai o fechgyn y Coleg i ymladd yn erbyn rhai o lanciau Williamsburg, gyda phistolau ac arfau eraill. Rowe yn unig a gyhuddwyd o'r camwri hwn, a 'doedd gan y llywodraethwyr ddim dewis yn ei achos ef. Ar Awst 11, diswyddwyd Rowe, a llofnodwyd y datganiad canlynol gan Francis Fauquier:[88]

> The Rector informed the Visitation, that M[r] Rowe notwithstanding the strong Admonitions he received here at last Meeting for his Misbehaviours of various Kinds, and his solemn Promises of future good Behaviour thereupon, did lately lead the Boys out against the Town Apprentices to a pitched Battle with Pistols and other Weapons,

---

[85] Ibid., t. 284 (b).
[86] Ibid.
[87] Ibid., t. 287.
[88] Ibid.

instead of restraining and keeping them in, as was the Duty of his Office to have done: That at the same Time he also insulted Mr John Campbell by presenting a Pistol to his Breast, and also Peyton Randolph Esq. one of the Visitors, who was interposing as a Magistrate and endeavouring to disperse the Combatants. That the next Day he also insulted the President for enquiring of the Boys the Particulars of the Affair without a Convention of the Masters: And upon the Rector's vending to him to take Care to keep the Boys in that Night upon Apprehension of a second Affray, he also most grossly insulted him.

'Roedd yr Ymwelwyr yn unfryd unfarn yn eu penderfyniad i ddiswyddo Rowe yn y fan a'r lle, 'And because it may be apprehended that Mr Rowe will refuse Obedience to this Order, It is the Opinion of this Visitation that upon his Refusal to depart forthwith, the same Methods be used, as in the Case of the late deprived Masters'.[89] 'Roedd Rowe – a Goronwy – wedi tynnu mawrion Williamsburg yn eu pennau, a'r ddau, y tro hwn, wedi mynd yn rhy bell.[90]

Beth, felly, a ddigwyddodd i Goronwy? A fu ganddo ran o gwbwl yn yr helynt a barodd i Rowe golli ei swydd? Mae tair tystiolaeth gadarn o blaid credu hynny. Daw'r dystiolaeth gyntaf o lyfr cofnodion y cyfarfodydd rhwng aelodau staff y Coleg. Ar gyfer cyfarfod Medi 25, 1760, ceir y cofnod canlynol:[91]

The Rev^d M^r. William Webb, (at a meeting of the Visitors & Governors held the 14th August, 1760) having been elected Master of the Grammar School, in the place of the Rev^d M^r. Gronow Owen, who resigned, did this Day enter upon his said Office ...

Mae dyddiad penodi William Webb i swydd Goronwy a dyddiad diswyddo Rowe yn cyddaro i bob pwrpas. Osgoi cosb drwy ymddiswyddo a wnaeth Goronwy, felly. Mae'n rhaid fod Dawson a Fauquier wedi trafod y mater yn gyfrinachol, ac wedi penderfynu mai'r peth doethaf fyddai i Goronwy ymddiswyddo, fel y gallai gadw wyneb a rhag

---

[89] Ibid., 287 (b).

[90] Weithiau 'roedd y ddisgyblaeth haearnaidd a geid o fewn colegau cyntaf yr America drefedigaethol yn achosi problemau. 'Roedd y disgyblion yn aml yn cicio yn erbyn y tresi; cf. Arthur M. Schlesinger, *The Birth of the Nation*, tt. 181-182: 'The students lived under stiff surveillence both in and out of the classroom. This vigilance doubtless reflected belief in original sin and had further justification because of the immaturity of the undergraduates and their freedom from home restraints ... The boys had to rise early, attend daily prayers as well as Sunday services, defer unquestioningly to tutors and upperclassmen, and avoid fighting, profanity, lying, hard liquor, gambling, or nocturnal outbreaks. William and Mary, because of its large contingent of planters' scions, went further in 1752 by banning race horses and game-cocks. Everywhere the outbreak of pent-up spirits during commencement raised almost unmanageable problems. Discliplinary measures ranged from public censure and fining of offenders to suspension and expulsion'. Un o'r terfysgoedd mwyaf yng ngholegau'r cyfnod trefedigaethol oedd gwrthryfel myfyrwyr Harvard ym 1766.

[91] 'Journal of the Meetings of the President and Masters of William and Mary College', *W. & M.*, cyfres 1, cyf. III, rhif 2, Hydref 1894, t. 130.

peryglu'i siawns o gael swydd arall. 'Roedd Dawson, yn sicr, wedi manteisio ar haelioni ysbryd a charedigrwydd Fauquier unwaith o'r blaen o leiaf. Bu Fauquier yn gefn i Dawson pan wysiwyd ef gerbron y Bwrdd Ymwelwyr am hel diod yn ormodol; Fauquier a achubodd ei gam, a darbwyllo'r aelodau i beidio â'i ddiswyddo, gan ei amddiffyn yn y geiriau hyn:[92]

> ... he had been teased by contrariety of opinions between him and the clergy into the loss of his spirits, and it was no wonder that he should apply for consolation to spirituous liquors.

Mae'n sicr mai gwneud cymwynas arall â'i ffrind Dawson yr oedd Fauquier pan berswadiodd y Bwrdd Ymwelwyr i beidio â chosbi Goronwy yn y modd y cosbwyd Rowe, a'u cael i dderbyn ei ymddiswyddiad.

Daw'r ail dystiolaeth o lythyr a anfonodd y Parch. Thomas Davies o Virginia at gynddisgybl i Edward Owen, Warrington. Anfonodd Edward Owen y llythyr at John Williams, Llanrwst, ar Hydref 27, 1795. Aeth tad y Thomas Davies hwn o Lerpwl i Virginia ym 1754, wedi i'w fusnes fethu, a chafodd fywoliaeth eglwysig yn Virginia. 'I remember him well, as he was frequently at my father's, and very fond of talking Welsh with my mother,' meddai Thomas Davies amdano.[93] Bu Thomas Davies yn ddisgybl i Goronwy o Dachwedd 1758 ymlaen. 'He was a blunt, hasty-tempered Welshman and esteemed a good Latin and Greek Scholar,' yn ôl Davies, a chofiai'n dda am yr helynt a godwyd ganddo ef a Rowe:[94]

> Rum ... was his destruction. He was extremely intemperate; and in one of his merry frolics, he and a Mr. Rowe, who was professor of *Moral* philosophy, headed the Collegians in a fray, which they had with the young men of the town; for which and other flagrant improprieties they were dismissed from their offices by the Visitors.
>
> This, I think, happened in the year 1760. Mr. Rowe returned to England, and Mr. Owen was soon after inducted into a parish in Brunswick County, Virginia.

'Roedd Thomas Davies yn cofio'n dda. Gwyddai fod Goronwy a Rowe wedi tramgwyddo awdurdodau'r Coleg cyn arwain y bechgyn i ymladd yn erbyn llanciau Williamsburg. Mae ei dystiolaeth yn hollbwysig, a 'does dim rhithyn o amheuaeth ynghylch rhan Goronwy yn yr helynt.

Yn weddol ddiweddar y daeth y drydedd dystiolaeth i'r fei. Darganfuwyd dogfen ddychanol wedi'i llunio gan rywun a guddiai dan y ffugenw *Tim Pastime*, casgliad o draethodau dychanol wedi'i gyflwyno 'To Mr. Hunter Esq Demipostmaster, Printer and Linnen Draper in Williamsburg', sef William Hunter, a oedd yn gyfrifol am argraffu'r

---

[92] *Historical Collections Relating to the American Colonial Church*, cyf. I, Virginia, t. 517.

[93] 'Letters from the Rev. Edward Owen to the Rev. John Williams, Llanrwst', t. 62.

[94] Ibid.

Virginia Gazette ar y pryd.[95] Bwriad *Tim Pastime* oedd cael y ddogfen wedi'i hongian yn siop argraffu William Hunter er mwyn difyrru'r prentisiaid a weithiai yno, a gwyddai y câi ei sylwadau gefnogaeth y prentisiaid hyn, gan y byddai rhai ohonyn nhw, a rhai o'u cyfeillion, wedi bod yn ymladd yn erbyn disgyblion y Coleg yn y ffrwgwd. 'Roedd *Tim Pastime* yn ochri â'r gwrth-glerigwyr yn y frwydr hon. Ai dogfen ail-law, yn adrodd stori a glywsai, ac a oedd wedi lledaenu fel tân gwyllt drwy Williamsburg a'r ardaloedd cyfagos, neu ai dogfen a seiliwyd ar dystiolaeth uniongyrchol oedd y ddogfen? Ni wyddom yr ateb, ond, yn sicr, mae hi'n profi y tu hwnt i unrhyw amheuaeth fod Goronwy wedi chwarae rhan flaenllaw ac allweddol yn yr helynt, ac mae hi hefyd yn dangos pa mor ddifrifol oedd yr holl gythrwfwl.

Ymosodir yn helaeth ar John Camm a'i gyd-glerigwyr yn y ddogfen, cyn dod at y ffrwgwd rhwng y disgyblion a'r prentisiaid. 'They have,' meddai'r dychanwr, 'prostituted the Pulpit more than the Money Changers did the Temple, by Introducing a Man into it, who had transgressed every Law both human and Divine, and one who would have debauched his own Family, had he found an opportunity of putting the Evil of his Heart into Execution'. Cyhuddiad arall oedd eu bod 'Instead of being Peace Makers, they are turned Peace breakers, and so fond are they of Commotion, and Disturbance that rather than have no party, they will head school boys and mulattoes and wage war even with apprentices and unwanted artificers'.

Yn ôl *Tim Pastime* – er y dylem gofio fod dawn y dychanwr ar waith yma, a llawer o orddweud ac o orliwio yn perthyn i'r traethu – yn Eglwys Bruton y cychwynnwyd yr helynt. Arferai disgyblion y Coleg, a'u hathrawon, eistedd yn oriel yr Eglwys bob Sul, a thrigolion cyffredin y dref yn eistedd danyn nhw. 'The Collegians,' meddai'r dychanwr, 'from some capitol Defect in their Education are it seems utterly unacquainted with the Designs of Gestures of Devotion, wherefore when the Townsmen who sit below their Gallery, from meer Fervour of Devotion were casting their Eyeballs up to heaven, the Academists thought themselves mocked and in return for the unopposed insult collected all the saliva they could and streamed it on the Oppidans faces, nay some have asserted that the urinary conduits were exercised on the occasion'. Ar ôl y digwyddiad yn yr eglwys, cyfarfu rhai o drigolion y dref â rhai o'r athrawon (a Jacob Rowe a Goronwy yn eu plith) yn Williamsburg ei hun, gan eu bygwth ag 'universal carnage'. Derbyniwyd yr her gan 'Orlando Furioso [Jacob Rowe] the philosophical Professor, and the ancient Briton, a thousanth cousin of the great Cadwallader,' sef Goronwy.[96] Pennwyd dyddiad

---

[95] Letter to William Hunter, c. 1760/1, 36 tt, MS 90.4, Library Special Collections, Colonial Williamsburg Foundation Archives, Williamsburg, Virginia. Dymunaf ddiolch i Hywel M. Davies am anfon copi o'r ddogfen yn ei chrynswth ataf. Trafodir cynnwys y ddogfen gan Hywel M. Davies yn 'Goronwy Owen, the Parsons' Cause and the College of William and Mary in Virginia', *THSC*, cyf. I, 1995, tt. 40-64.

[96] Ni ddylid synnu mai 'Cadwallader' oedd yr enw a roddwyd ar Goronwy. Yn ôl *Old Churches, Ministers and Families of Virginia*, yr Esgob William Meade, cyf. II, 1857, t. 429, 'roedd 'Cadwallader' yn un o'r 'Welsh Names to be found in the United States and many of them in Virginia'.

ar gyfer yr ymrafael: yr ail ddydd o Orffennaf. Rowe oedd arweinydd y Colegwyr, yn ôl yr adroddiad, a Goronwy – 'Cadwallader' – wrth ei ochr, wedi'i wisgo fel cadfridog Rhufeinig (gan mai Lladin oedd un o'r pynciau a ddysgai), 'with a Cutlass in one hand and a bunch of rods worn down to the stumps in the other, a type of the punishment the captives were to receive'. 'The troops,' meddai'r adroddwr, 'with great punctuallity assembled not in the Plain of Abraham, but in the Field of Jacob,' sef Jacob Rowe, wrth gwrs. Yn ôl yr adroddiad, 'as it was imagined there were no fire arms amongst the Collegians, a Pistol that was only intended by Furioso as a signal to prepare was fird, but the Townsmen imagined it to be a bloody attack, were struck with an irremovabel Pannick and immediately took to their heels'.

Yn y panic hwn, cymerwyd dau garcharor: 'The Conquerors took two Prisoners whom they carried into the Grammar School and as Whiping is Part of military Discipline, Cadwallader who is skilled in that art, took care to give them 35 lashes well laid on'. Mae'r honiad fod Goronwy yn gyfarwydd â chwipio yn cyfateb i dystiolaethau eraill amdano fel gŵr temprus, parod i golbio disgyblion. Cyfarchwyd y ddau a gipiwyd ac a chwipiwyd gan Goronwy fel hyn, gan geisio rhoi blas acen Gymreig i'r geiriau a'r brawddegau, a diffyg meistrolaeth Cymro ar yr iaith Saesneg: '... look you, we are as prave as Agamemnon, as Alexander the Pig, and I preseech you, at my desires, my requests and my petitions, that you preed no more contentions and scuffles and prawlings amongst us. Look you, take what I have given you as a memento, otherways we will give you a *memento mori* next time'.

Er bod llawer o liwgarwch dychymyg ac elfennau ffug-arwrol hwyliog yn y traethu, mae sawl peth yn y ddogfen yn cyfateb i'r dystiolaeth hanesyddol. Dyfynnwyd eisoes y dystiolaeth am ran John Campbell, un arall o gynheiliaid y Gyfraith yn Williamsburg a gŵr o bwys yn y dref, a Peyton Randolph yn yr helynt, ac fel y ceisiodd y ddau ymyrryd yn y ffrwgwd i ddwyn y cyffro i ben. Yn nogfen *Tim Pastime*, sonnir am yr ymdrech hon i heddychu'r ddwy ochr. 'A magistrate of the Town,' meddai, 'and not an inferiour one ... went into the Field before the Collegians had decamp'd in order to restrain their vehement desire for battle'. Peyton Randolph, wrth gwrs, oedd y gŵr hwn. Edliwiodd i Rowe ei ran yn y cynnwrf, gan ddweud 'how unbecoming it was for a man of his profession to be engaged in such an affair'. Gofynnodd pam nad oedd Rowe wedi apelio at y Gyfraith, yn wyneb y bygythiad hwn gan drigolion y dref, yn hytrach na cheisio gweinyddu'r Gyfraith ei hun, ond ateb sarrug a bygythiol a gafodd gan Jacob Rowe: 'know you, that my name is the Rev. Wm. Jacob Rowe that I may be met at any time and Place, when- and wheresoever appointed, and will bring sword in the blood of any man who shall be presumptious enough to oppose or treat me with any kind of dishonour'. Ceisiodd Peyton Randolph, yn ei ddoethineb, gilio o faes y gad yn hytrach nag ymdrechu ymhellach i ddwyn pen-rheswm â'r fath benboethyn, ond, fel ci yn cnoi ar asgwrn, ni adawodd Rowe i'r mater orffwys; fel yr oedd Peyton Randolph ar fin ymadael, 'and by his silence acknowledged the general's great merit, the General determined to load his brow with as many Laurels as he could, as well to rid the College of all its Malcontents ... put a pistol to John Campbels breast, demanding of him, which Party he espoused, for says he, Wm. & Mary shall never languish for want of a protector whilst I am concerned in Respiration'. Wedyn, 'Lord George went off the Field,' sef Peyton Randolph, mwy na thebyg, 'vowing vengeance against the Neck of the Conqueror'. Arhosai Rowe a Goronwy a'r buddugwyr ar y maes i ddathlu awr eu buddugoliaeth, ac wedyn encilio i'r Coleg i fwynhau gwledd y fuddugoliaeth honno, a Richard Graham a John Camm yn ymuno â nhw, 'to ebriate the Toils of War and so fortifyed themselves with Rumbo and Madeira'.

Honnir yn y ddogfen mai'r athrawon hyn oedd perchnogion a rheolwyr y Coleg, a'u bod yn ei ystyried 'rather as Barracks for their soldiery, than a Place of publick education', ac na welid yn y sefydliad bellach ond 'the decline of it and the daily decay of Religion and Learning'. Beirniedir hefyd y dull o benodi athrawon i'r Coleg: 'the Method has always been, when any of the Masters had been turn'd out (for few of them have of late died in the Service) the worthy Bishop of London, is applyed to, as Chancellor of this Seminary to recommend successors ... or Doctr. Nicholas, his right hand man have any inordinate person whom they want get rid off, they are sent ... to this poor languishing Seminary'. 'The present sett are maniacks, as well as Bacchanalians,' meddai.

Fel y dangosodd Hywel Davies, 'roedd y dychanwr hwn yn gyfarwydd â'r traddodiad barddol Cymraeg o hel achau, a dychanai'r traddodiad hwnnw â'i ddisgrifiad o Goronwy fel 'a thousanth cousin of the great Cadwallader'. Ni ddylid rhyfeddu at hynny, yn enwedig o gofio am yr holl Gymry a oedd wedi ymfudo i'r Trefedigaethau. 'Roedd dychan yn arf pwysig yn nwylo'r trefedigaethwyr yng nghanol yr holl dyndra gwleidyddol a fodolai yn y Trefedigaethau, ac yng nghanol yr elyniaeth rhwng y trefedigaethwyr a'r Prydeinwyr. 'Roedd traddodiad cryf o ddychan wedi datblygu yn ardaloedd y Chesapeake yn ystod y cyfnod trefedigaethol, ac yn yr ail ganrif ar bymtheg y dechreuwyd y traddodiad hwnnw, i bob pwrpas. 'Before the century was out,' meddai Richard Beale Davis, 'there had begun a practice by the colonial Virginian of protesting against anything and everything, or of commenting sardonically or ironically in what then as now we call satire'.[97] Ffynnodd nifer o ddychanwyr yn Virginia yng nghanol y ddeunawfed ganrif, rhwng 1754 a 1757, dychanwyr a oedd yn wrthwynebus i nifer o bolisïau Robert Dinwiddie fel Llywodraethwr Virginia ar y pryd, ac fe gadwyd cynnyrch y garfan honno o ddychanwyr mewn un llawysgrif yn unig. Mae'r darn cyntaf yn y llawysgrif yn llythyr sydd wedi'i arwyddo gan *Benjamin Browncoat*, ac mae rhannau ohono yn ceisio 'sgwennu Saesneg gyda sŵn Cymreig iddi. Honnir fod tad Benjamin Browncoat yn Gymro – 'was a Welch[man] ... who called himself "Penchymin Prowncoat" ',[98] felly 'roedd caledu'r

---

[97] 'The Colonial Virginia Satirist: Mid-Eighteenth Century Commentaries on Politics, Religion and Society', Richard Beale Davis, *Transactions of the American Philosophical Society*, cyf. 57, rhan 1, 1967, t. 7.
[98] Ibid., t. 17.

gytsain *b* yn *p* yn un o nodweddion Cymro wrth siarad Saesneg, a Goronwy yn eu plith, yn ôl y dychanwyr trefedigaethol hyn.

'Roedd Goronwy, felly, yn haf 1760, heb swydd, heb gymar, heb gartref a heb gyfeill-ion, a hynny mewn gwlad a oedd yn estron iddo o hyd. 'Roedd erbyn hyn wedi dechrau colli pethau fesul dau: dwy wraig, dau blentyn, dwy wlad. I ble'r ei di'n awr, Goronwy Ddu? Bu'n ffodus o gael Fauquier o'i blaid ar ôl yr helynt a achoswyd ganddo ef a Rowe, a Fauquier, unwaith yn rhagor, a gynigiodd waredigaeth i'r bardd yn ei drybini a'i drueni.

'Rhifid ym Môn Burion Beirdd'

Cyhoeddi Gwaith Goronwy

1757–1764

Tra oedd Goronwy yn ceisio cael ei draed dano ar dir llithrig Coleg William a Mary yn Williamsburg, 'roedd ei gyfeillion a'i gyfoedion yn dal i freuddwydio am gyhoeddi ei waith. 'Roedd Richard Morris a John Owen o hyd yn awyddus i gyhoeddi barddoniaeth eu cyfaill hyd yn oed wedi iddo ymadael am Virginia, a William yn ceisio hybu'r bwriad ymlaen o Gaergybi bell. 'Doedd gan Lewis, ar y llaw arall, ddim diddordeb yn y fenter. Ddechrau 1758, 'roedd William yn dechrau anesmwytho a theimlai'n hynod o rwystredig, yn enwedig gan fod y tanysgrifwyr a gasglasai yn cwyno ynghylch yr hir-oedi cyn cyn-hyrchu'r llyfr. 'Dyma fi heb roddi'r arian i'r bobl yn ôl ettwa dan obaith rhyw ddaioni. Dywedwch, da chwithau, pa beth sydd yn eich bryd, f'eneidiau?' meddai wrth Richard ar drothwy'r flwyddyn newydd, 1758.[1] Yr un oedd ei gŵyn bron i ddeufis yn ddiweddarach: 'Dyma Wyl Ddewi wrth ein drysau felly rhaid rhoi'r arian iddynt yn ol drwy'r c'wilydd, wedi eu hudo au porthi a gobaith o gael gweled y peth nis cânt'.[2]

Problem fawr Richard oedd ei brysurdeb. 'Roedd y Rhyfel Saith Mlynedd rhwng Ffrainc a Phrydain wedi cynyddu ei waith, ac ni allai feddwl am roi dim o'i amser na'i egni prin tuag at gael llyfr Goronwy yn barod i'r argraffwyr. 'Mae y Rhyfel gas yma yn gwasgu mor dost arnaf i yn fy offis, nad oes genyf ennyd i wneuthur gorchwyl arall yn y byd ysywaeth o ddydd bwygilydd, a rhy fynych y mae'n gorfod arnaf fod wrthi ar y Suliau,' meddai wrth Dafydd Jones.[3] Ar y pryd 'roedd John Owen yn lletya gydag ef yn ei dŷ yn Stryd Penington yn Llundain, yn segura o gwmpas y lle ac yn tosturio wrtho'i hunan wedi i'w ewythr ei adael ar y clwt, a mynd yn ôl at ei deulu ym Mhenbryn. Cwynodd Siôn Owen yn ddybryd am y driniaeth a gawsai gan Lewis wrth ei ewythr arall, Edward Hughes:[4]

---

[1] *ML* II, llythyr CCCLXXVIII, William at Richard, o Gaergybi, Rhagfyr 26, 1757, t. 60.
[2] Ibid., llythyr CCCLXXX, William at Richard, o Gaergybi, Chwefror 13, 1758, t. 61.
[3] *ALMA* 2, llythyr 214, Richard at Dafydd Jones, o Lundain, Rhagfyr 18, 1759, tt. 427–428.
[4] Ibid., llythyr 431, John Owen at Edward Hughes, o Lundain, Ionawr 26, 1758, t. 937.

Och fi! hawyr, feib[i]on gwragedd, bid yspys i bawb, i'r llew adel o'i ol i'w Nai Ioan £50, onid chwexeiniog iw gynnal yn y byd hwn! do do, ac a ddywedodd wrtho hefyd na byddai dim o'i eisiau mwyax yn Sir Aberteifi ac am iddo wneuthur ei oreu o'i ffordd a mynd ar fwrdd man of war neu rywle i geisio ei fywoliaeth, o'r D---l a elo a'r fath lewod. pan welodd nad oedd dim o'm heisiau arno ef fe'm troes i bant a'r Cebyst dros fy ngwar fal hen geffyl ... och yn ei hen din dew meddaf fi.

Gwelodd Richard ei gyfle. Gan fod John Owen yn ddi-swydd, trosglwyddodd y dasg o baratoi gwaith Goronwy ar gyfer y wasg i'w nai. 'Roedd teneurwydd y gwaith yn poeni Richard o hyd, a chan nad oedd modd bellach i Goronwy lunio nodiadau ar waith yr henfeirdd, trawyd ar gynllun arall, sef chwyddo'r llyfr drwy gynnwys ynddo waith rhai o gyfoedion a chymheiriaid y bardd.

'Roedd Richard wedi mynegi'i fwriad wrth ei frawd diamynedd ym 'Moreb Sanctaidd Caergybi', chwedl William. Un o'r beirdd y gobeithid cynnwys eu gwaith ochr yn ochr â cherddi Goronwy oedd Hugh Hughes, y Bardd Coch, ac un arall oedd Lewis, wrth gwrs. 'Mae yn fy mryd fyned yr wythnos nesaf i ymweled a nhad, galwaf efo'r bardd wrth fyned heibiaw, ac a ddywedaf iddo'r newydd cysurus o gaffael ymddangos ir hollfyd ynghwmni Grono a Llywelyn Ddu,' meddai William wrth Richard.[5] Erbyn canol mis Mehefin 'roedd John Owen wedi cysylltu â'r Bardd Coch. 'Mi glywaf gan y Bardd Côch ... eich bod wedi sgrifennu atto am brydyddiaeth a phethau,' meddai William wrth John Owen, ond gwaredai am na wyddai 'yr hen wr ragor rhwng y drwg ar da, rhag y ddaed ynt oll, mae yn crefu arnaf fi ei didol, a minneu o dŷb arall'.[6] Mewn llythyr arall at John Owen, diolchai William i'r drefn mai ei nai a'i frawd oedd wrthi yn paratoi gwaith Goronwy i'w argraffu, oherwydd gwyddai y byddai'r Bardd Du, ac yntau mor ddilornus o feirdd israddol, yn ffromi pe canfyddai waith y Bardd Coch ymhlith ei gerddi:[7]

Yn wir, fe fyddai yn ddigon enbyd y tynnai Rono y Bardd Coch yn llofreia mân oddiwrth ei gilydd, pei canfyddai ei gerdd fraith ymhlith ei odidawg farddoniaeth. Gwiliwch chwithau, f'eneidia, dynu i lawr am eich penna ddigofaint y prif fardd. Ffawdus myfi sydd heb na llaw na throed yn y gwaith.

Nid â'r Bardd Coch yn unig y cysylltodd John Owen i ofyn am gerddi i'w cyhoeddi gyda gwaith Goronwy. Ar Fedi 7, 1758, 'sgwennodd, am y tro cyntaf erioed, at Ieuan Brydydd Hir. Erbyn hyn 'roedd John wedi dechrau ymhél â barddoni, 'cais ar fras naddu rhyw eulun o Gywydd carnbwl', chwedl yntau.[8] Anfonodd y cywydd at ei ewythr Gwilym Gam, ac 'roedd Ieuan Brydydd Hir yn digwydd bod yn aros gyda William pan gyrhaeddodd y cywydd. 'Roedd Ieuan ar y pryd yn ymgeisio am guradiaeth Llanllechid,

[5] *ML* II, llythyr CCCLXXXII, William at Richard, o Gaergybi, Mai 9, 1758, t. 66.

[6] Ibid., llythyr CCCLXXXIV, William at John Owen, o Gaergybi, Mehefin 16, 1758, tt. 68-69.

[7] Ibid., llythyr CCCLXXXVI, William at John Owen, o Gaergybi, Gorffennaf 3, 1758, t. 72.

[8] *ALMA* 1, llythyr 179, John Owen at Evan Evans, o Lundain, Medi 7, 1758, t. 355.

ac ef a gafodd y fywoliaeth honno, ym mis Hydref 1758. Dangosodd William gywydd ei nai i Evan Evans, ac, yn ôl yr ewythr, 'diau ymlawenychu o hono yn ei galon pan ganfu eich bod wedi yfed o ffrwd Helicon mor ehelaeth, ac yn ddiymatreg fe addunedawdd adduned i ddwywes yr awenydd y canai i chwi gowydd neu awdyl o gydnabod, a bid sicr mai gwr oi air ytyw Ieuan'.[9] Gorfoleddai William fod ei nai wedi dechrau amlygu dawn arall o'i eiddo, a thybiai, yn chwareus, ei fod wedi etifeddu awen Goronwy:[10]

> Iöan fy Nai, Bardd Difai, ail i Walchmai ... Ai yn fardd y troesoch? Mi roddaf gennad im cystwyaw oni ddaethoch i hyd i awen Oronwy wedi iddo ei gadael yn anghof ar ei ol ymhlith ei bappyrau. Ni'm dawr bellach a ddaeth o'r bardd byr (os byw yttyw) pa'r un ai yn fwytawr dybacaw Ymyrosinia, ynteu yn siesywyd [Jesuit] yn Ffrainc y mae, gan eich bod chwi ym meddiant oi awen, yr unig dlws a ydoedd yn perthyn iddaw, y hi oedd ei gleddyf ai darian, byddwch chwitheu drugarog wrth weiniaid rhag i chwitheu ei cholli mal yntau.

'Roedd William wedi agor y drws i John Owen. Teimlai'r nai y gallai gysylltu â'r Prydydd Hir heb ymddangos yn rhy haerllug, yn enwedig gan fod Ieuan wedi dangos diddordeb yn ymdrech gyntaf yr eginfardd i lunio cywydd. Sylweddolai John Owen y gallai Ieuan weithredu fel rhyw fath o athro barddol iddo, a'i roi ar ben y ffordd fel bardd, am 'nad oedd gan yr Ewythr trafferthus hwn [Richard] mo'r hamdden i'w ddiwygio, a'r Ewythr Llewaidd o Benbryn y Barcud ynteu wedi lled sorri neu'n hyttrach neilltuo oddiwrthyf fal nad oes rhof ag ef yr hyn lleiaf o ymgyfeilliach', ac 'ni adwaenwn neb arall ond y chwi y Pereiddfardd a roddai imi ddim o'r Boddlonrwydd'.[11]

Er mai trwy astudio'r adran ar Gerdd Dafod yng Ngramadeg Siôn Dafydd Rhys (*Cambrobrytannicae Cymraecaeve Linguae Institutiones et Rudimenta*) y dysgodd John Owen reolau'r gynghanedd a dod i wybod am y gwahanol fesurau, mae'n sicr fod ei gyfeill-garwch â Goronwy, ac wedyn y dasg o baratoi cerddi'r bardd ar gyfer yr argraffwyr, wedi plannu hedyn y brwdfrydedd newydd hwn ynddo. Yn sicr, nid y Llew tew oedd y sbardun. 'Tho' I have been so long with my uncle Lewis he never shewd me the difference between a *Cywydd* and an *Englyn*,' meddai yn ddirmygus.[12]

Ail neges llythyr John Owen, ar ôl gofyn i Ieuan fwrw golwg dros ei gywydd, oedd gofyn iddo am gerddi i dewychu llyfr Goronwy:[13]

> I fancy you have been Informd that Gr: Owen's Poems are pretty forward for the press but here are *Cywydd Offeiriad Caron* & 3 or 4 *Englynion Milwr* of yours that must be printed along with them, gan fod Goronwy yn eu crybwyll yn ei waith. I am desired by

---

[9] *ML* II, llythyr CCCLXXXVIII, William at John Owen, Gorffennaf 26, 1758, tt. 75-76.

[10] Ibid., t. 75.

[11] *ALMA* 1, llythyr 179, John Owen at Evan Evans, o Lundain, Medi 7, 1758, t. 355.

[12] Ibid.

[13] Ibid.

my Uncle Rich[d] to let you know this, and that if you have made any material alterations in them, you'll be so good as to let him have 'em as soon as you can. And if you are desirous to see your works preserved in print, he w[d] be greatly obliged to you for a few of your other *Cywyddau & Awdlau*, or some of the correct pieces of *Taliessin* ac *Aneurin wawdrydd* of which I am told you have a Curious collection.

Drwy law William yr anfonodd Ieuan Brydydd Hir ei gyfraniad ef i lyfr Goronwy ar gais John Owen. Erbyn diwedd mis Hydref, 'roedd John, yn ôl ei lythyr at Dafydd Jones, 'beunydd yn parottoi y defnyddiau, ac ni byddir weithion chwaith hir cyn eu dodi yn yr Argraphwasg,'[14] ond 'roedd y stori'n bur wahanol pan 'sgwennodd at Evan Evans ddeuddydd yn ddiweddarach:[15]

> Gronow's Poems go on but slowly tow[ds] the Press for there is nobody that does any thing but my self. My uncle being excessive busy with the naval affairs that he has not an hour hardly to spare. I have copy'd some few poems of Iolo Goch, DD. Gwilym &c. which are intended to be printed along with the others but I am sadly at a loss for correct copies, and some good old pieces, to make up a handsome volume, which I am afraid can not be accomplishd without good Assistance. The Fat man of Cardiganshire is in a manner untractable otherwise he might easily give the work a finishing hand.

I gymhlethu pethau, cafodd Siôn Owen swydd, rywbryd yn nechrau Tachwedd 1758, drwy ddylanwad ei ewythr Richard, mae'n debyg, fel clerc ar long o'r enw *Aurora*. 'I thought some time ago to have found some employment in London among the Sociable Part of Mankind,' meddai wrth Evan Evans, 'but in spite of myself & all my Friends, I was Fairly baulkd, and at last, brought into such a dilemma that I had but one *honourable* way to extricate myself, by accepting of a Clerkship aboard of this Ship ...'[16] Sioc enbyd oedd y symudiad hwn o eiddo John Owen i William, yn enwedig gan nad oedd y nai wedi crybwyll y mater o gwbwl wrth ei ewythr. Drwy dad Siôn y clywsai William y newydd-ion, ac 'Roedd y fam ymron myned yn ynfyd pan glybodd y newydd'.[17] Yn y man, ymunodd John Owen â llong arall, llong ryfel o'r enw *Edgar*, dan gapteiniaeth Francis William Drake. Hyd yn oed cyn ymuno â'r *Edgar*, gwyddai Siôn Owen fod ei ran ef yn y gorchwyl o geisio paratoi gwaith Goronwy ar gyfer y wasg ar ben, gan fod ei alwedig-aeth newydd yn hawlio'i holl sylw a'i holl amser. 'Sgwennodd at Evan Evans:[18]

> As to Gronow Owen's works I do not know what will become of them, whether my Uncle Rich[d] will have leizure to print 'em or no. I am afraid not, for he has so much business already in hand that I dont believe he will be able to do it let him be ever so well Inclined, unless he has proper assistance, which will but rarely happen in London.

---

[14] Ibid., llythyr 184, John Owen at Dafydd Jones, o Lundain, Hydref 31, 1758, t. 368.

[15] Ibid., llythyr 185, John Owen at Evan Evans, o Lundain, Tachwedd 2, 1758, t. 370.

[16] Ibid., llythyr 191, John Owen at Evan Evans, o'r *Aurora* ym mhorthladd Portsmouth, Rhagfyr 4, 1758, t. 378.

[17] *ML* II, llythyr CCCC, William at Richard, o Gaergybi, Rhagfyr 7, 1758, t. 98.

[18] *ALMA* 1, llythyr 191, John Owen at Evan Evans, o'r *Aurora* ym mhorthladd Portsmouth, Rhagfyr 4, 1758, t. 380.

Yn nwfn ei galon, gwyddai William na welai llyfr Goronwy olau dydd heb lawer o bwyso a chystwyo. Yn wir, dyfnhai ei anobaith fel yr âi'r misoedd heibio, a dim yn cael ei wneud. 'Mewn difrif ydych chwi f'eneidiau yn myned ymlaen ac argraphu Gronw ai peidiaw?' gofynnodd i Siôn Owen, gan ateb y cwestiwn ei hun: 'Yn goch y bo mhais, ond wyf yn ofni mae hebddo y byddwn yn y diwedd'.[19] 'Roedd William wedi colli pob amynedd â'i frodyr erbyn hyn, a dechreuodd edliw i'r naill ei aneffeithiolrwydd a'i ddicter a'i ddifrawder i'r llall. Holodd John Owen am Gapel y Cymmrodorion, sef y capel y gobeithiai Goronwy weinidogaethu ynddo pan aeth i Lundain, gan wybod yn iawn nad oedd dim wedi'i wneud ei gylch. 'Pa beth sy'n dyfod o Gapel y Cymmrodorion, a ddarfu ei sefydlu ar sail dda? Pwy yttyw'r gweinidog, a phwy ydyw rheolwyr ysprydawl?' gofynnodd.[20] Cystwyo, nid cwestiynu, oedd nod William. Gwyddai y gallai Lewis roi llawer o gymorth i Richard i wireddu'r breuddwyd o gyhoeddi gwaith Goronwy. Ond 'roedd Lewis yn dal dig, ac yn prysur lithro i henaint cysurus a didramgwydd, yn enwedig gan fod ei helyntion cyfreithiol yn dechrau cilio i ebargofiant. 'A ddarfu'r gwaed ffrom-wyllt hwnnw ffrydiaw allan drwy droed y Llew ac ynte ddyfod atto ei hun a maddeu gwendid yr Oronwy?' gofynnodd i Richard.[21] 'Os do, nid hwyrach iddo ymgoleddu ychydig ar ei waith o ac eraill feirdd, ie, a dodi cennad iw farddoniaeth ei hun daring tan do unto ar eiddo'r Bychanfardd,' meddai drachefn, gan wybod yn iawn y gallai Lewis ddod â'r gwaith i ben pe bai'n gallu lleddfu ei natur anghymodlon ac anfaddeugar.[22] Gwyddai William mai trwy lafurwaith John Owen yn unig y dôi'r llyfr i olau dydd, hynny yw, os oedd i ddod o gwbwl. Hyd yn oed cyn i John Owen gael swydd, ofnai William yr âi'r holl gynlluniau i'r gwellt pe bai ei nai yn dechrau ennill ei gyflog. 'Pan gaffoch chwi ryw le braf, braf, yna ni bydd neb ond y Llywydd i wneuthur, ac ynteu yn llawn ffwdan,' meddai wrth John Owen.[23]

Methu a wnaeth Richard a John Owen yn eu bwriad i gyhoeddi gwaith Goronwy ym 1758. Oddeutu diwedd y flwyddyn honno, 'roedd Huw Jones[24] o Langwm (1700? – 1782), y cyhoeddwr a'r baledwr, wedi dechrau casglu gwaith beirdd cyfoes gyda'r bwriad o'u hargraffu mewn blodeugerdd. 'Dyma rhyw ddyn rhyd y wlad yn casglu subscribers ynghyd tuagat argraphu peth o waith Grono, Ieuan Fardd, Mr. W. Wynne, a pamphlet, felly ceisiwch f'eneidiau bawb ddwfr iw long, gan fod y gelynddyn ar eich gwarthaf,' meddai William wrth John Owen, gan obeithio'i sbarduno ef a Richard ymlaen i gyhoeddi gwaith Goronwy o flaen neb arall.[25] 'Sgwennodd at Ieuan Brydydd Hir ar yr un diwrnod, a gresynu, gan fod Huw Jones eisoes wedi dechrau ar y gwaith, ei bod yn 'rhyw'yr ymorol am gael Crogi y chwiw leidr!'[26]

---

[19] *ML* II, llythyr CCCXCIX, William at John Owen, o Gaergybi, Tachwedd 20, 1758, t. 97.
[20] Ibid., llythyr CCCXCV, William at John Owen, o Gaergybi, Hydref 1, 1758, t. 88.
[21] Ibid., llythyr CCCXCVI, William at Richard, o Gaergybi, Hydref 17, 1758, t. 91.
[22] Ibid.
[23] Ibid., llythyr CCCXCIX, William at John Owen, o Gaergybi, Tachwedd 20, 1758, t. 97.
[24] Hugh Jones oedd y ffurf ar yr enw ar wynebddalen *Dewisol Ganiadau yr Oes Hon*, Huw Jones ar wynebddalen *Diddanwch Teuluaidd*. Glynir wrth y ffurf Gymreiciaf ar yr enw.
[25] *ML* II, llythyr CCCXCVIII, William at John Owen, o Gaergybi, Hydref 31, 1758, t. 94.
[26] *ALMA* 1, llythyr 183, William at Evan Evans, o Gaergybi, Hydref 31, 1758, t. 367.

'Roedd agwedd y Morrisiaid tuag at Huw Jones yn union fel eu hagwedd at Dafydd Jones. 'Doedd Huw Jones yn ddim byd amgenach na 'comon balad singer',[27] cymar teilwng i 'the dull dog Dewi Fardd y Blawd'![28] 'Roedd eu hagwedd nawddoglyd a dilornus tuag at y ddau gyhoeddwr mewn gwirionedd yn deillio o'u cenfigen a'u snobeiddrwydd. Edliwiai brwdfrydedd a phenderfyniad y ddau i gael y maen i'r wal gyda'u cynlluniau cyhoeddi gwamalrwydd ac oriogrwydd y Morrisiaid ynghylch cyhoeddi gwaith Goronwy, a llyfrau eraill. I'r Morrisiaid, dau fwnglerwr oedd y Jonesiaid hyn, dynion gwladaidd, syml a diurddas, heb arlliw o ysgolheictod ar eu cyfyl. 'Roedd yn sarhad ar y brodyr y gallai dau 'hurthgen' o'r fath gyhoeddi llyfrau a hwythau'n methu gwneud hynny dro ar ôl tro; gwerinwyr garw yn cynnal pendefigion llên, fel llestri pridd cyntefig yn dal rhosynnau o dras urddasol! Haerllugrwydd hefyd, yn nhyb y Morrisiaid, oedd tuedd y ddau gyhoeddwr hyn i gynnwys eu gwaith eu hunain yng nghanol cerddi aelodau o'u cylch dethol ac uchel-ael nhw eu hunain, fel efrau yng nghanol ŷd.

Peth arall a flinai Lewis ynghylch Dafydd Jones oedd ei ymhonusrwydd llenyddol, y modd y ceisiai guddio ei ddiffyg dysg drwy smalio ysgolheictod. Hoffai gyfeirio at feirdd ac at weithiau llenyddol estron na wyddai odid ddim amdanyn nhw, er mwyn creu argraff ar ddarllenwyr ei ragymadroddion. Cywirodd Lewis amryw byd o bethau yn rhagymadrodd Dafydd Jones i'w flodeugerdd cyn ei chyhoeddi, a'i gynghori i roi'r gorau i'r mursendod llenyddol hwn o'i eiddo. Fe'i cynghorodd, er enghraifft, i beidio â sôn 'am *Anatomy of Melancholy*, nid llyfr o barch ydyw ymysg y dysgedigion ...' a 'Llai o Enwau'r Beirdd Groegaidd a fyddai well, mae llu ohonynt yn Edrych fal gwag ymffrost neu ddwyn dengnyn i godi baich a allai ddyn godi a'i unllaw'.[29]

Yn ôl William, 'roedd Ieuan Brydydd Hir a William Wynne am waed Huw Jones. 'Mae'r Tal am ei grogi, a chwedi s'fenu at y Bardd Gwyn i achwyn arno,' meddai.[30] 'These Bumpkins have Ignorance & self-conceit in conjunction,'[31] meddai William Wynne am Huw Jones a'i debyg, ond eto, gwahanol iawn oedd ei farn amdano yn ôl tystiolaeth Lewis. 'Mr. Wiliam Wynn says he is a professed poet, and he hath given him leave to print some of his works,' meddai wrth Edward Richard, gan ychwanegu: 'Mr Wynn is fonder of fame than I should be, when got through such mean channels'.[32] Beth bynnag oedd barn y cylch cyfrin am y ddau, 'roedd Dafydd a Huw Jones yn benderfynol o lwyddo yn eu menter.

Ddiwedd 1758 'roedd Dafydd Jones yn arolygu'r gwaith o argraffu ei flodeugerdd yn Amwythig. Yr argraffydd oedd Stafford Price. Disgwyliai'r Morrisiaid a'u cymheiriaid yn bryderus amdani. 'Roedd Dafydd Jones wedi anfon proflenni o dudalennau cyntaf y

---

[27] *ML* II, llythyr CCCXCVIII, William at John Owen, o Gaergybi, Hydref 31, 1758, t. 94.

[28] *ALMA* 2, llythyr 210, Lewis at Edward Richard, o Benbryn, Tachwedd 18, 1759, t. 420.

[29] *ALMA* 1, llythyr 170, Lewis at Dafydd Jones, o Benbryn, Mehefin 24, 1758, t. 343.

[30] *ML* II, llythyr CCCXCIX, William at John Owen, o Gaergybi, Tachwedd 20, 1758, t. 96.

[31] *ALMA* 2, llythyr 202, William Wynne at Richard, o Langynhafal, Medi 24, 1759, t. 402.

[32] Ibid., llythyr 208, Lewis at Edward Richard, o Benbryn, Tachwedd 8, 1759, t. 415.

flodeugerdd o Amwythig at Richard Morris, ond 'roedd Richard, yng nghanol ei holl drafferthion, wedi rhoi'r gwaith o'u cywiro i John Owen, 'which I returned him with ab[t] 30 faults, corrected, in it,' meddai'r nai.[33] Ofn mawr Richard a Lewis, a John Owen hefyd o ran hynny, oedd mai cyhoeddiad carbwl ac anghywir a geid yn y pen draw: 'he must be more careful with the remainder otherwise he'll acquire but little credit from his employment,' meddai John Owen drachefn.[34] 'Doedd argraffwyr ddim yn uchel iawn ar restr brin Lewis o'i hoff bobl, a chydymdeimlai â Dafydd Jones wrth i hwnnw ymlafnio i ddal pen-rheswm â chiwed mor ddi-lun:[35]

> Gobeithio eich bod ar ddarfod bellach, ond mi a wn y ddiflased yw'r argraffwyr meddwon didoraeth, ag mi ach cyfrifaf yn Lew Iawn os dowch yn groengyfa oddi-wrthynt, pobl dost ydynt ymhob Gwlad.

Nid y Morrisiaid yn unig a bryderai ynghylch ymddangosiad blodeugerddi Dafydd a Huw Jones. 'Roedd y gwaith o argraffu'r ddwy flodeugerdd yn cydredeg, mwy neu lai, ond gan fod y tadau yn perthyn i ddosbarth y gwerinwyr hunan-ddiwylliedig yn hytrach nag i hufen y gymdeithas ddeallusol, erthylod o efeilliaid a ddisgwylid. Crefai Edward Richard am ragor o wybodaeth ynghylch y ddau gyhoeddwr ym 1759, pan oedd y ddau gasgliad ar fin ymddangos:[36]

> Did you hear that one *Hugh Jones* is now printing off at Shrewsbury *your son Gronw's works, William Wynne's* & some others? Has this man (for you know) rec[d] a proper Warrant? & hath his Testimonial been signed at *Kadair Idris*? This Information though late may possibly prevent murder.

'Say something … about the two Editors, *David Jones & Hugh Jones*,' crefai drachefn mewn llythyr at Lewis.[37] Pryder mawr Edward Richard yntau oedd anghyfaddasrwydd y ddau, nid yn unig fel gramadegwyr ond fel beirdd yn ogystal: dyna yw arwyddocâd y cyfeiriad at Gadair Idris, sef adlais o'r hen goel y gallai'r sawl a dreuliai noson ar ei ben ei hun ar y mynydd gael ei gynysgaeddu â doniau barddonol. 'Roedd Edward Richard wedi tan-ysgrifio i'r ddau lyfr, a phoenai mai bwnglera gwaith Goronwy a wnâi Huw Jones: 'Do you think Justice will be done your son Gronw?' gofynnodd i'r tadmaeth a oedd wedi diarddel ei fab mabwysiedig.[38]

---

[33] Ibid.1, llythyr 185, John Owen at Evan Evans, o Lundain, Tachwedd 2, 1758, t. 371.

[34] Ibid.

[35] Ibid., llythyr 192, Lewis at Dafydd Jones, o Benbryn, Rhagfyr 26, 1758, t. 381.

[36] Ibid., llythyr 197, Edward Richard at Lewis, o Ystradmeurig, Awst 13, 1759, t. 390.

[37] Ibid., llythyr 198, Edward Richard at Lewis, o Ystradmeurig, Awst 27, 1759, t. 391.

[38] Ibid., llythyr 199, Edward Richard at Lewis, o Ystradmeurig, Medi 8, 1759, t. 392.

'Roedd Richard ym 1759, a'r ddwy flodeugerdd ar fin ymddangos, yn dechrau anesmwytho. Teimlai'n ddig wrtho'i hun am fethu cyhoeddi gwaith Goronwy, ac 'roedd brwdfrydedd a phenderfyniad Huw a Dafydd Jones yn ei atgoffa'n boenus am ei ddiffyg trefn a'i anymarferoldeb ef ei hun. 'Roedd hygrededd y Cymmrodorion yn dechrau mynd i'r gwellt, a phenderfynodd fod yn rhaid iddo wneud rhywbeth, petai ond i arbed wyneb. Dechreuodd freuddwydio drachefn am wireddu un o amcanion swyddogol y Cymmrodorion. Yn ôl Cyfansoddiad y Gymdeithas:[39]

> The Secretary shall be the Librarian, and Keeper of the *Cymmrodorion Museum*. He shall make Extracts from the Letters of Correspondents, and regularly digest them into a Book; which, with any new Discoveries or Improvements that the Society shall make on the Subject of History, Poetry, Antiquities, &c., after having been approved of in Council, shall be published under the Title of *Memoirs of the Society of* CYMMRODORION *in* LONDON; from such a Time to such a Time. The Society also propose to print all the scarce and valuable *antient British Manuscripts* with Notes Critical and Explanatory ...

Y bwriad, wrth gwrs, oedd cyhoeddi trafodion y Gymdeithas yn rheolaidd gyson, fel ag y gwnâi cymdeithasau dysgedig a diwylliedig eraill y cyfnod, cyhoeddi llyfr neu gylchgrawn sylweddol ar ddull cyhoeddiad y Gymdeithas Frenhinol, *Philosophical Transactions of the Royal Society*, neu, fel y dywed Lewis wrth Edward Richard: 'I am now at my leisure hours a drawing up some heads on the same subject [hanes Prydain], for the Cymmrodorion, who talk of publishing some Memoirs in the nature of those of the Royal Academy of Sciences at Paris'.[40]

'Roedd bwriad Richard i gyhoeddi llyfr yn enw Cymdeithas y Cymmrodorion wedi ennyn brwdfrydedd newydd. Ganol haf 1759, 'roedd yn dechrau cynnull defnyddiau ar gyfer y 'myfyrdodau' hyn. 'Pray dont forget sending me the paper about y[e] medals, and y[e] papers about y[e] Cymmrodorion, and we will certainly print something this summer,' meddai wrth Lewis.[41] Ni lwyddodd Richard i gyhoeddi dim yr haf hwnnw, wrth gwrs, ond daliai i ohebu a hybu yn ystod ail hanner y flwyddyn. Chwilio am esgus ac am fodd i gyhoeddi gwaith Goronwy yr oedd Richard o hyd, ac addawodd William Wynne ac Ieuan Fardd bob cymorth iddo, yn enwedig gan mai dwyn gwaith Goronwy i olau dydd oedd y flaenoriaeth. Gan gyfeirio at Gyfansoddiad y Cymmrodorion, 'if you publish a Volume or 2 of *Welsh* poetry, it will be pleasure to me to give any Assistance in my power,' meddai William Wynne, gan amgáu rhai o'i gywyddau i'w rhoi yn y llyfr.[42] Edrychai William Wynne ymlaen at weld cerddi Goronwy yng nghyhoeddiad y Cymmrodorion:[43]

---

[39] *Constitutions of the Honourable Society of Cymmrodorion in London*, 1755, cymal XVIII, *A History of the Honourable Society of Cymmrodorion and of the Gwyneddigion and Cymreigyddion Societies (1751 – 1951)*, t. 236.

[40] *ALMA* 2, llythyr 231, Lewis at Edward Richard, o Benbryn, Mai 9, 1760, t. 457.

[41] *ML* II, llythyr CCCCIX, Richard at Lewis, o Lundain, Mehefin 9, 1759, t. 110.

[42] *ALMA* 2, llythyr 202, William Wynne at Richard, o Langynhafal, Medi 24, 1759, t. 400.

[43] Ibid., t. 401.

... i b'le y trosglŵyddŵyd y Goronwy? Gresyn na b'asai pawl ei dîd yn rhywle ynghymru. Erioed nis gwelais mo honaw, nac mor llawer o'i waith; ond da odidog yw cywydd yr awen, a chaniad y Cyṁrodorion. Caf weled ychwaneg pan brintier y llyfr.

Un arall a addawodd estyn cymorth i Richard, fel y gallai hwnnw wireddu ei freuddwyd o weld cerddi Goronwy mewn print, oedd Ieuan Fardd:[44]

> Your brother told me when I was last at the head [Caergybi] that you were going to publish Gronwy's poems. If that be the case, I should be willing to contribute all in my power to render the edition complete; and for that end have wrote a Dissertation on the Bards in Latin.

'Roedd Richard yn ddiolchgar i'r Prydydd Hir am ei draethawd Lladin, *De Bardis Dissertatio*, 'yr hwn sydd yn dra chymeradwy i'w brintio gyd â Gweithredoedd y Cyṁrodorion'.[45] 'Roedd Hugh Hughes hefyd, trwy William, wedi cyfrannu cywydd i'r fenter. Yn wir, cyfnod o genhadu brwd, cyfnod o fwydo coelcerth eirias cyn i honno losgi'n dân siafins, oedd y cyfnod hwn yn hanes Richard, a cheisiai annog pob un o'i gydnabod i ymuno yn y fenter ogoneddus, gan gynnwys hyd yn oed Dewi Fardd. 'Os oes i'ch meddiant ddim hen ysgrifenadau ar Femrwn, neu goffadwriaethau ar gerrig beddau o'r hen oesoedd, copïau o honynt a fydd yn wych i'w gweled, i gael eu hargraphu er eglurhau ein historïau Brutanaidd yn llyfr y Cymmrodorion,' meddai wrth Dafydd Jones.[46]

'Roedd yr holl ddeunydd, felly, yn dechrau dod ynghyd, a gallai Richard weld y llyfr yn ymffurfio o flaen ei lygaid. Amlinellodd y cynnwys i Evan Evans, ar ôl i hwnnw ei holi ynghylch natur y llyfr:[47]

> Cynwysiad y Llyfr einom ar ydym ar fedr ei argraphu, fydd cymaint o waith Goronwy ag a feddwn, ac o'r eiddo Mʳ Wynn, eix hunan, a'r brawd Lewys, yr hyn a welex yn dda ei anfon ini; a goreugwaith yr hen Fardd; a Llythyrau ynghylx y wlad a'r Iaith, &c., i eglurhau ein Ystoriau a hanesion ein tadau, rhai o honynt o waith yr hen Ramadegwyr dysgedig: a xymysg bethau eraill ar draethawd a xynganedd, i borthi arxwaeth pob math ar ddarllenydd os gallwn. Mae Mʳ Wynn wedi addaw llawer o bethau gwyxion, ac yn barod wedi anfon un llwyth llythyr o naddynt; a dyma Lythyrau etc. cywraint o Benbryn; moeswx xwithau a allox ei hepcor o gymorth i'x Brodyr. xwithau a gewx weled y cyfan mewn llyfr godidog argraphedig, nid mal gwaith yr Amwythig, ond goreugwaith dinas Llundain.

---

[44] Ibid., llythyr 203, Evan Evans at Richard, o Drefriw, Hydref 12, 1759, t. 407.

[45] Ibid., llythyr 207, Richard at Evan Evans, o Lundain, Hydref 23, 1759, tt. 411–412.

[46] Ibid., llythyr 214, Richard at Dafydd Jones, o Lundain, Rhagfyr 18, 1759, t. 428.

[47] Ibid., llythyr 215, Richard at Evan Evans, o Lundain, Rhagfyr 18, 1759, tt. 428–429.

Ymhelaethodd ar gynnwys y llyfr mewn llythyr arall at Evan Evans. Gobeithiai gynnwys ynddo waith Dafydd ap Gwilym a chywyddwyr eraill, casgliadau o eiriau a diarhebion nas cynhwyswyd gan Dr John Davies o Fallwyd yn ei eiriadur (*Dictionarium Duplex*, 1632), na chan Edward Lhuyd yn ei *Glossography* (1707), sef y bumed adran yn ei gyfrol, 'Some Welsh Words Omitted in Dr. Davies's Dictionary'; hefyd hen gerddoriaeth Gymreig, hen ddogfennau ynghylch eisteddfodau'r beirdd, rhagymadroddion i lyfrau gan John Davies, Siôn Dafydd Rhys, William Salesbury ac eraill, llythyrau ynghylch hynafiaethau, 'a chant o betheu eraill', gan gynnwys rhai 'o'r hen Ystorïau, Mabynogi a'r cyffelyb'.[48] 'I have had an offer of several Latin translations etc., from Prydydd Hir, which have accepted, and as soon as I get sufficient stock of matter from him, Mr. Wynne, and yourself, etc., to make up a small volume, it shall certainly be printed in an elegant manner, worthy [of] the Society,'[49] meddai Richard wrth Lewis. 'Roedd Richard un ai wedi anghofio crybwyll yr enw pwysicaf neu wedi ei hepgor yn fwriadol rhag tramgwyddo Lewis, ond gwyddai Lewis yn iawn mai atodiad i waith Goronwy, fel botymau ar gôt, fyddai ei waith ef, William Wynne, Ieuan Brydydd Hir ac eraill. Aeth i ben Richard: 'What do you mean by a sufficient stock of matter from Hirfardd, Mr. W. Wynne and self? Will not you publish some pieces of Gronwy, etc.? I am afraid you'll have but a poor stock'.[50]

'Roedd blodeugerdd Dafydd Jones wedi cael ei chyhoeddi cyn diwedd Medi, 1759, o leiaf, oherwydd 'roedd 'y godidowgfardd Dai 'p Sion' wedi rhoi copi ohoni ei hun i William, yn ôl ei lythyr at Richard ar Fedi 22,[51] ac 'roedd William Wynne wedi gweld copi ohoni, yn ôl llythyr a anfonodd at Richard ar Fedi 24, 1759. Cip ar y cynnwys yn unig a gafodd, ond 'roedd yr hyn a welsai wedi ei gythruddo. 'Roedd Dewi Fardd, 'That conceited Coxcomb', wedi Cymreigio enwau Saesneg yr alawon y cenid baledi a charolau Huw Morys arnyn nhw, gan roi'r argraff mai alawon gwreiddiol Gymreig oedden nhw, a hynny'n dwyll, yn ôl William Wynne:[52]

> He, or somebody for him, coined Welsh Names for several English Tunes adopted by our Countrymen, & some of a late Date that many now living remember their first appearance. Several of the songs which gave those Tunes their names, and for which the tunes were composed, are now to be seen in our printed volumes of English Songs.

Ofnai William Wynne y gallai rhywun ddarganfod y twyll yn y man, a byddai hynny'n adlewyrchu'n anffafriol ar onestrwydd y Cymry. 'Roedd yr anghywirdeb ysgolheigaidd yn ei boeni hefyd, a phryderai y byddai Dafydd Jones, pe bai'n casglu ail flodeugerdd ynghyd a honno'n cynnwys ceinciau Seisnig, yn 'Scoundrel enough to coin Welsh names,

---

[48] Ibid., llythyr 225, Richard at Evan Evans, o Lundain, Mawrth 18, 1760, t. 441.

[49] *ML* II, llythyr CCCCXXVI, Richard at Lewis, o Lundain, Tachwedd 24, 1759, t. 139.

[50] Ibid., llythyr CCCCXXX, Lewis at Richard, o Benbryn, Ionawr 4, 1760, t. 152.

[51] Ibid., llythyr CCCCXVIII, William at Richard, o Gaergybi, Medi 22, 1759, t. 121.

[52] *ALMA* 2, llythyr 202, William Wynne at Richard, o Lyngynhafal, Medi 24, 1759, t. 401.

& call them antient British Music'.[53] Nid Dewi Fardd yn unig oedd i'w feio am y camwedd hwn. Yn wahanol i William Wynne, 'roedd Cymreictod yn bwysicach nag ysgolheictod yn nhyb Lewis, ac 'roedd wedi hybu Dafydd Jones ymlaen yn ei fwriad i Gymreigio enwau'r ceinciau. Byddai i'r Cymry gydnabod ar goedd eu bod yn benthyca alawon oddi ar Saeson yn gyfaddefiad anffodus yn nhyb Lewis, ac yn arddangos tlodi cerddorol Cymru gerbron y byd. 'Roedd agwedd Lewis, a'i barodrwydd cyson i amddiffyn a dyrchafu ei iaith a'i wlad, a'i gwarchod rhag bod yn gyff gwawd i 'Blant Alis', yn gwbwl nodweddiadol ohono. Meddai Lewis wrth Dafydd Jones:[54]

> A Phwy bynnag a roddo yn ei lyfr ddanteithion o *Ging's Ffansi, Lêf Land, Hefi Hart, Swît Risiart,* &c. ynghymysg a chaniadau Cymreig, sydd debyg i Gôg meddw a roe ar yr un ddesgyl Faw Moch, a Thom Ieir a cholomennod a Tharr a mefus ac Eirin gwynnion. Ni pharchodd y Saeson mo'r Cymru erioed gan ddywedyd *to the Tune of Morva Rhuddlan.* onid yw Enwau ceingciau Seisnig yn dangos mae penglogau dylion yw'r Cymru na fedrant wneuthur Caingc eu hunain? ... Ffei, ffei, na chyfaddefwn mo hynny i'r Saeson os y'm mor ddi gelfyddyd.

Pan welodd Lewis a Richard y flodeugerdd, bu bron i'r ddau gael sioc farwol! 'Doedd gan y llyfr ddim siawns o gael canmoliaeth gan y ddeufrawd, wrth reswm, ac 'roedd y cyllyll wedi eu hogi ymhell cyn i'r casgliad ymddangos. 'Roedd gan y brodyr ddwy gŵyn fawr yn erbyn y llyfr. Bytheiriai Lewis fod Dewi Fardd wedi cynnwys gwaith gan feirdd eilradd ymhlith cerddi Huw Morys: 'He hath murdered a good book by inserting in it the works of the greatest blockheads in the Creation,' meddai, 'and the most illiterate Creatures that bear Human Shapes'.[55] Lewis a anfonodd gopi o'r llyfr, 'one of David Jones's still-born bastards', at Edward Richard, gan ddreflio'i gynddaredd dros yr inc gwlyb:[56]

> I am sorry my name is among the subscribers. The fool to feed his own vanity, hath stuffed the book with his own silly poetry, and [that of] others as bad as himself, and left out what he promised to insert (*i.e.*, all the works of Hugh Morris), and mangled even those he inserted.

Yn wir, 'roedd Lewis wedi rhag-rybuddio Edward Richard ynglŷn â diffygion y llyfr. 'When you see David Jones's book, you will say I suppose it is a very bad collection of mere jargon,' meddai, 'worse than ever was done in any other language, some of it (and a great deal) wrote by people as ignorant of all learning and knowledge as Mathew Wirion or Angau'r Trawscoed'.[57] Yr orgraff a greodd ddrwg-argraff ar Richard, hynny a'r cambrintiadau, ond o leiaf 'roedd gan Richard, yn gwbwl nodweddiadol ohono, y gonestrwydd i gwyno am feflau'r flodeugerdd yn wyneb Dafydd Jones ei hun:[58]

---

[53] Ibid.
[54] *ALMA* 1, llythyr 170, Lewis at Dafydd Jones, o Benbryn, Mehefin 24, 1758, t. 344.
[55] *ALMA* 2, llythyr 216, Lewis at Evan Evans, o Benbryn, Rhagfyr 20, 1759, t. 432.
[56] Ibid., llythyr 226, Lewis at Edward Richard, o Benbryn, Mawrth 28, 1760, t. 443.
[57] Ibid., llythyr 210, Lewis at Edward Richard, o Benbryn, Tachwedd 18, 1759, t. 418.
[58] Ibid., llythyr 224, Richard at Dafydd Jones, o Lundain, Mawrth 18, 1760, tt. 439–440.

Mae yn wir lawer o Ganiadau da iawn yn y llyfr, ac eraill nad oes le i ganmol fawr arnynt: ond gresyn na fuasai'r orgraph yn gywirach, a llai o feiau'r argraphwasg, y peth sy'n anharddu llyfr yn ddirfawr: fe ddylid cymeryd mwy o ofal efo Gwaith sydd i barhau dros oesoedd, er anrhydedd i'r Iaith.

Dywedodd wrth Ieuan Fardd fod y 'fath fwngleriaeth yn dwyn y gnofa yn fy mol i, a'r dincod ar fy nannedd: ffei ffei rhag cywilydd'.[59] Ar y llaw arall, barnai William mai 'Gwaith diddan ydyw'r cerddlyfr'.[60]

Huw Jones a enillodd y ras danysgrifiadau. Casglodd 1,045 ohonyn nhw, dros drichant yn fwy nag a rwydwyd gan Dafydd Jones, a sicrhaodd 738 o brynwyr ymlaen llaw i'w flodeugerdd. Yng nghasgliad Huw Jones, *Dewisol Ganiadau yr Oes Hon*, yr ymddangosodd peth o waith Goronwy mewn llyfr am y tro cyntaf. Holltwyd y llyfr yn ddwy ran, y rhan gyntaf 'yn cynwys Englynion, Cywyddau ac awdlau o waith yr Awduriaid goreu yn yr Oes Bresenol', a'r ail ran yn cynnwys 'Carolau Plygain a Cherddi Newyddion na fuant yn Argraphedig erioed or blaen'.[61] Gobeithiai Huw Jones 'ddangos i Brydyddion Ifaingc a chymry aneallus, mor drwsgl y maent yn arferu'r Iaith, ac yn eiliaw rhigymau pen rhyddion gan ochel Cywrainddoeth athrawiaeth y dysgedigion o herwydd eu bod mor anhawdd dyfod i wybodaeth o honynt'.[62] Cynhwyswyd Cywydd y Farn, Cywydd Bonedd a Chyneddfau'r Awen a'r awdl i Gymdeithas y Cymmrodorion o waith Goronwy, a hefyd y '3 Englyn Milwr yn ol yr hên ddull' o'i eiddo. Cynhwyswyd hefyd gerddi o waith William Wynne, Ieuan Brydydd Hir, Rhys neu Rice Jones o'r Blaenau, Edward Jones o Fodfari, Edward Samuel, Hugh Hughes, Elis Roberts, Jonathan Hughes, Daniel a Thomas Jones o Riwabon, Hugh Jones o'r Parc, Hugh Thomas, Thomas Edwards (Twm o'r Nant) a Huw Jones ei hun.

Dyma'r tro cyntaf erioed i gylch ehangach na chylch ei gyfeillion a'i gydnabod gael gweld enghreifftiau o waith Goronwy. Bu llawer o sôn am y bardd wedi iddo adael Llundain, a llawer o drin a thrafod ei waith ymhlith aelodau gohebol cylch y Morrisiaid. Ni ddôi Goronwy yn groeniach allan o'r ymrafael bob tro. 'I prefer *Mr Wynne's poem upon the last day* to the *great Gronow's*,' meddai Edward Richard wrth Lewis Morris,[63] a chytunai Lewis ragfarnllyd, er iddo hefyd godi llewys y bardd:[64]

I ... agree with you that W. Wynn's Cywydd y Farn is better in the main than Gronwy's. He had an advantage in having Gronwy for a Model. There are some lines of Gronwy that are bad, and came out too hastily, but there are others, that in my eye seem to outdo every thing that hath ever been wrote in our language.

[59] Ibid., llythyr 225, Richard at Evan Evans, o Lundain, Mawrth 18, 1760, t. 441.
[60] *ML* II, llythyr CCCCXVIII, William at Richard, o Gaergybi, Medi 22, 1759, t. 121.
[61] *Dewisol Ganiadau yr Oes Hon*, Gol. Hugh Jones, 1759, blaenddalen.
[62] Ibid., t. iii.
[63] *ALMA* 2, llythyr 206, Edward Richard at Lewis, o Ystradmeurig, Hydref 20, 1759, t. 410.
[64] Ibid., llythyr 211, Lewis at Edward Richard, o Benbryn, Tachwedd 21, 1759, t. 422.

'Roedd y ddau yn ddiffygiol yn eu chwaeth. Efelychiad gwan o gywydd Goronwy yw cywydd William Wynne, adlewyrchiad annelwig o wybren loyw a chlir y naill yn nŵr mân-donnog a llwydaidd y llall. Y Bardd Du, yn sicr, oedd patrwm a chynsail William Wynne, ond cymysgwyd y du a'r gwyn i greu lliw llwyd digon di-fflach. Amlwg yw'r benthyciadau. Ceir y llinell 'Yw Dydd Barn a diwedd byd' Goronwy o chwith gan y llall, a chymharer y llinellau canlynol (cywydd William Wynne ar y chwith, Goronwy ar y dde):[65]

Cân i'r trwmp croch o gwmpas	Wrth ei fant, groywber gantawr,
A draidd glust Addaf a'i dras:	Gesyd ei gorn, mingorn mawr –
Utgorn nef yn dolefain,	Corn anfeidrol ei ddolef,
Y sêr a glywant ei sain.	Corn ffraeth o saernïaeth nef.
Traidd ei nerth trwodd i nen,	Dychleim o nerth ei gerth gân
Traidd eirias trwy ddaearen.	Byd refedd a'i bedryfan.
Â marwor trwy'r gloywfor glas, –	Pob cnawd o'i heng a drenga,
Môr a thân ym mherthynas ...	Y byd yn ddybryd ydd â ...
Haul a hyllt, garwyllt ei gur ...	Daear a hyllt, gorwyllt gur ...
Trwy 'Ryri tery'r eirias ...	Ail i'r âr ael Eryri ...
Yr Ynad, o ddi-wad ddawn,	Cyflym y cyrchir coflyfr,
Coflyfr nid rhaid i'r cyflawn ...	A daw i'w ddwy law ddau lyfr ...
Yna'r Iôr yn wâr eirian,	O'i weision, dynion dinam,
Â disgleirwych lewych lân,	Ni bydd a adnebydd nam.
A dry ar ei weision draw,	Da'n ehelaeth a wnaethant,
Addas anwyliaid iddaw.	Dieuog wŷr, a da gânt.
"Dowch," medd Ef, "i gartrefu	Llefair yn wâr y Câr cu,
Mewn gwynfyd, oleubryd lu".	Gwâr naws y gwir Oen Iesu:
	"Dowch i hedd, a da'ch haddef,
	Ddilysiant anwylblant nef ..."
Bid fy swydd yn dragwyddawl,	Boed im gyfran o'r gân gu,
A gwyn 'y myd ganu mawl.	A melysed mawl Iesu.
Byd o fywyd, boed f'awen	Crist fyg a fo'r Meddyg mau,
Anhraethawl ei mawl. Amen.	Amen, a nef i minnau.

'Roedd dylanwad Goronwy ar feirdd llai nag ef ei hun wedi dechrau dod i'r amlwg hyd yn oed yn ystod ei fywyd. Nid William Wynne oedd yr unig fardd i Goronwy fwrw'i gyfaredd arno ychwaith, ac amlwg oedd dylanwad Goronwy ar ei gyfoeswyr i'r

---

[65] Testun *Blodeugerdd Barddas o Ganu Caeth y Ddeunawfed Ganrif*, tt. 41-44, o gywydd William Wynne, 'Cywydd y Farn', a ddefnyddir, a thestun yr un flodeugerdd o 'Dydd y Farn', Goronwy, tt. 93-97.

Morrisiaid. Derbyniodd William 'gowydd croesaw [Tywysog Cymru] a dryll o lythyr' oddi wrth Ieuan Fardd, ac 'Ni fedrwch lai na dal sylw fod y bard (wrth ei gywydd a'i lythyr) wedi darllain gwaith ŵyr Rono Eurych o'r Rhos Fawr ym Môn, a mab Sian Parri'.[66] Cytunai Richard â'i frawd i Evan Evans 'ladratta o waith Goronwy'.[67]

'Doedd William Wynne erioed wedi cyfarfod â Goronwy, a gofidiai oherwydd hynny. Cydymdeimlai â'r bardd yn ei dlodi a'i helbulon, a melltithiai ddifrawder ei gyd-Gymry a phenaethiaid yr Eglwys:[68]

> Cywilydd dybryd fod yn gorfod i'w fath groesi môr i geisio bara, a mynyched y gwelwn blwyfydd breision gan benglogau annaturiol, heb ddim diddanwch yn perthyn iddynt, na chariad i'w gwlad na'i hiaith mwy nog i'r Iuddewon.

Gwyddai William Wynne ei fod wedi colli cyfle ac mai prin iawn oedd y siawns y câi weld Goronwy bellach. Gresynai Edward Richard yr un modd. 'I have now seen you all, except Gronw, & that is a Happiness I dispair of,' meddai wrth Lewis.[69] Ar y llaw arall, wfftio at dawedogrwydd y bardd a wnâi Richard a William. 'Nid oes un gair oddiwrth Oronwy anniolchgar er pan aeth i wlad y Dybacco,' meddai Richard wrth yr 'Hirfardd'.[70] Richard oedd yr un a hiraethai fwyaf ar ôl Goronwy, ac 'roedd distawrwydd ei gyfaill wedi ei frifo i'r byw. 'Nag oes lythyr o waith Goronwy at neb yn Llundain er pan aeth ymaith,' cwynai wrth Lewis, 'heblaw'r Doctor Nicols'.[71] 'Roedd y ffaith fod Goronwy wedi cysylltu â Samuel Nicholls, a heb anfon gair ato ef, wedi ei glwyfo a'i gythruddo.

Methu a wnaeth Richard a John Owen yn eu bwriad i gyhoeddi gwaith Goronwy, a bu'n rhaid dibynnu ar lafur a brwdfrydedd baledwr digon dinod hyd yn oed i ddwyn rhyw ychydig o waith y bardd i olau dydd. 'Roedd Richard yn llawn cynlluniau, ond ni allai gyfaddawdu rhwng yr amcanu a'r dibennu. Breuddwydio, yn hytrach na bwrw iddi, oedd ei gryfder; ysgogi, ac nid cyflawni; ysbrydoli yn hytrach na sylweddoli ei fwriadau. Gwir fod ei brysurdeb yn faen tramgwydd iddo, ond hyd yn oed pan nad oedd gwaith yn ei lethu, dibynnai yn drwm ar eraill am gymorth. 'Roedd yn dal i freuddwydio am gyhoeddi gwaith Goronwy yn ystod y ddwy flynedd a rhagor y bu Goronwy yn athro yng Ngholeg William a Mary, ond ni allai gyflawni'r nod heb gymorth a chydweithrediad eraill. A hyd yn oed os oedd yn gobeithio y gallai John Owen ac eraill ei gynorthwyo rywbryd eto yn y dyfodol, 'roedd siom a galar yn ei ddisgwyl. Erbyn dechrau'r flwyddyn 1760, 'roedd y Morrisiaid wedi colli dau o brif aelodau'r cylch.

---

[66] *ML* II, llythyr DCXXXVI, William at Richard, o Gaergybi, Medi 8, 1762, tt. 506–507.

[67] Ibid., llythyr DCXLI, Richard at Lewis, o Lundain, Hydref 23, 1762, t. 514.

[68] *ALMA* 2, llythyr 202, William Wynne at Richard, o Langynhafal, Medi 24, 1759, t. 401.

[69] Ibid., llythyr 204, Edward Richard at Lewis, o Ystradmeurig, Hydref 13, 1759, t. 408.

[70] Ibid., llythyr 207, Richard at Evan Evans, o Lundain, Hydref 23, 1759, t. 412.

[71] *ML* II, llythyr CCCCXV, Richard at Lewis, o Lundain, Awst 18, 1759, t. 118.

Rhifid ym Môn Burion Beirdd'

Yn niwedd mis Gorffennaf 1759, bu farw Siôn Owen ddireidus, ddawnus, hoffus, yr aelod bywiocaf a'r llenor mwyaf cynhenid dalentog o blith holl aelodau'r teulu. 'Roedd John Owen wedi hwylio ymaith ar yr *Edgar* am y Môr Canoldir ar Ebrill 14, 1759, yng nghwmni tair ar ddeg o longau eraill, pob un o dan awdurdod y Llyngesydd Edward Boscawen, gyda'r bwriad o rwystro paratoadau'r Ffrancwyr i ymosod ar Loegr. 'Roedd yr *Edgar* yn Gibraltar pan ddigwyddodd trychineb ar fwrdd y llong. Adroddodd Richard yr hanes wrth Lewis:[72]

> A parcel of prest men were put on board the *Edgar* from the *Princess Royal* guardship at yᵉ Nore, who brought the jail distemper with them and infected the whole crew, of whom abundance died, being taken with fevers and sore throats, which killed them by wholesale. The quinsey broke in the captain's throat when he was just a dying, so he recovered when it was in doubt whether he or his clerk would dye first. Admiral Boscawen had actually appointed John purser of a prize ship, and had sent for him aboard to take his warrant at the very time he lay ill; but God was pleased to forbid it, and no doubt promoted him to a better place. The captain complains greatly of the distress he was in from the loss of the best clerk he ever had in his life, and declares in his letter to Mr. Dickson his agent, that he had rather have lost half his ship's crew, and says that though the admiral had promoted him he would not have parted with him this voyage, but that a deputy should have acted for him. It is some comfort to his friends that he behaved so well in his station, and had he lived, I am persuaded he would have been grateful to every one that had assisted him.

Ergyd lawchwith i Lewis oedd y pwysleisio hwn ar ragoriaethau John Owen. 'Roedd Lewis wedi trin ei nai fel baw, ac edliwiai Richard hynny iddo mewn dull digon cudd-iedig gyfrwys. Gwyddai Richard y byddai John Owen yn fyw pe bai Lewis wedi ei gadw yn ei wasanaeth, ac 'roedd yn ddig yn ei asgwrn, i ddefnyddio un o ymadroddion y Morrisiaid, wrth ei frawd. Yn wir, bu marwolaeth John Owen yn achos anghydfod rhwng y ddau.

Cafodd y teulu brofedigaeth ddeuol ym mis Gorffennaf 1759. Bu farw brawd John Owen, William, yntau hefyd ar y môr, yn Jamaica o dwymyn. Ar Fehefin 17 y bu farw William Owen yn ôl llythyr a anfonwyd gan Gymro o'r enw Griff Griffiths at Richard, hynny yw, yn ôl tystiolaeth William mewn llythyr at Lewis, ond mae'n bosibl iddo gamgymryd. Ar Orffennaf 25 yr anfonwyd y llythyr at Richard, ac yn ôl Richard ei hun, 'Griff. Griffiths writes me from Jamaica that poor Will Owen died there of a violent fever after 5 days illness in July, much about the same time as his brother Jack died at Gibraltar'.[73] Mae'n debyg mai ym mis Gorffennaf y bu farw William Owen yntau. Beth bynnag am hynny, 'roedd y ddau frawd wedi marw o fewn dim i'w gilydd. Wil oedd

---

[72] Ibid., llythyr CCCCXIX, Richard at Lewis, o Lundain, Medi 30, 1759, t. 123.

[73] Ibid., llythyr CCCCXXVI, Richard at Lewis, o Lundain, Tachwedd 24, 1759, t. 139.

ffefryn Elin ac Owen Davies, rhieni'r ddau. Meddai William: 'mae'r chwaer yn enill ambell dipyn am dderbyn plant ir byd. Will oedd ei darling, bydd can mwy o alar ar ei ol ganddi hi nag ar ol Sion, gwendid o hwnnw'.[74]

Dywedodd William wrth Richard ei fod yn bwriadu 'sgwennu at Ieuan Fardd 'i ymofyn marwnad i Sion ei frawd', a hynny a wnaeth.[75] 'Os oes dim ystyriaeth yn yr Awen hi ach cymorth i gwynaw ar ol un oi Chariadau,' meddai wrth Evan Evans.[76] Cysylltodd Richard â'r bardd hefyd, i gael y 'ddau Gywydd odiaeth o'i waith' i'w cyhoeddi yn llyfr y Cymmrodorion, 'ac os chwi a gân farwnad iddo, e fydd yn dra chymeradwy,' ychwanegodd Richard.[77] Anfonodd Ieuan ei gywydd marwnad i Siôn Owen at Richard ar Dachwedd 24. Ynddo, soniodd am ei fedr wrth ganu'r delyn ac am ei addewid fel bardd:[78]

> Nid oes gerdd na dysg urddawl,
> Na dawn i'n mysg yn dwyn mawl
> Na wyddiad, gwiwfad gyfoeth,
> Hwn i'w ddydd yn gelfydd goeth.
> Teilwng wrth ganu telyn
> Oedd ei lais a'i ddwylo ynn.
> Pur ydyw'n iaith Prydain hen
> Ei bêr gywydd brig awen.
> Ei ddatgan a'm diddanai
> Mal cân adar mân ym Mai.

'Roedd Goronwy, yn hollol ddiarwybod iddo, wedi colli un o'i gyfeillion pennaf, un o'r ychydai a'i parchai ac a'i carai fel person yn ogystal ag fel bardd.

Ddechrau 1760, ar Ionawr 18, bu farw William Wynne hefyd, ac yntau newydd droi ei hanner cant oed. 'The melancholy news I have just received from one Bw. Jones, of Bodffari, that William Wynn, fardd, died the 18th inst. of the stone at Llangynhafal,' meddai Richard wrth Lewis.[79] Dyma un arall o'r cylch y dibynnai Richard yn drwm arno am gymorth ac am ddeunydd. Ar ddechrau'r degawd newydd, 'roedd breuddwydion a gobeithion Richard yn bygwth syrthio'n chwilfriw mân o'i gwmpas. 'Diameu y cenwch Farwnad eich hen Gyfaill Wm Wynne; yr hwn rwy'n deall sydd yn ei lythyr Cymyn wedi peri rhoi benthyg ei Lyfrau i'r Cymrodorion i'w cyhoeddi,' meddai Richard wrth farwnadwr swyddogol y cylch, Ieuan Fardd.[80] Derbyniodd Richard y farwnad ym mis

---

[74] Ibid., llythyr CCCCXXIII, William at Richard, o Gaergybi, Hydref 27, 1759, tt. 133–134.

[75] Ibid., llythyr CCCCXVIII, William at Richard, o Gaergybi, Medi 22, 1759, t. 121.

[76] *ALMA* 2, llythyr 205, William at Evan Evans, o Gaergybi, Hydref 13, 1759, t. 409.

[77] Ibid., llythyr 207, Richard at Evan Evans, o Lundain, Hydref 23, 1759, t. 412.

[78] Ibid., llythyr 212, Evan Evans at Richard, o Drefriw, Tachwedd 24, 1759, t. 425. Testun *Blodeugerdd Barddas o Ganu Caeth y Ddeunawfed Ganrif*, t. 127, a ddefnyddir yma.

[79] *ML* II, llythyr CCCCXXXV, Richard at Lewis, o Lundain, Ionawr 29, 1760, t. 163.

[80] *ALMA* 2, llythyr 225, Richard at Evan Evans, o Lundain, Mawrth 18, 1760, t. 441.

Ebrill, 1760. Lluniwyd marwnadau i William Wynne gan Dafydd Jones a Huw Jones Llangwm yn ogystal. Felly, ar drothwy degawd newydd, 'roedd y cylch yn dechrau chwalu. Collwyd John Owen a William Wynne, ac 'roedd Goronwy gannoedd o filltiroedd i ffwrdd ym mhen draw'r byd. 'Roedd Huw Jones wedi rhoi i'w gyd-Gymry darllengar a diwylliedig ryw ragflas o awen Goronwy; ond rhagflas yn unig ydoedd, amheuthun bychan cyn y pryd mawr. 'Roedd hwnnw i ddod, ond nid Richard fyddai'r prif gogydd. Er pob dyheu a breuddwydio ar ei ran, 'roedd Richard wedi methu dod i ben â chyhoeddi gwaith Goronwy.

Yn fuan ar ôl cyhoeddi *Dewisol Ganiadau yr Oes Hon* 'roedd blodeugerdd arall yn dechrau corddi ym mhen Huw Llangwm, a llwyddiant y *Dewisol Ganiadau* yn ei hybu ymlaen yn ei fwriad. Penderfynodd gyfyngu'r ail flodeugerdd hon i waith beirdd Môn yn unig, a golygai hynny gynnwys gwaith Goronwy, wrth gwrs. Ddechrau 1761, 'roedd Huw Jones ym Môn yn cenhadu ar ran y flodeugerdd arfaethedig, ac yn casglu ar ei chyfer. Ymwelodd â Hugh Hughes i ddechrau. 'Pwy a ddeuai yma'r dydd arall ond Hugh o Langwm Fardd (a llythyr iwrth y Foelgoch) i erchi swrn o'ch cywyddau, etc., i'w hargraphu yn y *Difyrrwch Teuluaidd*,' meddai William wrth Lewis. Ni allai William roi dim o waith ei frawd i Huw Jones heb ganiatâd Lewis, felly anfonodd y baledwr i gyfeiriad Penbryn at Lewis, gyda llythyr cymeradwyaeth a luniasai William iddo ar ei gais. 'Da chwithau, perswaediwch Huw i beidio cymmysgu gwagedd blith draphlith a cherddi godidawg, mal y gwnaeth Dewi o Drefryw a'r dyrifau er mawr cywilydd i'r oes hon,' ychwanegodd.[81] Efallai mai'r Foelgoch a ddarbwyllodd Huw Jones i ganolbwyntio ar feirdd Môn yn unig, fel y câi ei waith ef ei hun ei gynnwys yn y flodeugerdd.

Cynghorodd William ei frawd i roi ei droed i lawr gyda Huw Jones o'r dechrau. Gŵr hunan-falch oedd Huw Llangwm, a chanddo gred ddiysgog ddiniwed yn ei anffaeledigrwydd ei hun fel bardd. Maen tramgwydd oedd hynny yn nhyb William. Meddai wrth Lewis:[82]

> ... nid odiaeth y canasai Ieuan farnad Mr. Wyn, meddai Langwm. "Mi wnaethum i farnad iddo fy hun," hebai Huw. Mi wranta ei fod yn tybiaw honno yn well o lawer.

'Os gwelir Huw Llangwm rhaid dangos iddo na fedr farwnadu na dim arall yn iawn, ac yno fe fydd ufudd iw benaethiaid,' oedd ymateb Lewis.[83] Y nod oedd torri crib Huw Jones

---

[81] *ML* II, llythyr DVI, William at Lewis, o Gaergybi, Chwefror 11, 1761, t. 299.

[82] Ibid., llythyr DIX, William at Lewis, o Gaergybi, Chwefror 16, 1761, t. 304. Cyfeiriodd William at yr ymffrost hwn o eiddo Huw Jones mewn llythyr arall at Lewis: 'Mae arnaf ofn y gwna Langwm, fal Dewi Fardd, cymysgu ei farddoniaeth ei hun gyda'r eiddo goreu yn ei lyfr, for I found Llangwm a little conceited, seem'd to say that his Cowydd Marwnad to Mr. Wyn was as good as Ieuan's, or words to that purpose. Er na thywynnodd yr Hirfardd yn y gerdd honno, etto er hyn mi ddebygwn nad oes cyffelybiaith rhyngddynt' (ibid., llythyr DXXXV, o Gaergybi, Mehefin 14, 1761, tt. 352–353).

[83] Ibid., llythyr DXIII, Lewis at William, o Benbryn, Chwefror 27, 1761, t. 309.

fel y gallai'r brodyr ei ddefnyddio i'w diben eu hunain. Ni allai Lewis wneud dim ond aros yn amyneddgar i Huw Jones alw i'w weld, fel y câi drafod mater y flodeugerdd yn bersonol â'r bardd o Langwm. 'Cewch glywed yr ymddiddan a fydd rhwng Llewelyn Ddu o Benbryn a Huw Llangwm o Iâl, os bydd ymddiddan,' meddai wrth William.[84] 'Roedd Lewis erbyn hyn yn bur ddrwgdybus o Huw Jones, ac amheuai a gâi ymweliad o gwbl ganddo.

Erbyn dechrau Mawrth 1761 'roedd Richard yn dechrau holi'n daer am flodeugerdd Huw Jones. 'Pray what is y^c contents of Difyrrwch Teuluaidd y Llangwm yna? And how much has he got of Gwaith Beirdd Môn?' gofynnodd, gan ailadrodd ei gŵyn ynghylch ei brysurdeb yng nghanol y Rhyfel rhwng Lloegr a Ffrainc, a'i anallu, o'r herwydd, i gyhoeddi dim byd.[85] 'Roedd dyfalbarhad a brwdfrydedd Huw Jones wedi ailennyn euogrwydd ac eiddigedd y brodyr. Er mwyn arbed wyneb, trawodd Lewis ar gynllun:[86]

> I have not seen Hugh Jones, Llangwm, yet, therefore don't know how it will be. I know it is not possible for you at present to publish anything of the Cymmrodorion's, but if some of my works will be published by H. Jones, we shall make mention of the Cymmrodorion and their intentions.

Ar yr amod ei fod yn cysylltu'r cyhoeddiad â Chymdeithas y Cymmrodorion y câi Huw Jones ganiatâd i ddefnyddio gwaith Lewis.

'Roedd dawn Lewis i ddefnyddio pobl i'w ddiben ei hun ar waith eto. Câi'r Cymmrodorion y clod, a Huw Jones y caledwaith. Fodd bynnag, poenid Richard gan ddau beth. Y naill boendod oedd diffygion Huw Jones fel ysgolhaig a golygydd. Prin y gallai enw urddasol y Gymdeithas ymddangos ar gyhoeddiad carbwl, fel cadwyn o aur ar fwgan brain. 'Gwych a fyddai i'r Llangwm yna brintio ei ganiadau correctly and in true orthography,' meddai, gan ddyfynnu geiriau William Wynne, 'I despair of any correctness at Shrewsbury'.[87] Stafford Price, Amwythig, oedd argraffydd y *Dewisol Ganiadau*, wrth gwrs. Yr ail ofid oedd yr argraffydd. Argraffydd swyddogol y Cymmrodorion, yn ôl Cofrestr 1762 o aelodau'r Gymdeithas, oedd William Roberts, y gŵr o Landygái a drigai ac a weithiai yn Llundain. 'Doedd hwn fawr gwell na Stafford Price ac argraffwyr Amwythig, yn nhyb Richard, ond o leiaf 'roedd yn Gymro. Rhagwelai mai William Roberts a gâi'r gwaith o argraffu llyfr Llangwm. 'Wfft ir Wil Roberts brintiwr yma, y sydd wedi argraphu ail rhan o waith y Merchant Taylor o Dal y Bont yn agos i Fangor,' meddai, 'a'i brydyddiaeth ei hun gyd ag ef. Ar fy nghydwybod ni welais erioed y fath ffieidd-dra!'[88] 'Roedd William Roberts wedi argraffu dau lyfr o waith Thomas Williams, *Agoriadau Datguddiad Creadigaeth y Nefoedd*, ym 1760, a *Hanesion o'r Hen Oesoedd ...*', ym 1762. 'Roedd bwnglerwaith yr argraffu a safon isel y farddoniaeth wedi peri i'r brodyr wingo yn eu crwyn a gwrido wrth feddwl fod y llyfrau hyn yn gynnyrch eu cyd-wladwyr.

---

[84] Ibid., llythyr DXII, Lewis at William, o Benbryn, Chwefror 1761, t. 308.
[85] Ibid., llythyr DXVII, Richard at Lewis, o Lundain, Mawrth 8, 1761, t. 317.
[86] Ibid., llythyr DXXII, Lewis at Richard, o Benbryn, Mawrth 18, 1761, t. 324.
[87] Ibid., llythyr DXXVIII, Richard at Lewis, o Lundain, Ebrill 12, 1761, t. 338.
[88] Ibid.

Erbyn mis Mai 1761 'roedd Huw Jones, o'r diwedd, wedi cyrraedd Penbryn. Yn groes i'r disgwyl, creodd argraff ffafriol ar Lewis:[89]

> I was favoured lately with the company of a mountain poet who prided himself in being a wanderer like the ancients ... He is truly an original of the first order, and worth seeing, hath a natural aversion to Saxons and Normans and to all languages but his own.

Wedi'i hudo gan Huw Jones, rhoddodd gopïau o rai o'i gerddi iddo, a chaniatâd i'w cynnwys yn y flodeugerdd arfaethedig. Dadrithiwyd Lewis yn fuan iawn, fodd bynnag, gan lythyr oddi wrth William:[90]

> Mae arnaf ofn am Langwm. Mi glywais fran yn dywedyd iddo fod yn euog o warrio eiddo arall a dywedyd celwydd noeth, I thought of interceding in his behalf with brother Richard for all Gronw's works to be published, but this report hath cooled me.

'Ffei o Langwm os twyllwr yw,' oedd ymateb Lewis.[91]

Erbyn canol yr haf 'roedd Huw Jones wedi cyrraedd Llundain. Gwelodd Richard ef 'yn ymofyn cymorth i gyhoeddi ei lyfr, ac rwyn deall ei fod wedi myned adref am yr arian i dalu am y papur i Sion Oylfer y printiwr'.[92] Mae'n debyg, felly, mai John Oliver, a argraffodd lawer o lyfrau Cymraeg a Chymreig yn Llundain tua chanol y ddeunawfed ganrif, a ddewiswyd yn wreiddiol i argraffu'r llyfr. Ymddiofrydodd Richard i wneud 'fy ngoreu drosto',[93] a'r peth pwysicaf iddo'i wneud oedd rhoi'r copi hwnnw o gerddi Goronwy a led-baratowyd ganddo ar gyfer y wasg cyn ymadael am Virginia. Trefnu gogyfer ag argraffu'r taflenni cyhoeddusrwydd i'r llyfr yr oedd Huw Jones. Ni chlywyd na siw na miw ohono wedyn am fisoedd, a rhaid ei fod, yn ystod y cyfnod hwn, wrthi yn dosbarthu'r taflenni ac yn casglu tanysgrifwyr. 'Doedd y taflenni hynny ddim wrth fodd Lewis. 'Pam y gwnae'r fulan gan Langwm roi fy enw bedydd i yn y cynnygiadau, onid Llewelyn Ddu a ddylasai fod?' cwynai wrth Richard.[94] Yn wir, erbyn hynny 'roedd Lewis yn lled-edifar iddo gydsynio â chais William i roi ei waith i Huw Jones: 'Gwiliwch Fardd Llangwm er cael o hono wall arnafi yn ol dymuniad y brawd Wiliam, i gael fy nghaniadau, – ped faent yn fy meddiant ni chae'r fath ddyn monynt ond hynny,' meddai wrth y brawd arall.[95] 'Roedd y cyfnod hwn o dawedogrwydd ar ran Huw Jones yn bryder i'r brodyr. 'Nis gwn i ddim o hanes y Llangwm,' meddai Richard mewn ateb i fynych ymholiadau ei ddau frawd, gan ychwanegu 'Fe allai iddo farw ar y ffordd'.[96]

[89] *ALMA* 2, llythyr 277, Lewis at Edward Richard, o Benbryn, Mai 20, 1761, t. 534.

[90] *ML* II, llythyr DXXXV, William at Lewis, o Gaergybi, Mehefin 14, 1761, t. 352.

[91] Ibid., llythyr DXLIV, Lewis at William, o Benbryn, Gorffennaf 27, 1761, t. 366.

[92] Ibid., llythyr DXLIII, Richard at Lewis, o Lundain, Dygwyl Iago, 1761, t. 363.

[93] Ibid.

[94] Ibid., llythyr DLXVIII, Lewis at Richard, o Benbryn, Tachwedd 20, 1761, t. 411.

[95] Ibid., llythyr DLVI, Lewis at Richard, o Benbryn, Medi 21, 1761, t. 389.

[96] Ibid., llythyr DLXXXI, Richard at Lewis, o Lundain, Ionawr 16, 1762, t. 435.

Erbyn dechrau Mawrth 1762 'roedd Huw Jones wedi dychwelyd i Lundain. 'Mi glywaf fod y Llangwm yn dref, a bod Wil Roberts wirion i brintio ei lyfr,' meddai Richard wrth Lewis,[97] a gofidiai o hyd y byddai'r gwaith gorffenedig yn siomedig. 'Roedd y gwaith o argraffu'r flodeugerdd ar y gweill yn fuan ar ôl i Huw Jones ddychwelyd i Lundain. Yn ôl llythyr at William, 'roedd Lewis wedi anfon 'a dedication for Mr. Vaughan,' at Huw Jones yn fuan ar ôl iddo ddechrau arolygu'r gwaith argraffu, 'and shall send him a preface in English soon or before he finishes his printing'.[98] Gobeithiai Lewis y gallai William Vaughan gael cip ar y gwaith o'i eiddo ym meddiant Huw Jones a oedd yn ymwneud â'r Penllywydd, fel y gallai hwnnw roi caniatâd i'w gyhoeddi. Cynigiai William hefyd ei wasanaeth o Gaergybi bell, drwy gynnig rhagor o gerddi i Huw Jones, o waith John Owen a Hugh Hughes.

Rhan agoriadol y llyfr, yr adran a neilltuwyd ar gyfer gwaith Goronwy, oedd y rhan gyntaf i gyrraedd mewn proflenni. 'Dyma fi wedi bod y bore heddy yn diwygio beiau'r wasg yn yr hanner sit gyntaf o lyfr Llangwm, sef gwaith Oronwy o dan ei law ei hun,' meddai Richard, gan ofyn i Lewis 'A roir nodau (eglurhadau) Llewelyn Ddu gyda Chywydd y Farn?'[99] Addawodd Richard, ym merw ei brysurdeb, roi pob cymorth i Huw Jones i ddwyn y flodeugerdd i olau dydd. Yn wir, 'roedd Richard wedi cyffroi drwyddo i gyd wrth weld yr argraffwyr yn gyrru ymlaen â'r gwaith:[100]

> A yrrwch chwi ychwaneg o'ch gwaith i'w gyhoeddi yn llyfr y Llangwm? I shall always revise the last proof sheet, as busy as I am, for the honour of the work; therefore it will be the correctest thing of the sort. I gave him the dedication to Penllywydd, which is very good, and pray hasten ye preface. I think the book will be out in three months at the farthest.

Yn y cyfamser, 'roedd William Vaughan wedi bwrw cip ar rai o'r cerddi o eiddo Lewis a oedd yn ymwneud ag ef mewn rhyw fodd neu'i gilydd. Nid yr awdlau i William Vaughan ac i Nannau oedd y broblem, na'r 'Cywydd i Gwyno dros Glefyd Wiliam Fychan o Gorsygedol ...' ond y cywyddau a luniasai Lewis i butain adnabyddus yn Llundain y bu'r bonheddwr yn un o'i chwsmeriaid. 'Roedd William Vaughan yn ferch-heliwr o uchelwr! 'Mae'r Penllywydd wedi erchi gadael allan farnad Haras, oni fedrem newid yr enw, yr hyn ni ad y gynghanedd,' meddai Richard, a hefyd, 'gadewir allan y caniad i Fab Hywel, canys private concerns y pethau hynny na pherthynynt i'r public'.[101]

---

[97] Ibid., llythyr DXCVI, Richard at Lewis, o Lundain, Mawrth 12, 1762, t. 456.

[98] Ibid., llythyr DCIII, Lewis at William, o Benbryn, Ebrill 16, 1762, t. 465.

[99] Ibid., llythyr DCXII, Richard at Lewis, o Lundain, Mai 9, 1762, t. 472.

[100] Ibid., tt. 472–473.

[101] Ibid., t. 472.

Sarah o chwith oedd 'Haras', ymgais ar ran Lewis i guddio enw'r butain ac amddiffyn enw da William Vaughan. Yn ôl nodyn gan Lewis ar y 'Cywydd i Haerwen o Gaerludd, wedi Iddi Heneiddio' yn ei gopi ef ei hun o *Diddanwch Teuluaidd*, 'Mrs P. a noted bawd' oedd y Sarah hon,[102] a gwraig i forwr. 'Roedd Haras yn 'well known to the Gentry of Wales' yn ôl nodyn Lewis ar y 'Cywydd Marwnad Haerwen, Cyffoden Hynod o Gaerludd' yn ei gopi o'r *Diddanwch*.[103] Newidiodd Richard ei feddwl ynghylch y cywyddau i Haras. 'Will you alter Cerdd Marwnad Haras?' gofynnodd, oherwydd 'gresyn ei cholli'.[104] Trechodd Lewis y broblem drwy newid yr enw i Haerwen, a lluniodd rai cwpledi newydd lle'r oedd Haras yn y brifodl, rhag i Lewis yr ymgreiniwr roi ei gyfaill o buteiniwr mewn lle cas!

Bu gan William Vaughan ran fechan yn y gwaith hefyd. Addawodd gyfrannu cyfieithiad Saesneg o 'Ganiad y Gog i Feirionnydd' o waith Lewis i'r llyfr, ond bu'n hirymarhous gyda hwnnw. Bu Richard yn ymdrechu i dynnu'r cyfieithiad allan o'i groen am fisoedd lawer: 'er cariad ar yr Arglwydd gyrrwch at Mr. Fychan i anfon yma his English translation of Cân Meirion,' ymbiliai Richard ar Lewis mewn cryn ffrwst a phryder.[105] Cyrhaeddodd y cyfieithiad ymhen hir a hwyr, anfonodd Richard ef at awdur y gerdd wreiddiol am ei farn cyn ei argraffu, a rhoddodd Lewis sêl ei fendith arno.

---

102 Gw. *The Life and Works of Lewis Morris* , t. 272.

103 Ibid., t. 293. Ceir cyfeiriadau mynych gan Lewis at Haras yn ei ohebiaeth â William Vaughan rhwng 1738 a 1748, yn Llsgrau (Bangor) Mostyn. Gw. 'Llythyrau Lewis Morris at William Vaughan, Corsygedol', Emyr Gwynne Jones, *Llên Cymru*, cyf. X, rhifau 1 a 2, Ionawr – Gorffennaf 1968. 'Here is neither a *Haras* nor a Carbonelli to sooth one's Head to rest,' meddai mewn llythyr o Bwllheli, Mehefin 3, 1742 (t. 27). Ymbiliodd Lewis am lythyr ganddo o Aberystwyth ar Ragfyr 17, 1743, 'If Hurry a *Chorph Haras* will give you leave to write Half a dozen lines' (t. 39). Mae sawl cyfeiriad ati yn y llythyrau a anfonodd Lewis at William Vaughan o Lundain ym 1748, a Lewis, erbyn hynny, yn ei gweld yn gyson. Cysylltodd â William Vaughan ar Awst 20, 1748, i adrodd am ryw ffwdan ynghylch Haras: 'I have yours of the 15. Augt. and the bill to give M[r]. Fleming &c which shall be done. Ond beth am dano fo D---l uffern? He is always our Enemy with his Horns & Cloven foot, and to be sure always plagues tolerable good people. What do you think he did? He went to Blandford and whispered in the Ear of Capt. Okeden that he might have the use of *Haras*; He followd the d---l's advise & affronted Haras, and last night who knockd at this door But she, all in a Pother, quite discomposed?, had never been *Herself* since that Indignity was offerd her ...' (t. 44). Yn yr un llythyr ceir y neges 'Haras desires her service to her Friends' (t. 45). Mae Lewis yn adrodd am helynt arall, eto mewn dull digon cuddiedig, mewn llythyr a luniwyd ar Awst 25, 1748: 'The D---l hath done me a great deal of disservice since I wrote to you last. He is a sad dog, and plagues me Incessantly. What hath he done lately do you think? he put it in the head of a Washer woman that we had at Haras, to steal a silver spoon, which had no mark, in order that I might be obligd to pay for it, and in order that Poor Haras might fret her Guts to fiddle strings ...' (tt. 45–46). 'I have not seen Haras this Five weeks because she is a Fool,' meddai ar Fedi 28, 1748 (t. 48), ond ar Hydref 27, 'mi welais Haras heddyw ai dinbais wen a Ridens oi amgylch yn Edrych yn ddigon hoyw' (t. 49). Mae Lewis yn mynegi ei ddyhead i lunio cywydd marwnad i Haras yn ei lythyr at William Vaughan ar Ragfyr 5: 'Gwae finneu nid oes arnaf fi fwy o ofn d---l nag sydd arnaf o ofn Llynghyren y ddaiar, ond ar fenaid i mae arnaf ofn Haras yn fwy na'i charu ... Duw a wyr y Canwn eu marwnadau yn ddigon llafar pei Cawn gyfle ... mi rown i haras ddyrnod a Chowydd Llosgyrnog fal na chodai hi byth moi thin ond hynny. mi rown iddi ddyrnod arall ag Englyn Milwr fal na chodai hi moi phen. ag un arall a Chyrch a Chwtta hyd na byddai hi 7 droedfedd yn y ddaiar, a dyna ddiwedd am honno' (t. 51). Ar gais William Vaughan, fe ymddengys, y lluniodd y cywydd marwnad i Haras; rhaid mai William Vaughan oedd yr 'Anrhydeddus Syr' yr anfonodd Lewis lythyr ato ar Awst 13, 1750 o Allt Fadog, a'r cywydd marwnad yn rhan ohono: 'Gan fod Gennych Ewyllys i wneuthur Haras yn Anfarwol, gan Gywydd a bery byth, dyma gynnyg ar un iddi' (*ALMA* 1, llythyr 95, t. 201).

104 *ML* II, llythyr DCXXVII, Richard at Lewis, o Lundain, Gorffennaf 27, 1762, t. 494.

105 Ibid.

Achubodd Huw Jones ar y cyfle i argraffu anterliwt o'i waith ei hun tra oedd yn Llundain, *Hanes y Capten Factor*, o bosib, a heglodd hi yn ôl i Gymru i'w gwerthu gan adael y gwaith o argraffu'r *Diddanwch* ar ei hanner. Goruchwylid y gwaith gan Richard yn ei absenoldeb. 'Mae gwaith Goronwy yn myned ymlaen yn ei absen yn llaw Roberts y printiwr,' meddai Richard wrth Lewis,[106] a chael trefn ar waith Lewis oedd y cam nesaf. Gofynnodd Richard i'w frawd anfon dyddiadau ei gerddi ato, gan fod y rhan fwyaf o ddyddiadau cerddi Goronwy ganddo, ac ymbiliai am ragor o'i waith. Ar Orffennaf 27, anfonodd waith Goronwy mewn proflenni ato; 'yours comes on next, ond ar fy nghydwybod, wrth edrych drostynt, mi welaf lawer bai yn y cywyddau cyntaf, a minnau ni fedraf eu diwygio,' meddai.[107] Tynnodd Richard sylw Lewis at nifer o linellau gwallus eu cynghanedd yn ei waith, a phryderu fod ei frawd yn barod i ollwng llinellau â nam arnyn nhw i olwg y byd. Dôi'r rhan fwyaf o'r llinellau gwallus hyn o gywydd Lewis 'i Ofyn Dillad, tros William Dafydd, a Elwid yn Gyffredin Bol Haul, gan y Dr. Ed. Wynne, o Fodewryd ym Môn, Siawnsler Henffordd'. Twrnai o Gaergybi oedd y William Dafydd neu David hwn, cyff gwawd yn llawer o ryddiaith a barddoniaeth Lewis Morris, a châi ef a chyfeillion fel Dr Richard Evans Llannerch-y-medd, William Vaughan ac Edward Wynne lawer o hwyl am ei ben. Atebodd Lewis drwy ddweud na fwriedid i'r cywydd fod 'as a regular poem, but a merry rig in imitation of the stile and poetry of John Tudur in his cywydd i ofyn Rhys Grythor ... So an apology must be wrote before it, that it was only intended to make the Chancellor merry'.[108]

'Roedd Richard, mae'n amlwg, yn cymryd gofal mawr o'r gwaith, ond 'doedd hynny ddim yn ddigon i liniaru ofnau Lewis. Ofnai ymddangosiad y flodeugerdd o hirbell. Mynegodd ei bryderon wrth Edward Richard:[109]

> The D---l owed me a grudge as well as to Parson Ellis, and he or somebody inveigled me to suffer Hugh Jones of Llangwm to publish my foolish productions in verse, which he is now doing in London by subscription for his own benefit ... When that wise affair comes public, O! how I shall be torn to pieces by critics, then will be the time for such a strenuous assertor of Licentia Poetica (liberty and property) as you are, for I am sure I shall want a defender. Was I not a weak fellow for running the gauntlet for the diversion of the public, when I might have died in peace with some little character in poetry had I kept the fool within ...

I raddau, 'roedd Huw Jones wedi esgeuluso'r gwaith, er bod Richard wrth y llyw. 'Roedd diffyg gofal ac ymrwymiad Huw ynddo'i hun yn ddigon o achos pryder, ond gwaeth fyth oedd yr amheuon ynghylch ei onestrwydd. Prociai William y fflamau o Gaergybi bell. 'Roedd Ieuan Fardd, meddai wrth Lewis, 'wedi clywed i fod wedi ei garcharu yn Llyndain am hen ddyled argraph'.[110]

---

[106] Ibid., llythyr DCXX, Richard at Lewis, o Lundain, Mai 28, 1762, t. 486.

[107] Ibid., llythyr DCXXVII, Richard at Lewis, o Lundain, Gorffennaf 27, 1762, t. 494.

[108] Ibid., llythyr DCXXVIII, Lewis at Richard, o Benbryn, Awst 3, 1762, t. 497.

[109] *ALMA* 2, llythyr 290, Lewis at Edward Richard, o Benbryn, Mai 29, 1762, tt. 553-554.

[110] *ML* II, llythyr DCXXIII, William at Lewis, o Gaergybi, Mehefin 21, 1762, t. 488.

'Roedd William ei hun yn ddigon parod i gynorthwyo Richard, yn enwedig gan fod 'subscribers Môn,' wrth feddwl am yr hir-oedi ar ran Huw Jones, 'yn ei ddwrdiaw yn erchyll'.[111] Bu William yntau yn un o'r darllenwyr proflenni, ac anfonodd hefyd nifer o gywyddau at Richard ar Fai 10, o waith y Bardd Coch yn bennaf, mae'n debyg. Yn wir, bu'n rhaid i William weithredu fel amddiffynnydd i Hugh Hughes. 'Roedd Huw Jones ar un adeg wedi ystyried peidio â chynnwys gwaith y Foelgoch yn y casgliad, ond ni welai William fod hynny'n deg, yn enwedig gan i Hugh Hughes gasglu nifer o danysgrifwyr ar gyfer y llyfr. Ymbiliodd ar Richard i sicrhau y byddai Huw Jones yn cynnwys gwaith y Bardd Coch, ac mae'n amlwg i Richard lwyddo yn hynny o beth. Gwyddai William gystal â neb nad oedd cerddi Hugh Hughes o'r un safon â gwaith Goronwy a Lewis, ond camwri fyddai eu hepgor yn gyfan gwbwl. Gellid cyfiawnhau eu cynnwys drwy resymu y byddent yn peri i gerddi'r ddau fardd arall ddisgleirio'n fwy gogoneddus lachar, fel merddwr drewllyd yn amlygu harddwch lili'r dŵr. 'Oni wasanaetha ei gerddi yn fiwtismottiau i'r beirdd eraill?' gofynnodd i Richard.[112]

'Roedd Huw Jones wedi dychwelyd i Lundain erbyn mis Hydref. Gwelodd Richard ef yno ar Hydref 21, ond y diwrnod canlynol 'cychwynodd yn ol ar ei farch efo rhyw wraig fonheddig, megis yn was iddi ar y daith'.[113] Er i Huw Jones addo y dychwelai i Lundain 'nerth y carnau i gael dibennu'r gwaith gwychaf a welodd llygad Cymro er dechreuad y byd,' mae'n amlwg ei fod yn fwy na bodlon gadael y gwaith o lywio'r llyfr drwy'r wasg i Richard.[114] Defnyddio Huw Jones i ddwyn clod i'r Cymmrodorion oedd y nod gwreiddiol, ond 'roedd Huw Jones erbyn y diwedd yn defnyddio'r brodyr i'w ddiben ei hun. Efallai mai dyna un rheswm pam 'roedd Lewis mor gyndyn i ollwng ei waith o'i ddwylo. 'Mi ddisgwyliais yn hir ac yn hwyr am y gweddill o'ch prydyddiaeth i'w roi yn y llyfr yma yn ol eich addewid, a'r brintwasg yn sefyll am dano,' meddai Richard wrtho.[115]

Ni ddychwelodd Llangwm i Lundain nerth ei garnau. Gyda'r flwyddyn 1762 yn prysur nesáu at ei therfyn, melltithiai Richard y 'penbwl' a'r 'ceryn llysowenaidd' am esgeuluso'r gwaith.[116] Yr un oedd ei gŵyn fis yn ddiweddarach. Dim golwg o Huw Llangwm yn unlle, a Richard yn ymlafnio i fwrw ymlaen â'r gwaith. Gofynnodd i'w frawd anfon rhagor o'i gynhyrchion ato, fel y gellid cwblhau'r adran a berthynai i Lewis, a symud ymlaen wedyn at waith Hugh Hughes. Erbyn Chwefror 1763, a Huw Jones o hyd heb ddod i'r fei, dechreuodd Richard deimlo mai ei blentyn mabwysiedig ef ei hun oedd y llyfr, wedi i'w dad anghyfrifol ei amddifadu. Byddai'r llyfr hefyd, yn ei dyb, yn un o gyhoeddiadau swyddogol y Cymmrodorion. Richard a drefnodd bopeth ynglŷn â'r

---

[111] Ibid., llythyr DCXXV, William at Lewis, o Gaergybi, Gorffennaf 1, 1762, t. 490.

[112] Ibid., llythyr DCXLVII, William at Richard, o Gaergybi, Rhagfyr 2, 1762, t. 521.

[113] Ibid., llythyr DCXLI, Richard at Lewis, o Lundain, Hydref 23, 1762, t. 513.

[114] Ibid.

[115] Ibid.

[116] Ibid., llythyr DCXLIX, Richard at Lewis, o Lundain, Rhagfyr 14, 1762, t. 524.

flodeugerdd, o ran cynnwys, trefn a diwyg. Gwir mai Huw Jones a wthiodd y cwch i'r dŵr, ond Richard a'i rhwyfodd i'r lan. Marchnata'r gyfrol yn unig a wnaeth Huw Jones tua'r diwedd, casglu tanysgrifiadau ar ei chyfer, a gwneud trefniadau ynghylch ei dosbarthu unwaith y cyhoeddid hi.

Richard hefyd, ar y cyd â William, a fu'n gyfrifol am ddarllen y proflenni, ac nid rhyfedd iddo ddatgan mai 'Enw'r llyfr cân a ddylai fod Barddoniaeth y Cymmrodorion, neu rywbeth o'r fath, y llyfr cyntaf'.[117] Gyda'r Cymmrodorion bellach yn hawlio'r llyfr, meddiannwyd y Llywydd gan yr hen frwdfrydedd, yn enwedig gan ei fod erbyn hyn wedi profi iddo'i hun y gallai gyfuno breuddwyd a gweithred, gobaith a gwaith. Dechreuodd Richard freuddwydio am gynhyrchu cyfrol ddilyniant i'r *Diddanwch*, 'ail lyfr, yn cymeryd i mewn waith Mr. William Wynn, Hirfardd, Rice Jones, etc., neb arall ond y cyfeillion'.[118] Cytunai Lewis â dyhead ei frawd i alw'r llyfr yn un o gyhoeddiadau'r Cymmrodorion. Pam y dylai Huw Jones dderbyn y mawl a'r elw i gyd? 'Ie, ie, llyfrau Cymmrodorion fydd pob peth a wnelo'r Cymmrodorion,' meddai, 'but who is to receive the profit of the next publication?' gofynnodd am yr ail lyfr, gan ychwanegu, yn ddirmygus, 'What merits hath Llangwm to have it, besides his being a dylluan ddòl?'[119] Nid cyfrol i'r Cymmrodorion yn unig moni 'chwaith. 'Yr oedd llyfr Llangwm megis yn perthyn i mi, oni bae hynny, ni chymeraswn i fyth y fath boen gyd ag ef,' meddai Richard wrth Lewis.[120]

'Does wybod pa bryd yn union y dychwelodd Huw Jones i Lundain. Yn ystod y cyfnod hwn o grwydro Cymru, bu'n ymweld â Lewis, ac yn ôl William, 'Mae'r Bras o Ben y Bryn yn gweud ei fod yno'r 5d in his way to Londres'.[121] Erbyn mis Mai gallai Richard roi ar ddeall i William fod y llyfr yn prysur dynnu tua'r terfyn, er mawr ryddhad i bawb. Cyhoeddwyd *Diddanwch Teuluaidd* rywbryd yn haf 1763, oherwydd, yn ôl llythyr oddi wrth Richard at Lewis ar Awst 21, 'Mae Llangwm wedi myned ar gerdded efo'i lyfrau, ac mae'n debyg, y cewch ei weled ar fyrder'.[122] Bedwar diwrnod yn ddiweddarach, hysbysodd Evan Evans fod 'Llangwm wedi myned oddi yma er's dyddiau tua Chymru i werthu ei Lyfrau Cân,' a cheisiodd ysgogi'r Hirfardd i gasglu'i waith ynghyd ar gyfer yr ail gyfrol.[123] Cyflwynwyd y gyfrol i William Vaughan ar ffurf llythyr gan Huw Jones, a lluniwyd y llythyr yn ôl y nodyn ar ei ddiwedd ar Fehefin 24.

Felly, ar ôl llawer o draul ac o drafferth, ar ôl blynyddoedd o gynllunio heb gyflawni, o addo heb lwyddo, ar ôl nifer o dreialon a helbulon, 'roedd gwaith Goronwy wedi'i gyhoeddi, ac 'roedd un o lyfrau pwysicaf y ddeunawfed ganrif wedi cyrraedd ei wedd orffenedig. Er i'r gyfrol gynnwys gwaith Lewis Morris a Hugh Hughes yn ogystal,

[117] Ibid., llythyr DCLVII, Richard at Lewis, o Lundain, Chwefror 20, 1763, t. 538.

[118] Ibid.

[119] Ibid., llythyr DCLXII, Lewis at Richard, o Benbryn, Mawrth 9, 1763, t. 544.

[120] Ibid., llythyr DCLXXVIII, Richard at Lewis, o Lundain, Mehefin 28, 1763, t. 566.

[121] Ibid., llythyr DCLVIII, William at Richard, o Gaergybi, Chwefror 21, 1763, t. 541.

[122] Ibid., llythyr DCLXXXVII, Richard at Lewis, o Lundain, Awst 21, 1763, t. 582.

[123] *ALMA* 2, llythyr 307, Richard at Evan Evans, o Lundain, Awst 25, 1763, t. 593.

Goronwy oedd seren y sioe, ac artistiaid llai oedd y ddau arall yn y perfformiad. Amlwg oedd y gydnabyddiaeth i'r Cymmrodorion ar yr wynebddalen. Er cydnabod mai blodeugerdd 'O gasgliad Huw Jones' ydoedd, nodwyd yn ddiamwys fras mai gwaith 'Aelodau o Gymdeithas y CYMMRODORION' a gynhwysid ynddi, ac iddi gael ei hargraffu gan 'Wiliam Roberts, Printiwr y Gymdeithas'.

Yn ogystal, cyflwynwyd y flodeugerdd i Benllywydd y Gymdeithas, 'gan mai chwi yw Penllywydd y Cymmrodorion, At bwy mae gymwysaf imi gyflwyno Gwaith Aelodau'r Gymdeithas ond attoch chwi?'[124] Canmolwyd William Vaughan am ei ddiddordeb yn llenyddiaeth ei wlad ac am ei nawdd i'r beirdd:[125]

> ... canys Pwy sydd fwy cydnabyddus yng Ngwaith yr hen Feirdd, ac a ddichon ganfod perffeithrwydd y rhai newydd? Pwy sydd mor groesawgar i dderbyn Bardd yn ei Dy, ac i'w goledd a'i ganmol, os haeddai? Pwy ond chwychwi a fedr droi Caniadau ein Beirdd i ieithoedd eraill, fel yr edrychont cystal neu well nag yn eu Hiaith ei hunan?

Yn dilyn ceir llythyr gan Lewis Morris yn annerch William Parry, 'Deputy-Comptroler of His Majesty's MINT in the Tower of LONDON' ac Ysgrifennydd y Cymmrodorion, hyn eto yn cryfhau gafael y Gymdeithas ar y llyfr. Ni chollwyd yr un cyfle i bwysleisio mai un o orchestion y Cymmrodorion oedd y gyfrol: '... seeing that the Writers of the Pieces it contains, are of the *Cymmrodorion Society*, as well as the Printer and Publisher, I thought a Letter to you, giving an Account of the Work, might stand very well instead of the usual flourish of a Preface; for the Book entirely belongs to your Society'.[126] Ymfalchïai Lewis yng nghywirdeb y llyfr: 'As the Authors are still living, one in *North America*, and the others in *Wales*, we may conclude, that their Compositions come to us more correct than those of former Ages, or of the Ancients, that must have unavoidably suffered by bad Transcribers'.[127]

Lluniwyd y llythyr-ragymadrodd hwn yn Saesneg, a hynny am nifer o resymau. Er i Lewis ddweud fod y Golygydd, Huw Jones, yn casáu pob iaith dan haul ac eithrio'i iaith ei hun, 'calling other *Languages barbarous*,'[128] tybiai Lewis mai yn Saesneg y dylid annerch y darllenwyr. Dyrchafu'r Gymraeg oedd un o brif ddibenion y gyfrol, a phrofi i'r Saeson, ac i'r Cymry eu hunain, nad iaith ar ei dirywiad oedd y Gymraeg. 'This Publication of Poems ... will shew the absurdity of a prevailing Notion,' meddai, sef 'That the ancient *British* Language is on the decline; and that the *English* tongue doth so gain ground daily in *Wales*, that, in a few Years, there will be no remains of the former on the face of the Earth'.[129] Rheswm arall am annerch y darllenwyr yn yr iaith fain oedd cynnig canllaw a

---

[124] *Diddanwch Teuluaidd*, 1763, dim rhif tudalen.

[125] Ibid.

[126] Ibid, t. i.

[127] Ibid, t. ii.

[128] Ibid.

[129] Ibid.

chyfarwyddyd i'r Saeson a oedd ar y pryd yn ymddiddori yn y Gymraeg, ei llenydd-iaeth a'i hynafiaeth. 'It may not be improper to introduce this *Work in English*, for the Encouragement of *Englishmen*, or others, who may be inclined to dip into this curious ancient Language,' meddai Lewis.[130] Achubodd ar y cyfle hefyd i ddangos fod llawer o eiriau Saesneg wedi tarddu o'r Gymraeg. 'The *English* Tongue is far more indebted to the ancient Language of *Britain*, now spoken in *Wales*, than is generally imagined,' ond bod rhai geirdarddwyr bas ac anwybodus yn priodoli 'every word that sounds like *English*, to be a Corruption, or borrowed from that Language'.[131] Taro'r post Cymraeg er mwyn i'r pared Saesneg gael clywed yr oedd Lewis. Mae gweddill y cyflwyniad yn trafod y traddodiad o ganu barddoniaeth i gyfeiliant y delyn, yn amlinellu gofynion rhai mesurau rhydd, ac yn enwi rhai o brif feirdd Cymru.

Ieuan Fardd oedd y cyntaf o blith aelodau'r cylch i dderbyn copi o'r *Diddanwch*. Erbyn diwedd mis Hydref, 1763, 'roedd Huw Jones wedi cyrraedd Caergybi, ar ôl ymweld ag Evan Evans. 'Pwy ond Llangwm a ddeua yma'r dydd arall; a phwn o ddiddanwch Grono, Llywelyn Ddu, a'r Côch Moel,' meddai William wrth Lewis.[132] Yn nhyb William, 'gorchwyl trefnus' oedd y llyfr,[133] ond er gwaethaf gofal a llafur Richard, 'doedd y cyhoeddiad ddim yn hollol ddi-fefl ym marn Ieuan Fardd. Tynnodd sylw at un gwall argraffu, ond gan fwrw'r bai i gyd ar Huw Llangwm, 'for I find his conceit and ignorance has contrived to commit some faults even under your inspection ... This is intolerable; and I dare say he committed the blunder after you had corrected it'.[134] Lewis oedd yr olaf o'r cylch i daro'i wyn ar y llyfr. 'The book is already published in North Wales as I am informed,' meddai wrth Edward Richard, 'and will soon be here'.[135] Ceisiodd Lewis wysio'r ysgolfeistr i sefyll o'i blaid, a'i amddiffyn rhag beirniaid tafodlym. Dallu mân-feirniaid anghymwys â dysg oedd yr ateb yn nhyb Lewis, ac wrth erfyn ar Edward Richard i godi ei lewys, fel petai, pe byddai i'r llyfr ennyn adwaith anffafriol, 'roedd yn ddigon cyfrwys i atgoffa Edward Richard am y cyfeillgarwch a'r teyrngarwch rhyng-ddynt a'i gilydd, ac i'w rybuddio i beidio â brathu'r llaw a'i porthai:[136]

> ... bydd cywilydd yn wyneb Llywelyn Ddu ag oni tharewch yn ei blaid, gan ddyfod ar cyffelyb feddyliau au dangos yn y caniadau dyscedig, gwaith Horas Anacreon &c. fe dderfydd amdano fal malwoden dawdd. Cofiwch mai fi a geisiodd eich cymmorth chwi gyntaf, ag sydd yn addo ichwi ffi neu retainer; pan weloch chwithau ryw gorgi o Gritic bach yn ceisio fy nghnoi, Codwch eich pastwn mawr, a dwrdiwch ef a bygythiwch Homer a Virgil arno, ag fe ddeil ei dafod tocc, ag a ddianc ai gynffon yn ei afl.

---

[130] Ibid., t. iii.

[131] Ibid., t. iv.

[132] *ML* II, llythyr DCXCV, William at Lewis, o Gaergybi, Tachwedd 1, 1763, t. 597.

[133] Ibid.

[134] *ALMA* 2, llythyr 315, Evan Evans at Richard, o Lanfair Talhaearn, Ionawr 31, 1764, t. 608.

[135] Ibid., llythyr 313, Lewis at Edward Richard, o Benbryn, Ionawr 11, 1764, t. 604.

[136] Ibid., tt. 604–605.

Poenai Lewis fod rhai o'i gerddi wedi eu cyhoeddi yn y flodeugerdd heb ei ganiatâd ef, a chyn iddo allu eu caboli'n derfynol.

Ar ddiwedd y *Diddanwch*, hysbysebwyd y gyfrol-ddilyniant, y bwriedid cynnwys ynddi waith beirdd Dinbych, Meirion, ac eraill, ac erfyniwyd am danysgrifwyr, y rheini i dalu chwecheiniog ymlaen llaw. Rhoddodd Ieuan Fardd, yn ôl llythyr at Richard, 'y cwbl a feddwn mewn Barddas om gwaith fy hun iddo yn ol eich arch, pan oedd yn myned ai ddiddanwch o gylch,' felly 'roedd Huw Jones wedi cychwyn ar y gwaith.[137] Ond ni ddaeth ail gyfrol. Aeth Huw Jones i drafferthion ariannol ar ôl cyhoeddi llyfr cyntaf y *Diddanwch*. Ofnai'r brodyr mai felly y byddai. 'Mae d---l, mae arnaf ofn, yn Llangwm, y Mynglwyt rwyn ofni a ddieddu argraphydd a chyhoeddwr tlawd,' meddai William wrth Lewis.[138] Cynigiodd William gynorthwyo Richard drwy gasglu arian rhai o danysgrifwyr Môn iddo, gan ddatgan nad oedd yn deall agwedd ei frawd 'ynghylch matterion llymgi Llangwm'.[139] 'Da os na frath o chwi ar argraphydd pengrwn yna,' ychwanegodd, ond gwyddai mai gobeithio yn groes i'r disgwyl a wnâi.[140]

Lliniarwyd amheuon William ryw fymryn ar ôl i Huw Jones fynd â chopïau o'r casgliad i Fôn. 'Talodd y Cwm ei ddyled i'r brawd im llaw a gaddawodd anfon arian yr argraphydd hefyd i mi,' meddai wrth Lewis, ond gan ychwanegu yn bryderus 'nid hwyrach y deuant er hynny'.[141] Ychydig ddyddiau'n ddiweddarach, enillodd Huw Llangwm ragor o ymddiriedaeth William. 'Glana gwr a ddaeth ym hannedd, wythnos i heddy oedd o ai fab ai beichiau o Ddiddanwch,' meddai wrth Richard, 'ac fel hen Fruttwn gonest e dalws ym llaw y ddeuddryll ac addawodd anfon arian yr argraphydd yma o Llan-erchmedd'.[142] Erfyniodd William faddeuant am amau gonestrwydd Huw Jones, ond fel arall y syniai Richard amdano. 'Ffei o hono Llangwm frwnt, rwy'n lled ammau ei onest-rwydd,' meddai, gan ddal i gwyno fod 'arno aneirif o arian i'r argraphydd yma'.[143] 'Roedd Huw Jones hefyd wedi twyllo eraill, heblaw William Roberts. Yn ôl y Bardd Coch, bu'n crwydro o gwmpas Môn 'dan esgus cael arian i Brintio yr ail ran o'r llyfr diddanwch,' ond ni welodd y gyfrol honno olau dydd.[144]

Cyfran fechan yn unig o'r arian a oedd yn ddyledus iddo a dalwyd i William Roberts. Addawodd Hugh Hughes y byddai'n anfon yr arian a gasglasai ef at yr argraffydd drwy law William, ond chwalwyd bywyd yr argraffydd oherwydd dichell Huw Llangwm yn ôl Richard:[145]

---

[137] Ibid., llythyr 312, Evan Evans at Richard, o Lanfair Talhaearn, Tachwedd 26, 1763, t. 601.

[138] *ML* II, llythyr DCLXXXIX, William at Lewis, o Gaergybi, Medi 22, 1763, t. 585.

[139] Ibid., llythyr DCXC, William at Richard, o Gaergybi, Medi 30, 1763, t. 587.

[140] Ibid.

[141] Ibid., llythyr DCXCV, William at Lewis, o Gaergybi, Tachwedd 1, 1763, t. 597.

[142] Ibid., llythyr DCXCVII, William at Richard , o Gaergybi, Tachwedd 5, 1763, t. 600.

[143] *ALMA* 2, llythyr 316, Richard at Evan Evans, o Lundain, Chwefror 18, 1764, t. 611.

[144] Ibid., llythyr 347, Hugh Hughes at Richard, o Gaergybi, Tachwedd 19, 1766, t. 674.

[145] Ibid., llythyr 340, Richard at Evan Evans, o Lundain, Ebrill 12, 1766, tt. 662-663.

... fe andwyodd yr hen Wm Roberts y printiwr, yr hwn a fu'n yr holl gost o brintio'r Diddanwch iddo, ac yntau a gymerodd yr holl lyfrau i'r wlad i'w gwerthu heb dalu i'r hen wr truan am danynt; a gorfu arno fyned i Dŷ gweithio'r plwyf yn ei henaint a musgrellni i gael tamaid o fara, lle y bu farw, wedi i'r chwiwleidr Llangwm ei ddifuddio o'i holl eiddo.

Bu diwedd helbulus, felly, i saga cyhoeddi'r *Diddanwch*, a hynny ar ôl blynyddoedd o anawsterau wrth geisio dwyn y gwaith i olau dydd. Mewn gwirionedd, 'roedd taith y llyfr a rhawd Goronwy ar y ddaear yn lled-gyfateb, o broflen i brofedigaeth, o golledion i ddyledion. Ond 'roedd gwaith Goronwy bellach o fewn cyrraedd i bawb a fynnai ei ddarllen, ac yn barod i ddylanwadu ar genedlaethau o feirdd.

Drwy gydol yr holl flynyddoedd y bu'r Morrisiaid yn brwydro i gael gwaith Goronwy wedi'i gyhoeddi, 'roedd y bardd yn aml yn eu meddyliau. A hwythau'n ymlafnio i gael ei waith wedi'i gyhoeddi, teimlent yn ddig tuag ato am gadw'i bellter, a pheidio â chysylltu â nhw. Atebid eu diwydrwydd gan ddihidrwydd. Wfftiai William fod Goronwy 'wedi anghofio ei hen ffrindiau',[146] a phan ddaeth yn amser i naddu coffâd ar garreg fedd eu mam, rhoddodd William gwpled Goronwy, 'Dedwydd, O! enaid, ydwyt,/Llaw Dduw a'n dyco lle'dd wyt', o gywydd y bardd er cof am Marged Morris, arni. Ar Fedi 23, 1760, bu farw un arall o feibion Richard, 'Dicci, y llanc hyfrytta dan haul,' chwedl ei dad, yn bymtheng mis oed.[147] Gofynnodd i'w frawd Lewis awgrymu 'dwy linell gynghaneddol ar y garreg fedd accw am dano, dan rai Llywelyn',[148] ac awgrymodd i Richard fod y cwpled a geid ar garreg fedd Marged Morris yn gweddu i'r dim: 'These lines, in my opinion, are better and stronger, and as much to the purpose as any epitaph I ever saw,' meddai, 'or to fit both it may be wrote: Dedwydd eneidiau ydych/Llaw Dduw a'n dycco lle'dd 'ych'.[149] Nid fod Lewis wedi maddau i Goronwy, disgleirdeb ei awen neu beidio. Er hynny, awchai am gael gair yn ei gylch. 'Oes dim hanes byth oddiwrth Gronwy ap Owain Goronwy, rhywogaeth llysowenod llithrig?' gofynnodd i Richard.[150] Gwyddai mai gan Richard yr oedd y siawns orau o gael clywed unrhyw si am Goronwy drwy ei gysylltiadau â morwyr a chapteiniaid llongau. Fisoedd yn ddiweddarach atebodd Richard na chlywodd 'air fyth oddiwrth Oronwy fardd anniolchgar'.[151]

Fe glywyd un neu ddau o sibrydion yn ei gylch, fodd bynnag. Yn Awst 1762 dywedodd William wrth Lewis fod Goronwy 'i ddyfod i fyw ar ei arian efo ei wraig naill ai i Gymru neu Loegr,'[152] ond mewn llythyr at Richard bron i dair wythnos yn ddiweddarach, cyfaddefodd ei fod 'yn ammeu stori Rono, ofni mae brol ydoedd'.[153] Awgryma hyn mai

[146] *ML* II, llythyr CCCCLXXVII, William at Richard, o Gaergybi, Medi 1, 1760, t. 248.

[147] Ibid., llythyr CCCCLXXIX, Richard at Lewis, o Lundain, Medi 25, 1760, t. 252.

[148] Ibid.

[149] Ibid., llythyr CCCCLXXXI, Lewis at Richard, o Benbryn, Hydref 5, 1760, t. 258.

[150] Ibid., llythyr DXXXI, Lewis at Richard, o Benbryn, Ebrill 20, 1761, t. 346.

[151] Ibid., llythyr DLIII, Richard at Lewis, o Lundain, Medi 12, 1761, t. 382.

[152] Ibid., llythyr DCXXIX, William at Lewis, o Gaergybi, Awst 3, 1762, t. 500.

[153] Ibid., llythyr DCXXXI, William at Richard, o Gaergybi, Awst 21, 1762, t. 501.

Richard a fwydodd William â'r stori ac iddo hefyd ddweud wrth William nad oedd unrhyw sail i'r si. Gwyddai'r brodyr fod Goronwy wedi priodi â gwraig o deulu urddasol, ond ni wyddent mai gŵr gweddw oedd y bardd ar yr adeg y clywyd y si. Cymaint oedd y pellter rhwng Prydain ac America, rhwng dyhead a digwyddiad.

'Oer a Fu'r Hynt i'r Fro Hon'

Swydd Brunswick

1760–1769

Yng ngwanwyn neu haf 1760, rywbryd ar ôl Ebrill 26, bu farw y Parchedig George Purdie, rheithor plwyf St Andrew yn Swydd Brunswick. Purdie oedd trydydd rheithor y plwyf. Sefydlwyd Swydd Brunswick ym 1720 gan y Cynulliad Cyffredinol dan arweiniad Llywodraethwr Virginia ar y pryd, Cyrnol Alexander Spotswood, ynghyd â swydd newydd arall, Spotsylvania, wedi'i henwi ar ôl y Llywodraethwr. Dwy swydd ar y ffindir oedd y rhain, Brunswick ar y ffiniau deheuol, yn ymestyn hyd at fynyddoedd y Blue Ridge, a Spotsylvania ar y terfynau gogleddol, yn ymestyn ar draws y mynyddoedd hyd at Afon Shenandoah. Sefydlwyd plwyf St Andrew, Llanandreas chwedl Goronwy, ym 1732, ddeuddeng mlynedd ar ôl creu Swydd Brunswick; 'doedd dim digon o boblogaeth o fewn y swydd cyn hynny i gyfiawnhau trefnu plwyf ar ei chyfer. Amcangyfrifwyd mai 480 oedd poblogaeth Swydd Brunswick ym 1726, a barnu yn ôl y degymau a delid i'r Eglwys yn Virginia, a hyd yn oed pan oedd Goronwy yn rheithor plwyf St Andrew, dim ond rhyw 5,247 o drigolion a breswyliai yno, eto a barnu yn ôl y trethi a delid. Erbyn cyfnod Goronwy yno, gorchuddiai plwyf St Andrew hanner gogleddol Swydd Brunswick, a mesurai 30 milltir ar ei hyd ac 20 milltir ar ei draws. Hyd yn oed ym 1760, pan aeth Goronwy i Swydd Brunswick, gwlad ddieithr, anghysbell a gwyllt oedd hi. Yn wir, 'roedd anfon Goronwy i berfeddion y wlad anghyswllt hon yn alltudiaeth yn ogystal â bod yn achubiaeth iddo, yn gosb ac yn gyfle ar yr un pryd.

Rheithor cyntaf plwyf St Andrew oedd John Betty neu Beatty. Ym 1732 y dechreuwyd cadw Llyfr y Festri, ond pregethai Beatty mewn eglwys a godwyd cyn 1732. Erbyn 1750 'roedd pedair eglwys o leiaf yn Swydd Brunswick, sef y Fam Eglwys ar Afon Meherrin, Duke's Chapel, eglwys wedi'i henwi ar ôl John Duke, a gyflwynodd 400 o aceri yn rhodd i'r Eglwys ym 1740, i'w defnyddio fel clastir, Rattle Snake Chapel ac Eglwys Roanoke. Ychwanegodd George Purdie ddwy eglwys arall yn fuan ar ôl 1751, sef Capel Kittlestick a Chapel Reedy Creek. 'Does dim modd gwybod pa rai o'r rhain a ddefnyddid erbyn cyfnod Goronwy yn Brunswick, a 'doedd pob un o'r eglwysi hyn ddim yn perthyn i blwyf St Andrew. 'Roedd rhai yn perthyn i'r plwyf arall yn Brunswick, plwyf Meherrin, a sefydlwyd ym 1754, a hefyd 'roedd llawer o ailadeiladu, atgyweirio a chodi o'r newydd yn digwydd. Dwy eglwys oedd ym mhlwyf St Andrew ei hun ym 1760, sef yr un a elwid yr Eglwys a Chapel Kittlestick. 'Roedd y gorchwyl o godi trydedd eglwys ar y gweill o 1762 ymlaen, a chwblhawyd y gwaith o'i chodi ym 1766, chwe blynedd ar ôl i Goronwy gyrraedd. Gelwid y tair eglwys wedyn y Capel Isaf, y Capel Canol a'r Capel Uchaf, y Capel Canol yn disodli Capel Kittlestick.

Oherwydd ehangder a natur anghysbell rhai plwyfi, 'roedd yn rhaid cael mân eglwysi, capeli anwes, yn ogystal â'r brif eglwys mewn rhai mannau, fel y gallai eraill ddarllen o'r Llyfr Gweddi i'r plwyfolion yn absenoldeb y gweinidog. Yn ôl Robert Beverley:[1]

> They have in each Parish a convenient Church, built either of Timber, Brick, or Stone, and decently adorn'd with every thing necessary for the celebration of Divine-Service,
> If a Parish be of greater extent than ordinary, it hath generally a Chappel of Ease; and some of the Parishes have two such Chappels, besides the Church, for the greater convenience of the Parishioners. In these Chappels the Minister preaches alternately, always leaving a Reader, to read Prayers and a Homily, when he can't attend himself.

Eglwysi digon syml, ond deniadol yn eu plaendra, oedd yr eglwysi cynnar hyn yn Brunswick:[2]

> Forty foot long and twenty foot wide, each chapel to be shingled and weatherboarded with plank, two windows each side of each chapel same size of the windows in the church already built, one window at each end of both Chapels, Chancill windows same size of side windows. Two closed pews in each chapel; pulpit, gallory and four foot alley each.

Gadawodd Goronwy Williamsburg tua chanol Awst 1760. Erbyn hyn 'roedd yn 37 oed, Robin, ei fab hynaf, yn un ar ddeg a Gronwy yn naw oed. 'Roedd Goronwy ar grwydr unwaith eto, wedi methu ymsefydlu nac ymgartrefu yn ei breswyl blaenorol, a'i ddau fab yn ei ddilyn fel broc môr yn canlyn llanw a thrai digyfeiriad.[3] 'Roedd Fauquier wedi llunio llythyr o gymeradwyaeth iddo, ac aeth â hwn gydag ef i'w gyflwyno i aelodau Festri plwyf St Andrew.

[1] *The History and Present State of Virginia*, t. 261.
[2] Llyfr Festri Plwyf St Andrew, 1732–1785.
[3] Bu farw mab ieuengaf Goronwy rywbryd cyn Gorffennaf 23, 1767, ac yn ôl rhai ysgolheigion bu farw yn ystod cyfnod Goronwy yn Williamsburg, ond 'does dim prawf na thystiolaeth o hynny. Mae tystiolaeth o eiddo Robert Nicholson yn taflu goleuni ar y mater: 'He got a parish in the County of Brunswick in the year 1760, whither he removed with his two sons by his first wife'. Anfonodd Edward Owen y wybodaeth at John Williams, Llanrwst, ar Dachwedd 29, 1795. 'Letters from the Rev. Edward Owen to the Rev. John Williams, Llanrwst', *THSC*, 1922–1923 (cyfrol atodol), 1924, t. 63.

Yn wahanol i'r cyrddau plwyf ym Mhrydain, 'roedd y festrïau yn Virginia yn meddu ar gryn awdurdod. Y festrïau hyn oedd cyrff etholedig gweinyddol y gwahanol eglwysi. Cyflawnai'r rhain lawer o'r gwaith a'r dyletswyddau y byddai'r esgobion yn eu cyflawni ym Mhrydain, gan gynnwys dewis offeiriaid. Y festrïau hefyd a fyddai'n gyfrifol am bennu a chasglu trethi, yn ogystal â thalu cyflogau i'r offeiriaid. Esgobion a benodai offeiriaid i swyddi ym Mhrydain, a chan yr esgobion yn unig yr oedd yr hawl i'w diswyddo, drwy eu rhoi ar brawf. Yn Virginia, oherwydd absenoldeb esgobion yn y dalaith, dewisid offeiriaid gan aelodau'r festri, ac 'roedd ganddyn nhw'r hawl i'w gwrthod a'u diswyddo hefyd, er y byddai i offeiriad gael ei sefydlu yn y swydd gan Lywodraethwr y dalaith yn cryfhau ei safle o fewn o swydd honno; ond byw ar drugaredd y festriwyr a wnâi offeiriad yn aml. Yn ôl Daniel J. Boorstin:[4]

> The Virginia remedy was nothing more complicated than the power of each parish through its vestry to choose its own minister and to retain him only so long as he satisfied them. The Anglican laymen of Virginia had not acquired this power by legislation; they simply took advantage of a legal technicality which they quietly transformed into a major institution. Technically, a minister in Virginia came into full possession of his parish and into legal control of the "glebe" (farmland owned by the parish to help support the minister) only after he had been "presented" by the vestry to the Governor and Council and then "inducted" into the living. After induction he had a kind of property in the position; but until that time he held his post at the will of the parish. Practical Virginians, bent on getting their money's worth from their tithes, developed the simple practice of not "presenting" or "inducting" their ministers. Thus the ministers were kept on year-to-year contracts, "which they call by a Name coarse enough," Hartwell, Blair, and Chilton reported with disgust in their *Present State of Virginia* in 1697, "viz, Hiring of the Ministers; so that they seldom present any Ministers, that they may by that Means keep them in more Subjection and Dependence."

Amlinellwyd cyfansoddiad a dyletswyddau'r festri gan Hugh Jones, awdur *The Present State of Virginia*:[5]

> The vestries consist of the minister, and twelve of the most substantial and intelligent persons in each parish. These at first were elected by the parish by pole, and upon vacancies are supplied by vote of the vestry; out of them a new church-warden is annually chosen, under (as it were) the instruction of the old one chosen the year before. By the vestry are all parochial affairs managed, such as the church, poor, and the minister's salary.

---

[4] *The Americans: the Colonial Experience*, t. 127.
[5] *The Present State of Virginia*, t. 96.

Gofidiai Hugh Jones hefyd am y grym a'r awdurdod a oedd ym meddiant y festriwyr:[6]

> ... the clergy standing upon this footing are liable to great inconveniency and danger; for upon any small difference with the vestry, they may pretend to assume authority to turn out such ministers as thus come in by agreement with the vestry, who have often had the church doors shut against them, and their salaries stopped, by the order and protection of such-vestry-men, who erroneously think themselves the masters of their parson, and aver, that since they compacted but from year to year with him as some have done, they may turn off this their servant when they will; be without one as long as they please, and chose another, whom and when they shall think most proper and convenient ...

Oherwydd y pellter mawr rhwng rhai plwyfi anghysbell a Williamsburg, 'roedd aelodau'r festrïoedd yn gweithredu'r hawliau a berthynai yn gyfreithiol ac yn statudol i'r Llywodraethwr a'i Gyngor. 'He was liable,' meddai James S. M. Anderson am y gweinidog, 'for alleged spiritual offences, to be tried by judges purely secular; and no other ruler was near him who might protect him from wrong, and lead him on to right'.[7] 'Roedd y berthynas rhwng y gweinidog ac aelodau'i festri yn un straenllyd yn aml iawn, ond 'roedd bai ar y ddwy ochr yn fynych. Hyd yn oed os oedd y festriwyr yn ymarfer eu hawliau yn haearnaidd ar brydiau, ac yn ymdrin â'u gweinidogion yn hollol annheg, 'doedd llawer o'r clerigwyr ddim yn gwbl ddi-fefl ychwaith. 'Roedd y pellter hwn rhwng y mân eglwysi pellennig a Chyngor y Llywodraethwr yn Williamsburg wedi esgor ar esgeulustod a phenrhyddid yn aml, hyd yn oed o fewn defodau a thraddodiadau mwyaf cysegredig a hynafol y gyfundrefn eglwysig. Ymhlith y drwg-arferion hyn ceid y canlynol yn ôl Anderson:[8]

> To alter the Liturgy according to the will of the individual minister, or sometimes at the dictation of those among whom he officiated; to discard the use of the surplice; to sit during the celebration of the Holy Communion; to administer Baptism, and solemnize marriage in private houses, without any regard to the time of day, or the season of the year; and to bury the dead in gardens or orchards, within temporary enclosures, were practices which commonly prevailed.

'Roedd y pellter rhwng y plwyfi ynysig a'r prif ganolfannau yn gyfrifol nid yn unig am lacio'r hen arferion a'r hen ddefodau o fewn yr Eglwys ond am ddiffyg disgyblaeth bersonol yn ogystal. Yn aml, 'roedd diffyg esgobaeth yn golygu diffyg disgyblaeth. Nid oedd neb yn rhyw sicr iawn pwy a ddylai gosbi clerigwyr anfoesol ac afreolus. Ai'r festrïoedd ynteu'r Llywodraethwr a'i Gyngor? Ai Cynrychiolydd Esgob Llundain yn Virginia, ynteu Esgob Llundain ei hun? Ond sut y gallai Esgob Llundain weinyddu cosb a

---

[6] Ibid., t. 123.

[7] *The History of the Church of England in the Colonies and Foreign Dependencies of the British Empire*, James S. M. Anderson, cyf. III, 1856, tt. 218-219.

[8] Ibid., t. 220.

chyfraith, trefn a disgyblaeth, o ben arall y byd? Yn wir, câi Llywodraethwr Virginia ei hun, ac yntau'n preswylio o fewn y drefedigaeth, drafferth i gadw trefn ar ei weinidogion cyfeiliornus. Mae hanes yr Eglwys yn Virginia yn ystod y cyfnod hwn yn frith o enghreifftiau o glerigwyr yn cicio yn erbyn y tresi. Er y gallai'r festrïoedd gosbi offeiriaid am gamymddwyn, 'doedd hynny ddim cynddrwg â chosb swyddogol yr Eglwys, ac 'roedd rhai festrïoedd yn gyndyn i ymarfer y grym a berthynai i eraill. 'Roedd yr hen gwestiwn o awdurdod yn codi ei ben eto yn y berthynas a'r ymwneud rhwng gweinidogion a'u festrïoedd.

Nid festriwyr St Andrew oedd wedi dewis Goronwy, ond Francis Fauquier, ar gais Thomas Dawson. Am yr eildro ers iddo gyrraedd Virginia 'roedd cymhlethdod ynghylch y swydd y penodwyd Goronwy iddi, a gwrthwynebiad iddo o'r cychwyn cyntaf, gan y byddai aelodau festri St Andrew wedi hoffi dewis eu rheithor eu hunain. 'Roedd y cymhlethdod yn deillio o'r ffaith fod offeiriad arall wedi gwneud cais i fod yn rheithor y plwyf o flaen Goronwy, y Parchedig Patrick Lunan. Trwyddedwyd Lunan i weinidogaethu yn Virginia gan Esgob Llundain ddeuddydd cyn y Nadolig, 1759, ac erbyn haf y flwyddyn ddilynol 'roedd wedi cyrraedd Williamsburg. Rhaid bod Fauquier wedi anfon ei enw ymlaen at festriwyr St Andrew wedi i'r rheini ei hysbysu fod George Purdie wedi marw, a hynny cyn i Thomas Dawson ofyn i'r Llywodraethwr helpu Goronwy. Anfonwyd Goronwy gan Fauquier atyn nhw wedyn, y tro hwn gyda llythyr o gymeradwyaeth yn cefnogi cais y bardd am y swydd, gan obeithio y byddai hynny yn gweithio o blaid Goronwy ac yn erbyn Patrick Lunan. Cyfarfu aelodau'r festri ar Awst 25, 1760, a phenderfynwyd rhoi'r ddau ar brawf am ryw ddeufis a hanner, y cyflog i'w rannu rhyngddyn nhw. Anfonwyd llythyr at Fauquier i'w hysbysu o'r bwriad canlynol, wedi'i lofnodi gan Edward Goodrich a Robert Briggs, y wardeniaid:[9]

> That this Vestry being applied to by the Reverend Mr. Patrick Lunan, and since such application, by the Reverend Mr. Gronow Owen, who had your Honour's Letter of Recommendation, Directed to us, and they being intire Strangers to us; We therefore have agreed with the said Gentlemen to take them both upon trial until the tenth Day of November next. And taking it into consideration that your Honour may in the mean Time make Presentation into the Parish of such Minister as your Honour shall please, We therefore humbly petition your Honour that in your Clemency you'll suffer us to make trial of those Gentlemen and at the expiration of such Time choose for ourselves.

Daeth cyfnod y prawf i ben, a chofnodwyd y penderfyniad canlynol yn Llyfr Festri'r plwyf ar Ragfyr 13, 1760:[10]

---

[9] Llyfr Festri Plwyf St Andrew, 1732 – 1785.
[10] Ibid.

The Vestry having made trial of the Reverend Mr. Patrick Lunan and the Reverend Mr. Gronow Owen ... do make choice of *neither* of the said Gentlemen as minister of this Parish.

Unwaith eto, 'roedd y drws wedi'i gau yn wyneb Goronwy, drws arall yn y dilyniant o ddrysau a oedd wedi cael eu cau yn ei erbyn drwy gydol y blynyddoedd: drws ei gartref ef ei hun wedi i'w dad briodi am yr eildro, drws aelwyd ei deulu-yng-nghyfraith, drws carchar Salop, drws croeso Lewis Morris ac ystafell gyfarfod y Cymmrodorion, a drws y Coleg yn Williamsburg, a glowyd rhagddo yn llythrennol wedi iddo gyrraedd gan ei ragflaenydd yn y swydd. Canlyniad anochel cau'r holl ddrysau hyn yn glep yn ei wyneb oedd dyfnhau'r ymdeimlad ynddo mai creadur gwrthodedig ydoedd, ac mae'r cymhlethdod hwn ynddo yn esbonio, i raddau helaeth, ei byliau o ddiota dilywodraeth. 'Roedd alcoholiaeth Goronwy yn deillio, yn rhannol, o'i gymhlethdod israddoldeb. Efallai i'r festriwyr synhwyro mai creadur gwyllt ac afrwydd ei natur oedd Goronwy. Nid plwyf-oldeb yn unig a barodd iddyn nhw wrthod y ddau ddieithryn. 'Roedden nhw wedi cael trafferthion gyda'u rheithor blaenorol, George Purdie. Ar Dachwedd 16, 1756, gofyn-nodd aelodau'r festri i Thomas Dawson roi Purdie ar brawf, gan ei gyhuddo o esgeuluso'i ddyletswyddau ac ymddwyn yn anweddus. Unwaith eto, erfyniodd Dawson ar Esgob Llundain, ar Orffennaf 9, 1757, am fwy o rym ac awdurdod, fel y gallai drafod a datrys materion o'r fath yn fwy effeithiol:[11]

The Churchwardens & Gentlemen of the Vestry of S[t] Andrew's, Brunswick, have also lodged an information, against the Rev[d] M[r]. George Purdie their Minister, & I expect they will shortly transmit a number of Depositions to Support their complaint. This present distracted & unsettled state of our Church & Clergy, matter no doubt of great joy & triumph to the Newlights, will, I humbly hope, induce your Lordship to take our case into your most Serious Consideration, & to favor us with such powers & directions as to your Lordship, shall seem most expedient & I earnestly wish and pray, that we may be able to keep up some appearance of Episcopacy & to maintain, the Honor of our order, the welfare & prosperity of our Church & the peace & quietness of our fellow subjects.

Dawson, fodd bynnag, a fu'n gyfrifol am wysio Purdie gerbron ei gyd-glerigwyr, a chyfaddefodd hwnnw fod y cyhuddiadau yn ei erbyn yn berffaith wir. Ymddiswyddodd fel rheithor plwyf St Andrew, ond fe'i derbyniwyd yn ôl i wasanaethu yno gan y festriwyr, ar sail ei ymddygiad di-fefl yn y gorffennol. Dyna pam 'roedd aelodau festri St Andrew mor ochelgar.

Y gwir yw fod y festriwyr wedi cael dau a oedd cyn waethed bob mymryn â Purdie ar eu dwylo, os nad yn llawer gwaeth. A oedd aelodau'r festri wedi cael enghraifft o

---

[11] *Historical Collections Relating to the American Colonial Church*, cyf. I, tt. 453–454.

wylltineb a diawlineb y ddau yn ystod y cyfnod prawf hwn, ac ar gorn hynny wedi eu gwrthod? A oedd un neu ragor o'r festriwyr wedi clywed am gampau Goronwy a Rowe yn Williamsburg? Wedi i festri St Andrew ei wrthod, aeth Lunan ymlaen i fod yn rheithor y Plwyf Uchaf yn Swydd Nansemond, a bu mewn helyntion yno am flynydd-oedd. Er enghraifft, rhestrwyd 14 o gyhuddiadau yn ei erbyn gan ei festriwyr ar Fedi 22, 1766, ymddwyn yn anweddus ac esgeuluso'i ddyletswyddau yn eu plith, a bu aelodau'i festri yn ceisio cael gwared ag ef am flynyddoedd. Ar y llaw arall, er bod festriwyr St Andrew wedi'i wrthod, arhosodd Goronwy yn ei unfan. Mae'n debyg ei fod wedi mwy na syrffedu ar helcyd o le i le gyda'i deulu, neu weddillion ei deulu, erbyn hyn, ac iddo benderfynu aros lle'r oedd nes y dôi rhywbeth. I ble arall yr âi? Mae'n debyg fod ganddo beth arian yn weddill o'i gyflog yng Ngholeg William a Mary, ac efallai ei fod hefyd wedi etifeddu peth o arian ei ail wraig. Ai gobeithio y dôi rhywbeth i'w ran yr oedd Goronwy, neu a wyddai y gallai rheithoriaeth St Andrew ddod iddo, dim ond iddo fod yn amynedd-gar?

Dyna'n union beth a ddigwyddodd. Oedodd y festriwyr cyn penodi neb arall i'r swydd a manteisiodd Fauquier ar reol a roddai'r hawl i'r Llywodraethwr benodi offeiriad i le gwag os oedd y festri wedi methu gwneud hynny ar ôl cyfnod o ddeuddeng mis wedi marwolaeth yr offeiriad blaenorol.[12] Erbyn i'r festri gyfarfod ar Fehefin 22, 1761, mae'n rhaid fod blwyddyn wedi mynd heibio ers marwolaeth George Purdie, oherwydd 'roedd Fauquier erbyn hynny wedi mynnu fod Goronwy yn cael ei swydd:[13]

> This day was shown to the Vestry and read, a Presentation from the Honourable Francis Fauquier, Esq., his Majesty's Lieutenant-Governor and Commander-in-chief of the Colony and Dominion of Virginia, Instituting, collating and Inducting the Reverend Gronow Owen into the Parish of Saint Andrew, and into the rectory, benefice and cure thereof, bearing date under the Seal of the Colony the 15th Day of September, 1760.

Deddfodd Fauquier hefyd fod cyflog Goronwy i'w ôl-ddyddio i ddydd Calan 1761. Felly, yn groes i ewyllys y festriwyr y penodwyd Goronwy i'r swydd ('an unpardonably arbitrary thing' i'r Llywodraethwr ei wneud, yn ôl George Maclaren Brydon[14]), yn union fel y cafodd y swydd fel Meistr yr ysgol ramadeg yng Ngholeg William a Mary yn groes i ddymuniad yr Ymwelwyr a rhai o'r athrawon. Y gwir yw fod dryswch mawr yn bod yn

---

[12] Cf. George MacLaren Brydon, *Virginia's Mother Church and The Political Conditions Under Which it Grew: The Story of the Anglican Church and the Development of Religion in Virginia 1727–1814*, 1952, cyf. II, t. 334: 'Having won the right of the vestry of each parish to select its own minister, that vestry must appoint a minister within twelve months, or run the risk of having an unsympathetic governor appoint an individual of his own choosing, or an arbitrary governor to appoint as rector of a parish one who was already notorious for his drunkenness. And the parish had no recourse, and no legal way of getting rid of him'.

[13] Llyfr Festri Plwyf St Andrew, 1732–1785.

[14] *Virginia's Mother Church*, cyf. II, t. 324.

Virginia parthed penodi gweinidogion. 'Doedd neb yn berffaith sicr gan bwy yr oedd yr hawl i wneud hynny. Yn ôl Hugh Jones: 'Differences and great disputes frequently arise between the governor and the people, concerning the presentation, collation, institution, and induction to livings; and it is scarce yet decided distinctly who have the right of giving parishes to ministers, whether the governors or the vestries.'[15]

Yn ôl, felly, i'w hen alwedigaeth yr aeth Goronwy, a 'choledd cail/Bagad gofalon bugail' unwaith yn rhagor, er mai gofalu am ddiadell wasgaredig a thenau a wnâi y tro hwn. O'r dechrau'n deg, bwriedid i Virginia fod yn uniongred o ran crefydd, ac 'roedd y siarter cyntaf a ganiatwyd i'r drefedigaeth ym 1606, gyda dyfodiad y sefydlwyr cyntaf, yn argymell y dylai'r sefydlwyr o Brydain dderbyn addysg grefyddol yn ôl defodau ac athrawiaethau Eglwys Loegr. Amlinellwyd dyletswyddau'r clerigwyr gan aelodau'r Cynulliad cyntaf erioed yn Virginia, ym 1619. Dylai'r gweinidog gystwyo'r sawl a gâi ei gyhuddo o feddwdod, yn y dirgel i ddechrau, yn gyhoeddus yr ail waith, a'i gyflwyno i sylw'r awdurdodau ar ôl trydydd cyhuddiad. Disgwylid iddo gadw cofnodion o fedyddiadau, priodasau a chladdedigaethau, a chyflwyno'r cofnodion hyn bob blwyddyn i ysgrifennydd y Drefedigaeth. Disgwylid i glerigwyr '... read divine service, and exercise their ministerial function according to the Ecclesiastical lawes and orders of the church of Englande,'[16] ac ar y Suliau, 'Catechize suche as are not yet ripe to come to the Com'.[17]

Darparwyd clastiroedd ar gyfer clerigwyr Virginia, gan ddilyn cyfarwyddiadau Llywodraethwr y Drefedigaeth yn Siarter Mawr 1618:[18]

> To the intent that Godly learned and painful Ministers may be placed there for the Service of Almighty God and for the Spiritual Benefit and Comfort of the people, we further will and ordain that in every of those cities or Boroughs the several Quantity of One Hundred Acres of Land be set out in Quality of Glebe Land toward the maintenance of the Several ministers of the Parishes to be there limitted. And for a further supply of their maintenance there be raised a yearly standing and certain contribution out of the profits growing or renewing within the several farms of the said parish and so as to make the living of every minister two hundred Pounds sterling per annum or more.

Codwyd maint tir y llan i ddau gant o erwau ym 1624, a deddfwyd hefyd fod y gweinidog i gael tŷ a chynhaliaeth deilwng yn ogystal. Y plwyfolion a dalai gyflog y gweinidog drwy dalu cyfran o'r baco a gesglid ganddyn nhw iddo, ac ni châi neb werthu ei faco cyn rhoi ei gyfran i'r gweinidog. Yn ychwanegol at y clastir a'r cyflog, derbyniai'r clerigwyr daliadau hefyd am weinyddu priodasau, 20 swllt am briodas drwy drwydded a 5 swllt am

---

[15] *The Present State of Virginia*, t. 96.

[16] Dyfynnir yn *The Establishment of the English Church in the Continental American Colonies*, Elizabeth H. Davidson, 1936, tt. 11 – 12.

[17] Ibid., t. 12.

[18] Ibid.

bob priodas drwy ostegion yng nghyfnod Hugh Jones, a 40 swllt am draddodi pregeth angladdol. Disgwylid i weinidogion bregethu bob Sul, addysgu plant yn y Deg Gorchymyn, yng Ngweddi'r Arglwydd, yn Erthyglau Cred Eglwys Loegr ac yn yr Holwyddoreg, ymweld â chleifion a gweinyddu'r cymun. Oherwydd ehangder y plwyfi, fel yr awgrymwyd eisoes, byddai diaconiaid yn darllen o'r Llyfr Gweddi i'r plwyfolion yn lle'r gweinidog, ar y Suliau ac ar ddyddiau gŵyl, neu fe allai cyd-glerigwr ddirprwyo i'r gweinidog, a derbyniai'r dirprwy dâl ychwanegol am y gwaith hwn.

Erbyn haf 1761 'roedd Goronwy wedi'i sefydlu yn y swydd. Cyfarfu aelodau'r festri â'i gilydd i drafod cyflog y gweinidog newydd ar Ragfyr 3, 1761. Penderfynwyd mai 16,000 pwys o faco fyddai ei gyflog blynyddol, 1,120 pwys o faco ar ben hynny 'for cask and shrinkage', hynny yw, rhyw fath o lwfans i gadw pwysau gwreiddiol y baco, cyn iddo sychu a chrebachu, ac ysgafnau yn ei bwysau, wrth ei gadw, a 1,000 pwys arall yn lle clastir, cyfanswm o 18,120 pwys o faco i gyd. 'Roedd Goronwy ei hun yn bresennol yng nghyfarfod y festri ar Ionawr 25, 1762, pryd yr etholwyd casglwr trethi newydd i'r plwyf, ac ar Ebrill 13: 'This day the Reverend Gronow Owen appeared in Vestry and agreed to take 1,000 lbs. of Tobacco per annum in lieu of Glebe during his life or incumbency in this Parish'.[19] Felly, derbyn tâl yn hytrach na chael clastir a wnaeth Goronwy a hynny am iddo brynu darn o dir iddo'i hun yn fuan ar ôl cyrraedd Brunswick, ac felly, nid oedd angen y tir eglwysig arno. Trafodwyd rhagor o fanylion ynghylch ei gyflog yng nghyfarfod Tachwedd 24, 1762, a gorchmynnwyd 'that the Collector pay the Reverend Gronow Owen £2.10 for keeping and carrying to church the Sacramental Plate the ensuing year', a phenderfynwyd yn yr un cyfarfod y dylid cyflwyno 'a petition to the General Assembly to sell the Glebe land in this parish'.[20] Felly, rhwng y cyflog sylfaenol a mân-daliadau am gyflawni dyletswyddau eraill, 'roedd yn ennill oddeutu £150 y flwyddyn, a châi daliadau ychwanegol achlysurol am weinyddu bedyddiadau a phriodasau a phregethu mewn angladdau.

'Roedd Goronwy, felly, yn weddol dda ei fyd unwaith eto. Yn wir, rhyw ddeufis ar ôl iddo ymsefydlu yn ei fywoliaeth newydd, prynodd ddarn sylweddol o dir. Eiddo i William a Rebecca Cocke oedd y darn tir hwn, a mesurai oddeutu pedwar cant o aceri, tir gwyllt ac anhydrin, ond 'roedd Goronwy wedi gweld posibiliad planhigfa ynddo, mae'n amlwg. Prynodd y tir am £90 ar Awst 20, 1761, a rhaid bod ganddo dipyn o arian wrth gefn, y rhan fwyaf ohono wedi dod iddo ar ôl marwolaeth ei wraig, fe ellid tybied, i allu prynu'r tir hwn. Gan mai rhan o waddol Rebecca Cocke oedd y tir, bu'n rhaid darparu a llofnodi dogfen gyfreithiol ychwanegol, a gwnaed hynny ar Chwefror 27, 1762. Ar ochr ddeheuol afon o'r enw Reedy Creek yr oedd y tir hwn. Disgrifiwyd y terfynau a'r hawliau yn y gweithredoedd:[21]

---

[19] Llyfr Festri Plwyf St Andrew.

[20] Ibid.

[21] Dyfynnir yn 'Goronwy Owen', B. B. Thomas, *Y Cymmrodor*, cyf. XLIV, 1935, Atodiad 1, tt. 127-128; ceir lledgyfieithiad Cymraeg yn *Goronwy'r Alltud*, Glan Rhyddallt, 1947, t. 36.

Beginning at a pine on the said creek below the upper Fork thence North seventy three degrees East one hundred & seventy poles to a black Jack [coeden dderwen ddu] near a road, thence North thirteen degrees West three hundred and twenty six poles to a sloping pine, thence South seventy three degrees west one hundred and ninety eight poles to two white oaks, on the Reedy Creek aforesaid, thence down the same as it meanders to the beginning and the reversion and reversions remainder and remainders rents issues profits and services of the said tract or parcel of land and premises with the appurtenances and also all the estate right title and interest claim and demand whatsoever of him the said William Cocke and Rebecca his wife of in and to the said tract or parcel of land and premises with the appurtenances and of in and to any part and parcel thereof ...

Cododd dŷ ar lan yr afon, tŷ pren nodweddiadol o dai Virginia ar y pryd, tŷ gyda seler isel, ystafell neu ddwy ar lawr, a llofft uwchben. Mae'r tŷ ar ei draed o hyd, yn Dolphin, i'r gogledd o dref Lawrenceville. 'Roedd Goronwy fegerllyd wedi troi'n dirfeddiannwr cefnog. Troes rannau o'r tir anghyfannedd hwn yn blanhigfa, gyda chymorth caethweis-ion, a dechreuodd dyfu baco, i chwyddo'i incwm. Troes y clerigwr yn blanhigwr, gyda gofal am ei faco yn ogystal ag am ei fagad.

Er i'w blanhigfa newydd hawlio llawer o'i amser, nid esgeulusodd ei ddyletswyddau eglwysig yn llwyr. Er nad oedd yn bresennol yn y cyfarfod a gynhaliwyd ar Chwefror 28, 1763, pan drafodwyd rhai o'r trefniadau ar gyfer codi'r Capel Canol, a oedd i ddisodli Capel Kittlestick, ac ar gyfer ailgodi'r hen Eglwys wreiddiol, sef y Capel Isaf, 'roedd yn bresennol yng nghyfarfod Mai 16, pan gyfarwyddwyd y wardeniaid 'to advertise and sell the glebeland in this Parish to the highest bidder agreeable to the acts of the Assembly'.[22] 'Roedd Goronwy yn bresennol hefyd yng nghyfarfod Rhagfyr 29, pan ganiatawyd 70 pwys o faco yn ychwanegol iddo, a chafodd £2.10 eto am gludo'r plât cymuno i'r eglwys.

Ym 1763, priododd Goronwy am y trydydd tro. Americanes ifanc o'r enw Jean Simmons (neu Iona, neu Janey, fel y galwai Gronwy hi) oedd ei drydedd wraig, merch o blwyf St Andrew. 'Roedd ei thad, William Simmonds, yn un o'r rhai cyntaf i ymsefydlu yn Swydd Brunswick, ond ychydig a wyddom am y teulu hwn. Cyn pen y flwyddyn 'roedd Goronwy yn dad eto, i fab a alwyd yn John Lloyd Owen. Rywbryd ar ôl ymadael â Choleg William a Mary, a hynny cyn 1765, pryd y ganed ail fab iddo o'i drydedd briodas, ac a alwyd yn Goronwy eto, 'roedd wedi colli Gronwy, ei ail fab o'r briodas gyntaf. Robin oedd yr unig gysylltiad, bellach, rhyngddo a'i deulu cyntaf, yr unig ddolen, ac eithrio'i swydd, rhyngddo a'r gorffennol. Bu farw'r hen Oronwy a ganed y Goronwy Owen newydd. 'Doedd y Goronwy newydd ddim yn Gymro, neu, o leiaf, 'doedd y Gymraeg ddim yn rhan o'i fywyd bellach. 'Doedd o 'chwaith ddim yn fardd nac yn dlotyn; arloeswr, tirfeddiannwr gweddol gefnog, un o dadau'r America fodern, oedd y

---

[22] Llyfr Festri Plwyf St Andrew.

Goronwy newydd hwn. Ond a oedd yr hen Oronwy wedi llwyr ddiflannu? Ac yntau'n briod am y trydydd tro, yn ŵr o gyfrifoldeb, ac yn dechrau magu teulu o'r newydd, a oedd wedi dechrau sadio yn ei fuchedd? Wybren yn llawn o sêr ar noson ysbeidiol gymylog yw hanes Goronwy i gyd. Cawn oleuni llwyr ar rai pethau, ond y gweddill mor dywyll â'r fagddu. Yr argraff a gawn yw mai ymollwng i ddiota'n achlysurol, cael pyliau o feddwdod, a wnâi Goronwy, pan âi pethau o chwith. 'Roedd yn dda ei fyd ym 1763, ond a oedd yn ddedwydd ei fyd?

A sut fyd oedd hwnnw? Pa fath o fywyd ac o gymdeithas a geid yn y Virginia drefedigaethol, ac a oedd creadur mor benstiff ac anniddig â Goronwy yn gallu dygymod â'r bywyd newydd hwn a bod yn rhan hollol naturiol ohono? Pa mor wir yw'r darlun a gyflwynwyd gan bawb a fu'n trafod gyrfa Goronwy yn Brunswick, y darlun ohono fel gŵr unig, hiraethus ac annedwydd a drôi at y ddiod i leddfu ei hiraeth am Gymru ac am ei hen gyfoedion gynt, ac i foddi ei unigrwydd? 'Roedd Goronwy yn hoff o'r wlad, yn sicr. 'Gwlad dda helaethlawn' oedd Virginia yn ôl ei lythyr olaf un at Richard Morris.[23] Dyna oedd barn sefydlwyr eraill amdani hefyd. Galwodd Robert Beverley Virginia yn 'the best poor man's country in the world', oherwydd bod y trigolion yn byw 'in so happy a climate and have so fertile a soil, that no body is poor enough to beg, or want food'.[24] Na, 'doedd dim rhaid i Goronwy fegera ddim rhagor. Ni allai Hugh Jones, 'chwaith, ganmol digon ar yr hinsawdd nac ar ansawdd bywyd yn Virginia. 'The climate makes them bright,' meddai am ddeiliaid y drefedigaeth, 'and of excellent sense, and sharp in trade, an ideot, or deformed native being a miracle'.[25] Pobl wâr a chwrtais oedd y Virginiaid yn ôl Hugh Jones. Virginia oedd y mwyaf Seisnig geidwadol a thraddodiadol o'r trefedigaethau, ac ail-fyw bywyd ffasiynol Llundain, 'which they esteem their home', chwedl Hugh Jones, oedd delfryd cychwynnol y sefydlwyr,[26] a glynu wrth arferion gorau Lloegr, hynny yw, cyn meithrin eu nodweddion nhw eu hunain a dechrau coledd awydd i ymryddhau oddi wrth y famwlad. 'If other colonies sought escape from English vices, Virginians wished to fulfill English virtues,' meddai Daniel J. Boorstin, gan ychwanegu:[27]

> If Virginia was to be in any way better than England, it was not because Virginians pursued ideals which Englishmen did not have; rather that here were novel opportunities to realize the English ideals. A middle-class Englishman was to find space in Virginia to become a new kind of English Country gentleman. An unpredictable alchemy transformed the ways of the English manor-house into the habits of a New World republic.

---

[23] *LGO*, llythyr LXXVIII, at Richard, o Brunswick, Gorffennaf 23, 1767, t. 198.

[24] *The History and Present State of Virginia*, t. 18.

[25] *The Present State of Virginia*, t. 80.

[26] Ibid.

[27] *The Americans: the Colonial Experience*, tt. 97–98.

Bywyd digon hamddenol a gâi'r planhigwyr er eu bod yn trigo mewn gwlad newydd yr oedd llawer o angen ei dofi a'i thrin. 'Roedd y gwres llethol yn ystod misoedd yr haf yn meithrin diogi, a rhwng hynny a'r ffaith fod digon o gaethweision du ar gael, a gweision a morynion rhad yn ogystal, i ofalu am bob trymwaith, cymdeithasu, segura ac ymblesera oedd diben bywyd i lawer o'r planhigwyr cyfoethog a mân-gefnog: cwmnïa â'i gilydd uwch gwirodydd, mynychu rasys ceffylau a'r talyrnau ymladd ceiliogod, marchogaeth, hela, bwyta a diota, a chael mygyn o'r cetyn cwta, dyna brif ddiddordebau'r planhigwyr. 'Roedd mwynhau cwmnïaeth yn un o brif fwynderau'r planhigwyr. 'No people can entertain their friends with better cheer and welcome; and strangers and travellers are here treated in the most free, plentiful, and hospitable manner,' meddai Hugh Jones eto.[28] Pobl fasnachol oedd y rhain, nid deallusion diwylliedig, pobl 'generally diverted by business or inclination from profound study, and prying into the depth of things'.[29] Yn wir, ni allai Hugh Jones ganu clodydd Virginia yn ddigon uchel: '... Virginia equals, if not exceeds all others in goodness of climate, soil, health, rivers, plenty, and all necessaries, and conveniences of life'.[30]

'Roedd llawer o fendithion yn perthyn i Virginia o safbwynt tywydd, tir a thyfiant, ond darlun delfrydol braidd a gafwyd gan Hugh Jones ac eraill. 'Doedd y wlad ddim yn gwbwl ddiogel. 'Roedd yr Indiaid, yr 'eres haid' chwedl Goronwy, wedi peidio â bod yn fygythiad mawr. Dim ond ambell haid fechan ar grwydr a boenai'r gwynion erbyn i Goronwy gyrraedd y drefedigaeth. 'Roedd y rhan fwyaf o Indiaid Virginia wedi cilio i rannau eraill o'r wlad erbyn hynny, a dim ond gweddillion o bedair cenedl a oedd ar ôl, a'r rheini wedi eu cyfyngu i'w hencilfeydd. 'Roedd y Virginiaid wedi cael trefn ar yr Indiaid, ac wedi datrys y broblem barhaus o wrthdaro rhwng y dyn gwyn a'r dyn coch yn gymharol gynnar, gyda llofnodi'r cytundeb rhwng yr Indiaid a'r Prydeinwyr yn y Blanhigfa Ganol (Williamsburg) ym 1677. Yn wir, erbyn y ddeunawfed ganrif 'roedd Indiaid Virginia yn dibynnu ar y gwynion i'w hamddiffyn rhag ymosodiadau gan Indiaid eraill o'r tu hwnt i'r ffin a chan rai Prydeinwyr. Gwaeth problem o lawer oedd y dyn gwyn ei hun. 'Hiliogaeth Lladron o bob gwlad yw'r rhan fwyaf o drigolion y fangre hon,' meddai Goronwy.[31] Gwrthwynebai trigolion Virginia y gyfundrefn drawsgludo, oherwydd bod y drwgweithredwyr yn cyflawni troseddau ac anfadweithiau yn aml, 'for abundance of them do great mischiefs, commit robbery and murder, and spoil servants, that were before very good',[32] yn enwedig ar ôl dianc neu wedi i gyfnod eu penyd ddirwyn i ben. Croesawyd y drwgweithredwyr hyn gan y trefedigaethwyr i ddechrau,

---

[28] *The Present State of Virginia*, t. 84.

[29] Ibid., t. 80.

[30] Ibid., t. 83.

[31] *LGO*, llythyr LXXVIII, at Richard, o Brunswick, Gorffennaf 23, 1767, t. 197.

[32] *The Present State of Virginia*, t. 87.

gan fod angen llafurwyr arnyn nhw, ond wedi i'r fasnach gaethweision gynyddu, a'r bobl dduon yn rhatach i'w cynnal a'u cadw, ac yn llawer mwy gweithgar ac yn haws cadw trefn arnyn nhw na'r gwynion, lleihaodd yr angen am weision o blith rhengoedd y drwgweithredwyr.

'Roedd caethweision duon yn rhan hanfodol o fywyd cymdeithasol ac economaidd Virginia. Daethpwyd â thua 10,000 o Affricaniaid i Virginia yn ystod cyfnod teyrnasiad Siôr y Trydydd. Ar gychwyn ei deyrnasiad 'roedd 23,000 o gaethweision du yn rhan o'r boblogaeth o 95,000, ond erbyn 1756, wedi i'r boblogaeth gyrraedd 293,000, 'roedd mwy na thraean, 120,000, yn bobl groenddu. 'Roedd Cristioneiddio'r duon yn rhan o bolisi'r Eglwys yn Virginia, yn union fel yr oedd lledaenu'r Efengyl ymhlith yr Indiaid yn nod blaenllaw ganddi. Caniateid bedyddio caethweision, ond 'doedd bedydd ddim yn eu gosod gyfuwch â'r gwynion o ran statws. 'Doedd fawr neb yn cael pyliau o gydwybod wrth gadw caethweision; rhan o'r drefn ydoedd, ac fe'i derbynnid yn ddigwestiwn. Yn wir, cymeradwyai Hugh Jones yr arfer annynol hwn, er ei fod yn cyfaddef, ar yr un pryd, fod rhai meistri yn greulon wrth eu caethweision ac yn esgeulus ohonyn nhw:[33]

> Their work (or chimerical hard slavery) is not very laborious; their greatest hardship consisting in that they and their posterity are not at their own liberty or disposal, but are the property of their owners; and when they are free, they know not how to provide so well for themselves generally; neither did they live so plentifully nor (many of them) so easily in their own country, where they are made slaves to one another, or taken captive by their enemies.

'Roedd Goronwy, bellach, yn dirfeddiannwr ac yn blanhigiwr rhan-amser. Fel eraill o'i flaen, sylweddolodd fod cynhyrchu baco yn fusnes hynod o broffidiol, ond yn wahanol i'r planhigwyr eraill, rhyw fath o ail-fywoliaeth oedd tyfu baco iddo, nid ei brif alwedigaeth. Tyfu baco oedd prif alwedigaeth Virginia. Erbyn 1760 'roedd y dalaith yn cynhyrchu 80 miliwn o bwysi o faco bob blwyddyn, a hi oedd ar y blaen yn y farchnad faco. 'Roedd caethweision duon, wrth i'r rheini gyrraedd fesul llongaid o Affrica ac wedyn epilio ymhlith ei gilydd, wedi dyblu a threblu'r broses o gynhyrchu baco.

Planhigiwr bychan oedd Goronwy, nid am nad oedd ganddo ddigon o dir ar gyfer cynhyrchu baco ar raddfa helaeth, ond am mai busnes rhan-amser oedd tyfu baco iddo. Nid maint y tir a benderfynai faint y cynnyrch, ond nifer y caethweision. Gallai un caethwas, ar gyfartaledd, ofalu am ryw ddwy neu dair acer o gnwd, hynny yw, rhyw 10,000 o blanhigion a gynhyrchai rhwng 700 a 1,000 o bwysi o faco. Yn ôl ei ewyllys, 'roedd pedwar o gaethweision gan Goronwy, dwy gaethferch, un hen ac un ieuanc ('Peg Old' a 'Young Peg'), a dau fachgen, Bob a Stephen. Cyfrifoldeb y gwrywod oedd gofalu am y cnydau baco, tra oedd y menywod yn gofalu am y tŷ, yn coginio, glanhau a gwneud dillad. A bwrw mai'r ddau fachgen yn unig, yn ôl y drefn, a ofalai am gnydau baco eu

---

[33] Ibid., tt. 75-76.

meistr, golyga hynny fod Goronwy yn cynhyrchu rhwng 1,500 a 2,000 o bwysi o faco y flwyddyn, gwerth rhyw £15 – £18 pan oedd y farchnad ar ei hisaf. 'Doedd yr arian baco hwn ddim yn fodd cynhaliaeth iddo, ond 'roedd yn ychwanegiad sylweddol at incwm rhywun a oedd mewn swydd arall. Hanner y tir yn unig a ddefnyddiai'r planhigwyr i dyfu baco a lletya'r caethweision arno. Ar ôl pedair blynedd o dyfu baco yn yr un darn o dir, byddai'r pridd yn wael, a rhaid fyddai symud ymlaen i drin darn gwyryfol o dir ar gyfer y gwaith. Cyfran fechan iawn o'i 400 acer a ddefnyddiai Goronwy, oherwydd prinder caethweision, ond 'roedd yn ddarn digon mawr o dir i'w alluogi i fod yn blanhigiwr llawn-amser a chanddo lawer iawn o gaethweision, pe bai wedi dymuno hynny.

Nid yr ychydig breintiedig a'r rhai mwyaf cyfoethog yn unig a berchnogai gaethweision, er mai prin iawn oedd y planigfeydd hynny a feddai ar ryw ugain neu ragor o gaethweision. 'Roedd gan ryw 40% o gartrefi mewn sawl rhanbarth yn y trefedigaethau dri neu ragor o gaethweision, a chyffredin iawn oedd y cartrefi hynny a chanddyn nhw un caethwas neu gaethferch yn unig. 'Doedd pob trefedigaethwr ddim yn dirfeddiannwr. Hanner y dynion yn Virginia oedd yn berchnogion tir, a 'doedd hanner y rhain ddim â thir a oedd yn cyrraedd can acer hyd yn oed. O ran nifer ei gaethweision 'roedd Goronwy yn perthyn i'r haen ganol o fewn cymdeithas, dyweder, ond o ran mesur ei dir, yn perthyn i'r haen uwch. Dim ond 400 o aceri o ran maint oedd un o ystadau Thomas Jefferson, stad Shadwell, a'i dad o'i flaen, a chyfrifid y teulu hwn ymhlith teuluoedd mwyaf aristocrataidd Virginia. Y ffaith fod ganddo alwedigaeth arall a gadwodd Goronwy rhag bod yn un o bobl fwyaf cyfoethog Virginia. Y tirfeddianwyr oedd yr haen uchaf yng Nghymdeithas Virginia, y dosbarth mwyaf breintiedig a dylanwadol o fewn y dalaith, a dôi pob math o wobrau a breintiau i ganlyn eu statws, fel cael perthyn i Dŷ'r Bwrdeisiaid. Ond 'doedd Goronwy ddim yn ddigon gwleidyddol ei feddwl, nac yn meddu ar ddigon o ddiddordeb ym materion gwleidyddol a gweinyddol y drefedigaeth, i fanteisio ar ei statws. Pa ffordd bynnag yr edrychwn ar eiddo a meddiannau Goronwy yn ystod y cyfnod olaf hwn o'i fywyd, yr oedd yn ddigon cysurus ei fyd yn faterol.

Ar un ystyr, 'roedd wedi gwireddu proffwydoliaeth Richard Morris, ac wedi tyfu'n ŵr bonheddig, o ran ei fateroliaeth beth bynnag am ei bersonoliaeth. 'Roedd wedi codi yn y byd, o'r gwaelod i'r golud. Meddai Richard Middleton am y tirfeddianwyr newydd hyn yn y trefedigaethau:[34]

> Their way of life changed. They built larger houses and furnished them with the latest fashions from Europe. They bought carriages, dressed better, and now that they no longer had to engage in manual work, gave greater attention to personal hygiene and appearance ... Wealthy settlers now saw themselves as leaders of society, rightfully chosen to serve as selectmen, justices, members of the assembly, and even councillors. They could advance their interests by obtaining land or business contacts in an ever-widening sphere of wealth and influence ...

---

[34] *Colonial America*, t. 226.

Dengys rhai o'r eitemau drudfawr, dodrefn yn enwedig, a restrir yn ewyllys Goronwy, fod ei gartref wedi'i ddodrefnu a'i addurno'n chwaethus ac yn foethus yn ôl y safonau newydd hyn.

Yn y gornel ddiarffordd hon o Virginia y treuliodd Goronwy weddill ei ddyddiau, yn magu teulu, yn goruchwylio'i blanhigfa, gyda chymorth ei wraig, fe ellid tybied, ac yn gweinidogaethu i'w blwyfolion. Cyn mis Gorffennaf 1767 'roedd plentyn arall wedi'i eni, oherwydd yn ei lythyr at Richard Morris, dywedodd fod ganddo 'dri o blant a aned yma heblaw Robin'.[35] Enwyd y trydydd mab hwn yn Richard Brown Owen, ac ym 1767 y ganed ef. Yn ei lythyr olaf oll, at ei wraig ar Fehefin 24, 1769, mae'n crybwyll ei holl blant o'r drydedd briodas, 'Dickey' a Goronwy, 'Janey' a 'Jackey'. John Lloyd oedd 'Jackey', wrth gwrs, ond mae'n enwi merch hefyd, sef Jane. Rhaid, felly, ei bod hi wedi'i geni rywbryd ar ôl 1767. Rhoddodd Iona Owen iddo dri mab a merch i lenwi'r bwlch a adawyd ar ôl iddo golli'r ddau fab a'r ferch o'i briodas ag Elin. 'Roedd y cylch wedi'i gyfannu am yr eildro, a siawns nad oedd Goronwy bellach yn fodlon ar ei fyd.

Ei alcoholiaeth oedd ei unig broblem mwyach. Hyd yn oed os oedd ei amgylchiadau yn well nag erioed o'r blaen, ni lwyddodd i lacio gafael y ddiod arno. Erbyn hyn, 'roedd yn llwyr ddibynnol arni. Lawer tro yn y gorffennol, bu diota'n ddihangfa iddo rhag ei broblemau ariannol a phersonol, ond pan ddaeth gwell tro ar fyd, 'roedd ei gorff yn dal i grefu am y ddiod. Mae'n wir fod llawer o wrthdaro a gelyniaeth rhyngddo ac aelodau'i festri, ond prin fod agwedd y rheini yn ddigon i'w yrru i foddi'i ofidiau. 'Roedd Goronwy wedi gorfod brwydro yn erbyn gwrthwynebiad o'r cychwyn cyntaf, a phrin y gallai rhyw ddwsin o festriwyr hunan-bwysig ei fwrw oddi ar ei echel. Ac nid gwrthwynebu Goronwy fel person yn unig a wnâi'r rheini, ond fel Prydeiniwr, dyn dwad o Sais a oedd yn ymgorfforiad diriaethol o drefn fethedig ac o ormes y Famwlad ar ei threfedigaeth. 'Roedd casineb tuag at Brydeinwyr ar gynnydd yn ystod y blynyddoedd a arweiniai at chwyldro mawr 1776.

A oedd gelyniaeth agored y festriwyr hyn wedi pylu diddordeb Goronwy yn ei swydd arswydus? Pam y mynnodd lynu wrth ei alwedigaeth eglwysig yn y fath awyrgylch anghydnaws, ac yntau'n berchennog darn mor fawr o dir y gallai'n rhwydd ei droi'n blanhigfa lwyddiannus a ffyniannus? Pam goddef sarhad a diffyg cydweithrediad a chydymdeimlad ei festriwyr? A oedd yn dal i gredu'n ddiniwed ddiysgog yn Rhagluniaeth Duw, ac mai ateb i'r Iôn am lawer enaid oedd ei ddiben mewn bywyd, cynnal ei alwedigaeth ddwyfol yn ddi-syfl drwy bopeth? Neu a oedd Goronwy, ar ôl bywyd o bryder ac o brofedigaeth, o dlodi a chaledi, bellach yn fodlon diweddu ei ddyddiau yn segura ac yn hamddena, yn troi ymhlith ei lyfrau, diota yn achlysurol, a gwneud cyn lleied o waith ag y gallai? Sonia Hugh Jones am natur hamddenol y Virginiaid, a'u hoffter o segura ac ymblesera. Rhwng caethweision a thes, 'roedd y trefedigaethwyr cefnog wedi

---

[35] *LGO*, llythyr LXXVIII, at Richard, o Brunswick, Gorffennaf 23, 1767, t. 198.

meithrin diogi, a 'doedd dim rhaid iddyn nhw wneud llawer o waith caib a rhaw. Ac a oedd ei dlodi yn y gorffennol wedi gadael ei ôl yn ddwfn arno, ac wedi ei droi'n grafangwr cyfoeth? Cawn yr argraff fod Goronwy hefyd yn ceisio blingo'i blwyfolion o bob dimai bosibl, a hynny drwy wneud cyn lleied o waith ag 'roedd modd. Pam, wedi'r cyfan, y dylai roi o'i orau glas i ddieithriaid a oedd wedi datgan gwrthwynebiad amlwg iddo o'r cychwyn cyntaf? Gellir deall ei agwedd. Ond, wedyn, a fyddai'n bradychu'i briod alwedigaeth, y bu mor ffyddlon iddi drwy bob profedigaeth bersonol?

'Roedd seicoleg y gŵr a deimlai fod cymdeithas wedi'i wrthod, seicoleg gŵr a chanddo ymdeimlad cryf o israddoldeb a diffyg hunan-werth, wedi gwreiddio yn ddwfn yn ei enaid, ac ymateb pobl o'r fath yn aml yw rhoi gwerth uchel ar eu bywydau, i guddio'u diffyg hyder a'u diffyg hunan-werth, trin eraill â dirmyg a dialedd. 'Roedd Lewis Morris wedi sylwi ar y nodwedd hon ym mhersonoliaeth Goronwy. 'Perhaps you never saw a prouder, saucier fellow, and, like a goose, thinks all mankind are to feed him,' meddai wrth William pan oedd Goronwy ar fin ymadael am Virginia.[36] 'Roedd anniolchgarwch a thrahauster Goronwy yn rhai o'r pethau hynny ym mhersonoliaeth y bardd na allai Lewis eu stumogi, ac yn un o achosion yr anghydfod mawr rhyngddo a Goronwy cyn i hwnnw ei heglu hi am Virginia. Pur dywyll yw'r cyfnod olaf hwn ym mywyd Goronwy, cyfnod sy'n codi cwestiynau yn hytrach na chynnig atebion, ond anodd osgoi'r argraff ei fod yn ceisio mwynhau'i hoe, yn ceisio byw bywyd materol-gysurus a gweddol hamddenol, yn ôl arfer y Virginiaid cefnog; ceisio byw bywyd mewn hafan o anghofrwydd ar ôl treialon a stormydd bywyd. Rhaid cofio hefyd fod yfed a meddwdod yn rhemp ymhlith planhigwyr Virginia. Gan mai'r caethweision a wnâi'r gwaith i gyd, a chan fod goruchwylwyr gan y planigfeydd mwyaf i ofalu am bob dim, 'roedd gan y planhigwyr lawer o amser hamdden, ac 'roedd mynychu tafarnau, i daflu dis, gamblo ac yfed, yn un o'u prif adloniannau. Y broblem gyda Goronwy, wrth gwrs, oedd mai rheithor ydoedd, a disgwylid iddo fod yn lân ddilychwin ei fuchedd.

Ystyriwn ei swydd a'i ymwneud â'i festriwyr. Mynychodd gyfarfodydd y festri yn weddol ddi-fwlch. Collodd gyfarfod Chwefror 28, 1763, ond 'roedd yn bresennol yng nghyfarfod Mai 16 y flwyddyn honno. Caniatawyd 70 o bwysi o faco yn ychwanegol iddo, ac yntau'n bresennol, yng nghyfarfod Rhagfyr 29, i gadw baco'r clastir yn ei bwysau gwreiddiol wrth iddo sychu ac ysgafnhau. 'Roedd yn bresennol hefyd yn holl gyfarfodydd 1764, ar Fai 28, Hydref 22 a Rhagfyr 14, pryd y trafodwyd mân-faterion yn ymwneud â'r Eglwys yn gyffredinol yn ogystal â'r cynlluniau ynghylch codi'r eglwysi newydd.

'Roedd yn bresennol yn festri Mawrth 25, 1765, hefyd, ond nid yng nghyfarfod Tachwedd 25, am reswm amlwg iawn. Gwelodd un o'i blwyfolion, John Maclin, Goronwy yn ei feddwdod a daethpwyd ag achos yn ei erbyn. Ar Fai 27, 1765, ymddangosodd o flaen ei well 'for getting drunk' a 'profane swearing'.[37] Ar Orffennaf 27, fe'i cafwyd yn euog o'r cyhuddiad:[38]

---

[36] *ML* II, llythyr CCCLXIV, Lewis at William, o Lundain, Hydref 28, 1757, t. 37.
[37] Dyfynnir yn 'Goronwy Owen', *W. & M.*, cyfres 1, cyf. IX, Gorffennaf 1900 – Ebrill 1901, t. 162.
[38] Ibid.

The Reverend Gronow Owen who stands presented by the Grand Jury for getting drunk having been duly served with a copy of the said presentment and not appearing to gainsay the said presentment, it is considered that for the said offence he forfeit and pay to the Church wardens of St. Andrews parish where the said offence was committed five shillings or fifty pounds of tobacco to the use of the poor of said parish and that he pay the cost of this prosecution, and may be taken &c.

Ar y rheithgor yr oedd aelod o festri plwyf St Andrew, John Clack, gŵr a chanddo enw drwg am fynnu lle ar reithgorau am fod ganddo ddiddordeb personol yn yr achosion, a byddai'n dedfrydu yn ôl ei ffafriaeth neu ei ragfarn, heb arlliw o degwch nac o wrthrychedd. 'Doedd Goronwy ddim yn bresennol yng nghyfarfod Ionawr 27, 1766, 'chwaith, ond 'roedd peth o'r drwgdeimlad rhyngddo a'i festriwyr wedi cilio erbyn diwedd y flwyddyn, gan ei fod yn bresennol yng nghyfarfod Rhagfyr 22.

'Roedd drewdod diodydd ar anadl Goronwy wedi cyrraedd ffroenau Richard Morris ym mhen draw arall y byd, hyd yn oed, gyda chymorth y gwynt o gyfeiriad Virginia. 'Roedd Richard wedi derbyn llythyr gan berthynas i Hugh Hughes, y Bardd Coch, gŵr o'r enw William Parry, a drigai yn Swydd Middlesex, Virginia. 'Gwae finnau fyth,' meddai wrth y Prydydd Hir, 'dyma lythyr o Fyrsinia yn mynegi fod y Gronwy yn berson yn New Brunswick, ac yn feddw hyll yn oestad, mal dyn gwallgof! ... Geiriau'r gwr o Fyrsinia yw, "He drinks so excessively hard, so as to render him almost a madman!" '[39] Rhaid oedd trosglwyddo'r newyddion i Hugh Hughes hefyd:[40]

> ... dyma lythyr arall oddiwrth eich câr William Parry o Fyrsinia, yn mynegi iddo glywed hanes y Gronwy Ddu o Fon, yr hwn sydd gantho eglwys yn County of Brunswick oddeutu can milldir i'r dehau oddiyno: a darfod iddo 'sgrifennu atto, a gofyn atteb, yr hyn ni wnaeth Gronwy; ac nad oedd yn disgwyl clywed oddiwrtho, canys fe ddywedwyd iddo ei fod yn yfed mor dost a'i fod beunydd megis dyn gwallgof yn ei ymddygiad. O ffei, ffei! Dyna ben am ben bardd Cymru mae'n debyg dros byth bythoedd.

Ar ôl yr achos yn erbyn Goronwy y cyrhaeddodd y newyddion Richard, ond yr awgrym yw ei fod yn feddw yn gyson, ac efallai mai rhyw fath o uchafbwynt oedd yr achos llys yn ei erbyn; hwyrach fod ei blwyfolion a'i festriwyr wedi glân syrffedu ar ei feddwdod, a bod un ohonyn nhw wedi penderfynu fod angen gwneud rhywbeth ynghylch ei ymddygiad afreolus, pe bai ond i geisio'i sobri. Gresynodd Hugh Hughes fod Goronwy 'yn dilyn yr hen gelfyddyd o feddwi Beunydd',[41] a llithrodd Evan Evans, am ei fod yr un

---

[39] *ALMA* 2, llythyr 344, Richard at Evan Evans, o Lundain, Hydref 28, 1766, tt. 669-670.

[40] Ibid., llythyr 345, Richard at Hugh Hughes, o Lundain, Tachwedd 1, 1766, t. 671.

[41] Ibid., llythyr 347, Hugh Hughes at Richard, o Gaergybi, Tachwedd 19, 1766, t. 673. Mae Hugh Hughes hefyd yn trosglwyddo'r ychydig wybodaeth sydd ganddo am linach William Parry i Richard Morris: 'Yr wyf yn dirnad fod fy

(parhad t. 321)

mor euog â Goronwy o godi'i fys hir, mor chwim ag y gallai dros newyddion syfrdanol Richard gydag un frawddeg: 'Drwg iawn y newydd oddiwrth Oronwy druan, gresyn oedd!'[42] Y gwir yw fod Richard yn falch o glywed unrhyw beth am Goronwy, ac 'roedd newyddion annymunol yn well na chlywed dim.

Er gwaethaf y drwgdeimlad rhyngddo a'i festriwyr yn dilyn helynt yr achos llys, ailgydiodd Goronwy yn ei ddyletswyddau, ond ni all cofnodion y festri gelu'r ffaith fod y drwgdeimlad yn parhau, a bod llawer o elyniaeth yn bodoli rhwng y rheithor a'i gyflogwyr. Yn y cyfarfod a gynhaliwyd ar Dachwedd 23, 1767, talwyd £4/19s/9d iddo am ddarparu'r gwin ar gyfer y cymun, ond mewn gwirionedd, 'roedd y swm yn ddyledus iddo ers cyfarfod Rhagfyr 14, 1764, pryd y penderfynwyd y byddai John Clack o hynny ymlaen i gael ei dalu £5 'for keeping and carrying to church the sacramental plate and providing wine', a bod Goronwy i dderbyn £4/19s/9d 'in respect of wine to the sacrament for the previous year'.[43] 'Roedd y ffaith i'r festriwyr drosglwyddo'r cyfrifoldeb o ofalu am y gwin i John Clack, ac wedyn oedi am dair blynedd cyn talu'r hyn oedd yn ddyledus i Goronwy, fel pe bai'r festriwyr yn amau fod Goronwy yn codi gormod. Caniatawyd iddo £2/12s am ddarparu'r gwin ar gyfer y cymun am y flwyddyn 1762 – 63, ond hawliai Goronwy ddwbwl hynny flwyddyn neu ddwy yn ddiweddarach. Yn groes i ewyllys y festriwyr y talwyd iddo'r arian am y gwin yn y pen draw, a cheir awgrym o hynny yn y cofnod perthnasol yn ogystal ag yn yr oedi: 'Ordered that Col. John Maclin Trustee for this parish have credit in his account against the parish ... it being an order of Vestry paid the Revd. Mr Gronow Owen £4/19/9'.[44]

Yr argraff a geir o ddarllen cofnodion festri plwyf St Andrew yw mai goddef ei gilydd, yn hytrach na chydweithio â'i gilydd, a wnâi Goronwy a'i festriwyr. Yn ôl Gay Neale:[45]

The man's homesickness was pathetic; his congregation seems to have offered no comfort or distraction to him. They, according to the Vestry Book, felt a thinly concealed irritation toward him, with some justification. The books report Owen's

---

ngar Wm Parry yn ben ysgafn fyth: ped fae ryw wr cyfarwydd a thynnu'r bendro o'i goryn ef fe haeddai glod; am ei achau ef, nid oes gan i ddim gwybodaeth pellach na hyn, Wm parri Owen Tenant oedd ym Mharis yn Amlwch oedd ei hen daid ef, a Marged ver[ch] Evan oedd ei hen nain o, ni wn i ddim pellach; deued i'r Heraldry Office attoch chwi i geisio ei sel ai arfau, os oes iddo fudd oddi wrthynt'. Mae'n sôn rhagor amdano a'i amgylchiadau wrth Richard Morris, ibid., llythyr 351, o Gaergybi, Chwefror 20, 1767, t. 684: '... yr wyf yn deall fod y nghar Wm Parry or tu hwnt i'r môr yn o isel arno, ar byd wedi llithro o'i afael ef fel y mae'n gyffredinol efo llawer un, pa un bynnag ai diddarbodrwydd yn ei helyntion masnachawl, ai rhyw ddamweiniau eraill, a'i darostyngodd ef, nid yw'n weddus ei farnu nag eraill, oblegid nid oes yn fy ngallu i wellhau dim ar ei gyflwr ef. Mae'n dda gennif glywed ei fod ef yn ddyn gonest er ei fod yn dlawd; mae'n 'sgrifennu llaw drefnus a chwedl gwastad at ei bwrpas ei hun, eithr mae'n anwybodol yn ei ddeusyfiad, gan feddwl y gallaf i, neu eraill anfon iddo ryw Fasnach or parthau hyn, iw gwerthu tan ei olygiad ef yn y wlad honno; ni wn i beth y mae'r dyn yn ei feddwl wrth hynny; ie ped fae gan ddyn arian iw rhoi mewn rhyw farsiandiaeth, pwy yn ei iawn synwyrau a roddai ei arian allan ar y cyfryw berwyl?'

[42] Ibid., llythyr 348, Evan Evans at Richard Morris, o Gynhawdref, Tachwedd 29, 1766, t. 678.
[43] Llyfr Festri Plwyf St Andrew.
[44] Ibid.
[45] *Brunswick County, Virginia 1720–1975*, Gay Neale, 1975, t. 92.

receiving a counterfeit five pound bill; it was reinstated by the vestry. Since he had his own tobacco and cotton plantation, near Dolphin, he took his salary in cash and asked that the glebe lands be sold for him. The vestry did not seem too pleased with this. In all his ministry there is not one entry whereby he is mentioned as joining with the congregation on any committee or in any function such as processioning, although Mr. Betty and Mr. Purdie had done so. In the Order Books it is mentioned that he was arrested for being drunk and disturbing the peace with profane language. And at the last, after his death, his estate was sued for the overpayment of his salary for half a year.

Dyma'r darlun poblogaidd o Goronwy yn Virginia: y meddwyn a geisiai foddi'i hiraeth am Fôn ac am Gymru; y bardd disglair na fynnai farddoni mwyach yn potio i leddfu ei rwystredigaeth; y Cymro ymwybodol yn byw yng nghanol estroniaid na wyddent ddim am ei ddawn lachar. 'The record of Owen's nine years in that parish, until his death in 1769, is a doleful story of constant drinking, arrests and fines in the county court,' meddai Brydon.[46] 'Er bod plwy St. Andrews a'r blanhigfa yn rhoi eithaf bywoliaeth, nid oedd Goronwy yn hapus-fodlon yn Virginia,' meddai Bedwyr Lewis Jones, gan ychwanegu: 'Roedd hiraeth a chwithdod yn ei anniddigo. Roedd yn demtasiwn ceisio anghofrwydd a dihangfa'.[47] I ba raddau y mae'r darlun hwn yn un cywir? Ac os oedd Goronwy yn gorfod meddwi'n chwil ulw i liniaru ei hiraeth, rhaid inni ofyn: hiraeth am beth? Nid am Fôn yn sicr; cafodd sawl cyfle i ddychwelyd i Fôn pan oedd yn byw yn Lloegr, a gwrthododd bob tro. Nid hiraeth am y Morrisiaid ychwaith. 'Roedd wedi ymfudo i Virginia yn rhannol er mwyn dod yn rhydd o afael Lewis, a 'doedd y berthynas rhyngddo a Richard, hyd yn oed, ddim yn fêl ar hyd yr amser. Y gwir yw fod y darlun hwn o'r alltud hiraethus ac o'r athrylith wrthodedig yn ffitio'r patrwm sentimental ac yn gynnyrch y peiriant llunio mythau. Gallwn ddychmygu ei fod yn cael pyliau o hiraeth ac edifeirwch wrth feddwl am Elin, ac am y plant a gollasai; chwithdod a rhwystredigaeth hefyd fod yr iaith a garai yn ddiwerth iddo mwyach, ond rhaid cofio fod Goronwy wedi ymwrthod â'r awen ymhell cyn cyrraedd America. Na, 'doedd Goronwy ddim yn llwyr fodlon ar ei fyd yn Virginia, ond anghywir hefyd yw rhoi'r argraff ei fod yn byw ac yn bod mewn cyflwr o iselder ysbryd ac anobaith parhaus. Nid yw hiraeth nac anhapusrwydd yn esbonio'i ddiota yn llwyr. 'Roedd ei ddibyniaeth ar alcohol yn ganlyniad ei orffennol ansefydlog a'i wylltineb cynhenid ef ei hun, ac nid yn ganlyniad ei bresennol cyfforddus; ac 'roedd diota a meddwi yn rhan o fywyd hamddenol-gymdeithasol gwŷr Virginia, p'run bynnag, er y disgwylid i'r goler gron am wddw Goronwy fod wedi cau'i lwnc rhag arllwys gormod o wirodydd i lawr ei gorn gwddw. A rhaid cofio mai creadur anodd oedd Goronwy, creadur eithafol ei ymateb, angerddol ei deimladau; gŵr anystywallt, gwrthryfelgar a hunan-ddinistriol, y math o berson na allai fod yn hollol ddedwydd yn unman. Mae un peth yn sicr: mae'r darlun hwn o'r Goronwy hiraethus-feddw wedi'i or-wneud.

---

46 *Virginia's Mother Church*, cyf. II, t. 325.
47 'Goronwy Owen yn Virginia', rhan 3, *Barn*, rhif 159, Ebrill 1976, t. 118.

Rhwng 1763 a 1765, digwyddodd tri pheth yng Nghymru a barodd i Goronwy ysgwyd o'i drwmgwsg, torri ar ei ddistawrwydd a chanu cân drachefn. Marwolaeth William Morris oedd y digwyddiad cyntaf. Bu William farw ar Ragfyr 28, 1763. Yn yr un flwyddyn cyhoeddwyd *Diddanwch Teuluaidd*, a gwaith Goronwy yn hawlio lle blaenllaw ac anrhydeddus yn y flodeugerdd. Y trydydd digwyddiad oedd marwolaeth Lewis Morris ar Ebrill 11, 1765. Ysgogwyd Goronwy gan un enedigaeth a dwy farwolaeth i greu cerdd. 'Roedd y farwnad honno yn rhyw fath o ailenedigaeth iddo yntau.

Ar Orffennaf 23, 1767, torrodd Goronwy ar ei ddistawrwydd, ac anfonodd lythyr at Richard Morris ar ôl clywed am farwolaeth William a Lewis, 'eich dau Frawd godidog'.[48] Mae'n amlwg fod y newyddion wedi ei sigo i'r byw, ac wedi ei gynhyrfu i lunio awdl farwnad i Lewis a'i hanfon at ei frawd. Mewn gwirionedd, 'roedd marwolaeth Lewis wedi aileni'r bardd ynddo. William Parry, Middlesex, y câr i Hugh Hughes y bu Richard yn gohebu ag ef, a roddodd wybod i Goronwy fod Lewis wedi marw. 'Roedd Goronwy wedi ateb y llythyr, yn groes i haeriad Richard fod y bardd yn rhy feddw i wneud hynny, ond gan na chlywsai Goronwy air pellach gan William Parry, ofnai 'fod rhyw chwiwgi wedi difrodi fy llythyr cyn ei roi i'r Parry'.[49] Esboniodd wrth Richard nad oedd unrhyw fath o wasanaeth post yn y rhan honno o Virginia, 'dim ond ymddiried i'r cyntaf a welir yn myned yn gyfagos i'r lle, ac weithiau fe fydd Llythyr naw mis neu flwyddyn yn ymlwybrain 30 milltir o ffordd, ac yn aml ni chyrraedd byth mo'i bennod'.[50] Cwynodd mai 'Hiliogaeth Lladron' oedd trigolion y wlad, 'ac y mae ysfa ddiawledig ar eu dwylo i fod yn ymyrreth â phethau pobl eraill, ac i wybod pob ysmicc a fo'n passio rhwng Sais geni a'i gydwladwyr yn Lloegr' oherwydd y 'chwant sydd arnynt gael gwybod helyntion Gwŷr o *Brydain* a pha un a wnelont ai rhoi gair da i'r Wlâd a'r Bobl yn eu llythyrau at eu Cydwladwyr ai peidio'.[51] Mae cysgod y sefyllfa wleidyddol yn Virginia ar y brawddegau hyn. 'Roedd y tyndra rhwng Prydain ac America ar drothwy'r Rhyfel i ymryddhau o afael Lloegr yn peri fod y brodorion a chefnogwyr annibyniaeth yn amheus o bawb ac yn agor llythyrau i gael newyddion o Loegr ac unrhyw si ynghylch y cynlluniau a'r datblygiadau diweddaraf ym Mhrydain. Dywedodd Goronwy y byddai'n rhaid iddo deithio trigain milltir neu ragor i roi'i lythyr at Richard yn llaw rhyw gapten llong ei hun er mwyn sicrhau ei fod yn cyrraedd pen ei daith, ond hyd yn oed wedyn 'doedd dim pendantrwydd y gwnâi. Dywedodd iddo anfon at Richard 'liaws o lythyrau ynghylch wyth mlhynedd i'r awron', gan holi a oedd Richard wedi eu derbyn ai peidio. Nid rhaid amau'i air. Hyd yn oed cyn gadael arfordir Prydain, 'roedd Goronwy wedi 'sgwennu at Richard, ac anodd credu y byddai'n llwyr gefnu arno unwaith y cyrhaeddai Virginia. Ar y llaw arall, rhaid cofio fod llythyr y bardd at Samuel Nicholls wedi cyrraedd pen ei daith.

---

[48] *LGO*, llythyr LXXVIII, at Richard, o Brunswick, Gorffennaf 23, 1767, t. 197.
[49] Ibid.
[50] Ibid.
[51] Ibid.

Aeth Goronwy ymlaen i ddweud iddo glywed fod 'Lewis Morys wedi cael ei daflu yn y gyfraith, ai ddiswyddo ai ddifetha' a bod y *Diddanwch Teuluaidd* wedi'i gyhoeddi.[52] Clywodd hyn ar ôl cyfarfod â gŵr o'r enw John Pugh o Ddolgellau, a oedd yn gurad yn Llanddoged cyn iddo ymfudo i Virginia a mynd i fyw i blwyf St James yn Swydd Mecklenburg, rhyw ddeugain milltir o St Andrew, ym 1765.[53] Gallwn ddychmygu ei lawenydd o glywed fod ei waith, o'r diwedd, wedi'i gyhoeddi, ond maldod â'r naill law a dyrnod â'r llall oedd y newyddion. Gwyddai mai prin oedd y siawns y câi fyth weld y llyfr. 'A ellid byth ei weled tu yma i'r Môr?' gofynnodd yn dorcalonnus.[54] Addawodd y byddai'n adrodd rhai o'i helyntion wrth Richard Morris pe byddai i hwnnw ateb ei lythyr, ac meddai, mewn brawddeg sy'n bwrw dyn yn ei stumog: 'Yr unig beth sydd im' i'w daer ddeisyf genych yw, rhoi imi lawn gyfrif pwy rai o'm Cydnabyddiaeth sy'n fyw, a pha le y maent, rhag i mi sgrifennu at bobl yn eu beddau'.[55] Holodd am John Owen, 'Sion Owen fwynwr', gan chwarae ar y gair 'mwynwr', a chyfeirio at natur addfwyn John Owen yn ogystal ag at y ffaith iddo un adeg fod yn cynorthwyo'i ewythr Lewis yn ei weithiau mwyn. 'Roedd Siôn Owen, wrth gwrs, wedi marw ers wyth mlynedd. Holodd wedyn am 'Parry o'r Mint', William Parry, gwrthrych Cywydd y Gwahodd, wrth gwrs; holi wedyn am y 'Person Humphreys', sef Cornelius Humphreys, rheithor Eglwys y Santes Fair yng Ngwlad yr Haf ac un o bileri Cymdeithas y Cymmrodorion, yr oedd gan Goronwy a Richard Morris feddwl mawr ohono a pharch at ei farn; holi eto fyth am aelod arall o'r gyfeillach a geid yn Llundain gynt, sef 'Tom Williams y Druggist o Lôn y Bais [Petticoat Lane]'. 'Ai byw Huwcyn Williams, Person Aberffraw?' gofynnodd drachefn.[56] Hwn, wrth gwrs, oedd Hugh Williams, un o gyfeillion pennaf Goronwy. 'Roedd Hugh Williams ei hun wedi bod yn holi am Goronwy wedi iddo ymfudo i Virginia. 'If you know any thing of my old schoolfellow & Friend Goronwy Owen would be much obliged for communicating some Acc[t] of him to me,' meddai wrth Richard Morris.[57] Holodd am dad y brodyr, ond 'roedd Morris Prichard yn ei fedd ers diwedd Tachwedd 1763, rhyw fis o flaen ei fab William. Gofynnodd wedyn am ei chwaer Siân ym Mynydd Bodafon. 'Roedd eisoes wedi clywed am 'farw 'Mrawd Owen Ynghroes Oswallt'.[58] 'Roedd Owen wedi marw ers Ebrill 8, 1766, ac wedi cael ei gladdu yng Nghroesoswallt. Ar derfyn ei lythyr mae'n gofyn i Richard Morris drosglwyddo'i gyfarchion i William Parry, Cornelius Humphreys, 'Siôn Owen fwyn'[59] ac Andrew Jones, sef un arall o'r Cymmrodorion, marsiandïwr, brodor o Sir Ddinbych, ac aelod o Gyngor

---

[52] Ibid., tt. 197–198.

[53] Gw. 'Price Davies, Rector of Blisland Parish: Two Letters, 1763, 1765', Syr David Evans, *The Journal of the Flintshire Historical Society*, cyf. 24, 1969–1970, t. 72, am gyfeiriad at John Pugh yn Virginia gan Price Davies.

[54] *LGO*, llythyr LXXVIII, at Richard, o Brunswick, Gorffennaf 23, 1767, t. 198.

[55] Ibid.

[56] Ibid.

[57] *ALMA* 2, llythyr 323, Hugh Williams at Richard, o Aberffraw, Mai 27, 1764, t. 625.

[58] *LGO*, llythyr LXXVIII, at Richard, o Brunswick, Gorffennaf 23, 1767, t. 198.

[59] Ibid.

y Gymdeithas, fel y Person Humphreys.[60] At hwn, a drigai yn Bread Street Hill, yn ymyl Cheapside, yr aeth Goronwy, o bosibl, i aros pan aeth i Lundain gyntaf, a rhoddodd lyfrau ar fenthyg i'r bardd yn ystod y cyfnod y bu yn Llundain a Northolt. 'Roedd Goronwy, o bellter ei alltudiaeth, yn cyfarch y meirw yn ogystal â'r byw.

Rhoddodd rhyw ychydig o'i hanes i Richard. Dywedodd mai Robin yn unig, o blant ei briodas gyntaf, oedd yn fyw, ac 'roedd hwnnw cyn daled â'i dad bellach. Hysbysodd Richard ei fod hefyd yn briod am y trydydd tro, a chanddo dri phlentyn o'r uniad hwnnw. Canmolodd y wlad, 'ond nawdd Duw a'i Saint rhag y trigolion, oddigerth y sawl o honynt sydd Saeson,' meddai.[61] 'Roedd y brodorion, yr Ymwelwyr yng Ngholeg William a Mary a'r festriwyr ym mhlwyf St Andrew, wedi cythruddo a thramgwyddo Goronwy trwy ei erlid a'i gystwyo, a phrin y gallai glodfori'r rheini. Ond er pob cythrwfwl a thrin, 'Yr wyf i (i Dduw bo'r diolch) yn iach heinif, a'r wlad yn dygymmod a mi'n burion'.[62] Oedd, 'roedd Goronwy wedi cael profedigaethau a cholledion, ac 'roedd ambell bwl o hiraeth, yn sicr, yn ei fygu, ond 'roedd yn hoff o'r wlad, yn iach, ac yn ddigon esmwyth ei fyd am y tro cyntaf erioed yn ei fywyd. Mae'r frawddeg hon yn ei lythyr yn awgrymu fod Goronwy wedi profi peth hindda a hawddfyd tua diwedd ei einioes, ac nad hollol gywir mo'r darlun ohono'n ei yfed ei hun i farwolaeth yn ei hiraeth a'i sinigiaeth a'i unigrwydd.

Ynghlwm wrth y llythyr yr oedd marwnad faith i Lewis Morris, a gwblhawyd dridiau cyn iddo 'sgwennu'r llythyr. Awdl oedd hon ar doreth o'r mesurau traddodiadol ynghyd â chyfuniadau o rai mesurau. Troes at fesurau traddodiadol Cerdd Dafod i gael canllawiau i'w awen rydlyd, i brofi nad oedd wedi colli'i afael ar y grefft, ac i alaru am Lewis yn y dull mwyaf aruchel a chydnabyddedig. 'Yr Awdl hon a gânt GORONWY OWEN, Person Llanandreas, yn swydd Brunswic, yn Virginia, yn y Gogleddawl America; lle na chlybu, ac na lefarodd hauach ddeng air o Gymraeg er ys gwell na deng mlynedd,' meddai, gyda balchder a chwithdod yn gymysg.[63] Yr ysgytwad o glywed am ymadawiad Lewis a ddeffrôdd ei awen o'i hirgwsg, a chyda'r newyddion syfrdanol hyn y mae'n agor ei awdl:[64]

---

[60] Ceir amryw byd o gyfeiriadau at yr Andrew Jones hwn yn llythyrau'r Morrisiaid. 'I am just now told that Andrew Jones is at yᵉ Adam and Eve, Bermondsey Street,' meddai Richard wrth 'sgwennu at Lewis, Chwefror 9, 1760 (*ML* II, llythyr CCCCXXXVIII, o Lundain, t. 174). 'Roedd Andrew Jones mewn helbulon yn ôl llythyr Richard at Lewis ar Awst 9, 1760: 'Andrew Jones is in town, I hear, very poor and shabby, and his wife perhaps yn e'ch ar ol y sycutoriaeth. The arbitrators awarded him and John Jones, Adam and Eve (mab Sintwll) some hundreds for a vessel detained in Scotland, but the payment is refused, and they are going to sue the bondsmen. Captain Cockerill has a writ against Andrew for £120, and he was arrested lately by some insurance broker for £20, which was bailed by John Jones, as I am told. He never comes near me on account of a small matter I paid for him ...' (ibid., llythyr CCCCLXX, o Lundain, t. 231). 'Duw helpo Andrew Jones bendenau, dyn penboeth!' ymatebodd Lewis i newyddion Richard (ibid., llythyr CCCCLXXIV, o Benbryn, Awst 18, 1760, t. 241). 'Roedd Andrew Jones wedi symud o Lundain yn ôl i Gymru, oherwydd rhoir ei gyfeiriad fel Breadstreet Hill, Llundain, yn Rhestr 1755 o aelodau Cymdeithas y Cymmrodorion, a Chymru yn Rhestr 1759 a Rhestr 1762, ac nid oedd yn aelod o'r Cyngor yn ôl y ddwy restr olaf. 'Roedd gwraig Lewis Morris wedi'i weld yn Aberystwyth ar ôl yr ymweliad â Llundain y cyfeiria Richard ato, 'and told my wife that sister-in-law was so big with child that she was expected to fall to pieces immediately,' yn ôl Lewis at Richard (ibid., llythyr CCCCLXXXVI, o Benbryn, Tachwedd 13, 1760, t. 274).

[61] *LGO*, llythyr LXXVIII, at Richard, o Brunswick, Gorffennaf 23, 1767, t. 198.

[62] Ibid.

[63] *ALMA* 2, t. 733, yn dilyn llythyr 373, Richard Morris at Evan Evans, o Lundain, Hydref 27, 1767.

[64] 'Awdl Farwnad Lewis Morris', *Blodeugerdd Barddas o Ganu Caeth y Ddeunawfed Ganrif*, t. 116.

> Och dristyd ddyfryd ddwyfron! – Och Geli!
> Och galed newyddion!
> Och eilwaith gorff a chalon!
> Och roi'n y bedd mawredd Môn!

Er cymaint y pellter rhwng Virginia a Chymru, ni allai'r pellter hwnnw atal y newyddion drwg rhag cyrraedd Goronwy:[65]

> Cyd bai hirfaith taith o'r wlad hon – yno
> Hyd ewynnog eigion,
> Trwst'neiddiwch trist newyddion
> Ni oludd tir, ni ladd ton.

Ergyd arall iddo mewn bywyd oedd marwolaeth Lewis, colled i'w hychwanegu at y colledion a ddaethai i'w ran ar y fordaith i Virginia ac yn wlad ei hun, sef marwolaeth Elin, Owen a Gronwy:[66]

> Mae tonnau dagrau digron – i'm hwyneb
> Am hynaws gâr ffyddlon;
> Llwydais i gan golledion;
> Oer a fu'r hynt i'r fro hon.

Yn wahanol i'r hyn a ddywed yn ei lythyr, nid 'Gwlad dda helaethlawn' mo Virginia mwyach, ond[67]

> Bro coedydd, gelltydd gwylltion, – pau prifwig,
> Pob pryfed echryslon;
> Hell fro eddyl llofruddion,
> Indiaid, eres haid, arw sôn.

Gwlad wyllt, anhydrin, yn llawn o bryfed erchyll a llofruddion, sef epil y carcharorion yn ogystal â'r heidiau rhyfedd o Indiaid crwydrol, oedd Virginia yn ôl y bardd-farwnadwr. 'Doedd canmol y wlad yn y gerdd ddim yn gydnaws â'r cynnwys, a rhaid oedd mabwysiadu gogwydd ac ymarweddiad amgenach. Nid nad oedd chwithdod. 'Roedd marwolaeth Lewis wedi peri iddo sylweddoli ei fod wedi gadael talp o'i fywyd ar ôl yn Lloegr, ac wedi'i ysgaru'i hun am byth oddi wrth gyfeillach lengar a thrin a thrafod cerdd:[68]

> Yn iach oll awen a chân!
> Yn iach les o hanes hen
> A'i felys gainc o flas gwin!

---

[65] Ibid.
[66] Ibid.
[67] Ibid.
[68] Ibid., t. 117.

Cip ar yrfa ac ar nodweddion Lewis yw gweddill yr awdl. Crybwyllir yr helyntion cyfreithiol, 'hir dreisiau gwŷr rhy drawsion', a ddaethai i'w ran pan oedd yn ddirprwy-stiward tiroedd y Goron yng Ngheredigion, ac fel y bu iddo, drwy ei farwolaeth, ddianc 'O frwd ymddygwd ddigon', a hynny 'Ym myd gwael bawlyd, ac helbulon'.[69] Er i'w elynion beri llawer o ofid iddo, bu Lewis, drwy gywirdeb ei ysbryd, yn drech na'i wrth-wynebwyr yn y diwedd:[70]

> Lle bai gwaethaf llu bygythion
> Ni châi'r anwir drechu'r union;
> Dra gallodd ni adodd i anudon – dorf
> Lwyr darfu'r lledneision.

Soniodd hefyd am ei waith arloesol yn mapio arfordir Cymru, y gwaith a gyhoeddwyd yn ei *Plans of Harbours, Bars, Bays and Roads in S^t. George's-Channel* ym 1748:[71]

> Mesurai, gwyddai bob agweddion,
> Llun daear ogylch, llanw dŵr eigion;
> Amgylchoedd moroedd mawrion – a'u cymlawdd,
> Iawn y dangosawdd, nid anghyson.

Rhaid oedd crybwyll y gorchestwaith arfaethedig arall hwnnw o eiddo Lewis, sef y gwaith a wnaethpwyd ar y *Celtic Remains*:[72]

> Honni a gafodd o hen gofion
> Achoedd dewr bobloedd o dŵr Bablon;
> Coffa bri ethol cyff y Brython,
> Gomer a'i hil yn Gymry haelion;
> Teithiau da lwythau dilythion, – di-warth
> O du areulbarth i dir Albion.

'Roedd pellter tir ac amser wedi cau'r briwiau i raddau, a marwolaeth wedi gweith-redu fel cymodwr ac wedi peri i Goronwy gofio am ei gyfeillgarwch mawr â Lewis gynt, a chydnabod hefyd ei ddyled iddo. Diolchodd y disgybl i'w athro am y gefnogaeth a gawsai ganddo:[73]

---

[69] Ibid., tt. 117–118.

[70] Ibid., t. 118.

[71] Ibid.

[72] Ibid., t. 119.

[73] Ibid.

> Goleuodd wedi ei gywleiddiadon
> Â gwir hyfforddiant, geiriau hoff heirddion;
> Athrawai'n fuddiol, a thrwy iawn foddion
> E gaed moes wiwdda gyda masweddion;
> Lle bu'r diddysg hyll brydyddion, – brin ddau,
> Fe rodd ugeiniau o hoywfeirdd gwynion.

'Roedd Goronwy wedi cynnwys ychydig nodiadau ar yr awdl yn ei lythyr at Richard, ac mae'i nodyn ar y pennill hwn yn arwyddocaol iawn:[74]

> Mae'r awdwr, gyd â phob dyledus barch i goffadwriaeth Mr. Lewys Morys, yn tra diolchgar gydnabod, mai iddo ef y mae'n rhwymedig am yr ychydig wybodaeth ym marddoniaeth Gymraeg a ddaeth i'w ran; ac yn ffyddlon gredu – nid er gwarth nac er gogan i neb – y gall y rhan fwyaf o feirdd Cymru, ar a haeddant yr enw, gyfaddef yr un peth. Ac er nad yw les yn y byd i'r Awdwr mewn dieithr wlad dramor, lle nas deall [hyd] yn oed ei blant ei hun air o'r iaith Gymraeg, eto mae'n ddywenydd ganddo goffhau iaith ei fam a'i wlad gynhenid yn ei hir alltudedd; a gresyn ganddo na bai lle y gallai wneuthur mwy o les a pharch i'w iaith a'i wlad; – ond a fynno Duw a fydd.

'Roedd clywed oddi wrth Goronwy fel clywed llais o'r tu hwnt i'r bedd i Richard Morris. Prin y gallai reoli'r cynnwrf a'i meddiannodd, a rhaid oedd rhannu'r cyffro â rhywun arall. 'Doedd Lewis na William ddim ar dir y rhai byw mwyach, na John Owen na William Wynne, felly cysylltodd Richard â'r Prydydd Hir:[75]

> ... dyma newydd uwxben pob newydd, pwmp o Ebystol oddiwrth Oronwy Fardd person Brunswick yn Virginia ... gyd a xywydd marwnad gorxestol â nodau arno i'r brawd o Benbryn: mae'n anferthol o hyd, oni bae hynny xwi gaex gopi o hono; ac nis gellafi ymddiried i neb i'w gael o'm llaw rhag ei golli.

Yn ei gyffro, 'roedd Richard wedi galw'r awdl yn gywydd. Awdl neu beidio, 'roedd ei derbyn fel cael manna o'r nef. Efallai nad oedd yn fodlon gollwng ei afael arni ar unwaith, ond gwyddai na allai gadw'r fath drysor iddo ef ei hun am byth, ac y byddai'n rhaid ei rhannu ag eraill. 'E wnaeth Gronw Fardd fwy gorchestwaith ym Marwnad Mr Lewis Morris, nag a welais i erioed, ac nid wyf yn disgwyl y gwelai byth mo'i debyg,' meddai Hugh Hughes ar ôl ei ddarllen.[76] Aeth y sôn am yr awdl drwy'r Gymru lenyddol fel tân ar ei ruthr, a chwenychai eraill gael golwg arni. 'Yr wyf yn dymuno arnoch (os cewch amser) yrru i mi gopi o Gywydd Marwnad Mr Lewis Morris, o waith Mr Goronwy Owen, byddai lawen gan fy nghalon gael hynny yn ychwaneg oi felus waith ardderchog

---

[74] *ALMA* 2, llythyr 373, Richard at Evan Evans, o Lundain, Hydref 27, 1767, t. 732.
[75] Ibid., t. 726.
[76] Ibid., llythyr 380, Hugh Hughes at Richard, o Gaergybi, Mehefin 3, 1768, t. 750.

ef,' meddai Robert Thomas (m.1774), clochydd Llanfair Talhaearn, yn Sir Ddinbych.[77]
Hwn oedd clochydd Ieuan Brydydd Hir, a fu'n gurad yn Llanfair Talhaearn rhwng 1761 a
1766; 'roedd Robert Thomas yn fardd ac yn aelod o'r gyfeillach lengar a gynhwysai Siôn
Powel, Dafydd Siôn Prys a'r Prydydd Hir ei hun ac eraill. Trwy Ieuan Brydydd Hir, wrth
gwrs, y clywsai Robert Thomas am y farwnad. Erfyniodd Robert Thomas am gopi o'r
awdl drachefn ar Ebrill 23, 1768. Rhoddodd Richard gopi o'r awdl i Gwilym Howell
(neu Howel; 1705–1775), y bardd a'r almanaciwr o Lanidloes, i'w chynnwys yn un o'i
almanaciau, ond, yn anffodus, 'roedd camargraffu wedi andwyo'r gerdd. 'Doedd Richard
ei hun ddim wedi gweld yr almanac, ond clywsai gan rywun arall, Evan Evans efallai, am
yr anfadwaith. 'Melldith ei Fam i'r Hywel am anrheithio gwaith y Goronwy,' meddai yn
ei ddicter.[78] Anfonodd gopi cywir o'r awdl at Robert Thomas, a diolchodd hwnnw 'am
gael yn ddifeius yr hyn a lygrasid' yn yr awdl, gan ychwanegu, 'mae felly (fal i mae
trwyddi) mewn rheswm a chynghanedd odidog'.[79]

Ar ôl y tristwch o glywed am farwolaeth William a Lewis, a'r cyffro creulon o glywed
am gyhoeddi *Diddanwch Teuluaidd*, aeth Goronwy yn ôl i fyw gweddill ei fywyd ym
mhlwyf St Andrew. 'Roedd yn bresennol yn yr unig gyfarfod a gynhaliwyd ym 1768, ar
Fehefin 27, ac ar Ionawr 24 y flwyddyn ddilynol, 'roedd yn bresennol am y tro olaf. Erbyn
i'r festriwyr gynnal eu cyfarfod nesaf, ar Orffennaf 22, 1769, 'roedd wedi marw. Nodir
fod y Parch. Thomas Lundie wedi'i ddewis yn y cyfarfod hwnnw fel olynydd Goronwy
yn y swydd a 'that the Ch. Wardens prosecute a suit against the Executors of Reverend
Gronow Owen decd, for ballance of the Tobacco overpaid him for the part of his salary
due for the past year, which appears to be 8500 lbs'.[80] Ni allai ei festriwyr roi'r gorau i'w
erlid hyd yn oed ar ôl ei farwolaeth.

Ym mis Mehefin 1769, 'roedd Goronwy wedi teithio i dŷ ei frawd-yng-nghyfraith yn
Blandford, tua deugain milltir i ffwrdd o'i gartref. Aeth yn wael ar yr ymweliad hwnnw,
a 'sgwennodd lythyr at ei wraig ar Fehefin 24:[81]

---

[77] Ibid., llythyr 375, Robert Thomas at Richard, o Lanfair Talhaearn, Ionawr 19, 1768, t. 735.

[78] Ibid., llythyr 385, Richard at Evan Evans, o Lundain, Tachwedd 19, 1768, t. 759.

[79] Ibid., llythyr 383, Robert Thomas at Richard, o Lanfair Talhaearn, Hydref 25, 1768, t. 754.

[80] Llyfr Festri Plwyf St Andrew.

[81] Cyfieithiad Cymraeg o'r llythyr sydd wedi goroesi. Ymddangosodd yn *Y Drych Americanaidd*, Gorffennaf 1875, *Llais y Wlad*, Medi 24, 1875, a hefyd yn *Y Geninen*, vii, 1889. Cafwyd y llythyr drwy law disgynnydd i Goronwy, gor-ŵyr i'r bardd o'r enw Philip A. Owen, ŵyr i Richard Brown, mab Goronwy. Tad Philip A. Owen oedd Franklin Lewis Owen, un o feibion Richard Brown Owen. Ganed Philip A. Owen ym 1833, a dilynodd yrfa filwrol. 'Roedd yn Gapten ym Myddin yr Unol Daleithiau a bu'n ymladd yn y Rhyfel Cartref. Bu farw ym 1880. Yn ôl Philip Owen, 'eilun o lythyr oddi wrth Goronwy Owen at ei wraig – dichon yr olaf a ysgrifenodd erioed' oedd y llythyr, a nododd fod 'y gwreiddiol wedi ei ddinystrio' ('Goronwy Owen', Isaled, *Y Geninen*, cyf. VII, rhif 4, Hydref 1889, t. 247). Fersiwn *Goronwy'r Alltud*, Glan Rhyddallt (Isaac Lloyd), 1947, tt. 41–42, a ddyfynnir yma.

Fy annwyl Gariad a Phriod,

    Y mae eich brawd mor garedig a rhoddi i mi fenthyg bachgen i ddyfod i'ch ceisio; ac os oes arnoch eisiau i mi fyw, rhaid ichwi ddyfod ataf. Gwn mor anodd yw ichwi adael y blanhigfa; ond fy nghyngor ydyw ichwi adael Dickey a Goronwy gyda'u taid, a chyrchu Janey a Jackey gyda chwi yn y gadair (cerbyd). Rhaid i'r bachgen Negroaidd farchogaeth gyda fy nghyfrwy a'm ffrwyn i.

    Yr wyf mor wan fel mai prin y gallaf eistedd i fyny i ysgrifennu. Pan welwch fi chwi welwch olygfa – yr wyf yn deneuach nag y gwelsoch fi erioed – y mae fy nghoesau fel gwiail tybaco.

    Byddwch yn siwr o ddyfod a'm hesgidiau gyda chwi. Os daw'r bachgen yna yn lled gynnar yr hwyr heddiw, rhaid ichwi gychwyn i ffwrdd bore yfory, a bod yma nos yfory. Nid rhaid ichwi aros i wisgo eich hun na Janey, dim ond rhoddi dillad yn y coffr ydwyf yn ei anfon ichwi, a gwisgo amdanoch yma. Chwi a ganfyddwch yn y coffr deisen neu ddwy i'w bwyta ar y ffordd.

    Erfyniaf na fydded ichwi fethu dyfod, a dygwch lawer o ddillad, canys rhaid ichwi aros pythefnos o'r hyn lleiaf, os na fydd imi farw yn gynt, ond dywaid y meddyg nad oes berygl.

    Fy mendith i'm hannwyl blant, a dyletswydd i dad a mam. Ni allaf ysgrifennu rhagor, yr wyf yn llwyr flinedig; felly rhaid imi derfynu gyda'ch sicrhau chwi, fy anwylaf, fel yr ydwyf, gyda phob cariad a serchogrwydd. Yr Eiddoch tra byddaf ...

Gwyddai Goronwy ei fod yn marw, a cheisiodd baratoi ei wraig ar gyfer hynny, er iddo hefyd geisio peidio â'i dychryn yn ormodol drwy ddweud nad oedd, yn ôl y meddyg, mewn unrhyw berygl. Ni wyddom beth oedd achos ei waeledd, ond mae'n sicr fod ei slafdod i'r ddiod a'i fyw afradlon a thlodaidd yn y gorffennol wedi ei wanychu'n gorfforol erbyn y diwedd. Hyd yn oed ar ei wely angau, 'roedd dawn lenyddol lachar Goronwy yn amlwg iawn –– yn y modd y cymharai ei goesau i wiail baco.

Bu Goronwy farw rywbryd rhwng Gorffennaf 3, 1769, oherwydd mai dyna'r union ddydd y llofnododd ei ewyllys, a Gorffennaf 22, pryd yr olynwyd ef fel rheithor St Andrew gan Thomas Lundie. Nid oedd ond gŵr cymharol ifanc 46 oed. Claddwyd ef ar dir ei blanhigfa ef ei hun, ger Dolphin, chwe milltir i'r gogledd-ddwyrain o dref Lawrenceville, 'ar ychydig o godiad tir, a phinwydd tal yno'.[82] Dyna oedd yr arfer yn Virginia'r ddeunawfed ganrif:[83]

> The parishes being of great extent (some sixty miles long and upwards) many dead corpses cannot be conveyed to the church to be buried: So that it is customary to bury in gardens or orchards, where whole families lye interred together, in a spot generally handsomly enclosed, planted with evergreens, and the graves kept decently.

---

[82] *Goronwy'r Alltud*, t. 52.
[83] *The Present State of Virginia*, tt. 96–97.

Fodd bynnag, ni chadwyd bedd Goronwy yn barchus-gymen.[84]

Mae'n bosibl fod Goronwy mewn helynt gyda'i festriwyr hyd at y diwedd un, ac iddo farw dan gwmwl, yn union fel y bu byw. Hyd yn oed ar drothwy'r Rhyfel o Blaid Annibyniaeth, 'roedd gwrthdaro rhwng festriwyr a swyddogion y Goron yn Virginia. 'During the whole period, the Church in Virginia was fighting for its own life and the development of its own institutions, carrying on even when the commissary declined to act,' meddai Brydon.[85] 'Roedd y broblem o gael gwared â rheithor anghymwys ac anfodd-haol yn para. Yn fyr, dyma oedd y broblem: 'roedd Cyfraith Loegr yn gwarafun i unrhyw lys gwladol yr awdurdod i ddiswyddo rheithor pe ceid ef yn euog ar ôl ei roi ar brawf. Mater i'r Eglwys yn unig oedd hynny. 'Roedd y ddeddf hon yn bod cyn sefydlu trefedig-aeth Virginia, ac felly, 'roedd mewn grym yn y drefedigaeth hefyd. 'Doedd y Cynulliad Cyffredinol erioed wedi pasio unrhyw ddeddf a rôi'r hawl i festriwyr ddiarddel rheithor-iaid, ac nid oedd cynrychiolwyr diweddar Esgob Llundain yn Virginia yn meddu ar yr awdurdod i roi rheithor ar brawf. Mewn gair, 'roedd diarddel rheithor meddw, esgeulus neu anfoesol yn bur amhosibl erbyn canol y ddeunawfed ganrif yn Virginia.

Ym 1767, ceisiodd aelodau festri'r Plwyf Uchaf yn Swydd Nansemond ddwyn achos yn erbyn eu rheithor, Patrick Lunan, sef y clerigwr a fu ar gyfnod o brawf gyda Goronwy ym mhlwyf St Andrew. Ar ôl i gynrychiolydd Esgob Llundain yn Virginia ar y pryd, James Horrocks, ddatgan wrthyn nhw nad oedd ganddo mo'r awdurdod i roi Lunan ar brawf, ymgynghorodd y ddirprwyaeth o Blwyf Uchaf Swydd Nansemond wedyn â Thwrnai Gwladol Virginia, John Randolph, brawd Peyton Randolph, ac â chyfreithiwr blaenllaw arall, George Wythe, y bu Thomas Jefferson yn brentis-cyfreithiwr iddo yn Williamsburg, ynghylch y mater.

Gan na allai cynrychiolydd Esgob Llundain roi Lunan ar brawf, a chan fod achos o'r fath y tu allan i gylch awdurdod unrhyw lys gwladol, yr unig ateb oedd chwilio am ddeddf a fyddai'n caniatáu i'r plwyfolion roi eu rheithor ar brawf, neu gyflwyno'r achos gerbron Llywodraethwr Virginia a'i Gyngor. 'Doedd festriwyr y Plwyf Uchaf ddim yn

---

[84] Bu llawer yn chwilio am fedd Goronwy. Gw. 'Outline of Evidence Concerning Burial Place of Gronow Owen', gan Arthur P. Gray, *W. & M.*, cyfres 2, cyf. VIII, tt. 213-215, dogfen a baratowyd yn Richmond, Virginia, ar Awst 13, 1927, gan ddilyn nodiadau a luniwyd ym 1913. Bu awdur yr ysgrif yn chwilio am fedd Goronwy yng nghwmni David Lloyd. Ymddangosodd ffrwyth ymchwil y ddau yn y *Richmond Times-Dispatch,* Mai 23, 1913, ac eto yn rhifyn Ebrill 9, 1922, ac yn y *Lawrenceville Times,* Mai 22, 1913, ac ymddangosodd ysgrifau gan David Lloyd ar y mater yn *Y Drych Americanaidd,* Mehefin a Gorffennaf 1916. Darganfuwyd lleoliad y bedd gan David Lloyd ac Arthur P. Gray, rheithor St Andrew ar y pryd, ym 1913, a'r union fan gan y Parch. Edwin T. Williams ym Mehefin 1958. Gw. 'Goronwy Owen: A Welsh Bard in Virginia', Edwin T. Williams, *Virginia Cavalcade,* Hydref 1959, tt. 42-47. Fel y dengys yr ysgrif hon, bu eraill yn chwilio am y bedd hefyd. Gosodwyd carreg ar y bedd â'r arysgrif ganlynol arni: 'The Traditional Grave Site of The Rev. Goronwy Owen, 1723–1769'. Cyhoeddwyd ffrwyth ymchwil David Lloyd i leoliad y bedd gan ei nai, Isaac Lloyd (Glan Rhyddallt) yn *Goronwy'r Alltud,* tt. 50-62.

Yn ôl traddodiad lleol, 'roedd dau fedd yno. 'Roedd perchennog y tir ym 1913 yn credu hyn. Tybed ai bedd Gronwy, mab y bardd, oedd y llall?

[85] *Virginia's Mother Church,* cyf. II, t. 324.

awyddus i wneud hynny, gan eu bod wedi syrffedu ar fod dan fawd y Brenin a'i swyddogion, ac ofnent mai o blaid Lunan yr âi'r dyfarniad. Daethpwyd o hyd i gymal achubol mewn deddf a basiwyd gan Gynulliad Cyffredinol Virginia ym 1753.[86] Cyfeirio at aelodau eglwysig, y festriwyr a'r plwyfolion yn gyffredinol, yr oedd y ddeddf, nid at y clerigwyr eu hunain. Manteisiodd aelodau festri'r Plwyf Uchaf ar yr amwysedd yng ngeiriad y ddeddf, a chynllunio, ynghyd ag eraill, i ddwyn nifer o glerigwyr o flaen eu gwell am eu hymddygiad anfoddhaol, gan obeithio gwneud lles i'r drefedigaeth gyfan, ac nid i'r Plwyf Uchaf yn unig. Yn ôl Brydon:[87]

> There were in Virginia at that time several other ministers besides Lunan against whom charges of misconduct had been made. These were Gronow Owen, John Ramsay, incumbent of St. Anne's Parish, Albemarle County, and William Davis, minister of Westover Parish in Charles City Council, who was even then lying in a debtor's prison ... It would seem that the very breakdown of the old system of administering discipline had made men of this type all the bolder in their wrong-doing. As far as existing records go, these four seem to have been the only ones at that particular time against whom evidence of drunkenness and immorality have survived.

Felly, 'roedd Goronwy yn un o ddihirod pennaf yr Eglwys yn Virginia yn y cyfnod dan sylw. 'Does dim prawf pendant ei fod yn un o'r rhai a dargedwyd gan y ddirprwyaeth i roi cyfri amdano'i hun o flaen llys, ond mae amheuaeth gref y gallai fod yn un o'r rhai y bwriedid eu rhoi ar brawf. Yn ôl Brydon eto:[88]

> Attempting to read between the lines, it would seem that a plan was formed to present three of them for trial, one after another, as evidence could be assembled and proper charges prepared. Colonel William Nelson, president of the Council in the

---

[86] Dyma'r cymal perthnasol: '... be it further enacted by the authority aforesaid, that the said General Court shall take cognizance of, and are hereby declared to have power and jurisdiction, to hear and determine all causes and matters and things whatsoever relating to or concerning any Person or Persons, ecclesiastical or civil, or to any Persons or things of what nature soever the same shall be, whether brought before them by original process, appeal from an inferior court, or by any other ways or means whatsoever'. Dyfynnir yn *Virginia's Mother Church*, cyf. II, tt. 328-329.

[87] Ibid., t. 329.

[88] Ibid., tt. 329-330. Er na nodir y ffynhonnell, dilyn Brydon a wnaeth Bedwyr Lewis Jones yn 'Goronwy Owen yn Virginia', rhan 3, *Barn*, t. 118: 'Un broblem a boenai festrïau Virginia, oherwydd eu cysylltiad anfoddhaol ag Esgob Llundain, oedd sut i gael gwared ag offeiriaid oedd yn cambihafio. Ym 1767 roedd hyn yn fater trafod rhwng cynrychiolwyr plwyfi a chyfreithiwr y dalaith. Penderfynwyd dod â thri offeiriad i gyfrif gerbron Llys Cyffredinol Virginia dan ddeddf oedd yn caniatáu i'r uchel lys hwnnw wrando pob math o achosion nad oedd deddfau penodol ar eu cyfer. Ond bu farw dau o'r diffinyddion cyn i'r achos gael ei setlo a rhoed y gorau iddo. Ai Goronwy oedd un o'r pechaduriaid?' Gan mai damcaniaeth Brydon oedd hon yn wreiddiol, dyfynnir ei eiriau ar y mater yn eu crynswth.

Er llwyddo i ddod ag achos yn erbyn Lunan, ym mis Hydref 1771, ni lwyddodd wardeniaid a festriwyr y Plwyf Uchaf yn Swydd Nansemond i gael gwared â'r rheithor drwy'r Llys Cyffredinol. Penderfynwyd y byddai'n rhaid i Patrick Lunan ailsefyll ei brawf, ond ni chynhaliwyd achos pellach, ac arhosodd yn ei swydd.

interregnum after the death of Lord Botetourt in 1770, wrote to Lord Hillsborough on November 15, 1770, that suits had actually been brought against two unworthy ministers in the General Court, but that in each case the suit had been ended by the death of the accused clergyman. It is true that Colonel Nelson did not mention the names of these two ministers, but John Ramsay was certainly one of them. The fact that William Davis died in 1769 and Gronow Owen early in 1770 [sic: 1769], would seem to be pretty strong evidence that one of them was the second one brought before the court.

Profwyd ewyllys Goronwy ar Fawrth 26, 1770.[89] Rhyw fis yn ddiweddarach, ar Ebrill 24, pennwyd gwerth holl eiddo bydol y bardd, ac eithrio'i dir, gan John Clack, Thomas Stith a Francis Young. Mae'r eiddo hwnnw yn dystiolaeth ychwanegol o statws uchel Goronwy yn y Byd Newydd. Cyfeiriwyd at ei gaethweision eisoes. Gadawodd ar ei ôl hefyd nifer o anifeiliaid, sef buwch a llo blwydd, dwy anner, a cheffyl a chaseg; ar y rhestr hefyd 'roedd sawl dodrefnyn drudfawr, gan gynnwys 'A desk black walnut' a 'Six walnut chairs', gwerth £7 i gyd, a 'Bed and furniture', gwerth £4, a thoreth o lyfrau, bron i ddeugant ohonyn nhw. Mae'n greulon o eironig fod Goronwy wedi dyheu yn Awdl y Gofuned am[90]

---

[89] Dyma ewyllys Goronwy Owen, yn ôl *Will Book No. 4, 1761–1777, of Brunswick County, Virginia*:

In the name of God Amen.

I Gronow Owen of the parish of Saint Andrew's in the County of Brunswick do make my last Will and Testament in manner as followeth, Viz:

First I resign my Soul into the hands of Almighty God trusting and not doubting the resurrection to Eternal life and as to my worldly estate which it hath pleased God to bestow on me in this life I give and devise as followeth. Item I give and bequeath to my dearly beloved wife Iona Owen the plantation and land where my dwelling House is, during her life and after her decease to be equally divided among my four sons namely, Robert Owen, Richard Brown Owen, Gronow Owen and John Lloyd Owen to them and their Heirs for ever. As to my personal estate I leave it to the discretion of my Executors.

I do nominate and appoint William Brown and Beverly Brown Executors of this my last Will and Testament. Whereof I have hereunto set my hand and affix my Seal this third day of July one thousand seven hundred & sixty-nine.

Llofnodwyd a seliwyd yr ewyllys ym mhresenoldeb Drury Birchet ieu., Frances Parham a Sarah Brown.

Profwyd yr ewyllys fel a ganlyn:

At a Court held for Brunswick County the 26th day of March, 1770. This will was presented in Court by William Brown and Beverly Brown the Executors therein named proved by the oaths of Drury Birchett Junr. and Sarah Brown two of the Witnesses thereto and ordered to be recorded. And the said Executors now in Court refusing to take upon themselves the burthen of the execution thereof. On the motion of Daniel Fisher Gent. who made oath according to law certificate is granted him for obtaining letters of administration on the said decedent's estate with the Will annexed giving security. Whereupon the said Daniel Fisher with William Brown his security entered into and acknowledged their bond in the penalty of one thousand pounds for the said Daniel Fisher's due and faithful administration on the said decedent's estate and performance of his Will.

(parhad t. 334)

Rent gymedrol, plwy' da'i reolau,
Diwall a hyfryd dŷ a llyfrau,
A gwartheg res a buchesau – i'w trin
I'r hoyw wraig, Elin rywiog olau

ac iddo gael y bendithion materol hyn tua diwedd ei oes, ond mewn gwlad arall a chyda gwraig arall, er mai Elin a haeddai freintiau o'r fath yn anad neb, a hithau wedi rhannu blynyddoedd tlotaf a mwyaf cythryblus ei gŵr. 'Roedd eiddo Goronwy, heb gyfri'r tŷ a'r tir, yn werth bron i £150. 'Roedd ei ddodrefn, i ddechrau, o'r safon uchaf.[91] 'Roedd Goronwy hefyd wedi casglu llyfrgell bersonol sylweddol iawn, yn ôl safonau'r cyfnod yn Virginia, llyfrau ar amrywiaeth eang o bynciau, ond yn nodweddiadol o faes darllen clerigwyr a phlanhigwyr Virginia yn y ddeunawfed ganrif: llyfrau crefyddol a defosiynol,

---

Llofnodwyd y datganiad gan Edw Fisher, clerc y llys. Bu Iona Owen fyw am dros bum mlynedd ar hugain ar ôl marwolaeth Goronwy. Ailbriododd â gŵr o'r enw Harrison. Ar ôl ei marwolaeth hi, gwerthwyd y blanhigfa a'r tir gan Richard Brown Owen a'i frodyr i ŵr o'r enw James Chemblen, ar Ragfyr 7, 1797.

[90] *Blodeugerdd Barddas o Ganu Caeth y Ddeunawfed Ganrif*, t. 88.

[91] Dyma'r eitemau o eiddo personol Goronwy a restrwyd, ynghyd â'u gwerth: 'A negro named Peg Old (£12/10s); A negro wench named Young Peg (£40); A do boy, Bob (£30); A do boy, Stephen (£15); A Desk Black Walnut (£3/10s); Six Walnut chairs (£3/10s); A Smaller ditto (£1/5s); A Bed and furniture (£4); A large looking glass (£1/10s); A small dressing glass (10s); 6 maps (£1); 7 pictures 25s, 1 painted chest 4s (£1/9s); 1 painted table 7s/6c, 5 Rush bottom chairs 7s/6c (15s); 1 Corner cubbard 20s, 1 painted cubbard 2s/6c (£1/2s/6c); 1 Cow and yearling (£1/17s/6c); 2 heifers, 37s/6c, 1 grey mare, 40s (£3/17s/6c); 1 grey horse (15s); 1 stone jugg, 1s/3c, 2 large pewter dishes, 15s (16s/3c); 9 pewter plates, 11s/3c, 1 iron pott, 2s/6c (13s/9c); 1 brass kettle 12s/6c, 1 gun 12s/6c (£1/ 5s); A parcel of earthen ware &c 3s/9c, 1 Xcut saw 17s/6c (£1/1s/3c); 1 grindstone 6c, 1 spade 3s/9c, 1 Ink stand 6s (10s/3c); 2 hand Boards of Walnut 3s/9c, 3 knives & forks 2s (5s/9c); 1 coffee pott 4c, 1 chair &c £10 (£10/0s/4c). Cyfanswm gwerth yr eiddo yn ôl cyfrifon y gwerthuswyr, gan gynnwys y llyfrau a restrir yn nhroednodyn 94, oedd £149/6c/4c.

'Roedd eiddo Goronwy yn nodweddiadol o eiddo'r trefedigaethwyr yn Virginia yn y ddeunawfed ganrif. Astudiwyd ewyllysiau Virginia yn y cyfnod gan Mary Newton Stanard yn *Colonial Virginia: its People and Customs*. Ymddangosai'r ymadrodd 'A Bed and furniture' yn gyson yn yr ewyllysiau hyn. Meddai Stanard (t. 77): 'It was natural that in a new country where life was hard at best, a good bed upon which to lay down one's weary bones was a possession of first importance, and "my feather bed" or "my feather bed and furniture" – meaning the bedstead, bed-clothing, tester, curtains, valance and all the paraphernalia then supposed to belong to a proper bed – was not only among the most frequent bequests, but a prized heirloom.'

'Next in importance to the bed,' meddai Mary Newton Stanard, 'was the chest in all its forms, from the plain or carved wooden box which served the double purpose of seat and receptacle for clothing, to the chest of drawers with or without a dressing-glass topping it, or hung above it, to be found in large numbers in wills and inventories (t. 79)'. 'Roedd y ffaith fod cartref Goronwy yn meddu ar ddau ddrych, yn ogystal â desg a nifer o gadeiriau, yn adlewyrchu ei statws cymdeithasol uchel yn glir. 'It was natural that a people so fond of dress as our transplanted Londoners should have valued looking-glasses, and they were brought over in a variety of styles ... The "great looking-glass" was a favorite ornament for the parlor of the well-to-do Virginian, of both the seventeenth and eighteenth centuries,' meddai Mary Newton Stanard (tt. 79 ac 86). 'Roedd yr offer cegin hefyd yn nodweddiadol o eiddo'r Virginiaid gweddol foethus eu byd: 'In a country where it was often necessary to provide entertainment for a hungry traveller or a party of hungry travellers on short notice, the kitchen furniture was vastly important. Kettles of copper and of brass and "great iron pots" appear frequently as heirlooms (t. 94)'.

llawlyfrau meddygol, llyfrau ymarferol, y Clasuron Groeg a Lladin, ac yn y blaen. Aethai â rhai llyfrau gydag ef, cyfrolau meddyginiaethol Shaw a'r llyfrau Cymraeg, er enghraifft, ond llyfrgell a gasglwyd yn bennaf yn Virginia oedd hon. Prin y byddai wedi gallu mynd â llawer o lyfrau i'w ganlyn. Unwaith eto, 'roedd casgliad Goronwy yn adlewyrchu ei gyfoeth a'i statws. Y cyfoethogion yn unig a allai afforddio prynu a chasglu llyfrau. 'The planter's joy and pride was his library,' meddai Thomas J. Wertenbaker,[92] ac mae'r darn canlynol yn rhoi inni ryw syniad o werth a safle llyfrgell Goronwy yng nghynghrair llyfr-gelloedd y drefedigaeth:[93]

> The Virginia private libraries were not only varied in content but large in size. William Byrd II gathered around him at Westover nearly four thousand volumes, George Washington owned nine hundred and three, Robert Carter had a thousand and sixty-six at Nomini Hall and five hundred at his Williamsburg residence. In the days when books were costly such large collections could be afforded only by the wealthiest, while the small planters and even the moderately well-to-do had to content themselves with from ten to a hundred volumes. The clergy, because of their meager incomes, could not afford the luxury of a large library, and many of them wrote to the Bishop of London or the Society for the Propagation of the Gospel for a few urgently needed works. Reverend James Maury's collection of four hundred volumes and forty-four pamphlets was exceptional.

'Roedd llyfrgell Goronwy, felly, yn llawer mwy sylweddol na'r casgliadau o lyfrau ym meddiant y mân-blanhigwyr a'r clerigwyr eraill yn Virginia ar y pryd.[94]

---

[92] *The Golden Age of Colonial Culture*, t. 112.

[93] Ibid., t. 113.

[94] Ymhelaethwyd ar y teitlau cryno a roddwyd yn y rhestr o lyfrau Goronwy, gan roi i'r llyfrau eu teitlau llawn, ar ddiwedd y ddarlith a draddododd John Gwilym Jones ar Goronwy Owen yng Ngholeg William a Mary ym 1969. Mae'r rhestr yn rhoi syniad da inni o ddeunydd darllen Goronwy yn Virginia, a chyn ymfudo hefyd. Gw. 'Goronwy Owen's Virginian Adventure: His Life, Poetry, and Literary Opinions, With a Translation of His Virginian Letters', Botetourt Publications, rhif 2, The Botetourt Bibliographical Society, 1969, tt. 32 – 35. Dyma'r llyfrau:

Book Folios 1 Large Common Prayer Book (10s); Ainsworth Quarto Dictionary [Robert Ainsworth. *Thesaurus Linguae Latinae Compendiarias; or; a Compendious Dictionary of the Latin Tongue ...*] (£1/10s/0); Collections of Poems [amhosibl gwybod pa gasgliadau] (5s); 3 Years Travels thro China [mwy na thebyg Evert Ysbrandsszoon Ides. *Three Years Travels from Moscow Over-land to China: thro' Great Ustiga, Siriania, Permia, Sibiria, Daour, Great Tartary, &c. to Peking*] (1s/3c); English Creed consentry ye [fersiwn o'r deugain erthygl namyn un] (1s/3c); 2 Sermons (2s/6c); West defence (Octavo) of the Xtian Revelation [Gilbert West. *A Defence of the Christian Revelation ... as Contained in ... Observations on the History and Evidences of the Resurrection of Jesus Christ*] (2s/6c); 2 Magazines 1s/3c, Royers Dictionary 7s/6c [Ai dyma *English and Welch Dictionary* Siôn Rhydderch? Os felly, i William Morris y perthynai yn wreiddiol. Gw. *LGO*, llythyr XXVI, at William Morris, o Walton, Awst 12, 1753, t. 73: 'This very day was given me a book that was once yours, and may be again if you please. It is John Rhydderch's Dictionary, printed at Salop 1725.'] (8s/9c); Leland Views of Writers, 2 gyfrol [John Leland. *A View of the Principal Deistical Writers that have Appeared in England in the Last and Present Century ...*] (10s); Shaws Practice of Physick, 2 gyfrol (10s); Pridaux Connexion, 2 gyfrol [Humphrey Prideaux. *The Old and New Testament*

(parhad t. 336)

'Doedd neb yng Nghymru, nac yn Lloegr o ran hynny, yn gwybod dim byd ar y pryd, nac am flynyddoedd lawer wedi hynny, am farwolaeth Goronwy Owen. Flwyddyn ar ôl ei farw, fodd bynnag, dechreuodd Richard Morris anesmwytho. Ym Mehefin 1770 'sgwennodd at Ieuan Brydydd Hir, gan ddatgan ei fod yn 'ofni yn fy nghalon farw o'r Goronwy Fardd yn anialwx America, oblegyd mi sgrifenais ddau lythyr atto, ac anfonais iddo'r llyfr Diddanwch teuluaidd gyd â'r diwaethaf; ond nid oes air yn atteb'.[95] Mynegodd yr un pryder wrth gysylltu â Gwilym Howel fisoedd yn ddiweddarach, a cheryddodd yr almanaciwr yr un pryd am 'i'r printiwr brwnt anafu ei Awdl Farwnad i Mrawd Lewys,' oherwydd 'Fe allai na fu erioed amgenach Barddoniaeth yn yr Iaith'.[96] Ni allai Richard ddioddef yr ansicrwydd mwyach, a 'sgwennodd lythyr maith at Goronwy ym 1772 (tua 1770 yn ôl *ALMA* 2, ond awgrymodd Dafydd Wyn Wiliam mai ym 1772 y lluniwyd y llythyr, ar sail y sylw gan Richard Morris fod ei fab Richard, a aned ar Ionawr 31, 1762, yn ddeg oed, ac iddo fod yn Llundain ers hanner can mlynedd, ac ym 1722 yr aeth Richard i Lundain). Mae hwn yn un o'r llythyrau tristaf yn y Gymraeg: o leiaf 'roedd llythyr torcalonnus Goronwy wedi'i gyfeirio at berson byw; 'roedd Richard Morris yn ymgomio â chorff.

Connected in the History of the Jews and Neighboring Nations, from the Declension of the Kingdoms of Israel and Judah to the Time of Christ] (7s/6c); Manwarings Acct of Clasick Author [Edward Manwaring. *An Historical and Critical Account of the Most Eminent Classic Authors, in Poetry and History*] (5s); Lewis's Preservative, 1 gyfrol [Thomas Lewis. *A Preservative against Schism and Rebellion, in the Most Trying Times. Or, a Resolution of the Most Important Cases of Conscience, Relating to Government Both in Church and State; in a Course of Lectures Read in the Divinity School at Oxford, in the Time of the Great Rebellion. By Robert Sanderson*] (2s/6c); Sherlock on Death [William Sherlock. *A Practical Discourse Concerning Death*] (1s); Combers Occasional officers [sic] [Thomas Comber. *The Occasional Offices of Matrimony, Visitation of the Sick, Burial of the Dead, Churching of Women, and the Commination, Explained in the Method of the Companion to the Temple: Being the Fourth and Last Part*] (3s/9c); Taylors Holy Living [Jeremy Taylor. *The Rule and Exercise of Holy Living: In which are Described the Means and Instruments of Obtaining Every Virtue, and the Remedies against Every Vice, and Considerations Serving to the Resisting All Temptations*] (3s/9c); Sherlocks Discauses, 2 gyfrol [? William Sherlock. *A Preservative against Popery. In Two Parts. I. Some Plain Directions How to Dispute with Romish Priests. II. Shewing How Contrary Popery Is to the True Ends of the Christian Religion ...*] (3s); Walkers Epictetus [Ellis Walker. *Epicteti Enchiridion. The Morals of Epictetus Made English, in a Poetical Paraphrase*] (1s); Miltons Poems 2 Vol 12 Mon (6s); Kings Pantheon [William King. *An Historical Account of the Heathen Gods and Heroes, Necessary for the Understanding of the Ancient Poets*] (1s/3c); A parcel of Old Authors Greek Latin Hebrew Welch and French in Number 150 (£3); The Xtians patern [Thomas a Kempis. *The Christian's Pattern: or, A Treatise of the Imitation of Jesus Christ ... To which are Added, Meditations and Prayers for Sick Persons. Translated by George Stanhope*] (2s/6c); Universal Gazateer [?Laurence Echard. *The Gazetteer's, or Newsman's Interpreter. Being a Geographical Index of All the Considerable Provinces, Cities ... and Such Like ... in Europe ...*] (5s); Terrences Plays by [*Terence's Comedies Made English, With His Life, and Some Remarks at the End. By Mr. Laurence Echard, and Others. Revis'd and Corrected by Dr. Echard, and Sir R. L'Estrange*] (2s/6c); The Sanctuary of a Troubled Soul [?Sir John Hayward. *The Sanctuarie of a Troubled Soule*] (1s/3c); Taylors Rule of Conscience [Jeremy Taylor. *Ductor Dubitantium: or, the Rule of Conscience in All Her General Measures; Serving as a Great Instrument for the Determination of Cases of Conscience*] (7s/6c).

[95] *ALMA* 2, llythyr 390, Richard at Evan Evans, o Lundain, Mehefin 23, 1770, t. 769.

[96] Ibid., llythyr 395, Richard at Gwilym Howel, o Lundain, Mawrth 30, 1771, tt. 777-778.

'Os byw ydych, fel rwy'n gobeithio eich bod, attebwch da chwithau: ond os marw, "Dedwydd o enaid ydwyt Llaw Duw a'm dycco lle'dd wyt." Gron. ddu,'[97] meddai wrth ddechrau'r llythyr. Cysylltai â Goronwy 'Tan obaith cael un llythyr arall oddiwrthych cyn ymadael â'r byd,' ac esbonia iddo ateb ei lythyr ymhen hanner blwyddyn wedi iddo ei dderbyn, 'ac ynghylch blwyddyn ar ol hynny mi yrrais arall attoch drwy law Morgan offeiriad, a daeth yna oddiwrth y Gymdeithas er ymledu'r Efengyl yn y Gwledydd tramor â'r Llyfr printiedig Diddanwch teuluaidd ... ac fe a addawodd ar ei gred eu dodi yn eich llaw eich hun,' ond ni chlywodd Richard a fu i'r llyfr a'r llythyr gyrraedd pen eu taith ai peidio.[98] Tua chanol 1768, felly, aeth offeiriad â llythyr a chopi o'r *Diddanwch Teuluaidd* oddi wrth Richard Morris at Goronwy, ond a gyrhaeddodd hwnnw le mor anghysbell â St Andrew? Er mor annhebygol hynny, mae un dystiolaeth yn awgrymu iddo dderbyn y flodeugerdd, a bod y bardd, wedi'r cyfan, wedi gweld ei waith mewn print cyn marw, a bod y *Diddanwch Teuluaidd*, felly, yn un o'r llyfrau Cymraeg a adawodd ar ei ôl. Dywedodd Philip A. Owen, gor-ŵyr Goronwy, yn y llythyr a luniodd ar Orffennaf 20, 1875, fod 'yn meddiant y teulu gyfrol argraphedig yn cynnwys cynnyrchion barddonol a rhyddiaethol yn Gymraeg, sef casgliad o ysgrifau y Parch. Goronwy Owen, Lewis Morys, Huw Huws ac ereill'.[99] Hon, wrth gwrs, oedd y *Diddanwch Teuluaidd*, ac anodd dirnad sut y gallai disgynyddion Goronwy fod wedi cael gafael ar gopi o'r llyfr yn America, oni bai ei fod wedi cael ei drosglwyddo o genhedlaeth i genhedlaeth o fewn y teulu ar ôl marwolaeth y bardd. Dywedodd Richard hefyd iddo roi 'im chwaer ynghyfraith gopi o Farwnad ei Gŵr' a 'hithau a'i benthyciodd i hwn a'r llall, hyd na ddaeth i law Gwilym Howel o Lan Idloes, yr hwn a'i printiodd yn ei Almanac 1770 yn llawn o feiau: minnau a'i ceryddais hyd adref am ei drwsgleiddwaith'.[100]

'Roedd cyffro dadeni yn y gwynt, a'r Gymraeg fel pe bai'n dod i'w theyrnas; ceisiodd Richard drosglwyddo peth o ias y deffro hwnnw i gelain. Dywedodd wrtho fod nifer o Saeson yn ymdrechu i ddysgu'r Gymraeg, 'i'w cymhwyso eu hunain i gyflawn ddeall-twriaeth o hen hanesion Prydain', a gresynai 'na baech yma iw hathrawu'.[101] Ym 1761, cyhoeddodd y ffugiwr llenyddol, James Macpherson (1736–1796), y cyfieithiadau honedig o waith bardd Gaeleg o'r drydedd ganrif o'r enw Osian, *Fingal, an Ancient Epic Poem in Six Books; together with Several Other Poems composed by Ossian, the Son of Fingal*, ac ym 1763, cyhoeddodd gerdd Osianaidd arall, *Temora*. Er i rai, fel Samuel Johnson, amau dilysrwydd y cyfieithiadau hyn, 'roedd 'darganfyddiad' Macpherson wedi peri cyffro mawr ymhlith llên-garwyr, ysgolheigion a hynafiaethwyr Lloegr. 'Llyma dim llai na 80 o sgolheigion

---

[97] Ibid., llythyr 392, Richard at Goronwy, o Lundain, 1772, tt. 771-772.

[98] Ibid., t. 772.

[99] 'Goronwy Owen', Isaled, *Y Geninen*, cyf. VII, rhif 4, Hydref 1889, t. 247.

[100] *ALMA* 2, llythyr 392, Richard at Goronwy, o Lundain, 1772, t. 772.

[101] Ibid.

Coleg yr Iesu yn Rhydychen wedi gyrru eu henwau attaf i gael dyfod yn aelodau gohebol o Gymdeithas y Cymrodorion!' meddai Richard mewn syndod a boddhad wrth Lewis.[102] Wrth ohebu â Lewis eto, ar Chwefror 20, 1763, dywedodd Richard: 'Mr. Lort, Greek Professor at Cambridge, sent me a letter a few days ago, enquiring after Gronow's works mentioned in his proposal,' a dywedodd Lort, wedi iddo ymweld â Richard ddiwrnod ynghynt, 'that Macpherson with his Galic poetry has set all the English antiquarians agog after the Welsh, in hopes to find something equal to it'.[103] Bu Richard a Lewis yn gohebu'n achlysurol â rhai o'r Saeson hyn a oedd wedi meithrin diddordeb yn llenyddiaeth a hynafiaethau'r Gymraeg, gwŷr fel Samuel Pegge, cyfrannwr cyson i'r *Gentleman's Magazine*, dan y ffugenw 'Paul Gemseage', a pherson Whittington yn ymyl

---

[102] *ML* II, llythyr DXLIII, Richard at Lewis, o Lundain, Dygwyl Iago, 1761, t. 363.

[103] Ibid., llythyr DCLVII, Richard at Lewis, o Lundain, Chwefror 20, 1763, t. 537. 'Roedd Lewis Morris graff, fel Johnson, wedi amau dilysrwydd cyfieithiadau Macpherson o'r dechrau. Gwyddai am Macpherson cyn iddo gyhoeddi ei waith enwog. 'Roedd Macpherson wedi honni mewn llythyr a ddaeth i ddwylo Lewis y gallai ddysgu'r Gymraeg mewn ychydig wythnosau, 'and to be able to give a translation in verse,' ond ateb dirmygus Lewis oedd 'na wnewch Macpherson' (ibid., llythyr CCCCLXXIV, Lewis at Richard, o Benbryn, Awst 18, 1760, t. 240). Synnwyd Rice Williams, cyfaill Thomas Percy, gan ddatganiad ymhonnus Macpherson hefyd. Meddai, wrth ohebu â Percy: 'I am really afraid the world is grossly imposed upon, when I consider Mac Pherson's pretension to the knowlege of the Welsh, Cornish, Armoric Erse, Irish and Gallic languages; he told his Bookseller that he would engage to translate the poetry of either in 6 weeks' time. *credat Judaeus apella*' (*The Percy Letters*, Goln cyffredinol: David Nichol Smith a Cleanth Brooks: *The Correspondence of Thomas Percy & Evan Evans*, Gol. Aneirin Lewis, 1957, llythyr VII (Atodiad), Awst 14, 1761, t. 161). Amheuai Lewis mai twyll oedd y cyfieithiadau o farddoniaeth Aeleg a gyhoeddwyd gan Macpherson yn *Fragments of Ancient Poetry collected in the Highlands* ym 1760. 'Cannot you find out who James Macpherson is that he is so knowing in the Ersh, and is there no probability of getting his translation and the original? If we have not the original, may it not be suspected that this pretended translation may be an original of his own contrivance? – a man who is capable of making a flashing translation, is capable, and more capable of making a flashing original where he is not tied down with fetters' (*ML* II, llythyr CCCCLXXIV, Lewis at Richard, o Benbryn, Awst 18, 1760, t. 242). Bwriodd Lewis amheuaeth hefyd ar ysgolheictod Macpherson yn y *Fragments* mewn llythyr at Michael Lort, rywbryd ym 1760 (*ALMA* 2, llythyr 241, tt. 466–468). Cyfeiriodd Lewis at ymffrost Macpherson y gallai ddysgu'r Gymraeg mewn ychydig wythnosau mewn llythyr at yr hynafiaethydd Samuel Pegge (ibid., llythyr 266, o Benbryn, Chwefror 11, 1761, t. 513): 'I have seen a Letter of his lately, wherein he says he could soon make himself master of the Welsh Tongue, so as to translate any pieces *if there be anything worth translating* out of it, and he says it is an easy matter for a person Acquainted with one of the 6 Dialects of the Celtic, the Ersh for Example, to Understand the rest. This is a little flashy & Romantic, I think, or else I am exceeding Dull ...' 'Roedd sarhad Macpherson ar y Gymraeg wedi ennyn dicter Lewis, a gwawdlyd yw pob cyfeiriad at yr Albanwr ganddo. 'Chwiwgi lleidr defaid yw'r Macpherson; the whole affair is only his own contrivance, as may be easily proved ... He may be a cleavar fellow, but is a cheat,' meddai amdano, ar ôl i'r cyfieithiadau Osianaidd ymddangos (*ML* II, llythyr DCLXII, Lewis at Richard, o Benbryn, Mawrth 9, 1763, t. 544). 'Roedd Richard, ar y llaw arall, wedi llyncu'r stori yn gyfan gwbl. 'Er prysured wyf yngoruchwiliaeth fy Offis ... mi ddiwygiwn y wasg Gymreig o ewyllys fy nghalon, er mwyn y Cyfieithydd, ac er anrhydedd yr hen Famiaith odidog, ond rwy'n ofni nad oes genym ddim i'w gystadlu â gwaith Ossian,' meddai wrth Evan Evans (*ALMA* 2, llythyr 307, o Lundain, Awst 25, 1763, t. 593). 'Rwy'n deall fod Maccw'r Person wedi swynganu'r bobl allan o'u synhwyrau,' meddai William wrth Evan Evans, gan bensynnu fod y '*Llywydd* Mynglwyd ymhlith nifer y rhai a Lygadtynnwyd ysywaeth!' (ibid., llythyr 308, o Gaergybi, Awst 30, 1763, t. 594). 'Mae'r Myglwyt yn addoli Ossian,' meddai drachefn wrth Lewis (*ML* II, llythyr DCLXXVI, o Gaergybi, Mehefin 12, 1763, t. 562).

Chesterfield, a Michael Lort ei hun, brodor o Sir Benfro, a'i fam yn hanu o Geredigion. Cyfeirid y Saeson hyn at Lewis, ac ymhyfrydai hwnnw yn y parch a gâi ei ysgolheictod gan hynafiaethwyr Lloegr. 'In the letter I had from him before, of the 16th August,' meddai William wrth Richard, 'he gave me a list of the greatest critics now in Britain who desire to correspond with him about British affairs; it seems they are all Briton mad! Eu enwau yw Messrs. Pegge, Lye, Percy, Hurd, Shenstone, Grey, Mason'.[104] Efallai mai brolio, yn ôl ei arfer, yr oedd Lewis, oherwydd nid oes tystiolaeth bendant iddo ohebu â neb o'r rhain, ac eithrio Samuel Pegge. Drwy'r Dr James Phillips (1703–1783), yr hynafiaethydd o Gymro nad oedd gan Lewis lawer o feddwl o'i alluoedd, y daeth Pegge i gysylltiad â Lewis: 'He corresponds with Dr. Philipps of this country, who is a Welsh antiquary neu a fynnai fod,' meddai Lewis wrth William, gan ymhelaethu, 'Philipps not being able to answer some doubts and objections of Pegge about our British History, the labouring oar falls upon me to defend our ancient History and antiquites'.[105]

Rhan o'r dadeni diwylliannol newydd oedd y ffaith fod yr 'Hirfardd wedi cyhoeddi ychydig o waith yr hen Feirdd, a chyfieithiad Saesneg gyferbyn a'r Gymraeg, ynghyd a'i Ddisertatio de Bardis yn Lladin, a gwerthodd y llyfr yn rhwydd dda'.[106] Hwn, wrth gwrs, oedd *Some Specimens of the Poetry of the Antient Welsh Bards*, a gyhoeddwyd ym 1764. Mewn gwirionedd, 'roedd y cynnwrf a ddilynodd ymddangosiad y farddoniaeth Osianaidd gan Macpherson yn rhannol gyfrifol am ymddangosiad cyfrol Ieuan Fardd hithau. Y diddordeb a'r brwdfrydedd newydd hwn gan Saeson yn llenyddiaeth y Cymry a symbylodd Ieuan i gyhoeddi ei gyfrol ef o gyfieithiadau o hen gerddi Cymraeg, a chyfrol a gyfatebai, o safbwynt Cymru, i gyfrol Macpherson, a geisiai ddyrchafu barddoniaeth Aeleg, oedd casgliad Ieuan Fardd o'r cychwyn, er na fynnai Ieuan gydnabod hynny. Nid er mwyn cystadlu â chyfieithiadau honedig Macpherson y penderfynodd Ieuan gyhoeddi'r gyfrol, 'nor did the success which they have met with from the world, put me upon this undertaking'.[107] 'It was first thought of, and encouraged some years before the name of Ossian was known in England,' meddai, gan nodi ei fwriadau: 'I had long been convinced, that no nation in Europe possesses greater remains of antient and genuine pieces of this kind than the Welsh; and therefore was inclined, in honour to my country, to give a specimen of them in the English language'.[108] 'Roedd y gwaith ar y gweill cyn i Macpherson gyhoeddi ei ffugiadau, felly, ac 'roedd peth diddordeb yn hen farddoniaeth y Cymry cyn i'r cerddi Osianaidd ymddangos, ond cyhoeddi 'cyfieithiadau' Macpherson a droes y fflam fechan yn goelcerth.

'Roedd Ieuan wedi meithrin cyfeillgarwch â rhai o hynafiaethwyr a beirdd pwysicaf Lloegr o ganol y ddeunawfed ganrif ymlaen, gwŷr fel yr Esgob Thomas Percy, Daines

[104] Ibid., llythyr DCXL, William at Richard, o Gaergybi, Hydref 14, 1762, t. 511.

[105] Ibid., llythyr CCCCXLIX, Lewis at William, o Benbryn, Ebrill 23, 1760, t. 192.

[106] *ALMA* 2, llythyr 392, Richard at Goronwy, o Lundain, 1772, t. 772.

[107] *Some Specimens of the Poetry of the Antient Welsh Bards*, 1764, t. 104.

[108] Ibid.

Barrington, ac, yn anuniongyrchol, y bardd Thomas Gray. Yr Ynad Daines Barrington (1727–1800), yn anad neb, a ysgogodd Ieuan i fwrw iddi i gyfieithu barddoniaeth Gymraeg, a sicrhau fod y gwaith yn gweld golau dydd. 'Roedd Barrington yn gyfarwydd â Gogledd Cymru, gan iddo fod am ugain mlynedd yn farnwr cylchdaith Meirion, Caernarfon a Môn, yn y Sesiwn Fawr. Ym 1770, cyhoeddodd waith Syr John Wynn, *History of the Gwydir Family*, ond 'roedd wedi cefnogi Ieuan Fardd ymhell cyn hynny. Symbylwyd Ieuan ganddo i lunio'r fersiwn cyntaf o'i draethawd Lladin, *De Bardis Dissertatio*, a dangosodd y fersiwn hwnnw i'r bardd Thomas Gray. Talodd Barrington £20 i Ieuan am lawysgrif *Some Specimens of the Poetry of the Antient Welsh Bards*, a Barrington ei hun a fu'n gyfrifol am holl gostau cyhoeddi'r llyfr. Dymunai Barrington hefyd fanteisio ar wybodaeth Lewis Morris. Meddai Lewis: 'Mae ar y Judge hwnnw eisiau ngweled i yn dost, medd ffrind i mi. Mae'n debyg mai Ieuan a ddangosodd iddo rai o'm llythyrau i. Mae'n rhaid i mi fy ngosod fy hun yn ei ffordd tua diwedd y flwyddyn pan ddelo'r sessiwn i'r Bala neu Ddolgelleu – a great antiquary and lover of British antiquities. There are a society of them that learn to speak Welsh'.[109] A dyna dystiolaeth bellach o'r awydd mawr ymhlith hynafiaethwyr Lloegr i gael gafael ar hen greiriau'r Cymry.

Hybwyd y gwaith ymlaen gan Thomas Percy (1729–1811) hefyd. Percy oedd un o brif hynafiaethwyr Lloegr yn y ddeunawfed ganrif. Ef oedd awdur *Reliques of Ancient English Poetry*, 1765, casgliad o hen faledi a olygwyd yn drwm ganddo a gwaith pellgyrhaeddol yn ei ddylanwad. Ymddiddorai Percy mewn barddoniaeth estron o bob math, a bu'n chwilio'n ddyfal am ysgolhaig o Gymro a allai ei oleuo ynghylch barddoniaeth Gymraeg, a chyfieithu enghreifftiau ohoni iddo. Gofynnodd i Gymro, Rice Williams, rheithor Weston-under-Lizard, Swydd Stafford, am gymorth a chyfarwyddyd. Clywodd hwnnw am Ieuan Fardd drwy glerigwr o'r enw William Williams, cyd-ddisgybl i Ieuan yn ysgol Edward Richard yn Ystradmeurig. 'Sgwennodd Percy at Ieuan ar Orffennaf 21, 1761, y llythyr cyntaf mewn cyfres faith o ohebiaeth rhwng y ddau a barhaodd am bymtheng mlynedd.

Meddai Percy yn ei lythyr cyntaf at Ieuan Fardd:[110]

> Tho' I have not the happiness to understand, yet I have a great veneration for, the ancient Language of this Island; and have always had a great desire to see some of the most early and original productions in it:– I could never yet obtain a proper gratification of this desire: for to their shame be it spoken, most of your countrymen instead of vindicating their ancient and truly venerable mother-tongue from that contempt which is only the result of ignorance, rather encourage it, by endeavouring to forget it themselves.

---

[109] *ML* II, llythyr DXXXI, Lewis at Richard, o Benbryn, Ebrill 20, 1761, t. 344.
[110] *The Correspondence of Thomas Percy & Evan Evans*, llythyr I, Gorffennaf 21, 1761, t. 1.

Yn wahanol i'r Cymry, meddai Percy, 'roedd yr Albanwyr wrthi'n daer yn dwyn i olau dydd hen farddoniaeth Aeleg. Pam nad felly'r Cymry? 'You have probably heard what a favourable reception the public has given to an English version of some *Erse* Fragments imported from the Highlands of Scotland,' meddai, gan ychwanegu, 'I am verily per-suaded an elegant translation of some curious pieces of ancient British Poetry would be as well received'.[111] Mynnai Thomas Percy fod barddoniaeth Gymraeg yn cael ei lle yng nghanol y diddordeb cynyddol mewn barddoniaeth hynafol Geltaidd, ac yn ei gynlluniau ef ei hun ar gyfer cyfieithu barddoniaeth estron: 'Amidst this general attention to ancient and foreign Poetry, it would be pity to have that of the ancient Britons forgot'. [112]

Anfonodd Ieuan gopi o 'Arwyrain Owain Gwynedd', cerdd Gwalchmai ap Meilyr, yn ei lawysgrifen at Percy, ynghyd â chyfieithiad Lladin ohoni, 'together with a Criticism upon it by a person exceedingly well versed in our antient Bards and a compleat scholar besides'.[113] Goronwy oedd y beirniad a'r ysgolhaig cyflawn hwn, a'r darn beirniadaeth oedd ei sylwadau ar gerdd Gwalchmai yn y llythyr a anfonasai at William Morris ar Fai 21, 1754. Wrth ymweld â Dulyn ym 1758, 'roedd Ieuan wedi aros yng nghartref William yng Nghaergybi, ac wedi copïo rhai darnau allan o lythyrau Goronwy at William, gan gynnwys y dadansoddiad o gerdd Gwalchmai. Anghytunai Percy â beirniadaeth Goronwy, yn enwedig y datganiad 'I have always looked upon too minute a detail of matters of fact with the particular circumstances of time & place to be prejudicial to the character of the hero of a poem'.[114] 'You must pardon me, if I think, your critical friend quite mistaken in his remarks on this ode ... here lies the great art of the Epic Poet, that he can be minute and circumstantial, without descending from the sublime, or exciting other than grand and noble Ideas,' anghytunai Percy.[115] Anghytuno neu beidio, y gwir yw y gallai Goronwy fod wedi ei dynnu i mewn i'r gyfeillach ryng-genhedlig hon, a gallai fod wedi elwa, yn ariannol ac yn ddeallusol, oddi ar y cyffro ysgolheigaidd hwn. Yn nod-weddiadol o'i hanes ar ei hyd, ac o'r ffawd angharedig a bennwyd iddo, 'roedd y dadeni hwn wedi cyrraedd yn rhy hwyr yn ei achos ef.

Rhaid crybwyll rhan y bardd Thomas Gray yn yr ymddiddori hwn gan Saeson yn hynafiaethau'r Cymry y ceisiai Richard ei gyfleu i Goronwy, yn enwedig gan mai Gray oedd yr arloeswr yn y maes. Bu Gray yn ymhél â barddoniaeth Gymraeg cyn i Macpherson gyhoeddi ei *Fragments* a'i ffug-gyfieithiadau Osianaidd. Bwriad Gray oedd chwilio am ffynonellau newydd a dieithrach o ysbrydoliaeth i'w gerddi. Ar un adeg, golygai lunio hanes barddoniaeth Saesneg, a gobeithiai gynnwys enghreifftiau o fardd-oniaeth Gymraeg yn y rhagymadrodd arfaethedig i'r gwaith, yn ogystal ag enghreifftiau o

---

[111] Ibid., tt. 2-3.

[112] Ibid., t. 4.

[113] Ibid., llythyr II, Awst 8, 1761, t. 6.

[114] *LGO*, llythyr XLI, at William, o Walton, Mai 21, 1754, t. 112.

[115] *The Correspondence of Thomas Percy & Evan Evans*, llythyr III, Hydref 15, 1761, t. 13.

farddoniaeth Eingl-Sacsoneg a Nors, er mwyn dangos y math o farddoniaeth a geid ym Mhrydain cyn i farddoniaeth Saesneg fodoli, ac er mwyn archwilio gwreiddiau a chynseiliau mydryddol barddoniaeth yn ei iaith ei hun. Aeth ati i astudio barddoniaeth Gymraeg ar ei ben ei hun rhwng 1754 a 1757, a chynnyrch y cyfnod hwnnw o ddiddordeb oedd ei gerdd enwog *The Bard* (1757), a seiliwyd ar hanes honedig am Edward I yn crogi'r beirdd Cymraeg, fel y'i cafwyd yn *A General History of England* (cyfrol II, 1750) gan Thomas Carte.[116] 'Roedd Gray yn meddu ar beth gwybodaeth o'r iaith Gymraeg ac o hanes Cymru. Er enghraifft, gyferbyn â'r llinell 'No more I weep. They do not sleep', 'sgwennodd, yn ei gopi personol o'i *Odes* (1757): 'The double cadence is introduced here not only to give a wild spirit and variety to the Epode; but because it bears some affinity to a peculiar measure in the Welsh Prosody, called *Gorchest-Beirdh*, i.e,: *the Excellent of the Bards*'.[117] Lluniodd draethawd yn dwyn y teitl 'Cambri' yn ystod y cyfnod hwn o ymddiddori yn y Gymraeg, gan drafod ynddo bynciau fel nodweddion y Gymraeg, tarddiad y genedl Gymreig, y gyfundrefn farddol, ac yn y blaen. 'Roedd *The Bard* wedi codi diddordeb Saeson ym marddoniaeth y Cymry, ac wedi dylanwadu ar Macpherson hyd yn oed, a'i ysgogi i lunio'i gerddi Osianaidd; felly 'roedd gan Thomas Gray ran allweddol yn y cyffro ysgolheigaidd hwn ynghylch barddoniaeth Gymraeg. 'Roedd Gray hefyd wedi cynorthwyo William Mason i lunio'i gerdd *Caractacus* (1759), cerdd arall ac iddi gefndir Brythonig-Gymreig.

'Roedd Daines Barrington, cyfaill a noddwr Evan Evans, yn gyfeillgar â Thomas Gray. Ar gais Barrington y dechreuodd Ieuan drosi barddoniaeth Gymraeg, a bodloni awydd Thomas Gray i gael enghreifftiau o farddoniaeth y Cymry a wnâi Barrington. Wrth anfon ei gyfieithiad o 'Arwyrain Owain Gwynedd' at Thomas Percy, dywedodd Ieuan ei fod yn anfon gyda'r gwreiddiol 'a translation as literal as that wherewith the Greek poets are commonly rendered into Latin, which was the way I was advised to translate them by a friend [Barrington] who wanted to send some by way of specimen to M^r. Gray'.[118] 'He says [Barrington eto] that Mr Grey of Cambridge admires *Gwalchmai's* Ode to *Owain Gwynedd*, and I think deservedly,' meddai Ieuan wrth Richard Morris, gan ychwanegu: 'He says that he will shew the Dissertation to Mr Grey, to have his judgment of it, and to correct it where necessary'.[119] Cyfieithiad Lladin Ieuan Fardd o awdl Gwalchmai, wedi i Daines Barrington ei ddangos iddo, a ysbrydolodd Thomas Gray i ganu *The Triumphs of Owen*, cerdd a seiliwyd ar yr awdl.

---

[116] Amheuai William mai hanesyn ffug gan Gray ei hun oedd y stori, a beiodd ei frodyr Lewis a Richard a'u tebyg am beidio â chyhoeddi gwir hanes Cymru. 'Ymhle y cafwyd y chwedl hwnnw ddarfod i Edward I ddihenyddu'r beirdd?' gofynnodd i Lewis. 'Ai Gray ai dyfeisiawdd? Ai bai sydd ar Saeson fenthycca, a chwitha fy 'neidia yn pallu cyhoeddi hanesion yn y byd?' (*ML* II, llythyr DCLXXVI, o Gaergybi, Mehefin 12, 1763, t. 561).

[117] Dyfynnir yn *Thomas Gray, Scholar*, W. Powell Jones, 1937, t. 93.

[118] *The Correspondence of Thomas Percy & Evan Evans*, llythyr II, Awst 8, 1761, t. 6.

[119] *ALMA* 2, llythyr 230, Evan Evans at Richard, o Drefriw, Ebrill 23, 1760, t. 453.

Ymfalchïai Gray yn y modd yr oedd y Saeson yn darganfod gogoniannau cudd y Cymry. 'Roedd wedi cael cip ar ffug-gyfieithiadau Macpherson mewn llawysgrif, ac er ei fod yntau hefyd yn amheus o ddilysrwydd y gwaith, cyfaddefodd ei fod wedi gwirioni ar y cerddi, gan ddweud 'this Man is the very Demon of Poetry, or he has lighted on a treasure hid for ages', gan ychwanegu: '... the Welch Poets are also coming to light: I have seen a Discourse in Mss. about them (by one Mr. Evans, a Clergyman) with specimens of their writings. this is in Latin, & tho' it don't approach the other, there are fine scraps among it'.[120] Lluniodd Gray dair cerdd, *The Death of Hoel, Caradoc a Conan*, ar ôl darllen cyfieithiadau Lladin Ieuan Fardd o rai rhannau o'r Gododdin yn ei draethawd.

Yn wahanol i Macpherson, gallai Ieuan brofi dilysrwydd ei gyfieithiadau ef. Gohebodd â Richard Morris pan oedd ei lyfr ar fin ymddangos:[121]

> Ir wyf bellach yn myned o ddifrif i ymddangos mewn print, mi a ddanfonais ddarn o'r Traethawd ynghylch y Beirdd at yr Ygnad Barrington, ag a gyfieithais bum awdl o waith yr hen-feirdd yn Saesoneg yr un modd ag i gwnaeth Maccwy'r person i'w Ossian; ag i ddangos rhyw ragor rhyngof fi ag yntau llyma fi yn danfon yr *originals*, y peth ir wyf yn ei ammau pa un ai maidd ef ei wneuthur ai peidio.

'Yn ddiau,' meddai Evan Evans mewn llythyr arall at Richard, 'ni fedraf i ddim llai na lletdybio fod yr Ysgodog er cymmaint ei barch ai fri ym mhlith y Saeson, yn medru chware hud a lledrith, ag nad yw gwaith Ossian mor hyned ac i taera ef ei fod'.[122] Bwriad cyfieithiadau Ieuan oedd bodloni dyhead rhai hynafiaethwyr o Loegr am farddoniaeth Gymraeg hynafol, a phrofi, yn wahanol i haeriad Macpherson ac eraill, fod traddodiad barddol maith a llewyrchus yn perthyn i'r iaith; gobeithid ysgogi'r un diddordeb ym marddoniaeth y Cymro ag a enynnwyd gan Macpherson ym marddoniaeth y Gael, ond gyda'r gwahaniaeth hollbwysig fod cyfieithiadau Ieuan yn ddilys. 'Gobeithio meddwch y daw rhywun i beri gosteg ar y Maccwy,' meddai William Morris wrth Evan Evans, gan awgrymu mai'r Prydydd Hir oedd y person mwyaf cymwys at y gwaith.[123] Mewn llythyr at Richard, ymfalchïai William fod 'Ieuan Brydydd Hir, offeiriad o Wynedd gain, yn myned i ddangos ir holl fyd yn Saesonaeg, amgenach petha na Macpherson'.[124] 'Roedd menter Ieuan Fardd wedi deffro balchder y Morrisiaid yn eu gwlad a'u hiaith, er bod Lewis yn teimlo peth cenfigen tuag at Ieuan am fod y Saeson yn ei orseddu fel y prif awdurdod ar farddoniaeth a hynafiaethau Cymru. Cydnabu Ieuan, yn y llythyr o gyflwyniad i'r tri brawd, Richard, Lewis a William, yn y gyfrol, mai llwyddiant 'cyf-ieithiadau' Macpherson a'i hysgogodd i lunio'r gwaith, er ei fod yn bwrw amheuaeth ar

---

[120] *Correspondence of Thomas Gray*, Goln Paget Toynbee a Leonard Whibley, 1935, cyf. II, t. 680.

[121] *ALMA* 2, llythyr 301, Evan Evans at Richard, o Lanfair Talhaearn, Mehefin 21, 1763, t. 576.

[122] Ibid., llythyr 309, Evan Evans at Richard, o Lanfair Talhaearn, Medi 6, 1763, t. 595.

[123] Ibid., llythyr 308, William at Evan Evans, o Gaergybi, Awst 30, 1763, t. 594.

[124] *ML* II, llythyr DCLXX, William at Richard, o Gaergybi, Mai 4, 1763, t. 557.

ddilysrwydd cyfieithiadau Macpherson. Awgrymu hynny a wna yn y rhagymadrodd Saesneg i'r gwaith, trwy ofyn sut 'roedd y Gymraeg wedi newid cymaint gyda threigl y canrifoedd, tra oedd yr Aeleg wedi aros yn ei hunfan? Yn yr adrannau Cymraeg i'r llyfr, ar y llaw arall, mae'n collfarnu anonestrwydd Macpherson yn ddifloesgni: '... rhaid addef eu bod wedi eu cyfieithu yn odidog,' meddai, 'ond y mae arnaf i ofn, wedi'r cwbl, fod yr *Ysgodog* yn bwrw hug ar lygaid dynion, ac nad ydynt mor hen ag i mae ef yn taeru eu bod'.[125] Er bod Richard yn ymfalchïo yng ngorchest Ieuan Fardd, ni allai ymatal, yn ei lythyr at y Goronwy mud, rhag ei geryddu am ei fod 'yn awr wedi mynd dros y llestri yn llwyr, trwy hylldod brwysgaw'.[126]

Ffug neu beidio, 'roedd gwaith Macpherson wedi gwneud cymwynas fawr â Chymru a'i llenyddiaeth, ac wedi creu awyrgylch y gallai'r Gymraeg ffynnu ynddi. Yng nghefn meddwl Richard 'roedd y trueni na allai Goronwy ymgyfranogi o'r deffroad llenyddol newydd hwn, ac yntau ym mhellafion Virginia. Erbyn hyn, 'roedd gwerth ar ysgolheictod Ieuan Fardd, a châi ei dalu am ei waith. Gallai Goronwy hefyd, pe bai'n dychwelyd i Brydain, dderbyn tâl teilwng am ei wasanaeth a'i lafur fel ysgolhaig, beirniad a bardd. Yn ei lythyr olaf hwn, cafodd byliau o edifeirwch ac o euogrwydd oherwydd iddo fethu creu swydd ar gyfer Goronwy pan aeth hwnnw i Lundain ym 1755. Ymddiheuriad, ymbiliad a dyhead yw'r rhan hon o'r llythyr:[127]

> Mae eich eisiau chwi yma'n dost, i roi allan argraphiad newydd o Eirlyfr a Gramadeg y Doctor Dafis, &c., a chwi a gaech dâl da am eich gorchwyl; dyma'r defnyddiau'n barod, ond eisiau Pensaer i'w rhoddi ynghyd; ond beth a dâl son am bethau aṁhosibl i'w cyflawni? Mae'r Cyṁrodorion yn cynnyddu mewn nifer a charedigrwydd, ac yn hiraethu'n drwm am danoch i'w plith; gresyndod mawr eich danfon cyn belled oddiwrthynt ar awr ddrwg: a melltith ei Fam iddo yntau'r Dawson am eich ymlid ymaith o Goleg Williamsburg. Bendith yr Arglwydd ichwi mynegwch eich cyflawn hanes, fel y gallem ystyried a oes yma well bywoliaeth i'w chael nag y sydd yna. Beth pei caech fod yn Geidwad Llyfrgell Syr. Wat. W. Wynn yn Llanforda, a chyflog da ir fargen? Beth meddwch?

Yn ei feddwl 'roedd Richard yn ceisio hudo Goronwy o Virginia bell, ac yn tynnu darlun rhosynnog o'r Gymru Newydd iddo: Cymru Gristnogol, Cymru lenyddol, ieithgarol, Cymru yr oedd hyd yn oed y Saeson yn cloddio ynddi am ei thrysorau. Rhan o'r adfywiad oedd y 'clamp o Feibl Cymraeg pedwarplyg, naw mil o rifedi, newydd ei brintio â nodau arno yng Nghaerfyrddin; ac ugain mil o rai wythblyg wedi eu printio yn Llundain i'r gwerinos tlodion: a mwy nag erioed o brintio Cymraeg yn myned ymlaen mewn llawer o

---

[125] *Some Specimens of the Poetry of the Antient Welsh Bards*, t. 104.
[126] *ALMA* 2, llythyr 392, Richard at Goronwy, o Lundain, 1772, t. 772.
[127] Ibid., t. 772.

fannau'.[128] Y Beibl hwn, wrth gwrs, oedd Beibl Peter Williams a gyhoeddwyd yng Nghaerfyrddin ym 1770, a'r llall oedd yr argraffiad rhatach o'r Beibl a gyhoeddwyd yn Llundain dan olygyddiaeth John Evans, caplan yng Nghapel y Brenin yn Whitehall, aelod arall o Gyngor y Cymmrodorion a chymydog i Richard Morris. 'Fe ddaeth allan nifer o lyfrau Eurgrawn (Magazines) bob pythefnos yng Nghaerfyrddin, am dair ceiniog,' âi Richard ymlaen, 'ond o ddiffyg un fel chwi i'w trin, marw a orug y Gwaith ysywaeth cyn cyrraedd pen ei Flwydd!'[129] Y cylchgrawn hwn oedd *Trysorfa Gwybodaeth*, neu *Yr Eurgrawn*, a rhoi iddo'r teitl mwy cyfarwydd a roddodd Richard Morris ei hun iddo, y dechreuwyd ei gyhoeddi dan symbyliad Josiah Rees (1744–1804) yng Nghaerfyrddin ym mis Mawrth 1770.

Atebodd Richard, ryw bum mlynedd ar ôl derbyn llythyr olaf y bardd, rai o ymholiadau Goronwy yn ei lythyr. Mae'n amlwg ei fod wedi ateb ymholiadau eraill yn ei lythyrau blaenorol at y bardd. 'Roedd Parri'r Mint 'yn gorchymyn attoch yn garedig, mae ef wedi priodi hen Forwyn, ac nid oes plant iddo'.[130] 'Mae Wiliams o lon y bais yn gawr, y wraig gyntaf yn y bedd, ac un arall gantho a phlant o honi,' meddai, gan fân hel sôn am un arall y bu Goronwy yn holi yn ei gylch. Amdano'i hun, meddai Richard, 'a minnau gennyf Angharad 18, Marged 15, a Rhisᵗ 10 oed, a chleddais i gyd ynghylch ugain o'r eppil; a dyma fi wedi claddu mam y plant yma ysywaeth fis hydref diwaethaf'.[131] Darlun trist yw hwn o Richard Morris, a'r blynyddoedd tywyll yn cau amdano, yn llefaru mewn gwacter, ac eco'r gwacter hwnnw yn wylofain drwy gilfachau'i gof. 'Roedd tonnau'i atgofion yn golchi drosto, ac yntau ar ynys unig ei henaint yn tremio tua'r gorwel, rhag ofn y gallai weld y llong a fyddai'n cludo Goronwy Ddu yn ôl yn nesáu. 'Erchyll mae'r angau glas yn bwrw i lawr fy hen gyfeillion i, ni adawodd imi nemawr un o naddynt i ddywedyd fy chwedl wrtho ac i gwyno fy ngholled,' meddai.[132] 'Roedd Richard Morris wedi 'sgwennu at ddyn yn ei fedd.

---

128 Ibid., t. 773.
129 Ibid.
130 Ibid.
131 Ibid.
132 Ibid.

'Cair yn sôn Am Oronwy, Llonfardd Môn, llawn fyrdd a mwy.'

Cwlt a Myth Goronwy Owen

Delwedd mewn drych toredig, darlun mewn dŵr mân-donnog, fu Goronwy Owen am ganrif a rhagor ar ôl ei farwolaeth. Ambell gip yn unig ar ei bersonoliaeth a'i gymeriad a geid, ambell friwsionyn o'i hanes. Bu'n anodd dod o hyd i'r gwir Oronwy, a chymerodd ddwy ganrif a rhagor i glytio'r stori gyflawn wrth ei gilydd. Aeth y Goronwy hanesyddol ar goll yn rhywle yn y tir neb hwnnw a leolid rhwng eilun-addoliaeth ei ddilynwyr a rhagfarnau ei wrthwynebwyr, rhwng chwedl a rhamant am ei fywyd ar y naill law, a diofalwch ac esgeulstod ysgolheigion ar y llaw arall.[1] Yn aml, mae'n anodd dod o hyd i'r person hanesyddol yng nghanol y cruglwyth o ffeithiau anghywir a cham-dybiaethau sydd wedi crynhoi o'i amgylch, a hefyd oherwydd y chwedloniaeth a'r rhamantiaeth sydd wedi tyfu o'i gwmpas. 'Roedd Goronwy, i bob pwrpas, yn chwedl yn ei oes ei hun, ac 'roedd arwyddion ei fod yn prysur ddatblygu yn ffigwr cwlt ymhell cyn i'r ddeunawfed ganrif ddirwyn i ben. Bu Richard Morris yn holi amdano hyd ddiwedd ei ddyddiau, ac nid Richard mo'r unig un i geisio dyfalu ei hynt a'i hanes yn America, ond cyfeillion eraill fel Hugh Hughes a Hugh Williams. Hyd yn oed ugain mlynedd ar ôl ei farwolaeth, 'roedd sibrydion fod y bardd yn fyw o hyd, a bod rhai wedi derbyn llythyrau oddi wrtho. Esgeuluswyd Goronwy gan bawb ond rhai o'i gyfeillion am gyfnod byr yn nhraean olaf y ddeunawfed ganrif, yn enwedig ar ôl iddo ddiflannu i America. 'Rhyfedd mor fuan yr anghofiant eu godidawg Oronwy,' meddai gŵr o'r enw John Forsyth o Fôn wrth ohebu â Gwallter Mechain, ar Fedi 7, 1791, gan ychwanegu mai 'Braidd y medrai neb yn yr oror

---

[1] Er enghraifft, mae gwallau amlwg iawn hyd yn oed yng nghofnod D. Gwenallt Jones ar Goronwy yn *Y Bywgraffiadur Cymreig hyd 1940*, fel yr honiad iddo fynd 'yn 1734 neu 1735 i ysgol rad ym Mhwllheli, ac oddi yno yn 1741 i Ysgol y Friars, Bangor' (t. 661), a'r haeriad iddo gychwyn ar ei waith yng Ngholeg William a Mary 'tua 9 Ebrill 1748', yn hytrach na 1758 (t. 662).

hon son am neb arall am farddoni 30 mlynedd i 'nawr'.[2] Ond, yn ddiarwybod i'r llythyrwr, 'roedd y camau cyntaf tuag at sefydlu Goronwy fel ffigwr cwlt eisoes wedi eu cymryd. Yn wir, 'roedd Goronwy ei hun, yn eironig anfwriadol, ond yn broffwydol bron, wedi rhagweld y byddai diddordeb mawr yn ei waith ar ôl ei ddyddiau. Meddai yn ei efylchiad o un o gerddi Horas, Cywydd i'r Awen:

> Cymru a rif ei phrifeirdd,
> Rhifid ym Môn burion beirdd;
> Cyfran a gaf o'u cofrestr,
> A'm cyfrif i'w rhif a'u rhestr;
> Mawrair a gaf ym Meirion
> Yn awr, a gair mawr gwŷr Môn ...
> Cair yn sôn am Oronwy,
> Llonfardd Môn, llawn fyrdd a mwy;
> Caf arwydd lle cyfeiriwyf,
> Dengys llu â bys lle bwyf.

Dechreuwyd troi Goronwy yn ffigwr cwlt cyn bod y ddeunawfed ganrif wedi dod i ben. 'Roedd a wnelo sefydlu Cymdeithas y Gwyneddigion yn Llundain ym 1770 lawer iawn â'r symudiad cynharaf i warchod a thrysori barddoniaeth a llythyrau Goronwy, a'u cadw ar gyfer y dyfodol. Olynydd naturiol Cymdeithas y Cymmrodorion yn llinach y cymdeithasau oedd Cymdeithas y Gwyneddigion. Sefydlwyd y Gymdeithas newydd yn Rhagfyr 1770, a daeth i rym, i bob pwrpas, ym mis Chwefror y flwyddyn ddilynol. 'Roedd Cymdeithas y Cymmrodorion yn bod o hyd, ond, fel ei sylfaenydd, Richard Morris, 'roedd hi erbyn hyn yng ngafael y dyddiau blin, ac yn prysur ddirwyn tua'i thranc. Teimlai cenhedlaeth newydd o Gymry Llundain mai sioe oedd Cymdeithas y Cymmrodorion i'r crachach a'r pwysigion ymhlith Cymry Llundain, ac nad oedd gan lawer ohonyn nhw wir ddiddordeb yn llenyddiaeth a hynafiaethau Cymru. Yn ogystal, teimlai hyrwyddwyr y Gwyneddigion mai cymdeithas i ddysgedigion oedd y fam-gymdeithas, o leiaf o ran delfryd er bod llawer o ymhonwyr a gwŷr difalio yn perthyn iddi, ac 'roedd angen cymdeithas fwy llawen a gwerinol, a fyddai'n rhoi digon o le i ganu penillion i gyfeiliant y delyn, ac i ddifyrrwch llai uchel-ael. Er nad gwrthryfel, yng ngwir ystyr y gair, oedd y weithred o sefydlu'r gymdeithas newydd, teimlai'r sylfaenwyr fod angen cymdeithas a fyddai unwaith yn rhagor yn coledd yr hen ddelfrydau, ac yn rhoi gwedd fwy gwerinol Gymreig ar ei gweithgareddau.

Sylfaenwyd y gymdeithas newydd gan Owen Jones (Owain Myfyr; 1741–1814), a Robert Hughes (Robin Ddu yr Ail o Fôn; 1744–1785). 'Roedd y ddau yn aelodau o Gymdeithas y Cymmrodorion, ac yn swyddogion gyda'r Gymdeithas honno, y naill yn ysgrifennydd cynorthwyol iddi, a'r llall yn gyd-lyfrgellydd i'r Gymdeithas. Daethai

---

[2] 'Hen Llythyrau' (sic): o Gronfa Gwallter Mechain', *Cymru*, cyf. XXIX, rhif 168, Gorffennaf 15, 1905, t. 51.

Owain Myfyr, brodor o Lanfihangel Glyn Myfyr, Sir Ddinbych, yn wreiddiol, i Lundain tua 1765, ac aeth i weithio yno fel prentis i gwmni 'Kidney and Nutt, furiers, in Thames Street', a bu mor llwyddiannus yn y gwaith nes iddo etifeddu'r busnes ym 1782 neu 1783. 'Roedd Owain Myfyr, felly, yn fasnachwr llwyddiannus a chyfoethog, a defnyddiodd lawer o'i arian i hybu llenyddiaeth Gymraeg, drwy gopïo hen lawysgrifau a chyhoeddi llyfrau. 'Roedd Owain Myfyr yn un o olygyddion argraffiad 1789 o waith Dafydd ap Gwilym, a thalodd am yr argraffu hefyd. Costiodd cyhoeddi dwy gyfrol *The Myvyrian Archaiology* ym 1801 dros fil o bunnau iddo. Richard Morris a Chymdeithas y Cymmrodorion a enynnodd ddiddordeb Owain Myfyr yn llenyddiaeth ei wlad, ac 'roedd yn wir etifedd i Richard fel pennaeth y bywyd diwylliannol Cymreig yn Llundain.

Robin Ddu oedd yr ail sefydlydd, brodor o Geint Bach, yn ymyl Penmynydd, Môn, ac un o ddisgyblion y Bardd Coch. Ar ôl cadw sawl ysgol ym Môn, bu'n gweithio fel clerc i gwmni o fargyfreithwyr ym Manceinion, ac fe'i trosglwyddwyd gan y cwmni i'w swyddfa yn Llundain, yn Essex Court, Temple, ym 1764. Cyhoeddwyd cywydd a dau englyn o'i waith yn y *Diddanwch Teuluaidd*, ac aeth yntau hefyd i gysylltiad â Richard Morris ar ôl cyrraedd Llundain. Bu'n cynorthwyo Owain Myfyr i gasglu gweithiau'r beirdd ar gyfer eu cyhoeddi, ac 'roedd yn un o edmygwyr pennaf, a chynharaf, Goronwy.

Cymdeithas y Cymmrodorion, i bob pwrpas, a roddodd gychwyniad i'r Eisteddfod gystadleuol, rhagor y mân eisteddfodau tafarnol, sef Eisteddfodau'r Almanaciau (oherwydd mai mewn almanaciau y câi'r eisteddfodau hyn eu hysbysebu, gan gofnodi eu hanes a'r gwaith a gynhyrchid ynddyn nhw ar ôl yr achlysur) a gynhelid yng Ngogledd Cymru ac yng Ngheredigion yn y ddeunawfed ganrif. Ym 1780 cynigiodd y Gymdeithas 'fath arian' yn wobr am y farwnad orau i Richard Morris a 'bath aur' am y cyfieithiad gorau o'r Gododdin i Saesneg, ynghyd â thraethawd a olrheiniai hanes y frwydr ac esbonio rhai enwau yn y gerdd, enwau personol yn ogystal ag enwau lleoedd. Owain Myfyr oedd un o ysgrifenyddion y Gymdeithas ar y pryd, ac ef a hysbysodd y beirdd ynghylch y bwriad hwn. Derbyniwyd nifer o farwnadau i Richard Morris, gan feirdd fel Jonathan Hughes, Dafydd Ionawr, Siôn Ceiriog, sef John Edwards, un o sylfaen-wyr Cymdeithas y Gwyneddigion, a Richard Jones, Trefdraeth, Môn. Beirniadwyd y gystadleuaeth gan Owain Myfyr a Robin Ddu, a dyfarnwyd y wobr gyntaf i Richard Jones, a oedd wedi llunio awdl farwnad, ond anghytunwyd â'r dyfarniad gan rai o aelodau'r Gymdeithas, a ffafriai gân benrhydd Siôn Ceiriog. Dyma, felly, gychwyn sawl peth; i ddechrau, sefydlu'r egwyddor gystadleuol, gan osod testun ymlaen llaw, penodi beirniaid, nodi dyddiad cau (gofynnwyd i'r beirdd anfon eu marwnadau erbyn y dydd Mercher cyntaf ym Mehefin, a'r cyfieithiadau a'r traethodau esboniadol erbyn dechrau Ionawr, 1781), a chynnig tlws yn wobr; a dyma hefyd gychwyn y traddodiad eisteddfodol maith ac anrhydeddus hwnnw o anghytuno â'r beirniaid a mynnu fod beirdd wedi cael cam! Er hynny, sefydlwyd egwyddor bwysig gan yr anghytundeb hwn, sef nad oedd pennu rhagoriaeth rhwng awdl a cherdd rydd yn waith hawdd o gwbl, a bod angen dwy gystadleuaeth, mewn gwirionedd, un ar gyfer y gerdd gaeth a'r llall ar gyfer y gerdd rydd. A dyna ddechreuad yr awdl a'r bryddest eisteddfodol, a dau o brif edmygwyr Goronwy, Robin Ddu ac Owain Myfyr, yn chwarae rhan allweddol yn yr hanes.

Ym mis Ionawr 1789 cynhaliwyd eisteddfod yn Llangollen gan rai o feirdd Powys a'r cyffiniau, eisteddfod ar batrwm yr hen eisteddfodau tafarn. Un o drefnwyr y cyfarfod oedd Thomas Jones, o Glocaenog yn ymyl Rhuthun, ecseismon yng Nghorwen ar y pryd. Ym 1789 'sgwennodd at Gymdeithas y Gwyneddigion ynglŷn â'r posibiliad o sefydlu mudiad a fyddai'n hybu barddoniaeth a chanu gyda'r tannau. Atebwyd Thomas Jones ar ran y Gymdeithas gan William Owen [-Pughe]. 'Roedd wedi clywed am y cyfarfod a gynhaliwyd yn Llangollen, ac am gyfarfod tebyg y bwriedid ei gynnal yng Nghorwen ym 1789. Cytunodd â Thomas Jones y dylai'r Gwyneddigion fod yn gyfrifol am drefnu eisteddfod fel sefydliad cystadleuol, ac y dylid cyflwyno telyn arian i enillydd y gadair. 'Roedd yn rhaid i sefydliad o'r fath wrth reolau arbennig, a chynigiodd William Owen [-Pughe], ymhlith pethau eraill, y dylid cyhoeddi'r eisteddfod, a'r testun, flwyddyn ymlaen llaw, ac y dylai'r beirdd gystadlu yn ddienw, rhag i'r beirniaid eu hadnabod. Byddai'r beirniaid, wedyn, yn rhoi gwybod i swyddogion yr Eisteddfod pwy, o blith y cystadleuwyr, a wobrwyid ganddyn nhw. 'Roedd yr Eisteddfod fodern wedi ei geni, ac ymhlith y bydwragedd 'roedd dau o edmygwyr mwyaf Goronwy.

Eisteddfod gyntaf y Gwyneddigion oedd yr eisteddfod arbennig a gynhaliwyd yn Y Bala ym mis Medi 1789. Gofynnwyd i'r beirdd lunio cerdd ar y testun 'Ystyriaeth ar Oes Dyn', ac anfon eu cynhyrchion at y Gymdeithas yn Llundain, fel y gallai aelodau'r Gymdeithas eu barnu, a dewis y buddugwr, yn un o'i chyfarfodydd misol. Cynigid tlws arian a chadair i'r enillydd, ac yn y cyfnod hwn, felly, y sefydlwyd y traddodiad o roi cadair i'r bardd buddugol mewn cystadleuaeth eisteddfodol. Derbyniwyd deuddeg o gynigion, ac yn eu plith gywydd byr gan Rhys Jones o'r Blaenau, awdlau ar y pedwar mesur ar hugain gan Twm o'r Nant a Dafydd Ddu Eryri, a cherdd ac iddi ddwy adran gan Gwallter Mechain, cywydd i ddechrau ac awdl ar y pedwar mesur ar hugain yn dilyn. Awdl enghreifftiol o'r fath, yn hytrach nag awdl yn null Beirdd yr Uchelwyr, oedd y norm yn nhyb y beirdd hyn wrth ganu awdl, yn bennaf oherwydd mai *Gramadeg Cymraeg* Siôn Rhydderch oedd prif gyfarwyddlyfr y beirdd yn y ddeunawfed ganrif, a cheir yn hwnnw chwech o awdlau enghreifftiol. Gwallter Mechain a enillodd y tlws a'r gadair yn Y Bala, er mawr siom i eraill, yn enwedig Twm o'r Nant, a dybiai iddo gael cam.

'Doedd y cyfansoddiadau ddim wrth fodd Owain Myfyr, oherwydd i nifer o'r beirdd lunio awdlau ar y pedwar mesur ar hugain. 'Roedd Goronwy wedi collfarnu nifer o'r hen fesurau awdlaidd fel dyfeisiau diwerth, yn enwedig o safbwynt creu cerdd epig. 'Roedd gwerth a phwrpas i rai o'r mesurau, ond 'As to the rest, I mean Gorchest y Beirdd, Huppynt Hir a Byrr, and the newest (falsely thought the most ingenious & accurate) kind of all the other Metres, I look upon 'em to be rather depravations than improvements in our Poetry, being really invented by a sett of conceited fellows, void of all taste in Poetry, at a time when the Tunes of the Antient Metres were no more known than those of the

Odes of Horace are now'.[3] 'What a cursed, grovelling, low thing that *Gorchest y Beirdd* is,' meddai ymhellach, oherwydd 'when I have a mind to write good sense in such a Metre ... and so begin, and the Language itself does not afford words that will come in to finish with sense & *Cynghanedd* too, what must I do? Why, to keep Cynghanedd, I must talk nonsense to the end of the Metre, as my Predecessors in Poetry were us'd to do, to their immortal Shame; & cramp & fetter good sense, while the Dictionary is all overturn'd & tormented to find out words of a like ending, sense or nonsense'.[4] Dilyn Goronwy yr oedd Owain Myfyr ac eraill wrth gondemnio'r beirdd am lunio awdlau enghreifftiol. Anfonodd Owain Myfyr gyfarwyddiadau at un o'r darpar-gystadleuwyr, Gwallter Mechain, ar y modd y dylid canu awdl (er bod Gwallter Mechain wedi cwblhau'i gerdd ar gyfer eisteddfod Y Bala erbyn iddo dderbyn y llythyr), a Goronwy oedd y patrwm:[5]

> Gwelaf yn eix Llythyr cyntaf, eix bod ar feidr cyfansoddi ar Destun y Gymdeithas yn ol 24 mesur. o'r goreu os bwriwx ymaith y crax fesurau a dal at y rhai hwyaf *a'i cymeryd blith drablith* fal y bo hawsaf i xwi gymwyso'r meddwl a'r synwyr at y mesur a'r Gynghanedd, ni ddixon amgyffred ac egni y meddwl mwyaf grymus fraidd wthio synwyr a nerth i orxest y Beirdd a'r mesurau Byrion eraill ... Gwelwx waith Gro. Owain Bonedd a Xyneddfau yr Awen Cywydd Gwahawdd Wm Parry am Iaith weddus ir Testun. oni feddwx eisoes yn eix cof waith Gronwy dysgwch bob Lythyren ohonaw ...

Yn ôl y llythyr a anfonwyd gan y Gymdeithas i annerch y beirdd yn Y Bala, dywedwyd nad 'yw y Gymdeithas hon yn canfod lles yn y byd o ganu yn y rheol arferol o hyntio drwy y pedwar mesur ar hugain,' ac y dylid 'ethol y mesurau gorau a hynny mal y damweiniau iddynt weddu i'r synwyr'.[6] Argraffwyd beirniadaeth y Gymdeithas ar gystadleuaeth Y Bala – yr enghraifft gynharaf o feirniadaeth eisteddfodol – a chynghorwyd y beirdd, yn eisteddfodau'r dyfodol, i ganu yn ôl un dull, un ai cywydd neu awdl, yn hytrach na chymysgu'r ddwy ffurf, a hefyd i ymwrthod ag amryw o'r pedwar mesur ar hugain, 'ac heb ddal i ganu ar y mesurau hynny i ganlyn eu gilydd yn y drefn arferol; ond yn hytrach, boed i'r mesurau weini i'r synwyr mal y gweddai o borth sain ac ansawdd. Nyni a welsom Awdl anorphen, o waith *Gronwy Owain*, i Dywysog Cymru, ar y Gwawdodyn hir yn unig ...'[7] Goronwy oedd y rheol a'r ddeddf.

Goronwy, felly, oedd tad yr Eisteddfod fodern i raddau helaeth. Yn ôl Saunders Lewis, 'ef yn anad neb yw ffynhonnell prif ffrwd barddoniaeth Gymraeg o'r ddeunawfed ganrif

---

[3] *LGO*, llythyr XXXI, at Richard, o Walton, Ionawr 2, 1754, t. 87.

[4] Ibid., tt. 87-88.

[5] Dyfynnir yn 'Eisteddfodau'r Gwyneddigion', I, G. J. Williams, *Y Llenor*, cyf. XIV, rhif 1, Gwanwyn 1935, t. 22, yn rhannol, a hefyd yn *William Owen Pughe*, Glenda Carr, 1983, t. 21. Yn wreiddiol Llsgr. Llyfrgell Genedlaethol Cymru 1806.

[6] Ibid.

[7] 'Eisteddfodau'r Gwyneddigion', II, G. J. Williams, *Y Llenor*, cyf. XV, rhif 2, Haf 1936, t. 89.

hyd at ganol y ganrif ddiwethaf, ac o'i waith ef yn arbennig, o'i amcanion a'i uchelgais, y tarddodd yr Eisteddfod'.[8] Ym marn Saunders Lewis eto, derbyniwyd arddull Goronwy fel patrwm gan y beirdd a ddaethai ar ei ôl, a chan mai un arddull oedd y norm, 'yr oedd cystadlu'n bosibl mewn barddoniaeth, canys un safon a wledychai, un arddull oedd yn uchelgais y degau beirdd, a nodweddion yr arddull hwnnw oedd y rheolau neu'r safonau y gellid trwyddynt fesur teilyngdod'.[9] Yn ogystal â rhoi patrwm i'r beirdd, rhoddodd Goronwy uchelgais iddyn nhw yn ogystal, sef creu epig neu arwrgerdd. 'Ni ellir amau,' meddai Saunders Lewis eto, 'nad cyflawni'r awydd am "gerdd arwrol" oedd eu hamcan pan gyhoeddasant wobrau am "awdl",' ac 'mai cystadleuaeth oedd yr offeryn cymwys yn eu golwg er mwyn cynhyrchu cerdd o'r fath'.[10] Lledaenwyd syniadau Goronwy ynghylch llunio epig Gymraeg gan Dafydd Ddu Eryri, yn ôl Saunders Lewis, a chafodd ddylanwad mawr ar eraill fel athro beirdd ac fel beirniad ar gystadlaethau'r Gwyneddigion. 'Efô ... a fu fwyaf cyfrifol am ledaenu gwybod am waith a delfrydau Goronwy Owen,' meddai amdano.[11] Bu'r Eisteddfod yn gyfrifol am 'Godi ysgol o farddoniaeth y gellir ei galw yn ysgol Oronwy Owen' yn ogystal â 'Rhoi praw ar ddamcaniaethau Goronwy Owen ynglŷn â "cherdd arwrol" Gymraeg, a chynhyrchu'r gerdd honno, a sicrhau iddi le pwysig yn llenyddiaeth y cyfnod'.[12] Yn ôl Saunders Lewis eto, sefydlwyd dau fath o 'gerdd arwrol' gan yr Eisteddfod a'i hyrwyddwyr cynnar, 'sef yr awdl gynganeddol a gadwai at *esiampl* Goronwy, a'r bryddest ddigynghanedd a ddilynai ei *ddamcaniaeth*'.[13]

Un o addolwyr cynharaf a selocaf Goronwy oedd Dafydd Ddu Eryri, David Thomas (1759–1822), bardd ac athro beirdd, brodor o'r Waun-fawr, Caernarfon. Enillodd dlysau yn Eisteddfodau'r Gwyneddigion yn Llanelwy ym 1790 (am awdl ar y testun 'Rhyddid') ac yn Llanrwst ym 1791 (am awdl ar y testun 'Gwirionedd'). Gweithredodd Dafydd Ddu gyngor Owain Myfyr ac eraill o arweinwyr y Gwyneddigion, a chanu awdlau ar ddetholiad o'r pedwar mesur ar hugain, gan fwrw ymaith rai o'r mesurau llai defnyddiol a pherthnasol. Mewn gwirionedd, Dafydd Ddu Eryri yw tad yr awdl eisteddfodol, a Goronwy oedd y taid. Gosodwyd gan y ddwy awdl hyn batrwm y gallai cenedlaethau o feirdd eisteddfodol ei ddilyn a'i efelychu, a thrwy awdlau Dafydd Ddu y lledaenwyd syniadau Goronwy i faes yr awdl eisteddfodol. Bu Dafydd hefyd yn aelod gohebol o'r Gymdeithas, yn gwerthu llyfrau, casglu deunydd a threfnu eisteddfodau ar ei rhan yng Ngogledd Cymru. Fel yr awgrymodd Saunders Lewis, Dafydd Ddu a fu'n fwy cyfrifol na neb am ddwyn sylw beirdd Cymru at waith Goronwy. Ym 1810, cyhoeddwyd *Corph y Gaingc*, neu *Ddifyrwch Teuluaidd* ... ganddo, sef casgliad o waith nifer o feirdd. Cynhwysodd bump o gerddi Goronwy, mewn lle anrhydeddus, sef ar ddechrau'r llyfr fel prif seren y

---

[8] 'Yr Eisteddfod a Beirniadaeth Lenyddol', *Meistri'r Canrifoedd*, Gol. R. Geraint Gruffydd, 1973, t. 333.

[9] Ibid., t. 334.

[10] Ibid., t. 335.

[11] Ibid.

[12] Ibid., t. 336.

[13] Ibid., t. 337.

sioe; dyfynnodd ddau o gwpledi Goronwy ar yr wynebddalen, a'i ddyfynnu eto yn y rhagair 'At Garwyr a Choleddwyr Barddoniaeth Gymraeg'. Bwriadai ar un cyfnod lunio cofiant i Goronwy gan ddilyn yr hanes yn ôl fel y'i ceid yn llythyrau'r bardd, ar ôl eu cael gan John Williams, Llanrwst; Dafydd Ddu, mewn gwirionedd, oedd darpar-gofiannydd cyntaf y bardd, ond ni lwyddodd yn ei amcan. 'Drwg anaele gennyf glywed fod y Llew yn enllibio yr enwoccaf Oronwy ar ôl ei ymadawiad o Frydain,' meddai Dafydd Ddu wrth John Williams, ar Fai 10, 1791, ar ôl bod wrthi yn darllen y llythyrau, ond ni châi neb bardduo enw Goronwy ganddo; 'tebygwn,' meddai, 'fod llawer iw ddywedyd o blaid Goronwy, rwy'n barod i feddwl mai o wendid yr oedd ef yn digwydd llithro weithiau ac nid o chwant a syched yn unig'.[14] Nid Dafydd Ddu Eryri oedd yr unig un i geisio achub cam Goronwy ar ddiwedd y ddeunawfed ganrif, wrth i'r diddordeb newydd hwn ynddo ef a'i waith ddechrau cynyddu. 'Your often thinking of the immortal Goronwy I do not wonder at,' meddai Richard Davies, Bangor, wrth John Williams ar Ionawr 26, 1791. 'Every one who has read his works,' parhaodd, 'and is acquainted with his history must be astonished to think that the author, rather late in life, with a wife and a numerous family, destitute of friends and money, should be necessitated to cross the Atlantic ... while his native country, in which he so ardently wished to end his days, supported in ease and affluence many ecclesiastics who neither regarded the welfare of its inhabitants nor the improvement of its language'.[15] Cafodd Goronwy, yn ôl y gohebydd hwn, ei eni i gyfnod anffodus yn hanes Cymru a'i hiaith: 'The revival of the ancient *barddonic* spirit (the effects of which a neighbouring nation in former times had long and severely felt, and, perhaps, had not then forgotten) was looked upon by those high in authority as dangerous to the tranquility of the state; and, consequently, all bards were regarded with a jealous eye'. Oherwydd cenfigen a drwgdybiaeth o'r fath, 'Effectual care was taken not to advance them to such stations as would give them an additional influence over the minds of their countrymen. Poor Goronwy, if I am not much mistaken, suffered much owing to this mistaken notion'.[16]

Golygodd Dafydd Ddu hefyd ailargraffiad o *Diddanwch Teuluaidd* ym 1817. Cyfeiria yn y 'Cofion Hanesol am y Parchedig Goronwy Owen' at y modd y ceisiodd Cymdeithas y Gwyneddigion oddeutu 1798 ddod o hyd i wybodaeth am Goronwy yn America, oherwydd 'Mewn perthynas i amser marwolaeth ein bardd ardderchog, Goronwy Owen, nid ydyw yn ymddangos ddarfod i un sicrwydd hollol gyrhaeddyd yr ochr hon i'r cefnfor'.[17] Meddai ymhellach:[18]

---

[14] Llsgr. Llyfrgell Genedlaethol Cymru 475E.

[15] Ibid.

[16] Ibid.

[17] *Diddanwch Teuluaidd*, arg. 1817, t. xxi.

[18] Ibid.

Ynghylch y flwyddyn 1798, rhai o garwyr gwaith Goronwy Owen, a ysgrifenasant drosodd at ei fab, gan ddymuno cael hanes, pa un ai byw ai marw oedd ei dad; canfuwyd fod mab y Goronwy glodfawr, wedi ei lwyr americeiddio, a'r atteb sarrug a roddes ef, oedd, y byddai raid iddo gael gwybod yn gyntaf, pwy a dalai iddo am ei drafferth, cyn yr anfonid un hanes am ei dad anrhydeddus Mr. Goronwy Owen. Dywedir hefyd, fod y mab, am yr hwn y crybwyllwyd uchod, wedi ei gladdu, er ys rhai blynyddoedd.

Robert oedd y mab hwn, llathen o'r un brethyn â Goronwy, a mab ei dad ymhob dim. 'Roedd un arall o feibion Goronwy yn sicr wedi ei 'lwyr americeiddio', sef Richard Brown Owen. Yn ôl llythyr a anfonwyd gan un o ddisgynyddion Goronwy, gŵr o'r un enw, Richard B. Owen, Mobile, at Dr Thomas Owen, Washington, ar Ionawr 8, 1894:[19]

> Richard B. Owen, son of Goronwy Owen, though a mere youth, bore arms in the Revolutionary War and received a ball in his shoulder at the battle of Guilford Courthouse, which remained with him as a painful memento of patriotic services until the day of his death.

Rhan o eilun-addoliaeth Dafydd Ddu oedd iddo gymryd diddordeb ym 1819 mewn bachgen nawmlwydd oed dawnus a ddisgynnai o linach Goronwy, ac a drigai yn Y Dafarn Goch:[20]

> Richard Goronwy Williams sydd fachgenyn tlawd, ac eithaf llwm o ddillad. Mab ydyw ef i orwyres i "Oronwy Eurych," sef taid y godidogaf fardd Goronwy Owain, a mab nith, ferch cefnder, i'r dywededig fardd. Mae'r bachgenyn y'nghylch naw mlwydd oed, ac heb gymhorth hyd yn oed ysgol Sabbothol (oherwydd na fedd wisg addas i guddio ei noethni), wedi dysgu darllen Cymraeg a Saesneg, ac ysgrifenu ychydig. Mae efe hefyd wedi dysgu rhan fawr o Ramadeg R. Dafis, Nantglyn, ar dafod leferydd. Mae yn esiampl nodedig o ran nerth cof ac athrylith naturiol; yn yr hyn bethau y mae efe, meddir, yn tebygoli i'w gâr cyn-oesol, Goronwy Owain.

Mewn gwirionedd, apêl oedd llythyr Dafydd Ddu am i rywun neu rywrai estyn cymorth i'r bachgen, a'i helpu gyda'i addysg. 'Diamheu na all canmolwyr barddoniaeth Goronwy lai na theimlo cynhesrwydd serchiadol tuagat y bachgenyn tlawd, ond athrylithgar,' meddai, gan ddiweddu ei apêl ar ffurf englyn:[21]

---

[19] Cafwyd gan Barbara P. Safford. Ymladdwyd brwydr Guilford Court House, gogledd Carolina, ar Fawrth 15, 1781, pan drechwyd 4,500 o wrthryfelwyr gan 2,000 o filwyr Prydeinig. Ar ochr y gwrthryfelwyr 'roedd milwyr o ogledd Carolina, Maryland a Virginia.

[20] 'Gwehelyth Goronwy Owen', John Davies (Gwyneddon), *Y Geninen*, cyf. XVI, rhif 1, Ionawr 1898, t. 71; cyhoeddwyd y llythyr, dyddiedig Chwefror 18, 1819, yn wreiddiol yn *North Wales Gazette*, Mawrth 13, 1819.

[21] Ibid., tt. 71-72.

Chwi, haelion, uwch heolydd – yn addas
Noddwch hynod ddysgydd;
Danghoswch degwch bob dydd
I'w ddoniau a'i ddywenydd.

Un arall o aelodau blaenllaw Cymdeithas y Gwyneddigion oedd William Owen [-Pughe] (1759–1835), geiriadurwr a chranc a oedd yn odiach bron na'r un cranc a gynhyrchwyd gan y ddeunawfed ganrif, a gŵr a allai beri i grancod fel Iolo Morganwg ymddangos yn batrwm o normalrwydd. Aeth i Lundain ym 1776, ac ymaelodi â'r Gwyneddigion ym 1782. Rhoddodd lawer o gymorth i Owain Myfyr i gyhoeddi rhai o lyfrau'r Gwyneddigion, fel argraffiad 1789 o waith Dafydd ap Gwilym, 'o grynhoad Owen Jones a William Owen', ac estynnai gymorth i Owain Myfyr yn rhinwedd ei swydd fel cofiadur, neu ysgrifennydd, y Gymdeithas o 1784 hyd 1787, ac ef hefyd oedd y llywydd neu'r 'cofiadr' ym 1789. Yn y gyfrol hon, *Barddoniaeth Dafydd ab Gwilym*, yr ymddangosodd ffugiadau enwog Iolo Morganwg, a'u cynnwys ar ddiwedd y gyfrol oherwydd iddo eu hanfon yn rhy hwyr i'w rhoi yng nghorff y llyfr. Bu William Owen hefyd yn weithgar gyda'r *Myvyrian Archaiology*. Un arall o hyrwyddwyr cwlt Goronwy oedd William Owen [-Pughe], a cheisiodd osod y sylfeini ar gyfer cyflawni uchelgais ysol Goronwy, sef llunio epig Gymraeg. Gwnaeth hyn mewn dwy ffordd. Ym 1803, cyhoeddodd ei eiriadur mawr mewn dwy gyfrol, *Geiriadur Cymraeg a Saesoneg*, geiriadur a oedd yn llawn o ffug-eiriau a bathiadau newydd hollol wallgo', a llwyr gyfeiliornai wrth geisio trafod geirdarddiad. Fel Goronwy, yn anffodus, dilynai safbwynt y Llydawr Paul Yves Pezron, awdur *Antiquité de la nation et de la langue des Celtes, autrement appelée Gaulois*, 1703, ac a gyhoeddwyd yn Saesneg mewn cyfieithiad, *Antiquities of Nations*, ym 1706. Credai Pezron fod y Gymraeg, fel un o ieithoedd mwyaf hynafol y byd, yn cynnwys gwreiddeiriau a berthynai i famiaith holl ieithoedd y byd, a bod llawer o eiriau Lladin, er enghraifft, yn tarddu o'r Gymraeg, yn hytrach nag fel arall. 'Does dim amheuaeth ynghylch bwriadau William Owen wrth lunio'r geiriadur hwn. Ei nod oedd rhoi geirfa farddonol aruchel ac urddasol a fyddai'n hollol addas ar gyfer creu arwrgerdd, er mai urddas a syberwyd ffug oedd i'r eirfa honno, fel haen o aur ffug ar ddannedd pwdr.

Y cam nesaf, ar ôl darparu'r geiriadur a rhoi geirfa addas o fewn gafael y beirdd, oedd arwain trwy esiampl ac ysbrydoli trwy enghraifft. 'Doedd Pughe ddim yn ddigon o fardd i lunio arwrgerdd o'i ben a'i bastwn ei hun, ac felly ymroddodd i gyfieithu, ar anogaeth cyfaill yn rhannol, *Paradise Lost* Milton i'r Gymraeg, er mwyn rhoi ei eirfa yn ymarferol ar waith, a throi haniaeth damcaniaeth yn ddiriaeth, a dangos i feirdd Cymru sut beth oedd epig fawr yn eu hiaith eu hunain. Mae'n wir iddo chwarae o gwmpas â'r posibiliad o lunio arwrgerdd wreiddiol, ond ni lwyddodd. 'If I could hope for the least kindness from the Awen, I would patch up an epic poem,' meddai wrth Iolo Morganwg, gan ychwanegu, 'It should be called the *Fall of the Bards*: the accomplishment of the plot should be the epoch of

Cesar's landing in Britain'.[22] Cyfeiriodd yn y 'Rhagfynegiad' at y beirdd hynny a 'glywir yn cwynaw, a Goronwy Owain yn uwch no neb, gwedi myned y gorchestolion gynt tros eu cof, am nad oedd ganddynt fydrau mwy rhyddion a hirion; can nas dichonid meddynt gyfansoddi dim gwaith cynnil a godidawg, er y dangosid lawn rwysg yr awen, o ran bod y mydrau cyffredin yn rhy gaethion a byrion at y fath amcan'.[23] Goronwy, wrth gwrs, oedd y tu ôl i'r ddadl hon ynghylch byrdra ac anaddaster rhai o fesurau traddodiadol Cerdd Dafod ar ddiwedd y ddeunawfed ganrif a dechrau'r ganrif ddilynol, ac yn ôl G. J. Williams, damcaniaethau Goronwy ynghylch gor-gaethiwed rhai o'r mesurau a barodd i Iolo Morganwg feddwl am newid mesurau Cerdd Dafod. Yn anffodus, llanast o gyfieithiad yw'r gwaith hwn, cawdel annealladwy ac annarllenadwy, a rhaid bod Milton hyd y dydd hwn nid yn troi yn ei fedd yn union, ond yn troelli'n ddi-baid ynddo ar gyflymdra o ddau gan milltir yr awr! 'Doedd Cymraeg Pughe ddim yn Gymraeg byw.

Yn naturiol, 'roedd yn rhaid gosod Goronwy Owen ei hun yn destun gan y Gwyneddigion, a dyna a wnaed ym 1803. Yn ôl William Davies Leathart, hanesydd cyntaf y Gymdeithas:[24]

> The theme for the annual medal next engaged the members' attention, the unwearied exertions of whom amply compensated for the thinness of their ranks. "The immortal memory of Gronwy Owain" was resolved upon ... To the prize for the ... theme, that bearing the signature *"Y Cyw,"* was declared entitled; *Gutyn Peris* claimed the honour of being its subscriber, and was invested accordingly. Another, by *Dewi Wyn o Eifion*, at that time, only eighteen years of age, was declared second, after much delay, occasioned by the difficulty in deciding on two such excellent compositions.

Pwdodd Dewi Wyn, gan dybio iddo gael cam, ond mae'r ddwy awdl mor ddiwerth â'i gilydd mewn gwirionedd. Mae awdl Dewi Wyn yn enghraifft arall o'r mawl digymysg a arllwysid ar Goronwy. Ef, yn sicr, oedd pen bardd Cymru:[25]

> Rhagorol seren olau, – huan mawr
>   Yn mysg y planedau;
>   Cedrwydden aeg wen yn gwau,
>   Y'nghanol y canghennau ...
>
> Pan giliodd huan golau – e dd'rysodd
>   Yr iesin blanedau;
>   Yr wybren eglurwen glau
>   Wnai ollwng ei chanhwyllau.

---

[22] Dyfynnir yn *William Owen Pughe*, t. 222.

[23] *Coll Gwynfa*, 1819, t. vii.

[24] *The Origin and Progress of the Gwyneddigion Society*, 1831, tt. 43–44.

[25] 'Awdl Coffadwriaeth am y Parchedig Goronwy Owain', *Blodau Arfon, sef, Gwaith yr Anfarwol Fardd Dewi Wyn*, 1842, tt. 126, 128.

Ac elfen hollbwysig yn y rhamant, wrth gwrs, oedd iddo farw yn alltud yn America:[26]

> I noddfa awenyddfawr – ei thannau,
>   Aeth enaid y cantawr;
>   Rhoed harddwch ei lwch i lawr
>   Tir Amerig, trom orawr.

Mewn gwirionedd, mae Dewi Wyn o Eifion yn nodweddiadol ac yn gynrychioliadol o feirdd eisteddfodol degawdau cyntaf y bedwaredd ganrif ar bymtheg. Uchelgais Dewi Wyn yntau, gan ddilyn ei arwr, oedd llunio arwrgerddi Cymraeg. Mae ei waith yn frith o gyfeiriadau at Goronwy, a cheir dyfyniadau o'i waith uwch llawer iawn o gerddi *Blodau Arfon*. Ceir cyfeiriad ato yn ei waith enwocaf, sef awdl 'Elusengarwch':[27]

> Ys iawnddoeth Elusenddysg – i'w choleg;
>   Uchelion wŷr mawrddysg;
>   A thra ynddynt Athronddysg
>   G'ronw Môn gair yn eu mysg.

Mae dau gywydd Dewi Wyn ar y testun 'Amddiffyniad Bonedd yr Awen' nid yn unig yn cyfeirio'n gyson at Goronwy ond hefyd yn benthyca'i destunau.

Sefydlwyd traddodiad newydd gan awdlau cynnar Dewi Wyn, Gutyn Peris, ac eraill fel Twm o'r Nant. Dyma ddechreuad y traddodiad maith hwnnw o lunio cerddi i Goronwy, traddodiad a barhaodd am ddwy ganrif. Mae awdl Twm o'r Nant eto yn enghraifft o'r modd yr eilun-addolid Goronwy gan y beirdd, gan ei ddyrchafu yn uwch na'r un bardd arall:[28]

> Och! Och! o'n byd uwch erchwyn bêdd, – torrwyd
>   Pen twr y cynghanedd,
>   Och! ganwyr, yn iach Gwynedd,
>   Nid Arfon, na Môn, a'i medd ...
>
> Llong oedd ê, garie, 'n gyw'ren, – bell drysor
>   O bwyll draserch Awen,
>   Gronwy graff, haul-braff, hwyl-bren,
>   A llyw'r Beirdd, llew aur ei ben.

---

[26] Ibid., t. 130.

[27] Ibid., tt. 85-86.

[28] 'Awdl ar y Pedwar Mesur ar Hugain; sef Marwnad i'r Parchedig Fardd ac Offeiriad, Mr. Gronwy Owen, a fu farw ac a gladdwyd yn Llanandreas, yn Swydd Brunswick, yngogledd America', *Gardd o Gerddi; neu, Gasgliad o Ganiadau: sef, Carolau, Marwnadau, Cerddi, Awdlau, Englynion, Cywyddau, &c.*, 1790, arg. 1826, tt. 90-91.

Cerdd arall weddol gynnar i Goronwy oedd yr awdl fer a ganwyd iddo gan Eben Fardd (Ebenezer Thomas; 1802–1863) tua 1830. 'Roedd yr awdl hon eto yn llawn o glod digywilydd ac afradus i'r eilun, ac fe'i galwyd yn 'Bardd, na bu o fardd, neb fwy' a datgan:[29]

> O Gymru ni bu un bardd, – ogyfuwch
> Ag ef, enwog Brif-fardd;
> Digrifai deg oreufardd
> Y wlad hon â'i eiliad hardd.

Mae'r awdl hon hefyd yn llawn o ramantu meddal, ac mae'r gerdd yn anwylo myth yr alltud a'r athrylith wrthodedig:[30]

> Ei olaf air oedd gair gŵyl
> Yn enwi ei Fôn annwyl!
> Ni chyrhaedd mawl na cherdd mwy,
> Yr awenol Oronwy ...

Mae'n rhaid cofio hefyd mai dilyn damcaniaethau Goronwy ynghylch creu epig Gymraeg oedd y prif symbyliad y tu ôl i awdl enwog Eben Fardd, 'Dinystr Jerusalem' (1824).

Enwyd nifer o addolwyr Goronwy eisoes, ond 'roedd eraill hefyd, lawer ohonyn nhw. I Dafydd Ionawr (David Richards; 1751–1827), o Lanymorfa, ger Tywyn, Meirionnydd, Goronwy oedd yr awdurdod ar bob peth. Bu Ieuan Brydydd Hir yn athro barddol iddo, yn y cyfnod pan oedd Ieuan yn gurad yn Nhywyn, Meirionnydd, o 1772 hyd 1777, a derbyniodd ei addysg yn ysgol Edward Richard yn Ystradmeurig. Delfryd ac uchelgais Goronwy ynghylch llunio arwrgerdd Gymraeg oedd y symbyliad i Dafydd Ionawr lunio cywyddau a oedd cyn feithed â thragwyddoldeb ei hun, fel *Cywydd y Drindod* (1793), a *Cywydd y Diluw* (1821). Darllenodd Dafydd Ionawr lythyrau Goronwy am y tro cyntaf erioed yng nghartref John Williams, Llanrwst, ac fe'i siglwyd hyd at graidd ei fodolaeth gan gynnwys y llythyrau hynny, a gallai ei uniaethu ei hun â'i arwr. Yn ôl Nicander:[31]

> Cafodd y darlleniad o honynt argraff ddwfn ac annileadwy ar ei feddwl. Triniaeth eithaf ddiflas a gawsai ei hun yn ei gais am ordeiniad esgobawl, ac yn enwedig yn awr wrth deithio oddiamgylch i geisio tanysgrifwyr tuag at ei Waith mawr Cywydd y Drindod. Teimlai, fel y tystia ei hun, yn siomedig a digofus dros ben tuag at bennaethiaid eglwysig a lleygol Gogledd Cymru oherwydd eu dibrisdod o hono ef a'i Waith yn ystod y daith hon. Etto addefai mai ymgeisydd newydd hollol anadnabyddus oedd efe am eu nawdd. Ond fod "gwr profedig" fel Goronwy Owen, yr hwn yr oedd ei glod mor uchel o benbwygilydd i Gymru am ei ddoniau awenyddol, ei ddysgeidiaeth, ei

---

[29] 'Eben Fardd a Goronwy Owain', *Y Traethodydd*, 1867, t. 344.

[30] Ibid., t. 347.

[31] 'Hanes Bywyd Dafydd Ionawr', *Gwaith Dafydd Ionawr*, Gol. Morris Williams, 1851, tt. 16–17.

wladgarwch, a'i ragoriaethau moesol, – Goronwy Owen, oedd yn fath addurn i'w wlad fel âg y dylasai yr Esgobion fod am y cyntaf i'w ddyrchafu, – "Goronwy Owen, oedd yn werth llon'd waggon o Esgobion," chwedl yntau, – ei fod *ef* yn cael ei ddibrisio mor gywilyddus, a'i daflu ganddynt o'r naill guradiaeth fechan i'r llall ... yn gorfod troi ymaith gyda'i deulu o'i wlad enedigol, a chymmeryd ei daith dros y cefnfor llydan draw i berfeddion Gogleddbarth America, i dreulio gweddill ei oes drallodus yn alltud siomedig ynghanol estroniaid hanner barbaraidd Virginia ... fod *Goronwy Owen* yn cael ei drin fel hyn gan Esgobion Cymru, tra y rhoddent fywioliaethau breision i eraill na feddent ddegwm ei rinweddau moesol, na'r filfed ran o'i dalentau, – "O! farbariaid, – O! fileiniaid, – O! *lobsters* ..." ... byddai ei wybodaeth ieithyddol yn pallu i gael geiriau digon llymion i ddangos llymdra y digofaint a deimlai tuag at yr Esgobion am y weithred annghristionogol, anwladgarol, annynol, hollol anfaddeuol hon.

Goronwy, yn ôl Nicander, oedd hoff fardd Dafydd Ionawr; 'roedd yn fwy hyddysg yn ei 'Weithiau ef nag yn eiddo unrhyw Fardd Cymraeg arall,' a 'Byddai llinell o'i Waith bron fel adnod o'r Bibl'.[32] 'Siaradai yn llawer mwy canmoliaethus am Robert ab Gwilym Ddu fel Bardd byth wedi iddo weled yr englyn canlynol o'i waith,' meddai Nicander, gan ddyfynnu'r englyn:[33]

> Caed blodau gorau ac aeron – gynnau
> Yn ein Gwynedd ffrwythlon;
> Ganwyd Ionawr mawr Meirion
> Yr un mis â G'ronwy Môn.

Bardd arall a oedd yn drwm dan ddylanwad Goronwy, ond a gyfareddwyd gan ei waith yn hytrach na'i ddamcaniaethau, oedd Robert ap Gwilym Ddu (Robert Williams; 1766 – 1850), a oedd yntau yn athro barddol i Dewi Wyn. 'Roedd cyfathrach agos rhwng cymheiriaid y Morrisiaid, sef Ieuan Fardd ac Edward Richard, a beirdd diwedd y ddeunawfed ganrif, ac fe drosglwyddid myth a dylanwad Goronwy o do i do fel hyn. Gellid cymharu ei alarnad ar ôl ei unig ferch, Jane Elizabeth Williams, â marwnad anorffenedig Goronwy i Elin, ac mae'n debyg fod ei sgwrs yn llawn o sôn am ei arwr. Cyfeiriodd at Goronwy hyd yn oed yn y cywydd olaf un iddo'i lunio mae'n debyg, sef ei gywydd 'I Elis Owen Cefn y Meysydd', wrth honni mai 'Gŵr y[n] maint Goronwy Môn/ O dda wraidd hen dderwyddon' oedd Elis Owen.[34] Cymdeithasai Robert ap Gwilym Ddu ag eraill o addolwyr Goronwy, fel Dafydd Ddu Eryri a Dewi Wyn, yn bur aml, a gellir dychmygu fod Goronwy ym mlaen pob sgwrs. Yn wir, 'roedd cartref Robert ap Gwilym Ddu yn y Betws Fawr ym mhlwy Llanystumdwy yn gyrchfan ac yn gynullfan beirdd, yn enwedig o gwmpas gwyliau'r Nadolig, a mawr y trafod ar farddoniaeth a geid yn y cyfarfodydd hyn. Yn ei gywydd i Dafydd Ddu Eryri mae'n sôn am y ddau yn[35]

---

[32] Ibid., t. 17.
[33] Ibid.
[34] *Robert ap Gwilym Ddu: Detholion o'i Weithiau*, Gol. Stephen J. Williams, 1948, t. 61.
[35] 'Cywydd Dyhuddiant i Ddafydd Ddu Eryri', Ibid., t. 59.

> Gohiriaw dan geudawd gwŷdd
> Hyd ddirwest, fel dau dderwydd;
> Cydfyddem, pan welem wall,
> A thaerem y waith arall,
> Wrth sôn am rywion yr iaith
> Rhagor unrhyw gywreinwaith.

Croniclwyd y cof am un o'r cyfarfodydd hyn gan Dewi Wyn yn ei 'Cywydd Difyfyr', a luniwyd yn ystod y cyfnod 'pan ddeallodd iddo golli y Gwobr am Farwnad Goronwy Owain'.[36] Yn ôl y cofnod ar ddechrau'r gerdd, 'Tua'r amser hwnw dygwyddodd fod y Beirdd, Dafydd Ddu o Eryri, a Gwyndaf Eryri, ar ymweliad croesawgar â'r hybarch gampus-fardd Mr. Robert Williams ... o'r Bettws Fawr, yn ol defod Gwyliau'r Nadolig; ac i'w plith, un diwrnod, daeth Dewi, ac yn ol ei ddigrif-ddull awenyddlawn arferol, cyfansoddodd y llinellau canlynol, gyda chyfeiriad allegawl at ymdrechfa y Farwnad grybwylledig'.[37] Cyfeirir yn y cywydd at y modd yr oedd 'Y ddau *Ddu'n* dysgu bob dydd/ I'r ddau *Wyn* ryw ddywenydd',[38] ac fel hyn yn rhannol, drwy gyfathrach beirdd, y cedwid y cof am Goronwy yn fyw. 'Cymerodd glasuraeth haniaethol Goronwy Owen a'i himpio ar y carol a'r emyn a'r gerdd annerch,' meddai Saunders Lewis am Robert ap Gwilym Ddu, ac mae'n sicr mai ef oedd un o brif hyrwyddwyr cwlt Goronwy Owen yn hanner cyntaf y bedwaredd ganrif ar bymtheg.[39] Lluniodd Robert ap Gwilym Ddu englyn i orweddle anhysbys Goronwy, ac mae'r nodyn a geir uwch yr englyn – '... na wyddis yn sicr yn mha le y claddwyd ef; rhai a ddywedant mai yn Llan Andreas, Virginia; ereill a wrthddywedant hyny; – ac felly methwyd a chael iawn wybodaeth hollol, er maint a ymholwyd am y lle mae yn gorwedd, hyd yn hyn' – yn brawf arall o'r dryswch a'r ansicrwydd a geid ynghylch hanes Goronwy yn Virginia yn ystod y bedwaredd ganrif ar bymtheg:[40]

> Am Oronwy mawr rinwedd – Mon a geir
> Mewn garwaf ddihunedd;
> Yno coffeir ei annedd;
> Ow! 'mha fan y mae ei fedd?

Nid Cymdeithas y Gwyneddigion a'i beirdd yn unig a ddechreuodd ymddiddori ym mywyd a gwaith Goronwy ar derfyn y ddeunawfed ganrif. Un o hyrwyddwyr cynharaf a phwysicaf cwlt Goronwy oedd John Williams (1760–1826), clerigwr a Meistr yr Ysgol Rydd yn Llanrwst, gŵr a gymerai ddiddordeb mawr yn llên a hanes Cymru. Gwirioni ar

---

[36] 'Cywydd Difyfyr, &c.', *Blodau Arfon*, t. 131.

[37] Ibid.

[38] Ibid., t. 132.

[39] 'Robert ap Gwilym Ddu', *Meistri'r Canrifoedd*, t. 330.

[40] *Gardd Eifion*, 1841, ail arg. 1877, Gol. Isaac Foulkes, t. 102.

Goronwy oedd hanes John Williams yntau, a dechreuodd gasglu barddoniaeth a llythyrau'r bardd gyda brwdrydedd digyffelyb, gyda'r bwriad o'u cyhoeddi yn gyfrol. Cafodd afael ar lythyrau Goronwy at Richard Morris tua 1789–1790. Ddiwedd 1789 cysylltodd ag Owain Myfyr, gan holi am ragor o lythyrau'r bardd. 'Roedd Owain Myfyr ei hun wedi bod yn casglu llythyrau o eiddo Goronwy ers blynyddoedd, ac ym 1783 'roedd wedi anfon Robin Ddu i Gaernarfon i gopïo llythyrau Goronwy at William Morris, a oedd ym meddiant merch William Morris. John Williams a gysylltodd ag Edward Owen, Warrington, ym 1789, a dod o hyd i wybodaeth brin a gwerthfawr am Goronwy yn Virginia drwy ymholiadau'r gŵr hwnnw, gan gynnwys sicrwydd fod y bardd erbyn hynny wedi marw. Bu eraill hefyd yn casglu llythyrau a cherddi Goronwy, fel David Ellis, y bardd, y cyfieithydd a'r copïwr llawysgrifau o Ddolgellau a fu'n un o ddisgyblion Edward Richard yn Ystradmeurig.

Cyn canol y ganrif 'roedd cwlt Goronwy wedi cydio o ddifri yn y Cymry. 'Roedd diddordeb ynddo, a holi mawr amdano, ac nid yng Nghymru yn unig ond gan rai Cymry yn America yn ogystal. 'Roedd bardd ifanc o'r enw Thomas Lloyd Jones, neu 'Gwenffrwd', brodor o Dreffynnon, yn ymddiddori yn hanes Goronwy. Bwriadai lunio cofiant i'w arwr, ond bu farw yn 28 oed ym 1834 yn America. Cofnodwyd ei farwolaeth yn *Y Gwladgarwr* ym mis Rhagfyr 1834, gan nodi fel yr 'Ymddïofrydai yn drylwyr i wasanaeth llëenyddol ei genedl; ac ar ei drangcedigaeth yr ydoedd ar y gorchwyl clodwiw o gynnull bywgraffiad yr hyglod Fardd Goronwy Owain, drwy gydweithrediad ŵyr i'r Parchedig Fardd hwnw, â'r hwn ŵyr (aelod meddir o'r Senedd Americanaidd) y daethai "Gwenffrwd" yn gydnabyddus wedi ei fynediad i'r America'.[41] Yn ôl cofnod a ymddangosodd yn rhifyn Mawrth 1835 o'r *Gwladgarwr*, 'Drwy ei lafur ef, a'i lafur ef yn unig … y ceffid yn yr America wybodaeth am y Prif-fardd Goronwy Owain; a phe estynasid oes ein Bardd ieuangc, derbyniasem o'i ddwylaw drysor gwerthfawr yn hanes Goronwy, am yr hwn yr ydym braidd yn llwyr anobeithiaw yn bresennol'.[42] Cyhoeddwyd penillion coffa iddo yn rhifyn Ionawr 1835 o'r cylchgrawn, gan gynnwys y pennill hwn:[43]

> Ein GWENFFRWD! gwladgarwch a chwyddai dy galon,
>   GORONWY oedd enw angylaidd i ti:
> Ti gefaist adgofion ei oes yn nhir estron,
>   Lle diweddodd ei ddyddiau'n ngwasanaeth ei Ri:
> Llawenydd adseiniai trwy gymoedd tir Cymru
> Pan glywsom dy fod yn bwriadu cyhoeddi
> Bywgraffiad Goronwy, y prif-fardd uchelfri, –
>   Ei goffa sy'n arogl peraidd i ni.

---

[41] *Y Gwladgarwr*, cyf. II, rhif 24, Rhagfyr 1834, t. 378; yn y golofn 'Bu farw'.

[42] 'Y Diweddar Mr. T. Ll. Jones, o Dreffynnon', ibid., cyf. III, rhif 27, Mawrth 1835, t. 80.

[43] 'Llinellau ar farwolaeth Gwenffrwd, sef Mr. Thomas Lloyd Jones, gynt o Dreffynnon, yr hwn a fu farw yn Unol Daleithiau yr America; yn 28 oed', 'I. D.', ibid., cyf. III, rhif 25, Ionawr 1835, t. 26.

Yn nhridegau'r ganrif hefyd, sef ym 1831, y dodwyd coflech i goffáu ac i anrhydeddu Goronwy yn Eglwys Gadeiriol Bangor. Ym 1825, dechreuodd nifer o feirdd a llenorion o Fangor, gwŷr fel Robert Williams, Edmund Hughes Williams, Robert Roberts (Macwy Môn), Matthew Owen a Gutyn Peris gasglu arian ar gyfer codi cofgolofn i Goronwy yn Llanfair Mathafarn, ond penderfynwyd, yn y pen draw, osod maen mynor i'w goffáu yn yr Eglwys Gadeiriol ym Mangor. Cyfeiriodd William Davies Leathart at y cynllun hwn yn union pan oedd y paratoadau ar y gweill:[44]

> It appears that the patriotic design originated with the county of Anglesey, to which place, indeed, the subscription seems to have been wholly confined. When complete, the monument, which is of black marble, on Moelfre stone, will bear an inscription in Welsh, Latin, and English; this is as it should be, but why have not other districts than *Mona* joined in the good cause?

Mae'r arysgrifen ar y goflech hefyd yn hyrwyddo myth y Goronwy alltud a gwrthodedig.

Erbyn ail hanner y ganrif, 'roedd bri ar gyhoeddi gweithiau Goronwy. Ymddangosodd *Gronoviana: Gwaith y Parch. Goronwy Owen, M.A. ...* ym 1860, dan olygyddiaeth Edward Jones ac Owen Williams. Ym 1876 ymddangosodd dwy gyfrol Robert Jones, *The Poetical Works of the Rev. Goronwy Owen ...*, ac ym 1878, ddwy flynedd yn ddiweddarach, cyhoeddwyd *Holl Waith Barddonol Goronwy Owen*, dan olygyddiaeth Isaac Foulkes. 'Credwn nad yw Goronwy, fel bardd, ond megys yn ngwawr ei boblogrwydd,' meddai Isaac Foulkes.[45] 'Roedd y myth wedi hen ymsefydlu erbyn ail hanner y ganrif, a Goronwy, yn ôl barn y mwyafrif, oedd prif fardd y Cymry. Rhoddodd y *Gronoviana* yn arbennig hwb newydd eto i ddiddordeb y Cymry ynddo.

Drwy gydol y ganrif hefyd cyhoeddid llythyrau Goronwy at ei gyfeillion, a llythyrau'r Morrisiaid at ei gilydd, yn y cylchgronau, a 'doedd y darlun o Goronwy fel meddwyn, benthyciwr a begerwr ddim wrth fodd Cymry Piwritanaidd sych-dduwiol y ganrif honno. Ceisiai rhai o'i edmygwyr achub ei gam a rhoi peth colur ar y plorod. Dyfynnodd Talhaiarn ymosodiad gwawdluniol Lewis Morris ar Goronwy, o'i lythyr at William ar Fehefin 18, 1757, yn *Y Brython* yn Rhagfyr 1861. Gyda pheth ofn a phetruster y cyflwynai Talhaiarn y dystiolaeth hon, ond rhaid oedd ei chyflwyno. 'Nid yw fy serch at y bardd yn fymryn llai,' meddai, 'o blegid mae fy hoffder o Goronwy, druan oedd o, yn rhy ddwfn-wreiddiol i gael ei symud gan ryw *squib*, *cracker*, neu *lampoon* fel yna'.[46] Ceisiodd gyfiawnhau meddwdod Goronwy drwy fynnu y 'Dylem gofio ... fod lleyg a llên yn meddwi, gan mlynedd yn ol, heb weled fawr o fai nag o bechod yn hyny,' a bod trallodion a helbulon personol y bardd 'yn ddigon a gyru archangel i yfed i anghofio tylodi a thrybini'.[47] Er gwaethaf popeth, meddai Talhaiarn:[48]

---

[44] *The Origin and Progress of the Gwyneddigion Society*, t. 75.

[45] 'Goronwy Owen (Bywgraphiad)', *Barddoniaeth Goronwy Owen*, chweched arg., 1896, t. 16.

[46] 'Gohebiaethau: Goronwy Owain', *Y Brython*, cyf. IV, rhif 38, Rhagfyr 1861, t. 465.

[47] Ibid.

[48] Ibid.

Enwogwyd arbenigedd – Goronwy,
A'i gywreinion rhyfedd:
Sieryd wrth y byd o'r bedd,
Anfarwol yw ei fawredd.

'Fy mol a ddychrynodd wrth ei ddarllen!' meddai Cynddelw ar ôl i'r dyfyniad ymddangos yn *Y Brython*.[49] Un arall o amddiffynwyr Goronwy oedd Cynddelw. 'Yr oeddwn erioed yn awyddus i glirio y bardd os oedd modd yn y byd,' meddai, 'a thybiwn mai ei annybyn-iaeth meddwl oedd yr achos o lawer o'i anffodion'.[50] Beiodd yntau hefyd safonau moesol isel y ddeunawfed ganrif am duedd Goronwy i ofera. 'A wnaed Goronwy druan yn fwch diangol i ddwyn cosb holl giwdod ofer yr oes hono?' gofynnodd.[51]

'Roedd hyd yn oed yr awduron teithlyfrau hynny o Loegr a fu'n croniclo hanes eu teithiau yng Nghymru yn gyfarwydd â stori Goronwy Owen. Mae'r enwocaf ohonyn nhw, George Borrow (1803–1881) yn sôn am Goronwy yn *Wild Wales* (1862), ac yn cyflwyno peth o'i hanes (er yn anghywir mewn sawl man), a hefyd yn *Celtic Bards, Chiefs and Kings*. Yn *Celtic Bards, Chiefs and Kings*, mae'n adrodd hanes Goronwy eto, ac yn cyflwyno sgwrs ddychmygol rhyngddo a'i frawd Owen. Wedyn cawn ddisgrifiad ohono yn cyfarfod ag un o ddisgynyddion Owen, brawd Goronwy, yng Nghroesoswallt ar ôl teithio yno o Langollen ym 1854. 'You are the greatest curiosity in Oswestry,' meddai wrth y disgynnydd, oherwydd ei gysylltiad â Goronwy.[52] Ond nid Borrow mo'r teithiwr cyntaf yng Nghymru i wirioni ar hanes Goronwy. Er enghraifft, sonnir amdano yn *Excursions in North Wales*, W. Bingley, a gyhoeddwyd ym 1804 yn wreiddiol, ond a gyhoeddwyd eto ym 1839 mewn trydydd argraffiad, gyda chywiriadau ac ychwanegiadau gan W. R. Bingley, mab yr awdur gwreiddiol. Disgrifir Goronwy fel 'A man of great talent and genius,'[53] a cheir enghraifft o'r gwyngalchu a fu ar y bardd yn y gosodiad anhygoel, 'His character throughout appears to have been free from stain'.[54] Mae'r awdur yn rhoi coel ar fyth yr athrylith wrthodedig, ac yn porthi'r chwedloniaeth honno: 'He was not ambitious, a comfortable subsistence seems to have been the utmost limit of his wishes, yet his country did not give it; and with every qualification that could render him useful to society, he was banished from his native home to seek an asylum, for a mere existence, in a voluntary transportation from every thing he held dear and valuable'.[55] Wrth gwrs, dyma'r fersiwn o'r hanes yr oedd pawb am ei gredu.

---

[49] 'Gohebiaethau: Goronwy Owain', *Y Brython*, cyf. V, rhif 39, 'Alban Arthan' [Rhagfyr], 1862, t. 98.

[50] Ibid.

[51] Ibid.

[52] *Celtic Bards, Chiefs and Kings*, Gol. Herbert G. Wright, 1928, t. 251.

[53] *Excursions in North Wales, including Aberystwith and the Devil's Bridge*, W. Bingley a W. R. Bingley, 1839, t. 75.

[54] Ibid., t. 76.

[55] Ibid.

Yn ystod y bedwaredd ganrif ar bymtheg dôi ambell bwt o wybodaeth o du disgynydd-ion Goronwy yn America. Cyhoeddwyd llythyr gan P. A. Owen, o Mobile, Alabama, un o or-wyrion Goronwy, ŵyr i Richard Brown Owen, yn *Y Drych Americanaidd* ym 1875, dyddiedig Gorffennaf 20, 1875, ac ynddo gryn wybodaeth deuluol am Goronwy. Atgynhyrchwyd y llythyr gan Isaled yn *Y Geninen*. Yn ôl y llythyr, collwyd 'ar derfyn y rhyfel, yr oll, neu yn agos yr oll, o'r papyrau a'r cofnodiau perthynol i hanes ei fywyd'.[56] Yn ôl P. A. Owen, gadawodd Goronwy 'ar adeg ei farwolaeth lawer o gynnyrchion na fuont yn gyhoeddedig, yn mhlith y rhai yr oedd Grammadeg o'r iaith Gymraeg yn barod i'r wasg'.[57] Mae'n anodd credu fod Goronwy wedi dod i ben ag un o'i gynlluniau llenyddol uchelgeisiol yn ei alltudiaeth, heb ddefnyddiau angenrheidiol wrth law. Yn ôl P. A. Owen eto:[58]

Yr oedd fy ewythr, John H. Owen, ŵyr y Parch. Goronwy Owen, oddi wrth ei fab Richard Brown, yn ŵr o gyrhaeddiadau llenyddol uchel, a thrwy y balchder a deimlai yn nghymmeriad nodedig y dyn mawr (ei daid), efe a efrydodd ac a feistrolodd yr iaith Gymraeg i fesur mawr, fel y gallai efe gyfranogi o brydferthion cyfansoddiadau yn yr iaith hono. Ac yn mhellach ffurfiodd gynllun i ysgrifenu bywgraphiad ei daid byd-enwog; ac er cwblhau y gwaith hwn, llwyr ymroddodd i gasglu defnyddiau. Bu mor llwyddiannus yn yr anturiaeth, fel ag y dechreuodd y gwaith da, yr hwn a dorwyd yn fyr drwy ei farwolaeth sydyn yn y flwyddyn 1842. Cymmerodd fy nhad ofal manwl o'r defnyddiau gasglodd fy ewythr, hyd ddiwedd y rhyfel, pryd y collwyd hwy am byth, drwy anfadrwydd ysgeler nifer o filwyr afreolus.

Os gwir y stori, dyna ymdrech arall i lunio cofiant i Goronwy wedi mynd i'r gwellt.

Ni wyddai'r Cymry fawr ddim am hanes Goronwy yn America yn ystod y bedwaredd ganrif ar bymtheg. Yn y *Gronoviana* mae J. Gordon Jones yn sôn am ei ymdrechion i ddod o hyd i wybodaeth am Goronwy yn America. Derbyniodd lythyr oddi wrth Robert Saunders, dyddiedig Ebrill 18, 1856, yn ei hysbysu i Goronwy fod yn athro yng Ngholeg William a Mary, ac yn Rheithor Eglwys St Andrew, ac iddo adael pedwar o feibion ar ei ôl, a 'Pan fu Robert farw, gadawodd yntef ar ei ol amryw blant, ac y mae dwy ferch iddo yn fyw yn awr'.[59] Cysylltodd rheithor St Andrew ag ef hefyd. Aeth B. F. Mowrer i gysylltiad â rhai o berthnasau Goronwy ar ran J. Gordon Jones, ond 'Dywedasant wrthyf na's gwyddent am unrhyw ysgrifau llenyddol o'i waith'.[60] Ychwanegodd fod 'dwy wyres iddo yn byw o fewn naw milldir i ni, ac yn hynod o dlawd, ac nis gallai eich cenedl gyfodi gwell cof-golofn i'r dyn hwn sydd wedi anwylu ei hun gymaint, na gwneud rhodd

---

[56] 'Goronwy Owen', Isaled, *Y Geninen*, cyf. VII, rhif 4, Hydref 1889, t. 244.

[57] Ibid., t. 246.

[58] Ibid., t. 247.

[59] *Gronoviana*, t. xvi.

[60] Ibid., t. xvii.

arianawl i'w wyresau'.[61] Diwedd y gân oedd y ddoler unwaith yn rhagor, mae'n amlwg! Awgrymwyd gan ohebydd arall fod darlun olew o'r bardd ym meddiant rhai o'i berthnasau yn Alabama. 'Roedd Robert Jones hefyd wedi dyfynnu tystiolaeth Edward Owen, Warrington, yn ei *Poetical Works*, ond 'roedd hanes Goronwy yn Virginia wedi'i guddio mewn dirgelwch o hyd. Crewyd rhai straeon anhygoel amdano, fel y stori ryfedd honno iddo gael ei ladd gan Gymro arall a oedd yn ymladd yn ei erbyn adeg y Rhyfel o blaid Annibyniaeth i America, a Goronwy yn brwydro ar ochr y gwrthryfelwyr. Dyma'r stori, yn ôl *Y Traethodydd*:[62]

> Peth rhyfedd os na allesid cyfoethogi cofiant Goronwy yn fwy trwy hanesion llafar gwlad. Clywsom ystori yn ddiweddar gan y Parch. W. Williams, Tycalch, a allai fod yn taflu goleuni ar hanes marwolaeth y bardd. Dywed Mr. Williams, pan ydoedd ef yn aros gyda y diweddar Barch. Richard Lloyd, Beaumaris, yn fachgen ieuanc, y byddai y Cadben Jones, Pant Hywel, Llandegfan ... yn galw efo Mr. Lloyd bob tro y deuai i'r dref ... Clywodd y Cadben Jones lawer gwaith yn dyweyd ei fod yn credu mai trwy ei law ef y buasai Goronwy Owen farw ... dywedai y Cadben yn neilltuol am un ysgarmes y buasai ynddi yn Virginia, ac iddo sylwi fod ergydion a ddelent o lwyn y goed oedd o'r neilldu i faes y frwydr, yn dropio ei ddynion y naill ar ol y llall, ac yn peri cryn golled. Nid allai weled y saethwr, ond fe annelodd i'r fan y tybiai y rhaid ei fod, a pheidiodd ei ergydion. Wedi i'r frwydr fyned drosodd aeth i'r coed, i weled pwy allai fod yno, a gwelodd gorff dyn bychan hardd, a golwg foneddigaidd arno, a'r gwn â pha un y buasai yn dropio ei ddynion ef yn ei ymyl.

Rhag i neb ei gyhuddo o fod yn fradwr, 'pa reswm oedd gan Oronwy dros deimlo yn ymlyngar wrth Loegr, gwlad ag oedd wedi gommedd rhoddi bara iddo, ac wedi ei yru ef a'i anwyliaid dros donau yr Atlantig er mwyn gallu byw o gwbl?' gofynnwyd.[63] Mae'r stori'n amhosib, wrth gwrs, a'r un mor gyfeiliornus â'r goel mewn mannau ym Môn hyd heddiw mai plentyn siawns Lewis Morris oedd Goronwy. 'Roedd bylchau yng ngwybodaeth y ganrif amdano, a rhaid oedd llenwi'r bylchau â'r dychymyg.

Parhaodd yr eilun-addoli hwn ar Goronwy ymhell i'r ugeinfed ganrif. 'Roedd llawer iawn o feirdd y bedwaredd ganrif ar bymtheg wedi llunio cerddi amdano, ond diwerth oedd y rhan fwyaf o'r cerddi hynny, gydag ambell eithriad, fel englyn G. H. Humphrey, 'Yr Eglwys a Goronwy Owen':

> Diau braster dibristod – oer iddo
> A roddaist yn gardod;
> Gwelaist, heb ysgog aelod,
> Ei gefn gwael a'i ysgafn god.

---

[61] Ibid.

[62] 'Nodiadau Llenyddol', *Y Traethodydd*, 1876, tt. 505–506.

[63] Ibid., t. 506.

Ni ddaeth trai ar y traddodiad hwn o lunio cerddi amdano. Gosodid Goronwy ei hun, neu agweddau ar ei fywyd a'i waith, yn destun mewn aml i eisteddfod leol. Er enghraifft, ym 1903 enillodd W. Alva Richards goron â'i bryddest ' 'Chwilio Gem, a Chael Gwmon' '. Mae'n bryddest wachul, digon nodweddiadol o ganu pryddestaidd y cyfnod. Cymhwysir ymchwil ofer Goronwy am ddedwyddwch yn ei fywyd ac yn ei gywydd at ymchwil dyn am ddedwyddwch a thangnefedd yn gyffredinol:[64]

> Rhaid Goronwy, rhaid fy enaid
>   Inau yn y byd,
> Ydyw cael yr aur ysbrydol,
> Aur a erys yn dragwyddol,
>   Yn dryloew aur o hyd.

> Aeth pererin-fardd y Rhosfawr heibio'r aur i fyd-bleserau;
> Rhodiodd lwybrau cyfrin-gelloedd hunan londer a mwyniannau;
> Chwiliodd ar y llwybrau hyny os oedd olion gwir Ddedwyddwch
> Yn blodeuo arnynt ...

Ac fe barhai'r ganmoliaeth ddilyffethair iddo. Er mai datganiad o'r gorffennol oedd clod afradus D. Silvan Evans i'r bardd, fe'i hailadroddwyd yn *Y Geninen* ar ddechrau'r ugeinfed ganrif:[65]

> Y mae barddoniaeth Goronwy tuhwnt i bob canmoliaeth, ac oferedd fyddai awgrymu dim mewn perthynas i'w ragoroldeb: mewn gair, ni byddai hyny ddim amgen nag euro yr aur neu liwio'r lili. Ond nid ei farddoniaeth yn unig sy'n rhagorol; ond ymddengys i ni fod ei lythyrau, yn eu ffordd, yn llawn mor gampus a hyny. Yr oedd Goronwy yn ddyn na welwyd mo'i fath na chynt nac wedyn yng Nghymru; ac yr ydym yn ofni y rhaid i lawer canrif lithro heibio cyn y gwelir ei gyffelyb.

'Roedd yn anochel fod gor-ganmoliaeth addolwyr Goronwy yn ennyn adwaith i'r gwrthwyneb. Ymosododd 'Gwas yr Hafod', er enghraifft, ar y rhai a oedd yn dyrchafu Goronwy yn anfeirniadol i'r entrychion:[66]

> Goronwy fawr o Fôn,
>   Efe, efe yw'm Duw;
> Am dano ef 'rwy'n sôn,
>   Ac iddo ef 'rwy'n byw.
> Goronwy lyfn ei iaith,
>   Goronwy lawn ei lef; –
> Archangel ar ei daith
>   Ar aden 'gaeth' yw ef ...

[64] ' "Chwilio Gem, a Chael Gwmon",' *Y Geninen Eisteddfodol*, Awst, 1905, t. 36.
[65] 'Goronwy Owen', D. Silvan Evans, *Y Geninen*, cyf. XXIII, rhif 3, Gorffennaf 1905, t. 212.
[66] 'Goronwy, fy Nuw', *Y Geninen*, cyf. XXIX, rhif 3, Gorffennaf 1911, t. 212.

Goronwy fawr o Fôn,
  Efe, efe yw'm Duw:
Ba les i mi yw sôn
  Am neb o'r clêr sy'n fyw?
Am iaith be wyddant hwy,
  A phriod–ddulliau hen?
Ba ŵr o ddysg ddwed mwy
  Y gwyddant fwy am lên?

'Roedd myth Goronwy, yn sicr, wedi goroesi o'r bedwaredd ganrif ar bymtheg, a'i throsglwyddo yn ei holl gelwydd a golud i'r ugeinfed ganrif. 'Does unman fel Cymru am fyth. Yn y man, gyda dadeni llenyddol ac ysgolheigaidd yn y gwynt, byddai ei fywyd a'i waith yn dod dan chwyddwydr beirniadol ac ysgolheigaidd yr ugeinfed ganrif, a byddai'r chwyddwydr hwnnw yn amlygu gwendidau yn y gwaith, a bylchau yn hanes ei fywyd. Ond Goronwy a deyrnasai o hyd ar ddechrau'r ganrif, ac arwydd arall o'r diddordeb ynddo oedd y ffaith i ddwy gyfrol arno ef a'i waith ymddangos yng Nghyfres y Fil ym 1902, dan olygyddiaeth O. M. Edwards, wrth gwrs, ac ym 1907, wedyn, cyhoeddwyd *Cywyddau Goronwy Owen* dan olygyddiaeth W. J. Gruffydd. Mae gwahaniaeth yn agwedd y ddau tuag at y bardd. Tra bo agwedd O. M. Edwards yn cynrychioli agwedd y bedwaredd ganrif ar bymtheg at Goronwy, mae nodyn mwy beirniadol W. J. Gruffydd yn llawer mwy nodweddiadol o ysgolheictod a beirniadaeth newydd dechrau'r ganrif. Tra maentumiai O. M. Edwards nad oedd 'ei wlad wedi gwneyd hanner cyfiawnder ag awen rymusgain Goronwy Owen'[67] 'roedd W. J. Gruffydd yn amheus o'r modd y gosodai'r Cymry ef ben ac ysgwydd uwchlaw pob bardd arall yng Nghymru:[68]

If the range of his poetry had been only wider, if he had written of men rather than of abstractions, he would be justly regarded as the greatest poet of Wales. Unfortunately, he seems to miss that distinction.

Er hynny, 'roedd Gruffydd yn hael ei glod i Goronwy. Cyfeiriodd at 'his excellencies, his almost miraculous gift of "the immortal phrase," his Hellenic conciseness and clearness, his directness, and in many instances, his sublimity which often rises to the level of [the] greatest poets of the world, and which gives him ... a place beside Homer and Vergil and Milton'.[69] Datganiad chwyldroadol ar y pryd oedd y nodyn beirniadol gan Gruffydd, fodd bynnag, ond eto, er y gwahaniaeth barn rhwng y ddau ohonyn nhw, 'roedd y ddau, yn eu ffyrdd eu hunain, yn porthi'r myth o hyd: O. M. Edwards gyda'r darluniau rhamantaidd a gynhwyswyd yn y ddwy gyfrol yng Nghyfres y Fil, a W. J. Gruffydd drwy lyncu rhai o'r straeon mwyaf rhamantus a gysylltid â Goronwy, heb ymdrechu o gwbwl i archwilio

---

[67] *Gwaith Goronwy Owen*, cyf. II, 1902. t. 4.

[68] *Cywyddau Goronwy Owen*, t. xiii.

[69] Ibid.

cywirdeb y straeon hynny o safbwynt ysgolheictod. Prawf arall o'r diddordeb mawr yn y bardd a'i gymheiriaid llenyddol ddiwedd y bedwaredd ganrif ar bymtheg a dechrau'r ugeinfed oedd y ffaith i Eisteddfod Genedlaethol gyntaf y ganrif, Lerpwl 1900, osod 'Y Monwyson: Lewis Morris, Richard Morris, William Morris, a Goronwy Owen' yn destun traethawd. Enillwyd y gamp gan T. H. Roberts (Asaph), ac 'roedd ei farn am Goronwy yn adlewyrchu safbwynt ei gydoeswyr yn gyffredinol:[70]

> O amser Meilyr Brydydd, a'i fab Gwalchmai ab Meilyr, y rhai a flodeuent yn y ddeuddegfed ganrif, bu "Môn mam Cymru" yn enwog am ei beirdd, ond y penaf ohonynt, yn ddiddadl, os nad y penaf o holl feirdd Cymru, yw Goronwy Owen ... Dichon fod rhai o'r beirdd a ddaethant ar ei ol – Dafydd Ionawr, Dewi Wyn, Eben Fardd, Hiraethog, Emrys, Nicander, Islwyn, ac eraill – wedi dringo yn bur agos ato mewn rhai cyfeiriadau, ond rhagorai Goronwy yn mhob cyfeiriad, a chredwn fod Talhaiarn yn bur agos i'w le pan yn ei alw yn "Ymherawdwr Beirdd Cymru."

Yn sicr, 'roedd myth Goronwy wedi cydio yn W. J. Gruffydd. Ddwy flynedd ar ôl cyhoeddi *Cywyddau Goronwy Owen*, Gruffydd a enillodd y gystadleuaeth 'Myfyrdraeth: 'Goronwy Owen yn Ffarwelio â Phrydain' ' yn Eisteddfod Genedlaethol Llundain ym 1909 (enillodd y Goron yn yr un Eisteddfod am ei bryddest 'Yr Arglwydd Rhys'), gyda Silyn, ei gyfaill, a Ben Davies yn beirniadu. 'Roedd gan Gruffydd ddigon o feddwl o'r gerdd ddiflas a diawen hon i'w chynnwys yn *Ynys yr Hud a Cherddi Eraill* (1923). Os oedd Gruffydd y beirniad yn amlygu'r methiant, 'roedd Gruffydd y bardd yn hybu'r myth. Aeth â myth yr alltud hiraethus i eithafion:[71]

> Gwyn fyd na bai ryw lwydaidd do o wellt
> Yn cuddio aelwyd imi ar dir Môn,
> A minnau'n ŵr y ddaear, yn trin tail,
> Neu'n cloddio'n grwm o blygain hyd yr hwyr!
> A cher fy llaw fy nhlodion bychain oll
> Yn fochgoch ddiboen ...

Mae meddwl am Goronwy, y bardd a'r ysgolhaig disglair-ddeallus hwn, 'yn trin tail' ym Môn, yn chwerthinllyd, a sut y gallai fod yn ddedwydd ei fyd gyda'i dlodion bychain, a thlodi wedi ei boenydio a'i blagio ar hyd ei oes, hyd nes iddo gyrraedd Swydd Brunswick? Ac a fyddai plant tlawd yn fochgoch raenus ac yn ddi-boen? Difethir y gerdd nid yn unig gan sentimentaliaeth ond gan ddiffyg crebwyll yn ogystal, a chwaraeir thema'r gwladgarwr gwrthodedig i'r pen, gan anghofio mai Goronwy ei hun a oedd wedi gwrthod Cymru, i raddau helaeth, ac nid fel arall:[72]

---

[70] 'Traethawd – "Y Monwyson: Lewis Morris, Richard Morris, William Morris, a Goronwy Owen" ', T. H. Roberts, *Cofnodion a Chyfansoddiadau Buddugol Eisteddfod Lerpwl, 1900*, Gol. E. Vincent Evans, 1901, tt. 132, 180.
[71] 'Goronwy Owen yn Ffarwelio â Phrydain', *Ynys yr Hud a Cherddi Eraill*, 1923, arg. 1963, tt. 24–25.
[72] Ibid., t. 29.

A fi! A, Gymru annwyl a'm gwrthodaist –
Myfi a'th garodd gymaint, pan oedd nwyf
Fy awen ieuanc mewn caethiwed it ...

Yr ymchwiliwr cyntaf i geisio rhoi trefn ar fywyd gwasgarog Goronwy oedd Thomas Shankland (1858–1927), y llyfryddwr a'r hanesydd. 'Roedd Shankland yn arbenigwr ar hen lyfrau a hen gylchgronau, ac ym 1905 dechreuodd gasglu deunydd ar gyfer llyfrgell Gymraeg Coleg y Brifysgol ym Mangor, a rhoi trefn ar y llyfrgell. Cyfrannodd sawl ysgrif o bwys ar hanes crefyddol Cymru i gylchgronau, ac ar unigolion. Ymhlith ei drafodaethau ar unigolion mae nifer o ysgrifau yn ymwneud â blynyddoedd cynnar Goronwy Owen. Cyhoeddwyd y rhain dros gyfnod o ddwy flynedd yn *Y Beirniad*, rhwng gwanwyn 1914 a gwanwyn 1916. Yn yr ysgrif gyntaf oll, mynegodd Shankland ei bryder ynghylch y modd y dibrisiwyd ac yr esgeuluswyd hanes bywyd Goronwy gan ei gyd-Gymry:[73]

> Mae cyflwr presennol bywgraffiaeth Goronwy yn anfri nid bychan ar y gangen hon o'n llenyddiaeth. Pum mlynedd sydd eto rhyngom â thrydedd Iwbili ei farwolaeth; ac nid oes gennym yr un cofiant teilwng ohono. Er fod ei waith wedi denu sylw ac ennyn edmygedd llaweroedd o'n gwŷr llên yn y can mlynedd a hanner diweddaf, y syndod a'r dirgelwch yw, fod cyn enwoced cymeriad llenyddol wedi cael cyn lleied o sylw'r bywgraffwyr.

Un rheswm am y dibristod hwn, yn ôl Shankland, oedd y ffaith 'fod y gwaith o gynnull y defnyddiau yn gofyn llawer o ymchwil, ac fod y defnyddiau yn wasgaredig mewn dwy wlad'.[74] Mae'r deunydd ar wasgar mewn tair gwlad, wrth gwrs! Un o wendidau Shankland yn ei ymdriniaeth â Goronwy oedd ei awydd parhaol, ac obsesiynol bron, i ddifrïo'r Morrisiaid wrth ddyrchafu Goronwy. I Shankland, athrylith yng nghanol cythreuliaid oedd Goronwy, gŵr naïf, di-feddwl-ddrwg ymhlith dynion di-ddal a diegwyddor. 'Roedd yn rhy barod i gollfarnu'r Morrisiaid am bob peth. 'Roedd y tri brawd, er enghraifft, yn rhannol gyfrifol am yr esgeuluso a fu ar hanes Goronwy. 'Er holl ffrost y Morrisiaid,' meddai, 'ac eithrio achres William o hynafiaid Goronwy, ni wnaethant ddim, yn uniongyrchol, tuag at ddiogelu ei hanes i'r oesau dilynol.'[75] Mae'r cyhuddiad yn hollol ddi-sail, wrth gwrs. Oni bai am y Morrisiaid, oni bai am y dystiolaeth a groniclwyd yn eu llythyrau a'r modd y cadwyd ac y gwarchodwyd barddoniaeth Goronwy ganddyn nhw, byddai'r deunydd amdano yn llawer iawn llai. Ceisiodd Shankland hyd yn oed ddibrisio gwerth y llythyrau. 'O ddechreu cofiannu Goronwy hyd yn awr, gwnaethpwyd a gwneir camddefnydd erchyll o lythyrau cyfrinachol y Morrisiaid ynglŷn â rhai agweddau o fywyd y bardd,' meddai, '... oblegid y mae gohebwyr yn

---

[73] 'Goronwy Owen', I, *Y Beirniad*, cyf. IV, rhif 1, Gwanwyn 1914, t. 1.

[74] Ibid.

[75] Ibid.

adrodd ac yn disgrifio digwyddiadau anghyswllt; yn traethu chwedlau a chleber y foment, fel rheol, gyda gormodiaith a gorliw; y mae ganddynt eu rhagfarnau a'u heiddigeddau; methant weld pethau yn eu cysylltiadau priodol; ac yn fynych, tynnant gasgliadau anghywir oddiar seiliau rhy gyfyng'.[76] Mae'n wir fod Lewis weithiau, yn ystod ambell bwl o ddigofaint, a chan gofio am ei ddawn ddychanol finiog, yn ymollwng i ormodiaith, a bod ei gasineb tuag at Goronwy weithiau yn ei ddallu'n llwyr, ond, at ei gilydd, adroddiadau gan lygad-dystion dibynadwy a geir yn y llythyrau. Mae ffeithiau a thystiol-aethau eraill yn cadarnhau haeriadau a sylwadau'r Morrisiaid. 'Roedd Shankland, fel eraill o'i flaen, yn amharod i dderbyn mai traed o glai oedd gan Goronwy, a'i fod yn baglu'n fynych wrth gerdded mor sigledig feddw ar y traed hynny. Wrth ymdrechu i esgusodi hoffter Goronwy o'r ddiod, honnodd fod llythyrau Lewis a Morris 'wedi gwyrdroi'r ffeithiau, ac wedi gwneuthur mynydd o broblem o ddigwyddiad cyffredin yn yr oes honno'.[77]

'Wrth dderbyn y chwedlau Morrisaidd am Oronwy fel disgrifiadau cywir o hanes ei fywyd a'i gymeriad,' meddai Shankland drachefn, 'y mae ei gofianwyr wedi gwneuthur eu cofiannau ohono yn fwy o ffugchwedlau nag o fywgraffiadau'.[78] Yn ôl Shankland, 'roedd gennym ddau Oronwy, sef y gwir Oronwy a'r Goronwy chwedlonol. 'Roedd angen 'didoli ac adfer y gwir a'r hanesyddol Oronwy, a dymchwelyd, neu ddarostwng, y chwedlau Morrisaidd am dano'.[79] Dadlennodd Shankland nifer o ffeithiau newydd ynglŷn â Goronwy, ond mae'n rhaid bod yn hynod o ofalus gyda Shankland, a pheidio â llyncu popeth a ddywedwyd ganddo am Goronwy yn ddihalen. Gwnaeth lawer o gam-gymeriadau. Yr enghraifft fwyaf nodedig yw'r drafodaeth helaeth sydd ganddo yn ymdrin â blynyddoedd Goronwy yn Rhydychen, rhwng 1742 a 1744–1745, er mai dim ond am ychydig ddyddiau y bu yno. Mae datganiadau a chasgliadau Shankland yn y cyswllt hwn yn hollol ddiystyr, er enghraifft, datganiad fel hwn: '... y ffaith newydd, a ddatguddir yn amlwg yn y cofnodion sydd yng nghroniclau Coleg Iesu, yw, mai trwy ei lafur a'i ddiwydrwydd ei hun, yn bennaf, yr aeth Goronwy Owen trwy ei gwrs yn y brifysgol'.[80] 'Nid oes un o'i gofianwyr wedi edrych i Rydychen am oleuni ar ei fywyd,' meddai, gan ddatgan 'Er na bu ei drigias ond cymharol fyr [sef dwy flynedd a hanner – deg o dermau, yn ôl Shankland], eto gellir tybied yn naturiol i gyfathrach beunyddiol â chynifer o wŷr llên a lleyg, yn athrawon a myfyrwyr, ac anadlu awyrgylch y lle, adael argraff arhosol ar ddyn ieuanc o'i oed a'i dymer ef'.[81] Yn ôl Shankland, yn Rhydychen y dechreuodd Goronwy ymhél â'r ddiod, damcaniaeth wag arall, a'r un mor ddiystyr-gyfeiliornus â'r haeriad mai 'I Goleg Iesu yr ydym yn ddyledus am ran fawr o goethder

[76] Ibid., tt. 1-2.
[77] Ibid., t. 5.
[78] Ibid., t. 2.
[79] Ibid.
[80] 'Goronwy Owen', IV, ibid., cyf. VI, rhif 1, Gwanwyn 1916, t. 34.
[81] Ibid., cyf. VI, rhif 3, Hydref 1916, t. 177.

diwylliant y bardd; ei ysgolheigdod clasurol; ei chwaeth a'i arddull a'i hoffter o ffurf lenyddol glasurol; ei olygiadau eang, ei degwch a'i foneddigeiddrwydd wrth drin a barnu pynciau a phobl y gwahaniaethid yn eu cylch'.[82] Cafwyd sylw difyr a miniog iawn ar haeriad Shankland mai yn Rhydychen y dechreuodd Goronwy lymeitian. Wrth adolygu *The Letters of Goronwy Owen*, J. H. Davies, yn *Y Llenor*, 'Ofnwn,' meddai R. T. Jenkins, 'y bydd rhaid i bennod hir ... o waith Mr. Shankland, y naill ai diflannu o'r golwg neu ynteu orffen gyda'r geiriau: "Dyma'r temtasiynau a fuasai wedi poeni llawer ar Oronwy pe buasai wedi myned i Rydychen." '[83] Er gwaethaf sawl caff gwag, ac er iddo geisio achub ar bob cyfle i ddilorni'r Morrisiaid wrth glodfori Goronwy, gwnaeth Shankland lawer o waith rhagarweiniol pwysig. 'Roedd yn un o'r ychydig i geisio astudio hynt a helynt Goronwy drwy ddychwelyd at y gwir seiliau. 'Roedd hefyd yn pryderu'n ddi-baid am y modd 'roedd y myth wedi llyncu'r ffeithiau, a'r chwedloniaeth wedi mygu'r dystiolaeth. Mynegodd ei bryder eto mewn ysgrif ar achlysur dathlu daucanmlwyddiant geni Goronwy. Pwysleisiodd yr angen i wahaniaethu rhwng Goronwy dychymyg a Goronwy hanes. Ar hyd y daith, ceisiodd Shankland addfwyno a llareiddio rhywfaint ar yr anghenfil o berson a grewyd gan y Morrisiaid. 'Cefais ddigon o dystiolaethau eisoes fod Goronwy'r cofnodion yn llawer mwy cymeradwy a dealladwy i ddarllenwyr ei waith heddyw na'r Goronwy dychmygol a geir yn yr hen gofiannau – ac yn arbennig, yr athrylith ddi-egwyddor, ddianwadal; y *monstrum horrendum*, dirinwedd, gorlawn o bob drygioni a ddisgrifir yn y chwedlau Morrisaidd'.[84] 'Doedd Goronwy ddim yn angel nac yn anghenfil. 'Roedd gan y tryblith hwn o ddyn ffaeleddau di-ri, yn ogystal â thynerwch a thosturi ar adegau, ac nid y Morrisiaid yn unig sy'n dinoethi'r ffaeleddau hynny yn ei waed a'i wead. Man gwannaf Shankland oedd y 'styfnigrwydd hwn a wrthodai dderbyn fod hyd yn oed yr arlliw lleiaf o wirionedd yn llythyrau'r Morrisiaid am Goronwy.

'Roedd Shankland yn un arall, yn sicr, a fwriadai lunio cofiant i Goronwy, ond methodd yntau, fel ei ragflaenwyr, gael y maen i'r wal. 'Ers rhai blynyddoedd bellach yr wyf yn hollol sicr y gellir trwy ddyfalwch grynhoi digon o ffeithiau i wneuthur cofiant cymedrol gyflawn i Oronwy,' meddai.[85] Cyn hynny, mynegodd ei fwriad, yn *Y Beirniad*, i ymdrin â'r ail ran o fywyd Goronwy, sef o'i ordeiniad yn ddiacon hyd at ei fordaith o Lundain i America, a gorffen yn y pen draw gyda'i hanes yn Virginia. 'Roedd W. J. Gruffydd, ym 1922, wedi gwahodd Shankland i fwrw ymlaen â'r gyfres o ysgrifau a gychwynnwyd yn *Y Beirniad* yn ei *Lenor* newydd-anedig, a bwriadai Shankland dderbyn y gwahoddiad, ond ni wnaeth. Fe'i trawyd yn wael ddechrau 1925, dioddefodd gystudd hyd at ei farwolaeth ym 1927, ac ni ddaeth i ben â llunio cofiant Goronwy.

---

[82] Ibid., cyf. VI, rhif 4, Gwanwyn 1916, t. 271.

[83] Adolygiad ar *The Letters of Goronwy Owen*, J. H. Davies, *Y Llenor*, cyf. III, rhif 1, Gwanwyn 1924, t. 64.

[84] 'Dau Canmlwyddiant Geni Goronwy Owen', *Y Geninen*, cyf. XLI, rhif 1, Ionawr 1923, tt. 34–35.

[85] Ibid., t. 35.

Ym 1923 dathlwyd daucanmlwyddiant Goronwy, a bu Cymdeithas y Cymmrodorion yn flaenllaw yn y dathliadau. 'Roedd daucanmlwyddiant geni Goronwy yn cyd-ddigwydd â dathlu hanner-canmlwyddiant sefydlu'r Gymdeithas ar ei newydd wedd ym 1873, y trydydd tro i'r Gymdeithas gael ei sefydlu, mewn gwirionedd, a cheisiwyd cyfuno'r ddau achlysur. Os gwrthodwyd Goronwy gan aelodau'r Gymdeithas cyn iddo hwylio am Virginia, fe'i cofleidiwyd â breichiau agored ganrif a thri-chwarter yn ddiweddarach. Dadorchuddiwyd coflech iddo yn Eglwys y Santes Fair, Northolt, gan y Gymdeithas ar Ionawr 18, 1924, coflech a oedd yn rhodd gan aelod o Gyngor y Gymdeithas, brodor o Fôn o'r enw Dr Owen Pritchard. Anerchwyd yn y cyfarfod i ddadorchuddio'r goflech gan Elfed, John Morris-Jones a J. H. Davies, ac ar y goflech ceir y geiriau hyn: 'In memory of Goronwy Owen 1723–1769/Curate of this parish 1755–1757/Master poet and prose writer in whose works the ancient dignity and beauty of the Welsh language shone forth anew/ This tablet was erected by the Honourable Society of Cymmrodorion 1923/"Dyn didol dinod ydwyf/Ac i dir Môn estron wyf" '. Rhoddwyd yr un geiriad yn union bron ar goflech arall ym 1957. Ar Awst 28 y flwyddyn honno, dadorchuddiwyd coflech i Goronwy yn Llyfrgell Coleg William a Mary, fel rhan o Ŵyl Jamestown, i ddathlu trichanmlwyddiant a hanner sefydlu Jamestown. Cymdeithas y Cymmrodorion a oedd y tu ôl i'r trefniadau eto, a lluniwyd y goflech, a wnaethpwyd o lechen o Aberllefenni, gan Jonah Jones. Yr unig wahaniaeth rhwng geiriad y ddwy goflech oedd nodi i'r bardd fod yn 'Master of the Grammar School at this college 1758–1760' yn lle 'Curate of this Parish, 1755–1757'. Ar fore Awst 28, cynhaliwyd gwasanaeth coffa i Goronwy yn Eglwys Bruton, cyn dadorchuddio'r goflech yn y prynhawn. Cyhoeddwyd hefyd, i ddathlu'r daucanmlwyddiant ym 1923, gyfrol atodol o Drafodion y Gymdeithas, ac ynddi gyfraniadau gan John Morris-Jones, Saunders Lewis a J. H. Davies. Ac nid dyna'r unig goflechi iddo 'chwaith. Yng Ngorffennaf 1930, gosodwyd cofeb efydd iddo yn Eglwys Uppington: 'In Memory of Goronwy Owen,/Curate of this parish 1748–1758./Lover of Wales and her language. whose genius enriched with immortal verse the literature of his native land./This tablet was erected by the Cymmrodorion Society of Shrewsbury 1930./Pwy a rif dywod Llifon,/Pwy rydd i lawr wyr mawr Môn?' Ac fe osodwyd coflechi iddo mewn mannau eraill hefyd, gan gynnwys Cymru.

Rhoddwyd hwb arall, felly, i fyth a chwlt Goronwy ym 1923. Ceisiwyd, yn un peth, ddangos sut yr oedd Goronwy wedi gosod y sylfeini i'r beirdd a ddaeth ar ei ôl, ac nid beirdd eisteddfodol y bedwaredd ganrif ar bymtheg yn unig, ond beirdd mwyaf newydd Cymru, a chanmil gwell beirdd at hynny. 'Gwynn Jones may be a greater poet than Goronwy, but he simply would not have existed as a poet if Goronwy had not lived before him,' meddai W. J. Gruffydd, gan ychwanegu:[86]

---

[86] 'Goronwy Owen', *The Welsh Outlook*, cyf. X, rhif 3, Mawrth 1923, t. 67.

Morris Jones may be a greater scholar, but the love of clean work and honest, exact thought, which distinguishes his scholarship, would have had little to feed on if that other Anglesey man had not made himself a burden to his friends by borrowing grammars and dictionaries, and forgetting to return them. And at a further remove, the essentially romantic genius of Williams Parry would have languished in a shy imitation of Ceiriog if there had not been prepared for him a better way by a great classicist.

Yn ôl John Morris-Jones, yn ei gyfraniad ef i'r dathliadau daucanmlwyddiant:[87]

... pan oedd hen gelfyddyd barddoniaeth Gymraeg ar drengi fe anadlodd Gronwy fywyd newydd iddi; nid gormod dywedyd mai iddo ef yn bennaf oll yr ydym i ddiolch am ei bod yn fyw heddyw. Fe lygatynnodd genedlaethau a gwychter digyffelyb ei waith. Yr oedd Dafydd Ddu Eryri, tad beirdd y bedwaredd ganrif ar bymtheg, yn ei addoli; a'u hedmygedd o'i waith yn fwy na dim a gynhyrfodd feirdd dechreu'r ganrif, megis Robert ap Gwilym Ddu a Dewi Wyn, i ymarfer â'r hen gelfyddyd. Heb yr ysbrydiaeth a geid yng nghywyddau ac awdlau Gronwy ni thybiaf y gallasai'r Eisteddfod ohoni ei hun ei chadw'n fyw. Yr oedd pob to o gynganeddwyr yn magu to i'w dilyn, ac fe drosglwyddwyd y gynghanedd yn ffurf farddonol fyw i'n dyddiau ni.

'Yn urddas a mawredd ei arddull ni thybiaf fod yr un bardd Cymraeg yn dyfod yn agos iawn ato,' oedd dyfarniad John Morris-Jones, gan ei gymharu â Milton o ran dawn gynhenid os nad o ran cyflawniad.[88]

Yn ôl W. J. Gruffydd, yn ei ysgrif ym 1923, 'roedd Goronwy yn symbol 'of the rejected Welshman'.[89] Dyma bwysleisio'r myth unwaith eto. Yn ôl Gruffydd, methodd Goronwy â chael bywoliaeth yng Nghymru, nid am mai Saeson digydymdeimlad oedd yr esgobion, ond oherwydd snobeiddiwch y Cymry. 'The truth is,' meddai, 'that the son of the Welsh jobber of Anglesey had less snobbery to fight against in England than in Wales'.[90]

Camp fwyaf y dathliadau, fodd bynnag, oedd cyhoeddi *The Letters of Goronwy Owen*, dan olygyddiaeth J. H. Davies, ym 1924. 'Roedd J. H. Davies, ysgolhaig, llyfryddwr a llenor, a chasglwr llyfrau a llawysgrifau brwd, eisoes wedi cyhoeddi ei ddwy gyfrol werthfawr o lythyrau'r Morrisiaid (1907–1909), a thrwy gyhoeddi'r gyfrol o lythyrau Goronwy Owen yn ogystal, gosododd seiliau cadarn iawn ar gyfer astudio Goronwy yn y dyfodol. 'Roedd sawl casgliad o lythyrau'r bardd wedi ymddangos yn y ganrif flaenorol, yn y *Gronoviana*, ym 1860, yng nghasgliad Robert Jones, Rotherhithe, ym 1876, a chan Isaac Foulkes, ym 1895, dan olygyddiaeth John Morris-Jones. Dibynnai'r casgliadau hyn ar gopïau o'r llythyrau, yn hytrach nag ar y llythyrau gwreiddiol, ond atgynhyrchwyd y llythyrau gwreiddiol gan J. H. Davies, ac eithrio'r rheini a oedd wedi eu llwyr golli, ac

---

[87] 'Goronwy Owen', *THSC*, 1922–1923 (cyfrol atodol), 1924, t.6.

[88] Ibid., t. 4.

[89] 'Goronwy Owen', *The Welsh Outlook*, cyf. X, rhif 3, Mawrth 1923, t. 67.

[90] Ibid.

wedi goroesi mewn copïau yn unig. 'It is ... a sorry task to disinter the frailties of so gifted a master of language," meddai J. H. Davies, yn ymddiheurgar-ofidus.[91] 'Roedd y llythyrau yn datgelu cymeriad cymhleth, anghyson, a oedd â'i fryd ar hunan-ddinistr, ac er pob ymdrech ar ran amddiffynwyr ac edmygwyr Goronwy yn y gorffennol i gyfiawnhau ei ymddygiad afreolus, 'roedd yn rhaid cyfaddef, bellach, fod elfennau annymunol a bawlyd yn perthyn i'w gymeriad. Oen Duw yng ngwisg blaidd y Diafol oedd Goronwy wedi'r cyfan. Tynnodd J. H. Davies sylw at yr elfennau garw a byrbwyll yn ei bersonoliaeth:[92]

> At one moment he is longing for a home in Anglesey, at the next he would go any-where in Wales, even to Cardiganshire rather than reside in his native county. He had very comfortable quarters in Donnington and his lot was not worse than that of any other curate. It is also worthy of remark that his patron, Dr. Douglas, whom he denounced as mean and niggardly, was a particularly generous and charitable man. As far as we can judge he was exceptionally fortunate both at Walton and Northolt, in having to work under kindly and estimable clergymen, but he tired at Walton and threw up his work without due provision for the future, and he got himself into serious trouble at Northolt. Lastly, after he had lost his feckless wife on the voyage to America, and was in the enjoyment of a good income in the new country, all accounts seem to shew that he did not shed his baser qualities.

Mae'r cyhuddiadau hyn i gyd yn wir i raddau, ond dim ond i raddau. Bodlonodd J. H. Davies ar restru gwendidau a thrafferthion Goronwy, heb geisio deall y cymhelliad y tu ôl i lawer o'i weithredoedd a'i benderfyniadau. Yn y bôn, artist ac ysgolhaig rhwystredig oedd Goronwy, a brwydr oedd ei fywyd i sicrhau'r amodau a'r amgylchiadau hynny a oedd yn angenrheidiol iddo os oedd i lwyddo yn ei nod i greu cerdd epig fawr, ac i barhau â'i ddiddordebau a'i ddyheadau ysgolheigaidd. Dyna oedd y tu ôl i'w benderfyniad byrbwyll i ymadael â Walton a'i heglu hi yn ddiddarpariaeth i gyfeiriad Llundain. 'Roedd y gobaith y câi waith gyda Chymdeithas y Cymmrodorion yn drech na phob ansicrwydd a byrbwylltra. 'Roedd Goronwy, hefyd, wedi colli ei ferch fach yn Walton, ac wedi bod yn gorweithio yno, nes blino gorff ac enaid. Mae'n anodd i neb ddeall anghysondebau a byrbwylltra Goronwy heb geisio dirnad y tyndra mawr a oedd ynddo rhwng yr awydd i farddoni ac ysgolheica, ar y naill law, a'r amgylchiadau caled a llafurus beunyddiol a oedd yn ei rwystro rhag cyflawni ei ddyheadau. 'Roedd tyndra hefyd rhwng y gŵr deallusol a'r gŵr dinod, iselwaed. 'Roedd yn perthyn i'r dosbarth breintiedig ac i'r cylch deallusol yn ei gyfnod o safbwynt ei ymhél â barddoniaeth, beirniadaeth ac ysgolheictod, ond 'roedd ei fagwraeth isel, anfonheddig ac anfreintiedig, a'r ffaith ei fod yn hanu o dras o dinceriaid, yn gweithio'n groes i hynny. Os oedd Goronwy yn frenin ymhlith beirdd 'roedd yn dlotyn ac yn gardotyn ymhlith pobl. Er i J. H. Davies ofidio ei fod yn dadlennu gwendidau Goronwy i'r byd, gwnaeth gymwynas enfawr â Chymru drwy roi inni argraffiad safonol o lythyrau Goronwy.

---

[91] *LGO*, t. ix.
[92] Ibid., tt. viii–ix.

Ym 1924 hefyd y cyhoeddwyd *A School of Welsh Augustans*, astudiaeth Saunders Lewis o waith Goronwy, Lewis Morris, Evan Evans ac Edward Richard, yn enwedig o safbwynt y dylanwadau Awgwstaidd, Seisnig ar waith y beirdd hyn. Bu'r cyfrolau hyn yn hwb aruthrol i'n hastudiaethau ni o waith Goronwy a'i gyfoeswyr, ac o'r diwedd, rhwng astudiaethau Shankland, casgliad trefnus J. H. Davies o lythyrau'r bardd a sylwadau Saunders Lewis ar ddyled Goronwy i feirdd Saesneg y ddeunawfed ganrif, 'roedd y gwir Oronwy yn dechrau dod i'r golwg, o ganol y mwrllwch o chwedloniaeth a oedd wedi tyfu o'i amgylch. Yn sgîl yr ysgolheictod newydd hwn, dechreuwyd troi'r rhith o fardd yn ŵr o gig a gwaed drachefn, a daeth nodyn mwy beirniadol i mewn i'r trafodaethau. Tra oedd cefnogwyr ac edmygwyr Goronwy yn y bedwaredd ganrif ar bymtheg yn beio pawb a phopeth am ei ymddygiad rhyfedd a'i natur groes, pawb ond Goronwy ei hun, dechreuwyd derbyn mai tipyn o gnaf oedd Goronwy yn y bôn. Adolygwyd cyfrolau J. H. Davies a Saunders Lewis ar y cyd gan T. Gwynn Jones, gan drafod yn ogystal ddwy gyfrol J. H. Davies o lythyrau'r Morrisiaid. Croesawyd y symudiad newydd hwn tuag at gywirdeb a chydbwysedd ganddo:[93]

> Dywedwyd llawer o bethau ffôl am Oronwy, o dro i dro. Cafodd lai o glod na'i haeddiant gan rai, llawer mwy gan ereill. O ddiffyg gwybodaeth am lenyddiaeth Saesneg ei gyfnod, a diffyg syniad am ddyled llenorion i'w gilydd ym mhob oes a gwlad, dywedwyd nad oedd arno ddyled yn y byd i Saeson, ac mai'r clasuron Groeg a Lladin a hen feirdd ei wlad ei hun oedd ei unig batrymau. Mentrodd rhai ohonom awgrymu'n gynnil fod arno beth dyled i feirdd Seisnig ei oes ei hun a'r oes cynt hefyd, a thystiwyd i ni rhag blaen, gyda'r poethder arferol, faint ein hanwybodaeth a'n han-wladgarwch a'n hunanoldeb.

Cyflwynodd T. Gwynn Jones ei hun nodyn beirniadol iawn ar waith Goronwy, drwy ddatgan: 'Am bensaernïaeth Goronwy, ni phrisiwn i moni lawn cyn uched ag y gwnâ Mr. Lewis,' a beirniadodd ddiffyg cynllun Cywydd y Farn a rhai o awdlau'r bardd.[94]

Ym 1947 a 1949, cafwyd hwb arall i'n hastudiaethau o waith a bywyd Goronwy a'r Morrisiaid gyda chyhoeddi dwy gyfrol Hugh Owen, *Additional Letters of the Morrises of Anglesey* (1735–1786), eto dan nawdd Cymdeithas y Cymmrodorion. Fodd bynnag, o'r holl ysgolheigion a grybwyllwyd hyd yma, y gŵr a wnaeth fwy na neb i adfer cywirdeb ysgolheigaidd i hanes Goronwy Owen oedd Bedwyr Lewis Jones. Darganfu nifer o ffeithiau newydd am y bardd, a dadlennodd y ffeithiau hyn mewn sawl ysgrif o bwys. Bwriadai yntau hefyd, yn y pen draw, lunio cofiant i'r bardd ac ynddo hefyd astudiaeth drylwyr o'i waith, ond fe'n hamddifadwyd o'r gymwynas honno gan ei farwolaeth annhymig. Cyn belled yn ôl â 1969, mynegodd Aneirin Talfan Davies fel yr oedd 'yn

---

[93] 'Goronwy Owain ac Ereill', *Y Traethodydd*, cyfres newydd, cyf. XIII, rhif 49, Ebrill 1925; hen gyfres, cyf. LXXX, rhif 355, t. 69.

[94] Ibid., t. 75.

edrych ymlaen at weld cyhoeddi ei astudiaeth gyflawn o waith Goronwy Owen',[95] ond ni chyrhaeddodd yr astudiaeth honno. Dywedodd Bedwyr Lewis Jones ei hun fod hanes bywyd Goronwy, gan fod yr hanes hwnnw mor ddiddorol a'r gwrthrych yn gymeriad mor gymhleth, 'yn gweiddi am gofiannydd'.[96] Bedwyr Lewis Jones, i bob pwrpas, oedd y pumed i fethu llunio cofiant i Goronwy, yn dilyn, Dafydd Ddu Eryri, Gwenffrwd, John H. Owen a Thomas Shankland. Cafwyd digon o draethu am fywyd Goronwy mewn erthyglau a rhagarweiniadau mewn llyfrau, ond ni chynhyrchwyd yr un gwir gofiant. Ond fe gofir am byth am gyfraniad Bedwyr Lewis Jones i'r maes.

Nid yng Nghymru yn unig y bu diddordeb yn hanes Goronwy yn ystod yr ugeinfed ganrif. Dangoswyd diddordeb ynddo yn yr Unol Daleithiau hefyd. Cyfeiriwyd eisoes at y goflech a osodwyd yn Llyfrgell Coleg William a Mary. Ym 1957 lawnsiwyd ymgyrch gan Gymdeithas Farddoniaeth Virginia i godi cofadail i'r bardd ym mynwent St Andrew, Swydd Brunswick. Cyd-gadeiryddion y Gronfa oedd yr Athro John Hughes, Prifysgol McGill, Montreal, Canada, a'r Parch. Maldwyn A. Davies. Ym mis Rhagfyr, 1957, lawnsiwyd apêl ar ffurf llythyr gan y ddau, ar y cyd â Harry M. Meacham, Richmond, Llywydd y Gymdeithas. Mewn gwlad lle mae popeth mor anferthol o fawr, 'roedd yn briodol mai yn ei daear hi y gorweddai bardd mwyaf Cymru, a'r un mor briodol oedd iddo lunio ei ail gerdd orau yn America ei hun! Meddai'r llythyrwyr:[97]

> Why are the Welsh people on both sides of the Atlantic concerned about the Rev. Goronwy Owen, clergyman, poet, hymnologist and teacher, who has been dead 188 years? Why? Because he was the giant of the Welsh Bards and is still unsurpassed. Authorities rank his greatest work "The Last Day of Judgment" on a par with Milton's "Paradise Lost"; and his next best, "An Ode to Lewis Morris" written in St. Andrew's Parish, Brunswick County, Virginia ... as one of the greatest feats in the Welsh language.

Llwyddwyd i godi arian ar gyfer codi'r gofadail. Dadorchuddiwyd y gofadail ym mynwent Llanandreas ar Fawrth 2, 1958, a'i dadorchuddio, yn ôl taflen y gwasanaeth, gan 'The Most Worshipful Earl S. Wallace assisted by the Brunswick Masonic Lodge ... and visiting Welsh Masons'. Ar flaen bôn y gofadail, sydd ar ffurf croes Geltaidd, ceir y geiriau 'I ogoneddu Duw ac i Goffáu Goronwy Owen (1723–1769)/ Clerigwr, Bardd, Gwladgarwr, Emynydd, Athro, Llythyrwr, Ysgolhaig Clasurol, Cymmrodor a Saer-Rhydd/"Cerais fy ngwlad geinfad gu"/Codwyd y Gof-adail hon gan Gymry Gogledd America a Chymdeithas Awen Virginia'. Ceir cyfieithiad Saesneg o'r geiriad Cymraeg ar ddwy ochr i'r garreg.

[95] 'Goronwy'r Bardd a'r Offeiriad 1723–1769', *Gyda Gwawr y Bore*, 1970, t. 161.
[96] 'Goronwy Owen', *Ysgrifau Beirniadol*, cyf. II, Gol. J. E. Caerwyn Williams, 1966, t. 94.
[97] Cefais gopi o'r llythyr gan Barbara B. Safford, aelod o linach Goronwy yn America.

Galwyd Goronwy yn saer-rhydd gan ddilyn yr hyn a ddywedodd wrth William Morris am gymdeithas ddirgelaidd y seiri rhyddion mewn dau o'i lythyrau ato o Walton. 'Bychan a ŵyr o,' meddai wrth William am Lewis ei frawd, 'fod yr adeiliadwr yn rhydd ac yn freiniawg o'r gelfyddyd,' a'i fod hefyd 'yn un o'r penmeistraid'.[98] 'How do you translate a free and accepted Mason?' gofynnodd drachefn.[99] 'Roedd Goronwy, mae'n amlwg, wedi ymuno â chymdeithas o seiri rhyddion yn ystod ei gyfnod yn Walton. Bu cryn ffynnu ar gymdeithasau o seiri rhyddion yn ystod y ddeunawfed ganrif, yn unol â hoffter y ganrif o gymdeithasau etholedig o'r fath. 'Roedd seiri rhyddion y ddeunawfed ganrif yn hyr-wyddo goddefgarwch crefyddol, yn un peth, a goddefgarwch hiliol a gwleidyddol hefyd. 'We are here (as to nation) Welsh, English, Irish, Scots, and Manks; and (as to religion) Protestants and Papists, and (as to politicks) high and low fliers,' meddai Goronwy.[100] 'Fashionable 'speculative' freemasonry also took root, combining the all-male cheer of the club, the fraternity of trade, and non-denominational lay piety,' meddai Roy Porter.[101] 'Roedd seiri rhyddion y ddeunawfed ganrif yn arddel delfrydau Goleuedigaeth y ganrif flaenorol, yn ogystal â delfrydiaeth Neo-blatonaidd cyfnod y Dadeni. 'Roedd Goronwy yn amddiffynnol iawn o'r gymdeithas hon. 'Fe haeddai'r gelfyddyd glod, pe na bai ddim rhinwedd arni, ond medru cadw cyfrinach,' meddai, gan ddyfalu a oedd William hefyd yn aelod o'r 'freiniawl frawdoliaeth'.[102] Mae'n amlwg nad oedd William yn cymeradwyo seiri rhyddion. 'Ai ê, crefft go ddiystyr yw'r eiddo'r seiri cerrig yn eich tyb chwi?' gofyn-nodd Goronwy iddo.[103] 'As it is a mystery, it can't be apologiz'd for to those that are strangers to it, and to those who know it, it needs no apology,' meddai Goronwy, yn amddiffynnol eto.[104]

Drwy gydol yr ugeinfed ganrif, bu myth a barddoniaeth Goronwy hefyd yn symbyliad i'r beirdd. Os bu hanes ei fywyd yn faes astudiaeth i ysgolheigion a darpar-gofianwyr, a'i farddoniaeth yn faes ymrafael i feirniaid, bu breuddwyd ystyfnig Goronwy i greu cerdd epig Gymraeg yn nannedd tlodi enbyd a diffyg cefnogaeth, ac yn wyneb difrawder a Philistiaeth ei oes, yn ysbrydoliaeth i'r beirdd. 'Roedd Goronwy yn ymgorfforiad byw o'r problemau yr oedd yn rhaid i'r artist creadigol eu hwynebu mewn cymdeithas faterol, anartistig. Un o'r cerddi enwocaf i Goronwy Owen yw cerdd R. Williams Parry, 'Cymry Gŵyl Ddewi'. Melltithir y Cymry am ganmol Goronwy i'r entrychion ond gan wrthod cefnogaeth a chynhaliaeth iddo yr un pryd:

---

[98] *LGO*, llythyr XLVI, at William, o Walton, Hydref 16, 1754, t. 127.

[99] Ibid.

[100] Ibid., llythyr L, at William, o Walton, Rhagfyr 2, 1754, t. 137.

[101] *English Society in the Eighteenth Century*, tt. 156-157.

[102] *LGO*, llythyr XLVI, at William, o Walton, Hydref 16, 1754, t. 127.

[103] Ibid., llythyr L, at William, o Walton, Rhagfyr 2, 1754, t. 137.

[104] Ibid.

Gronwy ddiafael, Gronwy Ddu,
Tragywydd giwrat Cymru Fu!
Cest yn dy glustiau fwy o glod
Nag o geiniogau yn dy god.

Ergyd y gerdd yw'r ffaith nad yw Cymru wedi newid dim oddi ar ganol y ddeunawfed ganrif. Pe dychwelai Goronwy i Gymru'r tridegau, ni welai fawr ddim o newid. Er bod bri ar ei gerddi yng Nghymru, ac er bod 'y Philistiaid roes it glwy' wedi ffoi, a Lewis Morris wedi hen farw, câi ei wrthod gan y Cymry o hyd, fel pob artist creadigol. Ymosodiad yw'r gerdd ar Philistiaeth a Sais-addoliaeth y Cymry:

Aros lle'r wyt, yr Ianci Bach,
Cyflwr dy henwlad nid yw iach.
Os caet y ciwdos a gadd Pope
A gaet y cysur hefyd? *Nope*.

Fel pan adewaist Walton gynt,
A welit eilwaith ar dy hynt
Rai'n cau y drws o'th flaen yn glep
'Rôl cloi y llall o'th wrthol? *Yep*.

Ond pe gogleisit glust y Sais
Nes cael dy ganmol am dy gais,
A 'mgrymai Cymro wrth bob dôr
O'th ffordd i hedd a ffafar? *Shore*.

Lluniwyd y gerdd ym 1938, ac mae hi'n perthyn i gyfnod 'Gwalia-Philistia' Cymru. Y tu ôl i'r gerdd y mae rhwystredigaeth Williams Parry gyda'i swydd fel darlithydd yng Ngholeg y Brifysgol, Bangor, pryd y teimlai nad oedd gan y drefn academaidd, hyd yn oed, barch at yr artist creadigol,[105] a'i ddicter at y modd y gwrthodai'r Cymry gefnogi Saunders Lewis, D. J. Williams a Lewis Valentine ar ôl y weithred o losgi'r Ysgol Fomio. Mae'n cyfeirio at Goronwy yn y soned 'Cymru 1937' hefyd, wrth iddo erfyn am i wynt chwyldro a chyffro dreiddio drwy 'gadarn goncrit Philistia': 'O'r Llanfair sydd ar y Bryn neu Lanfair Mathafarn/Chwyth ef i'r synagog neu chwyth ef i'r dafarn'. 'Roedd Cymru yr un mor ddifater-ddigyffro ddiwedd tridegau'r ugeinfed ganrif ag yr oedd yng nghyf-nod Goronwy. Symbol oedd Goronwy, i'r beirdd mwyaf blaenllaw a meddylgar, o'r artist yn Philistia, o'r awdur yng nghanol difrawder, ac o'r unigolyn creadigol yng nghanol y mwyafrif materol.

---

[105] Gw. ' 'Enaid Digymar heb Gefnydd' ', Thomas Parry, *Cyfres y Meistri 1: R. Williams Parry*, Gol. Alan Llwyd, 1979, tt. 45-57.

Mae cerdd R. Meirion Roberts, 'Eglwys Walton', yn sôn am fath arall o Philistiaeth, sef rhyfel, a'r modd y mae rhyfel yn dinistrio'r mannau sancteiddiolaf. Gan fod cysylltiad mor amlwg rhwng Goronwy ac Eglwys Walton, 'roedd y weithred o fomio Eglwys Walton gan awyrenwyr Yr Almaen (ar Fai 3, 1941, fel y mae'n digwydd) yn ymosodiad deublyg, oherwydd bod y weithred yn dinistrio un o lannau'r Ffydd yn ogystal ag anrheithio cof cenedl am un o'i beirdd:[106]

Hen eglwys gyda'r orau
  Ar ffiniau'r ddinas ddu,
Mae'n drist heb do na dorau
  A'i muriau'n friw o'i thu.

Canys daeth un hwyr gresynus
  Rywun i'r awyr fry
Na wyddai am fardd yr ynys
  Na gofid Gronwy Ddu.

Chwalodd ei seintwar diwair,
  Dinistriodd ddistiau'i tho
Heb wybod mai cyniwair
  O hyd wna'i alaeth o.

Mewn cerrig anweledig,
  Mewn seddau nad ŷnt mwy;
Ni'm dawr y ple caredig
  Am help i'w hadfer hwy.

Ni ddychwel trawstiau hirion
  Ei tho, maent heddiw yn gudd
Fel y plwyfolion tirion
  Fu'n gwrando ers llawer dydd.

Ond erys gerllaw'r meini
  Ac wrth y gweddill coed
'Elin liw hinon' heini
  Mor llonydd ag erioed.

Mae'r agwedd hon ar gwlt Goronwy, sef myth yr artist gwrthodedig yn Philistia, wedi cyffwrdd â rhai o'n beirdd mwyaf modern ni. Yn y gerdd 'Ym Môn', gan Bryan Martin Davies, er enghraifft, sonnir am ymweliad â'r Dafarn Goch, ond[107]

---

[106] 'Eglwys Walton', R. Meirion Roberts, *Y Llenor*, cyf. XXX. rhif 4, Gaeaf 1951, t. 159.
[107] 'Ym Môn', Bryan Martin Davies, *Deuoliaethau*, 1976, t. 23.

Lleidiog oedd y llwybr
a throellog
fel buchedd bardd,
a gwelsom hefyd
gŵn Seisnig yn sgyrnygu arnom
o foeth y lawnt ddiogel,
yn gwmws fel Philistiaid.

Gobeithiai'r bardd ddod o hyd i 'gasgenni brochus/y cywyddau cyfarwydd' yn Y Dafarn Goch, ond gorweddai'r rheini 'dan goncret parchus/a gwydr dirwestol/y tŷ modern'. Mae bardd cyfoes arall, Gwyn Thomas, yn defnyddio un o ymadroddion Goronwy, sef ei ddisgrifiad o'r morwyr yn 'cnuchio'n rhyferig' ar fwrdd y *Tryal* cyn ymadael am Virginia, mewn modd eironig a miniog yn ei gerdd 'Fo a'i Dad':[108]

Amdano fo, y mae o
Yn treulio'i bnawniau Sul yn gwylio'i fideo,
Driller Killer a *The Bitch* –
Dyna ydi ei bethau fo.
Y mae pnawniau ei Sul o
Yn llawn o lofruddio gwaedlyd
Ac o gnuchio rhyferig ...

Diben y gyfeiriadaeth yw cyferbynnu rhwng y modd yr oedd y 'cnuchio rhyferig' cyhoeddus hwn yn arswyd mewn canrif mor gwrs â'r ddeunawfed, ond yn bleser pur mewn canrif mor soffistigedig a gwareiddiedig â'r ugeinfed ganrif, a dangos fel y mae dyn yn suddo'n is ac yn is i'r gwaelodion.

Bu Goronwy, felly, yn fyth ac yn gwlt am fwy na dau gan mlynedd, yn enwedig os ystyriwn hefyd yr holl ddiddordeb a oedd gan ei gyd-feirdd ynddo pan oedd yn fyw, ond rhaid inni beidio â meddwl mai trasiedi a stomp ei fywyd yn unig a fu'n gyfrifol am y diddordeb diderfyn hwn ynddo. Mae'n wir fod hanes ei fywyd wedi dyblu'r diddordeb ynddo, ond rhaid cofio fod beirdd a llenorion diwedd y ddeunawfed ganrif wedi ym-serchu yn ei waith, ac wedi'i droi'n ddelfryd ac yn batrwm, cyn gwybod fawr ddim am helyntion ei fywyd helbulus. 'Roedden nhw yn ei werthfawrogi fel bardd, beirniad llenyddol a 'sgwennwr rhyddiaith gaboledig a chofiadwy. Gwrthododd y bedwaredd ganrif ar bymtheg gydnabod fod i'w waith unrhyw wendidau, a bod ei farddoniaeth mor ddi-fefl â'i fuchedd. 'Roedd adwaith yn rhwym o ddigwydd, a phan ddaeth, 'roedd yr adwaith hwnnw yn un hollol chwyrn a didrugaredd. Bobi Jones a arweiniodd yr ymgyrch yn ei erbyn. 'Roedd Goronwy wedi colli peth tir yn ystod yr ugeinfed ganrif, ond 'roedd ei safle yn ddigon diogel a chadarn o hyd. Enghraifft ddiweddar o roi'r lle blaenaf ym myd barddoniaeth i Goronwy yw ysgrif werthfawrogol John Gwilym Jones o R. Williams

---

[108] 'Fo a'i Dad', Gwyn Thomas, *Am Ryw Hyd*, 1986, t. 28.

Parry wrth gyflwyno *Yr Haf a Cherddi Eraill*. Rhestrir Goronwy ganddo ymhlith beirdd mawr y byd – Homer, Fyrsil, Dafydd ap Gwilym, Dante, Shakespeare, Goethe, Pantycelyn, Wordsworth, Keats a Shelley. 'Mympwy personol sydd bellach yn meiddio cloddio o dan eu colofnau,' meddai.[109]

Un o'r rhai mympwyol oedd Bobi Jones, ac nid cloddio o dan golofn Goronwy a wnaeth, ond ei malu'n deilchion. Cyhuddodd Goronwy o fod 'wedi cael ei orbrisio' gan y Cymry,[110] yn union fel y cafodd Dewi Wyn o Eifion a T. Gwynn Jones eu gor-ganmol gan y ddwy ganrif a ddaeth ar ôl canrif Goronwy, ond bellach 'roedd Goronwy yn fardd 'y mae ei haul, fel gyda'r ddau fardd arall, wedi machlud i ryw raddau erbyn hyn; ac yn achos Goronwy Owen rydw i braidd yn siŵr mai machlud fwyfwy a wna yn y dyfodol'.[111] Dywedodd fod 'stamp bardd eilradd ar ei sgrifennu bron i gyd,' a bod ei grefft 'braidd yn ystrydebol neu bedestraidd'.[112] Goronwy oedd siom fawr y ddeunawfed ganrif i Bobi Jones, ac aeth i eithafion wrth geisio'i gollfarnu. Mynnodd ei fod yn llai o fardd na Williams Pantycelyn, ond, meddai, 'mae'n llai hefyd na Thwm o'r Nant a Morgan Rhys',[113] a disgrifiodd Goronwy fel y 'dilettante hwn o'r ddeunawfed ganrif'.[114] Cyhuddodd Goronwy o ddrysu beirdd y bedwaredd ganrif ar bymtheg, oherwydd iddo, yn bennaf, gamddefnyddio'r iaith Gymraeg. Meddai:[115]

> Mewn canrif fel y ddeunawfed pryd roedd y beirdd yn closio'n gyffredinol at yr iaith lafar, a phryd roedd tebygolrwydd y gallesid datblygu iaith lenyddol iach, weddol lafar yn null prydyddion Powys a'r Deheubarth, dyma Goronwy Owen yn ymdrechu i atgyfodi iaith hollol farw y Gogynfeirdd.

Cyhuddwyd Goronwy ganddo o fod yn snob, 'snob yn ei iaith', yn un peth, ac mai 'Gwaith ysgolheigaidd' oedd barddoni iddo.[116] Collfarnodd Gywydd y Farn fel 'Ymarferiad llenyddol bachgen clyfar yn chweched dosbarth ysgol ramadeg,' ac o fod yn 'arbrawf llafurus mewn arddull'.[117] Yn ogystal, ceir yn y cywydd 'ddatgan rhethregol a myglyd sy'n dangos gan mwyaf ddiffyg synhwyrusrwydd a sensitifrwydd,' ac nid yw'r cywydd yn fawr mwy na 'Gweledigaeth ddieneiniad wedi ei chwythu'n fawr'.[118] 'Ymarferiad mewn Cymraeg Canol oedd sgrifennu iddo,' meddai eto, a chondemniodd amaturiaeth ei gynganeddion.[119] Os oedd iddo rinweddau fel bardd, 'campau'r bardd eilradd' oedd y rheini,[120] a 'doedd Goronwy ddim hyd yn oed 'yn sefyll yn rheng flaena beirdd Cymru',[121] dedfryd sy'n bur wahanol i un John Gwilym Jones, a oedd yn gosod Goronwy ymhlith beirdd mwyaf y byd. Yn ôl Bobi Jones, 'roedd Pantycelyn, cyfoeswr Goronwy, yn y rheng flaen honno, ond 'doedd dim lle i Goronwy ynddi.

---

[109] 'Robert Williams Parry', *Yr Haf a Cherddi Eraill*, arg, 1970, t.9.

[110] 'Goronwy Owen', Bobi Jones, *Gwŷr Llên y Ddeunawfed Ganrif*, Gol. Dyfnallt Morgan, 1966, arg. 1977, t. 129.

[111] Ibid.

[112] Ibid.

[113] Ibid.

(parhad t. 381)

Adwaith naturiol ac anochel oedd ymosodiad didostur Bobi Jones. Pe bai wedi ymosod ar Goronwy yn y fath fodd ar ddechrau'r bedwaredd ganrif ar bymtheg, neu hyd yn oed yn ystod hanner cyntaf y ganrif hon, byddai wedi cael ei daflu i ganol coelcerth eirias yn y fan a'r lle am y fath heresi, tra byddai un o ddilynwyr Goronwy yn darllen Cywydd y Farn Fawr yn gyhoeddus wrth ei gyfeirio tuag uffern! Ond 'roedd bai ar addolwyr Goronwy am ei glodfori mor ddilywodraeth a'i osod mor gibddall ffêr a sawdl uwch pob bardd arall. Ond a oes un rhithyn o wirionedd yn natganiadau Bobi Jones? Oes, rhyw ychydig. Gwendid yr ysgrif oedd iddi ogwyddo i'r pegwn mwyaf eithafol posibl oddi wrth safbwynt eilun-addolwyr Goronwy. Mae'n rhaid mai yn rhywle yn y canol y mae'r gwir. Prin y gall neb ei roi'n is na Twm o'r Nant, er enghraifft. Mae mynegiant Twm yn garbwl flêr, a rhyw elfen o ddihidrwydd ac anorffennedd yn perthyn i'w waith, tra ceir mynegiant gorffenedig a chaboledig yng ngwaith gorau Goronwy. Mae cymharu'r ddau fel ceisio cymharu drama opera sebon â ffilm epig. 'Roedd Goronwy hefyd yn fwy o bensaer na Twm. Tra oedd Twm yn codi clawdd cerrig 'roedd Goronwy yn codi colofn farmor, er bod gormod o sioe a gormod o ffug-urddas yn andwyo'r golofn. Mae'n wir fod Goronwy wedi marweiddio llawer ar ei farddoniaeth drwy ei phupuro â hen eiriau, ond mae'n rhaid i ni geisio deall agwedd y dyn, a'i anawsterau hefyd. Adfer urddas, syberwyd a glendid y Gymraeg oedd un o fwriadau Goronwy wrth farddoni, a gwyddai mai iaith aruchel yn unig a oedd yn gweddu i arwrgerdd. Ni allai'r iaith lafar fyth wneud y tro. Pwy a allai godi castell â chlai? Yn yr oes honno o ddiffyg geiriaduron safonol yn y Gymraeg, 'roedd problem enfawr gan Goronwy, ac ni lwyddodd i ddatrys y broblem honno.

Yn anffodus, erbyn heddiw mae barddoniaeth Goronwy fel côt sydd wedi ei botymu'n rhy dynn am gorff ystwyth: mae'r eirfa yn tagu llif naturiol yr awen, yn mygu'r athrylith i raddau. A bu llawer iawn gormod o gymharu dau fardd mwyaf y ddeunawfed ganrif, Goronwy a Phantycelyn, yn anffafriol â'i gilydd, gan chwarae'r naill yn erbyn y llall. Yr unig bethau a oedd yn gyffredin i'r ddau oedd y ffaith eu bod yn cydoesi â'i gilydd, a'u bod, yn eu gwahanol ffyrdd eu hunain, yn weinidogion Crist ar y ddaear. Perthynent i ddau fudiad a oedd yn hollol wahanol i'w gilydd. Perthynai Goronwy i'r traddodiad clasurol, a roddai bwys ar resymoliaeth a threfn, tra perthynai Pantycelyn i'r mudiad Methodistaidd, gyda'i angerdd llosg, tanbaid, a'i hiraeth afresymol am fyd arall. Coelcerth a wreichionai'n angerddol wyllt i gyfeiriad y nefoedd oedd awen Pantycelyn, ond fflam oer a gedwid dan reolaeth mewn llusern wydr, i oleuo'r ffordd dan draed, oedd

---

[114] Ibid.
[115] Ibid., t. 130
[116] Ibid., t. 131.
[117] Ibid.
[118] Ibid., tt. 131–132.
[119] Ibid., tt. 132–133.
[120] Ibid., t. 133.
[121] Ibid., t. 136.

awen Goronwy. Ac a ellir galw bardd sydd wedi gadael llinellau a chwpledi perffaith, cwpledi sydd wedi ymgartrefu yn yr iaith ers dwy ganrif a hanner, ac wedi dod yn rhan oesoesol o'n hetifeddiaeth lenyddol a diwylliannol ni, yn fardd eilradd? Mae'n wir nad yw bellach yn rheng flaenaf ein beirdd, ond mae'n rhaid ei fod yn rhywle yn yr ail reng. Y gwir yw ei bod hi'n anodd ac yn annheg inni farnu gwaith Goronwy y tu allan i'w ganrif a'i gefndir, a rhaid inni bellach wneud hynny.

PENNOD 11

'Poed im Wau Emynau Mawl'

Barddoniaeth Goronwy Owen

Plentyn Neo-glasuriaeth y ddeunawfed ganrif oedd Goronwy Owen, ac nid oes modd ymateb yn llawn i'w farddoniaeth heb ei gosod yn ei chefndir a'i chyfnod priodol; ac nid plentyn Neo-glasuriaeth yr oes yn unig, ond cynnyrch Rhesymoliaeth a Goleuedigaeth y ganrif yn ogystal. Mewn sawl elfen, mae barddoniaeth Goronwy yn nodweddiadol Awgwstaidd. 'Roedd barddoniaeth y ganrif yn dilyn tueddiadau addysgol, damcaniaethol a chymdeithasol yr oes, a'r farddoniaeth, i raddau, yn un â'r athroniaeth.

'Roedd addysg y ganrif yn pwyso'n drwm ar y Clasuron, a Groeg a Lladin yn bync-iau academaidd hollbwysig. 'Lashed into Latin by the tingling rod' oedd y modd y câi disgyblion ysgol eu haddysgu yn ôl John Gay yn 'The Birth of the Squire'. 'Dyna chwithau yn pwnio Lladin a morthwylion ym mhennau plant,' meddai Lewis Morris wrth Edward Richard.[1] Nid yn unig fod hyfforddiant yn y Clasuron yn orfodol ond hefyd yn hanfodol i fardd. 'Roedd yn rhaid i wir feirdd fod yn addysgedig, a golygai hynny fod yn rhaid i feirdd feddu ar wybodaeth eang o Roeg a Lladin. Llwythid barddoniaeth gan gyfeiriadau llenyddol at y Clasuron, ac 'roedd cyfeiriadaeth o'r fath yn rhan anhepgor o farddoniaeth; llanwai llythyrwyr yr oes eu gohebiaethau â'i gilydd â dyfyniadau Groeg a Lladin. Ymffrostiodd Lewis Morris unwaith mai dyfyniadau o farddoniaeth Gymraeg a addurnai ei lythyrau ef, yn hytrach na dyfyniadau o farddoniaeth Ladin a Groeg. 'You see I interlard my letters with Welsh, while men of learning adorn theirs with Greek and Latin quotations,' meddai wrth Edward Richard.[2] Efallai mai ergyd lawchwith at Edward Richard oedd yr ymffrost, oherwydd dyna'r union beth a wnâi ef yn ei lythyrau. Edliw-iodd Lewis iddo'r ffaith anffodus ei fod yn llawer mwy cyfarwydd â'r traddodiad clasurol nag â barddoniaeth Gymraeg. 'The misfortune is and a great loss to the world,' meddai, 'that you understand the ancient Greeks and Romans better than the ancient Celtæ and Britons'.[3]

---

[1] *ALMA* 1, llythyr 188, Lewis at Edward Richard, o Benbryn, Tachwedd 7, 1758, t. 373.
[2] *ALMA* 2, llythyr 248, Lewis at Edward Richard, o Benbryn, Awst 1, 1760, t. 482.
[3] Ibid., llythyr 287, Lewis at Edward Richard, o Benbryn, Mawrth 27, 1762, t. 546.

Byddai'r beirdd addysgedig yn troi eu trwynau ar feirdd diddysg nad oedd ganddyn nhw lawer o grap ar y Clasuron. Er enghraifft, mae Alexander Pope yn ymosod yn llym ar un o fân feirdd y ganrif, James Ralph, oherwydd ei ddiffyg addysg a'i ddiffyg cefndir clasurol. 'This low writer ... was wholly illiterate,' meddai, 'and knew no Language, not even French'.[4] Illiterate yn ystyr wreiddiol y gair a olygir, sef heb fedru Groeg a Lladin. Yn ogystal â gogwydd at y Clasuron, 'roedd y mater hwn o chwaeth hefyd yn hollbwysig yn y ganrif. Ddiwedd yr ail ganrif ar bymtheg a dechrau'r ddeunawfed, oes anterth Dryden a Pope, 'roedd chwaeth yn elfen hollbwysig i fardd a beirniad, ond 'roedd y chwaeth honno yn gysylltiedig â magwraeth aruchel a natur fonheddig, rhywbeth na allai Goronwy ymffrostio ynddo. Yn ôl John Dennis, un o feirniaid pwysicaf y cyfnod Neo-glasurol, 'roedd yn rhaid wrth ddysg i feithrin chwaeth, ac 'roedd digon o ddysg gan Goronwy. Mae'r agweddau hyn, i raddau helaeth, yn esbonio pam yr oedd Goronwy mor ddirmygus o feirdd fel Elis Roberts, Elisa Gowper, a beirdd bol-clawdd o'r fath, heb sôn, wrth gwrs, am y ffaith fod beirdd gwerinaidd o'r fath yn ei atgoffa am ei dad, ac am ei gefndir anffodus o ddifreintiau. 'Dyn glew iawn yw Dafydd Sion Dafydd o Drefriw,' meddai Goronwy, 'ond ei fod yn brin o wybodaeth'.[5] Yn ôl Goronwy eto, 'nid dawn awenydd, ond dawn ymdafodi, ac ymserthu'n fustlaidd ddrewedig anaele' oedd gan Elis.[6] 'Yr englynion i Elis y Cowper yw "Dunciad" byr Goronwy Owen,' meddai Saunders Lewis, oherwydd mai uchelgais Goronwy oedd 'sgrifennu yn deilwng o safonau clasurol ei oes, oes y safonau'.[7]

Cynrychiolai Elis y *dilettante* llenyddol, y beirdd disylwedd a chwaraeai'n ysgafn arwynebol â barddoniaeth, yn hytrach nag ymroi i'w chreu gyda chryn ddifrifwch ac ymroddiad. Yn nhyb llawer o feirdd y cyfnod Awgwstaidd, 'roedd i farddoniaeth swyddogaeth aruchel a difrifol. Coleddai Goronwy yr un safbwynt yn union. 'Doedd dim lle ynddi i wamalrwydd, maswedd a gwiriondeb. Condemniodd farddoniaeth o'r fath yn ei ail Gywydd Hiraeth am Fôn, wrth bwysleisio arucheledd a tharddiad dwyfol ei ddawn:[8]

> Gwae ddiles gywyddoliaeth!
> Gwae fydd o'i awenydd waeth!
> Gwae rewydd segur awen!
> Na ddêl gwawd pechawd o'm pen!

'I have not a turn of genius fit for ludicrous poetry (which I believe is best relished in Wales), and you will see that the few little witticisms in *Cywydd y Farf* are rather forced

---

[4] *The Dunciad Variorum*, fersiwn 1729, llyfr III, ll. 159n.: *The Poems of Alexander Pope: a one-volume edition of the Twickenham text with selected annotations*, Gol. John Butt, 1963, arg. 1989, t. 410.

[5] *LGO*, llythyr LII, at William, o Walton, Ionawr 21, 1755, t. 143.

[6] Ibid., llythyr XLVI, at William, o Walton, Hydref 16, 1754, t. 127.

[7] 'Goronwy Owen', *Meistri'r Canrifoedd*, t. 262.

[8] 'Cywydd yn Ateb y Bardd Coch o Fôn', *Blodeugerdd Barddas o Ganu Caeth y Ddeunawfed Ganrif*, t. 111.

than natural,' meddai wrth William, gan gollfarnu'r elfen ysgafn a chellweirus ym marddoniaeth Dafydd ap Gwilym ar yr un pryd: 'D. ab Gwilym was perhaps the best Welshman that ever lived for that kind of Poetry ... and tho' I admire (and even dote upon) the sweetness of his poetry, I have often wish'd he had rais'd his thoughts to something more grave and *sublime*'.[9] Prin yr ymollyngai Goronwy i gellwair, a hollol groes i'w gymeriad, ar un ystyr, oedd iddo lunio nifer o englynion yn ochri â Hugh Hughes yn wyneb ymosodiad arno gan Elis Roberts ar ffurf englynion; ond mae'n arwyddocaol na fynnai i'w enw ef ei hun ymddangos wrth gwt yr englynion hynny. 'I would not be known or seen as an *ally*, much less a *principal* yn y fath ffrwgwd,' meddai wrth Wiliam.[10] Ac eto, onid holl bwrpas llunio'r englynion hyn oedd dychanu'r confensiwn hwn, a dychanu arfer y beirdd o ymosod ar ei gilydd a galw enwau hyll ar ei gilydd, confensiwn hollol ddiwerth a phlentynnaidd, a difyrrwch i feirdd bas a dwl yn unig, yn nhyb Goronwy? 'Roedd ateb Goronwy i Elis, meddai ef ei hun, wedi ei 'gyfansoddi mewn modd eglur, hawdd ei amgyffred gan y gwannaf ei ddysg a'i ddeall'.[11] Cynnyrch a difyrrwch beirdd di-ddysg, anneallus ac israddol oedd y cwerylon barddonol hyn yn ôl Goronwy. Credai mai cyfuniad o ddysg a dawn a wnâi fardd o'r iawn ryw; pwrpas dysg oedd rhoi sglein ar athrylith wreiddiol, gynhenid bardd. 'Er na ddichon dysg *wneuthur* prydydd, eto hi a ddichyn ei *wellhau*,' meddai.[12]

'Roedd agwedd Goronwy tuag at farddoniaeth yn dra gwahanol i agwedd Lewis Morris. 'He failed to see, or did not wish to see, that Lewis Morys, too, belonged to the same class,' meddai W. J. Gruffydd, sef dosbarth y beirdd masweddus, rhigymaidd, 'Lewis Morys really being after all, only another Elisha Gowper, but on a much higher level'.[13] Dangosodd Bedwyr Lewis Jones y gwahaniaeth rhwng y ddau drwy sôn am 'sobrwydd synhwyrol' Goronwy a 'digrifwch llawen' Lewis.[14] Soniwyd yn y bennod gyntaf am ran Lewis yn yr ymgyrch englynol i ddiolch i Richard Evans am gael gwared â phla o ddafadennau oddi ar draed tad Goronwy, a'i ran yn y ffrae farddol rhwng Môn ac Arfon. Dyma bethau Lewis, yn enwedig yn ei ieuenctid. 'Roedd yr ymhél hwn â beirdd gwlad yn rhan bwysig iawn o'i fagwraeth lenyddol, er iddo gefnu ar waith beirdd israddol wrth weithredu fel pennaeth cylch barddol mwy uchelgeisiol a mwy uchel-ael ym mlynydd-oedd ei ganol oed, ac wedi i'w chwaeth ef newid a datblygu; ond ni chefnodd Lewis erioed ar ganu ysgafn, hwyliog ac anllad, a gwelir dylanwad canu masweddus Saesneg, yr ochr arall i'r geiniog Awgwstaidd fel petai, ar gerddi fel y cywyddau i'r butain Haras, Cywydd y Bais a Chywydd y Wialen Ddŵr, a'u maswedd a'u hamwysedd yn adleisio

---

[9] *LGO*, llythyr IV, at William, o Donnington, Mai 7, 1752, t. 7.
[10] Ibid., llythyr LII, at William, o Walton, Ionawr 21, 1755, t. 144.
[11] Ibid.
[12] Ibid., llythyr XLVI, at William, o Walton, Hydref 16, 1754, t. 131.
[13] *Cywyddau Goronwy Owen*, t. ix.
[14] 'Lewis Morris a Goronwy Owen: "Digrifwch Llawen" a "Sobrwydd Synhwyrol" ', *Ysgrifau Beirniadol*, cyf. X, Gol. J. E. Caerwyn Williams, 1977, tt. 290-308.

canu anllad Saesneg o'r fath. 'How the Devil (says you) can this man, among all his troubles in Cardiganshire, write upon such light subjects?' gofynnodd Lewis i William Vaughan wrth yrru copi o 'Caniad Hanes Henaint' ato, gan ateb, 'the *Awen*, which raises my Imagination above the Gross Material Creation, is to me the greatest friend in Adversity'.[15] Yn groes i haeriadau W. J. Gruffydd, 'roedd Goronwy yn ymwybodol iawn o'r elfen ysgafn hon ym marddoniaeth Lewis, ac fe'i condemniodd, yn ddigon cudd, yn ei ail Gywydd Hiraeth am Fôn, ar ôl iddo ffraeo â Lewis Morris; ni fynnai sôn am yr ysgafnder hwn yn ei waith cyn hynny, ac yntau'n eilun-addoli Lewis; a hyd yn oed wrth gydnabod fod yna elfen fasweddus yn ei ganu, yn ei farwnad iddo, ceisiodd gyfiawnhau'r elfen hon yng nghanu Lewis drwy honni fod iddi arlliw moesol – 'E gaed moes wiwdda gyda masweddion',[16] gan gyfeirio, mae'n debyg, at y moesoli a geir yn rhai o gywyddau anllad-awgrymog Lewis, Cywydd y Baradwys Ddaearol a Chywydd y Bais, er enghraifft.

'Roedd Goronwy a Lewis, mewn gwirionedd, yn cynrychioli'r ddwy ochr i un o brif ddadleuon y ddeunawfed ganrif a diwedd y ganrif o'i blaen; Goronwy oedd yr ochr uchaf lân i'r haen o rew a oedd wedi ymffurfio dros ddŵr bas y llyn; Lewis oedd yr ochr isaf, fudur, a oedd wedi cydio mewn baw, chwyn, budreddi a hen wreiddiau. Ymosodai rhai beirdd a beirniaid, a gredai mai swyddogaeth gyfrifol, difrifol a moesol oedd i farddoniaeth, ar anlladrwydd a maswedd mewn cerddi. 'Tis most certain that barefac'd Bawdery is the poorest pretence to wit imaginable,' meddai Dryden.[17] Ymosodai nifer o gyfoeswyr Dryden ar feirdd y dom a barddoniaeth y gwter. Yn ei *Ode to Wit* (1663), bwriodd Abraham Cowley ei lach ar brydyddiaeth wrthun o'r fath:

> Much less can that have any place
> At which a Virgin hides her Face:
> Such dross the fire must purge away; 'tis just
> The Author blush, there where the Reader must.

'Immodest Words admit of no defence;/For Want of Decency is want of Sense,' meddai Iarll Roscommon yntau yn ei *Essay on Translated Verse* (1684). Byddai Lewis Morris yn anghytuno â'r fath safbwynt Piwritanaidd a gor-foesol, ond i Goronwy, swyddogaeth barchus a dyrchafol oedd i farddoniaeth.

Wrth gwrs, nid beirdd y ddeunawfed ganrif oedd y rhai cyntaf i gredu fod dysg yn anhepgor i fardd ac i farddoniaeth. Fel y nodwyd yn ail bennod y cofiant hwn, coleddid yr un safbwynt yn union gan Edmwnd Prys, yn yr ymryson rhyngddo a Wiliam Cynwal, a oedd wedi dylanwadu gymaint ar y Goronwy ifanc, a chynrychioli safbwynt y dyneiddwyr a wnâi Prys. Credai Goronwy hefyd, yn wahanol i Lewis, mai rhywbeth

---

[15] *ALMA* 1, llythyr 125, Lewis at William Vaughan, o Aberdyfi, Rhagfyr 10, 1754, t. 257.

[16] 'Awdl Farwnad Lewis Morris', *Blodeugerdd Barddas o Ganu Caeth y Ddeunawfed Ganrif*, t. 119.

[17] *Sylvæ: or, the Second Part of Poetical Miscellanies*, rhagair Dryden, 1685, [t. xx].

cysegredig, dwyfol oedd barddoniaeth, ac mai dawn i'w pharchu oedd dawn y bardd, oherwydd ei tharddiad dwyfol. 'Roedd y safbwynt hwn yn hynod o boblogaidd ymhlith llawer o feirdd a beirniaid y ddeunawfed ganrif, ond syniad a fabwysiadwyd o'r gorffennol oedd y gred hon mai swyddogaeth ddwyfol oedd i farddoniaeth. 'Roedd y gred yn nwyfoldeb yr Awen yn syniad cyffredin iawn yn ystod yr unfed ganrif ar bymtheg, ac er i feirniaid fel Thomas Rymer honni mai swyddogaeth barddoniaeth oedd cyfleu trefn, harmoni a harddwch Rhagluniaeth Duw, ac i John Dennis fynnu mai adfer trefn, cytgord a dedwyddyd, ar ôl i'r Cwymp greu anhrefn a phydredd, oedd nod barddoniaeth, mae'n fwy na thebyg mai Edmwnd Prys a blannodd y syniad hwn ym meddwl Goronwy, fel yr awgrymwyd eisoes. Mynegwyd y syniad mai celfyddyd gyfrifol, aruchel a chysegredig yn ei hanfod oedd barddoniaeth gan nifer o feirdd a beirniaid y ddeunawfed ganrif, er enghraifft, John Sheffield, Arglwydd Mulgrave, yn ei *Essay on Poetry* (1682):

> Of all those arts in which the wise excel,
> Nature's chief masterpiece is writing well;
> No writing lifts exalted man so high
> As sacred and soul-breathing Poesy.
> No kind of work required so nice a touch,
> And, if well finished, nothing shines so much.

Un arall a rybuddiodd yn erbyn y perygl o anwybyddu tarddiad dwyfol barddoniaeth ac ymgolli mewn anlladrwydd a maswedd barddonol oedd Isaac Watts:[18]

> It has been a long complaint of the virtuous and refined world that poesy, whose original is divine, should be enslaved to vice and profaneness, that an art inspired from heaven should have so far lost the memory of its birthplace as to be engaged in the interests of hell. How unhappily is it perverted from its most glorious design! How basely has it been driven away from its proper station in the temple of God and abused to much dishonor! The iniquity of men has constrained it to serve their vilest purposes, while the sons of piety mourn the sacrilege and the shame.

Ymsododd Isaac Watts ar feirdd anllad a masweddus: 'They have not only disrobed religion of all the ornaments of verse but have employed their pens to impious mischief to deform her native beauty and defile her honors'.[19] Am yr un rhesymau yn union y ffieiddiai Goronwy feirdd fel Elis Roberts. Diraddio a llychwino swyddogaeth anrhydeddus ac urddasol barddoniaeth a wnâi beirdd o'r fath. 'Let poetry once more be restored to her ancient truth and purity; let her be inspired from heaven, and in return her incense ascend thither; let her exchange her low, venal, trifling subjects for such as are

---

[18] 'Preface to *Horae Lyricae* (1706)', *Eighteenth-Century Critical Essays*, Gol. Scott Elledge, cyf. I, 1961, t. 148.
[19] Ibid., t. 149.

fair, useful, and magnificent,' meddai James Thomson yntau.[20] 'Roedd Goronwy yn arddel yr un parch tuag at gelfyddyd barddoniaeth, ac yn credu yn ei swyddogaeth ddwyfol.

Yn ôl llawer o feirdd a beirniaid y ddeunawfed ganrif, dylai beirdd efelychu ieithwedd urddasol y Beibl, a chwilio am destunau, themâu, ac ysbrydoliaeth yn y Beibl ei hun. Meddai Watts eto, gan ddyfynnu a chyfieithu darn allan o *Réflexions sur l'usage d'éloquence* (1672), Rapin:[21]

> That the majesty of our religion, the holiness of its laws, the purity of its morals, the height of its mysteries, and the importance of every subject that belongs to it requires a grandeur, a nobleness, a majesty, and elevation of style, suited to the theme. Sparkling images and magnificent expressions must be used, and are best borrowed from Scripture.

Yn ôl John Dennis, 'roedd dau ddosbarth o farddoniaeth yn bod, y farddoniaeth fwy (epig, trasiedi) a'r farddoniaeth lai (cerddi byrrach), a rhaid oedd gosod y farddoniaeth fwyaf o'r ddwy ar seiliau crefyddol cadarn: 'The fundamental rule ... that we pretend to lay down for the succeeding or excelling in the greater poetry is that the constitution of the poem be religious that it may be throughout pathetic'.[22] Ymosododd Dennis hefyd ar y beirdd hynny a oedd wedi dwyn anfri ar farddoniaeth, ac wedi gwyro oddi wrth ei tharddiad a'i swyddogaeth ddwyfol: '... modern poetry, being for the most part profane, has either very little spirit, or if it has a great one, that spirit is out of nature'.[23] Adfer ei chynseiliau dwyfol ac ysgrythurol, a llunio barddoniaeth grefyddol drachefn, yn unig a allai achub barddoniaeth rhag dirywio ymhellach, a cholli ei holl urddas a'i holl ystyr: '... modern poetry, as miserably as it is fallen from the dignity of its original nature, might gloriously arise and lift up its head, surpassing even that of the ancients, if the poets would but constitute their subjects religious'.[24] Y dadleuon hyn sydd y tu ôl i ymosodiad Goronwy ar 'ddiles gywyddoliaeth' a'i ddiofryd i 'wau emynau mawl'. 'Roedd Cywydd y Farn Fawr yn ymdrech fwriadol a chydwybodol ar ei ran i lunio barddoniaeth grefyddol, ar destun ysgrythurol ac mewn iaith goeth, ddyrchafedig.

'Roedd beirdd a llenorion y ddeunawfed ganrif yn drwyadl hyddysg yng ngweithiau meistri llenyddol Gwlad Groeg a Rhufain, yn enwedig yn ystod oes aur y cyfnod Awgwstaidd yn Rhufain. Ffynnodd llenyddiaeth Ladin yn ystod cyfnod teyrnasiad Awgwstws Cesar (27 CC – OC 14). Dyma gyfnod anterth beirdd mawr fel Fyrsil, Ofydd a Horas. 'Roedd yr ymerawdwr hwn, gyda'i gyfaill a'i gynghorwr Maecenas, yn hael ei nawdd i feirdd yr oes, a bu'n gyfrifol am adeiladu llyfrgelloedd a themlau newydd yn Rhufain. Ymffrostiodd iddo ddarganfod Rhufain yn briddfeini a'i gadael yn farmor, ac

---

[20] 'Preface to *Winter* (1726)', ibid., t. 407.
[21] 'Preface to *Horae Lyricae* (1706)', tt. 154–155.
[22] '*The Grounds of Criticism in Poetry* (1704)', ibid., t. 131.
[23] Ibid., t. 133.
[24] Ibid.

addasu'r dywediad hwn a wnaeth Samuel Johnson wrth glodfori John Dryden am ei gyfraniad arloesol i farddoniaeth Saesneg: 'He found it brick and he left it marble'. Byddai beirdd clasurol y ddeunawfed ganrif yn deall y gyfeiriadaeth. Beirdd y cyfnod Awgwstaidd oedd patrymau delfrydol yr Awgwstiaid newydd hyn yn Lloegr, a Horas yn anad neb. Beirdd a llenorion Lladin y cyfnod Awgwstaidd, yn fras, a Cato a Cicero yn eu plith, oedd eilunod y ganrif, ond 'roedd diddordeb mawr yng ngwaith beirdd Gwlad Groeg hefyd, Homer a Pindar yn enwedig. Un o ffurfiau mwyaf poblogaidd y ddeunawfed ganrif, er enghraifft, oedd yr *ode* Bindaraidd, er mai Abraham Cowley a John Dryden oedd arloeswyr a hyrwyddwyr y math hwn o ganu yn y ganrif o'i blaen. Ffurf afreolus oedd i'r gerdd Bindaraidd, afreolus o ran nifer y penillion, hyd y llinellau a'u hacenion. 'Doedd dim rheolau pendant i'r ffurf. 'The ear,' meddai Dryden, 'must preside, and direct the judgment to the choice of numbers: Without the nicety of this, the Harmony of Pindaric verse can never be complete; the cadency of one line must be a rule to that of the next; and the sound of the former must slide gently into that which follows; without leaping, from one extream into another'.[25] Rhoddodd Goronwy gynnig ar lunio awdl Bindaraidd pan ganodd briodasgerdd i ddathlu priodas Elin, merch Lewis Morris, ym 1753.

O Ffrainc yr ail ganrif ar bymtheg y daeth Newydd-glasuriaeth i Loegr y ddeunawfed ganrif. Cychwynnydd y mudiad, i bob pwrpas, oedd Malherbe (m. 1628), a gollfarnodd farddoniaeth y gorffennol a hawlio mynegiant croywach a mwy rhesymegol mewn barddoniaeth. Etifeddwyd syniadau amrwd Malherbe gan Nicholas Boileau [-Despréaux] (1636–1711), prif hyrwyddwr Neo-glasuriaeth yn Ffrainc yr ail ganrif ar bymtheg a Lloegr y ddeunawfed ganrif. Ymgasglodd beirniaid eraill o'i gwmpas, la père Rapin, Le Bossu, ac eraill. Ym 1674 cyhoeddwyd *Art Poétique* Boileau, maniffesto cyntaf Neo-glasuriaeth. Credai Boileau fod safonau pendant o ragoriaeth yn bod mewn llenyddiaeth, a bod modd cyrraedd y safonau hynny drwy efelychu beirdd clasurol Groeg a Lladin, a'u cymryd fel patrymau. 'Roedd y beirdd clasurol hyn yn rhagori oherwydd eu bod yn cyd-ymffurfio â rheolau Natur neu reswm. Ymhelaethodd Rapin ar y ddamcaniaeth hon ynghylch y rheolau, gan ddefnyddio rheolau Aristotlys fel ei brif batrymau. Credai'r Neo-glasurwyr hyn fod rheolau penodedig yn bod ar gyfer creu pob un o'r *genres* llenyddol, fel yr epig a'r drasiedi, a rhaid oedd dilyn y rheolau hynny yn fanwl i greu campwaith mewn unrhyw gyfrwng celfyddydol.

Prif swyddogaeth barddoniaeth yn ôl y Neo-glasurwyr gwreiddiol oedd darparu hyfforddiant moesol. Dylai barddoniaeth hefyd ymwneud â'r cyffredinol, yn hytrach na'r penodol, ac ymdrin â gwirioneddau cyffredinol dynoliaeth yn unig. Un o brif ddilynwyr yr ysgol Ffrengig hon oedd John Dennis (1657–1734), un o brif feirniaid y cyfnod Neo-glasurol yn Lloegr. Yn ogystal â'r ffaith fod i farddoniaeth, yn ei hanfod, swyddogaeth foesol, a bod yn rhaid i feirdd gydymffurfio â'r rheolau, ychwanegodd Dennis anghenraid

---

[25] *Sylvæ*, [t. xxvii].

much alike. Therefore when the poet has given us (in the elegance & sublimity of his art) a sketch of the great and worthy feats of his hero in general without descending to particulars, every man of capacity will finish the picture and description in his own breast ...

Yma mae Goronwy yn adleisio geirfa a syniadau beirniaid y cyfnod Awgwstaidd, John Dennis yn eu mysg. Yn ôl Dennis, dyma rai o reolau'r epig:[31]

That the Poetick Action must remain general, even after the Imposition of Names; for if the Action is particular, there can be no general Instruction deduced from it; the Conclusion being false to generals from particulars ...

That for the same Reason, the Characters at the bottom must be general likewise ...

Beirdd clasurol ym mhob ystyr oedd beirdd cylch y Morrisiaid. Ac eithrio Milton yn achos Goronwy, a Spenser yn achos Edward Richard, beirdd Groeg a Lladin oedd eu patrymau, ac mae eu llythyrau yn llawn o ddyfynnu o'r beirdd hyn, yn llawn o gyfeiriadau at eu gwaith a thrafodaethau ynghylch eu gwaith. Ac o blith y beirdd clasurol, Horas oedd yr eilun. 'The Roman Critic was the chief master, the *Ars Poetica* the supreme guide of both critics and poets,' meddai A. Bosker.[32] 'Roedd cyfieithiadau o Horas yn gyfran sylweddol o gynnyrch barddonol yr oes, ac eto, mae eu galw yn gyfieithiadau yn gamarweiniol ar lawer ystyr. Cyfaddasiadau oedd y trosiadau hyn, ac fe'u cyfoeswyd a'u moderneiddio yn y broses, a chyfeirio ynddyn nhw at ddigwyddiadau a chymeriadau'r oes. 'Imitations of Horace' y galwodd Pope ei gyfaddasiadau ef o waith Horas. Yn hyn o beth mae Goronwy, gyda'i gyfaddasiad o un o gerddi Horas, Cywydd i'r Awen, yn un â'i oes. Mae hwnnw hefyd wedi'i addasu ganddo ar gyfer ei gyfnod a'i gefndir ef ei hun:

> Cymru a rif ei phrifeirdd,
> Rhifid ym Môn burion beirdd;
> Cyfran a gaf o'u cofrestr
> A'm cyfrif i'w rhif a'u rhestr;
> Mawrair a gaf ym Meirion
> Yn awr, a gair mawr ym Môn ...
> Cair yn sôn am Oronwy,
> Llonfardd Môn, llawn fyrdd a mwy ...

Fel y dywedodd Saunders Lewis, 'Melpomene becomes the Welsh "Awen"; Rome is changed to Anglesey, and Lewis Morris displaces Marcius Censorinus'.[33]

---

[31] 'To Sir Richard Blackmore: on the Moral and Conclusion of an Epick Poem' (llythyr dyddiedig Rhagfyr 5, 1716), *The Critical Works of John Dennis*, cyf. II: 1711–1729, Gol. Edward Niles Hooker, 1943, t. 110.
[32] *Literary Criticism in the Age of Johnson*, t. 2.
[33] *A School of Welsh Augustans*, t. 91.

'Roedd cyfieithu o'r Clasuron Lladin a Groeg yn gyffredinol yn ddiwydiant toreithiog yn y ddeunawfed ganrif, a'r gallu i gyfieithu yn rhan anhepgor o arfogaeth bardd. Mae'r ganrif yn llawn o gyfieithiadau. Cyfieithiadau, neu gyfaddasiadau yn hytrach, o waith beirdd Groeg a Lladin yw cyfran sylweddol o weithiau beirdd ail hanner yr ail ganrif ar bymtheg a hanner cyntaf y ddeunawfed ganrif, o gyfieithiadau Dryden o waith Homer, Lwcretiws, Fyrsil, Ofydd a Horas hyd at efelychiadau niferus Pope o waith Horas. Cyfieithodd Goronwy ei hun un o ddialogau Lwcian, ond aeth y cyfieithiad hwnnw ar goll. Cyfieithodd hefyd dair o odligau Anacreon (neu ddilynwyr Anacreon, hwyrach). 'I lately took a fancy to my old acquaintance *Anacreon*; & as he had some hand in teaching me Greek, I've endeavour'd to teach him to talk a little Welsh & that in Metre too,' meddai Goronwy wrth Richard Morris.[34] 'Roedd Anacreon a cherddi'r *Anacreontea* yn hynod o boblogaidd yn ystod ail hanner yr ail ganrif ar bymtheg a hanner cyntaf y ddeunawfed ganrif, oddi ar i argraffiad o'r *Anacreontea* ymddangos ym 1554. Dyma un o gyfieithiadau Goronwy:

> Mae'n ddiau, myn y ddaear,
> Yfed a wlych rych yr âr;
> Dilys yr yf coed eilwaith,
> Y dŵr a lwnc daear laith.
> Awyr a lwnc môr a'i li;
> Yf yr haul o fôr heli;
> Ar antur, yf lloer yntau;
> Yfont, a d'unont eu dau:
> Y mae'n chwith i mi na chaf
> Finnau yfed a fynnaf!
> Gwarthus iwch ddigio wrthyf:
> Nid oes dim o'r byd nad yf.

I ddangos pa mor boblogaidd oedd Anacreon a'r *Anacreontea* yn gyffredinol, dyma gyfieithiad, neu addasiad, Abraham Cowley (1618–1667) o'r un gerdd:

> The thirsty Earth soaks up the Rain,
> And drinks, and gapes for drink again.
> The Plants suck in the Earth, and are
> With constant drinking fresh and fair.
> The Sea itself, which one would think
> Should have but little need of Drink,
> Drinks ten thousand Rivers up,
> So fill'd that they o'rflow the Cup.
> The busie Sun (and one would guess
> By's drunken fiery face no less)
> Drinks up the Sea, and when h'as done,

---

[34] *LGO*, llythyr XXXVIII, at Richard, o Walton, Ebrill 9, 1754, t. 103

The Moon and Stars drink up the Sun.
They drink and dance by their own light,
They drink and revel all the night.
Nothing in Nature's Sober found,
But an eternal Health goes round.
Fill up the Bowl then, fill it high,
Fill all the Glasses there, for why
Should every Creature drunk but I?
Why, Men of Morals, tell me why?

Cyfieithwyd ac addaswyd nifer o gerddi'r *Anacreontea* gan Thomas Stanley (1625–1678) yn ogystal. Dyma'i addasiad o'r gerdd sy'n cyfiawnhau yfed:

Fruitful Earth drinks up the rain,
Trees from Earth drinks that again,
The Sea drinks the Air, the Sun
Drinks the Sea, and him the Moon:
Is it reason then d'ee think
I should thirst when all else drink?

Un arall o addasiadau Goronwy yw'r cywydd canlynol:

Natur a wnaeth – iawn ytyw –
Ei rhan ar bob anian byw:
I'r cadfarch dihafarchwych
Carnau a roes; cyrn i'r ych;
Mythder i'r ceinych mwythdew;
Daint hirion, llymion i'r llew;
Rhoes i bysg nawf ymysg mŷr,
I ddrywod dreiddio'r awyr;
I'r gwŷr rhoes bwyll rhagorol;
Ond plaid benywaid, bu'n ôl.
Pa radau gânt? Pryd a gwedd,
Digon i fenyw degwedd:
Rhag cledd llachar a tharian
Dôr yw na thyr dur na thân:
Nid yw tân a'i wyllt waneg
Fwy na dim wrth fenyw deg.

Dyma addasiad Thomas Stanley o'r un gerdd:

Hornes to Buls wise Nature lends:
Horses she with hoofs defends:
Hares with nimble feet relieves:
Dreadful teeth to Lions gives:

Fishes learns through streams to slide:
Birds through yeelding air to glide:
Men with courage she supplies:
But to Women these denies.
What then gives she? Beauty, this
Both their arms and armour is:
She, that can this weapon use,
Fire and sword with ease subdues.

Credai cynheiliaid y glasuriaeth newydd hon mai swyddogaeth barddoniaeth oedd cyflwyno'r cyfarwydd i ddarllenwyr, ac osgoi gwreiddioldeb a newydd-deb, i raddau; ymwneud â'r cyffredinol yn hytrach nag â'r anghyffredin a'r anarferol. 'Great thoughts are always general, and consist in positions not limited by exceptions, and in descriptions not descending to minuteness,' meddai Samuel Johnson.[35] Ceir yr un syniad yn union gan Goronwy. 'The conceptions and ideas of all mankind always were and ever will be pretty much alike,' meddai.[36] Cymdeithas a ddeisyfai'n gryf am drefn a sefydlogrwydd oedd cymdeithas y ddeunawfed ganrif, ac adlewyrchid y dyhead hwn am drefn gan farddoniaeth yr oes. Meddai un beirniad:[37]

> The classics were, in literary terms, the very symbols of stability, and declared by their example that poetry, if it is to last, must deal with what is fundamental and permanent in human nature and experience, and must be carefully wrought to discover order and coherence in the incoherent disorder of life.

Beirdd clasurol Gwlad Groeg a Rhufain oedd patrymau a chynseiliau beirdd y ddeunawfed ganrif. Yn ôl Roger P. McCutcheon:[38]

> These models, as understood in the eighteenth century, encouraged restraint over exuberance, praised conformity more than originality, elevated reason over imagination and emotion, and emphasized clarity of statement and regularity of form over the vague, the rhapsodic, or the eccentric. The virtues of the neo-classic creed were reason, judgement, good sense – terms well-nigh synonymous – which were believed to be applicable not only to literature and the arts, but to government, religion, and personal conduct.

'Roedd tri rheswm amlwg a phendant am y dyhead hwn am drefn a sefydlogrwydd: y rheswm hanesyddol a gwleidyddol; y rheswm llenyddol a'r rheswm gwyddonol. I ddechrau, y cefndir hanesyddol a gwleidyddol. Bu'r ail ganrif ar bymtheg yn gyfnod

---

[35] *Lives of the English Poets*, Gol. G. B. Hill, cyf. I, 1905, t. 21

[36] *LGO*, llythyr XLI, at William, o Walton, Mai 21, 1754, t. 112.

[37] Charles Peake, 'Poetry 1700–1740', *The Sphere History of Literature: Dryden to Johnson*, Gol. Roger Lonsdale, 1971, arg. 1986, t.139.

[38] *Eighteenth-Century English Literature*, Roger P. McCutcheon, 1950, arg. 1958, t. 2.

terfysglyd, rhyfelgar ac ansefydlog, a'r cof am y Rhyfel Cartref, cyfnod cythryblus yr Adferiad, y Cynllwyn Pabaidd, y Pla Mawr a'r Tân Mawr yn Llundain, ansefydlogrwydd y frenhiniaeth, a thoreth o wrthryfeloedd a chynllwynion, fel Gwrthryfel Venner, Cynllwyn Derwentdale, Cynllwyn Tŷ Rye a Gwrthryfel Monmouth, olyniaeth faith o ryfeloedd â gwledydd tramor, a sawl anghydfod arall, yn parhau i waedu'n y cof. 'It was not surprising that the change most people hoped for was to a more stable period when change should be less unpredictable, less violent, less destructive,'[39] meddai Charles Peake. Yn ôl Geraint H. Jenkins:[40]

> Yr oedd creithiau'r 'amseroedd blin' wedi'u serio'n ddwfn ar eneidiau'r Cymry. Am sawl cenhedlaeth wedi 1660, cofiwyd am ymgais milwyr, gorfodogwyr a phwyllgorwyr i ennill y wlad 'drwy nerth y cleddyf llydan'. Brithir llenyddiaeth Gymraeg yr oes â chyfeiriadau miniog a sarhaus at drawsfeddiannaeth Oliver Cromwell, at 'Rowndiaid llofruddog' a 'Chradociaid'. Ar awr o argyfwng cenedlaethol, daliai hen gynhennau i ffaglu yn union fel pe bai digwyddiadau'r blynyddoedd cythryblus wedi digwydd ddoe ddiwethaf.

Hyd yn oed ar drothwy'r ddeunawfed ganrif, 'roedd Dryden, yn *Absalom and Achitophel* ym 1681, yn edrych drach ei gefn ar yr ail ganrif ar bymtheg mewn arswyd:

> The sober part of Israel, free from stain,
> Well knew the value of a peaceful reign;
> And, looking backward with a wise afright,
> Saw seams of wounds, dishonest to the sight:
> In contemplation of whose ugly scars,
> They cursed the memory of civil wars.

Eithafiaeth Cromwell a'i ddilynwyr a esgorodd ar y Rhyfel Cartref; 'roedd penboethni o'r fath yn rhywbeth i'w osgoi yn y ganrif newydd. Ym 1713, arswydai Pope hefyd, yn *Windsor-Forest*, wrth feddwl am gamweddau'r gorffennol, a gobeithiai y byddai oes aur yn dilyn yr oes oer:[41]

> Not thus the land appear'd in ages past,
> A dreary desert, and a gloomy waste,
> To savage beasts and savage laws a prey,
> And kings more furious and severe than they;
> Who claim'd the skies, dispeopled air and floods,
> The lonely lords of empty wilds and woods:
> Cities laid waste, they storm'd the dens and caves,
> (For wiser brutes were backward to be slaves.)

---

[39] *The Sphere History of Literature*, t. 138.
[40] *Hanes Cymru yn y Cyfnod Modern Cynnar 1530–1760*, Geraint H. Jenkins, 1983, tt. 203–204.
[41] *Windsor-Forest, Pope: Poetical Works*, Gol. Herbert Davis, 1966, arg. 1978. tt. 38–39, 47.

What could be free, when lawless beasts obey'd,
And ev'n the elements a Tyrant sway'd? ...

Oh fact accurst! what tears has Albion shed,
Heav'ns, what new wounds! and how her old have bled?
She saw her sons with purple deaths expire,
Her sacred domes involv'd in rolling fire,
A dreadful series of intestine wars,
Inglorious triumphs and dishonest scars,
At length great ANNA said – 'Let Discord cease!'
She said! the world obey'd, and all was peace!

Mae'r dyhead hwn am heddwch a sefydlogrwydd yn esbonio'n bur helaeth pam y collfernid unrhyw frwdfrydedd neu benboethni gan y mwyafrif o ddeiliaid y ddeunawfed ganrif. 'Roedd safbwynt Defoe yn nodweddiadol o gred ei gyfoeswyr:[42]

> It is and ever was my Opinion, that Moderation is the only Vertue by which the Peace and Tranquillity of this Nation can be preserv'd. I think I may be allow'd to say, a *Conquest of Parties* will never do it! *A Ballance of Parties* MAY.

'Fear of innovation, hostility to the new and the untried, were the negative aspects of eighteenth-century conservatism,' meddai James Sutherland, ond 'on the positive side we may count the efforts to establish, and afterwards to maintain, a reasonable way of life and a strong and stable culture'.[43]

Yn ail, y rheswm llenyddol. Gan mai'r nod yn ystod y ganrif oedd creu sefydlogrwydd a threfn, 'roedd yn rhaid i'r llenyddiaeth a lunnid ar y pryd adlewyrchu'r drefn honno, a hyrwyddo'r delfryd yn ogystal. Unffurfiaeth o fewn cymdeithas a greai sefydlogrwydd a heddwch; 'roedd unigoliaeth yn fygythiad i'r drefn. Cynnyrch Rhamantiaeth oedd unigoliaeth; cynnyrch yr Awgwstiaid oedd unffurfiaeth. 'Roedd pob unigoliaeth ym marddoniaeth y ddeunawfed ganrif, i bob diben, yn unigoliaeth o fewn rhigolau pendant, yn arwahanrwydd o fewn sefydlogrwydd; fel pe bai'r pedwar tymor yn gweddnewid yr un olygfa yn union; 'roedd yr olygfa'n aros, er bod y tymhorau yn rhoi amrywiaeth iddi. Gan mai cadw cymdeithas yn sefydlog oedd y nod, barddoniaeth drwyadl gymdeithasol oedd hi. Ar ddyn fel aelod o gymdeithas yr oedd y pwyslais, ac ar ymddygiad ac ymarweddiad cymdeithasol dyn. Yn ôl A. R. Humphreys:[44]

> Three points perhaps call for attention: first, that writers take as their main material man in society, not man as an individual soul faced with fateful metaphysical problems,

---

[42] *An Appeal to Honour and Justice* (1715); dyfynnir yn *The Augustan World: Life and Letters in Eighteenth-Century England*, A. R. Humphreys, 1954, t. 149.
[43] *A Preface to Eighteenth Century Poetry*, James Sutherland, 1948, tt. 37-38.
[44] *The Augustan World*, t. 42.

or as a seeker for personal experience, an asserter of self; second, that man and society are shown in normal size and proportion, in normal concerns and aspirations, not as exceptional: and third, that the aspects of life treated in literature tend towards a family resemblance.

Yn ôl meddylfryd yr oes, 'roedd unffurfiaeth yn creu sefydlogrwydd, ac arwahander yn creu cynnwrf ac anniddigrwydd cymdeithasol. Dyna un rheswm pam 'roedd cymaint o wrthwynebiad i'r Methodistiaid angerddol a thanllyd ymhlith y mwyafrif, gan gynnwys y Morrisiaid.

'Roedd unffurfiaeth a phatrwm o fewn cymdeithas yn adlewyrchu ac yn efelychu'r drefn o fewn y bydysawd. Os oedd y bydysawd, a natur yn gyffredinol, yn gweithio yn ôl deddfau arbennig, a'r deddfau hynny yn gyffredinol, ac yn sefydlog-reolaidd, dylai cymdeithas dyn weithredu yn yr un modd, hynny yw, yn ôl deddfau a phatrymau cyfar-wydd a rheolaidd. 'An age which was becoming increasingly interested in Science was naturally attracted to that kind of truth which is universal and demonstrable,' meddai James Sutherland.[45] 'Roedd y mân-rannau yn nhrefn y bydysawd yn creu cyfanwaith perffaith o undod; felly hefyd y dylai cymdeithas dyn ar y ddaear fod. 'Roedd dyn, hefyd, yn rhan o batrwm mawr bywyd, yn uwch na'r anifail, ond yn is na'r angylion. Gyda theclynnau gwyddonol, fel telescopau a meicroscopau, yn darganfod y mawr a'r mân, 'roedd yn rhaid rhannu a dosbarthu cymdeithas yn yr un modd, o'r mawr i'r mân, o'r bonheddwr cyfoethog i'r llafurwr mwyaf dinod.

Cyfeiria A. R. Humphreys at 'the familiar homogeneous impression writers give of their society,' gan ymhelaethu: 'In the case of Augustan London, for instance, what impresses is not its magnitude but what seems, curiously enough, its small-town intimacy'.[46] Hynny yw, 'roedd beirdd y ddeunawfed ganrif yn defnyddio'r un del-weddau, yn archwilio'r un themâu, ac yn disgrifio'r un gwrthrychau a phersonau. Meddai Humphreys eto: 'The garret-and-Grub-street pattern is stable; so is the city-uproar of Ned Ward, Swift, Gay, Hogarth and others'.[47] 'Roedd Cywydd y Nennawr Goronwy yn yr un traddodiad yn union.

'Roedd y pwyslais, felly, ar ffurfioldeb yn hytrach na gwreiddioldeb, ond 'doedd hynny ddim yn golygu fod y beirdd yn canu'n efelychiadol ailadroddus yn unig. Nid diffyg gwreiddioldeb oedd y nod, ond gwreiddioldeb o fewn patrymau cydnabyddedig, gwahan-rwydd cytûn; fel y dywedodd Pope yn *Windsor-Forest*:[48]

> Where order in variety we see,
> And where, tho' all things differ, all agree ...

---

[45] *A Preface to Eighteenth Century Poetry*, t. 9.

[46] *The Augustan World*, t. 43.

[47] Ibid., t. 45.

[48] *Pope: Poetical Works*, t. 37.

'Roedd gwreiddioldeb y beirdd yn yr ymdriniaeth â'r deunydd, nid yn y deunydd ei hun. Nodweddiadol oedd agwedd Addison at wreiddioldeb o agwedd nifer helaeth o'i gyfoeswyr. Meddai, gan aralleirio rhai o sylwadau Boileau:[49]

> Wit and fine writing doth *not* consist so much in advancing things that are new, as in giving things that are known an agreeable turn. It is impossible for us, who live in the latter ages of the world, to make observations in criticism, morality, or in any art or science, which have not been touched upon by others. We have little else left us, but to represent the common sense of mankind in more strong, more beautiful, or more uncommon lights.

'Roedd yr hyn a oedd yn gyfarwydd wedi cael ei brofi i fod yn gywir gan y gorffennol; 'doedd y newydd ddim wedi ei brofi'n gywir eto. Meddai Joshua Reynolds:[50]

> We may suppose a uniformity, and conclude that the same effect will be produced by the same cause in the minds of others ... We can never be sure that our own sensations are true and right, till they are confirmed by more extensive observation. One man opposing another determines nothing; but a general union of minds, like a general combination of the forces of all mankind, makes a strength that is irresistible ... In fact, we are never satisfied with our opinions, whatever we may pretend, till they are ratified and confirmed by the suffrages of the rest of mankind.

'Roedd agwedd y cyfnod at wreiddioldeb mewn gwirionedd yn bwnc gweddol gymhleth. Bwriadai'r Awgwstiaid i'r pwyslais hwn ar y cyfarwydd a'r cymdeithasol fod yn gryfder yn hytrach nag yn wendid. Asio cymdeithas ynghyd oedd y diben, wedi'r cyfan, nid drysu darllenwyr â newydd-deb a gwreiddioldeb. 'Roedd newydd-deb yn bygwth disodli sefydlogrwydd y drefn:[51]

> Literature, like society, was a more orderly spectacle than at any other time; a certain general shape of behaviour, a certain general order stressing not the individual so much as the communal form, prompted art and literature to model themselves to comparatively set moulds. The degree to which critics repeated similar judgments, and poets reproduced each other's successes, seems surprising until one appreciates the strength of this sense of community, and the sense too that experience had evolved the 'right' forms, and the 'right' treatment of accepted subjects. Literature reflected a society fairly stable in structure and expectations.

---

[49] Dyfynnir yn *A Preface to Eighteenth Century Poetry*, t.18; ymddangosodd yn wreiddiol yn *The Spectator*, Rhagfyr 20, 1711.
[50] Ibid., t. 21; dyfyniad allan o'r seithfed anerchiad, *Discourses* (1769–1791).
[51] *The Augustan World.*, t. 47.

'The characteristic compromise,' meddai James Sutherland eto, 'was to seek variety within the established form: not to abandon the known kinds, but to introduce a slight change of subject or treatment'.[52]

Mae'r dyhead hwn am gymdeithas unffurf a sefydlog yn esbonio, i raddau, pam yr oedd dychan yn boblogaidd yn ystod y cyfnod. Pwrpas dychan oedd rhoi'r unigolyn gwrthryfelgar a gwahanol yn ei le. Dychenid y ffaeleddau hynny a oedd yn bygwth andwyo unoliaeth y gymdeithas: meddwdod, cybydd-dod, diogi a chenfigen, hunanoldeb ac anfoesoldeb o bob math. 'Decorum and conventional behaviour were prized as virtues ... Satire, whether the sharp and severe type modelled on Juvenal or the urbane and witty formula of Horace, was always ready to chastise the eccentric,' yn ôl un beirniad.[53] 'Roedd swyddogaeth foesol i ddychan, sef dinoethi gwendidau unigolion er mwyn annog yr unigolion hynny i ddiwygio'u ffordd o fyw a glanhau eu buchedd er lles cymdeithas. Yn ôl John Sheffield, Arglwydd Mulgrave, yn *Essay on Poetry* (1682):

> Of all the ways that wisest men could find
> To mend the age, and mortify mankind,
> Satire, well-writ, has most successful prov'd.

'The eighteenth-century satirist was the child of a stable society, and he repaid the advantages of being born into a settled age by constantly reinforcing its sturdy foundations,' meddai James Sutherland.[54] Cadw pobl yn eu lle, a'u hatal rhag mynd dros y tresi, oedd nod blaenllaw dychanwyr y ddeunawfed ganrif. Trwy gadw pobl dan fawd a sawdl, gellid osgoi, i raddau, ailadrodd camgymeriadau'r gorffennol, ac 'roedd yr oes wawdlyd yn amddiffynfa rhag oes waedlyd arall. 'Anyone who stepped out of the ideal happy medium was suspicious, for England had not so long ago emerged from nearly a century of political and religious strife,' meddai Peter Thorpe.[55]

Er bod llawer o lid a dial personol Goronwy wedi'i arllwys i'w gywydd dychan i Lewis Morris, 'roedd yn ailadrodd fformiwla gydnabyddedig yn y cywydd hwnnw, sef cystwyo unigolyn am ei wendidau a'i nodweddion gwrth-gymdeithasol, yn enwedig ei gybydd-dod. 'Roedd natur lawgaead Lewis yn hollol groes i'r hyn a ddisgwylid mewn oes a rôi gymaint o bwys ar elusengarwch a dyngarwch, 'Gŵr y sy, gwae yr oes hon', meddai Goronwy amdano, oherwydd mai ariangarwch oedd 'crefydd y cybydd cas'. Wrth i Goronwy fegera oddi ar ei gyfeillion a gofyn i'r Cymmrodorion am arian i'w gynnal yn ystod y fordaith i'r newyddfyd, ceisiai fanteisio ar un o gredoau'r oes, sef bod rhoi yn rhinwedd a chymwynasgarwch a haelioni yn rheidrwydd cymdeithasol. Gwyddai Goronwy gystal â neb mai nod dyn ar y ddaear oedd esmwytho byd ei gyd-ddyn:

---

[52] *A Preface to Eighteenth Century Poetry*, t. 124.
[53] *Eighteenth-Century English Literature*, t.3
[54] *A Preface to Eighteenth Century Poetry.*, t. 40.
[55] *Eighteenth Century English Poetry*, Peter Thorpe, 1975, t. 142.

> Ceisiwn, yn niffyg cysur,
> Ddwyn allan y gwan o gur,
> A rhoddwn a wir haeddo
> I fad, pwy bynnag a fo

meddai yng Nghywydd y Cynghorfynt neu'r Genfigen. Yn y cywydd hwnnw, cenfigen yw'r gwendid dynol a geryddir, am fod y gwendid hwnnw hefyd yn bygwth datod undod cymdeithas a dinistrio heddwch a sefydlogrwydd y gymdeithas honno:

> Merch ffel, uffernol elyn
> Heddwch a dedwyddwch dyn,
> A methiant dyn a'i maethodd,
> O'i warth y bu wrth ei bodd.

Hyd yn oed yng Nghywydd y Farn, y rhinweddau cymdeithasol a gymeradwyir a'r ffael-eddau cymdeithasol a gystwyir:[56]

> Gwae'r diofal ysmala!
> Gwynfyd i'r diwyd a'r da!

'Da'n ehelaeth a wnaethant,/Dieuog wŷr, a da gânt',[57] meddai am y rhai a ddewisir ar gyfer y Nef. Mae'n wir fod llawer o elfennau annymunol a gwrth-gymdeithasol yng ngwead Goronwy ei hun, ond gwyddai fel eraill o'i gydoeswyr fod delfryd uwch ar gael, a bod rhaid i ddyn, yn ei ffaeledigrwydd, bwysleisio'r rhinweddau cymdeithasol, ac amcanu at y perffeithrwydd.

Tueddiadau gwyddonol yr oes a Rhesymoliaeth y ganrif yw'r trydydd rheswm am y dyhead hwn am drefn a sefydlogrwydd. 'Roedd darganfyddiadau gwyddonol mawr y ganrif flaenorol wedi peri i'r ddeunawfed ganrif ddyrchafu rheswm a dilorni emosiwn, a gorseddu'r meddwl gwyddonol cytbwys ar draul angerdd y galon. Yn ôl McCutcheon: '... science had presented the concept of a regular universe, which could be described and perhaps understood by the exercise of reason through the formulas of mathematics'.[58] O'r safbwynt gwyddonol, nid y ffaith fod ymenyddwaith rhesymegol dyn wedi darganfod rhai o gyfrinachau'r cread a datrys rhai o ddirgeledigaethau'r bydysawd yn unig a ysgogodd y gred fod rheswm a deallusrwydd yn rhagori ar angerdd a theimlad. 'Roedd y bydysawd ei hun, yn ôl Newton ac eraill, yn beiriant manwl-drefnus a oedd yn gweithio yn ôl rheolau arbennig. Trefn oedd yn cynnal y bydysawd ac yn peri i'r planedau gylchu ei gilydd heb syrthio, a threfn oedd yn cynnal cymdeithas dyn rhag difancoll llwyr.

---

[56] 'Dydd y Farn', *Blodeugerdd Barddas o Ganu Caeth y Ddeunawfed Ganrif*, t. 93.
[57] Ibid., t. 96.
[58] *Eighteenth-Century English Literature*, t. 3.

Mae'n rhaid archwilio pwyslais y ganrif ar Resymoliaeth cyn y gallwn ddod i ddeall meddylfryd Goronwy a'i gyfoeswyr. Rheswm dyn, ei ddeallusrwydd, a oedd wedi datgelu cyfrinachau'r cread. Rhesymoliaeth a deallusrwydd oedd prif arf y gwyddonydd. Gwaith athronwyr a gwyddonwyr yr ail ganrif ar bymtheg a osododd y seiliau ar gyfer y ddeunawfed ganrif; athronwyr y ganrif flaenorol oedd sefydlwyr Cwlt y Rheswm. 'Roedd penboethni a gor-angerdd cyfnod yr Adferiad wedi creu anhrefn a dryswch, ac 'roedd yn rhaid adfer trefn a sefydlogrwydd. Cynnyrch y meddwl gwyddonol, cynnyrch rheswm a deallusrwydd dyn, cynnyrch y meddwl gwâr, oedd trefn a heddwch. 'Roedd beirdd y ddeunawfed ganrif yn ddilornus iawn o feirdd cyfnod yr Adferiad, fel Pope yn ei *Essay on Criticism*:[59]

> In the fat age of pleasure, wealth, and ease,
> Sprung the rank weed, and thriv'd with large increase ...

Oes gecrus, enllibus, gwerylgar oedd cyfnod teyrnasiad William III:[60]

> ... Wit's Titans brav'd the skies,
> And the press groan'd with licenc'd blasphemies.

Yn ôl A. R. Humphreys:[61]

> Instead of the passionate religious conflicts of the preceding age men turned their attention to the nature of reason and the passions, the goodness or badness of 'natural' impulses, the relations between individual and community, and the origins of society whether in fear or friendship. They sought a credible and if possible creditable social psychology; they founded morality, as Christians, on love of God and charity towards men; as 'intellectualists' ... on universal moral law to be obeyed through reason; and as believers in 'moral sentiment', on the affections of the heart.

Gosodwyd sylfeini Oes y Rheswm gan nifer o benseiri. Un o'r rhai cyntaf oedd Thomas Hobbes (1588–1679), awdur *Leviathan, or the Matter, Forme and Power of a Common-wealth, Ecclesiaticall and Civill* (1651), llyfr a ddylanwadodd yn drwm iawn ar y ddeunawfed ganrif. Rhoddodd Hobbes, yn un peth, bwyslais mawr ar gywirdeb a manyldeb, ar y gwirionedd ac ar wir wybodaeth, a gosododd nod a delfryd pendant ar gyfer y dyfodol yn *Leviathan*:[62]

> The light of human minds is perspicuous words, but by exact definitions first snuffed, and purged from ambiguity; *reason* is the *pace*; increase of *science* the *way*; and the benefit of mankind, the *end*.

---

[59] *Pope: Poetical Works*, t. 79.
[60] Ibid.
[61] *The Augustan World*, t. 180.
[62] *Leviathan*, Thomas Hobbes, Gol. J. C. A. Gaskin, 1996, t. 32.

'Roedd ymchwil Hobbes am y gwirionedd yn golygu drwgdybio'r dychymyg a choledd y ffeithiol, a diystyru breuddwydion ac ofergoeliaeth o bob math, gwrthod y 'kingdom of fairies and bugbears'. Bwriai amheuaeth ar weithgarwch meddyliol na ellid ei esbonio drwy gyfrwng y rheswm, ac ymosododd ar ddynion a oedd wedi cael eu camarwain gan eu cred mewn ffawd a hap, eu hofergoeliaeth a'u dychymyg gwyllt, annisgybledig:[63]

> ... invoked also their own wit, by the name of Muses; their own ignorance, by the name of Fortune; their own lusts by the name of Cupid; their own rage, by the name of Furies; ... insomuch as there was nothing, which a poet could introduce as a person in his poem, which they did not make either a *god*, or a *devil*.

Cymwynas fawr Hobbes oedd gorfodi dynion i ymddiried yn y rhesymegol yn hytrach na'r dychmygol, gan ymosod ar 'they that make little, or no inquiry into the natural causes of things, yet from the fear that proceeds from the ignorance itself, of what it is that hath the power to do them much good or harm, are inclined to suppose, and feign unto themselves, several kinds of powers invisible; and to stand in awe of their own imaginations; and in time of distress to invoke them; as also in the time of expected good success, to give them thanks; making the creatures of their own fancy, their gods'.[64] 'Roedd gweithgarwch y dychymyg iddo bron yn gyfystyr â gwallgofrwydd, ac ofergoeliaeth ac anwybodaeth oedd yn gyfrifol am gredu yn y goruwchnaturiol. Hobbes, yn anad neb, a barodd i feirdd y ddeunawfed ganrif alltudio elfennau goruwchnaturiol o'u barddoniaeth, drwgdybio gweithgarwch gwyllt ac afreolus y dychymyg, a'u darbwyllo i ymarfer Rheswm. Yn ôl John Sheffield, Arglwydd Mulgrave, eto, yn ei gerdd 'On Mr. Hobbes and his Writings':

> While in dark ignorance we lay, afraid
> Of fancies, ghosts, and every empty shade;
> Great Hobbes appear'd, and by plain Reason's light
> Put such fantastick forms to shameful flight.

Cyfeiriodd James Thomson, un o edmygwyr pennaf Newton, ac un o ddilynwyr mwyaf yr Oleuedigaeth newydd, at hen goelion gwlad, yn ddirmygus bron, yn y gerdd i'r Gaeaf yn *The Seasons*. Meddai, wrth ddisgrifio storm aeafol:

> ... they say, through all the burdened air
> Long groans are heard, shrill sounds, and distant sighs,
> That, uttered by the demon of the night,
> Warn the devoted wretch of woe and death.

---

[63] Ibid., t. 75.
[64] Ibid., t. 71.

Ceryddwyd y beirdd gan Thomas Sprat, yn ei *History of the Royal Society*, am fwydo dychymyg diniweitiaid â drychiolaethau o bob math, ond, bellach, 'roedd yr athronwyr a'r gwyddonwyr yn arwain y ddynoliaeth o nos ei hanwybodaeth a niwl ei hofergoeliaeth:[65]

> ... from the time in which the *real Philosophy* has appear'd, there is scarce any whisper remaining of such *Horrors*. Every Man is unshaken at those Tales at which his *Ancestors* trembled: The course of Things goes quietly along in its own true Channel of *Natural Causes* and *Effects*. For this we are beholden to *Experiments*; which though they have not yet compleated the Discovery of the true World, yet they have already vanquish'd those wild Inhabitants of the false Worlds, that us'd to astonish the Minds of Men ...

Rhybuddiodd Anthony Ashley Cooper yn erbyn y peryglon o ymgolli ac ymhyfrydu mewn chwedlau ofergoelus a goruwchnaturiol:[66]

> It is certain there is a very great affinity between the passion of superstition and that of tales. The love of strange narrations, and the ardent appetite towards the supernatural kind, such as are called prodigious and of dire omen. For so the mind forebodes on every such unusual sight or hearing. Fate, destiny, or the anger of Heaven seems denoted and, as it were, delineated by the monstrous birth, the horrid fact, or dire event. For this reason the very persons of such relators or taletellers ... become sacred and tremendous in the eyes of mortals who are thus addicted from their youth.

Collfarnodd rai athronwyr a beirdd am borthi'r dychymyg syml a chyntefig â straeon goruwchnaturiol o'r fath: 'Monsters and monster-lands were never more in request; and we may often see a philosopher, or a wit, run a-tale-gathering in those idle deserts as familiarly as the silliest woman or merest boy'.[67]

Gwyddai Goronwy am y syniadau hyn, a chredai yntau hefyd, gan ddilyn syniadau goleuedig ei oes, mai cynnyrch y meddwl cyntefig, annisgybledig oedd ofergoeliaeth a chred blentynnaidd a diniwed ei hynafiaid, gwerin-bobl Môn, mewn bwganod, ysbrydion, gwrachod a thylwyth teg. Yng Nghywydd y Cynghorfynt neu'r Genfigen, mae'n rhestru nifer o'r ofergoelion y gwyddai amdanyn nhw ym Môn ei blentyndod, ac yn eu gwrthod fel oferbethau:

> Drychiolaeth ddugaeth, ddigorff
> Yng ngwyll yn dwyn cannwyll corff:
> Amdo am ben hurthgen hyll,
> Gorchudd hen benglog erchyll;
> Tylwyth teg ar lawr cegin
> Yn llewa aml westfa win;

---

[65] Dyfynnir yn *The Augustan Age*, t. 82.
[66] '*Soliloquy: or Advice an Author* (1710)', *Eighteenth-Century Critical Essays*, tt. 209-210.
[67] Ibid., t. 210.

Cael eu rhent ar y pentan
A llwyr glod o bai llawr glân;
Canfod braisg widdon beisgoch
Â chopa cawr, a chap coch;
Bwbach llwyd a marwydos
Wrth fedd yn niwedd y nos.

Ni chredai Goronwy mewn pethau o'r fath. 'Rhowch im eich nawdd ... Od ydwyf anghredadun', meddai. 'Coelied hen wrach legach, lorf/Chwedlau hen wrach ehudlorf', meddai eto, ond ni allai ef, blentyn goleuedigaeth a rhesymoliaeth ei oes, ond diystyru ofer-gredoau o'r fath. 'The *fairies* have no existence, but in the fancies of ignorant people, rising from the traditions of old wives, or old poets,' meddai Hobbes eto,[68] a bron nad yw Goronwy yn garreg ateb iddo. Yn ôl y bardd yn y cywydd hwn, 'roedd cenfigen yn fwgan llawer mwy byw na chred pobl gyffredin a di-ddysg yn y goruwchnaturiol a'r drychiolaethol. 'Doedd dim lle i'r goruwchnaturiol anesboniadwy mewn barddoniaeth, yn ôl dilynwyr Hobbes. 'Roedd lle i'r dychymyg, ond 'roedd yn rhaid ei ffrwyno a'i reoli. Prif ddiben y dychymyg yn ôl Hobbes oedd egluro a goleuo'r meddwl, drwy ddefnyddio cymariaethau a throsiadau a fyddai'n diriaethu meddyliau haniaethol, ac yn cyflwyno syniadau'n gymen ac yn glir.

'Roedd dychymyg neu ffansi, neu 'ffraethineb' (*wit*), i ddefnyddio un o gyfystyron y cyfnod, yn gorfod bod dan reolaeth barn neu chwaeth. Gallai'r dychymyg redeg yn wyllt heb ymarfer barn i'w dymheru a'i ddofi. Dyma un o ddamcaniaethau mawr y ganrif, yr angen i gael cydbwysedd rhwng dychymyg a barn, dwy elfen hollol gyferbyniol i'w gilydd. 'Roedd ysgrifau beirniadol Thomas Rymer yn ystod yr ail ganrif ar bymtheg hefyd wedi dylanwadu ar feddylfryd y ganrif ddilynol. Yn ôl Rymer:[69]

A poet is not to leave his reason, and blindly abandon himself to follow fancy, for then his fancy might be monstrous, might be singular, and please no body's maggot but his own; but reason is to be his guide, reason is common to all people, and can never carry him from what is natural.

Mae Pope hefyd, yn *Essay on Criticism*, yn sôn am yr angen i sefydlu cydbwysedd rhwng dychymyg a rheswm:[70]

Some, to whom Heav'n in wit has been profuse,
Went as much more, to turn it to its use;
For wit and judgment often are at strife,
Tho' meant each other's aid, like man and wife.

---

[68] *Leviathan*, t. 464.
[69] *Critical Essays of the Seventeenth Century*, Gol. J. E. Spingarn, cyf. II, 1908, t. 192.
[70] *Pope: Poetical Works*, t. 66.

Un arall o benseiri mawr Oes y Rheswm oedd John Locke (1632–1704). Cafodd ei gampwaith *An Essay Concerning Human Understanding* (1690) ddylanwad anfesuradwy ar y ddeunawfed ganrif. Mae'n amlwg fod Goronwy wedi darllen gwaith Locke, gan ei fod yn sôn am 'y dysgedig awdur, Mr. John Locke' yn un o'i lythyrau, ac yn ei ddyfynnu mewn cyfieithiad i'r Gymraeg.[71] 'Roedd copi o'r *Essay Concerning Human Understanding* ymhlith trysorau Lewis Morris. Ar ôl marwolaeth ei frawd William ddiwedd Rhagfyr 1763, holodd Lewis ei frawd-yng-nghyfraith, Owen Davies, am nifer o'i feddiannau personol yr oedd wedi eu gadael yng ngofal William, ac yn eu plith 'roedd 'several books ... some valuable ones such as *Lock's Essay on Human Understanding*'.[72] Un arall o'r deallusion Cymreig a wyddai amdano, ac am graidd a sylwedd ei waith, oedd Edward Richard. 'Usher [yr Archesgob James Ussher] Locke and Newton,' meddai, 'had more knowledg Worth and learning than perhaps any three besides that ever yet were born, but for their salvation they depended entirely upon the Merits of our blessed Redeemer, looking upon their own as nothing, and taught the world by precept and example that faith unlocks the gates of happiness'.[73] 'The gates of happiness': pyrth dedwyddyd, thema yr ymhelaethir arni yn y man. Natur gwybodaeth oedd un o themâu mawr Locke, a sut yr oedd y meddwl dynol yn gweithio. 'Roedd ganddo ddiddordeb hefyd mewn iaith, ac mewn geiriau yn gyffredinol, a sut 'roedd geiriau yn cyfleu syniadau. Yn y deallusol, yn y meddwl dynol, yr oedd diddordeb yr athronydd hwn, nid yn nheimladau ac emosiynau pobl. Diben astudio'r meddwl dynol yn y pen draw oedd dod i ddeall natur a Duw yn well. Ar y rheswm, ar yr ymenyddol yn hytrach na'r teimladol, yr oedd pwyslais mawr Locke. Diystyrai yntau hefyd waith y dychymyg, gan roi'r pwyslais ar y deall, ac ar farn a chwaeth ar draul ffansi a delweddau. Un o'r diffygion mawr yn ôl Locke oedd prinder geiriaduron a gwyddoniaduron, gan mai diben geiriau oedd rhoi mynegiant croyw i ddadleuon a syniadau deallusol dyn, ac mae'r safbwynt hwn yn esbonio, i raddau, obsesiwn y ddeunawfed ganrif â geiriaduron, ac nid obsesiwn y Saeson yn unig ond y deallusion Cymreig yn ogystal, a Goronwy yn eu mysg.

Locke oedd un o hyrwyddwyr cynharaf a phwysicaf un o themâu a damcaniaethau mwyaf y ddeunawfed ganrif, a thema sy'n amlwg iawn yng ngwaith Goronwy, sef mai un o brif ddibenion dyn ar y ddaear oedd ceisio canfod llawenydd neu ddedwyddyd. Credai Locke mai trwy ymarfer moesoldeb, trwy fyw bywyd rhinweddol, trwy ufuddhau i ddeddfau moesol, y dôi dyn o hyd i wynfyd daearol. Yn ôl Locke, 'roedd Duw wedi pennu deddfau moesol ar gyfer dyn, a thrwy ufuddhau i'r deddfau hyn yn unig y gallai dyn sicrhau gwir ddedwyddyd iddo'i hun, a gallai dedwyddyd yr unigolyn ledaenu a chyffwrdd ag unigolion eraill, gan greu cytgord daearol perffaith rhwng dynion. 'God,' meddai Locke, 'having, by an inseparable connexion, joined *virtue* and *public happiness*

---

[71] *LGO*, llythyr XLVI, at William, o Walton, Hydref 16, 1754, t. 127.

[72] *ML* II, llythyr DCCII, Lewis at Owen Davies, o Benbryn, Ionawr 12, 1764, t. 605.

[73] *ALMA* 2, llythyr 294, Edward Richard at Lewis, o Ystradmeurig, Awst 3, 1762, t. 563.

together, and made the practice thereof necessary to the preservation of society, and visibly *beneficial* to all with whom the virtuous man has to do, it is no wonder that everyone should not only allow, but recommend and magnify those rules to others, from whose observance of them he is sure to reap advantage to himself'.[74] Deddfau dwyfol, deddfau Duw yn ôl y modd y datgelai Gair Duw yn y Beibl y deddfau hynny, oedd y deddfau moesol uchaf, ond 'roedd deddfau cymdeithasol hefyd yn hollbwysig, gan eu bod yn creu trefn a sefydlogrwydd o fewn cymdeithas. 'Roedd y ddamcaniaeth fod llawenydd yr unigolyn yn effeithio ar gyd-ddynion yr unigolyn hwnnw yn cyfateb i'r ddamcaniaeth fawr fod y mân-rannau o fewn y bydysawd yn creu cyfanwaith perffaith.

Yn ôl un beirniad, ' 'Utilitarianism', the belief that happiness is our being's end and aim, and that the greatest happiness of the greatest number is that aim in its highest purity, became the characteristic moral doctrine of the century'.[75] Mudiad oedd hwn a oedd yn ysbrydoli dynion i greu 'widespread benevolence ... a state God intended for all men, and a goal towards which the Augustans started on a long pilgrimage'.[76] Nid Locke oedd sefydlydd y dull hwn o feddwl, ond ef oedd ei brif hyrwyddwr. 'Roedd awduron a deallusion eraill wedi troedio'r un tir ag ef. 'Roedd Richard Cumberland wedi sefydlu'r egwyddor o flaen Locke, yn *De Legibus Naturae Disquisitio Philosophica* (1672), ond dilyn Locke yn hytrach na Cumberland a wnâi awduron eraill.

'Doedd pwyslais y ganrif ar y Rheswm, yn hytrach nag ar angerdd a theimlad, ddim yn golygu fod llenyddiaeth a bywyd y ganrif yn gwbl amddifad o emosiwn a theimlad. Dyrchefid Rheswm am mai'r Rheswm oedd wedi datgelu rhyfeddodau'r cread i ddynion, ac am mai Rheswm, rhagor ymollwng gwyllt i fwynhau pleserau'r cnawd a gadael i deimladau ac emosiynau gael penrhyddid, a barai fod dynion yn ufuddhau i'r deddfau moesol. Gallai'r meddwl cytbwys, rhesymegol reoli angerddau'r corff, a sicrhau fod trefn a chytgord o fewn cymdeithas. Yn ôl Pope, yn *An Essay on Man*:[77]

> Two Principles in human nature reign;
> Self-love, to urge, and Reason, to restrain;
> Nor this a good, nor that a bad we call,
> Each works its end, to move or govern all.

Mae'r gogwydd hwn at y deallusol a'r rhesymegol yn esbonio i raddau pam y bu cymaint o wahaniaethau barn ynghylch mawredd Shakespeare, gyda'i ddramâu am emosiynau a theimladau cryfion dynoliaeth, yn Lloegr yn ystod y ddeunawfed ganrif a'r ganrif o'i blaen, a pham nad oedd Dafydd ap Gwilym, gyda'i bwyslais ar fwyniannau'r cnawd a'i ymateb synhwyrus, yn hytrach na deallusol, i fyd natur, yn ffefryn gan y Cymry ar y

---

[74] *An Essay Concerning Human Understanding*, John Locke, Gol. John W. Yolton, 1961, arg. 1995, t. 33.

[75] *The Augustan World*, t. 188.

[76] Ibid., tt. 188–189.

[77] *Pope: Poetical Works*, t. 252.

pryd. Er i Gymdeithas y Gwyneddigion gyhoeddi barddoniaeth Dafydd ap Gwilym yn llyfr ym 1789, ni lwyddodd yr argraffiad hwnnw yn fasnachol nac o safbwynt creu cyfnod newydd yn hanes barddoniaeth Gymraeg. Yr un tueddfryd yn union oedd y tu ôl i'r modd y collfarnwyd perfformiadau o rai o ddramâu Shakespeare yn Llundain gan y dyddiadurwyr John Evelyn a Samuel Pepys, a'i gondemnio hefyd gan Dryden am ei fynegiant anfoddhaol a'i ddelweddu annelwig, ac yng ngherdd hir Addison, *Account of the Greatest English Poets*, ni chrybwyllir Shakespeare o gwbl. Yn wir, bu rhai o feirdd a llenorion yr Oes Awgwstaidd yn 'diwygio' ac yn golygu Shakespeare ar gyfer y llwyfan, er enghraifft, Nahum Tate, a ddiwygiodd *King Lear*, a rhoi diweddglo hapus i'r ddrama. Y Rheswm oedd y gwrthglawdd a gadwai fôr y teimladau yn ei le. Er gwaethaf y gogwydd hwn at y rhesymol, drwy gydol y ddeunawfed ganrif cafwyd dadleuon yn erbyn y tra-dyrchafu ar resymoliaeth a'r gor-lethu ar y synhwyrau a'r teimladau. 'Roedd Pope ei hun yn un o'r gwrth-ddadleuwyr, er mai tua diwedd y ganrif, ar ôl i gwlt y Rheswm hen fynd heibio i'w anterth, y cyrhaeddodd penllanw cwlt y teimladau. Dadleuodd Pope mai angerdd, yn hytrach na'r deall, a ysbrydolai ddynion i weithredu, ac os oedd y Rheswm yn mapio cwrs yr unigolyn ar fordaith bywyd, angerdd a theimlad oedd y gwynt a yrrai'r llong yn ei blaen. Meddai yn *An Essay on Man*:[78]

> In lazy Apathy let Stoics boast
> Their Virtue fix'd; 'tis fix'd as in a frost,
> Contracted all, retiring to the breast;
> But strength of mind is Exercise, not Rest:
> The rising tempest puts in act the soul,
> Parts it may ravage, but preserves the whole.
> On life's vast ocean diversely we sail.
> Reason the card, but Passion is the gale;

Amheuai eraill y pwyslais a roddid ar y Rheswm gan ddeallusion, yn enwedig David Hume (1711–1776), awdur nifer o lyfrau athronyddol pwysig fel *Treatise of Human Nature* (1739), *Enquiry Concerning Human Understanding* (1748) ac *Enquiry Concerning the Principles of Morals* (1751). Yn ôl Hume, dylai Rheswm fod yn was i angerdd, yn hytrach na gweithio yn groes iddo.

Rhoddid y pwyslais, felly, ar y meddwl manwl, cytbwys, mesuredig. Hoff fesur beirdd Lloegr rhwng 1700 a 1770 oedd y cwpled odledig, a hoff fesur y beirdd a berthynai i gylch y Morrisiaid oedd y cywydd, mesur arall sy'n symud fesul cwpled. 'Roedd tueddiadau llenyddol Cymru a Lloegr yn ystod y ddeunawfed ganrif yn symud lawlaw â'i gilydd. Golygai'r mesurau cwpledol hyn gysondeb trefn. 'Roedd mesur cwpledol Pope a'r cywydd hefyd yn addas o safbwynt llunio barddoniaeth epigramatig, gaboledig,

---

[78] *Pope: Poetical Works*, t. 253.

gofiadwy. Gan mai ar y mynegiant, yn hytrach na'r cynnwys, y rhoddid y prif bwyslais, 'roedd yn rhaid i'r mynegiant hwnnw fod mor agos at berffeithrwydd â phosib. Os oedd y meddwl yn dreuliedig, 'roedd yn rhaid i'r cyflead fod yn gaboledig, fel gwisg lachar, atyniadol newydd am gorff henwr.

Ac eto, 'roedd dadleuon fyrdd yn ystod hanner cyntaf y ganrif ynghylch y mesurau, a dadleuon ynglŷn â barddoniaeth odledig a barddoniaeth ddi-odl, sef barddoniaeth ar ffurf y mesur penrhydd, neu'r mesur moel, yn arbennig. Cychwynnwyd y ddadl gan brif hyrwyddwyr yr epig. Fel y sylwodd R. D. Havens yn *The Influence of Milton on English Poetry* (1922), dylanwad Milton, rhagor Shakespeare, a fu'n gyfrifol am dynnu rhai beirdd at y mesur. Credai rhai o feirdd y ganrif, fel Edward Young, fod y mesur penrhydd yn arbennig o addas ar gyfer llunio barddoniaeth yn yr arddull aruchel, barddoniaeth epig i raddau. 'Roedd barddoniaeth odledig, ffurfiol, ar fesurau gosodedig a chyfyngedig, yn rhy dwt, ac yn rhy gaeth o safbwynt ymdrin â thema eang, fawreddog, aruchel, thema ac iddi ddyfnder ac ehangder, hyd a lled. Ni allai ynys fechan gynnwys cyfandir eang. 'Roedd y cwpled arwrol yn rhy derfynol, a rhaid oedd goferu llinellau a chanu'n baragraffaidd i gyflwyno thema fawr, eang. 'Roedd yn rhaid wrth frawddegau estynedig, aml-gymalog i gyfleu mawredd ac aruthredd. Tra canmolid y mesur penrhydd gan feirdd fel Thomson, Young, Mark Akenside a John Dyer, ei gondemnio a gâi gan Johnson, Goldsmith ac eraill. I'w wrthwynebwyr, 'roedd y mesur yn undonog ddiflas, yn bedantig ac yn annisgybledig. Galwyd barddoniaeth odledig gan gefnogwyr y mesur yn farddoniaeth gyntefig. Canmolwyd Milton gan un o athronwyr mwyaf dylanwadol dechrau'r ddeunawfed ganrif, Anthony Ashley Cooper, trydydd Iarll Shaftesbury, am fwrw ymaith 'the horrid discord of jingling Rhyme', yn *Soliloquy: or Advice to an Author*.[79] Wrth fwrw'i lach ar fesur Gorchest y Beirdd, 'a horrid jingling Metre' yw disgrifiad Goronwy ohono.[80] Mae'n adleisio nid yn unig syniadau rhai o feirdd a beirniaid Lloegr yn y ddeunawfed ganrif, ond eu hieithwedd a'u hymadroddion yn ogystal. Cyfeiriodd mewn llythyr arall at 'that horrid jingle called *Cynghanedd*'.[81] Nid dyna'r unig enghraifft, ychwaith, o Goronwy yn adleisio idiomau beirniadol ei ddydd, o bell ffordd. 'For this last half Year I have been troubled with a disease (as I may call it) of Translation,' meddai Dryden ar ddechrau'i ragair i'r *Sylvæ* hynod ddylanwadol yn ei hoes;[82] 'I am infected with a contagious distemper call'd *scribendi cacoethes*,' meddai Goronwy yntau yn ystod pwl go awengar.[83]

Gwyddai Goronwy am y croes-ddadleuon hyn ymhlith beirdd a beirniaid Lloegr. 'The most celebrated English poets,' meddai, 'have loudly complained of the barbarous Gothic custom of rhiming that was introduced in their poetry, & Milton the Prince of English

---

[79] *'Soliloquy: or Advice to an Author (1710)'*, *Eighteenth-Century Critical Essays*, t. 185.

[80] *LGO*, llythyr XXXI, at Richard, o Walton, Ionawr 2, 1754, t. 88.

[81] Ibid., llythyr XLI, at William, o Walton, Mai 21, 1754, t. 110.

[82] *Sylvæ*, [t. i].

[83] *LGO*, llythyr VII, at Lewis, o Salop, Gorffennaf 30, 1752, t. 15.

Poets has rejected it with good Success'.[84] 'Roedd Milton yn ei ragair i *Paradise Lost* wedi datgan mai dyfais ddianghenraid i farddoniaeth oedd odl, 'being no necessary adjunct or true ornament of poem or good verse, in longer works especially, but the invention of a barbarous age, to set off wretched matter and lame meter'; yn yr un modd, 'roedd beirdd fel Edward Young wedi canmol rhinweddau'r mesur penrhydd, ac wedi diystyru odl fel peth 'Gothig'. Chwilio am fesur addas i'w gerdd epig oedd un o broblemau mawr Goronwy, ond ni lwyddodd i ddatrys y broblem. 'Roedd mesurau traddodiadol Cerdd Dafod yn rhy fyrwyntog a chaethiwus ganddo, a'r mesur penrhydd, ar y llaw arall, yn rhy anghynnil a phenagored.

Cred arall gan y neo-glasurwyr, fel yr awgrymwyd eisoes, oedd y dylai barddoniaeth ymhél â'r cyffredinol yn hytrach nag â'r arbenigol. Gan mai gweithgarwch cymdeithasol oedd barddoniaeth, 'roedd yn rhaid iddi ymdrin â'r cyffredinol a phorthi diddordebau'r mwyafrif er mwyn cyrraedd y trwch, yn hytrach nag ymhél â'r arbenigol-leiafrifol. Meddai McCutcheon eto:[85]

> The 'rules' of criticism encouraged traditional subjects and treatments rather than novelties. As poetry was still written with the idea of communicating something, good sense suggested that the poet could be surer of conveying a meaning if his words came from a general stock instead of a private vocabulary. 'Bird' and 'flower' would be immediately understood by readers who might not be able to tell a green linnet from a lesser celandine.

Os olrheiniwn rai o brif themâu'r ddeunawfed ganrif, gallwn weld fod Goronwy yn rhan o'r un mowld, ac yn wir blentyn ei oes. Dychwelwn, am eiliad, at safbwynt yr Awgwstiaid mai rhoi trefn a phatrwm i gymdeithas oedd nod barddoniaeth. Un o themâu mwyaf y cyfnod yw dyhead dyn am sefydlogrwydd a threfn, ei ddeisyfiad i fyw bywyd gwâr a thawel-ddigyffro yng nghanol pethau gorau bywyd: llonyddwch, llyfrau, cyfeillgarwch a gardd. Dyma thema Awdl y Gofuned Goronwy, mewn gwirionedd. Mae llawer o feirniaid llenyddol Cymru wedi rhoi gormod o bwys unigoliaeth ar y gerdd honno, gan synhwyro ynddi wewyr enaid Goronwy yn ei drafferthion yn ymbil am ddedwyddwch a thawelwch meddwl. Mae anniddigrwydd Goronwy yn y gerdd, yn sicr, ond defnyddio confensiwn i fynegi ei ddyheadau a wnaeth; ond mae'r awdl, un o'i gerddi cynharaf oll, yn fwy o ymarferiad llenyddol nag o erfyniad gwirioneddol. Dyma enghraifft berffaith o unigoliaeth o fewn unffurfiaeth, a gwreiddioldeb o fewn ystrydeb. Mae Awdl y Gofuned yn perthyn i gorff helaeth o ganu a oedd yn trafod thema'r 'Bywyd Da'. Dylanwad rhai o gerddi Horas ar y beirdd a esgorodd ar y thema boblogaidd hon. Yn ôl Norman Callan: 'the Augustans turned to the poetry of Horace and Virgil – and of

---

[84] Ibid., llythyr XLI, at William, o Walton, Mai 21, 1754, tt. 110-111.
[85] *Eighteenth-Century English Literature*, tt. 5-6.

Horace in particular – because it seemed supremely significant for their own age, and because it did so well what, in their opinion, poetry ought to do – namely, express in memorable terms the community of ideas and feelings which alone made civilized existence possible'.[86] Efelychodd Swift, fel eraill, rai o gerddi Horas yn y wythïen hon, er enghraifft, y llinellau hyn:

> I often wish'd, that I had clear
> For Life, six hundred Pounds a Year,
> A handsome House to lodge a Friend,
> A River at my Garden's End,
> A Terras Walk, and half a Rood
> Of Land set out to plant a Wood.

Cynsail pennaf y dosbarth hwn o gerddi oedd un o gerddi Horas, sef yr ail epôd 'Beatus ille, qui procul negotiis ...' cerdd sy'n dyrchafu'r bywyd gwledig syml ar draul cymhlethdod y bywyd dinesig. 'Roedd y gerdd hon, ac eraill ar themâu cyffelyb, yn boblogaidd iawn yn ystod yr ail ganrif ar bymtheg. 'Horace's second epode and the choral ode from Seneca's *Thyestes* reflect the interest of seventeenth-century poets and scholars in the withdrawn and contemplative side of classical literature, the enjoyment of *otium* rather than a Ciceronian pursuit of *negotium*,' meddai Ceri Davies.[87] Y ddeunawfed ganrif, fodd bynnag, a fabwysiadodd y thema hon fel ei heiddo ei hun, ac fel un o'i phrif themâu. Ceir trosiad Saesneg o gerdd Horas gan Abraham Cowley, er enghraifft:

> Happy the Man whom bounteous Gods allow
> With his own Hands Paternal Grounds to plough!
> Like the first golden Mortals Happy he
> From Business and the cares of Money free!
> No humane storms break off at Land his sleep.
> No loud Alarms of Nature on the Deep,
> From all the cheats of Law he lives secure,
> Nor does th'affronts of Palaces endure ...

Cyn hynny 'roedd Ben Jonson (1572–1637) wedi cyfieithu'r gerdd i Saesneg, dan y teitl 'The Praises of Countrie Life':

> Happie is he, that from all Businesse cleere,
>   As the old race of Mankind were,
> With his owne Oxen tills his Sires left lands,
>   And is not in the Usurers bands:

---

[86] 'Augustan Reflective Poetry', *The Pelican Guide to English Literature 4: from Dryden to Johnson*, Gol. Boris Ford, 1957, arg. 1977, t. 354.

[87] *Welsh Literature and the Classical Tradition*, Ceri Davies, 1995, t. 88.

Nor Souldier-like started with rough alarmes,
    Nor dreads the Seas inraged harmes:
But flees the Barre and Courts, with the proud bords,
    And waiting Chambers of great Lords.
The Poplar tall, he then doth marrying twine
    With the growne issue of the Vine;
And with his hooke lops off the fruitless race,
    And sets more happy in the place ...

'Roedd cartref dedwydd yn angenrheidiol i fyw'r bywyd delfrydol hwn i'r eithaf:

          ... a chaste wife meet
For houshold aid, and Children sweet;

Un arall o gyfieithwyr, neu gyfaddaswyr, y gerdd oedd John Dryden, '*From* Horace Epode 2d. *by Mr.* Dryden' yn y flodeugerdd honno o gyfieithiadau, *Sylvae*:

How happy in his low degree
How rich in humble Poverty, is he,
Who leads a quiet country life!
Discharg'd of business, void of strife.

Yn nhawelwch y wlad, caiff yr enciliwr fwynhau iechyd – 'cael, o iawn iechyd, calon iachus' – chwedl Goronwy, a gwraig fel yr 'hoyw wraig Elin' i gadw cartref esmwyth a dedwydd iddo:

Amidst his harmless easie joys
    No anxious care invades his health,
Nor Love his peace of mind destroys,
    Nor wicked avarice of Wealth.
But if a chast and pleasing Wife,
To ease the business of his Life,
Divides with him his houshold care,
Such as the Sabine *Matrons* were,
    Such as the swift *Apulians* Bride,
Sunburnt and Swarthy tho' she be,
Will fire for Winter Nights provide,
    And without noise will oversee
    His Children and his Family,
And order all things till he come,
Sweaty and overlabour'd home ...

Ac nid Saeson yn unig a hudwyd gan gerdd Horas. Lluniwyd cyfieithiad, neu gyfaddasiad, Cymraeg gan Rys Cadwaladr (bl. 1660–1690), ficer Llanfairfechan, 'Cywydd i gyfflybu

epod Horace, 2', ond 'doedd beirdd Cymraeg y ddeunawfed ganrif ddim yn gyfarwydd
â'r cywydd hwn:[88]

> Dedwydd yw'r sawl nid ydyw
> Â'i ben mewn dinas yn byw;
> Llon yw fo allan o fysg
> Y dyrfa a'r mawr derfysg,
> Fel yr oedd lluoedd llawen
> A bywyd da'n y byd hen;
> Heb dreth nac ardreth hirdrom,
> Nac ofni trwst, na ffrwst ffrom
> Utgorn, na rhyfel atgas
> Mindene rhyw gledde glas;
> Heb roi'i draserch, brau drysor,
> I dân a mellt ar don môr,
> Na charu llys, na char llaw,
> O'i dyddyn, ddowad iddaw,
> Na phlas unrhyw ddinasydd
> Ansyber gan falchder fydd.

Ceir cerddi gwreiddiol gan Cowley ar y thema Horasaidd hon, fel 'A Wish' a 'The Wish',
a chan feirdd eraill o'r ail ganrif ar bymtheg, fel 'The Retirement' gan Charles Cotton.
Dyma un pennill o gerdd Cowley, 'The Wish', er enghraifft:

> Ah, yet, ere I descend to the grave,
> May I a small house and large garden have;
> And a few friends, and many books, both true,
> Both wise, and both delightful too!
>   And since love ne'er will from me flee,
> A mistress moderately fair,
> And good as guardian angels are,
>   Only beloved and loving me.

Mae dwy o gerddi a luniwyd ym 1700 yn gosod y cywair ar gyfer hanner cyntaf y
ganrif. Y cerddi hynny oedd 'The Choice' gan John Pomfret (1667–1702) ac 'Ode on
Solitude', Alexander Pope (1688–1744). 'Roedd 'The Choice' yn gerdd hynod o boblog-
aidd yn ystod y cyfnod Awgwstaidd, y gerdd fwyaf adnabyddus yn Saesneg yn ôl Samuel
Johnson. Dyhead am y bywyd tawel a fynegir yng ngherdd Pomfret, dymuniad i fyw
bywyd gwâr a mwynhau pleserau syml bywyd. Mae'n nodi lleoliad delfrydol y tŷ y
dymunai drigo ynddo i ddechrau:

---

[88] Dyfynnir yn *Welsh Literature and the Classic Tradition*, t. 90.

> Near some fair town I'd have a private seat,
> Built uniform, not little, nor too great:
> Better, if on a rising ground it stood,
> Fields on this side, on that a neighbouring wood.

'Doedd dim rhodres na ffug i fod ar gyfyl y cartref delfrydol:

> It should within no other things contain
> But what were useful, necessary, plain:
> Methinks 'tis nauseous, and I'd ne'er endure
> The needless pomp of gaudy furniture.

'Roedd yn rhaid cael gardd ac afonig fechan yn llifo heibio i'r tŷ, ac yng nghanol golygfa ddelfrydol o'r fath gallai'r awdur ddarllen ei hoff awduron clasurol:

> A little garden, grateful to the eye,
> And a cool rivulet run murm'ring by,
> On whose delicious banks a stately row
> Of shady limes or sycamores should grow;
> At th' end of which a silent study placed
> Should be with all the noblest authors graced:
> Horace and Virgil, in whose mighty lines
> Immortal wit and solid learning shines;
> Sharp Juvenal, and am'rous Ovid too,
> Who all the turns of love's soft passion knew;

'Doedd chwennych cyfoeth mawr ddim yn rhan o'r cynllun; ar y cymedrol, y syml a'r gostyngedig yr oedd y pwyslais:

> I'd have a clear and competent estate,
> That I might live genteelly, but not great:
> As much as I could moderately spend;
> A little more, sometimes t' oblige a friend.
> Nor should the sons of poverty repine
> Too much at fortune, they should taste of mine;

Ni fynnai ormodedd o luniaeth ychwaith, dim ond digon i'w gynnal ei hun ac i borthi dieithriaid a thlodion:

> A frugal plenty should my table spread,
> With healthy, not luxurious, dishes fed:
> Enough to satisfy, and something more
> To feed the stranger, and the neighb'ring poor.
> Strong meat indulges vice, and pampering food

> Creates diseases, and inflames the blood.
> But what's sufficient to make nature strong,
> And the bright lamp of life continue long,
> I'd freely take; and, as I did possess,
> The bounteous Author of my plenty bless.

Dymunai hefyd gael cyflenwad hael o ddiod: 'I'd have a little vault, but always stored/ With the best wines each vintage could afford', ond dim ond digon o win i roi min ar ffraethineb a hybu sgwrs, nid i beri meddwdod: 'My house should no such rude disorders know,/As from high drinking consequently flow'.

'Roedd yn rhaid i'r awdur hefyd gael cyfaill neu ddau i gadw cwmni iddo yng nghanol y bendithion hyn, ac i ymgyfranogi gydag ef o'r bywyd gwâr hwn, a byddai'n rhaid i'w gyfeillion feddu ar nifer o rinweddau:

> That life may be more comfortable yet,
> And all my joys refined, sincere, and great,
> I'd choose two friends, whose company would be
> A great advance to my felicity:
> Well-born, of humours suited to my own,
> Discreet, and men as well as books have known;
> Brave, gen'rous, witty, and exactly free
> From loose behaviour, or formality;
> Airy and prudent, merry, but not light,
> Quick in discerning, and in judging right.

'Roedd cwmni merch hefyd yn hanfodol, er na fynnai briodi; a byddai'n rhaid iddi hithau hefyd addurno'i fywyd a melysu'i ddyddiau â'i phersonoliaeth hawddgar a rhinweddol:

> I'd have her reason all her passions sway:
> Easy in company, in private gay;
> Coy to a fop, to the deserving free,
> Still constant to herself, and just to me.
> A soul she should have for great actions fit;
> Prudence and wisdom to direct her wit;
> Courage to look bold danger in the face,
> No fear, but only to be proud, or base ...
> Civil to strangers, to her neighbours kind;
> Averse to vanity, revenge, and pride ...

Drwy fyw'r bywyd delfrydol hwn, gobeithiai'r awdur osgoi pob straen a strach, a byw'n heddychlon-dangnefeddus hyd ddiwedd ei ddyddiau:

> Law-suits I'd shun, with as much studious care,
> As I would dens where hungry lions are;

And rather put up injuries than be
A plague to him, who'd be a plague to me.
I value quiet at a price too great
To give for my revenge so dear a rate ...

'The popularity of this poem was no doubt largely due to the graceful way in which it disguised the Englishman's dream of the easy life of a country-gentleman as a piece of Roman simplicity,' meddai un beirniad am y gerdd.[89]

Dechreuodd Pope weithio ar ei 'Ode on Solitude' pan oedd oddeutu deuddeg oed, ym 1700, ac mae'r gerdd hon hefyd yn perthyn i ddechrau'r ganrif; ac fel 'The Choice', mae hi'n un o gerddi enwocaf y ddeunawfed ganrif. Mae dyheadau Pope yn ddigon tebyg i ddyheadau Pomfret: dyhead i fyw yn y wlad, gyda gwartheg a defaid o'i gwmpas, i'w ddiwallu ac i'w ddilladu, gan chwennych iechyd corfforol, tawelwch meddwl, hamdden i ddarllen, a llonydd rhag y byd:[90]

Happy the man, whose wish and care
A few paternal acres bound,
Content to breathe his native air,
                    In his own ground.

Whose herds with milk, whose fields with bread,
Whose flocks supply him with attire,
Whose trees in summer yield him shade,
                    In winter fire.

Blest, who can unconcern'dly find
Hours, days, and years slide soft away,
In health of body, peace of mind,
                    Quiet by day,

Sound sleep by night; study and ease
Together mix'd; sweet recreation,
And innocence, which most does please,
                    With meditation.

Thus let me live, unseen, unknown;
Thus unlamented let me dye;
Steal from the world, and not a stone
                    Tell where I lie.

---

[89] Charles Peake, 'Poetry 1700–1740', *Sphere History of Literature*, t. 142.
[90] *Pope: Poetical Works*, tt. 59–60.

Esgorodd y confensiwn Horasaidd hwn, a cherddi Pomfret a Pope yn enwedig, ar fyrdd o efelychiadau. Er enghraifft, agorwyd *Original Poems* (1725) Henry Baker (1698–1774) â'r gosodiad hwn: 'Grant me, you Gods! before I die/An happy Mediocrity', ac 'roedd y nod hwn o gymedroldeb dedwydd yn unol â'r delfryd a geisiai osgoi unrhyw ymfflamychu angerddol. Yn yr un traddodiad y mae'r llinellau hyn gan Nahum Tate (1652–1715):

> Grant me, indulgent Heaven! a rural seat
>   Rather contemptible than great!
> Where, though I taste for life's sweets, I still may be
>   Athirst for immortality!
> I would have business; but exempt from strife!
>   A private, but an active life!
> A conscience bold, and punctual to his charge!
>   My stock of health; or patience large!
> Some books I'd have, and some acquaintance too;
>   But very good, and very few!
> Then (if a mortal two such gifts may crave!)
>   From silent life I'd steal into the grave.

Rhestrir yr un dyheadau yma eto. Cymedroldeb ym mhob dim oedd y gyfrinach; heb ymarfer cymedroldeb gellid disgwyl trychineb. Wrth fynegi'i ddyhead i gael rhai llyfrau a ffrindiau o'i gwmpas, mae'n pwysleisio mai dim ond ychydig iawn o'r rhain a chwenychir ganddo.

Cerdd boblogaidd arall ar y thema hon oedd *The Spleen* gan Matthew Green (1696–1737), ac mae'r gerdd hon hefyd yn pwyso'n drwm ar y traddodiad:

> A farm some twenty miles from town,
> Small, tight, salubrious and my own;
> Two maids; that never saw the town,
> A serving-man not quite a clown,
> A boy to help to tread the mow,
> And drive, while t'other holds the plough;
> A chief, of temper form'd to please,
> Fit to converse, and keep the keys;
> And better to preserve the peace,
> Comission'd by the name of niece;
> With understandings of a size
> To think their master very wise.
> May heaven (it's all I ask for) send
> One genial room to treat a friend,
> Where decent cupboard, little plate,
> Display benevolence, not state ...

Thema hynod o gyffredin oedd hon yn y ddeunawfed ganrif. Yn ôl un beirniad:[91]

> The common identification with country gentry ... goes well with a well-marked tradition of 'retirement' literature, in which modest rural living is contrasted with corrupt city life. Variations on this theme can be found in almost all the major writers: it is part of a recurrent Horatian dream (no poem was more frequently imitated than the epistle *Hoc erat in votis*). It is associated with the inclination towards country as against court politics, that is to say in effect a tendency to support what was still an inchoate and ill-organized opposition ... The expression varies but the gesture remains the same – an ideal of tranquillity to set against the bustle of men and affairs.

Mae'n hollol amlwg fod Goronwy yn gyfarwydd â'r confensiwn. Mae llinell agoriadol ei Ofuned, hyd yn oed, yn adleisio'r confensiwn hwnnw o gyfarch y nef yn y cerddi hyn, ac ymbil arni i roi i'r bardd ei ddymuniad. 'O chawn o nef y peth a grefwn' yw llinell gyntaf Gofuned Goronwy; 'If Heav'n the grateful liberty would give' yw llinell agoriadol 'The Choice' Pomfret; 'Grant me, indulgent Heaven ...' yw dyhead Tate, tra bo 'The Spleen' yn cynnwys y llinell 'May heaven (It's all I wish for) send ...' Ac mae Goronwy yn dyheu am yr union bethau y mae'r cerddi Saesneg (a Lladin) yn dyheu amdanyn nhw, sef 'Syn-hwyrfryd doeth a chorff anfoethus' (cf. 'My stock of health; or patience large', Nahum Tate), ymneilltuo o blith dynion a'u helyntion a'u hymrafaelion cyfreithiol, 'Diwall a hyfryd dŷ a llyfrau', 'gwartheg res a buchesau', gwraig gydnaws a phlant dymunol ('Minnau, a'm deulanc mwyn i'm dilyn'), gardd wedi ei chysgodi gan goed (cf. 'A little garden, grateful to the eye .../On whose delicious banks a stately row/Of shady limes or sycamores should grow', Pomfret), ac yn y blaen. Yn wir, gan brofi ei fod yn gyfarwydd â'r dull hwn o ganu, mae Goronwy ei hun yn cyfeirio at y confensiwn hwn yn Saesneg:[92]

> Deued i Sais yr hyn a geisio –
> Dwfr hoffredwyllt ofer a ffrydio
> Drwy nant a chrisiant – â chroeso ...

Er mai confensiwn a sefydlwyd gan rai o gerddi Horas, yr ail Epôd yn enwedig, oedd y confensiwn hwn, canfu Saunders Lewis gynsail arall iddo:[93]

> This poem [Awdl y Gofuned] is simply one more expression of the modest epicure-anism of which the Roman utterance is Martial's epigram of the happy life ... And among the English poets of Fanshawe's age and later, the theme was in vogue.

---

[91] Pat Rogers, *The Context of English Literature: The Eighteenth Century*, Gol. Pat Rogers, 1978, t. 21.
[92] 'Gofuned Goronwy Ddu o Fôn', *Blodeugerdd Barddas o Ganu Caeth y Ddeunawfed Ganrif*, t. 89.
[93] *A School of Welsh Augustans*, tt. 87-88.

Horas, fodd bynnag, oedd prif ysgogydd y confensiwn, er mor boblogaidd oedd epigram Marsial ('*Vitam quae faciant ...*'); mor boblogaidd, yn wir, nes i sawl cyfieithiad Saesneg ohono ymddangos o'r unfed ganrif ar bymtheg ymlaen, ac er na ellir llwyr ddiystyru rhan Marsial yn y gwaith o sefydlu'r confensiwn hwn. Mae Saunders Lewis yn crybwyll dau o'r cyfieithiadau hyn, eiddo Henry Howard, Iarll Surrey (?1517–1547) a Syr Richard Fanshawe (1608–1666); ond ceir cyfieithiadau eraill hefyd, gan Ben Jonson eto, a chan Elijah Fenton (1683–1730), ac eraill. Fe'i cyfieithwyd i'r Gymraeg hefyd, ar ffurf cywydd, gan Simwnt Fychan. Mae thema Awdl y Gofuned yn amlwg yn yr epigram Lladin, ond mae gormod o debygrwydd rhwng y Gofuned a'r cerddi Saesneg sy'n perthyn i'r confensiwn i neb allu honni mai cerddi Lladin Horas a Marsial, yn uniongyrchol, a'i hysbrydolodd. Adleisio'r confensiwn yr oedd Goronwy yn hytrach na phatrymu'i gerdd ar enghreifftiau unigol. Dyma un o'r cyfieithiadau Saesneg hynny, i ddangos y thema hon ar waith. 'A Happy Life', cyfieithiad Richard Fanshawe, i ddechrau:

> The things that make a life to please
> (Sweetest Martiall) they are these:
> Estate inherited, not got:
> A thankfull Field, Hearth alwayes hot:
> City seldome, Law-suits never:
> Equall Friends agreeing ever:
> Health of Body, Peace of Minde:
> Sleepes that till the Morning binde:
> Wise Simplicitie, Plaine Fare:
> Not drunken Nights, yet loos'd from Care:
> A Sober, not a sullen Spouse:
> Cleane strength, not such as his that Plowes:
> Wish onely what thou art, to bee;
> Death neither wish, nor feare to see.

Mae ôl yr un confensiwn ar Gywydd y Gwahodd. Mae Goronwy yn gwahodd ei gyfaill i adael y dref a'i drygioni i brofi'r bendithion syml gwledig. 'Gad, er nef, y dref a'i drwg'[94]

> I gael cân – beth diddanach? –
> A rhodio gardd y bardd bach.

Y mae'r pwyslais ar yr un rhinweddau a breintiau eto, sef bendithion y gymdeithas wâr: ymgom â chyfaill o gyffelyb fryd, bwyd a diod, a gonestrwydd o fewn cyfeillach:[95]

---

[94] 'Cywydd y Gwahodd', *Blodeugerdd Barddas o Ganu Caeth y Ddeunawfed Ganrif*, tt. 108-109.
[95] Ibid., t. 109.

> Diod o ddŵr, doed a ddêl,
> A chywydd, ac iach awel,
> A chroeso calon onest
> Ddiddichell; pa raid gwell gwest?
> Addawaf – pam na ddeui? –
> Ychwaneg, ddyn teg, i ti:
> Ceir profi cwrw y prifardd,
> Cei 'mgomio wrth rodio'r ardd ...

Gyda Llundain yn cynyddu'n gyflym yn ystod y ddeunawfed ganrif a'r ganrif o'i blaen, a'i strydoedd yn rhemp gan sŵn a symud, cythru a rhuthro, 'roedd cerddi yn cyferbynnu rhwng gwlad a thref, rhwng Llundain a'r llecynnau tawel, digyffro y tu allan iddi, yn hynod o boblogaidd o gyfnod yr Adferiad ymlaen. Yn y wlad yn unig, lle gallai dyn oedi a meddwl, y gellid gweithredu'r delfryd Horasaidd o encilio o olwg y dref i fyw bywyd gwâr a hamddenol. 'Roedd y cerddi hyn yn clodfori'r wlad ac yn difrïo'r ddinas ddrwg, yn union fel y mae Goronwy yn ei wneud yng Nghywydd y Gwahodd, ac efallai ei fod yn gyfarwydd â'r confensiwn. Er enghraifft, mae cerdd Charles Cotton, 'To My Friend Mr. John Anderson: from the Countrey', yn rhestru bendithion y bywyd gwledig o'u cymharu ag anfanteision preswylio yn y ddinas fawr, fyglyd:

> You that the *City Life* embrace,
> And in those Tumults run your race,
> Under th'aspect of the Celestial face
>   Of your bright *Lady*:

> You, that to *Masks*, and *Plays* resort.
> As if you would rebuild the *Court*,
> We here can match you with our *Countrey*-sport,
>   As neer as may be.

> ... For you but *Tributaries* are,
> Aw'd by the furious men of War:
> We *Countrey-Bumkins* then are happier far
>   For many reasons.

> First, we have here no bawling *Duns*,
> Nor those fierce things ycleped *Bums*,
> No *Cuckold-Constable*, or *Watch* here comes
>   To apprehend us.

Mynegodd Johnson yn *London* (1738) ei ddyhead i ddianc 'from Vice and London far,/To breathe in distant fields a purer air', ac 'roedd James Thomson yn *The Seasons* wedi cyferbynnu rhwng preswylwyr y wlad a thrigolion y ddinas, gan ystyried y gwladwr yn llawer mwy ffodus na'r dinesydd:

> The happiest he! who far from public rage
> Deep in the vale, with a choice few retired,
> Drinks the pure pleasures of the rural life.

Mae'n rhaid, bellach, archwilio'r cysylltiad rhwng barddoniaeth a gwyddoniaeth. 'Roedd Goleuedigaeth y gwyddonwyr a'r athronwyr a gweledigaeth y beirdd yn ystod y ganrif yn un. 'Roedd llawer o themâu crefyddol y ddeunawfed ganrif yn deillio o'r darganfyddiadau gwyddonol a wnaed yn ystod diwedd y ganrif flaenorol, damcaniaethau Newton yn arbennig. 'Roedd Isaac Newton ac eraill, trwy gyfrwng Natur, wedi datgelu llawer o wyrthiau'r greadigaeth, ac wedi dadlennu, yn nhyb yr oes, beth bynnag, rai o fwriadau Duw. Daeth barddoniaeth i goledd gwyddoniaeth. Un o bynciau mawr y beirdd oedd Newtoniaeth, sef diddordeb yn nhrefn y bydysawd ac yng nghylchdro'r planedau.

Profodd Isaac Newton (1642–1727) fod trefn fanwl a mesuredig i'r bydysawd, a bod y drefn honno yn gweithio yn ôl nifer o fân reolau cyson a dealladwy y gellid eu hesbonio drwy gyfrwng mathemateg a physeg. Profodd Newton, mewn geiriau eraill, fod Duw yn bod. Os oedd y bydysawd yn gweithio yn ôl rheolau pendant, 'roedd rhywun neu rywbeth yn gyfrifol am y rheolau hynny. Cyflwynwyd damcaniaethau chwyldroadol Newton i'r byd yn ei lyfr Lladin *Philosophiae Naturalis Principia Mathematica* (1687) a'i lyfr Saesneg *Opticks* (1704), a chafodd y ddau lyfr ddylanwad anfesuradwy ar y ddeunawfed ganrif. Meddai yn *Opticks*:[96]

> Whence is it that Nature doth nothing in vain; and whence arises all that Order and Beauty which we see in the World? To what end are Comets, and whence is it that Planets move all one and the same way in Orbs concentrick, while Comets move all manner of ways in Orbs very excentrick; and what hinders the fix'd Stars from falling upon one another? ... And these things being rightly dispatch'd, does it not appear from Phaenomena that there is a Being incorporeal, living, intelligent, omnipresent, who in infinite Space, as it were his Sensory, sees the things themselves intimately, and thoroughly perceives them and comprehends them wholly by their immediate presence to himself.

Yn ogystal, ac yn bwysicach, 'roedd darganfyddiadau Newton yn brawf diymwad fod y drefn hon a sefydlwyd gan Dduw yn drefn ddaionus, yn drefn a sefydlwyd gyda lles a llawenydd dyn mewn golwg. Hefyd, 'roedd y syniad hwn fod trefn a chytgord perffaith yn bodoli yn y bydysawd yn cadarnhau'r gred fod trefn a chytgord o fewn cymdeithas yn angenrheidiol. Dylai cymdeithas adlewyrchu'r drefn yn y cread, ac efelychu'r patrwm hwnnw. 'It was generally agreed,' meddai un beirniad, '(by poets along with everyone else) that Newton had shored up the grounds of Christian belief, and had promoted virtuous living by his demonstration of the harmony and propriety of nature itself',[97] ac

---

[96] *Opticks*, arg. 1952, tt. 369–370, 404.
[97] Pat Rogers, *The Augustan Vision*, 1974, t. 42.

'roedd cerddi fel *The Newtonian System of the World, The Best Model of Government: An Allegorical Poem* (1729) gan John Theophilus Desaguliers (1683–1744), un o brif feddygon ei ddydd ac aelod o'r Gymdeithas Frenhinol, yn hyrwyddo syniadaeth o'r fath. Yn y gerdd, 'roedd yr haul yn rheoli'r gyfundrefn Newtonaidd yn union fel yr oedd y Brenin Siôr II yn llywodraethu Lloegr:

> Like Ministers attending ev'ry Glance,
> Six Worlds sweep round his [yr haul] Throne in Mystick Dance.
> He turns their Motion from its devious Course,
> And bends their Orbits by Attractive Force;
> His Pow'r coerc'd by Laws, still leaves them free,
> Directs, but not Destroys, their Liberty;
> Tho' fast and slow, yet regular they move,
> (Projectile Force restrain'd by mutual Love,)
> And reigning thus with limited Command,
> He holds a lasting Sceptre in his Hand.

O Joseph Addison ymlaen, daeth Newtoniaeth yn rhan o farddoniaeth. Newton oedd arwr newydd y beirdd, ac mae cerddi'r ganrif yn frith o gyfeiriadau ato, ac yn drymlwythog o fawl iddo am ddatgelu Duw drwy gyfrwng Natur. Mae emyn enwog Addison, 'The Spacious Firmament on High', yn fawl uniongyrchol i Dduw, sefydlydd trefn y bydysawd, ac yn glod anuniongyrchol i Newton, darganfyddwr y drefn honno:

> The spacious firmament on high,
> With all the blue ethereal sky,
> And spangled heav'ns, a shining frame,
> Their great original proclaim:
> Th' unwearied sun, from day to day,
> Does his Creator's power display,
> And publishes to every land
> The work of an almighty hand.
>
> Soon as the evening shades prevail,
> The moon takes up the wondrous tale,
> And nightly to the list'ning earth
> Repeats the story of her birth:
> Whilst all the stars that round her burn,
> And all the planets in their turn,
> Confirm the tidings as they roll,
> And spread the truth from pole to pole.
>
> What though, in solemn silence, all
> Move round the dark terrestrial ball?
> What though nor real voice nor sound
> Amid their radiant orbs be found?

In reason's ear they all rejoice,
And utter forth a glorious voice,
For ever singing, as they shine,
'The hand that made us is divine'.

Sylwer mai 'In reason's ear they all rejoice'. Y meddwl gwyddonol rhesymegol a oedd wedi datgelu rhyfeddodau'r bydysawd a champweithiau Duw i feidrolion y ddeunawfed ganrif. Cyhoeddwyd cerdd Addison ym 1712, wyth mlynedd ar ôl i *Opticks* Newton, y mwyaf dylanwadol o'i lyfrau, ymddangos. 'Roedd un o feirdd llai enwog y ganrif, John Hughes, hefyd wedi llunio teyrnged uchel i Newton yn ail ddegawd y ddeunawfed ganrif, yn *The Ecstasy*, gan ei gyfarch fel 'the great Columbus of the skies', ac wedi mynegi ei awydd i ddarganfod cyfrinachau'r cread, fel Newton:

Here let me, thy Companion, stray.
From Orb to Orb, and now behold
Unnumber'd Suns, all Seas of molten Gold;
And trace each Comet's wand'ring Way,
And now descry Light's Fountain-Head,
And measure its descending Speed;
Or learn how Sun-born Colours rise
In Rays distinct, and in the skies,
Blended in yellow Radiance flow,
Or stain the fleecy Cloud, or streak the Wat'ry Bow;
Or now diffus'd their beautuous Tinctures shed
On ev'ry Planet's rising Hills, and ev'ry verdant Mead.

Newton oedd y dadlennwr pennaf, ond bu eraill hefyd, yn eu gwahanol feysydd, yn datgelu rhyfeddodau Duw a threfn Duw yn y bydysawd ac ar y ddaear i feidrolion cyffredin. Os oedd y telisgôp wedi datgelu rhyfeddodau'r bydysawd, 'roedd y meicrosgôp wedi dadlennu bodolaeth mân organebau a oedd yn anweladwy i'r llygad. Dyma ddau o brif ddyfeisiau'r oes, ac 'roedd Lewis Morris hyd yn oed, fel un o blant Goleuedigaeth y ddeunawfed ganrif, yn dyfeisio'i feicrosgopau ei hunan. 'The chiefest pleasure,' meddai wrth William, 'I have had was an opportunity of making microscopical observations ... I have also made some improvements (which hath not been seen before) in the structure of my microscope ... and I insist upon it that my microscope exceeds everything of the kind ever yet publishd ... This is the most amusing study in the world, and it is impossible to make any progress in natural philosophy without microscopes; it is amazing, it is beyond conception, and beyond description – a new world!'[98] Edliwiodd William i Lewis iddo fod braidd yn hwyrfrydig yn troi at astudiaethau o'r fath. 'Hir y buoch a'ch llygaid heb egor i weled gwrthiau'r greadigaeth,' meddai wrtho.[99] Cwbwl nodweddiadol o blant

---

[98] *ML* I, llythyr CCLV, Lewis at William, o Lundain, Medi 1, 1755, t. 374.
[99] *ML* II, llythyr DCLII, William at Lewis, o Gaergybi, Rhagfyr 27, 1762, t. 530.

Goleuedigaeth y cyfnod oedd Lewis yn ei ddiddordebau. 'Roedd ei waith mawr yn mapio arfordir Cymru, ac yn enwedig ei *Plans of Harbours, Bars, Bays and Roads in S'. George's Channel*, yn enghraifft lachar o symudiad yr oes i archwilio tir a môr, a darganfod tiriogaethau newydd. Rhestrodd Lewis rai o'i brif ddiddordebau mewn llythyr at Samuel Pegge:[100]

> ... I have retired into a Little Villa of my own, where my Garden, Orchard & Farm, & some small mineworks (take a good part of my time) and a little knowledge in Physic & Surgery, which brings me the visits of the poor; Botany having been my favourite Study, is now of use to *them*. Natural Philosophy and Mathematics have taken up much of my attention from my childhood, and I have a tolerable Collection of Fossils, Shells, &c. from most parts of the World, & a valuble Collection of Instruments and apparatus's on that head. Models of engines also hath taken up a part of my thoughts ... My knowledge in Coins is but Slender, and my Collections very small ... I have some Inscriptions found upon stones that are Curious, as also some British weapons. My Collection of Books is not large, and they are chiefly natural history, Mathematics, & Antiquities of the Britains.

Yn ei farwnad iddo, soniodd Ieuan Brydydd Hir am ddiddordebau Lewis mewn seryddiaeth a gwyddoniaeth:[101]

> Bellach fyth na chrybwyller
> Na son am anian y ser;
> Llewyrch nef a'i gynnefod,
> Cylchau a rheolau'r rhod;
> Na'r llwybr yr ä haul wybren,
> Llyw y dydd, na lleuad wen;
> A gradd pob un o naddynt,
> A'u harwydd a'u hyrwydd hynt.
>
> Pwy a wybydd, pa obaith,
> Duw Ion a'i wyrth mawrion maith.
> O ddyn hyd at bryfyn brau,
> A'u rhyw hynod, a'u rhiniau,
> O goedydd mawrfrig adail
> Hyd lysiau mân deiau dail?

'Roedd gwyddonwyr diwedd yr ail ganrif ar bymtheg a dechrau'r ddeunawfed gam wrth gam yn datgelu creadigaeth Duw yn ei holl amrywiaeth, ac wrth i forwyr ddarganfod bydoedd newydd, 'roedd y byd hyd yn oed yn dechrau ehangu. Wrth i ddaearyddiaeth y byd newid, 'roedd mwy a mwy o wahanol fathau o anifeiliaid a

---

[100] *ALMA* 2, llythyr 266, Lewis at Samuel Pegge, o Benbryn, Chwefror 11, 1761, tt. 511-512.
[101] 'Cywydd Marwnad Lewis Morys, Yswain', ibid., llythyr 337, Evan Evans at Richard, o Lanfair Talhaearn, Mehefin 28, 1765, tt. 653-654.

phlanhigion yn dechrau dod i'r fei. 'Roedd gwaith y naturiaethwr yn cyflawni'r un pwrpas â gwaith y gwyddonydd a'r seryddwr, sef dadlennu Duw drwy Natur. Datgelu mawredd Duw drwy gyfrwng Natur oedd pwrpas y naturiaethwr John Ray yn ei lyfr *The Wisdom of God Manifested in the Works of the Creation* (1691), er enghraifft. Gwaith mawr John Ray (1627–1705) oedd ei ymgais i ddosbarthu a chategorïo llysiau'r byd yn ei *Historia Generalis Plantarum* (1686–1704), a chyn hynny yn *Synopsis Methodica Stirpium Britannicarum* (1670). Lluniodd hefyd gyfrol ar adar, *Synopsis Methodica Avium* (1713). Mae obsesiwn y ddeunawfed ganrif gyda gerddi, a chyda phlanhigion a blodau, i'w briodoli, i raddau helaeth, i dymherfryd gwyddonol yr oes, ac i'r awydd hwn i ddod o hyd i Dduw drwy gyfrwng Natur. Yn hyn o beth, 'roedd William Morris, gyda'i ddiddordeb ysol mewn llysieueg, yn nodweddiadol o'i gyfnod. Yn wir, 'roedd copi o argraffiad 1727 o *Synopsis Methodica Stirpium ...* John Ray ganddo yn ei feddiant. Dywedodd William ei hun mai '*craffu ar Rhyfeddodau'r Greadigaeth*' oedd ei nod wrth astudio llysieueg, ac 'olrhain tlysau a thyganau Anianawl ac eraill Wyrthiau anguriawl'.[102] 'Roedd copïau o waith un o brif lysieuwyr y ddeunawfed ganrif, Linnaeus (1707–1778) o Sweden, yn ei feddiant hefyd. 'You must have Linnaeus's Systema Naturae cyn y bo'ch virtuoso iawn,' meddai wrth Richard,[103] a chyfeiriodd Ieuan Brydydd Hir at arbenigrwydd William yn ei faes trwy ddweud ei fod yn 'Camu, llawenu yn llwybr/Linnaeus yn lân ewybr'.[104] 'Roedd Linnaeus hefyd yn rhan o'r symudiad mawr i ddarganfod Duw, a threfn Duw, drwy gyfrwng Natur.

Parhawyd gwaith John Ray gan wŷr fel William Derham (1657–1735), a'r gwŷr hyn oedd prif hyrwyddwyr y *physico-theology* a'r *astro-theology*, a geisiai ddefnyddio darganfyddiadau a damcaniaethau gwyddonol yr oes i ddangos Duw ar waith yn ei greadigaeth, 'Demonstration of the *Being* and *Attributes* of an infinitely wise and powerful Creator', chwedl Derham.[105] Mae Pantycelyn ei hun yn cyfeirio at Derham, ac yn mydryddu llawer o'i syniadau ef ac eraill ynghylch natur y greadigaeth yn *Golwg ar Deyrnas Crist*. Fel y dangosodd Gomer M. Roberts, dylanwadodd cyfrol Derham, *Physio-Theology: or, A Demonstration of the Being and Attributes of God, from His Works of Creation*, yn drwm ar Bantycelyn, yn enwedig y drafodaeth am groen a blew anifeiliaid, a'r modd yr oedd Duw wedi gwisgo'r anifeiliaid hyn yn addas i'w hamgylchfyd, 'Y rhai'n ga's eu cymhwyso 'nôl eu hamrywiol le,/I deimlo o happusrwydd a'i haelioni e'...'[106] Troes Pantycelyn yntau ddarganfyddiadau a syniadau'r athronwyr a'r gwyddonwyr newydd i'w felin ei hun. 'Roedd holl amrywiaeth a holl gymhlethdod y greadigaeth yn brawf pendant o fodolaeth Duw i Bantycelyn, ond yn ei dyb ef, trwy ei Ras anfeidrol, a thrwy Grist ei Fab, y dadlennai Duw ei hun i feidrolion, nid trwy gyfrwng Natur. Ond Natur oedd cyfrwng

[102] *ALMA* 2, llythyr 311, William at Evan Evans, o Gaergybi, Dydd Calan Gaeaf, 1763, t. 599.

[103] *ML* I, llythyr CCCXXXIV, William at Richard, o Gaergybi, Mehefin 2, 1757, t. 483.

[104] 'Marwnad Wiliam Morris', *Blodeugerdd Barddas o Ganu Caeth y Ddeunawfed Ganrif*, t. 132.

[105] *Physio-Theology: or, A Demonstration of the Being and Attributes of God, from His Works of Creation*, 1713, t. 3.

[106] *Y Pêr Ganiedydd (Pantycelyn)*, cyfrol II, 1958, tt. 149–150.

Derham. Adlewyrchid mawredd a gogoniant Duw gan amrywiaeth a helaethrwydd y byd naturiol, a gwefr a braint oedd dod o hyd i Dduw drwy astudio'i greadigaeth. Un o brif safbwyntiau'r ddeunawfed ganrif oedd mai diben celfyddyd oedd dynwared Natur, ond ni allai neb efelychu gwaith Duw yn ôl Derham:[107]

> Let us cast our Eyes here and there, let us ransack all the Globe, let us with the greatest accuracy inspect every Part thereof, search out the inmost Secrets of any of the Creatures; let us examine them with all our Gauges, measure them with our nicest Rules, pry into them with our Microscopes, and most exquisite Instruments, still we find them to bear Testimony to their infinite Workman; and that they exceed all humane Skill so far, as that the most exquisite Copies and Imitations of the best Artists, are no other than rude bungling Pieces to them.

Mae ôl Newtoniaeth ar farddoniaeth Goronwy yntau. Rhyfeddai at greadigaeth Duw yn aml, gan bensynnu uwch y cytgord yn y bydysawd. Yng Nghywydd Bonedd a Chyn-eddfau'r Awen, mae'r sêr yn cydganu eu mawl gorfoleddus i'r creawdwr, mewn llinellau digon tebyg i eiddo Addison ('In reason's ear they all rejoice,/And utter forth a glorious voice,/For ever singing, as they shine,/'The hand that made us is divine.'):[108]

> Sêr bore a ddwyreynt
> Yn llu i gydganu gynt.
> Canu'n llon, hoywlon eu hawdl,
> Gawrfloeddio gorfoleddawdl,
> Ac ar ben gorffen y gwaith,
> Yn wiwlan canu eilwaith.
> Caid miloedd o nerthoedd nef
> Acw'n eilio cân wiwlef;
> Meibion nef yn cydlefain
> Â'i gilydd mewn cywydd cain:
> "Perffaith yw dy waith, Duw Iôn,
> Dethol dy ffyrdd a doethion,
> A mad, ac anchwiliadwy,
> Dduw mawr, ac ni fu ddim mwy".
> Pêr lefair cywair eu cân,
> Pob ergyd fel pib organ ...

Yn yr un cywydd mae'r cytgord a geir yn y bydysawd yn creu cytgord daearol, yn unol â'r ddamcaniaeth fod Duw wedi creu perffeithrwydd y bydysawd er mwyn i ddyn yn ei gymdeithas allu efelychu'r undod hwnnw, a bod trefn ddaionus Duw yn cyffwrdd â phawb a phopeth, o blanedau i bobl:[109]

---

[107] *Physio-Theology: or, a Demonstration of the Being and Attributes of God, from his Works of Creation*, t. 38.
[108] 'Bonedd a Chyneddfau'r Awen', *Blodeugerdd Barddas o Ganu Caeth y Ddeunawfed Ganrif*, t. 98.
[109] Ibid., tt. 98–99.

E ddaeth eu llef o'r nefoedd
Ar hyd y crai fyd, cryf oedd.
Adda dad ym mharadwys,
Clywodd eu gawr leisfawr, lwys.
Hoffai lef eu cerdd nefawl
Ac adlais mwynlais eu mawl.
Cynigiai eu cân hoywgerdd,
Rhôi ymgais ar gais o'r gerdd.
Difyr i'w goflaid Efa
Glywed ei gân ddiddan, dda.
Canai Efa, deca' dyn,
Canai Adda, cain wiwddyn.

Mae'r ddamcaniaeth Newtonaidd fod Duw wedi creu'r holl fydysawd er lles a llawenydd dynion yn amlwg yn y cywydd hwn, yn ogystal â'r gred mai diben Duw oedd creu perffeithrwydd yn y nef ac ar y ddaear hefyd, a bod y ddaear ei hun yn rhan o undod mawr y cread. 'Newton had put on a new and rational basis the mediaeval faith that God's love was the prime force moving the spheres,' meddai A. R. Humphreys.[110] Rhoddwyd mynegiant i'r thema hon o'r modd yr oedd cariad Duw yn creu cytgord yn y cread gan sawl bardd, er enghraifft, David Mallet yn *The Excursion*:

Simplicity divine: by this sole rule
The Maker's great establishment, these worlds
Revolve harmonious, world attracting world
With mutual love, and to their central sun
All gravitating.

Mae cariad, haelioni a daioni Duw yn clymu'r nef a'r ddaear ynghyd yng nghywydd Goronwy:[111]

Prawf yw hon o ddaioni
Duw nef, a da yw i ni.
Llesia gân yn llys gwiwnef,
Mawr gerth yw ei nerth yn nef.
Pan fo'r côr yn clodfori
Cydlef llu nef oll â ni,
Ac ateb cân yn gytun;
Daear a nef a dry'n un.

---

[110] *The Augustan World*, t. 212.
[111] 'Bonedd a Chyneddfau'r Awen', *Blodeugerdd Barddas o Ganu Caeth y Ddeunawfed Ganrif*, t. 100.

Ceir yn y cywydd gyfeiriadau ysgrythurol amlwg, wrth gwrs, yn enwedig at Job 38:7, 'Pan gydganodd sêr y bore, ac y gorfoleddodd meibion Duw', ac at yr adnod gyntaf yn y bedwaredd Salm ar bymtheg, 'Y Nefoedd sydd yn datgan gogoniant Duw; a'r ffurfafen sydd yn mynegi gwaith ei ddwylaw ef', ond, fel cynifer o feirdd yr oes, mae Goronwy yn asio'r hen a'r newydd, ac yn cael cadarnhad i Air Duw yn narganfyddiadau'r gwyddonwyr.

Mae ôl Newtoniaeth yn drwm ar Gywydd y Calan, 1753, hefyd, wrth i'r bardd sôn am y modd y canfuwyd rhyfeddodau newydd yn y cread drwy gyfrwng telesgôp y gwyddonydd:

> Hardd gweled y planedau
> A'u llwybr yn y gylchwybr gau;
> Tremiadau tramwyedig,
> A chall yn deall eu dig.
> Canfod, a gwych eurddrych oedd,
> Swrn nifer o sêr nefoedd,
> Rhifoedd o sêr, rhyfedd sôn,
> Crogedig uwch Caergwydion ...

Ac yng Nghywydd y Maen Gwerthfawr, sonnir am y modd 'y rhed yr haul/Hyd gyhyd-lwybr yr wybren'. 'Roedd y cyffro mawr a grewyd gan ddarganfyddiadau Newton a'i gyfoeswyr wedi treiddio i mewn i farddoniaeth Goronwy Owen yntau. Ceir hefyd arlliw o'r gred fod modd canfod arfaeth neu Ragluniaeth Duw drwy astudio Natur, a bod Duw yn dadlennu ei ogoniant drwy gyfrwng Natur, yng Nghywydd y Gwahodd:[112]

> Cawn nodi o'n cain adail
> Gwyrth Duw mewn rhagoriaeth dail,
> A diau pob blodeuyn
> Fel bys a ddengys i ddyn
> Ddirfawr ddyfnderoedd arfaeth,
> Diegwan Iôr, Duw a'i gwnaeth.

Un o'r themâu yr oedd darganfyddiadau a damcaniaethau Newton yn gyfrifol amdani, fel y lled-awgrymwyd uchod, oedd daioni a gofal Rhagluniaeth Duw, neu drefn ddaionus Duw – *bienfaisance* y Ffrancwyr. 'Roedd Newton wedi dangos sut yr oedd y rhannau ar wahân yn creu cyfanwaith yn y bydysawd. Duw oedd yn gyfrifol am bob symudiad, pob manylyn yn y drefn; ac os oedd Duw wedi gofalu am bob manylyn yn y bydysawd, 'roedd ganddo hefyd ddiddordeb yn ei greaduriaid ar y ddaear, a mawr oedd Ei ofal am bob unigolyn. Dangosodd Newton ac eraill mai peiriant cywrain oedd y bydysawd, a rhaid

---

[112] 'Cywydd y Gwahodd', ibid., t. 109.

bod i'r fath gywreinder a pherffeithrwydd bwrpas daionus a bendithiol. Onid creu llawenydd cyffredinol, cyfanfydol oedd y pwrpas hwnnw? 'Roedd Locke wedi datgan fod gan Dduw ddiddordeb mawr yn nedwyddwch dynion, a dyna oedd y gred gyffredinol a goleddid gan y ganrif. Cyfeiriodd Mark Akenside at 'the benevolent intention of the Author of Nature in every principle of the human constitution' yn ei ragair i *Pleasures of the Imagination* (1744). Yn ôl Pope yn *An Essay on Man* (1733): 'Thus God and Nature link'd the gen'ral frame/And bade Self-love and Social be the same'.[113] Yn ôl Pope eto, os oedd Duw yn bwriadu i ddyn fod yn ddedwydd ar y ddaear, golygai hynny fod pob enaid i fod yn ddedwydd, y gymdeithas gyfan yn hytrach na rhai unigolion breintiedig. Er bod golud bydol wedi'i rannu'n anghyfartal rhwng dynion, 'roedd pawb i dderbyn cyfran gyfartal a chytbwys o lawenydd, a Rhagluniaeth Duw a ofalai am y ddarpariaeth gytbwys hon o ddedwyddwch ymhlith dynion. Dyna oedd ei ddadl yn llyfr olaf *An Essay on Man*:[114]

> Of the Nature and State of Man with respect to *Happiness* ... It is the End of all Men, and attainable by all. God intends Happiness to be *equal*: and to be so, it must be *social*, since all particular Happiness depends on general, and since he governs by *general*, not *particular Laws*. As it is necessary for *Order*, and the peace and welfare of *Society*, that *external goods* should be *unequal*, Happiness is not made to consist in these. But, notwithstanding that inequality, the *balance* of Happiness among Mankind is kept even by Providence.

'Doedd y ddaear ddim yn bodoli ar wahân i'r nef, ond yn hytrach fel rhan o'r drefn gymhleth, fanwl-berffaith hon. Ac os oedd y ddaear yn rhan o wneuthuriad a phatrwm y bydysawd, 'roedd popeth ar y ddaear hefyd yn rhan o'r drefn, ac yng ngofal Duw, gan gynnwys cymdeithas dyn. Dyna oedd thema fawr Cywydd Bonedd a Chyneddfau'r Awen. Yn ôl James Thomson (1700–1748) *yn Liberty* (1735–1736):

> Nor be Religion, rational and free,
> Here pass'd in silence, whose enraptur'd eye
> Sees Heav'n with Earth connected, human things
> Link'd to divine; who not from servile fear,
> By rites for some weak tyrant incense fit,
> The God of Love adores, but from a heart
> Effusing gladness.

Meddai Norman Hampson am y cysylltiad honedig hwn rhwng nef a daear, a rhwng trefn Duw a lles dyn:[115]

---

[113] *Pope: Poetical Works*, t. 267.

[114] Ibid., t. 268.

[115] *The Enlightenment: an Evaluation of its Assumptions, Attitudes and Values*, 1968. arg. 1990, t. 106.

Mae gwaith Goronwy yn llawn o gyfeiriadau at Ragluniaeth Duw. Mae cyfeiriadau o'r fath yn britho ei lythyrau, ac yn amlwg yn y farddoniaeth. Yn hyn o beth, mae beirniaid Cymru wedi ei droi'n fwy o Gristion nag yr oedd, mewn gwirionedd. Credid fod y modd y bodlonai Goronwy ar ymostwng i'r drefn, a derbyn pob anffawd a thrychineb fel rhan o'r Rhagluniaeth yr oedd Duw wedi ei ddarparu ar ei gyfer, a'r modd y gadawai i Dduw liwio a llywio ei gwrs drwy fywyd, yn brawf diymwad o'i Gristnogaeth gadarn a'i ffydd ddiysgog. Mewn gwirionedd, arddel y gred gyfredol ar y pryd yr oedd Goronwy, yn hytrach na mynegi unrhyw ddyfnder ffydd neu gadernid argyhoeddiad personol. Mae'r gred gyffredinol hon yn amlwg yn ei farddoniaeth yma a thraw. 'O chawn o nef y peth a grefwn' yw agoriad ei Ofuned, a 'Rhoed Duw im adwedd iawnwedd yno' meddai yn y pennill olaf. 'Troi yma wnaf tra myn Nêr' meddai yn ei gywydd Hiraeth am Fôn, tra bo'r ail gywydd o hiraeth am ei fro enedigol yn llawn o syniadau o'r fath:[118]

> Cerais fy ngwlad, geinwlad gu,
> Cerais, ond ofer caru.
> Dilys, Duw yw'n didolydd;
> Mawl iddo, a fynno fydd.
> Dyweded ef na'm didol,
> Gair o nef a'm gyr yn ôl.
> Disgwyl, a da y'm dysger,
> Yn araf a wnaf wrth Nêr.

'I Dduw y bo'r diolch, y mae genyf ddau Langc teg, a Duw roddo iddynt hwy râs, ac i minnau iechyd i'w magu hwynt,' meddai yn un o'i lythyrau.[119] 'Duw a'm dycco o'u mysg hwynt i Nef neu Gymru,'r un a welo'n orau,' meddai drachefn wrth William o ganol ei gaethiwed ymhlith ei ddisgyblion afreolus yn Donnington.[120] 'F'allai y darparai Dduw imi rywbeth cyn y bo hir,' ochneidiai drachefn wrth ddyheu am adael Donnington.[121] 'Maent yn rhoi imi addewidion mawr,' meddai wrth Hugh Williams am Richard a'i Gymmrodorion, gan ychwanegu 'nis gwn i beth a wnant; ond gyda Duw, mi fynnaf weled'.[122] 'Dyma ni, trwy Ragluniaeth y Goruchaf, wedi dyfod hyd yma'n iach lawen heb na gwyw na gwayw na selni Môr na dim anhap arall i'n goddiwes ...' meddai wrth Richard pan oedd ar fwrdd y *Tryal* yn Spithead.[123] Ceir llawer o ddatganiadau tebyg ac mae ebychiadau fel 'Gwnaed Duw a fynno', ac eraill, yn dryfrith drwy'r llythyrau.

---

[118] 'Cywydd yn Ateb y Bardd Coch o Fôn', *Blodeugerdd Barddas o Ganu Caeth y Ddeunawfed Ganrif*, t. 112.

[119] *LGO*, llythyr VI, at Richard, o Donnington, Mehefin 22, 1752, t. 11.

[120] Ibid., llythyr IX, at William, o Donnington, Medi 21, 1752, t. 23.

[121] Ibid., llythyr XII, at William, o Donnington, Ionawr 15, 1753, t. 30.

[122] Ibid., llythyr LV, at Hugh Williams, o Walton, Ebrill 15, 1755, t. 150.

[123] Ibid., llythyr LXXVII, at Richard, o Spithead, Rhagfyr 12, 1757, t. 195.

'Roedd elfen o anghysondeb yn y gred hon yn naioni Duw, a bod pob peth creëdig yn ddefnyddiol ac yn fendithiol. Os oedd Duw yn gofalu am bob enaid unigol, ac os oedd lles pob meidrolyn ganddo mewn golwg, pam y digwyddai trychinebau – naturiol a phersonol – yn y byd, a sut y gallai poen, profedigaeth, trafferthion a threialon fodoli o fewn cyfundrefn mor fendithiol a daionus â Rhagluniaeth Duw? Cafodd athronwyr a diwinyddion y ganrif drafferth enbyd i ddod o hyd i'r ateb, ac 'roedd rhai o'r atebion yn llwyr ynfyd. Un o ddamcaniaethau Derham oedd fod Duw wedi creu creaduriaid gwenwynig er mwyn cystwyo dyn yn awr ac yn y man, a hefyd er mwyn cyffroi ei ddiddordeb a'i ddoethineb. Damcaniaeth gyffredin iawn, wrth gwrs, oedd y gred mai dyn a oedd wedi llychwino byd perffaith Duw drwy ei bechodau, fod dyn, mewn gwirionedd, wedi gweithio'n groes i'r dedwyddyd hwn yr oedd Duw wedi ei ddarparu ar ei gyfer. Ceisiodd Soame Jenyns (1704–1787) drafod y broblem yn *Free Enquiry into the Nature and Origin of Evil* (1757), llyfr a golbiwyd yn ddidrugaredd gan Johnson. Mynnodd Jenyns fod dedwyddyd rhai yn ddibynnol ar ddioddefaint eraill, fod rhai o bleserau dyn, fel bwyta cig a gwisgo dillad moethus a chyffyrddus, er enghraifft, yn ddibynnol ar ddioddefaint anifeiliaid, ac felly fod 'something in the abstract nature of pain conducive to pleasure; that the sufferings of individuals are absolutely necessary to universal happiness'.[124] 'Roedd hyd yn oed y tlodion a'r anffodusion o fewn cymdeithas yn ddedwydd yn eu ffyrdd eu hunain, yn ddedwydd yn eu hanwybodaeth, a rhodd gan Dduw oedd yr anwybodaeth hon, 'a cordial, administered by the gracious hand of providence,'[125] er mwyn eu dallu i'w gwir gyflwr, a pheri iddyn nhw feddwl eu bod yn ddedwydd eu stad. Un o ddamcaniaethau ynfytaf Jenyns oedd credu nad dyn oedd pinacl creadigaeth Duw, fod bodau eraill rhwng Duw a dyn, a bod adfyd a dioddefaint dynion yn rhoi pleser, boddhad a llawenydd i'r bodau hyn, yn union fel yr oedd anifeiliaid ac adar yn ehangu mwyniant a llawenydd dyn. Meddai Jenyns:[126]

> The fundamental error in all our reasonings on this subject, is that of placing ourselves wrong in that presumptuous climax of beast, man and God; from whence, as we suppose falsely that there is nothing above us except the Supreme Being, we foolishly conclude that all the evils we labour under must be derived immediately from his omnipotent hand: whereas there may be numberless intermediate beings who have power to deceive, torment or destroy us, for the ends only of their pleasure or utility, who may be vested with the same privilege over their inferiors, and as much benefited by the use of them, as ourselves.

---

[124] *Free Enquiry into the Nature and Origin of Evil*, Soame Jenyns, 1757, arg. 1790, tt. 67-68.
[125] Ibid., tt. 49-50.
[126] Ibid., t. 72.

Ateb arall i'r broblem oedd y gred fod popeth drwg yn digwydd er daioni. Yn ôl William Law, yn *A Serious Call to a Devout and Holy Life* (1728), un o lyfrau pwysicaf y ganrif, dylai'r credadun hyd yn oed ddiolch i Dduw am bopeth drwg, gan y byddai hynny, yn y pen draw, yn troi'n ddaioni ac yn fendith:[127]

> If any one would tell you the shortest, surest way to all happiness, and all perfection, he must tell you to make a *rule* to yourself, to *thank and praise God for every thing that happens to you*. For it is certain that whatever seeming calamity happens to you, if you thank and praise God for it you turn it into a blessing. Could you therefore work miracles you could not do more for yourself than by this *thankful spirit*, for it *heals* with a word speaking, and turns all that it touches into happiness.

Y syniadaeth hon sy'n egluro rhai o ddatganiadau Goronwy, er enghraifft, nid bod yn goeglyd y mae wrth agor Cywydd y Nennawr: 'Croeso i'm diginio gell/*Gras Dofydd*, gorau 'stafell', ond cyfri ei fendithion, a diolch i Dduw am ei gynnal ar adeg anodd a thrafferthus yn ei fywyd. Ceir datganiadau tebyg yn y llythyrau ar gyfnodau o adfyd ac ansicrwydd. Wrth iddo gwyno am ei fyd main yn Donnington, 'na atto Duw imi anfodloni,' meddai,[128] gan ychwanegu, wrth gyfeirio at Lewis Morris, 'Duw a gadwo iddo ef iechyd a hoedl, ac i minnau ryw fath o fywoliaeth, ac ammynedd i ddisgwyl'.[129] Duw a rannai bob daioni a bendith, yn ôl un o gredoau'r ganrif, a Duw hefyd a oedd yn gyfrifol am bob drygfyd a helbul, ond 'roedd Duw yn llwytho dyn â gofidiau er lles iddo. Mae ambell arlliw o'r safbwynt hwn hefyd yn llythyrau Goronwy. 'I am naturally timorous and dejected,' meddai wrth Lewis Morris yn ystod un o'i byliau pruddglwyfus, 'but as I've hitherto observ'd how watchful Providence has been on my behalf I can't despair,' gan ychwanegu: 'The Lord bless and prosper you and yours, and give me strength equal to the burden he has laid upon me'.[130] Mynegir y gred fod Duw, mewn ffordd ddirgel, yn cuddio'i fendithion dan anffodion, yn hynod o groyw yn un o'i lythyrau olaf o Donnington, a'r dyfodol o'i flaen yn bur ansicr:[131]

> Nis gwn i pa'r fyd a ddaw; ond hyn sydd siccr genyf, fod yr un Nefol Ragluniaeth ag a'm porthodd hyd yn hyn, yn abl i'm diwallu rhagllaw; a pha bryd bynnag y digwyddo imi seuthug, fod Duw yn gweled mai rhywbeth arall sydd orau ar fy lles.

Pan aeth simnai ystafell wely Lewis Morris ar dân, ac yntau'n dioddef pwl o afiechyd tua'r un adeg, 'This fever and fire were two heavy blows,' meddai wrth Edward Richard, 'but they were rods which God thought proper to shew with a gentle hand for my good

---

[127] Dyfynnir yn *The Augustan World*, t.171.

[128] *LGO*, llythyr VI, at Richard, o Donnington, Mehefin 22, 1752, t. 12.

[129] Ibid.

[130] Ibid., llythyr VII, at Lewis, o Salop, Gorffennaf 30, 1752, t. 16.

[131] Ibid., llythyr XVII, at William, o Donnington, Chwefror 24, 1753, t. 45.

no doubt'.[132] 'Y peth newydd a geir yn llenyddiaeth Cymru yn ei waith ef, a'r peth arbennig yn ei waith ef ei hun,' meddai D. Gwenallt Jones, 'yw ei ymostyngiad i drefn Rhagluniaeth ... Yr ymostwng hwn i'r Drefn sydd yn odidog; yr ufudd-dod hwn i Dduw sydd yn arwrol'.[133] Dyma enghraifft arall o droi Goronwy yn unigolyn o Gristion, er mai adleisio rhai o syniadau ei oes yr oedd yn bennaf.

Thema gysylltiol â thema Rhagluniaeth Duw ar y ddaear oedd yr ymchwil am ddedwyddyd. Gan fod dedwyddyd dyn ar y ddaear o ddiddordeb i Dduw, 'roedd dod o hyd i fodlonrwydd a hapusrwydd daearol yn nod ac yn ddelfryd. Yn wir, 'roedd bod yn llawen, bod yn ddiddig ac yn hapus, yn ddyletswydd ar ddyn, gan mai dyna oedd dymuniad Duw. 'I cannot but look upon it,' meddai Addison am y meddwl dedwydd yn *The Spectator*, 'as a constant habitual gratitude to the great Author of Nature. An inward chearfulness is an implicit praise and thanksgiving to Providence under all its dispensations'.[134] 'Roedd cerdd Henry Baker, a fu'n ymhêl â gwyddoniaeth yn ogystal â barddoniaeth, *The Universe: A Poem Intended to Restrain the Pride of Man* (1734?), yn archwilio'r thema hon mai er mwyn hapusrwydd dyn y lluniodd Duw ei greadigaeth:

> Eternal Goodness certainly design'd
> That ev'ry one, according to its kind,
> Should Happiness enjoy: for God, all-just,
> Could ne'er intend his Creature to be curs'd.
> When Life he gave, he meant that Life should be
> A State productive of Felicity.

Mewn gwirionedd, er mwyn i ni gael cip arall ar fyd bach y ddeunawfed ganrif, ac ar gymdeithas glòs deallusion, llenorion a dysgedigion y cyfnod goleuedig hwn, dylid nodi fod Lewis Morris yn gyfarwydd â Henry Baker. 'Roedd Baker yn aelod o'r Gymdeithas Frenhinol, ac anfonodd at Lewis gopi o'i 'microscopical observations in which he hath exceeded all that Society of which he is a member,' papur y bwriedid ei ddarllen a'i drafod yn un o gyfarfodydd y Cymmrodorion.[135] 'He is a great collector of fossils, shells, etc., in which I have assisted him by adding to his collection, *a pheth sydd fwy*, by explaining some of his subjects which he was unacquainted with before,' ymffrostiai Lewis drachefn.[136]

Yr ymchwil hwn am lawenydd yw un o bynciau mawr barddoniaeth y ddeunawfed ganrif. Mae hunan-gyffesiad Richard Morris yn adlewyrchu ac yn ailadrodd y syniadau a'r meddyliau a oedd yn cylchdroi o fewn cymdeithas dynion ar y pryd:[137]

---

[132] *ALMA* 2, llythyr 259, Lewis at Edward Richard, o Benbryn, Rhagfyr 2, 1760, t. 499.

[133] *Blodeugerdd o'r Ddeunawfed Ganrif*, D. Gwenallt Jones, 1936, arg. 1965, tt. li-lii.

[134] Dyfynnir yn *The Augustan World*, t. 166.

[135] *ML* I, llythyr CCLIX, Lewis at William, o Lundain, Medi 10, 1755, t. 378.

[136] Ibid.

[137] *ML* II, llythyr CCCCXIX, Richard at Lewis, o Lundain, Medi 30, 1759, tt. 126-127.

I am content with everything Providence allots me, therefore am happy, though have scarcely time to feed and take my natural rest from the cares that surround me. The bitter consequences of the time foolishly lost in my youth will never be defaced out of my memory, so that I am an entire stranger to hawddfyd, ease or pleasures, and all I have hitherto been able to do, is to procure proper things about me to appear agreeable to my station in life ...

Dyma thema pedwerydd epistol *An Essay on Man*, Pope, er enghraifft. 'Oh Happiness! our being's end and aim!/Good, Pleasure, Ease, Content! whate'er thy name' meddai yn y cwpled agoriadol.[138] Mae Pope wedyn yn holi ym mha le mae llawenydd i'w gael:[139]

> Say, in what mortal soil thou deign'st to grow?
> Fair op'ning to some Court's propitious shine,
> Or deep with di'monds in the flaming mine?
> Twin'd with the wreaths Parnassian lawrels yield,
> Or reap'd in iron harvests of the field?
> Where grows? – where grows it not? – If vain our toil,
> We ought to blame the culture, not the soil:
> Fix'd to no spot is Happiness sincere,
> 'Tis no where to be found, or ev'ry where ...

Mae Cywydd y Maen Gwerthfawr Goronwy yn dilyn yr un trywydd. Yr ymchwil am ddedwyddyd yw thema'r cywydd hwn hefyd, ac fel Pope, mae Goronwy yn gofyn ai maen gwerthfawr yw'r dedwyddyd hwn, ac yn holi ym mha le y mae llawenydd i'w gael:[140]

> Mae, er Naf, harddaf yw hi,
> Y gemydd a'i dwg imi?

Dywed Goronwy ei fod yn fodlon chwilio amdano ym mhedwar ban byd:[141]

> Troswn, o chawn y trysor,
> Ro a main, daear a môr;
> Ffulliwn hyd ddau begwn byd
> O'r rhwyddaf i'w chyrhaeddyd;
> Chwiliwn, o chawn y dawn da,
> Hyd rwndir daear India ...
> Cyrchwn, ni ruswn, oer ôd,
> Rhyn, oerfel, rhew anorfod,
> A gwlad yr iâ gwastadawl,
> Crisianglawdd na thawdd, na thawl.

---

[138] *An Essay on Man, Pope: Poetical Works*, t. 268.
[139] Ibid., t. 269.
[140] 'Cywydd y Maen Gwerthfawr', *Blodeugerdd Barddas o Ganu Caeth y Ddeunawfed Ganrif*, t. 101.
[141] Ibid.

Ond

> Od awn i'r daith drymfaith draw,
> Ofered im lafuriaw.

'Roedd Goronwy, mae'n amlwg, yn gyfarwydd â'r gerdd hon gan Pope. Sylwer, er enghraifft, fel y mae 'Ofered im lafuriaw' yn adleisio 'If vain our toil' yn uniongyrchol.

'Does dim diben gofyn i'r dysgedig ym mha le y gellir canfod dedwyddwch, yn ôl Pope: 'Ask of the Learn'd the way, the Learn'd are blind'.[142] Felly hefyd Goronwy; ar ôl crwydro gormod o wledydd yn chwilio am y trysor hwn, mae'n ymgynghori â llyfrau'r athronwyr:[143]

> Anturiais ryw hynt arall
> O newydd yn gelfydd gall:
> Cynnull, a gwael y fael fau,
> Traul afraid, twr o lyfrau
> A defnyddiau dwfn addysg
> Soffyddion dyfnion eu dysg ...

Ond mae'r dysgedigion hyn yn ddall hefyd:[144]

> Ffuant im eu hoff faen teg,
> Ffôl eiriau a ffiloreg.

Yn ôl Pope, wedyn:[145]

> ... all the good that individuals find,
> Or God and Nature meant to mere Mankind,
> Reason's whole pleasure, all the joys of Sense,
> Lie in three words, Health, Peace, and Competence.

'Health, Peace, and Competence' (hawddfyd). Cymharer â diweddglo Cywydd y Maen Gwerthfawr:[146]

> Boed i angor ei sorod,
> I ddi-ffydd gybydd ei god;
> I minnau boed amynedd,
> Gras, iechyd, hawddfyd a hedd.

---

[142] *An Essay on Man, Pope: Poetical Works*, t. 269.

[143] 'Cywydd y Maen Gwerthfawr', *Blodeugerdd Barddas o Ganu Caeth y Ddeunawfed Ganrif*, t. 102.

[144] Ibid.

[145] *An Essay on Man, Pope: Poetical Works*, t. 271.

[146] 'Cywydd y Maen Gwerthfawr', *Blodeugerdd Barddas o Ganu Caeth y Ddeunawfed Ganrif*, t. 103.

Yng ngherdd Pope, gan ddilyn un o brif ddamcaniaethau'r ganrif, darganfod Duw drwy gyfrwng Natur sy'n dod â dedwyddyd i ddyn:[147]

> Slave to no sect, who takes no private road,
> But looks thro' Nature, up to Nature's God;
> Pursues that Chain which links th'immense design,
> Joins heav'n and earth, and mortal and divine;
> Sees, that no being any bliss can know,
> But touches some above, and some below;
> Learns, from this union of the rising Whole,
> The first, last purpose of the human soul;
> And knows where Faith, Law, Morals, all began,
> All end, in LOVE OF GOD, and LOVE OF MAN.

'Joins heav'n and earth': 'Daear a nef a dry'n un' Goronwy. Hunan-gariad, cariad yr unigolyn ato'i hun yn troi'n gariad cymdeithasol, ac wedyn yn gariad dwyfol, dyna darddle gwir ddedwyddyd, a thrwy ddangos cariad a charedigrwydd at gyd-ddyn y cyrhaeddir y stad hon o hunan-fodlonrwydd a llawenydd, gan efelychu haelioni a daioni Duw ei hun:[148]

> Self-love thus push'd to social, to divine,
> Gives thee to make thy neighbour's blessing thine.
> Is this too little for the boundless heart?
> Extend it, let thy enemies have part:
> Grasp the whole worlds of Reason, Life, and Sense,
> In one close system of Benevolence:
> Happier as kinder, in whate'er degree,
> And height of Bliss but height of Charity.

Mae gwir ddedwyddyd Goronwy yn wahanol i ddedwyddyd Pope. Arddel safbwynt y Cristion a wna Goronwy, gan ddod i'r casgliad pendant y 'Daw i ddyn y diddanwch/Yn nefoedd', ac mai trwy Iachawdwriaeth trefn Duw y daw gwir ddedwyddyd i ddyn:[149]

> Drosom Iachawdwr eisoes
> Rhoes ddolef daer gref ar groes.

'Roedd Pope, i raddau, yn mydryddu syniadau John Dennis ynghylch angerdd yn *An Essay on Man*, ond cafodd Dennis y syniadau hynny, yn ei dro, oddi wrth La Rochefoucauld a Pascal ac eraill, sef mai cariad dyn ato'i hunan a'i sbardunai i gyflawni

---

[147] *An Essay on Man, Pope: Poetical Works*, t. 277.
[148] Ibid., t. 278.
[149] 'Cywydd y Maen Gwerthfawr', *Blodeugerdd Barddas o Ganu Caeth y Ddeunawfed Ganrif*, t. 103.

pob gweithred o'i eiddo. Credai Dennis hefyd mai prif ddiben dyn ar y ddaear oedd canfod hapusrwydd. Hunan-gariad oedd y tu ôl i weithredoedd dyn, ond gallai'r hunan-gariad hwnnw gyffwrdd ag eraill. Rhoddodd Dennis lawer o bwyslais ar angerdd fel crud pleser a hapusrwydd, yn wahanol i lawer o'i gyfoeswyr, ond 'roedd yn rhaid i'r angerdd hwnnw ddod o dan reolaeth Rheswm i alluogi dyn i'w fwynhau yn llawn. 'Roedd Cristnogaeth, y wir grefydd, wedi'i chreu er mwyn rhoi hapusrwydd i ddyn, yn ôl Dennis, ac 'roedd wedi gwireddu'r delfryd hwnnw drwy gyfuno cariad ac elusengarwch, ac elusengarwch oedd yr angerdd pennaf y gellid ei brofi, 'Charity gently restraining those tumultuous Passions which disturb and torment the Mind, exalts all the pleasing Affections which are natural and congenial to the Soul, and exalts the very Reason of Mankind, by exalting those charming Passions,' meddai John Dennis ei hun.[150] Yn ôl Dennis, fel Goronwy, 'roedd y gwyddonwyr a'r athronwyr, y 'Soffyddion dyfnion eu dysg', wedi methu dangos y ffordd i gyfeiriad dedwyddyd, yn bennaf oherwydd un ai gormod o bwyslais ar angerdd neu ar reswm, heb ymdrechu i gyfuno'r ddau beth. Gellid dod o hyd i hapusrwydd, meddai Dennis, drwy'r wir grefydd, a thrwy fwynhau pleser a gynigir gan angerdd dan reolaeth Rheswm. Wrth edliw i'r dysgedigion eu methiant i ddod o hyd i ddedwyddyd, a thrwy fynnu mai trwy Gristnogaeth y gellid dod o hyd i lawenydd, 'roedd Goronwy a John Dennis yn un, ond 'roedd eraill, o flaen Dennis a Pope, wedi datgan na allai'r soffyddion arwain neb at wir lawenydd, ac mai dilyn Crist a Duw yn unig a ddôi â gwir ddedwyddyd. 'Roedd Matthew Prior (1664–1721), yn ei gerdd 'On Exodus III.14 ... An Ode', a luniwyd ym 1688 ac a gyhoeddwyd yn *Poems on Several Occasions* (1709), wedi datgan yn groyw nad trwy wybodaeth a rheswm, na thrwy ddilyn yr athronwyr, y gallai dyn gyrraedd y nef, ac y dylid, o'r herwydd, roi heibio llyfrau'r soffyddion, y 'twr o lyfrau', chwedl Goronwy, ac arddel yr Un Llyfr, sef y Beibl:

> Then mock thy Knowledge, and confound thy Pride,
> Sustaining how Perfection suffer'd Pain,
> Almighty languish'd, and Eternal dy'd:
> How by her Patient Victor Death was slain,
> And Earth prophan'd yet bless'd with Deicide.
> Then down with all thy boasted Volumes, down,
> Only reserve the Sacred One;
>   Low, reverently low,
>   Make thy stubborn Knowledge bow;
> Weep out thy Reason's, and thy Body's Eyes,
>   Deject thy self, that Thou may'st rise;
> To look to Heav'n be blind to all below.
>
> Then Faith, for Reason's glimmering Light, shall give
>   Her Immortal Perspective;

---

[150] *Critical Essays of the Seventeenth Century*, cyf. I, tt. 260-261.

> And Grace's Presence Nature's Loss retrieve:
> Then thy enliven'd Soul shall see,
> That all the Volumes of Philosophy,
> With all their Comments never cou'd invent
>   So politick an Instrument,
> To reach the Heav'n of Heav'ns, the high Abode ...

Ceir sawl enghraifft o chwilio am ddedwyddyd gan feirdd Saesneg y ganrif, ac mae sawl un yn debyg iawn i gywydd Goronwy, yn enwedig o safbwynt y casgliad y daw Goronwy iddo. Lluniodd Thomas Parnell (1679–1718), er enghraifft, nifer o gerddi ar y thema, fel y ddwy gerdd 'The Happy Man' a 'The Way to Happiness'. Mae Cywydd y Maen Gwerthfawr yn hynod o debyg i 'A Hymn to Contentment' Parnell mewn mannau, ac mae'n rhaid fod Goronwy yn gwybod am y gerdd hon, a gyhoeddwyd gyntaf yn *Poetic Miscellanies* Syr Richard Steele (1714). Mae Parnell hefyd yn holi ym mha le y ceir dedwyddyd a thawelwch meddwl:

> Whither, O whither art thou fled,
> To lay thy meek, contented head;
> What happy region dost thou please
> To make the seat of calms and ease.

Mae'r ddynoliaeth yn chwilio am ddedwyddyd mewn cyfoeth a thrysorau, ac yn anturio i bellafion daear, gan drosi gro a main daear a môr i chwilio amdano:

> Ambition searches all its sphere
> Of pomp and state, to meet thee there.
> Increasing Avarice would find
> Thy presence in its gold enshrined.
> The bold advent'rer ploughs his way
> Through rocks amidst the foaming sea,
> To gain thy love; and then perceives
> Thou wert not in the rocks and waves.

'Thou wert not in the rocks and waves': 'Nid oes dŵr na dwys diredd/Na goror ym môr a'i medd', meddai Goronwy. Mae'r enghreifftiau hyn i gyd yn profi'r pwynt mai mynegi'r cyfarwydd mewn gwisg amgenach oedd nod y beirdd Awgwstaidd. Yr un oedd y corff; dim ond y dillad oedd yn wahanol. Nid ar y ddaear hon y canfyddir hapusrwydd yn ôl Parnell; trwy Dduw, a thrwy grefydd, y daw gwir ddedwyddyd i ddyn:

> No real happiness is found
> In trailing purple o'er the ground ...

'Twas thus, as under shade I stood,
I sung my wishes to the wood,
And, lost in thought, no more perceived
The branches whisper as they waved:
It seemed as all the quiet place
Confessed the presence of the Grace,
When thus she spoke – 'Go rule thy will,
Bid thy wild passions all be still,
Know God – and bring thy heart to know
The joys which from religion flow' ...

'Roedd rhan gyntaf cerdd Parnell, sef y rhan sy'n cynnwys y llinellau a ddyfynnwyd uchod, wedi eu seilio yn agos ar gerdd Ladin, 'Metrum XXII' gan y Cardinal Giovanni Bona (*De Divina Psalmodia*, 1677). Dilyn yr un trywydd yn union a wna Parnell yn 'The Happy Man'. Yn y nefoedd, ac nid ar y ddaear, y ceir gwir lawenydd:

Its knowing real int'rest lies
On the bright side of yonder skies,
Where having made a title fair
It mounts and leaves the world to care.
While he that seeks for pleasing days
In earthly joys and evil ways,
Is but the fool of toil or fame,
(Tho' happy be the specious name)
And made by wealth, which makes him great,
A more conspicuous wretch of state.

Yn 'The Way to Happiness', Crist sy'n dangos y ffordd tuag at wynfyd a dedwyddyd:

No more in paths of error stray,
The Lord thy Jesus is the way,
The spring of happiness, and where
Should men seek happiness but there?

Y tu ôl i'r cywydd hefyd y mae un o ddadleuon mawr y ddeunawfed ganrif. A oedd Duw yn ei ddadlennu ei hun i ddyn drwy gyfrwng y Gair, y Beibl, neu drwy gyfrwng Natur, neu'r Rheswm? Rhannwyd y byd diwinyddol yn garfanau cecrus a dadleugar, ond mae Goronwy yng Nghywydd y Maen Gwerthfawr yn arddel y ddysgeidiaeth Gristnogol draddodiadol. Derbynnid y ddau ddull o ddadlennu gan rai, ac i feddylwyr o'r fath, 'roedd gwyrthiau natur yn cadarnhau'r hyn a ddysgai'r Beibl, a chadarnhau'r hyn a gredid erioed a wnaeth Newton a Natur. Credent fod yn rhaid wrth ffydd yn y lle cyntaf cyn y gallai neb ganfod Duw drwy gyfrwng Natur. 'Roedd Dryden, yn *Religio Laici* ym 1682, wedi datgan nad oedd y Rheswm yn unig yn ddigonol o safbwynt canfod Duw, a bod angen cyfuno ffydd a Rheswm. Symbylwyd y gerdd gan gyfieithiad ei gyfaill Henry Dickinson o *Critical History of the Old Testament* (1682 eto), y Tad Simon. Bu'r llyfr hwn yn ddylanwadol iawn ar feddylfryd diwedd yr ail ganrif ar bymtheg a dechrau'r ddeunawfed, a chadarn-hai'r hyn a gredai'r Rhesymolwyr, sef nad oedd y Beibl yn ffynhonnell ddibynadwy o gwbwl, ac nad dyna'r ffordd i'r nefoedd. Safbwynt Dryden, a safbwynt y Tad Simon hefyd, oedd mai blerwch a diofalwch a fu'n gyfrifol am aneglurder ac anghysondeb y Beibl mewn mannau:

> ... *Scripture*, though derived from *heav'nly birth*,
> Has been but carelessly preserv'd on *Earth*,

oherwydd bod y cofnodwyr a'r copiwyr wedi llithro:

> Let in gross *Errours* to corrupt the *Text*:
> Omitted *paragraphs*, embroyl'd the *Sense* ...

Er gwaethaf y llygriadau amlwg hyn, 'roedd y Beibl yn fwy na digonol o safbwynt rhoi sicrwydd a chryfder ffydd i ddyn:

> More Safe, and much more modest 'tis, to say
> God wou'd not leave *Mankind without a way*:
> And that the *Scriptures*, though not *every where*
> Free from Corruption, or intire, or clear,
> Are uncorrupt, sufficient, clear, intire,
> In *all* things which our needfull *Faith* require.

Yn ôl Dryden, ffydd a ddangosodd y ffordd i Reswm, a heb ffydd yn y lle cyntaf, ni allai'r Rheswm ganfod Duw ar waith yn y bydysawd; y Beibl a oedd wedi datgelu Duw i ddynion i ddechrau, nid gwyddoniaeth:

> *Reveal'd Religion* first inform'd thy Sight,
> And Reason saw not till *Faith* sprung the Light.

'Roedd John Toland yn *Christianity not Mysterious* wedi datgan, wrth iddo yntau amddiffyn gwerth ac awdurdod y Beibl, fod y Testament Newydd wedi dadlennu a symleiddio'r Duwdod i ddyn ymhell cyn i wyddoniaeth wneud hynny, a honnodd hefyd fod yr Efengyl yn seiliedig ar Reswm, ac yn gynnyrch Rheswm, 'the most illustrious Example of close and perspicuous Ratiocination conceivable'.[151]

---

[151] *Christianity not Mysterious*, John Toland, 1702, t. 46.

Dyna'r cefndir syniadol a deallusol a etifeddwyd gan Goronwy Owen a'i gyfoeswyr. Un peth hollbwysig i'w sylweddoli am y ddeunawfed ganrif yw'r ffaith fod beirdd deallusol Cymru a beirdd Lloegr yn rhan o'r un hinsawdd feddyliol a llenyddol, a'u bod yn anadlu'r un awyrgylch. 'Doedd hynny ddim mor wir am y beirdd gwerinol. Perthyn i'r haen gymdeithasol ddethol ac addysgedig, i gylch breintiedig y deallusion, yr oedd Goronwy, y Morrisiaid a'u cymheiriad. 'Roedd Ieuan Fardd a William Wynne wedi derbyn addysg brifysgol, ac 'roedd gan Goronwy, hyd yn oed, gysylltiad braidd-gyffwrdd â Phrifysgol Rhydychen. 'Roedd hinsawdd glasurol y cyfnod yn asio beirdd y ddwy wlad a'r ddwy iaith ynghyd; yr un iaith a siaredid gan y ddwy garfan, sef iaith y clasuron.

'Roedd y Morrisiaid a Goronwy yn weddol gyfarwydd, yn un peth, â gwaith eu cyfoeswyr yn Saesneg, gwaith y beirdd yn ogystal â gwaith y beirniaid. Pope, er enghraifft. Dangoswyd eisoes fod dylanwad pedwerydd epistol *An Essay on Man* ar Gywydd y Maen Gwerthfawr. Mae Goronwy, Lewis a William Morris, Evan Evans ac Edward Richard yn ei grybwyll, yn ei ddyfynnu ac yn trafod ei waith. 'When I see in Milton Dryden or Pope such nervous lines and grand expressions as this poem contains,' meddai Lewis am Gywydd Bonedd a Chyneddfau'r Awen, a chan grybwyll dau fardd Saesneg arall yr oedd yn gyfarwydd â'u gwaith, 'I shall admire them as much as I do Gronow Owen'.[152] Cyfeiria William at 'Bôp', 'y prydydd, gwr doeth a dysgedig a'r prydydd goreu yn ei ddyddiau', gan led-ddyfynnu un o'i gwpledi, '... in erring reason's spight,/One truth is clear: Whatever is, is right'.[153]

Cyfeiria Goronwy at Pope unwaith neu ddwy yn ei lythyrau, ac mae'n hollol amlwg ei fod yn gyfarwydd â'i waith. Ar ôl i William Wynne ac Ieuan Brydydd Hir ei feirniadu am amlder y cynganeddion Llusg a Sain yn ei waith, 'In every Latin Heroic or Hexameter verse there are *four* feet, that may be either Spondees or Dactyls,' meddai, 'but all the *Critics* on *Virgil* ... never enquired, whether he was more inclinable to one or the other ... and I am perswaded had any one taken it in his head to carry on such a piece of criticism on one of his Eclogues in Mr. Pope's days, he should have had an honourable place in his Dunciad for it'.[154] Gwyddai, felly, am union gynnwys ffug-arwrgerdd Pope, a oedd yn ymosod ar feirdd israddol yn ei dyb ef. Crybwyllir cyfeiriad arall at Pope isod, wrth drafod bugeilgerddi Ambrose Philips. 'Of direct borrowing from Pope I can find nothing in the Welshman's published works,' meddai Saunders Lewis, gan ychwanegu nad oedd dim byd yng Nghywydd y Maen Gwerthfawr i awgrymu dylanwad *An Essay on Man* arno.[155] Ceisiais innau ddangos fod nifer o bethau yn cyfateb yn y ddwy gerdd, dylanwad uniongyrchol neu beidio. Hoffwn awgrymu hefyd fod rhywfaint o ddylanwad Pope ar waith

---

[152] *ALMA* 1, llythyr 113, Lewis Morris at William Vaughan, o Swydd Amwythig, Hydref 7, 1752, t. 234.

[153] *ML* II, llythyr CCCLXXXIV, William at John Owen, o Gaergybi, Mehefin 16, 1758, t. 68.

[154] *LGO*, llythyr XXIII, at Lewis, o Walton, Gorffennaf 9, 1753, t. 60.

[155] *A School of Welsh Augustans*, t. 94.

Goronwy yma a thraw. Cymerwn y llinell enwog 'Chwilio gem a chael gwymon', un o linellau mwyaf trawiadol a chofiadwy Goronwy, i ddechrau. Mae'r llinell, gyda'i chyferbyniad cytbwys rhwng dau eithaf o fewn yr un llinell, yn nodweddiadol Awgwstaidd, ond, yn fanylach na hynny, mae llinell debyg iawn iddi gan Pope. Wrth ddychanu'r bardd William Diaper, awdur *Nereides: or Sea-Eclogues* (1712), ac edliw iddo'i fethiant i greu barddoniaeth o werth, 'He search'd for coral, but he gather'd weeds' meddai.[156] Mae dyled Goronwy i Pope yn amlwg, ac os felly, mae'n rhaid fod Goronwy wedi darllen fersiwn 1728 o *The Dunciad*. Yn yr un fersiwn o *The Dunciad* hefyd y ceir y llinellau hyn:[157]

> Where wave the tatter'd ensigns of *Rag-Fair*,
> A yawning ruin hangs and nods in air;
> Keen, hollow winds howl thro' the bleak recess,
> Emblem of music caus'd by emptiness:
> Here in one bed two shiv'ring sisters lye,
> The cave of *Poverty* and *Poetry*.

Cadwodd y chwarae ar y ddau air tebyg, a cheir y cwpled 'One Cell there is, conceal'd from vulgar eye,/The Cave of Poverty and Poetry', yn fersiwn diwygiedig a gorffenedig 1742–1743.[158] Atgyfodwyd clyfrwch geiriol Pope, a'r syniad fod tlodi a barddoniaeth yn gymheiriaid agos, gan Goronwy mewn llythyr at William Parry wrth gyfeirio at Richard a Lewis: 'I've often told him and his brother that poverty and poetry were inseparable companions, but they laugh'd at it'.[159] Mae'n anodd gwybod ai Pope ai John Gay oedd y cyntaf i daro ar y cyfuniad geiriol hwn, oherwydd mae Gay, un o gyfeillion agos Pope, yn defnyddio'r cyfuniad yn *The Beggar's Opera*, 1728 (sef yr un flwyddyn yn union ag yr ymddangosodd fersiwn cyntaf *The Dunciad*): 'If Poverty be a Title to Poetry/I am sure Nobody can dispute mine'. Er bod Goronwy yn crybwyll Gay yn un o'i lythyrau, mae'r ffaith ei fod yn cyfeirio'n uniongyrchol at *The Dunciad* yn awgrymu inni mai yng ngwaith Pope y gwelodd y geiriau hyn. 'Roedd Goronwy, yn sicr, yn gyfarwydd iawn â gwaith Pope.

Y beirdd Saesneg eraill a grybwyllir gan Goronwy, ar wahân i Milton a Pope, yw Ambrose Philips, Addison, John Gay, Swift, a'r llenor Tom Brown. Mae ei gyfeiriadau at y beirdd a'r llenorion hyn yn rhoi inni ryw amcan o'i gynefindra â llenyddiaeth Saesneg. Mae'n crybwyll Ambrose Philips ddwywaith. Wrth fwrw'i lach ar fesur Gorchest y Beirdd, 'I can never read gorchest y beirdd, but I think of the Infantile Style to which I think it exceeding like,' meddai mewn llythyr at William, '& lest you should not have a

---

[156] *The Dunciad* (argraffiad 1728), *Pope: Poetical Works*, t. 739.

[157] Ibid., t. 725.

[158] Ibid., t. 474.

[159] *LGO*, llythyr LXX, at William Parry, o Northolt, Ionawr 14, 1757, t. 185.

true notion of that style, I will set down a whole poem in it written by the late learned Dean Swift on his friend Ambrose Philips, eilun bardd, author of something which he calls pastorals ... "Namby Pamby pilly piss Sonnets write for Missy Miss, That her father's gracy grace May give him a placy place" '.[160] Un o fân feirdd y ganrif oedd Ambrose Philips (1674–1749). 'Namby-pamby' oedd ffugenw'r beirdd arno, ar gownt ei arddull blentynnaidd yn ei gerddi i blant. Mae Goronwy yn dyfynnu pedair llinell o gerdd ddychanol amdano, gan feddwl mai Swift oedd yr awdur, ond camdybiaeth oedd hynny (ac fe ddilynwyd y camdadogi gan feirniaid Goronwy, Saunders Lewis yn eu plith). Un arall o feirdd llai y ddeunawfed ganrif, sef Henry Carey (?1687–1743), awdur y gerdd adnabyddus. 'The Ballad of Sally in our Ally', oedd awdur y llinellau a ddyfynnir gan Goronwy. Daw'r ddau gwpled a ddyfynnir gan Goronwy o'r gerdd 'Namby-Pamby: or, a Panegyric on the New Versification Addressed to a A[mbrose] P[hilips], Esq.', ac fe'u ceir yn y darn hwn:

> All ye poets of the age,
> All ye witlings of the stage,
> Learn your jingles to reform,
> Crop your numbers and conform.
> Let your little verses flow
> Gently, sweetly, row by row;
> Let the verse the subject fit,
> Little subject, little wit.
> Namby-Pamby is your guide,
> Albion's joy, Hibernia's pride.
> Namby-Pamby, Pilly-piss,
> Rhimy pimed on Missy-Miss;
> Tartaretta Tartaree,
> From the navel to the knee;
> That her father's gracy-grace
> Might give him a placy-place ...

Swift, mae'n debyg, a ddechreuodd alw Ambrose Philips yn 'Namby-pamby', ond Henry Carey biau'r llinellau a ddyfynnwyd gan Goronwy.

Mae'n amlwg fod William wedi amddiffyn Philips yn erbyn ymosodiadau Goronwy, oherwydd mae'n ceisio cyfiawnhau ei gollfarniad o'i waith mewn llythyr diweddarach. Cadw rhan cyfaill ei frawd 'roedd William mewn gwirionedd, oherwydd 'roedd Lewis yn adnabod Ambrose Philips, ac yn gohebu ag·ef. 'My old friend Mr. Ambrose Phillipps the poet used to say that sound wit and sense need no embellishments, and that nonsense tho wrote by a writing master, would be nonsense still,' meddai Lewis wrth Edward

---

[160] Ibid., llythyr XLI, at William, o Walton, Mai 21, 1754, t. 111.

Richard.[161] Dyma fyd bach llenyddol y ddeunawfed ganrif eto, ac mae'r ffaith fod Goronwy yn gynefin â cherdd mor ddiarffordd ac anadnabyddus â dychangerdd Carey yn profi ei fod yn gyfarwydd iawn â llenyddiaeth Saesneg y dydd. Gwyddai hefyd am ddrama Ambrose Philips, *The Distrest Mother* (1712), cyfieithiad o *Andromaque*, Racine. 'I own with you,' meddai wrth William eto, 'that "The Distress'd Mother" (my favourite Tragedy) &c. are in esteem to this day, and that deservedly, and will venture to say that they will continue so while the English Language is esteem'd'.[162] Daliai Goronwy, yn wyneb protest William, fod Swift (hynny yw, Carey) yn llygad ei le yn ei gondemniad o Ambrose Philips. 'Ni wnaeth yr hen Ddeon [Swift] mor llawer o gamwri ag ef,' meddai, oherwydd 'He did but expose and ridicule the infantile style for fear it should get in vogue as the taste of the age, and that we should have Iliads written in it, which is no more than I would have done, had I lived in D. ap Iemwnt's time, pan gaethiwodd y Braidd Gyfwrdd, ac y dychymygawdd Orchest y Beirdd'.[163]

Gwyddai, yn ogystal, am farn Addison am fugeilgerddi Philips, ac fel yr arweiniodd y farn honno at ffrae rhwng Pope ac Addison, oherwydd i Addison ddatgan fod *Pastorals* Philips yn rhagori ar rai Pope. Meddai Goronwy:[164]

> ... as to the preference given him to Pope by Mr. Addison, I can by no means agree with you, that being altogether a genteel sneer and satire upon his pastorals. Can you read his commendations of Mr. Ph–s' pastorals especially where he quotes a passage with a "How agreeable to nature, &c." without discovering the sneer? For my part, when I compare the passage commended with the commendation, methinks I see before my eyes the wry face and the grin. And if he had pleas'd he might have said as much of Mr. Pope's; for in truth I could heartily wish that neither of 'em had ever attempted pastoral, their geniuses being much better adapted to greater things. They should have left pastoral to Gentle Gay, who (notwithstanding all his fustian as it is called) is the only Englishman that deserves the name of a pastoral writer.

Ymddangosodd *Pastorals* Philips yn *Miscellany* Jacob Tonson ym mis Mai 1709 ynghyd â *Pastorals* Pope, gan wahodd, yn anfwriadol, gymhariaeth rhwng y ddau. 'Roedd cerddi Philips yn syml-wledig yn eu harddull, tra oedd Pope yn gogwyddo at arddull Fyrsilaidd urddasol. Canmolwyd bugeilgerddi Philips yn hael gan Thomas Tickell mewn cyfres o erthyglau a gyhoeddwyd yn *The Guardian* yng ngwanwyn 1713. 'Roedd y ffaith iddo anwybyddu Pope a rhoi cymaint o glod i Philips wedi awgrymu i Pope fod Tickell o'r farn mai israddol iawn oedd ei ymdrechion ef o'u cymharu ag eiddo Philips. Gwylltiodd Pope, a chyfrannodd erthygl arall i'r *Guardian*, heb roi ei enw'i hun wrthi, gan barodïo arddull

---

[161] *ALMA* 2, llythyr 265, Lewis at Edward Richard, o Benbryn, Ionawr 24–31, 1761, t. 509.

[162] *LGO*, llythyr XLIII, at William, o Walton, Mehefin 25, 1754, t. 116.

[163] Ibid.

[164] Ibid., tt. 116–117.

ganmolus Tickell, a chanmol llinellau salaf Philips i'r entrychion a difrïo'i linellau gorau ef ei hun. Cambriodoli'r papur hwn i Addison 'roedd Goronwy wrth ddweud fod Addison wedi mabwysiadu arddull eironig, ac mai coegni oedd ei glod, mewn gwirionedd. 'Roedd Addison wedi canmol bugeilgerddi Philips ar draul bugeilgerddi Pope, ond 'roedd o ddifri yn ei ganmoliaeth. Gwnaeth Pope hwyl am ben Ambrose Philips yn *The Dunciad*. Wrth gyfeirio at 'Queen Dulness', 'She saw slow Philips creep like Tate's poor page,/And all the mighty Mad in Dennis rage', meddai,[165] a cheir cyfeiriad arall yn y llinell 'Lo! Ambrose Philips is prefer'd for Wit!'[166] Ceir nodyn difrïol ar Philips yn *The Dunciad* yn ogystal:[167]

> ... a much greater character we have of him in Mr. Gildon's Complete Art of Poetry ... 'Indeed he confesses, he dares not set him *quite on the same foot with Virgil*, lest it should *seem* flattery; but he is much mistaken if posterity does not afford him a *greater esteem* than he *at present enjoys*.' He endeavour'd to create some misunderstanding between our author and Mr. Addison, whom also soon after he abused as much. His constant cry was, that Mr. P. was an *Enemy to the government* ...

Gwyddai Edward Richard am fugeilgerddi Ambrose Philips, fel bardd a chanddo ddiddordeb yn y fugeilgerdd ei hun, ac 'roedd ganddo gryn feddwl ohono fel bugeilgerddwr. 'We have few pastoral writers of note in English,' meddai wrth ei gyn-ddisgybl, gan ychwanegu: 'Spenser and Philips are the best; but even they come far short of Theocritus'.[168]

Mae'n rhaid ystyried barddoniaeth Goronwy Owen o fewn y cyfnod a'r gymdeithas y perthynai iddyn nhw. Plentyn ei oes, fel pob bardd, oedd Goronwy, ac o fewn yr oes honno y mae'n rhaid gosod ei farddoniaeth i'w hamgyffred yn weddol lawn. Ac ymhle y saif Goronwy bellach? Os oedd canmoliaeth ei edmygwyr yn y ganrif ddiwethaf, ac yn ystod cyfran sylweddol o'r ganrif hon, yn rhy hael, 'roedd collfarniad Bobi Jones yn rhy hallt. Yn hanesyddol, mae iddo le aruthrol bwysig yn ein llenyddiaeth. Pan oedd y canu caeth yn sgerbwd o beth, a'r gynghanedd fel dillad bratiog a thyllog am y sgerbwd hwnnw, rhoddodd Goronwy, ar ei ben ei hun bron, fywyd newydd mewn hen gelain. Pan oedd y canu ar fesurau Cerdd Dafod wedi dirywio i fod yn adleisiol o gyfnodau eraill, a'r gynghanedd yn llawer llai na chysgod o'i hen ogoniant gynt, rhoddodd y gŵr hwn gyfeiriad newydd i farddoniaeth gynganeddol Gymraeg. Er cymaint y clod a gafodd Lewis am ei farddoniaeth, a rhai yn ei osod yn llawer uwch na Goronwy hyd yn oed, Goronwy oedd y gwir fardd, a'r pwysicaf o feirdd cylch y Morrisiaid. Rhoddodd themâu newydd i farddoniaeth Gymraeg, themâu a oedd yn ddigon cyffredin yn Lloegr ar y pryd,

[165] *The Dunciad, Pope: Poetical Works*, t. 479.
[166] Ibid., t. 544.
[167] Ibid.
[168] *Gwaith y Parchedig Evan Evans (Ieuan Brydydd Hir)*, Gol. D. Silvan Evans, 1876, t. 242; llythyr at Evan Evans, Mehefin 20, 1768.

ond yn ddieithr i farddoniaeth Cymru. Dangosodd y gallai barddoniaeth Gymraeg drafod pynciau amgenach na themâu traddodiadol y canu caeth. Oherwydd iddo fyw gyhyd y tu allan i Gymru, llwyddodd i roi i'r Gymraeg olygwedd newydd, a rhoi i'w barddoniaeth agwedd fwy cosmopolitanaidd, mwy rhyngwladol. Paratôdd y ffordd ar gyfer canu cynganeddol modern, drwy dynnu'r canu hwnnw o'i rigol thematig, a thrwy roi gwydnwch ei ddeallusrwydd iddi. Dylanwadodd ar genedlaethau o feirdd ar ei ôl, a chreodd gyfnod. Mae unrhyw fardd sy'n creu cyfnod yn fardd aruthrol o bwysig, ac er nad oedd y cyfnod hwnnw yn wir lewyrchus, nid bai Goronwy oedd hynny. Beirdd mawr sy'n disgleirio; beirdd llai sy'n aralleirio. Dynwaredwyd Goronwy gan feirdd llawer llai nag ef ei hun, beirdd a geisiodd droi damcaniaethau personol un gŵr yn fudiad cenedlaethol.

Oes, mae gwendidau yn ei waith, gwendidau gŵr a luniai farddoniaeth yn ei famiaith mewn alltudiaeth, a'i swydd a gofalon teuluol yn faich ar ei war, ac yn ei rwystro rhag ymroi yn ddilyffethair i berffeithio'i ddawn a'i grefft; canodd heb eiriaduron dibynadwy wrth ei benelin, a heb wir gyfeillach beirdd. Safai ben ac ysgwydd uwchlaw ei gyfoeswyr yn y canu caeth; os cymharwn gywydd Goronwy i Ddydd y Farn â chywydd William Wynne ar yr un testun, daw'r gwahaniaeth syfrdanol rhwng y ddau i'r amlwg ar unwaith. Darn o aur pur newydd ei fathu yw cywydd y naill, ond y mowld gwag y bathwyd y darn aur ynddo yw barddoniaeth y llall. Ieuan Fardd, ar ei orau, oedd yr agosaf at Goronwy o safbwynt nerth a grym. Mae grym ac awdurdod yng ngwaith Goronwy ar ei orau. Mae nifer o'i linellau a'i gwpledi gyda'r mwyaf adnabyddus yn y Gymraeg, o 'Chwilio gem a chael gwymon' hyd at 'Y lle bûm yn gware gynt/ Mae dynion na'm hadwaenynt'.

Mae dwy agwedd bendant ar ei waith ac ar ei ddull o farddoni. Pan ganai o'i enaid a'i galon, heb gaethiwo'i awen o fewn gefynnau damcaniaeth ac uchelgais, gallai gyrraedd perffeithrwydd a mawredd. Un o'i gywyddau pwysicaf ac enwocaf yw Cywydd y Farn, ond, ar lawer ystyr, ceir mwy o'i wendidau nag o'i ragoriaethau ynddo. Canu yn ôl damcaniaeth ac uchelgais a wnâi yn y cywydd. Lluniwyd y fersiwn terfynol ohono oddeutu'r adeg y dechreuodd freuddwydio am lunio cerdd epig, ac ymarferiad llenyddol, arbrawf mewn iaith ac arddull aruchel, yw'r cywydd hwnnw, yn hytrach na cherdd a luniwyd yn ôl cymhelliad ac ysgogiad. Mae'r eirfa hynafol, ddyrchafol yn ymdrech i ddod o hyd i iaith addas ar gyfer canu aruchel o'r fath, ond nid iaith nac arddull Goronwy mo'r hyn a geir yn y cywydd. Pwnc digon cyffredin ymhlith beirdd Lloegr yn ystod yr oes Awgwstaidd oedd 'Dydd y Farn', ac anodd deall pam, gan fod y testun yn ei hanfod yn hollol groes i'r oes; anodd dirnad sut y gallai testun mor ganoloesol apelio at oes mor wyddonol a goleuedig. Canu yn ôl ffasiwn a chonfensiwn a wna Goronwy, felly, yn y cywydd. Gwelodd Saunders Lewis ddylanwad posib *The Last Day* Edward Young, a gyhoeddwyd ym 1713, ar gywydd Goronwy, ac mae tebygrwydd pendant rhwng y ddwy gerdd. Tynnodd Saunders Lewis sylw at y tebygrwydd rhwng

Now an archangel eminently bright,
From off his silver staff of wondrous height,
Unfurls the Christian flag, which waving flies,
And shuts and opens more than half the skies;
The Cross so strong a red, it sheds a stain,
Where'er it floats, on earth, and air, and main ...

Edward Young, a'r darn canlynol yng Nghywydd y Farn:[169]

Daw angylion, lwysion lu,
Llym naws, â lluman Iesu.
Llen o'r ffurfafen a fydd
Mal cynfas, mil a'i cenfydd,
Ac ar y llen wybrennog
E rydd Grist arwydd Ei grog.

Mae tebygrwydd mawr hefyd rhwng disgrifiad Young o'r cythrwfwl a'r terfysgu ym myd natur ar y diwrnod tyngedfennol, ac mae disgrifiad Goronwy o'r chwilfriwio hwn ar yr holl fydysawd yn dilyn trefn llinellau a rhediad meddwl Edward Young hyd yn oed. Dyma Young:

In sudden night all earth's dominion lay;
Impetuous winds the scatter'd forest rend;
Eternal mountains, like their cedars, bend;
The valleys yawn, the troubled ocean roar,
And break the bondage of his wonted shore;
A sanguine stain the silver moon o'erspread;
Darkness the circle of the sun invade;
From inmost heaven incessant thunders roll,
And the strong echo bound from pole to pole.
When lo, a mighty trump, one half conceal'd
In clouds, one half to mortal eye reveal'd,
Shall pour a dreadful note; the piercing call
Shall rattle in the centre of the ball;
The extended circuit of creation shake,
The living die with fear, the dead awake.

A dyma Goronwy:[170]

Pob cnawd o'i heng a drenga,
Y byd yn ddybryd ydd â:
Gloes oerddu'n neutu natur,

---

[169] 'Dydd y Farn', *Blodeugerdd Barddas o Ganu Caeth y Ddeunawfed Ganrif*, t. 94.
[170] Ibid., tt. 94–95.

Daear a hyllt, gorwyllt gur.
Pob creiglethr crog a ogwymp,
Pob gallt a gorallt a gwymp.
Ail i'r âr ael Eryri,
Cyfartal hoywal â hi.
Gorddyar, bâr a berwias
Yn ebyr, ym mŷr, ym mas.
Twrdd ac anferth ryferthwy,
Dygyfor, ni fu fôr fwy ...
Y wenlloer yn oer ei nych,
Hardd leuad ni rydd lewych.
Syrth nifer y sêr – arw sôn! –
Drwy'r wagwybr draw i'r eigion.

Er iddo dybio fod Goronwy yn gyfarwydd â cherdd Young, credai Saunders Lewis fod cerdd arall gan John Pomfret, 'A Pindaric Essay on the General Conflagration and Ensuing Judgement', a gyhoeddwyd ym 1702, yn amlycach yn ei dylanwad ar y cywydd. Mae'n dyfynnu'r llinellau hyn, sy'n cyfateb i ddisgrifiadau Young a Goronwy o'r cyffro a'r cythrwfwl ym myd natur, ar ôl i'r angel, yng nghywydd Goronwy, seinio'r 'Corn anfeidrol ei ddolef':

The Sun by Sympathy concern'd
At those convulsions, Pangs, and Agonies,
    Which on the whole Creation seize,
Is to substantial darkness turn'd.
The neighbouring moon, as if a purple Flood,
    O'erflow'd her tottering orb, appears
Like a huge mass of black corrupting blood;
For she herself a dissolution fears.
The larger Planets which once shone so bright,
With the reflected rays of borrow'd light,
Shook from their Center, without motion lie ...
The great Archangel his loud trumpet blows,
At whose amazing sound, fresh Agonies
Upon expiring Nature seize;
For now she'll in few minutes know
Th'ultimate Event and Fate of all below.
    Awake, ye dead, awake, he cries,
      For all must come,
    All that had human breath, arise
    To hear your last unalterable doom.

Cymherir y darn yng ngherdd Pomfret sy'n disgrifio'r Barnwr yn disgyn o'r nef i'r ddaear, o blith côr o angylion yn yr awyr, â'r darn sy'n cyfateb i hynny yng nghywydd Goronwy:

Two mighty books are by two angels brought,
In this impartially recorded, stands
The law of Nature, and Divine Commands;
In that, each Action, Word and Thought,
Whate'er was said in secret, or in secret wrought.

Cymharer â Goronwy:[171]

Y dorf ar gyrch, dirfawr gad,
Â'n union gerbron Ynad ...
Cyflym y cyrchir coflyfr,
A daw i'w ddwy law ddau lyfr ...
Egorir a llëir llith
O'r ddeulyfr, amryw ddwylith:
Un llith o fendith i fad,
I'r diles air deoliad.

Dangosodd Saunders Lewis hefyd y gwahaniaeth rhwng y modd yr anfonir y rhai da a chyfiawn i'r nef a'r rhai drwg ac anghyfiawn 'i uffern ddofn a'i ffwrn ddu' yn y ddwy gerdd. Ymarferiad deallusol ar batrwm cydnabyddedig oedd cywydd Goronwy, ymdrech fwriadus a chlinigol i lunio cerdd gonfensiwn. Mae cerddi eraill yn perthyn i'r confensiwn hwnnw heblaw cerddi Young a Pomfret. Nid yw Saunders Lewis yn crybwyll cerdd Isaac Watts, 'The Day of Judgement: an Ode', er enghraifft, cerdd bur adnabyddus yn y ddeunawfed ganrif, a cherdd a luniwyd yn gynnar yn y ganrif, ym 1706. Gan mai cerdd a ddilynai'r un confensiwn yn union â'r lleill yw cerdd Watts, ceir yr un elfennau ynddi ag a geir yn y cerddi eraill:

Such shall the noise be, and the wild disorder,
(If things eternal may be like these earthly)
Such the dire terror when the great archangel
Shakes the creation ...

Hopeless immortals! how they scream and shiver
While devils push them to the pit wide yawning
Hideous and gloomy, to receive them headlong
Down to the centre.

Cerdd arall yn yr un confensiwn yw 'The Day of Judgement' Jonathan Swift, ond ym 1774 y cyhoeddwyd honno gyntaf, flynyddoedd ar ôl marwolaeth ei hawdur.

Os benthyciodd Goronwy unrhyw elfennau oddi ar Pomfret ac eraill, trefn a rhediad meddwl yn unig oedd yr elfennau hynny. 'It is this agreement as to the order of the

---

[171] Ibid., tt. 95–96.

incidents of the drama which suggest that Pomfret ... was known to Goronwy,' meddai Saunders Lewis.[172] Gan y Beibl ei hun y cafodd Goronwy ei brif ddeunydd, ac adleisir sawl adnod yn y cywydd. Er hynny, rhaid peidio â thybio mai rhoi gwisg Gymreig am gorff Seisnig a wnaeth, oherwydd 'roedd peth gwaed Cymreig yn llifo drwy wythiennau'r corff hwnnw. Benthyciodd Goronwy lawer oddi ar gywydd Siôn Cent i'r Farn Fawr. Yn y cywydd hwnnw, mae Crist y barnwr yn gyrru'r rhai da i entrychion nef a'r rhai drwg i waelodion uffern:[173]

> " ... Aed y rhai da, saethfa sêr,
> I nefoedd fry, a'u nifer.
> Aed y rhai melltigedig
> I uffern ddu a'i ffwrn ddig."
> Hwy yno a wahenir,
> Rai drwg, diawl a'u dwg i dir.
> Yno y rhôn' yn unawr
> Eu llef hyd pan gryno'r llawr ...
> A'r rhai da, fal rhyw dyaid,
> I'r nef y cyrchant ar naid.

Cymharer â Goronwy:[174]

> Y cyfion a dry Iôn draw,
> Dda hil, ar ei ddeheulaw.
> Troir dyhir a hyrddir hwy
> I le is ei law aswy.
> Ysgwyd y nef tra llefair
> Iesu fad, a saif ei air:
> "Hwt! gwydlawn felltigeidlu,
> I uffern ddofn a'i ffwrn ddu ..."
> "Dowch i hedd, a da'ch haddef,
> Ddilysiant anwylblant nef ..."

Ac fel Siôn Cent, mae Goronwy yn moli harddwch a hyfrydwch y nefoedd tua therfyn ei gywydd. Dywedodd Saunders Lewis fod Goronwy yn ddyledus i Siôn Cent am rai o'i gynganeddion, hyd yn oed, a gwir hynny, ac mae cwpled fel 'Try allan ddynion trillu,/ Y sydd, a fydd ac a fu' Goronwy[175] er enghraifft, yn adleisio 'Pob llu a fu ac a fydd' yng nghywydd Siôn Cent,[176] ac amlwg yw'r benthyg yn y llinell 'I uffern ddofn a'i ffwrn ddu' gan Goronwy. Mae rhai llinellau eraill o eiddo Goronwy mewn cywyddau eraill hefyd yn

---

[172] *A School of Welsh Augustans*, t. 105.

[173] 'I'r Farn Fawr', *Cywyddau Iolo Goch ac Eraill*, tt. 282-283.

[174] 'Dydd y Farn', *Blodeugerdd Barddas o Ganu Caeth y Ddeunawfed Ganrif*, t.96.

[175] Ibid., t. 95.

[176] 'I'r Farn Fawr', *Cywyddau Iolo Goch ac Eraill*, t. 281.

adleisio rhai llinellau gan Siôn Cent: er enghraifft, mae'r llinell 'Pan ganer trwmp Iôn gwiwnef', yn y Cywydd yn Ateb y Bardd Coch,[177] yn adleisio 'Pan ganer trwmp un gynnadl' gan Siôn Cent yn y cywydd i'r Farn Fawr,[178] ac mae llinell Goronwy, 'Yw Dydd Barn a diwedd byd'[179] yn adlais pendant o linell Siôn Cent, 'A diwedd byd yw dydd barn'.[180]

Mae'n drueni, ar lawer ystyr, i feirniaid Cymru roi cymaint pwys a gwerth ar y cywydd hwn, a'i osod, gyda'r ail Gywydd Hiraeth am Fôn, uwchlaw popeth arall. Ffrwyth ei ddarllen, cynnyrch ei wybodaeth, yw'r cywydd; nid o ddyfnder ei enaid y daeth ond o blygion ei ymennydd. 'It seems to me at present that the Author shews more Reading than Genius,' meddai Edward Richard am y cywydd wrth Evan Evans.[181] Collfarnwyd y cywydd yn llym gan Bobi Jones, gyda pheth cyfiawnhad, ac er bod darnau rhagorol ynddo, a chynllun gweddol dynn, oerni deallusrwydd yn hytrach nag angerdd argyhoeddiad a geir ynddo; ond rhaid cadw mewn cof mai ceisio teimlo ei ffordd yr oedd Goronwy ynddo. Pensaer ac adeiladydd sydd yma yn archwilio'i ddeunydd ac yn darparu'i gynlluniau cyn bwrw iddi i godi'r tŷ ei hun. Sylweddolai Lewis Morris mai amcanu at ganu epig 'roedd Goronwy, ond ni wyddai yn iawn, wrth annerch Cymdeithas y Cymmrodorion, ym mha ddosbarth o ganu y dylid gosod y cywydd. 'It is perhaps too short and hath not action enough for an Heroic poem, tho' the matter & Stile is purely heroic,' meddai, gan awgrymu mai 'a kind of a Peaceable Heroic Poem' oedd y cywydd.[182]

Mae cywydd fel y farwnad i Marged Morris yn rhagori ganwaith ar Gywydd y Farn, oherwydd bod anwyldeb cynnes, angerdd tawel, dwys, a mynegiant cynnil, cofiadwy wedi disodli'r oerni deallusol a'r arucheledd dieithr, pell. Cofiai Goronwy yn annwyl am y wraig gymwynasgar hon a fu mor garedig wrtho yn ei blentyndod, a gallai ganu o'i wirfodd heb gael ei gloffi gan ddamcaniaethau. Mewn gair, Goronwy ar ei leiaf bwriadus a'i fwyaf naturiol yw'r gwir fardd. Ceir yn y cywydd gwpledi syfrdanol, cwbl berffaith, fel y cwpled amdani hi a'i phriod:[183]

> Deuddyn un enaid oeddynt,
> Dau ffyddlon un galon gynt.

A'r cwpled hyfryd hwn:[184]

[177] 'Cywydd yn Ateb y Bardd Coch o Fôn', *Blodeugerdd Barddas o Ganu Caeth y Ddeunawfed Ganrif*, t. 115.
[178] 'I'r Farn Fawr', *Cywyddau Iolo Goch ac Eraill*, t. 281.
[179] 'Dydd y Farn', *Blodeugerdd Barddas o Ganu Caeth y Ddeunawfed Ganrif*, t. 93.
[180] 'I'r Byd', *Cywyddau Iolo Goch ac Eraill*, t. 257.
[181] Llsgr. Llyfrgell Genedlaethol Cymru, Panton 74, t. 172.
[182] 'Cywydd y Farn Fawr by Goronwy Owain: with Notes by the celebrated Poet and Antiquary, Lewis Morris (Llewelyn Ddu)': llsgr. yn llaw Lewis Morris yn Llyfrgell Ganolog Dinas Abertawe, t. viii.
[183] 'Marwnad Marged Morris', *Blodeugerdd Barddas o Ganu Caeth y Ddeunawfed Ganrif*, t. 90.
[184] Ibid., t. 91.

> Os oes rhinwedd ar weddi,
> Ffynnu wna mil o'i hil hi.

Ac wedyn y cwpled perffaith hwn yn ei wrthgyferbyniad a'i gyfochredd cymen:[185]

> Rhy dda i'r byd ynfyd oedd;
> Iawn i fod yn nef ydoedd.

Ac i gloi, un arall:[186]

> Dedwydd, O! enaid, ydwyt,
> Llaw Dduw a'n dyco lle'dd wyt.

Dyna Goronwy ar ei berffeithiaf, a'i berffeithrwydd yn gynnyrch bardd o gryn statws. Mae'r deyrnged i Marged Morris wedi'i mynegi mewn iaith rywiog, naturiol, yn hytrach nag iaith eiriadurol Cywydd y Farn. Dyma'r wyneb plaen a naturiol hardd â'r croen iach heb yr haenau trwchus o hen golur caled a sych yn ei guddio:[187]

> Toliant ar lawer teulu
> Ar led am Farged a fu.
> Amddifaid a gweiniaid gant,
> Achenawg, a achwynant
> Faint eu harcholl a'u colled
> Farw gwraig hael lle bu cael ced.
> Llawer cantorth o borthiant
> Rôi hon lle bai lymion blant ...
> Di-ball yn ôl ei gallu,
> Rhwydd a chyfarwydd a fu ...
> Rhôi wrth raid gyfraid i gant,
> Esmwythai glwyfus methiant.
> Am gyngor doctor nid aeth
> Gweiniaid, na meddyginiaeth.
> Dilys, lle bai raid eli
> Fe'i caid. Nef i'w henaid hi.

Darn gwannaf y cywydd yw'r darn sy'n sôn am ei meibion, ac yma mae'r hen ystrydebau yn llifo i mewn eto. Wrth sôn am Marged Morris, mae'r galar yn bersonol ac yn ddiffuant a'r farddoniaeth yn loyw ac yn llawn o angerdd argyhoeddiad, ond trwy dybio na ellid sôn am y fam heb sôn am y meibion, unwaith yn rhagor mae oerni damcaniaeth yn difetha'r cywydd o safbwynt undod.

---

[185] Ibid., 92.
[186] Ibid., t. 93.
[187] Ibid., tt. 90–91.

Mae'n ddigon hawdd adnabod y Goronwy damcaniaethus, hunan-ymwybodol. Mae'r eirfa'n farw, y syniadau'n dreuliedig a'r gynghanedd yn swnllyd. Yn y Cywydd Ateb, er enghraifft, wrth sôn am rywbeth sy'n agos at ei galon, sef ei alwedigaeth fel bardd, mae'r llinellau'n syml ac yn orffenedig, ac yn syfrdanol weithiau, fel y llinell ysgytwol honno, 'Fy mharchus arswydus swydd', un o linellau mwyaf unig barddoniaeth Gymraeg. Mae'r gloywder yna hefyd wrth ddisgrifio ffrwythlondeb a llawnder Môn, yn wrthrychol o bellter, fel petai, ond unwaith y mae'n mynegi'i awydd i ddychwelyd i'r ynys, mae'r hen rethreg a'r hen arddull hynaflyd yn dod yn ôl. 'Doedd Goronwy ddim o ddifri am ddychwelyd i Fôn, a ffug angerdd a geir yma, gŵr yn udo crio yn gyhoeddus mewn angladd rhag i'r galarwyr eraill ganfod y twyll:[188]

Clywaf arial i'm calon
A'm gwythi, grym ynni Môn;
Craffrym fel cenllif creffrwd
Uwch eigion, a'r fron yn frwd.
Gorthaw, don, dig wrthyd wyf;
Llifiaint, distewch tra llefwyf.

Yma, mae'r mwgwd dagreuol yn cuddio'r wên dwyllodrus; ond yng nghanol darnau diflas o'r fath, ceir llawer iawn o berffeithrwydd yn ei waith. Mae nifer o'i linellau unigol a'i gwpledi gorau yn rhan o'r iaith Gymraeg ei hun, bellach, ac wedi ymgartrefu ynddi fel diarhebion bron. Mae hynny, yn y pen draw, yn fwy o gamp ac yn fwy o gyflawniad na'r ffaith iddo sefydlu cyfnodau a mudiadau llenyddol newydd a phennu cyfeiriadau newydd i feirdd ac i farddoniaeth Gymraeg. Bydd iddo le am byth yn hanes llên ei genedl, ei bardd-oniaeth a'i chwedloniaeth.

---

188 'Cywydd yn Ateb y Bardd Coch o Fôn', ibid., t. 113.

Mynegai